법무사
5개년 기출문제집

오상훈·하영태·이혁준·김지후·김경중·김기찬·이천교 공편저

1차 | 진도별 전과목 수록 2권 제1판

제3과목 민사집행법, 상업등기법 및 비송사건절차법
제4과목 부동산등기법, 공탁법

박문각 법무사

🖉 응시자격

제2차 시험일(시험을 수일간 실시하는 경우 최종일)을 기준으로 법무사법 제6조의 결격사유가 없어야 하며, 법무사규칙 제15조의 규정에 의하여 응시자격을 정지당한 자는 응시할 수 없다.

🖉 시험방법

가. 제1차 시험 : 객관식 필기시험
나. 제2차 시험 : 주관식 필기시험

🖉 시험과목

구분	제1차 시험	제2차 시험
제1과목	헌법(40), 상법(60)	민법(100)
제2과목	민법(80), 가족관계의 등록 등에 관한 법률(20)	형법(50), 형사소송법(50)
제3과목	민사집행법(70), 상업등기법 및 비송사건절차법(30)	민사소송법(70), 민사사건관련서류의 작성(30)
제4과목	부동산등기법(60), 공탁법(40)	부동산등기법(70), 등기신청서류의 작성(30)

※ 괄호 안의 숫자는 각 과목별 배점비율임.

🖉 응시원서 접수

1 접수방법 등

가. 「대한민국 법원 시험정보」 인터넷 홈페이지(http://exam.scourt.go.kr)에 접속하여 접수할 수
　　있음.
나. 구체적인 방법은 접수기간 중에 시험정보 인터넷 홈페이지에서 처리단계별로 안내함.
다. 원서접수 시에는 미리 3.5㎝×4.5㎝ 크기의 모자를 쓰지 않은 상반신 사진(디지털 사진
　　또는 스캐닝 사진)을 jpg(jpeg) 형식의 파일(해상도 100, 3.5㎝×4.5㎝)로 준비하여야 하고,
　　응시수수료 10,000원 외에 별도의 처리비용(카드결제, 실시간 계좌이체, 휴대폰결제)이
　　소요됨.

2 원서접수 시 유의사항

(1) 응시자는 응시원서에 표기한 제1차 시험의 응시지역(서울, 대전, 대구, 부산, 광주)에서만 응시할 수 있음.
(2) 응시지역은 주소지에 관계없이 선택할 수 있음.
(3) 응시원서 접수기간 내에는 기재사항(응시지역 등)을 수정할 수 있으나, 접수기간이 종료한 후에는 기재사항을 변경할 수 없음.
(4) 응시원서를 접수한 후 취소마감일까지 원서접수를 취소한 경우와 시험 당일 불가피한 사유로 시험에 응시하지 못한 경우로써 「법무사법 및 법무사규칙의 시행에 관한 예규」 제3조 제1항에 해당하는 경우에는 응시수수료를 환불해 줌.

시험의 일부면제

가. 법무사법 제5조의2 제1항에 의한 경력이 있는 자는 제1차 시험을 면제함.
나. 법무사법 제5조의2 제2항에 의한 경력이 있는 자는 제1차 시험의 전과목과 제2차 시험과목 중 제1과목 및 제2과목을 면제함.
다. 제1차 시험에 합격한 자에 대하여는 다음 회의 시험에 한하여 제1차 시험을 면제함.
라. 시험의 일부('가항 내지 다항'에 해당하는 자)를 면제받고자 하는 자는 당해 시험의 응시자격 요건을 갖추어야 하며, 응시원서 접수기간 내에 면제사항을 기재한 응시원서를 반드시 접수하여야 함.
마. '가 및 나'항의 경력산정은 당해 시험의 제2차 시험일(시험을 수일간 실시하는 경우 첫 일자)을 기준으로 함.
바. '가 및 나'항에 의하여 시험의 일부 면제를 받고자 하는 자는 해당 근무경력사항이 포함된 경력증명서를 응시원서 접수기간 내에 법원행정처 인사운영심의담당실로 제출하여야 함.

합격자 결정

법무사규칙 제13조에 의함.

※ 기타사항은 법무사시험 공고문 참조

차례

CONTENTS | PREFACE | GUIDE

차례

CONTENTS | PREFACE | GUIDE

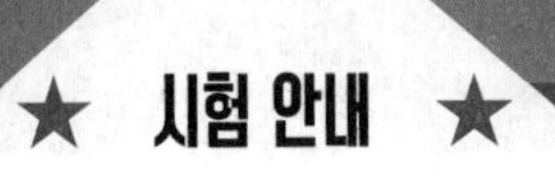

연도별 법무사 제1차 시험 합격인원 및 합격선

구분	선발예정인원	출원자	합격인원	합격선	비고
제1회(1992년도)	60명	8,259명	311명(5배수)	65.5	최종합격자 59명
제2회(1994년도)	60명	4,438명	301명(5배수)	71.5	최종합격자 60명
제3회(1996년도)	80명	3,272명	421명(5배수)	70.0	최종합격자 80명
제4회(1998년도)	30명	6,622명	127명(4배수)	73.5	최종합격자 30명
제5회(1999년도)	50명	9,229명	154명(3배수)	80.5	최종합격자 52명
제6회(2000년도)	80명	8,004명	245명(3배수)	83.0	최종합격자 80명
제7회(2001년도)	100명	6,706명	312명(3배수)	84.0	최종합격자 101명
제8회(2002년도)	100명	6,697명	307명(3배수)	85.5	최종합격자 100명
제9회(2003년도)	100명	6,633명	318명(3배수)	85.0	최종합격자 100명
제10회(2004년도)	120명	6,619명	388명(3배수)	86.0	최종합격자 121명
제11회(2005년도)	120명	5,602명	365명(3배수)	83.0	최종합격자 122명
제12회(2006년도)	120명	5,158명	373명(3배수)	77.5	최종합격자 123명
제13회(2007년도)	120명	4,811명	386명(3배수)	77.0	최종합격자 121명
제14회(2008년도)	120명	4,340명	364명(3배수)	73.5	최종합격자 120명
제15회(2009년도)	120명	4,266명	382명(3배수)	72.5	최종합격자 120명
제16회(2010년도)	120명	4,100명	365명(3배수)	75.0	최종합격자 121명
제17회(2011년도)	120명	3,798명	370명(3배수)	73.0	최종합격자 121명
제18회(2012년도)	120명	3,511명	373명(3배수)	71.5	최종합격자 121명
제19회(2013년도)	120명	3,226명	371명(3배수)	69.5	최종합격자 120명
제20회(2014년도)	120명	3,333명	362명(3배수)	67.0	최종합격자 122명
제21회(2015년도)	120명	3,261명	367명(3배수)	60.5	최종합격자 121명
제22회(2016년도)	120명	3,513명	376명(3배수)	64.5	최종합격자 124명
제23회(2017년도)	120명	3,625명	364명(3배수)	61	최종합격자 122명
제24회(2018년도)	120명	3,704명	371명(3배수)	58.5	최종합격자 121명
제25회(2019년도)	120명	3,795명	368명(3배수)	60.0	최종합격자 121명
제26회(2020년도)	120명	4,072명	376명(3배수)	65.0	최종합격자 124명
제27회(2021년도)	130명	4,910명	403명(3배수)	62.5	최종합격자 132명
제28회(2022년도)	130명	5,646명	393명(3배수)	60.5	최종합격자 146명
제29회(2023년도)	130명	7,616명	400명(3배수)	59.5	최종합격자 167명
제30회(2024년도)	130명	8,255명	400명(3배수)	60.0	최종합격자 195명
제31회(2025년도)	140명	8,154명	431명(3배수)	64.5	최종합격자 221명

✐ 법무사 제2차 시험 응시대상자수

시행연도	선발인원	1차 면제자	1차 합격자	2차 응시인원	합격점수
2003년도(제9회)	100	263	318	581	53.38
2004년도(제10회)	121	310	388	698	54.13
2005년도(제11회)	122	331	365	696	51.38
2006년도(제12회)	123	352	373	725	53.00
2007년도(제13회)	121	343	386	729	53.00
2008년도(제14회)	120	359	364	723	41.81
2009년도(제15회)	120	329	382	711	55.88
2010년도(제16회)	121	348	365	713	63.38
2011년도(제17회)	121	320	370	690	53.31
2012년도(제18회)	121	315	373	688	53.63
2013년도(제19회)	120	344	371	715	53.23
2014년도(제20회)	122	334	362	696	53.94
2015년도(제21회)	121	330	367	697	52.90
2016년도(제22회)	124	336	376	712	54.00
2017년도(제23회)	122	345	364	709	50.70
2018년도(제24회)	121	329	371	700	53.60
2019년도(제25회)	121	340	368	708	57.54
2020년도(제26회)	124	341	376	717	56.49
2021년도(제27회)	132	375	403	778	48.82
2022년도(제28회)	146	459	393	852	50.06
2023년도(제29회)	167	596	400	996	53.90
2024년도(제30회)	195	731	400	1,131	52.43
2025년도(제31회)	221	673	406	1,079	50.00

※ 1998년도 제4회 시험 응시자부터 1차 시험 면제제도 시행

민사집행법

PART 01

총칙

총칙

01 다음 설명 중 가장 옳지 않은 것은?

▶ 2021 법무사

① 집행관은 집행을 하기 위하여 필요한 경우에는 채무자의 주거·창고 그 밖의 장소를 수색하고, 잠근 문과 기구를 여는 등 적절한 조치를 할 수 있고, 이 경우에 저항을 받으면 집행관은 경찰 또는 국군의 원조를 요청할 수 있다.

② 집행관 외의 사람으로서 법원의 명령에 의하여 민사집행에 관한 직무를 행하는 사람은 그 신분 또는 자격을 증명하는 문서를 지니고 있다가 관계인이 신청할 때에는 이를 내보여야 하고, 그 사람이 그 직무를 집행하는 데 저항을 받으면 집행관에게 원조를 요구할 수 있다.

③ 공휴일과 야간에는 법원의 허가가 있어야 집행행위를 할 수 있고, 이때 허가명령은 민사집행을 실시할 때에 내보여야 한다.

④ 민사집행의 신청은 구두 또는 서면으로 한다.

⑤ 집행관은 집행조서를 작성하여야 하고, 조서에는 '집행한 날짜와 장소, 집행의 목적물과 그 중요한 사정의 개요, 집행참여자의 표시, 집행참여자의 서명날인, 집행참여자에게 조서를 읽어 주거나 보여 주고 그가 이를 승인하고 서명날인한 사실, 집행관의 기명날인 또는 서명'에 관한 사항을 밝혀야 한다.

해설 ① 법 제5조(집행관의 강제력 사용)

① 집행관은 집행을 하기 위하여 필요한 경우에는 채무자의 주거·창고 그 밖의 장소를 수색하고, 잠근 문과 기구를 여는 등 적절한 조치를 할 수 있다.

② 제1항의 경우에 저항을 받으면 집행관은 경찰 또는 국군의 원조를 요청할 수 있다.

③ 제2항의 국군의 원조는 법원에 신청하여야 하며, 법원이 국군의 원조를 요청하는 절차는 대법원규칙으로 정한다.

② 법 제7조(집행관에 대한 원조요구)

① 집행관 외의 사람으로서 법원의 명령에 의하여 민사집행에 관한 직무를 행하는 사람은 그 신분 또는 자격을 증명하는 문서를 지니고 있다가 관계인이 신청할 때에는 이를 내보여야 한다.

② 제1항의 사람이 그 직무를 집행하는 데 저항을 받으면 집행관에게 원조를 요구할 수 있다.

③ 제2항의 원조요구를 받은 집행관은 제5조 및 제6조에 규정된 권한을 행사할 수 있다.

③ 법 제8조(공휴일·야간의 집행)

① 공휴일과 야간에는 <u>법원의 허가</u>가 있어야 집행행위를 할 수 있다.

② 제1항의 허가명령은 민사집행을 실시할 때에 내보여야 한다.

④ 법 제4조(집행신청의 방식)

민사집행(**2편, 3편**)의 신청은 <u>서면으로 하여야 한다</u>. (**전자신청**○)

⑤ 법 제10조(집행조서)

① 집행관은 집행조서(執行調書)를 작성하여야 한다.

② 제1항의 조서(調書)에는 다음 각호의 사항을 밝혀야 한다.

1. 집행한 날짜와 장소
2. 집행의 목적물과 그 중요한 사정의 개요
3. 집행참여자의 표시
4. 집행참여자의 서명날인
5. 집행참여자에게 조서를 읽어 주거나 보여 주고, 그가 이를 승인하고 서명날인한 사실
6. 집행관의 기명날인 또는 서명

③ 제2항 제4호 및 제5호의 규정에 따라 서명날인할 수 없는 경우에는 그 이유를 적어야 한다.

02 집행기관에 관한 다음 설명 중 가장 옳지 않은 것은? ▸ 2023 법무사

① 민사집행의 실시는 원칙적으로 집행관이 하나, 비교적 복잡한 법률판단을 필요로 하는 집행행위라든가 관념적인 명령으로 족한 집행처분 등은 민사집행법상 특별히 규정을 두어 집행법원이 담당하도록 하고 있고, 또 집행관이 실시하는 집행에 관하여도 신중을 기할 필요가 있는 경우에는 집행법원의 협력이나 간섭이 필요하도록 하고 있다.

② 집행관은 법령에서 정하는 바에 따라 재판의 집행, 서류의 송달, 그 밖의 사무에 종사하는 독립된 단독제의 사법기관이고, 국가로부터 봉급을 받지는 아니한다. 따라서 그 직무상 당연히 알아야 할 관계 법규를 알지 못하거나 필요한 지식을 갖추지 못하였고 또한 조사를 게을리 하여 법규의 해석을 그르쳤고 이로 인하여 타인에게 손해를 가한 경우 국가는 손해배상의무가 배제된다.

③ 집행법원은 법률에 특별히 지정되어 있지 아니하면 집행절차를 실시할 곳이나 실시한 곳을 관할하는 지방법원이다. 다만 부동산과 채권에 대한 가압류·가처분 명령의 집행은 신속을 요하기 때문에 그 집행법원은 가압류·가처분 명령을 한 법원으로 한다.

④ 집행법원은 원칙적으로 단독판사로 구성되고, 2005.7.1.부터는 법원조직법 제54조에 의하여 신설된 '사법보좌관'이 집행법원의 사무 중 상당 부분을 처리하고 있다.

⑤ 청구의 내용과 관련하여 구체적인 집행방법을 판정하는 것이 필요한 경우로서 대체집행과 간접강제는 제1심 법원이 집행기관이 되고, 외국에서 강제집행을 할 경우에 그 외국 공공기관의 법률상 공조를 받을 수 있는 때 또는 외국에 머물고 있는 대한민국 영사에 의하여 강제집행을 할 수 있는 때에는 제1심 법원이 그 외국 공공기관에 또는 영사에게 촉탁하여야 한다.

> **해설** ① 집행법원은 민사집행법에서 규정한 집행행위에 관한 법원의 처분이나 그 행위에 관한 법원의 협력사항을 관할하는 법원을 말한다(법 제3조 제1항). 민사집행의 실시는 원칙적으로 집행관이 하나(법 제2조), 비교적 복잡한 법률적 판단을 요하는 집행행위라든가 관념적인 명령으로 족한 집행처분에 관하여는 민사집행법상 특별히 규정을 두어 법원으로 하여금 이를 담당하도록 하고 있고, 또 집행관이 실시하는 집행에 관하여도 신중을 기할 필요가 있는 경우에는 법원의 협력이나 간섭이 필요하도록 하고 있는데, 이러한 행위를 하는 법원이 곧 집행법원이다.

정답 01 ④ 02 ②

② 집행관은 법률이 정하는 바에 따라 재판의 집행, 서류의 송달, 그 밖에 법령에 따른 사무에 종사하는 독립된 단독제의 사법기관이다(법원조직법 제55조, 집행관법 제2조). 집행관은 자기의 판단과 책임하에 독립적으로 국가의 권한을 행사하는 기관이고 법원 또는 법관의 단순한 보조기관이 아니다. 집행관이 그 직무를 수행함에 있어 주의의무를 위배함으로써 손해를 가한 경우 국가는 그 피해자에게 국가배상법 제2조에 의하여 손해를 배상할 의무가 있다(대판 1966.7.26, 66다854; 대판 1968.5.7, 68다326).

③ 집행법원은 법률에 특별히 집행법원이 지정되어 있지 아니하면 원칙적으로 집행절차를 실시할 곳이나 실시한 곳을 관할하는 지방법원이며(법 제3조 제1항), 단독판사가 담당한다(법원조직법 제7조 제4항). 다만 부동산과 채권에 대한 가압류·가처분 명령의 집행은 특히 신속을 요하기 때문에 그 집행법원은 가압류·가처분 명령을 한 법원으로 한다(법 제293조 제2항, 제296조 제2항, 제301조).

④ 법원조직법 제54조를 개정하면서 사법보좌관 제도를 도입하여 2005.7.1.부터 시행하고 있다. 사법보좌관제도가 도입됨으로써 종전에 판사가 수행하던 대부분의 집행법원의 사무는 사법보좌관이 처리하고 있고, 이에 따라 집행절차에 있어서의 불복방법 중 즉시항고 등에 많은 변화가 일어나게 되었다

⑤ 청구의 내용과 관련하여 구체적인 집행방법을 판정하는 것이 필요한 경우로서 대체집행(법 제260조, 민법 제389조)과 간접강제(법 제261조)는 제1심 수소법원이 관할한다. 외국에서 강제집행을 할 경우에 그 외국 공공기관의 법률상 공조를 받을 수 있는 때 또는 외국에 머물고 있는 대한민국 영사에 의하여 강제집행을 할 수 있는 때에는 제1심 수소법원이 채권자의 신청에 따라 공조 또는 강제집행을 촉탁한다(법 제55조).

03 즉시항고에 관한 다음 설명 중 가장 옳지 않은 것은?

▶ 2024 법무사

① 집행비용액확정결정은 집행종료 후의 재판으로서 집행비용액확정결정에 대한 즉시항고에는 항고이유서제출에 관한 민사집행법 제15조 제3항 및 제5항이 적용될 수 없다.

② 집행정지서류가 제출되었음에도 집행기관이 집행을 정지하지 아니하고 집행처분을 하였으나 집행에 관한 이의신청 또는 즉시항고 없이 강제집행절차가 그대로 완결된 경우, 집행행위에 따라 발생된 법률효과를 부인할 수 없다.

③ 자신에게 주식양도명령이 송달되기 전에 제기한 주식양도명령에 대한 즉시항고는 아직 명령의 효력이 발생하기 전에 제기된 것으로서 항고권 발생 전에 한 항고에 해당하므로 부적법 각하하여야 한다.

④ 민사집행법상 즉시항고를 할 수 있는 사람이 재판을 고지받아야 할 사람이 아닌 경우 즉시항고의 제기기간은 그 재판을 고지받아야 할 사람 모두에게 고지된 날부터 진행한다.

⑤ 민사집행법상 즉시항고는 1주일 내에 제기하여야 하고 10일 이내에 항고이유서를 제출하여야 하며, 집행에 관한 이의신청의 경우에는 이러한 제한이 없다.

해설 ① ≪대결 2011.10.13, 2010마1586≫

집행비용액확정결정은 집행종료 후의 재판으로서 「민사집행법」 제15조 제1항의 '집행절차에 관한 집행법원의 재판'에 해당하지 아니하고, 그 결정에 대하여는 「민사집행규칙」 제24조 제2항에 의하여 준용되는 「민사소송법」 제110조 제3항에 따라 「민사소송법」상의 즉시항고가 허용될 뿐

이다. 따라서 집행비용액확정결정에 대한 즉시항고에는 항고이유서 제출에 관한 「민사집행법」 제15조 제3항, 제5항이 적용될 수 없다.

② ≪대판 2022.7.28, 2022다218509≫

　　가. 집행정지서류가 제출되었음에도 집행기관이 집행을 정지하지 아니하고 집행처분을 한 경우에 이해관계인은 집행에 관한 이의신청 또는 즉시항고로 (매수인은 「민사집행규칙」 제50조 제2항에 의한 매각허가결정의 취소신청에 의하여 각) 그 시정을 구할 수 있다. 그러나 이러한 불복의 절차 없이 강제집행절차가 그대로 완결되면 그 집행행위에 따라 발생된 법률효과를 부인할 수 없다(대법원 1992.9.14, 선고 92다28020 판결 등 참조). [이 경우 매각대금 완납한 뒤에는 집행에 관한 이의신청 등으로 다툴 수 없다(대결 1995.2.16, 94마1871).]

③ ≪대결(全員合議体) 2014.10.8, 2014마667≫ (다수의견)

　　판결과 달리 선고가 필요하지 않은 (「민사집행법」상 집행법원의 주식양도명령과 같은 결정이나 명령의 경우) 결정이나 명령 원본이 법원사무관등에게 교부되었을 때 성립한 것으로 보아야 하고, 이미 성립한 결정에 대하여는 결정이 고지되어 효력을 발생하기 전에도 결정에 불복하여 항고할 수 있다.

④ 규칙 제12조(즉시항고제기기간 기산점의 특례)

　　즉시항고를 할 수 있는 사람이 재판을 고지받아야 할 사람이 아닌 경우 즉시항고의 제기기간은 그 재판을 고지받아야 할 사람 모두에게 고지된 날부터 진행한다.

⑤ 민사집행법상 즉시항고는 1주 이내에 제기하여야 하고 10일 이내에 항고이유서를 제출하여야 하는 데에 반하여(법 제15조 제2항·제3항), 집행에 관한 이의신청의 경우에는 이러한 제한이 없다(법 제16조 참조).

04　집행에 관한 이의 신청에 대한 다음 설명 중 가장 옳지 않은 것은?　　▶ 2022 법무사

① 집행법원의 집행절차에 관한 재판으로서 즉시항고를 할 수 없는 것과, 집행관의 집행처분, 그 밖에 집행관이 지킬 집행절차에 대하여서는 법원에 이의를 신청할 수 있다.

② 부동산경매절차에서 집행법원은 매각기일의 최고가매수신고인에 대하여 매각을 허가하거나 허가하지 아니하는 결정을 하여야 하는 것이므로, 집행법원이 최고가매수신고인임이 명백한 자에 대하여 특별한 사정 없이 매각허가 여부의 결정을 하지 아니하는 때에는 최고가매수신고인은 민사집행법 제16조에 정한 '집행에 관한 이의'에 의하여 불복할 수 있다.

③ 법원은 민사집행법 제16조 제1항의 이의신청에 대한 재판에 앞서, 채무자에게 담보를 제공하게 하거나 제공하게 하지 아니하고 집행을 일시정지하도록 명하거나, 채권자에게 담보를 제공하게 하고 그 집행을 계속하도록 명하는 등 잠정처분을 할 수 있다.

④ 경매절차의 진행에 관한 경매법원의 결정에 대하여 집행에 관한 이의를 신청하려면, 원칙적으로 그와 같은 경매법원의 결정에 대하여 법률상의 이해관계를 가져야만 할 것인바, 장차 경매절차에서 응찰할 예정이라는 사유만으로는 그 경매절차에 관하여 법률상 이해관계를 가진다고 할 수 없어 집행에 관한 이의를 신청할 적격이 없다 할 것이다.

⑤ 집행에 관한 이의신청은 집행관이 실시하는 기일에 출석하여 하는 경우가 아니면 서면으로 하여야 한다.

정답　03 ③　04 ⑤

해설 ①,③ 법 제16조(집행에 관한 이의신청)

① 집행법원의 집행절차에 관한 재판으로서 즉시항고를 할 수 없는 것과, 집행관의 집행처분, 그 밖에 집행관이 지킬 집행절차에 대하여서는 법원에 이의를 신청할 수 있다.

② 법원은 제1항의 이의신청에 대한 재판에 앞서, 채무자에게 담보를 제공하게 하거나 제공하게 하지 아니하고 집행을 일시정지하도록 명하거나, 채권자에게 담보를 제공하게 하고 그 집행을 계속하도록 명하는 등 잠정처분(暫定處分)을 할 수 있다.

② ≪대결 2008.12.29, 2008그205≫

집행법원은 매각기일의 최고가매수신고인에 대하여 매각을 허가하거나 허가하지 아니하는 결정을 하여야 하는 것이므로(「민사집행법」 제126조), 집행법원이 최고가매수신고인임이 명백한 자에 대하여 특별한 사정 없이 매각허가 여부의 결정을 하지 아니하는 때에는 최고가매수신고인은 「민사집행법」 제16조에 정한 '집행에 관한 이의'에 의하여 불복할 수 있다.

④ ≪대결 1999.11.17, 99마2551≫

[1] 경매절차의 진행에 관한 경매법원의 결정에 대하여 집행에 관한 이의를 신청하려면, 원칙적으로 그와 같은 경매법원의 결정에 대하여 법률상의 이해관계를 가져야만 할 것인바, 장차 경매절차에서 응찰할 예정이라는 사유만으로는 그 경매절차에 관하여 법률상 이해관계를 가진다고 할 수 없어 집행에 관한 이의를 신청할 적격이 없다.

⑤ 규칙 제15조(집행에 관한 이의신청의 방식)

① 법 제16조 제1항·제3항의 규정에 따른 이의신청은 집행법원이 실시하는 기일에 출석하여 하는 경우가 아니면 서면으로 하여야 한다.

05 집행에 관한 이의에 관한 다음 설명 중 가장 옳지 않은 것은? ▸ 2024 법무사

① 경매절차의 진행에 관한 경매법원의 결정에 대하여 집행에 관한 이의를 신청하려면, 원칙적으로 그와 같은 경매법원의 결정에 대하여 법률상의 이해관계를 가져야만 할 것인바, 장차 경매절차에서 응찰할 예정이라는 사유만으로는 그 경매절차에 관하여 법률상 이해관계를 가진다고 할 수 없어 집행에 관한 이의를 신청할 적격이 없다.

② 집행관의 집행처분 기타 집행관이 지킬 집행절차에 대한 이의신청은 감독기관인 집행법원에 의한 심사를 거침으로써 감독권 발동을 구하는 신청으로서 의미가 있고, 집행법원은 그 심리에 있어 이의재판 당시까지 제출된 이의사유 주장과 모든 자료를 종합하여 이의사유의 당부를 판단할 수 있다.

③ 경매개시결정에 대한 이의신청을 받아들여 집행절차를 취소하는 결정을 제외하고 경매개시결정에 대한 이의신청에 관한 재판은 확정되어야 효력을 가진다.

④ 부동산 등의 인도집행에서 강제집행의 목적물이 아닌 동산이 있는 경우, 집행관이 이를 제거하여 보관 혹은 매각하는 것이 다소 곤란하다는 사유만으로 목적물의 인도집행을 불능으로 처리하였다면 집행에 관한 이의신청을 할 수 있다.

⑤ 집행에 관한 이의신청에 대한 재판이 집행절차를 취소하는 결정, 집행절차를 취소한 집행관의 처분에 대한 이의신청을 기각·각하하는 결정 또는 집행관에게 집행절차의 취소를 명하는 결정에 해당하는 경우에는 즉시항고를 제기할 수 있다.

해설 ① ≪대결 1999.11.17. 99마2551≫

[1] 경매절차의 진행에 관한 경매법원의 결정에 대하여 집행에 관한 이의를 신청하려면, 원칙적으로 그와 같은 경매법원의 결정에 대하여 법률상의 이해관계를 가져야만 할 것인바, 장차 경매절차에서 응찰할 예정이라는 사유만으로는 그 경매절차에 관하여 법률상 이해관계를 가진다고 할 수 없어 집행에 관한 이의를 신청할 적격이 없다.

② ≪대결 2022.6.30. 2022그505≫

[2] 집행관의 집행처분 기타 집행관이 지킬 집행절차에 대한 이의신청(민사집행법 제16조)은 감독기관인 집행법원(집행관법 제7조 참조)에 의한 심사를 거침으로써 감독권 발동을 구하는 신청으로서 의미가 있고, 집행법원은 그 심리에 있어 이의재판 당시까지 제출된 이의사유 주장과 모든 자료를 종합하여 이의사유의 당부를 판단할 수 있다.

③,⑤ 집행에 관한 이의신청에 대한 재판 중 1) 집행절차를 취소하는 결정, 2) 집행절차를 취소한 집행관의 처분에 대한 이의신청을 기각·각하하는 결정, 3) 집행관에게 집행절차의 취소를 명하는 결정 및 4) 경매개시결정에 대한 이의신청에 관한 재판에 대하여만 즉시항고를 할 수 있다(법 제17조 제1항, 제86조 제3항). 그 밖의 경우, 즉 이의신청을 기각한 경우나 위 1), 2), 3), 4)의 재판에 해당하지 않는 경우에 대하여는 불복이 허용 되지 아니하여 특별항고만이 가능하다.

집행에 관한 이의신청에 대한 재판 중 위 1), 2), 3)의 재판은 확정되어야 효력을 가지지만(법 제17조 제2항), 위 4)의 재판(다만 **경매개시결정에 대한 이의신청을 받아들여 집행절차를 취소하는 결정은 위 1)의 재판에 해당한다.**)이나 나머지 재판은 즉시 효력을 가진다.

④ ≪대결 2022.4.14. 2021그796≫

[1] 부동산 등의 인도집행에서 강제집행의 목적물이 아닌 동산이 있는 경우에 집행관에게는 강제집행의 목적물이 아닌 동산을 제거하여 인도집행을 할 책무가 있으므로, 이를 제거하여 보관 혹은 매각하는 것이 다소 곤란하다는 사유만으로는 목적물의 인도집행을 불능으로 처리할 수는 없다. (집행관이 종교시설 건물 내부에 다수의 유골함이 안치되어 있어 인도집행이 불가능하다는 이유로 인도집행을 실시하지 않은 것은 위법하다. ⇒ **집행에 관한 이의신청을 할 수 있다.**)

⑤ 법 제17조(취소결정의 효력)

① 집행절차를 취소하는 결정, 집행절차를 취소한 집행관의 처분에 대한 이의신청을 기각·각하하는 결정 또는 집행관에게 집행절차의 취소를 명하는 결정에 대하여는 즉시항고를 할 수 있다.

② 제1항의 결정은 확정되어야 효력을 가진다.

정답 05 ③

06 민사집행법상 불복절차에 관한 다음 설명 중 가장 옳지 않은 것은?   ▸ 2025 법무사

① 담보권실행경매에서 집행법원이 매각대금납부기한을 지정하거나 그 지정을 취소하는 결정에 대하여는 집행에 관한 이의신청으로 불복할 수 있다.

② 채권자 甲이 신청한 부동산 강제경매절차에서 乙이 최고가 매수신고를 하여 매각허가결정을 받았는데, 그 후 채무자 丙이 채권자 甲을 상대로 제기한 집행권원인 확정판결에 대한 청구이의의 소에서 법원이 강제집행정지결정을 한 다음 "집행권원에 기한 강제집행을 불허한다"는 화해권고결정을 하여 그 결정이 확정된 경우, 이러한 화해권고결정 정본은 민사집행법 제49조 제1호에서 정한 '강제집행을 허가하지 아니하는 취지를 적은 집행력 있는 재판의 정본'에 해당한다.

③ 경매절차의 진행에 관한 집행법원의 결정에 대하여 집행에 관한 이의를 신청하려면, 원칙적으로 그와 같은 집행법원의 결정에 대하여 법률상의 이해관계를 가져야만 할 것인바, 장차 경매절차에서 매수신고할 예정이라는 사유만으로는 그 경매절차에 관하여 법률상 이해관계를 가진다고 할 수 없어 집행에 관한 이의를 신청할 적격이 없다.

④ 즉시항고는 집행정지의 효력이 없다. 확정되어야 효력이 발생하는 재판에 대하여 즉시항고가 제기된 경우에는 즉시항고로 인하여 재판의 확정이 차단되므로 따로 집행정지처분이 필요 없다.

⑤ 항고절차는 편면적 불복절차이므로 항고장에 반드시 피항고인의 표시가 있어야 하는 것은 아니며, 항고장을 상대방에게 송달하여야 하는 것도 아니다.

> **해설** ① ≪대결 1990.3.27, 90그1≫
> 부동산임의경매절차에서 경매법원이 경락대금납입기일(**대금지급기한**)을 지정하거나 지정된 기일을 취소하는 등의 결정은 집행의 방법에 관한 사항으로서, 그와 같은 결정에 대하여 이의가 있는 사람은 경매법 제1조 제2항에 의하여 임의경매절차에 준용되는 민사소송법 제504조에 따라서 집행방법에 관한 이의의 방법으로 불복을 신청할 수 있는 것이므로 위와 같은 결정에 대하여는 대법원에 특별항고를 할 수 없다.
>
> ② ≪대결 2022.6.7, 2022그534≫
> [2] 채권자 갑이 신청한 부동산 강제경매절차에서 을이 최고가 매수신고를 하여 매각허가결정을 받았는데, 그 후 채무자 병이 채권자 갑을 상대로 제기한 집행권원인 확정판결에 대한 청구이의의 소에서 법원이 강제집행정지결정을 한 다음 '집행권원에 기한 강제집행을 불허한다.'는 화해권고결정을 하여 그 결정이 확정되자, 사법보좌관이 위 화해권고결정 정본이 민사집행법 제49조 제1호, 제50조 제1항에서 정한 집행취소서류라는 이유로 을에 대한 매각허가결정을 취소하고 강제경매신청을 기각한다는 결정을 한 사안에서, 위 화해권고결정의 '집행권원에 기한 강제집행을 불허한다.'는 내용은 형성소송인 청구이의의 소의 재판 대상으로 당사자가 자유롭게 처분할 수 있는 사항이 아니어서, 그 문구 그대로 확정되더라도 집행권원에 기한 강제집행을 허가하지 않는 효력은 생기지 않고, 집행권원이 확정판결로서 갖는 집행력은 여전히 남아 있게 되므로, 위 화해권고결정 정본은 민사집행법 제49조 제1호에서 정한 '강제집행을 허가하지 아니하는 취지를 적은 집행력 있는 재판의 정본'에 해당하지 않고, 다만 화해권고결정의 문구를 부집행 합의가 이루어졌다는 뜻으로 새길 여지가 있고, 당사자 사이에 강제집행을 하지 않기로 하는 합의를 담은 화해조서 정본도 (**법 제49조 제6호**) 집행취소서류가 되나, 그 서류를

매각허가결정이 있은 뒤에 제출한 경우에는 매수인의 동의를 받아야 집행취소의 효력이 생기는 것인데도, 위 화해권고결정 정본이 민사집행법 제49조 제1호에서 정한 집행취소서류임을 전제로 한 사법보좌관의 처분이 정당하다고 본 원심결정은 수긍하기 어렵다고 한 사례

③ ≪대결 1999.11.17, 99마2551≫

[1] 경매절차의 진행에 관한 경매법원의 결정에 대하여 집행에 관한 이의를 신청하려면, 원칙적으로 그와 같은 경매법원의 결정에 대하여 법률상의 이해관계를 가져야만 할 것인바, 장차 경매절차에서 응찰(**매수신고**)할 예정이라는 사유만으로는 그 경매절차에 관하여 법률상 이해관계를 가진다고 할 수 없어 집행에 관한 이의를 신청할 적격이 없다.

④ 즉시항고를 할 수 있는 재판 중 확정되어야 효력이 발생하는 경우에는 즉시항고 자체가 확정을 차단시킴으로써 결정의 효력 발생을 정지시키는 효과를 갖게 되므로 따로 집행정지의 처분이 필요 없다.

⑤ ≪대결 1997.11.27, 97스4≫

[3] 항고는 원칙적으로 두 당사자의 대립을 예상하지 않는 편면적인 불복절차로서 항고인과 이해가 상반되는 자가 있는 경우라도 판결절차에 있어서와 같이 엄격한 의미의 대립을 인정할 수 있는 것이 아니므로, 항고장에 반드시 상대방의 표시가 있어야 하는 것도 아니고, 항고장을 상대방에게 송달하여야 하는 것도 아니다.

07 집행비용에 관한 다음 설명 중 가장 옳지 않은 것은?

▶ 2024 법무사

① 배당재단으로부터 집행권원 없이도 우선변제 받을 집행비용에 해당하려면 강제집행을 직접 목적으로 하여 지출된 비용으로서 강제집행의 준비 및 실시를 위하여 필요한 비용이어야 하고, 나아가 집행절차에서 모든 채권자를 위해 대지급한 공익비용이어야 한다.

② 가등기담보권자는 귀속정산 과정에서 담보목적물의 교환가치를 파악하기 위하여 쓴 감정평가비용 등을 실행비용으로서 청산금에서 공제할 수 있을 뿐, 청산의 결과로서 본등기를 마치기 위해 지출한 절차비용과 취득세 등은 스스로 부담해야 한다.

③ 부동산 인도 및 차임 상당의 부당이득반환청구가 하나의 판결로 확정된 경우 부동산 인도 강제집행의 집행비용에 대한 집행법원의 집행비용액확정결정이 없다면, 그 집행비용을 위 부동산 인도 강제집행의 집행권원인 부당이득반환청구사건의 확정판결에 기한 강제경매절차에서 추심할 수 없다.

④ 강제집행이 신청의 취하 또는 집행처분의 취소 등으로 인하여 그 목적을 달성하지 못하고 끝난 경우 당사자는 집행이 끝날 당시에 집행이 계속된 법원에 집행비용의 부담 및 집행비용액 확정 재판을 신청할 수 있고, 법원은 당사자의 신청에 따라 해당 비용이 지출된 시기, 채권자가 이를 지출할 필요성, 강제집행과의 관련성 및 강제집행이 끝나게 된 원인이나 경위 등 여러 사정을 종합하여 집행비용을 부담할 당사자와 그 부담액을 정할 수 있다.

⑤ 단체 임원 등의 직무대행자를 선임하는 가처분의 경우, 채권자가 예납한 금전에서 지급된 직무대행자의 보수는 가처분의 집행에 소요되는 비용에 해당한다고 볼 수 없으므로 민사집행법 제53조 제1항에서 정해진 집행비용에 해당하지 않는다.

정답 **06 ② 07 ⑤**

해설 ① ≪대판 2011.2.10, 2010다79565≫

[1] 강제집행에 필요한 비용은 채무자가 부담하고 (예납한 채권자는) 그 집행에 의하여 우선적으로 변상을 받는다(「민사집행법」 제53조 제1항). 집행비용은 집행권원 없이도 배당재단으로부터 각 채권액에 우선하여 배당받을 수 있다.

여기서 집행비용이란 각 채권자가 지출한 비용의 전부가 아니라 배당재단으로부터 우선변제를 받을 집행비용만을 의미하며, 이에 해당하는 것으로서는 당해 경매절차를 통하여 모든 채권자를 위하여 체당한 비용으로서의 성질을 띤 집행비용(공익비용)에 한한다. 집행비용에는 민사집행의 준비 및 실시를 위하여 필요한 비용이 포함된다.

② ≪대판 2022.4.14, 2017다266177≫

채권자가 담보권 실행을 위해 경매를 신청한 경우에 그 경매를 직접 목적으로 하여 지출된 돈으로서 경매절차의 준비 또는 실시를 위하여 필요한 비용이어야 집행비용(민사집행법 제275조, 제53조 제1항)으로서 배당재단에서 우선적으로 변상된다. 매각에 따라 소유권을 취득한 매수인은 소유권이전등기를 넘겨받기 위해 지출한 비용과 취득세 등을 자기가 부담해야 한다. 이는 경매를 신청한 채권자가 매수인이 된 경우에도 마찬가지이다.

귀속정산에 의한 가등기담보권 실행도 민사집행법에 따라 담보물을 매각하지 않을 뿐 담보로 파악한 교환가치만큼을 채권자에게 이전한다는 점에서 경매에 의한 실행과 본질이 같으므로, 청산금에서 공제할 수 있는 가등기담보권 실행비용은 경매절차의 집행비용에 상응하는 것이어야 한다. 그러므로 가등기담보권자는 귀속정산 과정에서 담보목적물의 교환가치를 파악하기 위하여 쓴 감정평가비용 등을 실행비용으로서 청산금에서 공제할 수 있을 뿐, 청산의 결과로서 본등기를 마치기 위해 지출한 절차비용과 취득세 등은 스스로 부담해야 한다. (감정평가비용 등 ⇒ 가등기담보권 실행비용○, 본등기 마치기 위해 지출한 비용과 취득세 등 ⇒ 실행비용×)

③ ≪대판 2006.10.12, 2004재다818≫

[1] 부동산 인도 및 금전지급을 명한 집행권원(주문 : "피고는 원고에게 이 사건 토지를 인도하고, 이 사건 건물을 명도하며, 연체차임 68,275,000원 및 이에 대한 2000.04.25.부터 2001.05.31.까지는 연 5%, 2001.06.01.부터 완제일까지는 연 25%의 각 비율에 의한 금원과 2000.01.01.부터 건물명도 및 토지인도일까지 월 4,860,349원의 비율에 의한 차임 상당 부당이득금을 지급하라.")에 기하여 먼저 부동산인도집행을 실시한 경우, 부동산 인도 강제집행의 집행비용에 대한 집행법원의 집행비용액확정결정이 없다면 그 집행비용을 위 부동산 인도 강제집행의 집행권원인 확정판결에 기한 강제경매절차에서 추심할 수 없다고 한 사례

④ ≪대결 2023.9.1, 2022마5860≫

민사집행법 제53조 제1항은 "강제집행에 필요한 비용은 채무자가 부담하고 그 집행에 의하여 우선적으로 변상을 받는다."라고 정하는바, 강제집행이 그 목적을 달성하여 끝난 경우에는 위 규정에 따라 그 집행에 필요한 비용은 채무자가 부담한다.

반면 강제집행이 신청의 취하 또는 집행처분의 취소 등으로 인하여 그 목적을 달성하지 못하고 끝난 경우 그때까지의 절차와 그 준비에 든 비용이 민사집행법 제53조 제1항에서 정한 집행비용에 해당한다고 볼 수는 없다.

그러나 이러한 경우에도 해당 강제집행이 그 목적을 달성하지 못하고 끝나게 된 사정을 고려하지 아니한 채 그 비용을 일률적으로 채권자에게 부담시키는 것은 형평에 반하여 부당하다. 따라서 이때는 민사집행법 제23조가 준용하는 민사소송법 제114조에 근거하여 당사자는 집행이 끝날 당시에 집행이 계속된 법원에 집행비용의 부담 및 집행비용액 확정 재판을 신청할 수 있고, 법원은 당사자의 신청에 따라 해당 비용이 지출된 시기, 채권자가 이를 지출할 필요성, 강제집행과의 관련성 및 강제집행이 끝나게 된 원인이나 경위 등 여러 사정을 종합하여 집행비용을 부담할 당사자와 그 부담액을 정할 수 있다고 보아야 한다.

⑤ ≪대결 2011.4.28, 2011마197≫
가압류·가처분의 집행에 소요되는 비용은 집행비용에 해당하고, 단체 임원 등의 직무대행자를 선임하는 가처분의 경우, 채권자가 예납한 금전에서 지급된 직무대행자의 보수는 가처분의 집행에 소요되는 비용에 해당하므로 「민사집행법」 제53조 제1항에 정해진 집행비용으로 보아야 한다.

08 민사집행절차에서 집행비용(민사집행법 제53조)에 관한 다음 설명 중 가장 옳지 않은 것은?

▶ 2025 법무사

① 강제집행에 필요한 비용은 채무자가 부담하고 그 집행에 의하여 우선적으로 변상을 받는데 이러한 집행비용은 집행권원 없이도 배당재단으로부터 각 채권액에 우선하여 배당받을 수 있다.

② 집행비용이란 각 채권자가 지출한 비용의 전부가 포함되는 것이 아니라 배당재단으로부터 우선변제를 받을 집행비용만을 의미한다.

③ 집행비용에 해당하려면 강제집행을 직접 목적으로 하여 지출된 비용으로서 강제집행의 준비 및 실시를 위하여 필요한 비용이어야 하고, 나아가 집행절차에서 모든 채권자를 위해 체당한 공익비용이어야 한다. 따라서 채권자가 현실적으로 지출한 비용이어도 당해 집행과 무관하거나 필요가 없는 것은 집행비용에 해당하지 않는다.

④ 강제집행의 기초가 된 판결이 파기된 때에는 채권자는 채무자가 부담한 집행비용을 채무자에게 변상하여야 하고, 그 변상하여야 할 금액은 채무자의 신청을 받아 집행법원이 결정으로 정한다.

⑤ 부동산을 목적으로 하는 담보권 실행을 위한 경매절차에서 그 경매신청 전에 부동산의 소유자가 사망하였으나 그 상속인이 상속등기를 마치지 않아 경매신청인이 경매절차의 진행을 위하여 부득이 상속인을 대위하여 상속등기를 마친 경우, 그 상속등기를 마치기 위해 지출한 비용은 담보권 실행을 위한 경매를 직접 목적으로 하여 지출된 비용으로서 그 경매절차의 준비 또는 실시를 위하여 필요한 비용이라고 볼 수 없고, 나아가 그 경매절차에서 모든 채권자를 위해 체당한 공익비용으로서 집행비용에 해당한다고 할 수 없다.

해설 ①,② ≪대판 2011.2.10, 2010다79565≫

[1] 강제집행에 필요한 비용은 채무자가 부담하고 **(예납한 채권자는)** 그 집행에 의하여 우선적으로 변상을 받는다(「민사집행법」 제53조 제1항). 집행비용은 집행권원 없이도 배당재단으로부터 각 채권액에 우선하여 배당받을 수 있다.

여기서 집행비용이란 각 채권자가 지출한 비용의 전부가 아니라 배당재단으로부터 우선변제를 받을 집행비용만을 의미하며, 이에 해당하는 것으로서는 당해 경매절차를 통하여 모든 채권자를 위하여 체당한 비용으로서의 성질을 띤 집행비용(공익비용)에 한한다. 집행비용에는 민사집행의 준비 및 실시를 위하여 필요한 비용이 포함된다.

정답 08 ⑤

③,⑤ ≪대판 2021.10.14, 2016다201197≫

[1] 강제집행에 필요한 비용은 채무자가 부담하고 그 집행에 의하여 우선적으로 변상을 받는다 (민사집행법 제53조 제1항). 집행비용은 집행권원 없이도 배당재단으로부터 각 채권액에 우선하여 배당받을 수 있다. 여기서 집행비용이란 각 채권자가 지출한 비용의 전부가 포함되는 것이 아니라 배당재단으로부터 우선변제를 받을 집행비용만을 의미한다. 이러한 집행비용에 해당하려면 강제집행을 직접 목적으로 하여 지출된 비용으로서 강제집행의 준비 및 실시를 위하여 필요한 비용이어야 하고, 나아가 집행절차에서 모든 채권자를 위해 체당한 공익비용이어야 한다. 채권자가 현실적으로 지출한 비용이어도 당해 집행과 무관하거나 필요가 없는 것은 집행비용에 해당하지 않는다.

[2] 집행비용에 관한 민사집행법 제53조 제1항은 담보권 실행을 위한 경매절차에도 준용된다(민사집행법 제275조). 부동산을 목적으로 하는 담보권 실행을 위한 경매절차에서 그 경매신청 전에 부동산의 소유자가 사망하였으나 그 상속인이 상속등기를 마치지 않아 경매신청인이 경매절차의 진행을 위하여 부득이 상속인을 대위하여 상속등기를 마쳤다면 그 상속등기를 마치기 위해 지출한 비용은 담보권 실행을 위한 경매를 직접 목적으로 하여 지출된 비용으로서 그 경매절차의 준비 또는 실시를 위하여 필요한 비용이고, 나아가 그 경매절차에서 모든 채권자를 위해 체당한 공익비용이므로 집행비용에 해당한다고 봄이 타당하다.

④ ≪대결 2009.3.2, 2008마1778≫

[2] 강제집행의 기초가 된 판결이 파기된 때에는 채권자는 채무자가 부담한 집행비용을 채무자에게 변상하여야 하나(「민사집행법」 제53조 제2항 참조), 그 변상하여야 할 금액은 채무자의 신청을 받아 집행법원이 결정으로 정하는 것으로서(「민사집행규칙」 제24조 제1항 참조), 집행비용액 확정절차와는 별개의 절차에서 이루어지는 것이다.

강제집행

강제집행 총칙

01   집행당사자에 관한 다음 설명 중 가장 옳지 않은 것은?   ▶ 2022 법무사

① 집행의 채무자가 누구인지는 집행문을 누구에 대하여 내어 주었는지에 의하여 정하여지고, 집행권원의 채무자와 동일성이 없는 사람 등 집행의 채무자적격을 가지지 아니한 사람이라도 그에 대하여 집행문을 내어 주었으면 집행문부여에 대한 이의신청 등에 의하여 취소될 때까지는 집행문에 의한 집행의 채무자가 된다.

② 상속포기로 인하여 집행채무자 적격이 없는 자를 집행채무자로 하여 이루어진 채권압류 및 전부명령이라도 그 명령이 확정되면 피전부채권은 집행채권의 범위 내에서 당연히 집행채권자에게 이전하는 것이므로 채권압류 및 전부명령의 효력에는 아무런 영향이 없다.

③ 다른 사람을 위하여 원고나 피고가 된 사람에 대한 확정판결은 그 다른 사람에 대하여도 효력이 미치고 그 판결의 집행력도 그 다른 사람에게 미치므로, 별도의 집행권원을 얻을 필요가 없고 승계집행문을 부여받아 집행을 개시 또는 속행을 할 수 있다.

④ 채권자가 집행권원에 기하여 채권압류 및 추심명령을 받은 후 그 집행권원상의 채권을 양도하였다고 하더라도 양수인은 승계집행문을 부여받음으로써 비로소 집행채권자로 확정되는 것이므로, 양수인이 기존 집행권원에 대하여 승계집행문을 부여받지 않았다면, 양도인이 여전히 집행채권자의 지위에서 압류채권을 추심하거나 압류명령 신청을 취하할 수 있다.

⑤ 당사자 또는 그 승계인을 위하여 청구의 목적물을 소지한 사람에 대하여도 기판력이 미치는데, 법인이 당사자일 때의 그 직원이나 당사자 본인의 동거가족과 같은 점유보조자의 경우에는 독립의 점유가 인정되지 않고 본인이 직접 소지, 점유하는 경우와 같기 때문에 여기에 해당하지 않고, 이 경우의 집행에는 별도의 집행권원이 필요 없음은 물론 승계집행문도 필요 없다.

> **해설** ① ≪대판 2016.8.18, 2014다225038≫
> [1] 집행의 채무자가 누구인지는 집행문을 누구에 대하여 내어 주었는지에 의하여 정하여지고, 집행권원의 채무자와 동일성이 없는 사람 등 집행의 채무자적격을 가지지 아니한 사람이라도 그에 대하여 집행문을 내어 주었으면 집행문부여에 대한 이의신청 등에 의하여 취소될 때까지는 집행문에 의한 집행의 채무자가 된다.
> ② ≪대판 2002.11.13, 2002다41602≫
> 상속포기로 인하여 채권압류 및 전부명령이 집행채무자 적격이 없는 자를 집행채무자로 하여 이루어진 이상, 피전부채권의 전부채권자에게의 이전이라는 실체법상의 효력은 발생하지 않는다.
> ③ 「민사소송법」 제218조(기판력의 주관적 범위)
> ③ 다른 사람을 위하여 원고나 피고가 된 사람에 대한 확정판결은 ⅳ) 그 다른 사람에 대하여도

효력이 미친다. [이 경우 판결의 집행력은 제3자에게 미치므로 그 제3자에게 집행당사자적격이 있고(법 제25조 제1항), 실체상으로는 권리의무의 승계가 아니나 강제집행에 있어서는 승계집행문부여의 절차와 같은 방법으로 집행문을 받아야 한다(법 제25조 제2항).]

④ ≪대판 2014.11.13, 2010다63591≫

  [3] 집행권원에 의한 강제집행이 개시된 후 신청채권자의 지위를 승계한 경우라도 승계인이 자기를 위하여 강제집행 속행을 신청하기 위하여는 민사집행규칙 제23조가 정한 바와 같이 승계집행문이 붙은 집행권원의 정본을 제출하여야 하며 / 그 경우 법원사무관등 또는 집행관은 그 취지를 채무자에게 통지하도록 하고 있다. / 따라서 채권자가 집행권원에 기하여 채권압류 및 추심명령을 받은 후 그 집행권원상의 채권을 양도하였다고 하더라도 양수인은 승계집행문을 부여받음으로써 비로소 집행채권자로 확정되는 것이므로, 양수인이 기존 집행권원에 대하여 승계집행문을 부여받지 않았다면, **(추심권능이 없어 양수인이 제3채무자를 상대로 추심의 소를 제기한 경우에는 당사자적격이 없는 자가 추심의 소를 제기한 경우에 해당하므로 소를 부적법 각하하여야 한다**(대판 2008.8.11, 2008다32310).) 양도인이 여전히 집행채권자의 지위에서 압류채권을 추심하거나 압류명령 신청을 취하할 수 있다.

⑤ ◎ 당사자 또는 승계인을 위하여 청구의 목적물을 소지한 사람(민사소송법 제218조 제1항)
  여기서 '청구의 목적물'이란 소송물이 특정물의 이행을 목적으로 하는 청구권인 경우의 그 물건을 말한다. 물건이 동산이거나 부동산이거나를 불문한다. 또 그 청구권이 물권이거나 채권이거나를 가리지 않는다. '소지'는 변론종결 전후를 불문하나, 수치인, 창고업자, 운송인과 같이 오로지 본인을 위하여 소지하는 경우를 가리키는 것이고, 임차인이나 질권자와 같이 자기 고유의 이익을 위하여 목적물을 소지하는 경우는 포함하지 않는다. 한편 법인이 당사자일 때의 그 직원이나 당사자 본인의 동거가족과 같은 점유 보조자(민법 제195조)의 경우에는 독립의 점유가 인정되지 않고 본인이 직접 소지, 점유하는 경우와 같기 때문에 여기에 해당하지 않고, 이 경우의 집행에는 별도의 집행권원이 필요 없음은 물론 승계집행문도 필요 없다(대판 2001.4.27, 2001다13983).

02 집행판결에 관한 다음 설명 중 가장 옳지 않은 것은?

▸ 2021 법무사

① 집행판결은 외국중재판정에 대하여 집행력을 부여하여 우리나라 법률상 강제집행절차로 나아갈 수 있도록 허용하는 것으로서 판결선고시를 기준으로 집행력의 유무를 판단하는 재판이다.

② 외국법원의 확정판결 또는 이와 동일한 효력이 인정되는 재판에 기초한 강제집행은 대한민국 법원에서 집행판결로 그 강제집행을 허가하여야 할 수 있다.

③ 집행판결은 재판의 옳고 그름을 조사하지 아니하고 하여야 한다.

④ 외국 중재판정은 확정판결과 동일한 효력이 있어 기판력이 있으므로 대상이 된 청구권의 존재가 확정되고, 집행판결을 통하여 집행력을 부여받으면 우리나라 법률상의 강제집행 절차로 나아갈 수 있게 된다.

⑤ 집행판결을 청구하는 소도 소의 일종이므로 통상의 소송에서와 마찬가지로 당사자능력 등 소송요건을 갖추어야 한다.

정답   01 ②   02 ①

해설 ①,④ ≪대판 2018.12.13, 2016다49931≫

[2] 외국 중재판정은 확정판결과 동일한 효력이 있어 기판력이 있으므로 대상이 된 청구권의 존재가 확정되고, 집행판결을 통하여 집행력을 부여받으면 우리나라 법률상의 강제집행절차로 나아갈 수 있게 된다. / 집행판결은 변론종결 시를 기준으로 하여 집행력의 유무를 판단하는 재판이므로. / 중재판정의 성립 이후 집행법상 청구이의의 사유가 발생하여 중재판정문에 터잡아 강제집행절차를 밟아 나가도록 허용하는 것이 우리나라 법의 기본적 원리에 반한다는 사정이 집행재판의 변론과정에서 드러난 경우에 법원은 외국중재판정의 승인 및 집행에 관한 유엔협약 제5조 제2항 (b)호의 공공질서 위반에 해당하는 것으로 보아 중재판정의 집행을 거부할 수 있다.

② 법 제26조(외국재판의 강제집행)

① 외국법원의 확정판결 또는 이와 동일한 효력이 인정되는 재판(이하 "확정재판등"이라 한다)에 기초한 강제집행은 대한민국 법원에서 집행판결로 그 강제집행을 허가하여야 할 수 있다.

③ 법 제27조(집행판결)

① 집행판결은 (**외국법원**) 재판의 옳고 그름을 조사하지 아니하고 하여야한다.

⑤ ≪대판 2015.2.26, 2013다87055≫

집행판결을 청구하는 소도 소의 일종이므로 통상의 소송에서와 마찬가지로 당사자능력 등 소송요건을 갖추어야 한다.

03 집행권원에 관한 다음 설명 중 가장 옳지 않은 것은?

▸ 2022 법무사

① 제1심에서 가집행선고부 승소판결을 받아 그 판결에 기해 강제경매를 신청한 다음 항소심에서 조정(조정에 갈음하는 결정 포함) 내지 화해가 성립한 경우, 제1심판결 및 가집행선고의 효력은 조정 내지 화해에서 제1심판결보다 인용 범위가 줄어든 부분에 한하여 실효되고 나머지 부분에 대하여는 여전히 효력이 미친다.

② 공증인이 작성한 공정증서가 집행권원으로서 집행력을 가질 수 있도록 하는 집행인낙표시는 공증인에 대한 소송행위로서 이러한 소송행위에는 민법상의 표현대리규정이 적용 또는 준용될 수 없다.

③ 공증인이 작성한 공정증서가 집행권원으로서 집행력을 가질 수 있도록 하는 집행인낙의 표시는 공증인에 대한 소송행위이므로, 무권대리인의 촉탁에 의하여 공정증서가 작성된 때에는 집행권원으로서의 효력이 없고, 이러한 공정증서에 기초하여 채권압류 및 전부명령이 발령되어 확정되었더라도 채권압류 및 전부명령은 무효인 집행권원에 기초한 것으로서 강제집행의 요건을 갖추지 못하여 실체법상 효력이 없다. 따라서 제3채무자는 채권자의 전부금 지급청구에 대하여 그러한 실체법상의 무효를 들어 항변할 수 있다.

④ 민사집행법 제26조 제1항 소정의 집행판결을 청구하는 소는 채권자의 보통재판적이 있는 곳의 지방법원이 관할하며, 보통재판적이 없는 때에는 민사소송법 제11조의 규정에 따라 청구의 목적 또는 담보의 목적이나 압류할 수 있는 채무자의 재산이 있는 곳의 지방법원이 관할한다.

⑤ 확정된 종국판결에 터 잡아 부동산 강제경매절차가 진행된 경우 그 뒤 그 확정판결이 재심소송에서 취소되었다고 하더라도 그 경매절차를 미리 정지시키거나 취소시키지 못한 채 경매절차가 계속 진행된 이상 매각대금을 완납한 매수인은 매각목적물의 소유권을 적법하게 취득한다.

해설 ① ≪대결 2011.11.10, 2011마1482≫

[3] 제1심에서 가집행선고부 승소판결을 받아 그 판결에 기해 강제경매를 신청한 다음 항소심에서 조정(조정에 갈음하는 결정 포함) 내지 화해가 성립한 경우, 제1심판결 및 그 가집행선고의 효력은 조정 내지 화해에서 제1심판결보다 인용 범위가 줄어든 부분에 한하여 실효되고 그 나머지 부분에 대하여는 여전히 효력이 미친다고 보아야 할 것이다.

② ≪대판 1994.2.22, 93다42047≫

공정증서가 채무명의로서 집행력을 가질 수 있도록 하는 집행인낙 표시는 공증인에 대한 소송행위로서 이러한 소송행위에는 「민법」상의 표현대리 규정이 적용 또는 준용될 수 없다.

③ ≪대판 2016.12.29, 2016다22837≫

공정증서가 집행권원으로서 집행력을 가질 수 있도록 하는 집행인낙의 표시는 공증인에 대한 소송행위이므로, **(미성년자 또는)** 무권대리인의 촉탁에 의하여 공정증서가 작성된 때에는 집행권원으로서의 효력이 없고,**(무효이다.)** / 이러한 공정증서에 기초하여 채권압류 및 전부명령이 발령되어 확정되었더라도 채권압류 및 전부명령은 무효인 집행권원에 기초한 것으로서 강제집행의 요건을 갖추지 못하여 실체법상 효력이 없다. **(권리이전효×)** / 따라서 제3채무자는 채권자의 전부금 지급청구에 대하여 그러한 실체법상의 무효를 들어 항변할 수 있다.

④ 법 제26조(외국재판의 강제집행)

② 집행판결을 청구하는 소는 채무자의 보통재판적이 있는 곳의 지방법원이 관할하며, 보통재판적이 없는 때에는 「민사소송법」 제11조의 규정에 따라 채무자에 대한 소를 관할하는 **(청구의 목적 또는 담보의 목적이나 압류할 수 있는 채무자의 재산이 있는 곳)** 법원이 관할한다.

⑤ ≪대판 1996.12.20, 96다42628≫

확정된 종국판결에 터잡아 경매절차가 진행된 경우 그 뒤 그 확정판결이 재심소송에서 취소되었다고 하더라도 그 경매절차를 미리 정지시키거나 취소시키지 못한 채 경매절차가 계속 진행된 이상 경락대금을 완납한 경락인은 경매 목적물의 소유권을 적법히 취득한다.

04 승계집행문에 관한 다음 설명 중 가장 옳지 않은 것은?

▶ 2024 법무사

① 집행권원의 채무자와 동일성이 없는 사람 등 집행의 채무자적격을 가지지 아니한 사람이라도 그에 대하여 집행문을 내어 주었으면 집행문부여에 대한 이의신청 등에 의하여 취소될 때까지는 집행문에 의한 집행의 채무자가 되므로, 제3자이의의 소를 제기할 수 있는 제3자에 해당하지 않는다.

② 민사집행법 제248조에 따라 공탁이 이루어져 배당절차가 개시된 다음 집행채권이 양도되고 채무자에게 양도 통지를 했더라도, 양수인이 승계집행문을 부여받아 집행법원에 제출하지 않은 이상 양수인의 채권자가 위 배당금채권에 대하여 받은 압류 및 전부명령은 무효이다.

③ 의사표시 간주의 효과가 생긴 후에 등기권리자의 지위가 승계된 경우에는 부동산등기법의 규정에 따라 등기절차를 이행할 수 있을 뿐이고 원칙적으로 승계집행문이 부여될 수 없다.

④ 소송비용부담의 재판이 있은 후에 비용부담 의무자가 사망하자 승계집행문을 부여받지 않고 그 상속인들을 상대로 한 소송비용액확정 신청은 부적법하다.

⑤ 채무명의에 표시된 채무자의 상속인이 상속을 포기한 후 집행채권자가 상속인에 대한 승계집행문을 부여받아 압류 및 전부명령을 받아 확정되었다면, 집행채무자가 상속포기 사실을 들어 집행문 부여에 대한 이의신청 등으로 집행문의 효력을 다투어 그 효력이 부정되지 않은 이상 피전부채권은 전부채권자에게 이전한다.

> **해설** ① ≪대판 2016.8.18, 2014다225038≫
>
> [1] 제3자이의의 소의 <u>원고적격</u>은 강제집행의 목적물에 대하여 양도 또는 인도를 막을 권리가 있다고 주장하는 제3자에게 있고, 여기서 제3자는 집행권원 또는 집행문에 채권자, 채무자 또는 그 승계인으로 표시된 사람 이외의 사람을 말한다.
> 그리고 집행의 채무자가 누구인지는 집행문을 누구에 대하여 내어 주었는지에 의하여 정하여지고, <u>집행권원의 채무자와 동일성이 없는 사람 등 집행의 채무자적격을 가지지 아니한 사람이라도 그에 대하여 집행문을 내어 주었으면 집행문부여에 대한 이의신청 등에 의하여 취소될 때까지는 집행문에 의한 집행의 채무자가 된다.</u>
> (**⊕** **채무자**는 목적물이 제3자의 재산인 것을 이유로 **제3자이의의 소**를 제기할 수 **없다.**)
>
> ② ≪대판 2019.1.31, 2015다26009≫
>
> [2] 「민사집행법」 제248조에 따라 공탁이 이루어져 배당절차가 개시된 다음 <u>집행채권이 양도되고 그 채무자에게 양도 통지를 했더라도, 양수인이 승계집행문을 부여받아 집행법원에 제출하지 않은 이상, 집행법원은 여전히 배당절차에서 양도인을 배당금채권자로 취급할 수밖에 없다.</u> 이러한 상태에서는 양수인이 집행법원을 상대로 자신에게 배당금을 지급하여 달라고 청구할 수 없다. 양수인이 집행채권 양수 사실을 집행법원에 소명하였다고 <u>하더라도 마찬가지이다.</u> 집행채권의 양도와 채무자에 대한 양도 통지가 있었더라도, 승계집행문의 부여·제출 전에는 배당금채권은 여전히 양도인의 <u>책임재산으로 남아 있게 된다. 따라서 승계집행문의 부여·제출 전에 양수인의 채권자가 위 배당금채권에 대한 압류 및 전부명령을 받았다고 하더라도, 이는 무효라고 보아야</u> 한다.

③ ≪대결 2017.12.28, 2017그100≫

　[2] 의사표시 간주의 효과가 생긴 후에 등기권리자의 지위가 승계된 경우에는 부동산등기법의 규정(「부동산등기법」 제28조(채권자대위권에 의한 등기신청)와 제23조 제4항(판결에 의한 등기신청))에 따라 등기절차를 이행할 수 있을 뿐이고 원칙적으로 승계집행문이 부여될 수 없다.

④ ≪대결 2009.8.6, 2009마897≫

　[2] 소송비용부담의 재판이 있은 후에 비용부담 의무자가 사망하자 승계집행문을 부여받지 않고 그 상속인들을 상대로 소송비용액 확정신청을 한 사안에서, 그 신청이 소송비용부담 재판의 당사자가 아닌 자들에 대하여 한 것으로 부적법하다고 한 사례

⑤ ≪대판 2002.11.13, 2002다41602≫

채무명의에 표시된 채무자의 상속인이 상속을 포기하였음에도 불구하고, 집행채권자가 동인에 대하여 상속을 원인으로 한 승계집행문을 (잘못) 부여받아 동인의 채권에 대한 압류 및 전부명령을 신청하고, 이에 따라 집행법원이 채권압류 및 전부명령을 하여 그 명령이 확정되었다고 하더라도, 채권압류 및 전부명령이 집행채무자 적격이 없는 자를 집행채무자로 하여 이루어진 이상, 피전부채권의 전부채권자에게의 이전이라는 실체법상의 효력은 발생하지 않는다고 할 것이고, 이는 집행채무자가 상속포기 사실을 들어 집행문 부여에 대한 이의신청 등으로 집행문의 효력을 다투어 그 효력이 부정되기 이전에 채권압류 및 전부명령이 이루어져 확정된 경우에도 그러하다고 할 것이다.

05 집행력 및 집행문에 관한 다음 설명 중 가장 옳지 않은 것은? ▸ 2025 법무사

① 확정판결의 기판력은 변론을 종결한 뒤의 승계인 또는 그를 위하여 청구의 목적물을 소지한 사람 등 법률에 따로 규정되어 있는 경우 외에는 특별한 사정이 없는 한 당해 판결에 표시된 당사자 사이에만 미치고, 집행력의 범위도 원칙적으로 기판력의 범위에 준한다.

② 판결이 그 판결에 표시된 당사자 외의 사람에게 효력이 미치는 때 그 사람에 대하여 강제집행을 하기 위해서는 승계집행문을 부여받아야 한다.

③ 외국법원의 확정판결 또는 이와 동일한 효력이 있는 재판에 기초한 강제집행은 대한민국 법원에서 집행판결로 그 강제집행을 허가하여야 할 수 있다.

④ 확정된 지급명령에 기한 강제집행의 경우 조건이 붙어 있더라도 집행문을 부여받을 필요 없이 강제집행을 할 수 있다.

⑤ 강제집행을 위하여 집행문이 필요한데도 집행문을 부여받지 않은 집행권원에 기초하여 이루어진 강제집행은 무효이다.

해설 ① 「민사소송법」 제218조(기판력의 주관적 범위)

　① 확정판결은 ⅰ) 당사자(원고, 피고), ⅱ) 변론을 종결한 뒤의 승계인(변론 없이 한 판결의 경우에는 판결을 선고한 뒤의 승계인) 또는 ⅲ) 그를 위하여 청구의 목적물을 소지한 사람에 대하여 효력이 미친다.

정답 ▸ 04 ⑤ 05 ④

② 제1항의 경우에 당사자가 변론을 종결할 때(변론 없이 한 판결의 경우에는 판결을 선고할 때)까지 승계사실을 진술하지 아니한 때에는 변론을 종결한 뒤(변론 없이 한 판결의 경우에는 판결을 선고한 뒤)에 승계한 것으로 추정한다.

③ 다른 사람을 위하여 원고나 피고가 된 사람에 대한 확정판결은 iv) 그 다른 사람에 대하여도 효력이 미친다.

④ 가집행의 선고에는 제1항 내지 제3항의 규정을 준용한다.

(田 확정되거나 또는 가집행의 선고가 있는 종국판결의 집행력이 미치는 범위는 그 기판력의 주관적 범위와 원칙적으로 일치한다.)

② 법 제25조(집행력의 주관적 범위)

① 판결이 그 판결에 표시된 당사자(**원고, 피고**) 외의 사람에게 효력이 미치는 때에는 그 사람에 대하여 집행하거나 그 사람을 위하여 집행할 수 있다. (**집행문 내어줄 수 있다**) 다만, 「민사소송법」 제71조의 규정에 따른 (**보조**)참가인에 대하여는 그러하지 아니하다. (**보조참가인에게는 기판력·집행력 미치지 않는다. 즉 집행문 내어줄 수 없다.**)

② 제1항의 집행을 위한 집행문(執行文)을 내어 주는데 대하여는 제31조 내지 제33조의 규정을 준용한다. (**승계집행문** 부여 절차와 같은 방법으로 집행문을 내어 준다)

③ 법 제26조(외국재판의 강제집행)

① 외국법원의 확정판결 또는 이와 동일한 효력이 인정되는 재판(이하 "확정재판등"이라 한다)에 기초한 강제집행은 대한민국 법원에서 집행판결로 그 강제집행을 허가하여야 할 수 있다.

④ 법 제58조(지급명령과 집행) (※확정된 이행권고결정 – 「소액사건심판법」 제5조의8 참조)

① 확정된 지급명령에 기한 강제집행은 (**원칙**) 집행문을 부여받을 필요 없이 지급명령 정본에 의하여 행한다. 다만, 다음 각호 가운데 어느 하나에 해당하는 경우에는 그러하지 아니하다. (**조건성취집행문·승계집행문○ → 재판장의 명령○**)

  1. 지급명령의 집행에 조건을 붙인 경우

  2. 당사자의 승계인을 위하여 강제집행을 하는 경우

  3. 당사자의 승계인에 대하여 강제집행을 하는 경우

⑤ ≪대판 1978.6.27, 78다446≫
부동산에 관한 강제집행절차에 있어서 집행문이 없는 채무명의에 의하여 이루어진 강제경매는 절대적으로 무효이다.

PART.: 02

제2절　강제집행개시의 요건

01 강제집행의 개시요건에 관한 다음 설명 중 가장 옳지 않은 것은?　▶ 2022 법무사

① 강제집행을 하기 위해서는 원칙적으로 집행할 집행권원을 집행개시 전에 또는 늦어도 집행개시와 동시에 채무자에게 송달하여야 하나, 예외적으로 가압류·가처분명령의 집행의 경우에는 집행권원의 송달은 집행개시의 요건이 아니다.

② 판결의 집행이 그 취지에 따라 채권자가 증명할 사실에 매인 때 또는 판결에 표시된 채권자의 승계인을 위하여 하는 것이거나 판결에 표시된 채무자의 승계인에 대하여 하는 것일 때에는 집행할 판결 외에, 이에 덧붙여 적은 집행문을 강제집행을 개시하기 전에 채무자의 승계인에게 송달하여야 한다.

③ 반대의무의 이행과 상환으로 이행을 명한 판결의 경우에는 집행문부여 시 그 요건 성취 여부를 심사할 필요 없이 집행문을 부여하면 되고, 집행을 개시할 때 그 요건 성취여부를 조사하면 된다. 또한 반대의무의 이행과 상환으로 부동산소유권이전등기절차 이행을 명한 판결의 경우에도 그 반대의무의 이행 또는 이행의 제공 여부는 등기 신청이 접수되면 등기관이 조사하면 된다.

④ 대상판결(代償判決)과 같이 본래 의무의 집행이 불가능한 때에 그에 갈음하여 집행할 수 있는 것을 내용으로 하는 집행권원의 경우, 본래의 의무가 집행불능으로 밝혀진 후 대상청구(代償請求)에 대한 집행을 하기 위해서는 다시 집행문을 부여받을 필요가 없다.

⑤ 집행을 받을 사람이 일정한 시일에 이르러야 그 채무를 이행하게 되어 있는 때에는 그 시일이 지난 뒤에 강제집행을 개시할 수 있는데, 이러한 채무 이행기의 도래는 집행기관이 조사할 사항이고, 불확정기한의 도래는 집행문부여시에 조사할 사항이다.

> **해설** ① 강제집행을 하기 위해서는 원칙적으로 집행할 집행권원을 집행개시 전 또는 늦어도 집행개시와 동시에 채무자에게 송달하여야 한다(법 제39조 제1항). 예외적으로 다음과 같은 경우에는 집행권원의 송달은 집행개시의 요건이 아니다. ⅰ) 비송사건절차법상의 비용에 관한 재판의 집행(비송사건절차법 제29조 제2항 단서), ⅱ) 과태료 재판에 대한 검사의 명령의 집행(비송사건절차법 제249조 제2항 단서), ⅲ) 벌금, 과료, 몰수, 추징, 과태료, 소송비용, 비용배상 또는 가납의 형사재판에 대한 검사의 명령의 집행(형사소송법 제477조 제3항), ⅳ) 가압류·가처분명령의 집행(법 제292조 제3항, 제301조).
> ② 법 제39조(집행개시의 요건)
> 　② 판결의 집행이 그 취지에 따라 채권자가 **(조건성취)** 증명할 사실에 매인 때 또는 판결에 표시된 채권자의 승계인을 위하여 하는 것이거나 판결에 표시된 채무자의 승계인에 대하여 하는 것일 때에는 집행할 판결**(집행권원)** 외에, 이에 덧붙여 적은 **(조건성취, 승계)**집행문을 강제집행을 개시하기 전에 **(또는 동시에) (채무자 또는)** 채무자의 승계인에게 송달하여야 한다.
> ③ 반대의무의 이행과 상환으로 이행을 명하는 재판을 집행권원으로 하는 집행에 관하여는 집행문부여시에는 반대의무의 이행을 증명할 필요가 없고 집행 전에 집행기관에 반대의무의 이행 또는

정답　01 ③

이행의 제공을 증명하면 충분하다(대결 1961.7.31, 4294민재항437; 대판 1962.2.15, 4294민상708). 즉, 동시이행관계에 있는 반대의무의 이행은 집행문부여의 요건이 아니고 집행개시의 요건이다(법 제41조 제1항). 예외적으로 반대의무의 이행과 상환으로 권리관계 인낙이나 의사를 진술할 의무에 대하여는 그 판결확정 후에 채권자가 그 반대의무를 이행한 사실을 증명하고 재판장(사법보좌관)의 명령에 의하여 집행문을 내어 준 때에 의사표시의 효력이 생기므로(법 제263조 제2항), 이 경우에는 반대의무의 이행 또는 이행의 제공은 집행문부여의 요건이 된다.

④ 법 제41조(집행개시의 요건)
  ① 반대의무의 이행과 동시에 집행할 수 있다는 것을 내용으로 하는 집행권원의 집행은 채권자가 반대의무의 이행 또는 이행의 제공을 하였다는 것을 증명하여야만 개시할 수 있다.
  ② 다른 의무(본래의 청구)의 집행이 불가능한 때에 그에 갈음하여 집행할 수 있다는 것을 내용으로 하는 (**대상청구(代償請求**)) 집행권원의 집행은 채권자가 그 (**집행관의 확인이나 다른 집행기관의 집행기록등본을 제출하는 등의 방법으로 본래의 청구권이**) 집행이 불가능하다는 것을 증명하여야만 개시할 수 있다.
⑤ 법 제40조(집행개시의 요건)
  ① 집행을 받을 사람이 일정한 시일(**확정기한**)에 이르러야 그 채무를 이행하게 되어 있는 때에는 그 시일이 지난 뒤에 강제집행을 개시할 수 있다.
  (불확정기한 · 정지조건 · 선이행 → 집행문부여의 요건)

02 **강제집행 또는 보전처분과 채무자의 회생 · 개인회생 · 파산 절차에 관한 다음 설명 중 가장 옳지 않은 것은?** ▸ 2023 법무사

① 면책결정이 확정된 때에는 채무자 회생 및 파산에 관한 법률 제557조 제1항의 규정에 의하여 중지한 절차는 법원의 별도 재판 없이도 그 효력을 잃는다.

② 변제계획인가 후 개인회생절차가 폐지된 때에는 변제계획인가결정에 의한 개인회생채권에 기한 가압류 등의 실효는 번복되지 않는다.

③ 파산채권과 달리 재단채권에 기하여는 파산재단에 속하는 재산에 대하여 개별적인 강제집행을 할 수 있다.

④ 개인회생절차개시결정이 있는 때에도 개인회생채권에 기하여 개인회생재단에 속하는 재산에 대하여 한 보전처분은 중지 또는 금지된다.

⑤ 강제집행중지가처분이 발령되면 보전처분 신청인 등 이해관계인은 그 가처분결정 정본을 집행법원에 제출함으로써 해당 강제집행절차를 파산선고시까지 정지시킬 수 있다.

해설 ① 「채무자 회생 및 파산에 관한 법률」 제557조 제2항, ② 동법 제621조 제2항, ④ 동법 제600조, 동법 제323조 제1항

③ 「채무자 회생 및 파산에 관한 법률」 제475조가 재단채권은 파산절차에 의하지 아니하고 수시로 이를 변제한다고 규정하고 있음에도 불구하고 파산채권이나 재단채권 모두 파산절차에 의하지 아니하고는 변제받을 수 없고, 따라서 파산채권 · 재단채권에 기하여 독립하여 강제집행을 하거나 배당요구할 수 없다는 것이 통설이다. 이에 의하면 집행법원은 이들 채권에 대하여 배당을 실시할 여지가 없고, 단지 별제권은 파산절차에 의하지 아니하고 이를 행사할 수 있으므로(동법 제412조), 파산재단에 속하는 부동산에 대한 경매절차에서는 그것이 어떤 사유로 개시된 것이든

(설령 파산채권에 기하여 개시된 것으로서 파산관재인이 「채무자 회생 및 파산에 관한 법률」 제 348조 제1항 단서에 의하여 파산재단을 위하여 그 절차를 속행한 경우에도) 경매법원은 별제권 자에게만 지급할 수 있을 뿐이다.

 **제3절 강제집행의 구제절차**

01 집행문부여의 소에 관한 다음 설명 중 가장 옳지 않은 것은? ▶ 2025 법무사

① 집행문부여의 소에서 청구이의의 소의 이의 사유를 주장하는 것이 금지된다고 볼 근거는 없으므로, 승계집행문 부여의 소에서 집행채무자가 청구이의 사유를 항변으로 주장하는 것도 허용된다.

② 간접강제결정을 집행하는 데에 조건이 붙어있지 않은 경우 그 간접강제결정에 대하여 집행문부여를 구하는 소는 부적법하다.

③ 집행력이 발생하지 않는 당연무효의 판결에 대하여는 집행문을 부여할 수 없고, 이러한 법리는 집행문부여의 소를 제기한 경우에도 마찬가지로 적용된다.

④ 집행문부여의 소에서 원고의 청구범위 중 일부에 대하여만 집행력의 존재가 인정되는 경우 법원은 집행문부여기관이 그 집행력이 인정되는 일부에 대하여만 집행문을 내어 줄 수 있도록 강제집행할 수 있는 범위를 특정하여 집행문부여를 명하여야 한다.

⑤ 집행문부여의 소는 원칙적으로 제1심법원의 관할에 속하므로, 집행권원이 항소심 판결이 라 하더라도 이에 대한 집행문부여의 소는 해당 사건의 제1심을 담당한 법원의 관할에 속한다.

해설 ① ≪대판 2012.4.13, 2011다93087≫

[2] 「민사집행법」 제33조에 규정된 집행문부여의 소는 채권자가 집행문을 부여받기 위하여 증명 서로써 증명하여야 할 사항에 대하여 그 증명을 할 수 없는 경우에 증명방법의 제한을 받지 않고 그러한 사유에 터 잡은 집행력이 현존하고 있다는 점을 주장·증명하여 판결로써 집행문 을 부여받기 위한 소이고, / 「민사집행법」 제44조에 규정된 청구이의의 소는 채무자가 집행권 원에 표시되어 있는 청구권에 관하여 생긴 이의를 내세워 집행권원이 가지는 집행력을 배제하 는 소이다. 위와 같이 「민사집행법」이 집행문부여의 소와 청구이의의 소를 각각 인정한 취지 에 비추어 보면 집행문부여의 소의 심리 대상은 조건 성취 또는 승계 사실을 비롯하여 집행문 부여 요건에 한하는 것으로 보아야 한다. 따라서 채무자가 「민사집행법」 제44조에 규정된 청 구에 관한 이의의 소의 이의 사유를 집행문 부여의 소에서 주장하는 것은 허용되지 아니한다.

② ≪대판 2022.2.11, 2020다229987≫

[1] 판결을 집행하는 데에 조건이 붙어 있는 경우 집행문을 받기 위하여 채권자는 이를 증명하는 서류를 제출하여 그 조건이 성취되었음을 증명하여야 하고, 판결에 표시된 채권자의 승계인 을 위하여 또는 판결에 표시된 채무자의 승계인에 대하여 집행문을 받기 위하여 채권자는

정답 02 ③ / 01 ①

증명서로 승계사실을 증명하여야 한다(민사집행법 제30조 제2항, 제31조).민사집행법 제33조에 규정된 집행문부여의 소는, 채권자가 집행문을 부여받기 위하여 이와 같이 증명서로써 증명하여야 할 사항에 대하여 그 증명을 할 수 없는 경우에 증명방법에 제한을 받지 않고 그러한 사유에 터 잡은 집행력이 현존하고 있다는 점을 주장·증명하여 판결로써 집행문을 부여받기 위한 소로서, 집행에 조건이 붙어 있어 조건의 성취를 주장하거나 채권자 또는 채무자의 승계사실을 주장하면서 집행문부여를 구하는 경우에 제기할 수 있다.

[3] 이 사건 가처분결정 주문 제3항의 간접강제결정을 집행하는 데에 조건이 붙어 있지 않으므로 그 간접강제결정에 대하여 집행문부여를 구하는 이 사건 소는 부적법하고 이는 집행문부여에 관한 이의신청 재판에 대하여 특별항고로만 다툴 수 있다고 하더라도 마찬가지라는 취지로 판단하였다. 이러한 원심의 판단은 정당하다.

③ ≪대판 2012.4.13, 2011다93087≫

[1] 집행력이 발생하지 않는 당연무효의 판결(소제기 전 이미 사망한 자를 상대로 한 판결)에 대하여는 집행문을 부여할 수 없고, 이러한 법리는 「민사집행법」 제33조에 의하여 집행문부여의 소를 제기한 경우에도 마찬가지로 적용된다.

④ ≪대판 2009.6.11, 2009다18045≫

집행문부여의 소에서 집행문부여를 구하는 원고의 청구 범위 중 일부에 대하여만 집행력의 존재가 인정되는 경우, 법원은 집행문부여기관이 집행권원에 표시된 청구권 중 그 집행력이 인정되는 일부에 대하여만 집행문을 내어줄 수 있도록 강제집행을 할 수 있는 범위를 특정하여 집행문부여를 명하여야 한다.

⑤ 법 제33조(집행문부여의 소)

제30조 제2항(**조건성취집행문**) 및 제31조(**승계집행문**)의 규정에 따라 필요한 증명을 할 수 없는 때에는 (원고) 채권자는 집행문을 내어 달라는 소를 제1심 법원에 제기할 수 있다. (피고−채무자)

02 집행문 부여 여부와 관련된 구제수단에 관한 다음 설명 중 가장 옳지 않은 것은? ▶ 2023 법무사

① 승계집행문부여의 소를 제기한 원고가 기존 확정판결 상의 원고와 동일인인지 여부가 명백하지 아니하고, 확정판결상의 피고들 역시 그 동일성 여부를 다투고 있는 경우에는 원고가 피고들을 상대로 별도의 소송으로 피고들 명의의 등기의 말소를 구할 권리보호의 이익을 부정할 수 없다.

② 채무자가 채무자 지위의 승계를 부인하여 다투는 경우에는 승계집행문 부여에 대한 이의의 소를 제기할 수 있고, 이때 승계사실에 대한 증명책임은 승계를 주장하는 채권자에게 있다.

③ 채권자의 승계인에 대하여 승계집행문을 내어준 경우에 채무자만이 그 승계사실을 다투어 집행문부여에 대한 이의의 소를 제기할 수 있고, 채권자가 그 승계사실을 다투어 집행문부여에 대한 이의의 소를 제기할 수는 없다.

④ 제1심법원의 법원사무관등이 집행문 부여 거절처분을 한 후 상소에 따라 소송기록을 상급심법원에 송부한 경우에는 제1심법원의 법원사무관등이 한 집행문 부여 거절처분에 대한 이의신청은 특별한 사정이 없는 한 신청의 이익이 없어 부적법하다.

⑤ 양자의 목적이 동일한 이상 채무자는 집행문부여의 소에서 청구이의의 소의 이의사유를 주장할 수 있다.

해설 ① ≪대판 1994.5.10, 93다53955≫

라. 피고들이 시종 원고가 등기말소를 명한 확정판결의 원고와는 동일성이 인정되지 않는다고 다투고 있을 뿐만 아니라 기록상 원고가 위 확정판결의 원고와 동일성이 명확하다고 보이지 아니하여 민사소송법 제481조의 규정에 의하여 법원사무관 등으로부터 승계집행문을 부여받기는 어려운 것으로 보이고 또 승계집행문부여의 소를 제기하더라도 패소될 경우도 생길 수 있고 그와 같은 경우라면 원고가 피고들을 상대로 한 별도의 소송으로 피고들 명의의 등기의 말소를 구할 권리보호의 이익을 부정할 수 없다.

② ≪대판 2016.6.23, 2015다52190≫

[1] 판결에 표시된 채무자의 승계가 법원에 명백한 사실이거나 증명서로 승계를 증명한 때에는 채무자의 승계인에 대한 집행을 위하여 재판장의 명령에 따라 승계집행문을 내어 줄 수 있는데(「민사집행법」 제31조, 제32조), 승계집행문 부여의 요건은 집행권원에 표시된 당사자에 관하여 실체법적인 승계가 있었는지이다. (원고) 채무자가 채무자 지위의 승계를 부인하여 다투는 경우에는 승계집행문 부여에 대한 이의의 소를 제기할 수 있고(「민사집행법」 제45조), 이때 승계사실에 대한 증명책임은 승계를 주장하는 (피고) 채권자에게 있다.

③ ≪대판 1973.5.22, 70다1090≫

채권자의 승계인에 대하여 승계집행문을 부여하였을 때에는 채무자만이 그 승계사실을 다투어 그 집행문부여에 대한 이의의 소를 제기할 수 있다.

(註 1. **채권자가 그 승계사실을 다투어 집행문부여에 대한 이의의 소를 제기할 수는 없다.**)

(註 2. **채권자대위권에 기하여 채권자가 채무자를 대신하여 제기할 수 있음은 물론이다.**)

④ ≪대결 2000.3.13, 99마7096≫

「민사소송법」 제478조 제2항(법 제28조 제2항)에 의하면 집행문은 제1심법원의 법원사무관 등이 부여하되 소송기록이 상급심에 있는 때에는 그 법원의 법원사무관 등이 부여하는 것이므로, 제1심법원의 법원사무관 등은 그 법원에서의 소송절차가 종료되고 상소에 의하여 소송기록을 상급심법원에 송부한 후에는 집행문부여의 권한을 잃게 되고, 따라서 제1심법원의 법원사무관 등이 한 집행문부여 거절처분에 대한 이의신청은 이와 같이 그 거절처분을 한 법원의 법원사무관 등이 집행문부여의 권한을 잃은 뒤에는 특별한 사정이 없는 한 신청의 이익이 없어 부적법하다.

(거절, 없다 / 부여, 있다)

⑤ ≪대판 2012.4.13, 2011다93087≫

[2] 「민사집행법」 제33조에 규정된 집행문부여의 소는 채권자가 집행문을 부여받기 위하여 증명서로써 증명하여야 할 사항에 대하여 그 증명을 할 수 없는 경우에 증명방법의 제한을 받지 않고 그러한 사유에 터 잡은 집행력이 현존하고 있다는 점을 주장·증명하여 판결로써 집행문을 부여받기 위한 소이고, / 「민사집행법」 제44조에 규정된 청구이의의 소는 채무자가 집행권원에 표시되어 있는 청구권에 관하여 생긴 이의를 내세워 집행권원이 가지는 집행력을 배제하는 소이다. 위와 같이 「민사집행법」이 집행문부여의 소와 청구이의의 소를 각각 인정한 취지에 비추어 보면 집행문부여의 소의 심리 대상은 조건 성취 또는 승계 사실을 비롯하여 집행문부여 요건에 한하는 것으로 보아야 한다. / 따라서 채무자가 「민사집행법」 제44조에 규정된 청구에 관한 이의의 소의 이의 사유를 집행문 부여의 소에서 주장하는 것은 허용되지 아니한다.

03 다음 설명 중 가장 옳지 않은 것은?

▶ 2023 법무사

① 회생채권자표에 대한 청구이의의 소가 계속 중인 법원이 회생계속법원이 아니라면 법원은 관할법원인 회생계속법원에 사건을 이송하여야 한다.

② 집행권원의 채무자와 동일성이 없는 사람 등 집행의 채무자적격을 가지지 아니한 사람이라도 그에 대하여 집행문을 내어 주었으면 집행문부여에 대한 이의신청 등에 의하여 취소될 때까지는 집행문에 의한 집행의 채무자가 된다.

③ 상속채권자가 아닌 한정승인자의 고유채권자가 상속재산에 관하여 저당권 등의 담보권을 취득한 경우, 담보권을 취득한 채권자와 상속채권자 사이의 우열관계는 민법상 일반원칙에 따라야 하고 상속채권자가 우선적 지위를 주장할 수 없다.

④ 집행권원상의 채무자가 집행권원에 대한 강제집행정지를 위하여 공탁한 담보는 강제집행정지로 인하여 채권자(피공탁자)에게 생길 손해를 담보하기 위한 것이므로, 강제집행정지의 대상인 집행권원에 기한 기본채권 자체를 담보하지 않는다.

⑤ 반대급부 이행 등 조건이 성취되지 않았는데도 등기신청의 의사표시를 명하는 판결 등 집행권원에 집행문이 잘못 부여된 경우에는 채무자로서는 집행문부여에 대한 이의신청이나 집행문부여에 대한 이의의 소로 다투어야 한다.

> **해설** ① ≪대판 2019.10.17, 2019다238305≫
> 채무자가 판결에 따라 확정된 청구에 관하여 이의하려면 제1심 판결법원에 청구에 관한 이의의 소를 제기하여야 하지만(민사집행법 제44조 제1항), 회생채권자표에 대한 청구이의의 소는 회생계속법원의 관할에 전속한다[채무자 회생 및 파산에 관한 법률(이하 '채무자회생법'이라 한다) 제255조 제3항]. 따라서 회생채권자표에 대한 청구이의의 소가 계속 중인 법원이 회생계속법원이 아니라면 법원은 관할법원인 회생계속법원에 사건을 이송하여야 한다.
>
> ② ≪대판 2016.8.18, 2014다225038≫
> [1] 집행의 채무자가 누구인지는 집행문을 누구에 대하여 내어 주었는지에 의하여 정하여지고, 집행권원의 채무자와 동일성이 없는 사람 등 집행의 채무자적격을 가지지 아니한 사람이라도 그에 대하여 집행문을 내어 주었으면 집행문부여에 대한 이의신청 등에 의하여 취소될 때까지는 집행문에 의한 집행의 채무자가 된다.
>
> ③ ≪대판 2016.5.24, 2015다250574≫
> [2] 상속채권자가 아닌 한정승인자의 고유채권자가 상속재산에 관하여 저당권 등의 담보권을 취득한 경우, 담보권을 취득한 채권자와 상속채권자 사이의 우열관계는 민법상 일반원칙에 따라야 하고 상속채권자가 우선적 지위를 주장할 수 없다.
>
> ④ ≪대판 2017.4.28, 2016다277798≫
> [1] 집행권원상의 채무자가 집행권원에 대한 강제집행정지를 위하여 공탁(이하 '재판상 담보공탁'이라고 한다)한 담보는 강제집행정지로 인하여 채권자(피공탁자)에게 생길 손해를 담보하기 위한 것이므로, 강제집행정지의 대상인 집행권원에 기한 기본채권 자체를 담보하지 않는다.
>
> ⑤ ≪대판 2012.3.15, 2011다73021≫
> [1] 집행권원상의 의사표시를 하여야 하는 채무가 ('을은 갑에게서 매매대금을 지급받음과 동시에 갑에게 3/5 지분에 관하여 소유권이전등기절차를 이행한다'는 내용의) 반대급부 이행 등 조건이 붙은 경우에는 채권자가 조건 등의 성취를 증명하여 재판장의 명령에 의하여 집행문을 받아야만 의사표시 의제의 효과가 발생한다. 따라서 반대급부 이행 등 조건이 성취되지

않았는데도 (나아가 재판장의 명령이 없었음에도) 등기신청의 의사표시를 명하는 판결 등 집행권원에 집행문이 잘못 부여된 경우에는 그 집행문부여는 무효이나, 이러한 집행문부여로써 강제집행이 종결되고 더 이상의 집행 문제는 남지 않는다는 점을 고려하면 집행문부여에 대한 이의신청이나 집행문부여에 대한 이의의 소를 제기할 이익이 없으므로, 채무자로서는 집행문부여에 의하여 의제되는 등기신청에 관한 의사표시가 무효라는 것을 주장하거나 그에 기초하여 이루어진 등기의 말소 또는 회복을 구하는 소를 제기하여야 한다.

04 청구이의에 관한 다음 설명 중 가장 옳지 않은 것은?　　　▶ 2021 법무사

① 채무자가 판결에 따라 확정된 청구에 관하여 이의하려면 제1심 판결법원에 청구에 관한 이의의 소를 제기하여야 하지만, 회생채권자표에 대한 청구이의의 소는 회생계속법원의 관할에 전속한다. 여기에서 회생계속법원이란 회생사건이 계속되어 있는 회생법원을 말하는데, 회생절차가 종결되거나 폐지된 후에는 회생절차가 계속되었던 회생법원을 가리킨다.

② 파산선고를 받은 자가 채권자를 상대로 채무의 존재를 다투는 소송은 파산재단에 속하는 재산에 관한 소송에 해당하므로 파산채무자에 대한 파산선고가 있는 때에는 채무자 회생 및 파산에 관한 법률 제347조에 따라 파산관재인 또는 상대방이 수계할 때까지 이에 관한 소송절차는 당연히 중단된다.

③ 환경분쟁 조정법에 의하면 재정위원회가 재정을 한 경우 재정문서의 정본이 당사자에게 송달된 것을 전제로 그 날부터 60일 이내에 당사자가 재정의 대상인 환경피해를 원인으로 하는 소송을 제기하지 아니하는 등의 경우에 재정문서는 재판상 화해와 동일한 효력이 있으므로, 재정문서의 정본이 당사자에게 송달조차 되지 않은 경우에는 유효한 집행권원이 될 수 없고, 따라서 이에 대하여 집행력의 배제를 구하는 청구이의의 소를 제기할 수 없다.

④ 확정판결에 의한 권리라 하더라도 신의에 좇아 성실히 행사되어야 하고 그 판결에 기한 집행이 권리남용이 되는 경우에는 허용되지 않으므로 집행채무자는 청구이의의 소에 의하여 그 집행의 배제를 구할 수 있다.

⑤ 채권자취소소송에서 피보전채권의 존재가 인정되어 사해행위 취소 및 원상회복을 명하는 판결이 확정되었다면, 그에 기하여 재산이나 가액의 회복을 마치기 전에 피보전채권이 소멸하여 채권자가 더 이상 채무자의 책임재산에 대하여 강제집행을 할 수 없게 되었더라도, 이는 위 판결의 집행력을 배제하는 적법한 청구이의 이유가 될 수 없다.

> **해설** ① ≪대판 2019.10.17, 2019다238305≫
>
> 채무자가 판결에 따라 확정된 청구에 관하여 이의하려면 제1심 판결법원에 청구에 관한 이의의 소를 제기하여야 하지만(민사집행법 제44조 제1항), 회생채권자표에 대한 청구이의의 소는 회생계속법원의 관할에 전속한다[채무자 회생 및 파산에 관한 법률(이하 '채무자회생법'이라 한다) 제255조 제3항]. 여기에서 회생계속법원이란 회생사건이 계속되어 있는 회생법원을 말하는데(채무자회생법 제60조 제1항), 회생절차가 종결되거나 폐지된 후에는 회생절차가 계속되었던 회생법원을 가리킨다.

정답　03 ⑤　04 ⑤

② ≪대판 2020.6.25, 2019다246399≫

[1] 파산선고를 받은 자가 채권자를 상대로 채무의 존재를 다투는 소송은 파산재단에 속하는 재산에 관한 소송에 해당하므로 파산채무자에 대한 파산선고가 있는 때에는 채무자 회생 및 파산에 관한 법률 제347조에 따라 파산관재인 또는 상대방이 수계할 때까지 이에 관한 소송 절차는 당연히 중단된다.

③ ≪대판 2016.4.15, 2015다201510≫

[2] 환경분쟁 조정법에 의하면 재정위원회가 재정을 한 경우 재정문서의 정본이 당사자에게 송달된 것을 전제로 그날부터 60일 이내에 당사자가 재정의 대상인 환경피해를 원인으로 하는 소송을 제기하지 아니하는 등의 경우에 재정문서는 재판상 화해와 동일한 효력이 있으므로, / 재정문서의 정본이 당사자에게 송달조차 되지 않은 경우에는 유효한 집행권원이 될 수 없고, 따라서 이에 대하여 집행력의 배제를 구하는 청구이의의 소를 제기할 수 없다.

④ ≪대판 2001.11.13, 99다32899≫

[2] 확정판결에 의한 권리라 하더라도 신의에 좇아 성실히 행사되어야 하고 그 판결에 기한 집행이 권리남용이 되는 경우에는 허용되지 않으므로 집행채무자는 청구이의의 소에 의하여 그 집행의 배제를 구할 수 있다.

⑤ ≪대판 2017.10.26, 2015다224469≫

[2] 채권자취소권은 채무자의 사해행위를 채권자와 수익자 또는 전득자 사이에서 상대적으로 취소하고 채무자의 책임재산에서 일탈한 재산을 회복하여 채권자의 강제집행이 가능하도록 하는 것을 본질로 하는 권리이므로, 채권자취소권에 의하여 책임재산을 보전할 필요성이 없어지면 채권자취소권은 소멸한다(대판 2008.4.24, 2007다84352, 대판 2009.3.26, 2007다63102 참조). 따라서 채권자취소소송에서 피보전채권의 존재가 인정되어 사해행위 취소 및 원상회복을 명하는 판결이 확정되었다고 하더라도, 그에 기하여 재산이나 가액의 회복을 마치기 전에 피보전채권이 소멸하여 채권자가 더 이상 채무자의 책임재산에 대하여 강제집행을 할 수 없게 되었다면, 이는 위 판결의 집행력을 배제하는 적법한 청구이의 이유가 된다.

05 청구이의의 소에 관한 다음 설명 중 가장 옳지 않은 것은?

▶ 2022 법무사

① 채무자가 1심 판결에 붙은 가집행 선고에 의하여 채권자에게 해당 금원을 변제한 뒤 항소심에서 항소가 기각되어 판결이 확정된 경우 위 변제는 사실심 변론종결 전에 생긴 사유이므로 적법한 청구이의 사유가 아니다.

② 채무자가 한정승인을 하였으나 채권자가 제기한 소송의 사실심 변론종결시까지 이를 주장하지 아니하는 바람에 책임의 범위에 관하여 아무런 유보 없는 판결이 선고·확정된 경우라 하더라도 채무자가 그 후 위 한정승인 사실을 내세워 청구에 관한 이의의 소를 제기할 수 있다.

③ 채무자가 상속포기를 하였으나 채권자가 제기한 소송의 사실심 변론종결시까지 이를 주장하지 않은 경우 채무자는 그 후 위 상속포기 사실을 내세워 청구에 관한 이의의 소를 제기할 수 없다.

④ 부작위채무에 대한 간접강제결정의 집행력 배제를 구하는 청구이의의 소에서 채무자에게 부작위의무위반이 없었다는 주장을 청구이의사유로 내세울 수 없다.

⑤ 집행권원상의 청구권을 양도한 채권자가 집행력이 소멸한 이행권고결정서의 정본에 기하여 강제집행절차에 나아간 경우 그러한 양도인을 상대로 한 청구이의의 소는 부적법하고, 민사집행법 제16조의 집행이의의 방법으로 다툴 수 있다.

해설 ① ≪대판 1995.6.30, 95다15827≫

제1심 판결에 붙은 가집행선고에 의하여 지급된 금원은 확정적으로 변제의 효과가 발생하는 것이 아니어서 채무자가 그금원의 지급 사실을 항소심에서 주장하더라도 항소심은 그러한 사유를 참작하지 않으므로, 그 금원 지급에 의한 채권 소멸의 효과는 그 판결이 확정된 때(= **변론 종결 후**)에 비로소 발생한다고 할 것이며, 따라서 채무자가 그와 같이 금원을 지급하였다는 사유는 본래의 소송의 확정판결의 집행력을 배제하는 적법한 청구이의사유가 된다.

② ≪대판 2006.10.13, 2006다23138≫

(**채무자가 한정승인을 하였으나**) 채권자가 피상속인의 금전채무를 상속한 상속인을 상대로 그 상속채무의 이행을 구하여 제기한 소송에서 채무자가 한정승인 사실을 주장하지 않으면 책임의 범위는 현실적인 심판대상으로 등장하지 아니하여 주문에서는 물론 이유에서도 판단되지 않으므로 그에 관하여 기판력이 미치지 않는다. / 그러므로 **채무자가 한정승인을 하고도** 채권자가 제기한 소송의 사실심 변론종결시까지 그 사실을 주장하지 아니하여 책임의 범위에 관한 유보가 없는 판결이 선고되어 확정되었다고 하더라도, 채무자는 그 후 위 한정승인 사실을 내세워 청구에 관한 이의의 소를 제기할 수 있다.

③ ≪대판 2009.5.28, 2008다79876≫

[2] 확정판결의 변론종결 이전 상속 포기를 신고하여 이를 수리한다는 심판을 받은 사실이 있음을 이유로 위 집행력의 배제를 구하는 청구이의의 소를 제기한 데 대하여, 「민사집행법」 제44조 제2항에 의한 청구이의의 소는 그 이의사유가 변론종결 이후에 생긴 것이어야 하므로 위 상속포기의 사유는 위 확정판결의 변론종결 이전에 생긴 것이어서 적법한 청구이의의 사유가 되지 못한다.

④ ≪대판 2012.4.13, 2011다92916≫

[2] 채권자가 부작위채무에 대한 간접강제결정 ('**채무자는 이 결정 송달일로부터 1년간 경쟁회사에 취업하여서는 아니되고, 이를 위반할 경우에는 채권자에게 각 위반행위 1일당 100만 원씩을 지급하여야 한다**'는 내용의 가처분 및 간접강제결정)을 집행권원으로 하여 강제집행을 하기 위하여는 집행문을 받아야 하는데, 채무자의 부작위의무위반은 부작위채무에 대한 간접강제결정의 집행을 위한 조건에 해당하므로 「민사집행법」 제30조 제2항에 의하여 채권자가 조건의 성취를 증명하여야 집행문을 받을 수 있다. 그리고 집행문부여 요건인 조건의 성취 여부는 집행문부여와 관련된 집행문부여의 소 또는 집행문부여에 대한 이의의 소에서 주장·심리되어야 할 사항이지, 집행권원에 표시되어 있는 청구권에 관하여 생긴 이의를 내세워 집행권원이 가지는 집행력의 배제를 구하는 청구이의의 소에서 심리되어야 할 사항은 아니다. 따라서 부작위채무에 대한 간접강제결정의 집행력 배제를 구하는 청구이의의 소에서 채무자에게 부작위의무위반이 없었다는 주장을 청구이의사유로 내세울 수 없다.

⑤ ≪대판 2008.2.1, 2005다23889≫

집행권원상의 청구권이 양도되어 대항요건을 갖춘 경우 집행당사자적격이 양수인으로 변경되고, 양수인이 승계집행문을 부여받음에 따라 집행채권자는 양수인으로 확정되는 것이므로, 승계집행문의 부여로 인하여 양도인에 대한 기존 집행권원의 집행력은 소멸한다. 따라서, 그 후 양도인을 상대로 제기한 청구이의의 소는 피고적격이 없는 자를 상대로 한 소이거나 이미 집행력이 소멸한

정답 05 ①

집행권원의 집행력 배제를 구하는 것으로 권리보호의 이익이 없어 <u>부적법</u>하고, / 이러한 법리는 「소액사건심판법」상의 확정된 이행권고결정과 같이 위 법 제5조의8 제1항에 의하여 집행문을 별도로 부여받을 필요 없이 이행권고결정서의 정본에 의하여 강제집행이 가능한 경우에도 마찬가지이다(집행권원상의 청구권을 양도한 채권자가 <u>집행력이 소멸한 이행권고결정서의 정본</u>에 기하여 강제집행절차에 나아간 경우에 채무자는 「민사집행법」 제16조의 <u>집행이의</u>의 방법으로 이를 다툴 수 있다). (**청구이의의 소×**)

06 청구이의의 소에 관한 다음 설명 중 가장 옳지 않은 것은?   ▸ 2025 법무사

① 확정판결에 의한 권리라 하더라도 신의에 좇아 성실히 행사되어야 하고 판결에 기한 집행이 권리남용이 되는 경우에는 허용되지 <u>않으므로</u>, 집행채무자는 청구이의의 소에 의하여 집행의 배제를 구할 수 있다.

② 청구이의의 소로 집행권원의 집행력 자체의 배제를 구하는 것이 아니라 이미 집행된 개개의 구체적인 집행행위의 배제를 구하는 것은 허용되지 않는다.

③ 채권자가 다른 채권자에 대한 배당에 대하여 이의를 한 경우에는 그 다른 채권자가 집행력 있는 집행권원의 정본을 가지고 있다면 청구이의의 소를 제기하여 그 다른 채권자에 대한 배당을 다투어야 한다.

④ 아직 확정되지 않은 가집행선고 있는 판결에 대하여는 청구이의의 소를 제기할 수 없다.

⑤ 채무자의 의사의 진술을 명하는 판결의 경우 그 확정판결에 대하여는 특별한 사정이 없는 한 청구이의의 소가 허용되지 않는다.

해설 ① ≪대판 2014.5.29. 2013다82043≫

확정판결에 의한 권리라 하더라도 신의에 좇아 성실히 행사되어야 하고 그 판결에 기한 집행이 권리남용이 되는 경우에는 허용되지 않으므로 집행채무자는 <u>청구이의의 소</u>에 의하여 그 집행의 배제를 구할 수 있다.

② ≪대판 1971.12.28. 71다1008≫

청구이의의 소는 채무명의의 집행력자체의 배제를 구하는 것이므로 이미 집행된 <u>개개의 집행행위의 불허</u>를 구하는 것은 <u>부적법</u>하다.

③ ≪대판 2023.8.18. 2023다234102≫

[1] <u>채권자가 다른 채권자에 대한 배당에 대하여 이의를 한 경우에는 그 다른 채권자가 집행력 있는 집행권원의 정본을 가지고 있는지 여부</u>에 상관없이 배당이의의 소를 제기하여야 하고 (대법원 2013. 8. 22. 선고 2013다36668 판결), 이는 채권자가 배당이의를 하면서 배당이의 사유로 채무자를 대위하여 집행권원의 정본을 가진 다른 채권자의 채권의 소멸시효가 완성되었다는 등의 주장을 한 경우에도 마찬가지이다.

④ ≪대판 2015.4.23. 2013다86403≫

[1] <u>가집행선고 있는 판결에 대하여는 그 판결이 확정된 후가 아니면 청구이의의 소를 제기할 수 없으나</u>(「민사집행법」 제44조 제1항), 채무자는 상소로써 채권의 존재 여부나 범위를 다투어 판결의 집행력을 배제시킬 수 있고 집행정지결정을 받을 수도 있으므로, 확정되지 아니한 가집행선고 있는 판결에 대하여 청구이의의 소를 제기할 수 없다고 하여 채무자가 이러한

판결의 정본을 가진 채권자에 대하여 채권의 존재 여부나 범위를 다투기 위하여 배당이의의 소를 제기할 수 있는 것이 아니다.

⑤ ≪대판 1995.11.10, 95다37568≫

대지에 대한 수분양자 명의변경 절차의 이행을 소구함은 채무자의 의사의 진술을 구하는 소송으로서 그 청구를 인용하는 판결이 선고되고 그 소송이 확정되었다면, 그와 동시에 채무자가 수분양자 명의변경 절차의 이행의 의사를 진술한 것과 동일한 효력이 발생하는 것이므로 위 확정판결의 강제집행은 이로써 완료되는 것이고 집행기관에 의한 별도의 집행절차가 필요한 것이 아니므로, 특별한 사정이 없는 한 위 확정판결 이후에 집행절차가 계속됨을 전제로 하여 그 채무명의가 가지는 집행력의 배제를 구하는 청구이의의 소는 허용될 수 없다.

07 부동산경매절차상 집행권원 및 집행문에 관한 다음 설명 중 가장 옳지 않은 것은?

▶ 2025 법무사

① 청구이의의 소는 채무자가 확정된 종국판결 등 집행권원에 표시된 청구권에 관하여 실체상 사유를 주장하여 그 집행력의 배제를 구하는 것이므로 유효한 집행권원을 그 대상으로 한다.

② 소유권이전등기절차의 이행을 명하는 판결은 등기신청 의사의 진술을 명하는 것으로서 그 판결이 확정되면 확정 시에 채무자의 의사표시가 있는 것으로 본다. 의사표시를 명하는 집행권원의 집행이 채권자의 반대의무와 동시이행관계에 있는 때와 같이 반대의무가 이행된 뒤에 의사를 진술할 것인 경우에는 집행문을 내어준 때에 그 효력이 생긴다.

③ 집행권원상의 청구권이 양도되어 대항요건을 갖춘 경우 집행당사자적격이 양수인으로 변경되고, 양수인이 승계집행문을 부여받음에 따라 집행채권자는 양수인으로 확정되는 것이므로, 승계집행문의 부여로 인하여 양도인에 대한 기존 집행권원의 집행력은 소멸한다. 따라서 그 후 양도인을 상대로 제기한 청구이의의 소는 피고적격이 없는 자를 상대로 한 소이거나 이미 집행력이 소멸한 집행권원의 집행력 배제를 구하는 것으로 권리보호의 이익이 없어 부적법하다.

④ 제1심판결이 공시송달의 방법으로 송달되어 확정된 후 추완항소가 제기되고, 항소심이 추완항소를 각하하지 않은 채 제1심판결 선고 후의 사정으로 판결로써 소송종료선언을 하여 그 판결이 확정되었다면, 선행소송인 제1심판결에 대하여 집행력의 배제를 구하는 청구이의의 소를 제기할 수 있다.

⑤ 집행권원인 동시이행판결의 반대의무 이행 또는 이행제공은 집행개시의 요건으로서 집행개시와 관련된 집행에 관한 이의신청 절차에서 주장·심리되어야 할 사항이지, 집행권원에 표시되어 있는 청구권에 관하여 생긴 이의를 내세워 그 집행권원이 가지는 집행력의 배제를 구하는 청구이의의 소에서 심리되어야 할 사항은 아니다. 따라서 동시이행판결의 채무자로서는 그 집행력의 배제를 구하는 청구이의의 소에서 채권자가 반대의무의 이행 또는 이행제공을 하지 않았다는 주장을 청구이의의 사유로 내세울 수 없다.

정답 ▶ 06 ③ 07 ④

해설 ① 청구에 관한 이의의 소(청구이의의 소)란 채무자가 집행권원에 표시된 청구권에 관하여 생긴 이의를 내세워 그 집행권원이 가지는 집행력의 배제를 구하는 소를 말한다(법 제44조). 청구이의의 소는 유효한 집행권원의 존재를 전제로 한다. 따라서 집행권원의 존재를 다투거나 그 폐기를 위하여 제기하는 것은 아니다.

② 법 제263조(의사표시의무의 집행)

  ① 채무자가 권리관계의 성립을 인낙한 때에는 그 조서로, 의사의 진술을 명한 판결이 확정된 때에는 그 판결로 권리관계의 성립을 인낙하거나 의사를 진술한 것으로 본다.

  ② 반대의무가 이행된 뒤에 권리관계의 성립을 인낙하거나 의사를 진술할 것인 경우에는 제30조와 제32조의 규정에 따라 **(조건성취)**집행문을 내어 준 때에 그 효력이 생긴다.

③ ≪대판 2008.2.1, 2005다23889≫

집행권원상의 청구권이 양도되어 대항요건을 갖춘 경우 집행당사자적격이 양수인으로 변경되고, 양수인이 승계집행문을 부여받음에 따라 집행채권자는 양수인으로 확정되는 것이므로, 승계집행문의 부여로 인하여 양도인에 대한 기존 집행권원의 집행력은 소멸한다. 따라서, 그 후 양도인을 상대로 제기한 청구이의의 소는 피고적격이 없는 자를 상대로 한 소이거나 이미 집행력이 소멸한 집행권원의 집행력 배제를 구하는 것으로 권리보호의 이익이 없어 부적법하고, / 이러한 법리는 「소액사건심판법」상의 확정된 이행권고결정과 같이 위 법 제5조의8 제1항에 의하여 집행문을 별도로 부여받을 필요 없이 이행권고결정서의 정본에 의하여 강제집행이 가능한 경우에도 마찬가지이다(집행권원상의 청구권을 양도한 채권자가 집행력이 소멸한 이행권고결정서의 정본에 기하여 강제집행절차에 나아간 경우에 채무자는 「민사집행법」 제16조의 집행이의의 방법으로 이를 다툴 수 있다). **(청구이의의 소×)**

④ ≪대판 2024.12.12, 2024다273869≫

청구이의의 소는 채무자가 확정된 종국판결 등 집행권원에 표시된 청구권에 관하여 실체상 사유를 주장하여 그 집행력의 배제를 구하는 것이므로 유효한 집행권원을 그 대상으로 한다(대법원 2016.4.15. 선고 2015다201510 판결 등 참조). 그런데 제1심판결이 공시송달의 방법으로 송달되어 확정된 후 추완항소가 제기되고, 항소심이 추완항소를 각하하지 않은 채 제1심판결 선고 후의 사정으로 판결로써 **(항소심법원은 2022.5.18. '이 사건 관재인과 원고 사이의 선행소송은 2020.5.8.자 이 사건 파산종결 결정으로 종료되었다.'라는)** 소송종료선언을 하여 그 판결이 확정되었다면, 이로써 제1심판결의 형식적 확정력은 소멸된다. 앞서 본 사실을 위와 같은 법리에 비추어 살펴보면, 선행소송 1심판결은 공시송달의 방법으로 송달되어 일응 확정되었으나, 원고가 제기한 추완항소에 따라 항소심이 판결로써 소송종료선언을 하여 그 판결이 확정되었으므로, 이로써 선행소송 1심판결의 형식적 확정력은 소멸되었다고 할 것이다. 따라서 선행소송 1심판결은 유효한 집행권원이라 할 수 없으므로 이에 대하여 집행력의 배제를 구하는 청구이의의 소를 제기할 수 없다.

⑤ ≪대판 2024.6.13, 2024다231391≫ **[동시이행판결에서 반대의무의 이행·이행제공× → 청구이의의 소×]**

집행권원인 동시이행판결의 반대의무 이행 또는 이행제공은 집행개시의 요건으로서 집행개시와 관련된 집행에 관한 이의신청 절차에서 주장·심리되어야 할 사항이지, 집행권원에 표시되어 있는 청구권에 관하여 생긴 이의를 내세워 그 집행권원이 가지는 집행력의 배제를 구하는 청구이의의 소에서 심리되어야 할 사항은 아니다. 따라서 동시이행판결의 채무자로서는 그 집행력의 배제를 구하는 청구이의의 소에서 채권자가 반대의무의 이행 또는 이행제공을 하지 않았다는 주장을 청구이의의 사유로 내세울 수 없다.

08 잠정처분(민사집행법 제46조)에 관한 다음 설명 중 가장 옳지 않은 것은? ▸ 2025 법무사

① 잠정처분은 청구이의의 소 등이 계속 중인 경우 신청할 수 있고, 이러한 소가 제기되지 않았는데도 신청한 경우 그 신청은 부적법하다.

② 법원이 담보를 제공하게 하고 강제집행을 정지하도록 명하는 잠정처분을 하였는데 그 담보금액이 과다하여 부당한 경우, 강제집행정지를 원하는 신청인은 담보제공명령에 대하여만 독립하여 불복할 수 있다.

③ 집행권원상의 채무자가 집행권원에 대한 강제집행정지를 위하여 공탁한 담보는 강제집행정지로 인하여 채권자에게 생길 손해를 담보하기 위한 것이므로, 강제집행정지의 대상인 집행권원에 기한 기본채권 자체를 담보하지 않는다.

④ 채무부존재확인의 소를 제기한 것만으로는 잠정처분을 할 요건이 갖추어졌다고 할 수 없다.

⑤ 잠정처분은 특별한 사정이 없는 한 본안소송인 이의의 소에 대한 판결 선고시까지 효력이 있고, 인가의 재판이 없으면 판결 선고와 함께 실효된다. 다만 법원의 재량에 의하여 판결 확정시까지로 그 시한을 정하는 것은 가능하다.

해설 ① ≪대결 1981.8.21, 81마292≫

[2] 청구이의의 소를 제기하지 아니하고 한 「민사소송법」 제507조 제2항(**법 제46조 제2항**) 소정의 강제집행에 관한 가처분신청(→ **잠정처분 신청**)은 부적법하여 각하하여야 하므로 이를 기각한 원심결정은 잘못이나 결론에 있어서 위 신청을 배척한 것이므로 이점은 원심결정의 파기사유가 되지 아니한다.

② ≪대결 2001.9.3, 2001그85≫

수소법원이 민사소송법 제507조 제2항(**법 제46조 제2항**) 소정의 강제집행정지결정 등을 명하기 위하여 담보제공명령을 내렸다면 이러한 담보제공명령은 나중에 있을 강제집행을 정지하는 재판에 대한 중간적 재판에 해당하는바, 위 명령에서 정한 공탁금액이 너무 과다하여 부당하다고 하더라도 이는 강제집행정지의 재판에 대한 불복절차에서 그 당부를 다툴 수 있을 뿐, 중간적 재판에 해당하는 담보제공명령에 대하여는 독립하여 불복할 수 없다.

③ ≪대판 2017.4.28, 2016다277798≫

[1] 집행권원상의 채무자가 집행권원에 대한 강제집행정지를 위하여 공탁(이하 '재판상 담보공탁'이라고 한다)한 담보는 강제집행정지로 인하여 채권자(피공탁자)에게 생길 손해를 담보하기 위한 것이므로, 강제집행정지의 대상인 집행권원에 기한 기본채권 자체를 담보하지 않는다.

④ ≪대결 2015.1.30, 2014그553≫

(**강제집행에서**) 민사집행법 제46조 제2항의 잠정처분은 확정판결 또는 이와 동일한 효력이 있는 집행권원의 실효를 구하거나 집행력 있는 정본의 효력을 다투거나 목적물의 소유권을 다투는 구제절차 등에서 수소법원이 종국판결을 선고할 때까지 잠정적인 처분을 하도록 하는 것으로서, 청구이의 판결 등의 종국재판이 해당 물건에 대한 강제집행을 최종적으로 불허할 수 있음을 전제로 강제집행을 일시정지시키는 것이다. 따라서 승소하더라도 그와 같은 효력이 인정되지 않는 채무부존재확인의 소를 제기한 것만으로는 위 조항에 의한 잠정처분을 할 요건이 갖추어졌다고 할 수 없다.

(**cf** 담보권 실행경매에서 **피담보채무부존재확인의 소**는 잠정처분을 할 요건이 갖추어졌다.)

⑤ 수소법원 또는 그 재판장이 법 제46조 제2항에 의하여 한 잠정처분은 특별한 사정이 없는 한 본안인 이의의 소에 대한 판결 선고가 있기까지 효력이 있으며 그 선고와 함께 실효된다. 법 제46조 제2항의 "판결 있을 때까지"라는 것은 이러한 의미이다. 그리하여 법 제47조에 의한 인가의 재판이 없으면 법 제46조에 의하여 한 잠정처분은 당연히 판결 선고와 함께 실효되는 것이다. 그러나, 법 제46조 제2항의 "판결이 있을 때까지"를 "제1심 본안판결시까지(= 판결선고시까지)"만이라고 제한적으로 볼 것은 아니며, 당해 법원의 재량에 의하여 주문에서 "본안판결 확정시까지"로 그 시한을 정할 수 있다고 해석된다(대결 1977.12.21, 77그6).

09 제3자이의의 소에 관한 다음 설명 중 가장 옳지 않은 것은?

▸ 2023 법무사

① 제3자이의의 소는 등기청구권을 포함하여 모든 재산권을 대상으로 하는 집행에 대하여 적용되는 것이므로, 등기청구권에 대하여 압류명령이 있은 경우에 집행채무자 아닌 제3자가 자신이 진정한 등기청구권의 귀속자로서 자신의 등기청구권의 행사에 있어 위 압류로 인하여 장애를 받는 경우에는 그 등기청구권이 자기에게 귀속함을 주장하여 집행채권자에 대하여 제3자이의의 소를 제기할 수 있다.

② 가압류 부동산을 양수한 제3취득자의 변제로 인하여 피보전채권이 소멸되면 그 제3취득자는 가압류채권자에 대한 관계에 있어서도 소유권 취득을 대항할 수 있게 되어 가압류채권자에 의한 강제집행은 결국 채무자 이외의 제3자의 소유물에 대하여 시행된 것이 되어 허용될 수 없다.

③ 제3자이의의 소의 이의원인은 소유권에 한정되는 것이 아니고 집행목적물의 양도나 인도를 막을 수 있는 권리이면 족하나, 집행목적물이 집행채무자의 소유에 속하지 아니한 경우에 집행채무자와 사이의 계약관계에 의거하여 집행채무자에 대하여 목적물의 반환을 구할 채권적 청구권을 가지고 있는 제3자는 그 채권적 청구권으로 제3자이의의 소를 제기할 수는 없다.

④ 물건에 대한 매각절차는 종료되었으나 배당절차는 아직 종료되지 아니한 경우, 경매목적물의 경락인이 유효하게 소유권을 취득한다면 경매절차에서 집행관이 영수한 매득금은 경매목적물의 대상물로서 제3자이의의 소에서 승소한 자가 그 대상물에 대하여 권리를 주장할 수 있다고 할 것이므로, 매각절차가 종료되었다고 하더라도 배당절차가 종료되지 않은 이상 제3자이의의 소는 여전히 소의 이익이 있다.

⑤ 제3자이의의 소의 원고적격은 집행의 목적물에 대하여 양도 또는 인도를 저지할 권리가 있음을 주장하는 제3자에게 있고, 제3자란 집행권원 또는 집행문에 채권자, 채무자 또는 그 승계인으로 표시된 자 이외의 자를 말하며, 승계집행문으로 인하여 피고의 승계인으로 표시된 자가 그 집행권원의 집행력의 배제를 구하는 소는 제3자이의의 소라 할 수 없다.

> **해설** ① ≪대판 1999.6.11, 98다52995≫
>
> [2] 제3자이의의 소는 등기청구권을 포함하여 모든 재산권을 대상으로 하는 집행에 대하여 적용되는 것이므로, / 등기청구권에 대하여 압류명령이 있은 경우에 집행채무자 아닌 제3자가 자신이 진정한 등기청구권의 귀속자로서 자신의 등기청구권의 행사에 있어 위 압류로 인하여

장애를 받는 경우에는 그 등기청구권이 자기에게 귀속함을 주장하여 집행채권자에 대하여 제3자이의의 소를 제기할 수 있다.

② ≪대판 1982.9.14, 81다527≫

　나. 가압류 부동산을 양수한 제3취득자의 변제로 인하여 피보전채권이 소멸되면 그 제3취득자는 가압류채권자에 대한 관계에 있어서도 소유권 취득을 대항할 수 있게 되어 가압류채권자에 의한 강제집행은 결국 채무자 이외의 제3자의 소유물에 대하여 시행된 것이 되어 허용될 수 없다.

③ ≪대판 2003.6.13, 2002다16576≫

　[2] 제3자이의의 소의 이의원인은 소유권에 한정되는 것이 아니고 집행목적물의 양도나 인도를 막을 수 있는 권리이면 족하며, 집행목적물이 집행채무자의 소유에 속하지 아니한 경우에는 집행채무자와 사이의 계약관계에 의거하여 집행채무자에 대하여 목적물의 반환을 구할 채권적 청구권(**Cf** **임대물반환청구권**)을 가지고 있는 제3자는 집행에 의한 양도나 인도를 막을 이익이 있으므로 그 채권적 청구권도 제3자이의의 소의 이의원인이 될 수 있다.

④ ≪대판 1997.10.10, 96다49049≫

　[2] 물건에 대한 매각절차는 종료되었으나 배당절차는 아직 종료되지 아니한 경우, 경매목적물의 경락인이 유효하게 소유권을 취득한다면 경매절차에서 집행관이 영수한 매득금은 경매목적물의 대상물로서 제3자이의의 소에서 승소한 자가 그 대상물에 대하여 권리를 주장할 수 있다고 할 것이므로, (유체동산의) 매각절차가 종료되었다고 하더라도 배당절차가 종료되지 않은 이상 제3자이의의 소는 여전히 소의 이익이 있다.

⑤ ≪대판 2016.8.18, 2014다225038≫

　[1] 제3자이의의 소의 원고적격은 강제집행의 목적물에 대하여 양도 또는 인도를 막을 권리가 있다고 주장하는 제3자에게 있고, 여기서 제3자는 집행권원 또는 집행문에 채권자, 채무자 또는 그 승계인으로 표시된 사람 이외의 사람을 말한다.

≪대판 1992.10.27, 92다10883≫

　나. 승계집행문으로 인하여 피고의 승계인으로 표시된 자가 그 채무명의(집행권원)의 집행력의 배제를 구하는 소는 제3자이의의 소라 할 수 없다.

10 **민사집행법이 정하고 있는 불복절차의 관할에 관한 다음 설명 중 가장 옳지 않은 것은?**

▶ 2021 법무사

① 채무자가 판결에 따라 확정된 청구에 관하여 이의하려면 제1심 판결법원에 청구에 관한 이의의 소를 제기하여야 한다.

② 집행문을 내어 달라는 신청에 관한 법원사무관등의 처분에 대하여 이의신청이 있는 경우에는 그 법원사무관등이 속한 법원이 결정으로 재판한다.

③ 제3자가 강제집행의 목적물에 대하여 소유권이 있다고 주장하거나 목적물의 양도나 인도를 막을 수 있는 권리가 있다고 주장하는 때에는 채권자를 상대로 그 강제집행에 대한 이의의 소를 제기할 수 있으며 이 소는 집행법원이 관할한다. 다만, 소송물이 단독판사의 관할에 속하지 아니할 때에는 집행법원이 있는 곳을 관할하는 지방법원의 합의부가 이를 관할한다.

정답 ▶ **09** ③　**10** ⑤

④ 집행법원의 집행절차에 관한 재판으로서 즉시항고를 할 수 없는 것과, 집행관의 집행처분, 그 밖에 집행관이 지킬 집행절차에 대하여서는 법원에 이의를 신청할 수 있다.

⑤ 배당이의의 소는 배당을 실시한 집행법원이 속한 지방법원의 관할에 전속하고, 파산관재인이 제기한 부인의 소와 부인의 청구 사건은 파산계속법원의 관할에 전속한다. 파산관재인이 부인권을 행사하면서 원상회복으로서 배당이의의 소를 제기한 경우 채무자 회생 및 파산에 관한 법률이 민사집행법의 특별법 지위에 있으므로 파산법원이 배당이의 소송의 관할법원이 된다.

해설 ① 법 제44조(청구에 관한 이의의 소)

① 채무자가 판결에 따라 확정된 청구에 관하여 이의하려면 제1심 판결법원에 청구에 관한 이의의 소를 제기하여야 한다.

② 법 제34조(집행문부여 등에 관한 이의신청)

① 집행문을 내어 달라는 신청에 관한 법원사무관등의 **(거절, 부여)** 처분에 대하여 이의신청이 있는 경우에는 그 법원사무관등이 속한 법원이 결정으로 재판한다.

③ 법 제48조(제3자이의의 소)

① 제3자가 강제집행의 목적물에 대하여 소유권이 있다고 주장하거나 목적물의 양도나 인도를 막을 수 있는 권리가 있다고 주장하는 때에는 채권자를 상대로 그 강제집행에 대한 이의의 소를 제기할 수 있다. 다만, 채무자가 그 이의를 다투는 때에는 채무자를 공동피고로 할 수 있다.

② 제1항의 소는 집행법원이 관할한다. 다만, 소송물이 단독판사의 관할에 속하지 아니할 때에는 집행법원이 있는 곳을 관할하는 지방법원의 합의부가 이를 관할한다.

④ 법 제16조(집행에 관한 이의신청)

① 집행법원의 집행절차에 관한 재판으로서 즉시항고를 할 수 없는 것과, 집행관의 집행처분, 그 밖에 집행관이 지킬 집행절차에 대하여서는 법원에 이의를 신청할 수 있다.

⑤ ≪대결 2021.2.16, 2019마6102≫

배당이의의 소는 배당을 실시한 집행법원이 속한 지방법원의 관할에 전속한다(「민사집행법」 제21조, 제156조 제1항). 한편 파산관재인은 소, 부인의 청구 또는 항변의 방법으로 부인권을 행사할 수 있는데, 부인의 소와 부인의 청구 사건은 파산계속법원의 관할에 전속한다[「채무자 회생 및 파산에 관한 법률」(이하 '채무자회생법'이라 한다) 제396조 제3항, 제1항].

민사집행법과 채무자회생법의 위 관할 규정의 문언과 취지, 배당이의의 소와 부인의 소의 본질과 관계, 당사자 간의 공평이나 편의, 예측가능성, 배당이의의 소와 부인의 소가 배당을 실시한 집행법원이 속한 지방법원이나 파산계속법원에서 진행될 때 기대가능한 재판의 적정, 신속, 판결의 실효성 등을 고려하면, 파산관재인이 부인권을 행사하면서 원상회복으로서 배당이의의 소를 제기한 경우에는 채무자회생법 제396조 제3항이 적용되지 않고, 민사집행법 제156조 제1항, 제21조에 따라 배당을 실시한 집행법원이 속한 지방법원에 전속관할이 있다고 보는 것이 타당하다.

제4절   강제집행의 정지, 제한, 취소

01 강제집행의 정지 및 취소에 관한 다음 설명 중 가장 옳지 않은 것은?

▶ 2021 법무사

① 집행할 판결이 있은 뒤에 의무이행을 미루도록 승낙하였다는 취지를 적은 증서의 제출에 따른 강제집행의 정지는 2회에 한하며 통산하여 6월을 넘길 수 없는데, 여기에서 통산하여 6월이란 해당 경매절차에 있어서 통산하여 6월이란 뜻이고 그 기간이 연속해야 하는 것이 아니다.

② 민사집행법 제49조 제1호, 제3호, 제5호, 제6호의 서류가 제출되어 이미 실시한 집행처분이 취소된 후에 이들 서류에 관계된 재판이 취소되거나, 소 취하 등의 사유로 효력이 없게 되었고 그 사실이 증명되면 종전의 집행절차를 재개하여 속행하여야 한다.

③ 확정판결 또는 이와 동일한 효력이 있는 집행권원에 기한 강제집행의 정지는 오직 강제집행에 관한 법규 중에 그에 관한 규정이 있는 경우에 한하여 가능한 것이고, 이와 같은 규정에 의함이 없이 일반적인 가처분의 방법으로 강제집행을 정지시킨다는 것은 허용할 수 없다.

④ 강제집행의 일시정지를 명한 취지를 적은 재판의 정본이 제출된 경우 집행법원은 이미 실시한 집행처분을 일시 유지하여야 한다는 취지를 규정하고 있는 민사집행법 제50조 제1항의 규정은 간접강제에는 적용되지 않으므로, 본래의 집행권원에 대한 강제집행정지결정 정본이 제출되었다는 사유는 간접강제결정의 취소사유에 해당하는 것으로 보아야 한다.

⑤ 집행력 있는 판결 정본에 기하여 압류 및 추심명령이 발령된 경우 채무자가 강제집행정지결정의 정본을 집행기관에 제출하면 이로써 집행정지의 효력이 발생하고, 압류채권자에 대한 강제집행정지결정 정본의 송달 여부나 제3채무자에 대한 집행정지 통보의 송달 여부는 집행정지의 효력 발생과 무관하다.

> **해설** ① 법 제51조(변제증서 등의 제출에 의한 집행정지의 제한)☆
>
> ① 제49조 제4호의 증서 가운데 변제를 받았다는 취지를 적은 증서를 제출하여 강제집행이 정지되는 경우 그 정지기간은 2월로 한다.
>
> ② 제49조 제4호의 증서 가운데 의무이행을 미루도록 승낙하였다는 취지를 적은 (변제유예)증서를 제출하여 강제집행이 정지되는 경우 그 정지는 2회에 한하며 통산하여 6월을 넘길 수 없다.
> (註 통산하여 6월이란 당해 경매절차에 있어서 통산하여 6월이란 뜻이고 그 기간이 연속함을 요하지 아니한다.)
>
> ② 「민사집행법」 제49조 제1호·제3호·제5호 및 제6호의 집행취소서류가 제출된 경우에는 민사집행법 제50조 제1항에 의하여 이미 실시한 집행처분도 취소되므로 그 후 이들 서류에 관계된 재판이 취소되거나 소 취하 등의 사유로 효력이 없게 된 것이 증명되더라도 이미 집행처분이 취소에 의하여 종료된 집행절차를 재개하여 속행할 수 없으므로 다시 집행을 신청하는 수밖에 없다.
>
> ③ ≪대결 2004.8.17, 2004카기93≫
> [1] 확정판결 또는 이와 동일한 효력이 있는 집행권원에 기한 강제집행의 정지는 오직 강제집행

에 관한 법규 중에 그에 관한 규정이 있는 경우에 한하여 가능하고, 이와 같은 규정에 의함이 없이 일반적인 가처분의 방법으로 강제집행(또는 **임의경매**)을 정지시킨다는 것은 허용되지 아니하며, 「민사집행법」 제46조 제2항 소정의 강제집행에 관한 잠정처분은 청구에 관한 이의의 소가 계속 중임을 요하고, 이러한 집행정지요건이 결여되었음에도 불구하고 제기된 집행정지신청은 부적법하다.

④ ≪대결 1997.1.16, 96마774≫

[1] (법 제49조 **제2호의**) 강제집행의 일시정지를 명한 취지를 기재한 재판의 정본이 제출된 경우 집행법원은 이미 실시한 집행처분을 일시 유지하여야 한다는 취지를 규정하고 있는 「민사소송법」 제511조 제1항(법 제50조 제1항)의 규정은 간접강제에는 적용되지 않는다고 할 것이므로, 본래의 채무명의에 대한 강제집행정지결정 정본이 제출되었다는 사유는 간접강제결정의 취소사유에 해당하는 것으로 보아야 하고, 나아가 그와 같은 사유는 간접강제결정에 대한 즉시항고이유로도 주장할 수 있는 것으로 보아야 한다.

⑤ ≪대판 2012.10.25, 2010다47117≫

[3] 집행력이 있는 판결 정본에 기하여 압류·추심명령이 발령된 경우 채무자가 강제집행정지결정의 정본을 집행기관에 제출하면 이로써 집행정지의 효력이 발생하고 그 집행정지가 효력을 잃기 전까지 압류채권자에 의한 채권의 추심이 금지된다(「민사집행법」 제49조 제2호). 여기서 강제집행정지결정의 정본이 압류채권자에게 송달되었는지 여부나 「민사집행규칙」 제161조가 규정하는 집행정지 통보가 제3채무자에게 송달되었는지 여부는 집행정지의 효력 발생과 무관하다.

02 부동산경매절차 중에 민사집행법 제49조 또는 제266조 소정의 서류가 제출된 경우에 관한 다음 설명 중 가장 옳은 것은? ▶ 2022 법무사

① 매수신고 후 매각대금 납부 전에 변제기한의 일시적 유예를 이유로 청구이의의 소를 인용한 종국판결이 제출되면 경매절차가 일시 정지되고 취소되지는 않는다.

② 매각허가결정 이후에 '이 사건 집행권원에 기한 강제집행을 불허한다'는 내용의 확정된 화해권고결정이 제출된 경우에는 민사집행법 제93조 제3항에 따라 매수인 등의 동의가 있어야 경매절차를 취소할 수 있다.

③ 매각대금 납부 후에 청구이의의 소 제기 시에 하는 잠정처분으로 강제집행정지결정이 제출되면 이후 절차의 진행을 정지해야 한다.

④ 담보권 실행을 위한 경매 절차에서 매각대금 납부 후에 근저당의 등기가 말소된 등기사항증명서가 제출되더라도 경매절차는 정지되지 않는다. 다만 배당이 실시될 경우, 위 근저당권자에 대한 배당액은 공탁하여야 한다.

⑤ 강제집행정지결정이 있으면 결정 즉시 당연히 집행정지의 효력이 있는 것이 아니고 그 정지결정 정본을 집행기관에 제출함으로써 집행정지의 효력이 발생한다. 따라서 경매개시결정에 대한 이의신청에 따른 매각절차의 일시정지결정을 집행법원이 재판기관이 되어 정지결정을 발한 경우에도 그 결정정본이 당사자로부터 제출되어야만 집행정지의 효력이 발생한다.

해설 ① 법 제49조(집행의 필수적 정지·제한)

강제집행은 다음 각호 가운데 어느 하나에 해당하는 서류를 제출한 경우에 정지하거나 제한하여야 한다.

1. 집행할 판결 또는 그 가집행을 취소하는 취지나, 강제집행을 허가하지 아니하거나 그 정지(**CF** 제1호의 '정지' ⇒ 일시 불허)를 명하는 취지 또는 집행처분의 취소를 명한 취지를 적은 집행력 있는 재판의 정본

(🔒 강제집행의 정지를 명하는 재판이란 집행의 일시적 불허를 선언한 재판을 말하며, **변제기한의 일시적 유예**를 이유로 청구이의의 소를 인용한 판결, 기한도래 전의 집행개시를 이유로 집행에 관한 이의신청을 인용한 결정 등이 이에 속한다.)

법 제50조(집행처분의 취소·일시유지)

① 제49조 제1호·제3호·제5호 및 제6호의 경우에는 이미 실시한 집행처분을 취소하여야 하며, 같은 조 제2호 및 제4호의 경우에는 이미 실시한 집행처분을 일시적으로 유지하게 하여야 한다.

② ≪대결 2022.6.7, 2022그534≫

[2] 채권자 갑이 신청한 부동산 강제경매절차에서 을이 최고가 매수신고를 하여 매각허가결정을 받았는데, 그 후 채무자 병이 채권자 갑을 상대로 제기한 집행권원인 확정판결에 대한 청구이의의 소에서 법원이 강제집행정지결정을 한 다음 '집행권원에 기한 강제집행을 불허한다.'는 화해권고결정을 하여 그 결정이 확정되자, 사법보좌관이 위 화해권고결정 정본이 민사집행법 제49조 제1호, 제50조 제1항에서 정한 집행취소서류라는 이유로 을에 대한 매각허가결정을 취소하고 강제경매신청을 기각한다는 결정을 한 사안에서, 위 화해권고결정의 '집행권원에 기한 강제집행을 불허한다.'는 내용은 형성소송인 청구이의의 소의 재판 대상으로 당사자가 자유롭게 처분할 수 있는 사항이 아니어서, 그 문구 그대로 확정되더라도 집행권원에 기한 강제집행을 허가하지 않는 효력은 생기지 않고, 집행권원이 확정판결로서 갖는 집행력은 여전히 남아 있게 되므로, 위 화해권고결정 정본은 민사집행법 제49조 제1호에서 정한 '강제집행을 허가하지 아니하는 취지를 적은 집행력 있는 재판의 정본'에 해당하지 않고, 다만 화해권고결정의 문구를 부집행 합의가 이루어졌다는 뜻으로 새길 여지가 있고, 당사자 사이에 강제집행을 하지 않기로 하는 합의를 담은 화해조서 정본도 (**법 제49조 제6호**) 집행취소서류가 되나, 그 서류를 매각허가결정이 있은 뒤에 제출한 경우에는 매수인의 동의를 받아야 집행취소의 효력이 생기는 것인데도, 위 화해권고결정 정본이 민사집행법 제49조 제1호에서 정한 집행취소서류임을 전제로 한 사법보좌관의 처분이 정당하다고 본 원심결정은 수긍하기 어렵다고 한 사례

③ 규칙 제50조(집행정지서류 등의 제출시기)

③ 매수인이 매각대금을 낸 뒤에 법 제49조 각호 가운데 어느 서류가 제출된 때에는 절차를 계속하여 진행하여야 한다. 이 경우 배당절차가 실시되는 때에는 그 채권자에 대하여 다음 각호의 구분에 따라 처리하여야 한다.

1. 제1호·제3호·제5호 또는 제6호의 서류가 제출된 때에는 그 채권자를 배당에서 제외한다.

2. 제2호(**강제집행정지결정**)의 서류가 제출된 때에는 그 채권자에 대한 배당액을 공탁한다.

3. 제4호의 서류가 제출된 때에는 그 채권자에 대한 배당액을 지급한다.

④ 담보권 실행을 위한 경매 절차에서 매각대금 납부 후에 근저당의 등기가 말소된 등기사항증명서가 제출되더라도 경매절차는 정지되지 않는다. 다만 배당이 실시될 경우, 위 근저당권자를 배당에서 제외한다(규칙 제194조, 규칙 제50조 제3항 제1호 준용).

정답 02 ②

⑤ ≪대결 2010.1.28, 2009마1918≫

강제집행정지결정이 있으면 결정 즉시로 당연히 집행정지의 효력이 있는 것이 아니고, 그 정지 결정의 정본을 집행기관에 제출함으로써 집행정지의 효력이 발생함은 「민사집행법」 제49조 제2호의 규정취지에 비추어 명백하고, 그 제출이 있기 전에 이미 행하여진 압류 등의 집행처분에는 영향이 없다.

≪대결 1971.5.27, 70마4≫

부동산의 임의경매에서 경락허가결정이 있었고 그 경매대금의 지급기일(**지급기한**)과 배당기일이 지정되었다고 하더라도 이해관계인의 경매개시결정에 대한 이의신청이 있어서 경매법원이 경락대금 납부기일 전일에(**납부 전에**) 경매개시 결정을 취소하고 경매신청을 각하한다는 결정을 함과 동시에 그 경매절차의 정지결정을 하여 그 각 결정이 성립되었다면 그 각 결정이 아직 당사자에게 고지되지 아니하였다 하여도 경매법원은 경락대금을 받을 수 없는 것이므로, 위 각하결정에는 경매법원이 경락대금 납부기일(**납부기한**)을 변경한다는 의사가 포함되었다 할 것이다.

(㊟ **경매법원**에서 **집행정지결정**을 하여 그 결정이 **성립**하였다면 당사자에게 **고지**되기 **전**이라도 경매절차를 **속행할 수 없고**, 경매절차정지결정정본을 **제출할 필요도 없다**.)

03 부동산경매절차 진행 중에 민사집행법 제49조 각호에 해당하는 서류를 채무자가 확보하여 집행법원에 제출한 경우에 관한 다음 설명 중 가장 옳지 않은 것은?
▶ 2023 법무사

① 경매개시결정 후 매각기일에 매수신고가 있기 전에 법정서류(의무이행을 미루도록 승낙한 취지를 적은 증서)가 제출된 경우에는 집행법원은 경매절차를 정지한다.

② 매각기일에 매수신고가 있은 뒤, 매각대금을 내기 전에 법정서류(의무이행을 미루도록 승낙한 취지를 적은 증서)가 제출된 경우에는 최고가매수신고인 또는 매수인과 민사집행법 제114조의 차순위매수신고인의 동의를 받아야 그 효력이 생긴다.

③ 매각기일에 매수신고가 있은 뒤, 매각대금을 내기 전에 법정서류(강제집행의 일시정지를 명한 취지를 적은 재판의 정본)가 제출된 경우에는 최고가매수신고인 또는 매수인과 민사집행법 제114조의 차순위매수신고인의 동의를 받을 필요 없이 그 효력이 생긴다.

④ 매각기일에 매수신고가 있은 뒤, 매각대금을 내기 전에 법정서류(강제집행을 하지 아니한다는 취지를 적은 화해조서의 정본)가 제출된 경우에는 최고가매수신고인 또는 매수인과 민사집행법 제114조의 차순위매수신고인의 동의를 받을 필요 없이 그 효력이 생긴다.

⑤ 매수인이 매각대금을 낸 뒤에 법정서류(집행할 판결 또는 그 가집행을 취소하는 취지를 적은 집행력 있는 재판의 정본)가 제출된 경우에는 절차를 계속하여 진행하여야 하고, 이 경우 배당절차가 실시되는 때에는 그 채권자를 배당에서 제외한다.

해설 ①,② 법 제49조 제4호, ③ 법 제49조 제2호, ④ 법 제49조 제6호, ⑤ 법 제49조 제1호
① 법 제49조 제4호 서류에 해당한다.　　(1·3·5·6 ⇒ 정지·취소, 2·4 ⇒ 정지·유지)
② 법 제49조 제4호 서류에 해당하므로, 매수인 등의 동의를 받아야 그 효력이 생긴다.
　(매수신고 뒤 ~ 대금납부전까지 : 3·4·6호 매수인 등의 동의 要, 1·2·5호 동의 不要)

③ 법 제49조 제2호 서류에 해당한다. 법 제49조 제1호·제2호 또는 제5호의 서류는 매수신고가 있은 뒤라도 매수인 등의 동의를 받을 필요 없이 매수인이 매각대금을 내기 전까지 제출하면 이후의 경매절차가 정지(제1호, 제5호의 경우에는 나아가 취소)된다(규칙 제50조 제1항).
(매수신고 뒤 ~ 대금납부전까지 : 3·4·6호 매수인 등의 동의 要, 1·2·5호 동의 不要)

④ 법 제49조 제6호의 서류에 해당한다. 매수신고가 있은 뒤 동조 제6호의 서류를 제출하는 경우에는 매수인등의 동의를 받아야 그 효력이 생긴다(법 제93조 제3항, 규칙 제50조 제1항).
(매수신고 뒤 ~ 대금납부전까지 : 3·4·6호 매수인 등의 동의 要, 1·2·5호 동의 不要)

⑤ 법 제49조 제1호 서류에 해당한다. 매수인이 매각대금을 낸 뒤에 법 제49조 각호 가운데 어느 서류가 제출된 때에는 절차를 계속하여 진행하여야 한다(규칙 제50조 제3항). 이 경우 배당절차가 실시되는 때에는 그 채권자에 대하여 제1호·제3호·제5호 또는 제6호의 서류가 제출된 때에는 그 채권자를 배당에서 제외한다(규칙 제50조 제3항 제1호).

04 강제집행정지에 관한 다음 설명 중 가장 옳지 않은 것은?

▶ 2025 법무사

① 강제집행정지결정 즉시 당연히 집행정지의 효력이 있는 것은 아니고, 그 결정 정본을 집행기관에 제출함으로써 집행정지의 효력이 발생한다.

② 가집행선고 있는 제1심판결 중 항소심판결에 의하여 취소된 부분의 가집행선고는 항소심판결의 선고로 인하여 그 효력을 잃고, 항소심판결의 정본을 집행법원에 제출함으로써 이 부분에 관한 강제집행을 정지할 수 있으므로, 별도로 강제집행정지신청을 할 이익이 없다.

③ 강제집행을 허가하지 않는 취지를 적은 집행력 있는 재판의 정본이 제출된 경우에는 이미 실시한 집행처분을 취소하여야 하나, 강제집행의 일시정지를 명한 취지를 적은 재판의 정본이 제출된 경우에는 이미 실시한 집행처분을 일시적으로 유지하게 하여야 한다.

④ 집행할 판결이 소의 취하로 효력을 잃었다는 것을 증명하는 조서등본이 제출된 경우 강제집행을 정지하고 이미 실시한 집행처분을 취소하여야 한다.

⑤ 간접점유자가 직접점유자를 통하여 부동산을 간접적으로 점유하는 경우, 간접점유자 및 직접점유자에 대한 집행권원을 가진 채권자가 직접점유자에 대하여 부동산에 대한 인도집행을 마쳤더라도 간접점유자에 대한 집행을 종료한 것으로 볼 수는 없으므로, 강제집행정지가 허용된다.

해설 ① ≪대결 2010.1.28, 2009마1918≫
강제집행정지결정이 있으면 결정 즉시로 당연히 집행정지의 효력이 있는 것이 아니고, 그 정지결정의 정본을 집행기관에 제출함으로써 집행정지의 효력이 발생함은 「민사집행법」 제49조 제2호의 규정취지에 비추어 명백하고, 그 제출이 있기 전에 이미 행하여진 압류 등의 집행처분에는 영향이 없다.

정답 03 ④ 04 ⑤

② ≪대결 2000.7.19, 2000카기90≫

　　[1] 가집행선고부 제1심판결 중 항소심판결에 의하여 취소된 부분의 가집행선고는 항소심판결의 선고로 인하여 그 효력을 잃게 되어 피고로서는 이 부분의 강제집행을 정지하기 위하여는 항소심판결의 정본을 집행법원에 제출하기만 하면 되는 것이므로 별도로 강제집행정지신청을 할 이익이 없어 이 부분 신청은 부적법하다.

③ 강제집행을 허가하지 않는 취지를 적은 집행력 있는 재판의 정본이 제출된 경우에는 이미 실시한 집행처분을 취소하여야 하나(법 제49조 제1호, 제50조 제1항), 강제집행의 일시정지를 명한 취지를 적은 재판의 정본이 제출된 경우에는 이미 실시한 집행처분을 일시적으로 유지하게 하여야 한다(법 제49조 제1호, 제50조 제1항).

④ 집행할 판결이 소의 취하로 효력을 잃었다는 것을 증명하는 조서등본이 제출된 경우 강제집행을 정지하고 이미 실시한 집행처분을 취소하여야 한다(법 제49조 제5호, 제50조 제1항).

⑤ ≪대결 2000.2.11, 99그92≫

　　간접점유자가 직접점유자를 통하여 부동산을 간접적으로 점유하고 있는 경우 간접점유자 및 직접점유자에 대한 채무명의를 가지고 부동산에 대한 인도청구권을 집행하는 채권자로서는 현실적으로 직접점유자에 대하여 인도집행을 함으로써 간접점유자에 대한 인도집행을 한꺼번에 할 수밖에 없으므로, 직접점유자에 대하여 부동산에 대한 인도집행을 마치면 간접점유자에 대하여도 집행을 종료한 것으로 보아야 할 것이고, 또한 강제집행정지는 집행 종료 후에는 허용되지 아니한다.

금전채권에 기초한 강제집행의 보조절차

01 재산명시에 관한 다음 설명 중 가장 옳지 않은 것은?　　　▸ 2021 법무사

① 민사집행법의 재산명시절차에 따라 채무자가 법원에 제출할 재산목록에는 실질적인 가치가 있는지 여부와 상관없이 강제집행의 대상이 되는 재산을 모두 기재하여야 한다. 따라서 재산명시절차에서 채무자가 특정 채권을 실질적 재산가치가 없다고 보아 재산목록에 기재하지 않은 채 제출한 행위는 민사집행법상 거짓의 재산목록 제출죄에 해당한다.

② 채권자가 확정판결에 기한 채권의 실현을 위하여 채무자에 대하여 민사집행법이 정한 재산명시신청을 하고 그 결정이 채무자에게 송달되었다면 거기에 소멸시효의 중단사유인 '최고'로서의 효력만이 인정되므로, 재산명시결정에 의한 소멸시효 중단의 효력은 그로부터 6개월 내에 다시 소를 제기하거나 압류 또는 가압류, 가처분을 하는 등 민법 제174조에 규정된 절차를 속행하지 아니하는 한 상실된다.

③ 채무자는 재산명시명령을 송달받은 날부터 10일 이내에 이의신청을 할 수 있고, 채무자가 위 기간 내에 이의신청을 한 때에는 법원은 이의신청사유를 조사할 기일을 정하고 채권자와 채무자에게 이를 통지하여야 한다.

④ 채무자에 대하여 강제집행을 개시할 수 있는 채권자는 재산목록을 보거나 복사할 것을 신청할 수 있다.

⑤ 재산명시신청이 기각·각하된 경우에는 그 명시신청을 한 채권자는 기각·각하사유를 보완하지 아니하고서는 같은 집행권원으로 다시 재산명시신청을 할 수 없다.

해설　① ≪대판 2007.11.29, 2007도8153≫

[1] 「민사집행법」의 재산명시절차에 따라 채무자가 법원에 제출할 재산목록에는 실질적인 가치가 있는지 여부와 상관없이 강제집행의 대상이 되는 재산을 모두 기재하여야 한다.

[2] 재산명시절차에서 채무자가 특정 채권을 실질적 재산가치가 없다고 보아 재산목록에 기재하지 않은 채 제출한 행위가 「민사집행법」상(**법 제68조 제9항**) 거짓의 재산목록 제출죄에 해당한다고 한 사례

② ≪대판 2012.1.12, 2011다78606≫

③ 법 제63조(재산명시명령에 대한 이의신청)

① 채무자는 재산명시명령을 송달받은 날부터 <u>1주</u> 이내에 이의신청을 할 수 있다.

② 채무자가 제1항에 따라 이의신청을 한 때에는 법원은 이의신청사유를 조사할 기일을 정하고 채권자와 채무자에게 이를 통지하여야 한다.

④ 법 제67조(재산목록의 열람·복사)

(**재산명시를 신청한 채권자뿐만 아니라**) 채무자에 대하여 강제집행을 개시할 수 있는 채권자는 (**누구든지**) 재산목록을 보거나 복사할 것을 신청할 수 있다.

정답　01 ③

⑤ 법 제69조(명시신청의 재신청)

재산명시신청이 기각·각하된 경우에는 그 명시신청을 한 채권자는 기각·각하사유를 보완하지 아니하고서는 같은 집행권원으로 다시 재산명시신청을 할 수 없다.

02 재산명시절차에 관한 다음 설명 중 가장 옳지 않은 것은? ▸ 2023 법무사

① 재산명시절차는 다른 강제집행절차에 선행하거나 부수하는 절차가 아니라 그 자체가 독립적인 절차이고, 그 절차를 개시하기 위해서는 다른 강제집행의 경우와 마찬가지로 집행력 있는 정본과 집행개시의 요건을 갖추어야 한다.

② 가집행의 선고가 붙어 집행력을 가지는 집행권원을 제외한 금전의 지급을 목적으로 하는 집행권원이기만 하면 재산명시신청을 할 수 있으나, 채무자 회생 및 파산에 관한 법률상의 개인회생채권자표, 회생채권자표, 파산채권자표 등의 집행권원에 기초한 재산명시신청은 허용되지 아니한다.

③ 채무자에 대한 재산명시명령의 송달은 민사소송법 제187조의 우편송달이나 민사소송법 제194조의 공시송달의 방법에 의할 수 없지만, 채무자가 재산명시명령을 송달받은 뒤 송달장소를 바꾸고도 그 취지를 법원에 신고하지 아니하여 달리 송달할 장소를 알 수 없는 경우에는 종전에 송달받던 장소에 등기우편 발송의 방법으로 송달할 수 있고, 이 경우 서류를 발송한 때에 송달된 것으로 본다.

④ 재산명시신청을 각하·기각하는 결정에 대하여 채권자는 즉시항고를 할 수 있으나, 재산명시명령에 대하여 채무자는 즉시항고가 허용되지 아니하고 재산명시명령을 송달받은 날부터 1주일 이내에 이의신청을 할 수 있다.

⑤ 채무자가 재산명시기일에 불출석한 경우에 그 기일이 연기되지 않는 한 새로운 명시기일을 열지 않고 감치재판절차로 넘어가지만, 채무자가 감치의 집행 중에 재산명시명령을 이행하겠다고 신청한 때에는 법원은 바로 명시기일을 열어야 한다.

> **해설** ① 재산명시절차는 다른 강제집행절차에 선행하거나 부수하는 절차가 아니라 그 자체가 독립적인 절차이고, 그 절차를 개시하기 위해서는 다른 강제집행의 경우 와 마찬가지로 집행력 있는 정본과 집행개시의 요건을 갖추어야 한다(법 제61조 제2항).
>
> ② 민사집행법 제61조는 "금전의 지급을 목적으로 하는 집행권원 중 가집행의 선고가 붙어 집행력을 가지는 집행권원을 제외한 모든 집행권원에 기초한 재산명시신청을 허용하고 있다.
> 따라서 금전의 지급을 목적으로 하는 집행권원이기만 하면, 확정판결, 화해·인낙조서, 확정된 지급명령, 확정된 이행권고결정, 확정된 화해권고결정, 민사조정조서, 조정을 갈음하는 결정, 가사소송법에 의한 확정판결·심판·조정조서는 물론 항고로만 불복할 수 있는 재판(법 제56호 제1호)과 집행증서(법 제56조 제4호)도 재산명시신청을 할 수 있는 집행권원이 된다. 또한, 채무자 회생 및 파산에 관한 법률상의 (개인)회생채권자표, 파산채권자표 등의 집행권원도 포함된다. 다만, 강제집행을 신청할 수 있는 집행권원 중 민사소송법 제213조에 따른 가집행의 선고가 붙은 판결 또는 같은 조의 준용에 따른 가집행의 선고가 붙어 집행력을 가지는 집행권원(예를 들어, 가집행의 선고가 붙은 배상명령)의 경우에는 아직 확정되지 아니하여 취소의 가능성이 있는 집행

권원이어서 감치에까지 이를 수 있는 재산명시절차를 개시하는 것은 채무자에게 회복불가능한 손해를 입힐 우려가 있으므로 이 집행권원에 기초하여서는 재산명시신청을 할 수 없도록 하였다(법 제61조 제1항 단서).

③ 채무자에 대한 재산명시명령의 송달은 등기우편 발송 또는 공시송달의 방법에 의할 수 없지만(법 제62조 제5항), 채무자가 재산명시명령을 송달받은 뒤 송달장소를 바꾸고도 그 취지를 법원에 신고하지 아니하여 달리 송달할 장소를 알 수 없는 경우에는 종전에 송달받던 장소에 등기우편 발송의 방법으로 송달할 수 있고, 이 경우 서류를 발송한 때에 송달된 것으로 본다(법 제62조 제9항, 민사소송법 제185조 제2항, 제189조).

④ 재산명시신청의 각하·기각결정에 대하여는 채권자가 즉시항고를 할 수 있고(법 제62조 제8항), 재산명시명령에 대하여 채무자는 재산명시명령을 송달받은 날부터 1주 이내에 이의신청을 할 수 있다(법 제63조 제1항).

⑤ 법 제68조(채무자의 감치 및 벌칙)

⑤ (채무자가 재산명시기일에 불출석한 경우에 그 기일이 연기되지 않는 한 새로운 명시기일을 열지 않고 감치재판절차로 넘어가지만,) 채무자가 감치의 집행중에 재산명시명령을 이행하겠다고 신청한 때에는 법원은 바로 명시기일을 열어야 한다.

03 재산명시, 채무불이행자명부 등재, 재산조회절차 등에 관한 다음 설명 중 가장 옳지 않은 것은?

▶ 2025 법무사

① 금전의 지급을 목적으로 하는 집행권원에 기초하여 강제집행을 개시할 수 있는 채권자는 채무자의 보통재판적이 있는 곳의 법원에 채무자의 재산명시를 요구하는 신청을 할 수 있다. 다만, 민사소송법 제213조에 따른 가집행의 선고가 붙은 판결 또는 같은 조의 준용에 따른 가집행의 선고가 붙어 집행력을 가지는 집행권원의 경우에는 그러하지 아니하다.

② 변제, 그 밖의 사유로 채무가 소멸되었다는 것이 증명되거나 채무불이행자명부에 오른 다음 해부터 10년이 지난 때에는 법원은 직권으로 채무불이행자명부에서 그 이름을 말소하는 결정을 하여야 한다.

③ 채무자가 재산명시명령을 송달받은 날부터 1주 이내에 이의신청을 한 때에는 법원은 이의신청사유를 조사할 기일을 정하고 채권자와 채무자에게 이를 통지하여야 한다.

④ 재산명시절차의 관할 법원은 재산명시절차에서 채무자가 제출한 재산목록의 재산만으로는 집행채권의 만족을 얻기에 부족한 경우, 그 재산명시를 신청한 채권자의 신청에 따라 개인의 재산 및 신용에 관한 전산망을 관리하는 공공기관·금융기관·단체 등에 채무자 명의의 재산에 관하여 조회할 수 있다.

⑤ 재산명시신청에 정당한 이유가 없거나, 채무자의 재산을 쉽게 찾을 수 있다고 인정한 때에는 법원은 결정으로 이를 기각하여야 한다. 이 재판은 채무자를 심문하지 아니하고 한다.

해설 ① 법 제61조(재산명시신청)

① 금전의 지급을 목적으로 하는 집행권원에 기초하여 강제집행을 개시할 수 있는 채권자는 채무자의 보통재판적이 있는 곳의 법원에 채무자의 재산명시를 요구하는 신청을 할 수 있다.

정답 ▶ 02 ② 03 ②

다만, 「민사소송법」 제213조에 따른 가집행의 선고가 붙은 판결 또는 같은 조의 준용에 따른 가집행의 선고가 붙어 집행력을 가지는 집행권원의 경우에는 그러하지 아니하다.

② 법 제73조(명부등재의 말소)

① 변제, 그 밖의 사유로 채무가 소멸되었다는 것이 증명된 때에는 법원은 채무자의 신청에 따라 채무불이행자명부에서 그 이름을 말소하는 결정을 하여야 한다. (기한의 유예, 연기, 이행조건의 변경, 채권자가 말소에 동의하였다는 사유는 말소신청사유에 해당하지 아니한다.)

② 채권자는 제1항의 (**채무자의 신청에 의한 법원의 말소**)결정에 대하여 즉시항고를 할 수 있다. 이 경우 「민사소송법」 제447조의 규정은 준용하지 아니한다. (즉시항고○)

③ 채무불이행자명부에 오른 다음 해부터 10년이 지난 때에는 법원은 직권으로 그 명부에 오른 이름을 말소하는 결정을 하여야 한다. (**cf** 법원의 직권 말소결정 → 즉시항고×)

③ 법 제63조(재산명시명령에 대한 이의신청)

① 채무자는 재산명시명령을 송달받은 날부터 1주 이내에 이의신청을 할 수 있다.

② 채무자가 제1항에 따라 이의신청을 한 때에는 법원은 이의신청사유를 조사할 기일을 정하고 채권자와 채무자에게 이를 통지하여야 한다.

④ 법 제74조(재산조회)

① 재산명시절차의 관할 법원은 다음 각호의 어느 하나에 해당하는 경우에는 그 재산명시를 신청한 채권자의 신청에 따라 개인의 재산 및 신용에 관한 전산망을 관리하는 공공기관·금융기관·단체 등에 채무자명의의 재산에 관하여 조회할 수 있다.

1. 재산명시절차에서 채권자가 제62조 제6항의 규정에 의한 주소보정명령을 받고도 「민사소송법」 제194조 제1항(**공시송달**)의 규정에 의한 사유로 인하여 채권자가 이를 이행할 수 없었던 것으로 인정되는 경우

2. 재산명시절차에서 채무자가 제출한 재산목록의 재산만으로는 집행채권의 만족을 얻기에 부족한 경우

3. 재산명시절차에서 제68조 제1항 각호의 사유 또는 동조 제9항의 사유가 있는 경우

⑤ 법 제62조(재산명시신청에 대한 재판)

② 재산명시신청에 정당한 이유가 없거나, 채무자의 재산을 쉽게 찾을 수 있다고 인정한 때에는 법원은 결정으로 이를 기각하여야 한다.

③ 제1항 및 제2항의 재판은 채무자를 심문하지 아니하고 한다.

04 채무불이행자 명부 등재에 관한 다음 설명 중 가장 옳지 않은 것은? ▸ 2022 법무사

① 채무불이행자명부 등재제도는 채무를 이행하지 아니하는 불성실한 채무자의 인적 사항을 공개함으로써 명예와 신용의 훼손과 같은 불이익을 가하고 이를 통하여 채무의 이행에 노력하게 하는 간접강제의 효과를 거둠과 아울러 일반인으로 하여금 거래상대방에 대한 신용조사를 용이하게 하여 거래의 안전을 도모하게 함을 목적으로 하는 제도이다.

② 채무자가 금전의 지급을 명한 집행권원이 확정된 후 6월 이내에 채무를 이행하지 아니하는 때 등에는 채권자는 그 채무자를 채무불이행자명부에 올리도록 신청할 수 있고, 법원은 위 신청에 정당한 이유가 있는 때에는 채무자를 채무불이행자명부에 올리는 결정을 하여야 하나, 등재신청에 정당한 이유가 없거나 쉽게 강제집행할 수 있다고 인정할 만한 명백한 사유가 있는 때에는 결정으로 이를 기각하여야 한다.

③ 채무불이행자명부 등재의 소극적 요건인 '쉽게 강제집행할 수 있다고 인정할 만한 명백한 사유'라 함은 채무자가 보유하고 있는 재산에 대하여 많은 시간과 비용을 투입하지 아니하고서도 강제집행을 통하여 채권의 만족을 얻을 수 있다는 점이 특별한 노력이나 조사 없이 확인 가능하다는 것을 의미하고, 그 사유의 존재에 관하여는 채권자가 이를 증명한다.

④ 채무불이행자명부 등재결정이 확정된 후라도 변제, 그 밖의 사유로 채무가 소멸되었다는 것이 증명된 때에 법원은 채무자의 신청에 따라 채무불이행자명부에서 그 이름을 말소하는 결정을 한다.

⑤ 채무불이행자명부 등재결정 또는 신청기각 결정에 대하여는 즉시항고를 할 수 있으나, 집행정지의 효력은 없으므로 채무자가 즉시항고를 하더라도 명부등재 및 비치는 집행된다.

해설 ①,③ ≪대결 2010.9.9, 2010마779≫

채무불이행자명부 등재제도는 채무를 이행하지 아니하는 불성실한 채무자의 인적 사항을 공개함으로써 명예와 신용의 훼손과 같은 불이익을 가하고 이를 통하여 채무의 이행에 노력하게 하는 간접강제의 효과를 거둠과 아울러 일반인으로 하여금 거래상대방에 대한 신용조사를 용이하게 하여 거래의 안전을 도모하게 함을 목적으로 하는 제도로서, 그 소극적 요건인 '쉽게 강제집행할 수 있다고 인정할 만한 명백한 사유'라 함은 채무자가 보유하고 있는 재산에 대하여 많은 시간과 비용을 투입하지 아니하고서도 강제집행을 통하여 채권의 만족을 얻을 수 있다는 점이 특별한 노력이나 조사 없이 확인 가능하다는 것을 의미하고, 그 사유의 존재에 관하여는 채무자가 이를 증명한다.

②,⑤ 법 제70조(채무불이행자명부 등재신청)

① 채무자가 다음 각호 가운데 어느 하나에 해당하면 채권자는 그 채무자를 채무불이행자명부(債務不履行者名簿)에 올리도록 신청할 수 있다.

　1. 금전의 지급을 명한 집행권원이 확정된 후 또는 집행권원을 작성한 후 6월 이내에 채무를 이행하지 아니하는 때. 다만, 제61조 제1항 단서에 규정된 **(가집행의 선고가 붙은)** 집행권원의 경우를 제외한다.

　2. 제68조 제1항 각호의 사유 또는 같은 조 제9항의 사유 가운데 어느 하나에 해당하는 때

법 제71조(등재신청에 대한 재판)

① 제70조의 신청에 정당한 이유가 있는 때에는 법원은 채무자를 채무불이행자명부에 올리는 **(등재)**결정을 하여야 한다.

② 등재신청에 정당한 이유가 없거나 쉽게 강제집행할 수 있다고 인정할 만한 명백한 사유가 있는 때에는 법원은 결정으로 이를 기각하여야 한다.

③ 제1항 및 제2항의 재판에 대하여는 즉시항고를 할 수 있다. 이 경우 「민사소송법」 제447조(집행정지효)의 규정은 준용하지 아니한다.

　(註 즉시항고에는 **집행정지**의 **효력**이 **없으므로**, 채무자가 등재결정에 대하여 즉시항고 하더라도 명부 등재와 비치가 행하여진다.)

④ 법 제73조(명부등재의 말소)

① 변제, 그 밖의 사유로 채무가 소멸되었다는 것이 증명된 때에는 법원은 채무자의 신청에 따라 채무불이행자명부에서 그 이름을 말소하는 결정을 하여야 한다.

정답 04 ③

부동산에 대한 집행

제1절　강제경매

01　부동산강제경매의 대상

01 **다음 설명 중 가장 옳지 않은 것은?**　　▸ 2022 법무사

① 경매의 대상이 아닌 부동산이 경매절차에서 경매신청된 다른 부동산과 함께 감정평가되어 매각기일에 공고되고 경매된 결과 매수인에게 매각되고 그 후 매수인에 대한 매각허가결정이 확정되었다면 채권자가 경매신청하지도 않았고 경매법원이 경매개시결정을 한 적도 없는 독립된 부동산이더라도 매수인은 그 부동산에 대한 소유권을 취득한다.

② 입목에 관한 법률에 의하여 소유권보존등기가 된 입목은 토지로부터 독립하여 부동산으로 취급되므로 독립하여 강제경매의 대상이 된다.

③ 금전채권에 기초한 강제집행에서 지상권 및 그 공유지분은 부동산으로 본다.

④ 인접한 구분건물 사이에 설치된 경계벽이 일정한 사유로 제거됨으로써 각 구분건물이 구분건물로서의 구조상 및 이용상의 독립성을 상실하게 되었다고 하더라도, 각 구분건물의 위치와 면적 등을 특정할 수 있고 사회통념상 그것이 구분건물로서의 복원을 전제로 한 일시적인 것일 뿐만 아니라 그 복원이 용이한 것이라면, 각 구분건물은 구분건물로서의 실체를 상실한다고 쉽게 단정할 수는 없고, 아직도 그 등기는 구분건물을 표상하는 등기로서 유효하다고 해석해야 할 것이다.

⑤ 민법 제1028조는 "상속인은 상속으로 인하여 취득할 재산의 한도에서 피상속인의 채무와 유증을 변제할 것을 조건으로 상속을 승인할 수 있다."라고 규정하고 있다. 상속인이 위 규정에 따라 한정승인의 신고를 하게 되면 피상속인의 채무에 대한 한정승인자의 책임은 상속재산으로 한정되고, 그 결과 상속채권자는 특별한 사정이 없는 한 상속인의 고유재산에 대하여 강제집행을 할 수 없으며 상속재산으로부터만 채권의 만족을 받을 수 있다.

> **해설** ① ≪대판 1991.12.10, 91다20722≫
> 경매의 대상이 아닌 **(독립된)** 부동산이 경매절차에서 경매신청된 다른 부동산과 함께 감정평가되어 경매기일에 공고되고 경매된 결과 경락인에게 경락되고 그 후 경락인에 대한 경락허가결정이 확정되었다고 하더라도 채권자에 의하여 경매신청되지도 아니하였고 경매법원으로부터 경매개시결정을 받은 바도 없는 독립된 부동산에 대한 경락은 당연무효이므로 경락인은 그 부동산에 대한 소유권을 취득할 수 없다.
>
> ② ≪대결 1998.10.28, 98마1817≫
> [4] 경매의 대상이 된 토지 위에 생립하고 있는 채무자 소유의 미등기 수목(잣나무 2,950주, 홍단풍 50주 등)은 토지의 구성 부분으로서 토지의 일부로 간주되어 특별한 사정이 없는 한

토지와 함께 경매되는 것이므로 그 수목의 가액을 포함하여 경매 대상 토지를 평가하여 이를 최저경매가격으로 공고하여야 하고, / 다만 입목에 관한 법률에 따라 등기된 입목이나 명인방법을 갖춘 수목의 경우에는 독립하여 거래의 객체가 되므로 (**註 독립하여 강제경매의 대상이 되므로,**) 토지 평가에 포함되지 아니한다.

③ 규칙 제40조(지상권에 대한 강제집행)

금전채권에 기초한 강제집행에서 지상권과 그 공유지분은 부동산으로 본다.

④ ≪대결 1999.6.2, 98마1438≫

인접한 구분건물 사이에 설치된 경계벽이 일정한 사유로 제거됨으로써 각 구분건물이 구분건물로서의 구조상 및 이용상의 독립성을 상실하게 되었다고 하더라도, 각 구분건물의 위치와 면적 등을 특정할 수 있고 사회통념상 그것이 구분건물로서의 복원을 전제로 한 일시적인 것일 뿐만 아니라 그 복원이 용이한 것이라면, 각 구분건물은 구분건물로서의 실체를 상실한다고 쉽게 단정할 수는 없고, 아직도 그 등기는 구분건물을 표상하는 등기로서 유효하다고 해석해야 한다.

⑤ ≪대판(全員合議体) 2010.3.18, 2007다77781≫ (다수의견)

[1] 민법 제1028조는 "상속인은 상속으로 인하여 취득할 재산의 한도에서 피상속인의 채무와 유증을 변제할 것을 조건으로 상속을 승인할 수 있다."고 규정하고 있다. 법원이 한정승인신고를 수리하게 되면 피상속인의 채무에 대한 상속인의 책임은 상속재산으로 한정되고, 그 결과 (**피상속인의 채권자인**) 상속채권자는 특별한 사정이 없는 한 상속인의 고유재산에 대하여 강제집행을 할 수 없다(대법원 2003.11.14, 선고 2003다30968 판결 참조).

02 강제집행의 대상에 관한 다음 설명 중 가장 옳지 않은 것은?

▸ 2023 법무사

① 미분리 천연과실은 토지의 구성부분이므로 통상은 그 토지에 대한 압류의 효력이 미친다. 다만 천연과실은 원물로부터 분리하는 때에 이를 수취할 권리자에게 속하고, 토지에서 분리하기 전의 과실로서 1개월 이내에 수확할 수 있는 것은 유체동산 집행의 대상이 된다.

② 집합건물에서 구분소유자의 대지사용권은 규약으로써 달리 정하는 등 특별한 사정이 없는 한 전유부분과 종속적 일체불가분성이 인정되어 전유부분에 대한 가압류결정의 효력은 종물 또는 종된 권리인 대지사용권에도 미치는 것이므로, 건축자의 대지소유권에 관하여 부동산등기법에 따른 구분건물의 대지권등기가 마쳐지지 않았다 하더라도 전유부분에 관한 경매절차가 진행되어 그 경매절차에서 전유부분을 매수한 매수인은 전유부분과 함께 대지사용권을 취득한다.

③ 공장재단, 광업재단을 구성하는 기계·기구 등은 동산이라 하더라도 유체동산집행의 대상이 될 수 없고 그 저당권의 목적물인 토지, 건물, 광업권 등과 함께 부동산에 대한 강제집행의 방법에 의하여 경매를 할 수 있을 뿐이다.

④ 채권담보를 목적으로 하는 가등기상의 권리, 부동산환매권 등은 모두 그 밖의 재산권에 대한 강제집행의 대상이 될 수 있을 뿐이고 부동산집행의 목적은 되지 않는다.

⑤ 구분소유권의 객체로서 적합한 물리적 요건을 갖추지 못한 건물의 일부는 그에 관한 구분소유권이 성립할 수 없는 것이나, 건축물관리대장상 독립한 별개의 구분건물로 등재되고 등기부상에도 구분소유권의 목적으로 등기되어 있어 이러한 등기에 기초하여 경매절차가 진행되어 매각허가를 받고 매각대금이 납부되었다면 매수인은 소유권을 취득한다.

정답 ▸ 01 ① 02 ⑤

해설 ① 미분리 천연과실은 토지의 구성부분이므로 통상은 그 토지에 대한 압류의 효력이 이에 미친다. 다만 천연과실은 원물로부터 분리하는 때에 이를 수취할 권리자에게 속하고(민법 제102조 제1항), 토지에서 분리하기 전의 과실로서 1개월 이내에 수확할 수 있는 것은 유체동산으로 취급되므로(법 제189조 제2항 제2호), 이에 대하여는 유체동산에 대한 강제집행을 할 수 있다.

② ≪대판 2021.11.11, 2020다278170≫

[3] 집합건물에서 구분소유자의 대지사용권은 규약으로써 달리 정하는 등 특별한 사정이 없는 한 전유부분과 종속적 일체불가분성이 인정되어 전유부분에 대한 가압류결정의 효력은 종물 또는 종된 권리인 대지사용권에도 미치는 것이므로(집합건물의 소유 및 관리에 관한 법률 제20조 제1항, 제2항), 건축자의 대지소유권에 관하여 부동산등기법에 따른 구분건물의 대지권 등기가 마쳐지지 않았다 하더라도 전유부분에 관한 경매절차가 진행되어 그 경매절차에서 전유부분을 매수한 매수인은 전유부분과 함께 대지사용권을 취득한다.

③ 「공장 및 광업재단 저당법」에 의한 공장재단 및 광업재단은 1개의 부동산으로 취급되어 강제경매의 대상이 된다(동법 제12조 제1항, 제54조). 즉 공장재단, 광업재단을 구성하는 기계·기구 등은 동산이라 하더라도 유체동산집행의 대상이 될 수 없고 그 저당권의 목적물인 토지, 건물, 광업권 등과 함께 부동산에 대한 강제집행의 방법에 의하여 경매를 할 수 있을 뿐이다.

④ 채권담보를 목적으로 하는 가등기상의 권리, 부동산환매권 등은 모두 그 밖의 재산권에 대한 강제집행의 대상이 될 수 있을 뿐이고 부동산집행의 목적은 되지 않는다.

⑤ ≪대판 2018.3.27, 2015다3471≫

[1] 구분소유권의 객체로서 적합한 물리적 요건을 갖추지 못한 건물의 일부는 그에 관한 구분소유권이 성립할 수 없다. 그와 같은 건물 부분이 건축물관리대장상 독립한 별개의 구분건물로 등재되고 등기부상에도 구분소유권의 목적으로 등기되어 있어 이러한 등기에 기초하여 경매절차가 진행되어 매각허가를 받고 매수대금을 납부하였다 하더라도, 그 상태만으로는 그 등기는 효력이 없으므로(**무효이므로**) 매수인은 소유권을 취득할 수 없다.

02 강제경매의 신청

01 민사집행절차에서 일부청구와 청구금액의 확장에 관한 다음 설명 중 가장 옳지 않은 것은?

▶ 2024 법무사

① 담보권 실행을 위한 경매절차에서 신청채권자가 경매신청서에 피담보채권의 일부만을 청구금액으로 하여 경매를 신청하였을 경우에는 다른 특별한 사정이 없는 한 신청채권자의 청구금액은 그 기재된 채권액을 한도로 확정되고 그 후 신청채권자가 채권계산서에 청구금액을 확장하여 제출하는 등의 방법으로 청구금액을 확장할 수 없다.

② 담보권 실행을 위한 경매절차에서 경매신청서에 청구채권으로 원금 외에 이자, 지연손해금 등의 부대채권을 개괄적으로나마 표시하였다가 나중에 채권계산서에 의하여 그 부대채권의 구체적인 금액을 특정하는 것은 경매신청서에 개괄적으로 기재하였던 청구금액의 산출 근거와 범위를 밝히는 것이므로 허용된다.

③ 법원사무관등은 민사집행법 제148조 제3호 및 제4호의 채권자에 대하여 채권의 유무, 그 원인 및 액수(원금·이자·비용, 그 밖의 부대채권을 포함한다)를 배당요구의 종기까지 법원에 신고하도록 최고하여야 하는데, 이 최고를 받은 채권자가 이러한 신고를 하지 아니한 때에는 그 채권자의 채권액은 등기사항증명서 등 집행기록에 있는 서류와 증빙에 따라 계산하며, 이 경우 다시 채권액을 추가하지 못한다.

④ 강제경매에 있어서 채권의 일부청구를 한 경우에 그 경매절차 개시를 한 후에는 청구금액의 확장은 허용되지 않고 그 후에 청구금액을 확장하여 잔액의 청구를 하였다 하여도 민사집행법 제88조에 의한 배당요구의 효력밖에는 없다.

⑤ 담보권 실행을 위한 경매절차에서 신청채권자가 경매신청서에 청구채권 중 이자, 지연손해금 등의 부대채권을 확정액으로 표시한 경우에는 나중에 배당요구 종기까지 채권계산서를 제출하는 등으로 부대채권을 증액하여 청구금액을 확장하는 것은 허용되지 아니한다.

해설 ① ≪대판 1995.6.9, 95다15261≫

  가. 담보권실행경매에서 경매채권자가 피담보채권의 일부에 대하여만 담보권을 실행하겠다는 취지로 경매신청서에 피담보채권의 원금 중 일부만을 청구금액으로 하여 경매를 신청하였을 경우에는 경매채권자의 청구금액(**당해 경매절차에서 배당을 받을 금액**)은 그 기재된 채권액을 한도로 확정되고 경매채권자는 채권계산서에 청구금액을 확장하여 제출하는 방법에 의하여 청구금액을 확장할 수 없다.

② ≪대판 2023.6.29, 2022다300248≫

  [2] 담보권 실행을 위한 임의경매절차에서 근저당권자가 경매신청서에 청구채권으로 원금 외에 이자, 지연손해금 등의 부대채권을 개괄적으로나마 표시하였다가 나중에 채권계산서에 의하여 그 부대채권의 구체적인 금액을 특정하는 것은 경매신청서에 개괄적으로 기재하였던 청구금액의 산출 근거와 범위를 밝히는 것이므로 허용되나(대법원 2022.8.11, 선고 2017다225619 판결 등 참조), 피담보채권이 확정된 이후에 비로소 발생하는 원금채권은 더 이상 근저당권에 의하여 담보될 수 없으므로(대법원 1989.11.28, 선고 89다카15601 판결 등 참조), 근저당권자가 경매를 신청하면서 경매신청서의 청구금액 등에 장래 발생될 것으로 예상되는 원금채권을 기재하였거나 그 구체적인 금액을 밝혔다는 사정만으로 경매 신청 당시에 발생하지 않은 장래의 원금채권까지 피담보채권액에 추가될 수 없을 뿐만 아니라 경매절차상 청구금액이 그와 같이 확장될 수 있는 것도 아니다.

③ 법 제84조(배당요구의 종기결정 및 공고)

  ⑤ 제148조 제3호 및 제4호의 채권자가 제4항의 최고에 대한 신고를 하지 아니한 때에는 그 채권자의 채권액은 등기사항증명서 등 집행기록에 있는 서류와 증빙(證憑)에 따라 계산한다. 이 경우 다시 채권액을 추가하지 못한다.

④ ≪대결 1983.10.15, 83마393≫

  강제경매에 있어서 채권의 일부청구를 한 경우에 그 경매절차 개시를 한 후에는 청구금액의 확장은 허용되지 않고 그 후에 청구금액을 확장하여 잔액의 청구를 하였다 하여도 배당요구의 효력밖에는 없다.

정답 01 ⑤

⑤ ≪대판 2001.3.23, 99다11526≫

  [1] 신청채권자가 경매신청서에 피담보채권의 일부만을 청구금액으로 하여 경매를 신청하였을 경우에는 다른 특별한 사정이 없는 한 신청채권자의 청구금액은 그 기재된 채권액을 한도로 확정되고 그 후 신청채권자가 채권계산서에 청구금액을 확장하여 제출하는 등 방법에 의하여 청구금액을 확장할 수 없으나, 이러한 법리는 신청채권자가 경매신청서에 경매청구채권으로 이자 등 부대채권을 표시한 경우에 나중에 채권계산서에 의하여 부대채권을 증액하는 방법으로 청구금액을 확장하는 것까지 금지하는 취지는 아니라고 할 것이다.

  (🔋 부대채권을 증액하는 방법으로 청구금액을 확장할 수 있으나, 그 확장은 늦어도 채권신고서의 제출시한인 **배당요구종기까지는** 이루어져야 한다.)

02 부동산경매 신청에 관한 다음 설명 중 가장 옳지 않은 것은?

▶ 2021 법무사

① 신청서는 서면으로 작성하여야 하며, 첨부할 인지는 정액으로 강제경매인 경우 집행권원의 수에 따른 인지를, 담보권실행을 위한 경매인 경우 경매 대상 부동산의 수에 따른 인지를 붙여야 한다.

② 신청서에는 채권자・채무자와 법원의 표시, 부동산의 표시를 기재하여야 하며 강제경매는 경매의 이유가 된 일정한 채권과 집행할 수 있는 일정한 집행권원을, 담보권 실행을 위한 경매는 담보권과 피담보채권의 표시 등을 기재하여야 한다.

③ 임차인이 임차주택에 대하여 보증금반환청구소송의 확정판결이나 그 밖에 이에 준하는 집행권원에 따라서 경매를 신청하는 경우에는 집행개시요건에 관한 민사집행법 제41조에도 불구하고 반대의무의 이행이나 이행의 제공을 집행개시의 요건으로 하지 아니한다.

④ 미등기 토지인 경우에도 즉시 채무자의 소유로 등기할 수 있다는 것을 증명하는 서류를 첨부하면 경매신청을 할 수 있는데, 그에 해당하는 서류는 토지・임야대장, 소유권을 증명하는 확정판결, 수용증명서 등이다.

⑤ 부동산경매의 신청을 하는 때에는 채권자는 집행에 필요한 비용으로서 집행법원이 정하는 금액을 미리 내야 하고, 채권자가 비용을 미리 내지 아니한 때에는 집행법원은 결정으로 경매신청을 각하하거나 집행절차를 취소할 수 있다.

해설 ① 강제경매의 신청은 민사집행의 신청이므로 서면으로 하여야 한다(법 제4조). 여러 개의 집행권원에 기하여 강제집행신청을 하는 경우에는 집행권원의 수에 따른 인지를 첩부하여야 한다(재민 69–1 참조). 담보권실행을 위한 경매인 경우 동일 채권자가 동일 채무자 또는 수인의 채무자에 대한 각별 여러 개의 채권에 관하여 저당권이 설정된 1개 또는 여러 개의 부동산에 대하여 경매의 신청을 1건으로 하나의 신청서로써 한 경우에 첩용인지는 저당권마다 소정의 인지를 붙여야 한다(재민 69–1).

② 법 제80조, 규칙 제192조

③ 「주택임대차보호법」 제3조의2(보증금의 회수) (「상가건물 임대차보호법」 제5조 제1항 동일)

  ① 임차인(제3조 제2항 및 제3항의 법인을 포함한다.)이 임차주택에 대하여 보증금반환청구소송의 확정판결이나 그 밖에 이에 준하는 집행권원에 따라서 경매를 신청하는 경우에는 집행개시요건에 관한 「민사집행법」 제41조에도 불구하고 반대의무의 이행이나 이행의 제공을 집행개시의 요건으로 하지 아니한다.

④ 법 제81조(첨부서류)

① 강제경매신청서에는 집행력 있는 정본 외에 다음 각호 가운데 어느 하나에 해당하는 서류를 붙여야 한다.

1. 채무자의 소유로 등기된 부동산에 대하여는 등기사항증명서

2. 채무자의 소유로 등기되지 아니한 부동산에 대하여는 즉시 채무자명의로 등기할 수 있다는 것을 증명할 서류. / 다만, 그 부동산이 등기되지 아니한 건물인 경우에는 그 건물이 채무자의 소유임을 증명할 서류, 그 건물의 지번·구조·면적을 증명할 서류 및 그 건물에 관한 건축허가 또는 건축신고를 증명할 서류

⑤ 법 제18조(집행비용의 예납 등)

① 민사집행의 신청을 하는 때에는 채권자는 민사집행에 필요한 비용으로서 법원이 정하는 금액을 미리 내야 한다. 법원이 부족한 비용을 미리 내라고 명하는 때에도 또한 같다.

② 채권자가 제1항의 비용을 미리 내지 아니한 때에는 법원은 결정으로 신청을 각하하거나 집행절차를 취소할 수 있다.

③ 제2항의 규정에 따른 결정에 대하여는 즉시항고를 할 수 있다.

03 미등기 부동산에 대한 경매에 관한 다음 설명 중 가장 옳지 않은 것은? ▶ 2023 법무사

① 건물이 완성되었더라도 준공검사를 받지 아니하여 그 보존등기를 경료하지 못한 상태에 있다면 이는 유체동산집행의 대상이 된다.

② 토지에 관한 저당권자가 민법 제365조에 따라 그 지상의 미등기건물에 관하여 토지와 함께 경매를 신청하는 경우에는 지상 건물이 채무자 또는 저당권설정자의 소유임을 증명하는 서류를 첨부하여야 한다.

③ 지하 4층, 지상 12층으로 건축허가를 받았으나 지상 8층까지 골조공사가 완료된 채 공사가 중단된 건물은 민사집행법상 강제집행이나 보전처분의 대상이 될 수 있다고 단정하기 어렵다.

④ 법원이 집행관에 의한 현황조사를 거쳐 경매신청이 된 미등기 건물이 경매의 대상이 되는 건물이라고 판단하여 강제경매개시결정을 하고 등기관에게 강제경매개시결정등기를 촉탁한 경우라도 등기관으로서는 그 심사 결과 등기요건에 합당하지 아니하면 강제경매개시결정등기의 촉탁을 각하하여야 한다.

⑤ 채무자가 아직 소유권을 취득하지 못하고 소유권이전등기청구권만 가지고 있는 부동산에 관하여는 채무자의 명의로 등기를 하기 전에는 강제집행을 신청할 수 없다.

해설 ① ≪대결 1994.4.12. 93마1933≫

건물이 이미 완성되었으나 단지 준공검사만을 받지 아니하여 그 보존등기를 경료하지 못한 상태에 있다면 위와 같이 완성된 건물은 부동산등기법상 당연히 등기적격이 있는 것이고, 비록 준공검사를 마치지 아니함으로써 부동산등기법상 보존등기 신청시에 필요한 서류를 교부받지 못하여 아직 등기를 하지 못하고 있는 경우라고 하더라도 그와 같은 사정만으로 위 완성된 건물이 「민사소송법」 제527조(법 제189조) 제2항 제1호의 "등기할 수 없는 토지의 정착물로서 독립하여 거래의 객체가 될 수 있는 것"에 해당하여 유체동산집행의 대상이 되는 것이라고 할 수 없다.

② 담보권 실행을 위한 경매신청을 할 때에 담보권의 존재를 증명할 서류로서 등기사항증명서를 제출할 경우에는 따로 목적물이 담보권설정자의 소유임을 증명할 서류를 첨부할 필요가 없으나, 가령 선박우선특권과 같이 피담보채권의 발생을 증명하는 서류로서 담보권의 존재를 증명한 경우라든가 민법 365조 본문에 의하여 지상건물을 저당목적물인 토지와 함께 경매를 신청하는 경우에는 그 선박 또는 지상건물이 채무자 또는 저당권설 정자의 소유임을 증명하는 서류를 붙여야 한다(법 제81조 제1항, 법 제268조).

③ ≪대판 2014.10.27. 2014도9442≫

갑 주식회사 대표이사 등인 피고인들이 공모하여 회사 채권자들의 강제집행을 면탈할 목적으로 갑 회사가 시공 중인 건물의 건축주 명의를 갑 회사에서 을 주식회사로 변경하였다는 내용으로 기소된 사안에서, 위 건물은 지하 4층, 지상 12층으로 건축허가를 받았으나 명의 변경 당시 지상 8층까지 골조공사가 완료된 채 공사가 중단되었던 사정에 비추어 민사집행법상 강제집행이나 보전처분의 대상이 될 수 있다고 단정하기 어렵다고 한 사례

④ ≪대결 2008.3.27. 2006마920≫

[1] 등기관은 실체법상의 권리관계와 일치하는지 여부를 심사할 실질적 심사권한은 없으나 신청서 및 그 첨부서류와 등기부에 의하여 등기요건에 합당한지 여부를 심사할 형식적 심사권한이 있으므로, 법원이 집행관에 의한 현황조사를 거쳐 경매 신청이 된 미등기건물이 경매의 대상이 되는 건물이라고 판단하여 강제경매개시결정을 하고 등기관에게 강제경매개시결정등기를 촉탁한 경우라도, 등기관으로서는 그 촉탁서 및 첨부서류에 의하여 등기요건에 합당한지 여부를 심사할 권한이 있고, 그 심사 결과 등기요건에 합당하지 아니하면 강제경매개시결정등기의 촉탁을 각하하여야 한다.

⑤ ≪대결 2007.5.22. 2007마200≫

민사집행법 제81조 제1항 제2호에서 말하는 '채무자의 소유로 등기되지 아니한 부동산'이라고 함은 미등기부동산을 말하는 것으로서 제3자 명의로 등기가 마쳐진 부동산은 이에 해당하지 아니하므로, 민사집행법 제244조 제2항에 정한 권리이전명령은 같은 법 제81조 제1항 제2호에 정한 서류가 될 수 없음이 명백하다.

03 압류절차

01 **부동산에 대한 경매개시절차에 관한 다음 설명 중 가장 옳은 것은?** ▸ 2023 법무사

① 유치원교육에 직접 사용되는 교지 등 사립학교법 시행령 제12조에 정한 재산이라고 하더라도 유치원 설립자가 유치원 설립허가를 얻기 전에 담보권을 설정한 경우, 담보권자의 담보권 실행이 금지되는 것은 아니나 감독청의 처분허가를 필요로 한다. 이러한 감독청의 허가는 경매개시요건이 아니고 매수인의 소유권취득요건에 불과하므로 경매신청 시에 그 처분허가서를 제출하지 않았다 하더라도 일단 경매개시결정을 하여야 한다.

② 신탁법상의 신탁재산에 대하여는 수탁자 개인의 채권자뿐만 아니라 위탁자의 채권자도 강제집행을 할 수 없다. 다만, 신탁 전의 원인으로 발생한 권리 또는 신탁사무의 처리상 발생한 권리에 기한 경우에는 강제집행이 가능하고, '신탁전의 원인으로 발생한 권리'라 함은 신탁 전에 이미 신탁부동산에 저당권이 설정된 경우 등 신탁재산 그 자체를 목적으로 하는 채권이 발생된 경우를 말하는 것이고 신탁 전에 위탁자에 관하여 생긴 모든 채권이 이에 포함되는 것은 아니다.

③ 최선순위의 소유권이전등기청구권의 보전을 위한 가등기가 있는 부동산에 대한 경매신청에 따라 경매절차를 진행할 경우, 경매절차 진행 중에 최선순위 가등기권자가 본등기를 마치면 경매 대상물이 채무자의 소유가 아니라 제3자인 가등기권자의 소유로 귀속되어 민사집행법 제96조 제1항에 따라 매각절차를 취소하여야 하는 위험이 발생할 수 있으므로, 최선순위의 소유권이전등기청구권의 보전을 위한 가등기가 있는 부동산에 대한 경매신청은 기각하여야 한다.

④ 국세체납절차와 민사집행절차는 별개의 절차로서 그 절차 상호간의 관계를 조정하는 법률의 규정이 없으므로 한 쪽의 절차가 다른 쪽의 절차에 간섭을 할 수 없는 반면, 쌍방 절차에서의 각 채권자는 서로 다른 절차에서 정한 방법으로 그 다른 절차에 참여할 수밖에 없고, 다만 국세체납처분에 의한 공매절차가 진행 중에 있는 경우에는 법원은 그 부동산에 대하여 강제경매나 임의경매 절차를 별도로 진행할 수 없다.

⑤ 경매개시결정을 하는 경우에는 동시에 그 부동산의 압류를 명하여야 하는데, 그러한 압류는 채무자에게 그 결정이 송달된 때 또는 등기가 된 때에 효력이 발생하고, 경매개시결정의 송달에 위법이 있는 경우에는 경매개시결정의 등기가 기입되었다 하더라도 압류의 효력이 발생하지 않는다.

> **해설** ① ≪대결 2004.7.5, 2004마97≫
> 「사립학교법」상의 사립학교에 해당하는 유치원 설립자 겸 경영자 소유의 재산으로서, 유치원교육에 직접 사용되는 교지 등 「사립학교법 시행령」 제12조 소정의 재산의 경우에는 관할관청의 처분허가 유무에 관계없이 처분할 수 없는 것이지만, 위에 해당하는 재산이라고 하더라도 유치원 설립자가 유치원 설립허가를 얻기 전에 담보권을 설정한 경우에는 담보권 성립 당시 담보제공자

정답   01 ②

가 사립학교의 경영자라고 볼 수 없으므로 학교재산은 적법하게 설정된 피담보채무를 부담한 것이라 할 것이고, 적법하게 담보권이 성립한 이상 그 후에 담보제공자가 유치원 설립자의 지위를 얻었고, 그 재산이 유치원교육에 직접 사용하게 되었다고 하여 담보권자가 그 담보권을 실행하는 것이 금지된다거나 새삼스럽게 감독청의 처분허가를 필요로 한다고 볼 것은 아니다.

② ≪대판 1987.5.12, 86다545, 86다카2876≫

　　가. 신탁법상의 신탁재산은 수탁자에게 귀속되는 일방 그 고유재산과도 구별되어 독립성을 갖게 되는 것이어서 이에 대하여는 신탁법 제21조 제1항 본문의 규정에 따라 원칙적으로 강제집행이나 경매가 금지되어 있고 다만 그 단서의 규정에 따라 신탁전의 원인으로 발생한 권리 또는 신탁사무처리상 발생한 권리에 기한 경우에만 예외적으로 강제집행이 허용된다.

　　나. 「신탁법」 제21조(제22조) 제1항 단서 소정의 '신탁 전의 원인으로 발생한 권리'라 함은 신탁 전에 이미 신탁부동산에 저당권이 설정된 경우 등 신탁재산 그 자체를 목적으로 하는 채권이 발생된 경우를 말하는 것이고 신탁 전에 위탁자에 관하여 생긴 모든 채권이 이에 포함되는 것은 아니다.

③ 최선순위 가등기가 있음에도 다른 채권자들의 경매신청에 따라 매각절차를 진행하였다가 경매절차 진행 중에 최선순위 가등 기권자가 본등기를 마치면 경매 대상물이 채무자의 소유가 아니라 제3자인 가 등기권자의 소유로 귀속되어 민사집행법 제6조 1항에 따라 매각절차를 취소하여야 하는 위험이 발생한다는 이유로, 종래에는 실무상 최선순위의 가등기가 있는 경우에는 경매개시결정을 마친 단계에서 매각절차를 사실상 중지하였다. 하지만 그 후 최선순위의 소유권이전등기청구권의 순위보전을 위한 가등기가 있는 경우라 하더라도 매수인에게 부담이 인수될 수 있다는 취지를 매각물건명세서에 기재한 후 그에 기하여 경매절차를 진행하면 충분한 것이지, 반드시 그 가등기가 담보가등기인지 순위보전의 가등기인지 밝혀질 때까지 경매절차를 중 지하여야 하는 것은 아니라는 대법원 결정(대결 2003.10.6, 2003마1438)이 있은 이후로는 매각절차를 진행하는 것이 다수의 실무례이다.

(註 최선순위의 소유권이전등기청구권의 보전을 위한 가등기가 있는 부동산에 대한 경매신청 ⇒ 기각×, 경매개시결정○)

④ ≪대판 1989.1.31, 88다카42≫

「국세징수법」 제35조는 체납처분은 재판상의 가압류 또는 가처분으로 인하여 그 집행에 영향을 받지 아니한다고 규정하고 있고, 현행법상 국세체납절차와 민사집행절차는 별개의 절차로서 그 절차 상호간의 관계를 조정하는 법률의 규정이 없으므로 한 쪽의 절차가 다른 쪽의 절차에 간섭을 할 수 없는 반면 쌍방절차에서의 각 채권자는 서로 다른 절차에 정한 방법으로 그 다른 절차에 참여할 수밖에 없다고 할 것이다.

[註 ∴ 공매절차가 진행 중인 경우에도 법원은 그 부동산에 대하여 강제경매나 임의경매의 절차를 별도로 진행할 수 있으며(대판 1961.2.9, 4293민상124), 이 경우 양 매수인 중 먼저 그 소유권을 취득한 자가 진정한 소유자로 확정된다.]

⑤ 경매개시결정을 하는 경우에는 동시에 부동산의 압류를 명하여야 하는데 (법 제83조 제1항), 그러한 압류는 채무자에게 송달되거나 등기가 된 때에 효력이 발생하므로(같은 조 제4항), 경매개시결정이 송달되는 시기와 기입등기가 이루어지는 시기 중 먼저 도래하는 때에 압류의 효력이 발생한다. 또한 경매개시결정의 송달에 위법이 있다 하더라도 경매개시결정의 등기가 기입되면 그로써 경매개시결정에 의한 압류의 효력은 이미 생기므로 그 후 경매개시결정 송달에 위법이 있다하여 이미 생긴 압류의 효력에는 영향이 없다(대판 2003.6.24, 2003다13116).

02 저당권이 설정된 부동산에 임차권이 설정된 경우와 차임채권에 관하여 압류 및 추심명령이 있거나 차임채권이 양도된 경우에 관한 다음 설명 중 가장 옳지 않은 것은? ▸2022 법무사

① 저당부동산에 대한 압류가 있으면 그 압류 이후의 저당권설정자의 저당부동산에 관한 차임채권 등에도 저당권의 효력이 미친다.

② 저당권자는 위 ①의 차임채권 등에 대한 저당권의 실행을 저당부동산에 대한 경매절차에서 할 수는 없고, 채권집행의 방법으로 실행시킬 수 있다.

③ 보증금이 수수된 저당부동산에 관한 임대차계약이 저당부동산에 대한 경매로 종료된 경우, 임차인이 연체한 차임이 있다면 연체 차임 중 저당부동산의 압류 이전 부분에 한하여 보증금에서 당연히 공제된다.

④ 임대보증금이 수수된 임대차계약에서 차임채권에 관하여 압류 및 추심명령이 있었다 하더라도, 당해 임대차계약이 종료되어 목적물이 반환될 때에는 그 때까지 추심되지 아니한 채 잔존하는 차임채권 상당액도 임대보증금에서 당연히 공제된다.

⑤ 보증금이 수수된 임대차계약에서 차임채권이 양도되어 임차인이 그 양도 통지를 받았다고 하더라도, 임차인은 임대차계약이 종료되어 목적물을 반환할 때까지 연체한 차임 상당액을 보증금에서 공제할 것을 주장할 수 있다.

해설 ①,②,③ ≪대판 2016.7.27. 2015다230020≫

[1] (**강제경매에서 압류의 효력은 법정과실에 미치지 않는다. / 임의경매에서는 저당권의 효력이 천연과실뿐만 아니라 법정과실(차임, 지료 등)에도 미친다.**)「민법」제359조 전문은 "저당권의 효력은 저당부동산에 대한 압류가 있은 후에 저당권설정자가 그 부동산으로부터 수취한 과실 또는 수취할 수 있는 과실에 미친다."라고 규정하고 있는데, 위 규정상 '과실'에는 천연과실뿐만 아니라 법정과실(예 **토지사용의 대가인 지료, 가옥사용의 대가인 집세 등**)도 포함되므로, 저당부동산에 대한 압류가 있으면 압류 이후의 저당권설정자의 저당부동산에 관한 차임채권 등에도 저당권의 효력이 미친다. / 다만 저당부동산에 대한 경매절차에서 저당부동산에 관한 차임채권 등을 관리하면서 이를 추심하거나 저당부동산과 함께 매각할 수 있는 제도가 마련되어 있지 아니하므로, 저당권의 효력이 미치는 차임채권 등에 대한 저당권의 실행이 저당부동산에 대한 경매절차에 의하여 이루어질 수는 없고, 그 저당권의 실행은 저당권의 효력이 존속하는 동안에 채권에 대한 담보권의 실행에 관하여 규정하고 있는「민사집행법」제273조에 따른 채권집행의 방법으로 저당부동산에 대한 경매절차와 별개로 이루어질 수 있을 뿐이다. (따라서 **임의경매**의 경우에도 **법정과실**이 **평가의 대상**이 되지는 **않는다.**)

[2] 부동산 임대차에서 수수된 보증금은 차임채무, 목적물의 멸실·훼손 등으로 인한 손해배상채무 등 임대차에 따른 임차인의 모든 채무를 담보하는 것으로서 이와 같은 피담보채무 상당액은 임대차관계 종료 후 목적물이 반환될 때에 특별한 사정이 없는 한 별도의 의사표시 없이 보증금에서 당연히 공제된다.

[3] 보증금이 수수된 저당부동산에 관한 임대차계약이 저당부동산에 대한 경매로 종료되었는데, 저당권자가 차임채권 등에 대하여는 민사집행법 제273조에 따른 채권집행의 방법으로 별개로 저당권을 실행하지 아니한 경우에 저당부동산에 대한 압류의 전후와 관계없이 임차인이 연체한 차임 등의 상당액이 임차인이 배당받을 보증금에서 당연히 공제됨은 물론, / 저당권

정답 ▸ **02 ③**

자가 차임채권 등에 대하여 위와 같은 (**채권집행의**) 방법으로 별개로 저당권을 실행한 경우에
도 채권집행 절차에서 임차인이 실제로 차임 등을 지급하거나 공탁하지 아니하였다면 잔존하
는 차임채권 등의 상당액은 임차인이 배당받을 보증금에서 당연히 공제된다.

④ ≪대판 2004.12.23, 2004다56554 등≫

부동산 임대차에 있어서 수수된 보증금은 차임채무, 목적물의 멸실·훼손 등으로 인한 손해배상
채무 등 임대차에 따른 임차인의 모든 채무를 담보하는 것으로서 그 피담보채무 상당액은 임대차
관계의 종료 후 목적물이 반환될 때에 특별한 사정이 없는 한 별도의 의사표시 없이 보증금에서
당연히 공제되는 것이므로, 임대보증금이 수수된 임대차계약에서 차임채권에 관하여 압류 및 추
심명령이 있었다 하더라도, 당해 임대차계약이 종료되어 목적물이 반환될 때에는 그 때까지 추심
되지 아니한 채 잔존하는 차임채권 상당액도 임대보증금에서 당연히 공제된다.

⑤ ≪대판 2015.3.26, 2013다77225≫

부동산 임대차에서 수수된 보증금은 차임채무, 목적물의 멸실·훼손 등으로 인한 손해배상채무 등
임대차에 따른 임차인의 모든 채무를 담보하는 것으로서 피담보채무 상당액은 임대차관계의 종료
후 목적물이 반환될 때에 특별한 사정이 없는 한 별도의 의사표시 없이 보증금에서 당연히 공제되
므로, 보증금이 수수된 임대차계약에서 차임채권이 양도되었다고 하더라도, 임차인은 임대차계약
이 종료되어 목적물을 반환할 때까지 연체한 차임 상당액을 보증금에서 공제할 것을 주장할 수
있다.

03 부동산 경매개시결정에 대한 이의에 관한 다음 설명 중 가장 옳지 않은 것은? ▸ 2023 법무사

① 강제경매개시결정에 대하여는 경매개시결정에 대한 이의로 불복신청을 할 수 있고, 이
의신청은 개시결정을 한 집행법원에 한다. 매각허가여부에 대한 즉시항고로 인하여 기록
이 항고심에 있는 경우에도 이의신청은 개시결정을 한 집행법원에 제기하여야 한다.

② 강제경매개시결정에 대한 이의신청은 민사집행법 제16조의 집행에 관한 이의의 성질을
가지고 있으므로, 가집행선고 있는 종국판결이 집행권원으로 된 집행절차에서 집행채권
이 소멸되었다는 실체상의 사유를 경매개시결정에 대한 이의사유로 할 수 없다.

③ 강제경매개시결정에 대한 이의의 재판절차에서는 민사소송법상 재판상 자백이나 의제자
백에 관한 규정은 준용되지 아니하고, 이는 민사집행법 제268조에 의하여 담보권실행을
위한 경매절차에도 준용되므로 경매개시결정에 대한 형식적인 절차상의 하자를 이유로
한 임의경매개시결정에 대한 이의의 재판절차에서도 민사소송법상 재판상 자백이나 의
제자백에 관한 규정은 준용되지 아니한다.

④ 신청채권자로부터 변제유예를 받았음을 원인으로 한 임의경매개시결정에 대한 이의신청
의 기한은 매각대금 완납 시이며 매수의 신고가 있은 후에는 그 이의신청에 최고가매수
인 등의 동의가 필요하다.

⑤ 사법보좌관규칙 제2조 제1항 제7호 가목에서는 민사집행법 제86조의 규정에 따른 경
매개시결정에 대한 이의신청에 대한 재판을 사법보좌관의 업무범위에서 제외하고 있
다. 따라서 사법보좌관이 행한 경매개시결정에 대하여 이의신청이 있는 경우 이에 대
한 재판은 판사가 담당한다.

해설 ① 경매개시결정에 대한 이의신청은 개시결정을 한 집행법원에 한다(법 제86조 제1항). 매각허가여부에 대한 항고로 인하여 기록이 항고심에 있는 경우에도 이의신청은 개시결정을 한 집행법원에 제기하여야 한다.

② ≪대결 1994.8.27, 94마147≫
강제경매개시결정에 대한 이의신청은 경매개시결정에 관한 형식적인 절차상의 하자에 대한 불복방법이기 때문에 (집행채권의 소멸 등) 실체적 권리관계에 관한 사유를 경매개시결정에 대한 이의의 원인으로 주장할 수는 없다고 할 것이다.

③ ≪대결 2015.9.14, 2015마813≫
「민사집행법」 제16조의 집행에 관한 이의의 성질을 가지는 강제경매 개시결정에 대한 이의의 재판절차에서는 「민사소송법」상 재판상 자백이나 의제자백에 관한 규정은 준용되지 아니하고, 이는 「민사집행법」 제268조에 의하여 담보권실행을 위한 경매절차에도 준용되므로 경매개시결정에 대한 형식적인 절차상의 하자를 이유로 한 임의경매 개시결정에 대한 이의의 재판절차에서도 「민사소송법」상 재판상 자백이나 의제자백에 관한 규정은 준용되지 아니한다.

④ ≪대결 2000.6.28, 99마7385≫
신청채권자로부터 변제유예를 받았음을 원인으로 한 임의경매개시결정에 대한 이의신청의 경우, 이해관계인인 채무자로서는 「민사소송법」 제728조, 제725조, 제603조의3(법 제86조)에 의하여 경락대금 완납시까지는 그 이의를 신청할 수 있고, 매수의 신고가 있은 후에도 그 이의신청에 최고가매수신고인 등의 동의를 필요로 하지는 않는다 할 것이므로, 변제유예 사실이 인정된다면 그 이의신청이 신의칙에 반하거나 권리남용에 해당하는 경우와 같은 특별한 사정이 없는 한 이를 인용하여야 한다.

⑤ 민사집행법 제86조의 규정에 따른 경매개시결정에 대한 이의신청에 대한 재판을 사법보좌관의 업무범위에서 제외하고 있다. 따라서 사법보좌관이 행한 경매개시결정에 대하여 이의신청이 있는 경우 이에 대한 재판은 판사가 담당한다(사법보좌관규칙 제2조 제1항 제7호 가목).

04 이중경매에 관한 다음 설명 중 가장 옳지 않은 것은?

▶ 2022 법무사

① 이중경매신청이 선행사건의 배당요구종기 전에 있는 경우, 선행사건의 경매신청취하가 매수신고가 있은 뒤 있더라도 매각으로 효력을 잃지 아니하는 등기된 부동산에 대한 권리 또는 가처분에 대한 기재사항이 바뀌지 아니하는 때에는 최고가매수신고인 등의 동의를 받을 필요가 없다.

② 이중경매신청은 매각대금 납부 시까지 할 수 있으나 배당요구의 종기까지 이중경매신청을 하지 않으면 압류채권자의 자격으로 배당받을 채권자가 될 수 없다.

③ 선행 경매신청 채권자를 기준으로 하여서는 잉여의 가망이 없더라도, 후행 경매신청 채권자가 저당권자 등으로서 선행 경매신청 채권자보다 우선하는 권리를 가진 자라면 후행 경매신청 채권자의 채권을 기준으로 잉여의 가망 여부를 판단하고 잉여의 가능성이 있으면 선행 경매절차를 그대로 진행하여야 한다.

④ 선행한 경매신청이 취하되어 후행사건에 기한 절차 진행을 하는 경우, 선행한 경매절차의 결과는 후행한 경매절차에서 유효한 범위에서 그대로 승계되어 이용되는 것이나, 선행한 경매절차에서 한 경매채무자의 주소변경신고의 효력은 후행경매절차에 당연하게 효력이 있는 것은 아니다.

⑤ 이중경매개시결정이 있고 선행사건의 집행절차에 따라 경매가 진행되는 경우, 이해관계인의 범위도 선행의 경매사건을 기준으로 정하여야 한다.

해설 ① 규칙 제49조(경매신청의 취하 등) (⇒ 선행사건의 취하)

① 법 제87조 제1항의 신청(배당요구의 종기가 지난 뒤에 한 신청을 제외한다. 다음부터 이 조문 안에서 같다)이 있는 경우 매수신고가 있은 뒤 압류채권자가 경매신청을 취하하더라도 법 제105조 제1항 제3호의 기재사항이 바뀌지 아니하는 때에는 법 제93조 제2항의 규정을 적용하지 아니한다. (동의를 받을 필요가 없다.)

② 이중경매신청은 매각대금 납부 시까지 가능하다. 이중경매신청채권자도 선행 경매사건의 배당요구의 종기까지 경매신청한 경우에는 배당에 참가할 수 있으나, 그 후에 경매신청을 한 경우에는 배당에 참가할 수 없다(법 제148조 제1호).

③ ≪대결 2001.12.28, 2001마2094≫

[1] 강제경매개시 후 압류채권자에 우선하는 저당권자 등이 경매신청을 하여 이중경매개시결정이 되어 있는 경우에는 절차의 불필요한 지연을 막기 위해서라도 「민사소송법」 제616조(법 제102조) 소정의 최저경매가격과 비교하여야 할 우선채권의 범위를 정하는 기준이 되는 권리는 그 절차에서 경매개시결정을 받은 (선행, 후행압류) 채권자 중 최우선순위권리자의 권리로 봄이 옳다.

(註 ∴ 선행 경매신청 채권자를 기준으로 하여서는 잉여의 가망이 없더라도, 후행 경매를 신청한 채권자가 저당권자 등으로서 선행 경매신청 채권자보다 우선하는 권리를 가진 자라면 후행 경매신청 채권자의 채권을 기준으로 잉여의 가망 여부를 판단하고 잉여의 가능성이 있으면 선행 경매절차를 그대로 진행하여야 한다.)

④ ≪대판 2001.7.10, 2000다66010≫

[1] 선행한 경매신청이 취하되거나 그 절차가 취소 또는 정지된 경우에는 (법 제91조 제1항의 규정에 어긋나지 아니하는 한도 안에서) 후행의 경매신청인을 위하여 그때까지 진행되어 온 선행의 경매절차를 인계하여 당연하게 경매절차를 속행하여야 하는 것이고, / 이 경우에 선행한 경매절차의 결과는 후행한 경매절차에서 유효한 범위에서 그대로 승계되어 이용되는 것이므로, [즉, **선행절차**에 있어서 **행해진** 현황조사라든가 감정평가 등은 특별히 원용절차를 **밟지 아니하여도 후행절차에 그대로 이용**할 수 있으며 후행사건에서는 남은 절차만 속행하면 **된다**(대결 1980.2.7, 79마417).] / 선행한 경매절차에서 경매채무자가 주소변경신고를 하였다면 선행절차가 취소되었다고 하더라도 그 주소변경신고는 후행절차에 의하여 속행된 경매절차에서 당연하게 효력이 있다. (∴ 후행절차에서 변경된 주소가 아닌 **종전의 주소**로 한 매각기일·매각결정기일의 **통지**는 매각허가에 대한 **이의사유가 된다**.)

⑤ ≪대결 2005.5.19, 2005마59≫

[3] 「민사집행법」 제87조 제1항은 강제경매절차 또는 담보권실행을 위한 경매절차를 개시하는 결정을 한 부동산에 대하여 다른 강제경매의 신청이 있는 때에는 법원은 다시 경매개시결정을 하고, 먼저 경매개시결정을 한 집행절차에 따라 경매한다고 규정하고 있으므로, 이러한 경우 이해관계인의 범위도 선행의 경매사건을 기준으로 정하여야 한다.

05 이중경매에 관한 다음 설명 중 가장 옳지 않은 것은?

▸ 2025 법무사

① 법원이 이중경매 신청에 기한 경매개시결정을 하면서 그 결정을 채무자에게 송달함이 없이 경매절차를 진행하였더라도, 매각대금납부의 효력이 부정되는 것은 아니다.

② 강제경매절차를 개시하는 결정을 한 부동산에 대하여 다른 강제경매의 신청이 있는 때에는 법원은 다시 경매개시결정을 하고, 먼저 경매개시결정을 한 집행절차에 따라 경매한다.

③ 이중경매개시결정을 하는 경우, 선행 경매신청이 취하되거나 그 절차가 취소 또는 정지된 경우 선행한 경매절차의 결과는 후행한 경매절차에서 유효한 범위에서 그대로 승계되어 이용된다. 따라서 선행 경매절차에서 경매채무자가 주소변경신고를 하였다면 선행절차가 취소되더라도 그 주소변경신고는 후행절차에 의하여 속행된 경매절차에서 효력이 있다.

④ 먼저 경매개시결정을 한 경매절차가 정지된 경우 법원은 신청에 따라 결정으로 뒤의 경매개시결정(배당요구의 종기까지 행하여진 신청에 의한 것에 한함)에 기초하여 절차를 계속하여 진행할 수 있다.

⑤ 강제경매개시 후 압류채권자에 우선하는 저당권자 등이 경매신청을 하여 이중경매개시결정이 되어 있는 경우, 경매취소사유인 '남을 가망이 없을 경우'의 해당 여부와 관련하여 최저매각가격과 비교해야 할 우선채권의 범위를 정하는 기준이 되는 권리는 그 절차에서 경매개시결정을 받은 채권자 중 최우선순위권리자의 권리로 보아야 한다.

해설 ① ≪대결 1995.7.11. 95마147≫

가. 경매법원이 이중경매 신청에 기한 경매개시결정을 하면서 그 결정을 채무자에게 송달함이 없이 경매절차를 진행하였다면 그 경매는 경매개시결정이 효력을 발생하지 아니한 상태에서 이루어진 것이어서 당연히 무효라고 보아야 하므로, 그 개시결정이 채무자에게 송달되기 전에 경매대금의 납부를 명하고 이에 따라 경매대금을 납부한 것은 경매절차를 속행할 수 없는 상태에서의 대금납부로서 부적법하여 대금납부의 효력을 인정할 수 없다.

②,④ 법 제87조(압류의 경합)

① 강제경매절차 또는 담보권 실행을 위한 경매절차를 개시하는 결정을 한 (**동일 채무자 소유**)부동산에 대하여 다른 강제경매(**또는 담보권 실행을 위한 경매**)의 신청이 있는 때에는 법원은 다시 경매개시결정을 하고, / 먼저 경매개시결정을 한 집행절차에 따라 경매한다.

④ 먼저 경매개시결정을 한 경매절차가 정지된 때에는 법원은 [1](**후행압류채권자의 속행**)신청에 따라 결정으로 [2]뒤의 경매개시결정(배당요구의 종기까지 행하여진 신청에 의한 것에 한한다)에 기초하여 절차를 계속하여 진행할 수 있다. 다만, [3]먼저 경매개시결정을 한 경매절차가 취소되는 경우 제105조 제1항 제3호(**등기된 부동산에 대한 권리 또는 가처분으로서 매각으로 효력을 잃지 아니하는 것 = 인수주의**)의 기재사항이 바뀔 때에는 그러하지 아니하다.

③ ≪대판 2001.7.10. 2000다66010≫

[1] 선행한 경매신청이 취하되거나 그 절차가 취소 또는 정지된 경우에는 (법 제91조 제1항의 규정에 어긋나지 아니하는 한도 안에서) 후행의 경매신청인을 위하여 그때까지 진행되어 온 선행의 경매절차를 인계하여 당연하게 경매절차를 속행하여야 하는 것이고, / 이 경우에 선행한 경매절차의 결과는 후행한 경매절차에서 유효한 범위에서 그대로 승계되어 이용되는 것이므로, [즉, **선행절차**에 있어서 **행해진** 현황조사라든가 감정평가 등은 특별히 원용절차를

정답 ▸ 05 ①

밟지 아니하여도 **후행절차에 그대로 이용할** 수 있으며 후행사건에서는 남은 절차만 속행하면 된다(대결 1980.2.7, 79마417).] / 선행한 경매절차에서 경매채무자가 주소변경신고를 하였다면 선행절차가 취소되었다고 하더라도 그 주소변경신고는 후행절차에 의하여 속행된 경매절차에서 당연하게 효력이 있다. (∴ 후행절차에서 변경된 주소가 아닌 **종전의 주소로** 한 매각기일·매각결정기일의 **통지**는 매각허가에 대한 **이의사유가 된다.**)

⑤ ≪대결 2001.12.28, 2001마2094≫

[1] 강제경매개시 후 압류채권자에 우선하는 저당권자 등이 경매신청을 하여 이중경매개시결정이 되어 있는 경우에는 절차의 불필요한 지연을 막기 위해서라도 「민사소송법」 제616조(**법 제102조**) 소정의 최저경매가격과 비교하여야 할 우선채권의 범위를 정하는 기준이 되는 권리는 그 절차에서 경매개시결정을 받은 (**선행, 후행압류**) 채권자 중 최우선순위권리자의 권리로 봄이 옳다.

06 다음 중 민사집행법 제90조에서 정한 경매절차의 이해관계인을 모두 고른 것은?

▸ 2021 법무사

> 가. 압류채권자와 집행력 있는 정본에 의하여 배당을 요구한 채권자
> 나. 채무자 및 소유자
> 다. 등기부에 기입된 부동산 위의 권리자
> 라. 부동산 위의 권리자

① 가, 나, 다, 라
② 가, 나, 다
③ 가, 다, 라
④ 가, 나, 라
⑤ 나, 다, 라

해설 라. 법 제90조(경매절차의 이해관계인)

경매절차의 이해관계인은 다음 각호의 사람으로 한다.

1. 압류채권자와 집행력 있는 정본에 의하여 배당을 요구한 채권자
2. 채무자 및 소유자
3. 등기부에 기입된 부동산 위의 권리자
4. 부동산 위의 권리자로서 그 권리를 증명한 사람

07 민사집행법 제90조에 규정된 경매절차의 이해관계인에 관한 다음 설명 중 가장 옳지 않은 것은?

▸ 2023 법무사

① 임의경매에서 경매신청이 되지 않은 저당권의 피담보채권의 채무자는 민사집행법 제90조에 규정된 경매절차의 이해관계인 중에 포함되지 않는다.

② 이해관계인은 강제집행절차와 관련하여, 집행에 관한 이의신청권, 경매개시결정에 대한 이의신청권, 배당요구 또는 이중경매신청이 있으면 법원으로부터 그 통지를 받을 수 있는 권리, 여러 개의 부동산을 일괄매각하도록 신청할 수 있는 권리, 매각기일과 매각결정기일을 통지받을 수 있는 권리, 매각허가여부의 결정에 대하여 즉시항고를 할 수 있는 권리, 배당기일의 통지를 받을 권리 등이 인정된다.

③ 민사집행법 제87조 제1항에 의하여 이중경매개시결정이 있고 선행사건의 집행절차에 따라 경매가 진행되는 경우 이해관계인의 범위도 선행의 경매사건을 기준으로 정하여야 하는바, 선행사건의 배당요구의 종기 이후에 설정된 후순위 근저당권자로서 위 배당요구의 종기까지 아무런 권리신고를 하지 아니한 위 배당요구의 종기 이후의 이중경매신청인은 이해관계인이 아니다.

④ 주택임대차보호법상의 대항요건을 갖춘 임차인은 매각허가결정 이전에 경매법원에 스스로 그 권리를 증명하여 신고하거나, 집행관의 현황조사결과 임차인으로 조사·보고되어 집행법원이 부동산 위의 권리자임을 알게 된 경우에는 이해관계인이 될 수 있다.

⑤ 집행력 있는 정본 또는 그 사본에 의하지 않고 재판예규(재민 97-11)에 따라 체불임금 등·사업주 확인서와 근로자라는 소명자료를 붙여 배당요구를 한 임금채권자는 경매절차에 관하여 사실상의 이해관계를 가진 자일 뿐 민사집행법 제90조에서 정한 이해관계인이 아니다.

해설 ① 담보권 실행을 위한 경매에서 경매신청이 된 저당권의 피담보채권의 채무자만이 법 제90조 제2호의 채무자에 해당하고, 경매신청이 되지 아니한 저당권의 피담보채권의 채무자는 해당되지 않는다(대결 1964.3.24, 63마48; 대결 1968.7.31, 68마716).

② 이해관계인은 집행절차에 관하여 다음과 같은 권리가 인정된다. 1) 집행에 관한 이의신청권(법 제16조), 2) 부동산에 대한 침해행위방지신청권(법 제83조 제3항), 3) 경매개시결정에 대한 이의신청권(법 제86조 제1항), 4) 배당요구 신청 또는 이중경매 신청이 있으면 법원으로부터 그 통지를 받을 수 있는 권리(법 제89조), 5) 여러 개의 부동산을 일괄매각하도록 신청할 수 있는 권리(법 제98조), 6) 매각기일과 매각결정기일을 통지받을 수 있는 권리(법 제104조 제2항), 7) 최저매각가격 외의 매각조건의 변경에 관하여 합의할 수 있는 권리(법 제110조), 8) 집행법원의 직권에 의한 매각조건의 변경결정에 대하여 즉시항고를 할 수 있는 권리(법 제111조 제2항), 9) 매각기일에 출석하여 매각기일조서에 서명날인할 수 있는 권리(법 제116조 제2항), 10) 매각결정기일에 매각허가에 관한 의견을 진술할 수 있는 권리(법 제120조), 11) 매각허가여부의 결정에 대하여 즉시항고를 할 수 있는 권리(법 제129조), 12) 배당기일의 통지를 받을 권리(법 제146조), 13) 배당기일에 출석하여 배당표에 관한 의견을 진술할 수 있는 권리(법 제149조), 14) 배당기일에 출석하여 배당에 관한 합의를 할 수 있는 권리(법 제150조 제2항)

정답 ▸ **06 ② 07 ④**

③ ≪대결 2005.5.19, 2005마59≫

[3] 선행사건의 배당요구의 종기 이후에 설정된 후순위 근저당권자로서 위 배당요구의 종기까지
아무런 권리신고를 하지 아니한 위 배당요구의 종기 이후의 이중경매신청인은 선행사건에서
이루어진 낙찰허가결정에 대하여 즉시항고를 제기할 수 있는 이해관계인이 아니다.

④ ≪대판 2008.11.13, 2008다43976≫

[1] 「주택임대차보호법」상의 대항요건을 갖춘 임차인이라고 하더라도 매각허가결정 이전에 경매
법원에 스스로 그 권리를 증명하여 신고하지 않는 한 집행관의 현황조사결과 임차인으로 조
사·보고되어 있는지 여부와 관계없이 이해관계인이 될 수 없다.

⑤ ≪대결 2003.2.19, 2001마785≫

[3] (집행력 있는 정본 또는 사본에 의하지 않고 재판예규(재민 97-11)에 따라 체불 임금등 사업
주 확인서와 근로자라는 소명자료를 붙여) 배당요구를 한 임금채권자는 (경매절차에 관하여
사실상의 이해관계를 가진 자일 뿐) 위 조항에서 말하는 이해관계인이라 할 수 없다.

08 경매절차의 이해관계인(민사집행법 제90조)에 관한 다음 설명 중 가장 옳지 않은 것은?

▶ 2025 법무사

① 가압류채권자는 민사집행법 제90조에서 말하는 경매절차의 이해관계인에 해당한다.
② 집행력 있는 정본을 가진 채권자라도 배당을 요구하지 않은 경우에는 경매절차의 이해관
계인이 아니다.
③ 민사집행법 제90조 제3호의 '등기부에 기입된 부동산 위의 권리자'란 경매개시결정 등기
시점을 기준으로 그 당시에 이미 등기가 되어 등기부에 나타난 자를 말한다.
④ 경매부동산에 대한 가처분권자는 매각허가 여부의 결정에 대하여 즉시항고를 제기할 수
있는 민사집행법 제90조의 이해관계인에 해당하지 않는다.
⑤ 민사집행법 제90조 제4호의 '부동산 위의 권리자로서 그 권리를 증명한 사람'으로서 매
각허가결정에 대한 항고를 제기하기 위해서는 매각허가결정 전까지 그러한 사실을 증명
하여야 한다.

해설 ①,④ 판례는 가압류권자(대판 1999.4.9, 98다53240 등), 가처분권자(대결 1994.9.30, 94마1534
등)는 법 제90조의 이해관계인에 해당하지 아니한다고 한다.

② ≪대판 1999.4.9, 98다53240≫

[1] 배당을 요구하지 않은 집행력 있는 정본을 가진 채권자도 역시 위 조항에서 말하는 이해관계
인이 아님은 문언상 명백하다.

③ ≪대결 1999.11.10, 99마5901≫

「민사소송법」 제607조 제3호(법 제90조 제3호)는 '등기부에 기입된 부동산 위의 권리자'를 경매
절차의 이해관계인으로 규정하고 있는바, '등기부에 기입된 부동산 위의 권리자'라 함은 경매개시
결정 시점이 아닌 경매신청기입등기 시점을 기준으로 그 당시에 이미 등기가 되어 등기부에 나타
난 자를 말하며 용익권자(전세권자, 지상권자, 임대차등기를 한 임차권자), 담보권자(저당채권에
대한 질권자, 저당권자) (환매권자) 등이 이에 해당한다.

⑤ ≪대판 2008.11.13, 2008다43976≫

[1] 「주택임대차보호법」상의 대항요건을 갖춘 임차인이라고 하더라도 매각허가결정 이전에 경매법원에 스스로 그 권리를 증명하여 신고하지 않는 한 집행관의 현황조사결과 임차인으로 조사·보고되어 있는지 여부와 관계없이 이해관계인이 될 수 없다.

09 부동산경매절차에서 당사자의 승계에 관한 다음 설명 중 가장 옳은 것은? ▶ 2021 법무사

① 강제경매절차에서 경매개시 전 채무자가 사망한 사실이 경매개시결정 후에 밝혀지면 채권자는 상속인들에 대한 승계집행문과 승계집행문 송달증명원을 발급받아 경매개시결정 경정신청을 하여야 한다.

② 담보권실행을 위한 경매는 그 근저당권 설정등기에 표시된 채무자 및 저당 부동산의 소유자와의 관계에서 그 절차가 진행되는 것이므로, 그 절차의 개시 전 또는 진행 중에 채무자나 소유자가 사망하였다면 그 재산상속인들이 그 사망 사실을 밝히고 자신을 이해관계인으로 취급하여 줄 것을 신청하여야만 속행할 수 있다.

③ 담보권실행을 위한 경매절차에서 경매개시결정 당시 이미 채무자나 소유자가 사망하였다면 후에 이를 경정하여 채무자나 소유자의 표시를 고쳤다고 하더라도 경매개시결정의 효력은 인정될 수 없다.

④ 강제경매를 개시한 후 신청채권자가 승계된 경우에 승계인이 자기를 위하여 강제집행의 속행을 신청하는 때에는 민사집행법 제31조(승계집행문)에 규정된 집행문이 붙은 집행권원의 정본을 제출하여야 한다.

⑤ 강제집행을 개시한 뒤에 채무자가 죽은 때에 상속재산에 대하여 강제집행을 계속하여 진행하기 위하여 신청채권자는 승계집행문을 발급받아 집행법원에 제출하여야 한다.

해설 ① 강제경매개시결정 당시에 이미 소유자, 채무자가 사망하였음에도 이를 간과하고 강제경매신청을 하여 개시결정이 난 후 사망사실이 밝혀지면 개시결정을 취소하고 강제경매신청을 각하한다.

② ≪대결 1998.12.23, 98마2509, 2510≫

부동산에 대한 근저당권의 실행을 위한 경매는 그 근저당권 설정등기에 표시된 채무자 및 저당 부동산의 소유자와의 관계에서 그 절차가 진행되는 것이므로, 그 절차의 개시 전 또는 진행 중에 채무자나 소유자가 사망하였다고 하더라도 그 재산상속인들이 경매법원에 대하여 그 사망 사실을 밝히고 자신을 이해관계인으로 취급하여 줄 것을 신청하지 아니한 이상 그 절차를 속행하여 저당 부동산의 낙찰을 허가하였다고 하더라도 그 허가결정에 위법이 있다고 할 수 없다.

③ 저당권설정등기 후 임의경매개시 전에 채무자·소유자가 사망한 경우 상속등기가 되어 있지 아니한 때에는 채권자는 먼저 대위 상속등기를 하고 그 상속인을 채무자·소유자로 표시하여 경매신청을 하여야 한다. 다만, 사망사실을 간과하고 경매개시결정을 한 때에는 그 소유자의 표시를 경정하면 족하고(대결 1964.5.16, 64마258), 개시결정을 취소하고 신청을 각하할 필요는 없다.

④ 규칙 제23조(집행개시 후 채권자의 승계)

① 강제집행을 개시한 후 신청채권자가 승계된 경우에 승계인이 자기를 위하여 강제집행의 [1]속행을 신청하는 때에는 법 제31조(법 제57조의 규정에 따라 준용되는 경우를 포함한다)에 규정된 [2](**승계**)집행문이 붙은 집행권원의 정본을 제출하여야 한다.

⑤ 법 제52조(집행을 개시한 뒤 채무자가 죽은 경우)
　　① 강제집행을 개시한 뒤에 채무자가 죽은 때에는 상속재산에 대하여 강제집행을 계속하여 진행한다. (속행 신청×, 승계집행문 제출×)

10 채무자의 사망과 집행절차에 관한 다음 설명 중 가장 옳지 않은 것은?　▶ 2022 법무사

① 강제집행개시 전에 사망한 채무자에 대한 채권자가 상속재산에 대하여 강제집행을 하기 위해서는 승계집행문을 부여받아 경매신청을 하여야 한다.

② 사망자를 상대로 부동산에 관한 강제경매를 신청해서 개시결정이 난 다음 사망사실이 밝혀진 경우 경매절차를 중지하고 신청채권자로 하여금 대위상속등기를 하게한 뒤 경매절차를 진행할 수 있다.

③ 담보권 실행을 위한 경매절차에서 채무자나 소유자가 이미 사망하였음에도 경매신청인이 사망자를 채무자(소유자)로 표시해 경매신청하여 경매개시결정을 하였다면, 경정결정에 의하여 채무자(소유자)의 표시를 고칠 수 있다.

④ 강제집행을 개시한 다음 채무자가 사망한 경우에는 상속재산에 대하여 강제집행을 계속하여 진행하며, 이는 담보권 실행을 위한 경매절차도 마찬가지이다.

⑤ 담보권 실행을 위한 경매절차에서 그 경매신청 전에 부동산 소유자가 사망하여 경매신청인이 상속인을 대위하여 상속등기를 마친 경우 그 상속등기비용은 집행비용에 해당하므로, 이를 배당할 금액에서 공제한 후 배당표를 작성하여야 한다.

해설 ① 강제경매개시 전 채무자가 사망한 경우 채권자는 승계집행문을 부여받고, 승계인에 대한 집행문 및 증명서등본의 송달증명을 첨부(승계가 법원에 명백한 경우나 재판에 의하여 부여하는 경우에는 증명서등본의 송달증명이 필요 없다)하여 경매신청을 하여야 한다(법 제39조 제2항·제3항).

② 만약 강제경매개시결정 당시에 이미 소유자, 채무자가 사망하였음에도 이를 간과하고 강제경매신청을 하여 개시결정이 난 후 사망사실이 밝혀지면 개시결정을 취소하고 강제경매신청을 각하한다.

③ ≪대결 1964.5.16, 64마258≫
저당권실행의 경매신청에는 판결절차에 있어서와 같은 상대방은 없는 것이므로 경매개시결정 당시 이미 채무자나 소유자가 사망하였다 하여도 후에 이를 경정하여 채무자나 소유자의 표시를 고칠 수 있을 뿐 경매개시결정의 효력자체에는 영향이 없다.

④ 법 제52조(집행을 개시한 뒤 채무자가 죽은 경우)
　① 강제집행을 개시한 뒤에 채무자가 죽은 때에는 상속재산에 대하여 강제집행을 계속하여 진행한다.
　　[⚖ 임의경매개시 후에 채무자 또는 소유자가 사망하여도 매각절차는 중단되지 않고 속행된다(법 제275조, 제52조 제1항).]

⑤ 담보권 실행을 위한 경매절차에서 그 경매신청 전에 부동산 소유자가 사망하여 경매신청인이 상속인을 대위하여 상속등기를 마친 경우 그 상속등기비용은 집행비용에 해당하므로(대판 2021.10.14. 2016다201197), 이를 배당할 금액에서 공제한 후 배당표를 작성하여야 한다.

정답　10 ②

04 매각준비절차

01 **경매개시결정에 관한 다음 설명 중 가장 옳지 않은 것은?** ▸ 2024 법무사

① 경매개시결정은 채무자에게 고지되어야만 효력이 생기고, 경매개시결정의 고지 없이는 유효하게 경매절차를 속행할 수 없다.

② 집행절차의 법적 안정성을 보장할 목적으로 부동산에 관하여 경매개시결정등기가 된 뒤에 비로소 부동산의 점유를 이전받거나 피담보채권이 발생하여 유치권을 취득한 경우에는 경매절차의 매수인에 대하여 유치권을 행사할 수 없다.

③ 부동산에 관하여 이중경매개시결정이 내려진 후에 선행 경매신청이 취하되거나 그 절차가 취소 또는 정지된 경우, 그때까지 진행된 선행 경매절차의 결과는 후행 매각절차에서 유효한 범위에서 후행 경매절차에 그대로 승계되어 이용된다.

④ 체납처분압류가 되어 있는 부동산에 대하여 경매절차가 개시되기 전에 민사유치권을 취득한 유치권자는 경매절차의 매수인에게 유치권을 행사할 수 없다.

⑤ 경매로 인한 압류의 효력이 발생하기 전에 유치권을 취득한 경우, 유치권 취득시기가 근저당권설정 후라거나 유치권 취득 전에 설정된 근저당권에 기하여 경매절차가 개시되었더라도 유치권으로 경매절차의 매수인에게 대항할 수 있다.

해설 ① ≪대결 1997.6.10. 97마814≫

[1] 경매개시결정은 비단 압류의 효력을 발생시키는 것일 뿐만 아니라 경매절차의 기초가 되는 재판이어서 그것이 당사자에게 고지되지 않으면 효력이 있다고 할 수 없고, 따라서 따로 압류의 효력이 발생하였는지의 여부와 관계없이 채무자에 대한 경매개시결정의 고지 없이는 유효하게 경매절차를 속행할 수 없으므로, 채무자가 아닌 이해관계인으로서도 채무자에 대한 경매개시결정 송달의 흠결을 「민사소송법」 제642조 제2항(법 제130조 제1항), 제633조 제1호(법 제121조 제1호)의 규정에 의하여 낙찰(**매각**)허가결정에 대한 항고사유로 삼을 수 있는 반면, 같은 법 제634조(**법 제122조**)의 규정에 의하여 낙찰허가에 대한 이의는 다른 이해관계인의 권리에 관한 이유에 의하여는 하지 못하므로, 설사 채무자에 대한 입찰기일의 송달에 하자가 있다고 할지라도 다른 이해관계인이 이를 낙찰허가결정에 대한 항고사유로 주장할 수는 없다.

② ≪대결 2022.12.29. 2021다253710≫

[1] 민사집행법 제91조 제3항이 "지상권·지역권·전세권 및 등기된 임차권은 저당권·압류채권·가압류채권에 대항할 수 없는 경우에는 매각으로 소멸된다."라고 규정하고 있는 것과는 달리, 같은 조 제5항은 "매수인은 유치권자에게 그 유치권으로 담보하는 채권을 변제할 책임이 있다."라고 규정하고 있으므로, 유치권은 특별한 사정이 없는 한 그 성립시기에 관계없이 경매절차에서 매각으로 인하여 소멸하지 않는다. 다만 부동산에 관하여 이미 경매절차가 개시되어 진행되고 있는 상태에서 비로소 그 부동산에 유치권을 취득한 경우에도 아무런 제한 없이 경매절차의 매수인에 대한 유치권의 행사를 허용하면 경매절차에 대한 신뢰와 절차적 안정성이 크게 위협받게 됨으로써 경매 목적 부동산을 신속하고 적정하게 환가하기가 매우 어렵게 되고 경매절차의 이해관계인에게 예상하지 못한 손해를 줄 수도 있으므로, 그러한 경

정답 01 ④

우에까지 압류채권자를 비롯한 다른 이해관계인들의 희생 아래 유치권자만을 우선 보호하는 것은 집행절차의 법적 안정성이라는 측면에서 받아들일 수 없다.

그리하여 대법원은 집행절차의 법적 안정성을 보장할 목적으로 부동산에 관하여 경매개시결 정등기가 된 뒤에 비로소 부동산의 점유를 이전받거나 피담보채권이 발생하여 유치권을 취득 한 경우에는 경매절차의 매수인에 대하여 유치권을 행사할 수 없다고 본 것이다.

③ ≪대판 2001.7.10, 2000다66010≫

[1] 선행한 경매신청이 취하되거나 그 절차가 취소 또는 정지된 경우에는 (법 제91조 제1항의 규정에 어긋나지 아니하는 한도 안에서) 후행의 경매신청인을 위하여 그때까지 진행되어 온 선행의 경매절차를 인계하여 당연하게 경매절차를 속행하여야 하는 것이고, 이 경우에 선행 한 경매절차의 결과는 후행한 경매절차에서 유효한 범위에서 그대로 승계되어 이용되는 것이 므로, (즉, **선행절차**에 있어서 **행해진** 현황조사라든가 감정평가 등은 특별히 원용절차를 밟지 아니하여도 **후행절차에 그대로 이용**할 수 있으며 후행사건에서는 남은 절차만 속행하면 된다 (대결 1980.2.7, 79마417).) 선행한 경매절차에서 경매채무자가 주소변경신고를 하였다면 선 행절차가 취소되었다고 하더라도 그 주소변경신고는 후행절차에 의하여 속행된 경매절차에 서 당연하게 효력이 있다.

(∴ 후행절차에서 변경된 주소가 아닌 **종전의 주소**로 한 매각기일·매각결정기일의 **통지**는 매각허가에 대한 **이의사유가 된다.**)

④ ≪대판(全員合議体) 2014.3.20, 2009다60336≫ (다수의견)

체납처분압류가 되어 있는 부동산이라고 하더라도 그러한 사정만으로 경매절차가 개시되어 경매 개시결정등기가 되기 전에 부동산에 관하여 민사유치권을 취득한 유치권자가 경매절차의 매수인 에게 유치권을 행사할 수 없다고 볼 것은 아니다. (유치권자는 매수인에게 **대항할 수 있다.**)

⑤ ≪대판 2009.1.15, 2008다70763≫

부동산 경매절차에서의 매수인은 「민사집행법」 제91조 제5항에 따라 유치권자에게 그 유치권으 로 담보하는 채권을 변제할 책임이 있는 것이 원칙이나, 채무자 소유의 건물 등 부동산에 경매개 시결정의 기입등기가 경료되어 압류의 효력이 발생한 후에 채무자가 위 부동산에 관한 공사대금 채권자에게 그 점유를 이전함으로써 (or **피담보채권이 발생하여**) 그로 하여금 유치권을 취득하게 한 경우, 그와 같은 점유의 이전은 목적물의 교환가치를 감소시킬 우려가 있는 처분행위에 해당 하여 「민사집행법」 제92조 제1항, 제83조 제4항에 따른 압류의 처분금지효에 저촉되므로 점유 자로서는 위 유치권을 내세워 그 부동산에 관한 경매절차의 매수인에게 대항할 수 없다. [이 경우 위 부동산에 경매개시결정의 기입등기가 경료되어 있음을 **채권자(**유치권자)가 **알았는지 여부** 또 는 이를 **알지 못한 것에 관하여 과실이 있는지 여부** 등은 채권자가 그 유치권을 매수인에게 대항 할 수 없다는 결론에 **아무런 영향을 미치지 못한다(**대판 2006.8.25, 2006다22050)]. 그러나 이 러한 법리는 경매로 인한 압류의 효력이 발생하기 전에 유치권을 취득한 경우에는 적용되지 아니하고, 유치권 취득시기가 근저당권설정 후 (**근저당권** 설정 이후 **경매개시결정 등기 전** 유치 **권을 취득한 경우**)라거나 유치권 취득 전에 설정된 근저당권에 기하여 경매절차가 개시되었다 고 하여 달리 볼 것은 아니다. (유치권자는 매수인에게 **대항할 수 있다.**)

02 부동산경매에서의 인수주의와 잉여주의에 관한 다음 설명 중 가장 옳지 않은 것은?

▶ 2025 법무사

① 근저당권설정등기와 강제경매신청 사이에 대항력을 갖춘 주택임차인이 있는 경우 그 임차인은 매수인에게 대항할 수 없다.

② 저당권·압류채권·가압류채권에 대항할 수 있는 전세권은 매각으로 소멸하지 않고 매수인이 인수하나, 전세권의 경우 전세권자가 적법한 배당요구를 하면 매각으로 소멸한다.

③ 경매부동산에 가압류등기, 소유권이전등기청구권 보전의 가등기, 근저당권설정등기가 순차적으로 마쳐진 경우 가압류등기는 근저당권의 실행을 위한 경매절차에서 매각으로 인하여 소멸하지만, 근저당권보다 선순위인 가등기는 말소하지 않고 존속한다.

④ 유치권에 의한 경매도 강제경매나 담보권 실행을 위한 경매와 마찬가지로 목적부동산 위의 부담을 소멸시키는 것을 법정매각조건으로 하여 실시되고 우선채권자뿐만 아니라 일반채권자의 배당요구도 허용되며, 유치권자는 일반채권자와 동일한 순위로 배당을 받을 수 있다.

⑤ 부동산 경매절차에서의 매수인은 유치권자에게 그 유치권으로 담보하는 채권을 변제할 책임이 있는 것이 원칙이다. 그러나 경매개시결정 등기가 마쳐져 압류의 효력이 발생한 후에 유치권을 취득한 경우 그러한 유치권으로는 매수인에게 대항할 수 없다.

해설 ① 《대판 1987.3.10, 86다카1718》

근저당권설정등기와 제3의 집행채권자의 강제경매신청 사이에 대항력을 갖춘 주택임차인이 있는 경우에, 동인이 경락인에게 대항할 수 있다고 한다면 경락인은 임차권의 부담을 지게 되어 부동산의 경매가격은 그만큼 떨어질 수밖에 없고 이는 임차권보다 선행한 담보권을 해치는 결과가 되어 설정당시의 교환가치를 담보하는 담보권의 취지에 맞지 않게 되므로 동인의 임차권은 경락인에게 대항할 수 없다.

② 법 제91조(인수주의와 잉여주의의 선택 등)

④ 제3항의 경우 외의 지상권·지역권·전세권 및 등기된 임차권(**저당권·압류채권·가압류채권에 대항할 수 있는 지상권·지역권·전세권 및 등기된 임차권**)은 매수인이 인수한다. 다만, 그중 전세권의 경우에는 전세권자가 제88조에 따라 배당요구를 하면 매각으로 소멸된다.

③ 경매부동산에 가압류등기, 소유권이전등기청구권 보전의 가등기, 근저당권설정등기가 순차적으로 마쳐진 경우 가압류등기는 근저당권의 실행을 위한 경매절차에서 매각으로 인하여 소멸하므로, 그 보다 후순위인 소유권이전등기청구권 보전의 가등기도 소멸하게 된다.

④ 《대결 2011.6.15, 2010마1059》

[1] 유치권에 의한 경매도 강제경매나 담보권 실행을 위한 경매와 마찬가지로 목적부동산 위의 부담을 소멸시키는 것을 법정매각조건으로 하여 실시되고 우선채권자뿐만 아니라 일반채권자의 배당요구도 허용되며, 유치권자는 일반채권자와 동일한 순위로 배당을 받을 수 있다고 봄이 상당하다. 다만 집행법원은 부동산 위의 이해관계를 살펴 위와 같은 법정매각조건과는 달리 매각조건 변경결정을 통하여 목적부동산 위의 부담을 소멸시키지 않고 매수인으로 하여금 인수하도록 정할 수 있다.

정답 02 ③

⑤ 부동산 경매절차에서의 매수인은 유치권자에게 그 유치권으로 담보하는 채권을 변제할 책임이 있다
(법 제91조 제5항, 제268조). 그러나 경매개시결정 등기가 경료되어 압류의 효력이 발생한 후에 유치
권을 취득한 경우 위 유치권으로는 매수인에게 대항할 수 없다(대판 2005.8.19, 2005다22688 등).

03 부동산경매절차의 특별매각조건에 관한 다음 설명 중 가장 옳지 않은 것은? ▸2021 법무사

① 최저입찰가격은 입찰법원이 직권으로 변경할 수 있지만, 그 변경은 수긍할 만한 합리적
인 이유가 있는 경우에 한하여 허용된다.

② 거래의 실상을 반영하거나 경매절차를 효율적으로 진행하기 위하여 필요한 경우에 법원
은 배당요구의 종기까지 매각조건을 바꾸거나 새로운 매각조건을 설정할 수 있다.

③ 특별매각조건이 있는 경우 집행관은 매각기일을 개시할 때에 그 내용을 고지하며, 특별
매각조건으로 매각한 때에는 집행법원은 매각허가결정에 그 조건을 적어야 한다.

④ 집행법원의 특별매각조건결정에 대하여 이해관계인은 즉시항고 할 수 있다.

⑤ 재단법인의 기본재산에 대하여 강제집행을 실시하는 경우 재단법인의 정관변경에 대한
주무관청의 허가는 경매개시요건이지 매수인의 소유권취득에 관한 요건은 아니므로, 집
행법원으로서는 그 허가를 얻어 제출한 후 경매개시결정을 하여야 하는 것이지 주무관청
의 허가를 특별매각조건으로 경매절차를 진행할 수 있는 것은 아니다.

해설 ① ≪대결 1994.11.30, 94마1673≫

다. 최저입찰가격은 입찰법원이 직권으로 변경할 수 있지만, 그 변경은 수긍할 만한 합리적인 이
유가 있는 경우에 한하여 허용된다.

②,④ 법 제111조(직권에 의한 매각조건의 변경)

① 거래의 실상을 반영하거나 경매절차를 효율적으로 진행하기 위하여 필요한 경우에 법원은 배
당요구의 종기까지 매각조건을 바꾸거나 새로운 매각조건을 설정할 수 있다.

② 이해관계인은 제1항의 재판에 대하여 즉시항고를 할 수 있다.

③ 제1항의 경우에 법원은 집행관에게 부동산에 대하여 필요한 조사를 하게 할 수 있다.

③ 집행관은 특별매각조건이 있는 때에는 매수신고의 최고 전에 그 내용을 명확하게 고지하여야 하
며(법 제112조, 재민 2004-3 제29조). 특별한 매각조건으로 매각한 때에는 매각허가결정에는
그 조건을 적어야 한다(법 제128조 제1항).

⑤ ≪대결 2018.7.20, 2017마1565≫

[1] 민법 제32조, 제40조 제4호, 제42조 제2항, 제43조, 제45조 제3항, 제1항에 의하면, 재단법인
은 정관에 재단법인의 자산에 관한 규정을 두어야 하고, 재단법인의 설립과 정관의 변경에는
주무관청의 허가를 얻어야 한다. 따라서 주무관청의 허가를 얻은 정관에 기재된 기본재산의
처분행위로 인하여 재단법인의 정관 기재사항을 변경하여야 하는 경우에는, 그에 관하여 주무
관청의 허가를 얻어야 한다. 이는 재단법인의 기본재산에 대하여 강제집행을 실시하는 경우에
도 동일하나, 주무관청의 허가는 반드시 사전에 얻어야 하는 것은 아니므로, 재단법인의 정관
변경에 대한 주무관청의 허가는, 경매개시요건은 아니고, 경락인의 소유권취득에 관한 요건이
다. 그러므로 집행법원으로서는 그 허가를 얻어 제출할 것을 특별매각조건으로 경매절차를 진
행하고, 매각허가결정 시까지 이를 제출하지 못하면 매각불허가결정을 하면 된다.

04 **배당요구의 종기결정 및 공고에 관한 다음 설명 중 가장 옳지 않은 것은?** ▸2024 법무사

① 배당요구의 종기가 정해지면 법원은 경매개시결정 전에 등기된 최선순위의 전세권자에게 배당요구의 종기를 고지하여야 한다.

② 배당요구의 종기결정 및 공고는 경매개시결정에 따른 압류의 효력이 생긴 때부터 1주 이내에 하여야 한다.

③ 소유권이전에 관한 가등기가 되어 있는 부동산에 대하여 경매개시결정이 있는 경우에는 법원은 가등기권리자에 대하여 그 가등기가 담보가등기인 때에는 그 내용 및 채권의 존부, 원인 및 금액을, 담보가등기가 아닌 경우에는 그 내용을 법원에 신고할 것을 적당한 기간을 정하여 최고하여야 한다.

④ 이미 배당요구 또는 채권신고를 한 자에 대하여도 배당요구의 종기를 연기한 경우에는 다시 고지 및 최고를 하여야 한다.

⑤ 법원사무관등은 첫 경매개시결정등기전에 등기된 가압류채권자 및 저당권·전세권, 그 밖의 우선변제청구권으로서 첫 경매개시결정등기전에 등기되었고 매각으로 소멸하는 것을 가진 채권자 및 조세, 그 밖의 공과금을 주관하는 공공기관에 대하여 채권의 유무, 그 원인 및 액수(원금·이자·비용, 그 밖의 부대채권을 포함한다)를 배당요구의 종기까지 법원에 신고하도록 최고하여야 한다.

해설 ①,②,④,⑤ 법 제84조(배당요구의 종기결정 및 공고)

① 경매개시결정에 따른 압류의 효력이 생긴 때(그 경매개시결정전에 다른 경매개시결정이 있은 경우를 제외한다)에는 집행법원은 절차에 필요한 기간을 고려하여 배당요구를 할 수 있는 종기(終期)를 첫 매각기일 이전으로 정한다.

② 배당요구의 종기가 정하여진 때에는 법원은 경매개시결정을 한 취지 및 배당요구의 종기를 공고하고, 제91조 제4항 단서의 전세권자(**최선순위의 전세권자**) 및 법원에 알려진 제88조 제1항의 채권자(**첫 경매개시결정등기 후의 가압류채권자 등**)에게 이를 고지하여야 한다.

③ 제1항의 배당요구의 종기결정 및 제2항의 공고는 경매개시결정에 따른 압류의 효력이 생긴 때부터 1주 이내에 하여야 한다.

④ 법원사무관등은 제148조 제3호(**첫 경매개시결정등기 전에 등기된 가압류채권자**) 및 제4호의 채권자 및 조세, 그 밖의 공과금을 주관하는 공공기관에 대하여 채권의 유무, 그 원인 및 액수(원금·이자·비용, 그 밖의 부대채권(附帶債權)을 포함한다)를 배당요구의 종기까지 법원에 신고하도록 최고하여야 한다.

⑤ 제148조 제3호 및 제4호의 채권자가 제4항의 최고에 대한 신고를 하지 아니한 때에는 그 채권자의 채권액은 등기사항증명서 등 집행기록에 있는 서류와 증빙(證憑)에 따라 계산한다. 이 경우 다시 채권액을 추가하지 못한다.

⑥ 법원은 특별히 필요하다고 인정하는 경우에는 배당요구의 종기를 연기할 수 있다.

⑦ 제6항의 경우에는 제2항(**배당요구종기 공고·고지**) 및 제4항(**채권신고 최고**)의 규정을 준용한다. 다만, 이미 배당요구 또는 채권신고를 한 사람에 대하여는 같은 항의 고지 또는 최고를 하지 아니한다.

정답 03 ⑤ 04 ④

③ 「가등기담보 등에 관한 법률」 제16조(강제경매등에 관한 특칙)

① 법원은 소유권의 이전에 관한 가등기가 되어 있는 부동산에 대한 강제경매등의 개시결정이 있는 경우에는 가등기권리자에게 다음 각 호의 구분에 따른 사항을 법원에 신고하도록 적당한 기간을 정하여 <u>최고</u>하여야 한다. [**적당한 기간**은 **배당요구종기**로 정하는 것이 바람직하다(민사집행실무).]

1. 해당 가등기가 담보가등기인 경우 : 그 내용과 채권≪이자나 그 밖의 부수채권(附隨債權)을 포함한다≫의 존부·원인 및 금액
2. 해당 가등기가 담보가등기가 아닌 경우 : 해당 내용

05 집행관에 의한 현황조사에 관한 다음 설명 중 가장 옳지 않은 것은? ▶ 2025 법무사

① 법원은 경매개시결정을 한 뒤에 바로 집행관에게 부동산의 현상, 점유관계, 차임 또는 보증금의 액수, 그 밖의 현황에 관하여 조사하도록 명하여야 한다.

② 채무자 소유의 부동산이 등기되지 아니한 건물인 경우에는 그 건물이 채무자의 소유임을 증명할 서류, 그 건물의 지번·구조·면적을 증명할 서류 및 그 건물에 관한 건축허가 또는 건축신고를 증명할 서류를 강제경매신청서에 첨부하여야 하나, 이 건물의 지번·구조·면적을 증명하지 못한 때에는 집행법원에 경매신청과 동시에 그 조사를 집행법원에 신청할 수 있다. 이 경우 법원은 집행관에게 그 조사를 하게 하여야 한다.

③ 집행관은 건물의 지번·구조·면적의 증명을 위한 조사를 위하여 건물에 출입할 수 있고, 채무자 또는 건물을 점유하는 제3자에게 질문하거나 문서를 제시하도록 요구할 수 있고, 건물에 출입하기 위하여 필요한 때에는 잠긴 문을 여는 등 적절한 처분을 할 수 있다.

④ 집행관은 집행을 하기 위하여 필요한 경우에는 채무자의 주거·창고 그 밖의 장소를 수색하고, 잠근 문과 기구를 여는 등 적절한 조치를 할 수 있다. 이 경우에 저항을 받으면 집행관은 경찰 또는 국군의 원조를 요청할 수 있다.

⑤ 법원의 현황조사명령에 따라 현황조사를 하려는 집행관은 주민등록법상 전입세대확인서의 열람이나 교부신청을 할 수 있는 자에는 해당하나 현행 법령상 외국인체류확인서의 열람이나 교부신청을 할 수 있는 자에는 해당하지 아니한다.

해설 ① 법 제85조(현황조사)

① 법원은 경매개시결정을 한 뒤에 바로 집행관에게 부동산의 현상, 점유관계, 차임(借賃) 또는 보증금의 액수, 그 밖의 현황에 관하여 조사하도록 명하여야 한다.

② 법 제81조(첨부서류)

① 강제경매신청서에는 집행력 있는 정본 외에 다음 각호 가운데 어느 하나에 해당하는 서류를 붙여야 한다.

1. 채무자의 소유로 등기된 부동산에 대하여는 등기사항증명서
2. 채무자의 소유로 등기되지 아니한 부동산에 대하여는 즉시 채무자명의로 등기할 수 있다는 것을 증명할 서류. 다만, 그 부동산이 등기되지 아니한 (**적법한**) 건물인 경우에는 그 건물이 ⅰ) 채무자의 소유임을 증명할 서류, ⅱ) 그 건물의 지번·구조·면적을 증명할 서류 및 ⅲ) 그 건물에 관한 건축허가 또는 건축신고를 증명할 서류

② 채권자는 공적 장부를 주관하는 공공기관에 제1항 제2호 단서의 사항들을 증명하여 줄 것을 청구할 수 있다.

③ 제1항 제2호 단서의 경우에 ⅱ) 건물의 지번·구조·면적을 증명하지 못한 때에는, 채권자는 경매신청과 동시에 그 **(미등기건물)**조사를 집행법원에 신청할 수 있다.

④ 제3항의 경우에 법원은 집행관에게 그 **(미등기건물)**조사를 하게 하여야 한다.

⑤ 강제관리를 하기 위하여 이미 부동산을 압류한 경우에 그 집행기록에 제1항 각호 가운데 어느 하나에 해당하는 서류가 붙어 있으면 다시 그 서류를 붙이지 아니할 수 있다.

③ 법 제82조(집행관의 권한)

① 집행관은 제81조 제4항의 조사를 위하여 건물에 출입할 수 있고, 채무자 또는 건물을 점유하는 제3자에게 질문하거나 문서를 제시하도록 요구할 수 있다.

② 집행관은 제1항의 규정에 따라 건물에 출입하기 위하여 필요한 때에는 잠긴 문을 여는 등 적절한 처분을 할 수 있다.

④ 법 제5조(집행관의 강제력 사용)

① 집행관은 집행을 하기 위하여 필요한 경우에는 채무자의 주거·창고 그 밖의 장소를 수색하고, 잠근 문과 기구를 여는 등 적절한 조치를 할 수 있다.

② 제1항의 경우에 저항을 받으면 집행관은 경찰 또는 국군의 원조를 요청할 수 있다.

③ 제2항의 국군의 원조는 법원에 신청하여야 하며, 법원이 국군의 원조를 요청하는 절차는 대법원규칙으로 정한다.

⑤ 법원의 현황조사명령에 따라 현황조사를 하려는 집행관은 주민등록법상 전입세대확인서의 열람이나 교부신청을 할 수 있는 자에 해당하며(주민등록법 제29조의2 제2항 제3호 라목), 외국인체류확인서의 열람이나 교부신청을 할 수 있는 자에도 해당한다(출입국관리법 제88조의3 제2항 제3호 라목).

06 부동산 강제경매절차에서 경매 목적 부동산의 평가와 최저매각가격의 결정에 관한 다음 설명 중 가장 옳지 않은 것은?

▶ 2022 법무사

① 감정인은 민사집행법 제97조 제1항의 평가를 위하여 필요하면 건물에 출입할 수 있고, 채무자 또는 건물을 점유하는 제3자에게 질문하거나 문서를 제시하도록 요구할 수 있다.

② 평가서에는 부동산의 모습과 그 주변의 환경을 알 수 있는 도면·사진 등을 붙여야 한다.

③ 공유물지분을 경매하는 경우에는 최저매각가격은 공유물 전부의 평가액을 기본으로 채무자의 지분에 관하여 정하여야 한다. 다만, 그와 같은 방법으로 정확한 가치를 평가하기 어렵거나 그 평가에 부당하게 많은 비용이 드는 등 특별한 사정이 있는 경우에는 그러하지 아니하다.

④ 매각 부동산을 평가한 감정인(감정평가법인이 감정인인 때에는 그 감정평가법인 또는 소속 감정평가사)은 매수신청을 할 수 없다.

⑤ 경매의 대상이 된 토지 위에 생립하고 있는 채무자 소유의 미등기 수목은 항상 토지와 별개로 경매되는 것이므로 그 수목의 가액을 제외하여 경매 대상 토지를 평가하여 이를 최저매각가격으로 공고하여야 한다.

해설 ① 법 제97조(부동산의 평가와 최저매각가격의 결정)

② 감정인은 제1항의 평가를 위하여 필요하면 제82조 제1항(제2항×)에 규정된 조치를 할 수 있다.

準用 법 제82조(집행관의 권한)

① 집행관(감정인)은 제81조 제4항의 조사(평가)를 위하여 건물에 출입할 수 있고, 채무자 또는 건물을 점유하는 제3자에게 질문하거나 문서를 제시하도록 요구할 수 있다.

② 집행관은 제1항의 규정에 따라 건물에 출입하기 위하여 필요한 때에는 잠긴 문을 여는 등 적절한 처분을 할 수 있다. (법 제82조 제2항 준용×)

② 규칙 제51조(평가서)

② 평가서에는 부동산의 모습과 그 주변의 환경을 알 수 있는 도면·사진 등을 붙여야 한다.

③ 법 제139조(공유물지분에 대한 경매)

② 최저매각가격은 공유물 전부의 평가액을 기본으로 채무자의 지분에 관하여 정하여야 한다. 다만, 그와 같은 방법으로 정확한 가치를 평가하기 어렵거나 그 평가에 부당하게 많은 비용이 드는 등 특별한 사정이 있는 경우에는 그러하지 아니하다.

④ 규칙 제59조(채무자 등의 매수신청금지)

다음 각호의 사람은 매수신청을 할 수 없다.

1. 채무자
2. 매각절차에 관여한 집행관
3. 매각 부동산을 평가한 감정인(감정평가법인이 감정인인 때에는 그 감정평가법인 또는 소속 감정평가사)

⑤ ≪대결 1998.10.28, 98마1817≫

[4] 경매의 대상이 된 토지 위에 생립하고 있는 채무자 소유의 미등기 수목(잣나무 2,950주, 홍단풍 50주 등)은 토지의 구성 부분으로서 토지의 일부로 간주되어 특별한 사정이 없는 한 토지와 함께 경매되는 것이므로 그 수목의 가액을 포함하여 경매 대상 토지를 평가하여 이를 최저경매가격으로 공고하여야 하고, / 다만 「입목에 관한 법률」에 따라 등기된 입목이나 명인방법을 갖춘 수목의 경우에는 독립하여 거래의 객체가 되므로 (독립하여 집행의 대상이 되고) 토지 평가에 포함되지 아니한다.

---

07 부동산의 평가와 최저매각가격의 결정에 관한 다음 설명 중 가장 옳지 않은 것은?

▶ 2023 법무사

① 최저매각가격제도를 채택하고 있는 이유는 부동산이 그 시세보다 훨씬 저가로 매각되게 되면 이해관계인의 이익을 해치게 되므로 공정·타당한 가격을 유지하여, 부당하게 염가로 매각되는 것을 방지함과 동시에 매수신고를 하려는 사람에게 기준을 제시함으로써 매각이 공정하게 이루어지도록 함에 있다.

② 경매의 대상이 된 토지 위에 생립하고 있는 채무자 소유의 미등기 수목은 토지의 구성 부분으로서 토지의 일부로 간주되어 특별한 사정이 없는 한 토지와 함께 경매되는 것이므로 그 수목의 가액을 포함하여 경매 대상 토지를 평가하여 이를 최저매각가격으로 공고하여야 하고, 다만 입목에 관한 법률에 따라 등기된 입목이나 명인방법을 갖춘 수목의 경우에는 독립하여 거래의 객체가 되므로 토지 평가에 포함되지 아니한다.

③ 건물이 증축되어 증축부분에 관하여 별도로 보존등기가 경료되었고 증축부분이 본래의 건물에 부합되어 본래의 건물과 분리하여서는 전혀 별개의 독립물로서의 효용을 갖지 않는다 하더라도, 본래의 건물에 대한 경매절차에서 증축부분에 대한 평가를 누락한 평가액을 최저매각가격으로 정한 것은 잘못이다. 따라서 매수인은 증축부분의 소유권을 취득할 수 없다.

④ 구분건물에 대한 경매에서 비록 경매신청서에 대지사용권에 대한 아무런 표시가 없는 경우에도 집행법원으로서는 대지사용권이 있는지, 그 전유부분 및 공용부분과 분리처분이 가능한 규약이나 공정증서가 있는지 등에 관하여 집행관에게 현황조사명령을 하는 때에 이를 조사하도록 지시하는 한편, 그 스스로도 관련자를 심문하는 등의 가능한 방법으로 필요한 자료를 수집하여야 하고, 그 결과 전유부분과 불가분적인 일체로서 경매의 대상이 되어야 할 대지사용권의 존재가 밝혀진 때에는 이를 매각 목적물의 일부로서 경매 평가에 포함시켜 최저매각가격을 정하여야 한다.

⑤ 건물에 관한 구분소유적 공유지분에 대한 매각을 실시하는 집행법원으로서는 감정인에게 위 건물의 지분에 대한 평가가 아닌 특정 구분소유 목적물에 대한 평가를 하게 하고 그 평가액을 참작하여 최저매각가격을 정한 후 매각을 실시하여야 한다.

해설 ① ≪대결 1994.11.30, 94마1673≫

　　가. 부동산에 대한 집행에 있어서 <u>최저입찰(경매)가격제도</u>를 채용하고 있는 것은, 재산으로서의 중요성이 인정되는 부동산이 그 실시세보다 훨씬 저가로 매각되게 되면 채무자 또는 소유자의 이익을 해치게 될 뿐만 아니라 채권자에게도 불이익하게 되므로 부동산의 공정타당한 가격을 유지하여 부당하게 염가로 매각되는 것을 방지함과 동시에 목적부동산의 적정한 가격을 표시하여 <u>입찰신고를</u> 하려는 사람에게 <u>기준을</u> 제시함으로써 입찰이 공정하게 이루어지도록 하고자 함에 있다.

② ≪대결 1998.10.28, 98마1817≫

　　[4] 경매의 대상이 된 <u>토지</u> 위에 생립하고 있는 채무자 소유의 <u>미등기 수목(잣나무 2,950주, 홍단풍 50주 등)</u>은 <u>토지의 구성 부분</u>으로서 토지의 일부로 간주되어 특별한 사정이 없는 한 토지와 함께 경매되는 것이므로 그 수목의 가액을 포함하여 경매 대상 토지를 <u>평가하여 이를 최저경매가격으로 공고하여야 하고,</u> / 다만 「입목에 관한 법률」에 따라 <u>등기된 입목이나</u> 명인방법을 갖춘 수목의 경우에는 <u>독립하여</u> 거래의 객체가 되므로 **(독립하여 집행의 대상이 되고)** 토지 평가에 포함되지 <u>아니한다.</u>

③ ≪대판 1981.11.10, 80다2757, 2758≫

건물이 증축된 경우에 <u>증축부분</u>이 <u>본래의 건물에</u> 부합되어 본래의 건물과 분리하여서는 전혀 별개의 독립물로서의 효용을 갖지 않는다면, 위 증축부분에 관하여 별도로 보존등기가 경료되었고 본래의 건물에 대한 경매절차에서 <u>경매목적물로 평가되지 아니하였다고</u> 할지라도 <u>경락인은 그 부합된 증축부분의 소유권을 취득한다.</u>

④ ≪대결 1997.6.10, 97마814≫

　　[3] 구분건물(X)에 대한 경매에 있어서 비록 경매신청서에 대지사용권에 대한 아무런 <u>표시가 없는</u> 경우에도 집행법원으로서는 대지사용권이 있는지, 그 전유부분 및 공용부분과 분리처분이 가능한 규약이나 공정증서가 있는지 등에 관하여 집달관(**집행관**)에게 현황조사명령을 하는 때에 이를 <u>조사하도록 지시하는</u> 한편, 그 스스로도 관련자를 심문하는 등의 가능한 방법으로

필요한 자료를 수집하여야 하고, / 그 결과 전유부분과 불가분적인 일체로서 경매의 대상이 되어야 할 (**분리처분할 수 없는**) 대지사용권(X)의 존재가 밝혀진 때에는 이를 경매 목적물의 일부로서 경매 평가에 포함시켜 최저입찰가격을 정하여야 할 뿐만 아니라, 입찰기일의 공고와 입찰물건명세서의 작성에 있어서도 그 존재를 표시하여야 할 것이나, / 그렇지 않고 대지사용권이 존재하지 아니하거나 존재하더라도 규약이나 공정증서로써 전유부분에 대한 처분상의 일체성이 배제되어 있는 (**분리처분할 수 있는 대지사용권(Y)**) 경우에는 (**경매신청서에 대지사용권 표시가 없으므로**) 특별한 사정이 없는 한 전유부분 및 공용부분에 대하여만 경매절차를 진행하여야 한다.

⑤ ≪대결 2001.6.15, 2000마2633≫

건물에 관한 구분소유적 공유지분에 대한 입찰을 실시하는 집행법원으로서는 감정인에게 위 건물의 지분에 대한 평가가 아닌 특정 구분소유 목적물에 대한 (**현황조사와**) 평가를 하게 하고 그 평가액을 참작하여 최저입찰가격을 정한 후 입찰을 실시하여야 한다.

08 부동산경매절차에서 매각물건명세서에 관한 다음 설명 중 가장 옳지 않은 것은? ▸ 2022 법무사

① 민사집행법이 제105조에서 집행법원은 매각물건명세서를 작성하여 현황조사보고서 및 평가서의 사본과 함께 법원에 비치하여 누구든지 볼 수 있도록 하여야 한다고 규정하고 있는 취지는 경매절차에 있어서 매각대상 부동산의 현황을 되도록 정확히 파악하여 일반인에게 그 현황과 권리관계를 공시함으로써 매수 희망자가 매각대상 부동산에 필요한 정보를 쉽게 얻을 수 있도록 하여 예측하지 못한 손해를 입는 것을 방지하고자 함에 있다.

② 매각물건명세서에는 매각에 따라 설정된 것으로 보게 되는 지상권의 개요를 적어야 한다.

③ 매각물건명세서의 작성에 중대한 흠이 있는 때는 매각허가에 대한 이의신청사유에 해당한다.

④ 기일입찰의 방법으로 진행하는 경우 매각물건명세서의 사본은 매각기일마다 그 1주 전까지 법원에 비치하여야 한다. 다만, 법원은 상당하다고 인정하는 때에는 매각물건명세서의 기재내용을 전자통신매체로 공시함으로써 그 사본의 비치에 갈음할 수 있다.

⑤ 매각물건명세서상 부동산의 표시로 등기기록상 표시 외에 미등기건물이 있음을 표시한 경우에는 그것이 경매목적물에서 제외됨을 전제로 한 것으로 보게 되므로 미등기건물을 목적물에 포함할 경우에는 그 취지를 명확히 하여 매수희망자들로 하여금 그 취지를 알 수 있도록 하여야 할 것이다.

해설 ① ≪대판 2008.1.31, 2006다913≫

[2] 「민사집행법」이 제105조에서 집행법원은 매각물건명세서를 작성하여 현황조사보고서 및 평가서의 사본과 함께 법원에 비치하여 누구든지 볼 수 있도록 하여야 한다고 규정하고 있는 취지는 경매절차에 있어서 매각대상 부동산의 현황을 되도록 정확히 파악하여 일반인에게 그 현황과 권리관계를 공시함으로써 매수 희망자가 매각대상 부동산에 필요한 정보를 쉽게 얻을 수 있도록 하여 예측하지 못한 손해를 입는 것을 방지하고자 함에 있다.

② 법 제105조(매각물건명세서 등)

① 법원은 다음 각호의 사항을 적은 매각물건명세서를 작성하여야 한다.

1. 부동산의 표시 (**감정평가액 및 최저매각가격의 표시**)

　　2. 부동산의 점유자와 점유의 권원, 점유할 수 있는 기간, 차임 또는 보증금에 관한 관계인의 진술
　　3. 등기된 부동산에 대한 권리 또는 가처분으로서 매각으로 효력을 잃지 아니하는 것
　　4. 매각에 따라 설정된 것으로 보게 되는 지상권의 개요
③ 법 제121조(매각허가에 대한 이의신청사유)
　매각허가에 관한 이의는 다음 각호 가운데 어느 하나에 해당하는 이유가 있어야 신청할 수 있다.
　5. 최저매각가격의 결정, 일괄매각의 결정 또는 매각물건명세서의 작성에 중대한 흠이 있는 때
④ 규칙 제55조(매각물건명세서 사본 등의 비치)
　매각물건명세서・현황조사보고서 및 평가서의 사본은 매각기일(기간입찰의 방법으로 진행하는 경우에는 입찰기간의 개시일)마다 그 1주 전까지 법원에 비치하여야 한다. 다만, 법원은 상당하다고 인정하는 때에는 매각물건명세서・현황조사보고서 및 평가서의 기재내용을 전자통신매체로 공시함으로써 그 사본의 비치에 갈음할 수 있다.
⑤ ≪대판 1991.12.27, 91마608≫
　가. 경매물건명세서 중 부동산의 표시는 목적물의 동일성을 인식할 정도의 기재이면 되고 그 이상 자세히 기재할 필요는 없으나 등기부상 표시 외에 미등기건물이 있음을 표시한 경우에는 그것이 경매목적물에 포함됨을 전제로 한 것으로 보게 되므로 미등기건물을 목적물에서 제외할 경우에는 그 취지를 명확히 하여 매수희망자들로 하여금 그 취지를 알 수 있도록 하여야 할 것이다.

09 부동산 경매절차의 잉여주의에 관한 다음 설명 중 가장 옳지 않은 것은?　▶ 2021 법무사

① 압류채권자의 채권에 우선하는 채권에 관한 부동산의 부담을 매수인에게 인수하게 하거나, 매각대금으로 그 부담을 변제하는 데 부족하지 아니하다는 것이 인정된 경우가 아니면 그 부동산을 매각하지 못한다.

② 강제경매개시 후 압류채권자에 우선하는 저당권자 등이 경매신청을 하여 이중경매개시결정이 되어 있는 경우에는 절차의 불필요한 지연을 막기 위해서라도 민사집행법 제102조 소정의 최저경매가격과 비교하여야 할 우선채권의 범위를 정하는 기준이 되는 권리는 그 절차에서 경매개시결정을 받은 채권자 중 최우선순위권리자의 권리로 봄이 옳다.

③ 남을 가망이 없을 경우의 경매취소절차는 압류채권자에 의한 무익・무용한 집행을 방지하기 위한 것으로서, 여러 개의 부동산에 관하여 일괄매각의 결정을 한 경우에는 여러 개의 부동산 중 일부에 관하여 그 부동산만을 매각한다면 남을 가망이 없는 경우라도 전체로서 판단하여 배당을 받을 가능성이 있으면 남을 가망이 있다고 볼 수 있으므로, 집행법원으로서는 그 매각절차를 진행할 수 있다.

④ 경매신청인이 집행법원으로부터 남을 가망이 없다는 통지를 받은 날로부터 7일의 기간이 경과한 뒤에 부동산의 부담과 비용을 변제하고 잉여 있을 가격을 정하여 그 가격에 응하는 매수인이 없는 때에는 그 가격으로 매수할 것을 신청하고 담보를 제공하였다면, 집행법원으로서는 위 기간이 경과된 뒤에 한 것이므로 경매절차를 취소하여야 한다.

⑤ 집행법원이 매각허가여부의 결정 단계에서 남을 가망이 없음을 알게 된 경우에는 직권으로 매각불허가결정을 하여야 한다.

정답　08 ⑤　09 ④

해설 ① 법 제91조(인수주의와 잉여주의의 선택 등)

    ① 압류채권자의 채권에 우선하는 채권에 관한 부동산의 부담을 매수인에게 인수하게 하거나, 매각대금으로 그 부담을 변제하는 데 부족하지 아니하다는 것이 인정된 경우가 아니면 그 부동산을 매각하지 못한다.

② ≪대결 2001.12.28, 2001마2094≫

    [1] 강제경매개시 후 압류채권자에 우선하는 저당권자 등이 경매신청을 하여 이중경매개시결정이 되어 있는 경우에는 절차의 불필요한 지연을 막기 위해서라도 「민사소송법」 제616조(**법 제102조**) 소정의 최저경매가격과 비교하여야 할 우선채권의 범위를 정하는 기준이 되는 권리는 그 절차에서 경매개시결정을 받은 (**선행, 후행압류**) 채권자 중 최우선순위권리자의 권리로 봄이 옳다.

③ ≪대결 2012.12.21, 2012마379≫

    [1] 일괄매각결정에 따라 진행된 경매절차에서 여러 개의 부동산 중 일부에 관하여 그 부동산만을 매각한다면 남을 가망이 없더라도 전체로서 판단하여 배당을 받을 가능성이 있으면 남을 가망이 있다고 볼 수 있으므로, 집행법원으로서는 그 매각절차를 진행할 수 있다.

④ ≪대결 1975.3.28, 75마64≫

「민사소송법」 제616조 제2항(**법 제102조 제2항**) 소정 7일내의 기간이라 함은 성질상 일종의 재정기간에 지나지 않으므로 경매신청인이 경매 법원으로부터 같은 법 제616조 제1항 소정의 잉여의 가망이 없다는 통지를 받은 날로부터 7일의 기간이 경과한 뒤에 압류채권자의 채권에 우선하는 부동산상의 모든 부담과 비용을 변제하고 잉여있을 가격을 정하여 그 가격에 응하는 경매인이 없는 때에는 그 가격으로 매수할 것을 신청하고 담보를 제공하였다 하더라도 경매법원으로서는 위 기간이 경과된 뒤에 한 것이라는 사유로 경매절차를 취소할 수 없다. (**경매절차를 속행하여야 한다.**)

⑤ 집행법원이 매각허가여부의 결정 단계에서 남을 가망이 없음을 알게 된 경우에는 직권으로 매각불허가결정을 하여야 한다. 민사집행법 제121조 제1호(잉여주의에 반하여 집행을 계속 진행할 수 없는 때) 또는 제7호(경매절차에 그 밖의 중대한 잘못이 있는 때)에 해당하기 때문이다.

10 부동산에 대한 경매절차에서 남을 가망이 없을 경우의 경매취소에 관한 다음 설명 중 가장 옳지 않은 것은?

▸ 2023 법무사

① 압류채권자가 남을 가망이 없다는 통지를 받고 1주 이내에 적법한 매수신청 및 보증제공이 없는 때에는 법원은 결정으로 경매절차를 취소하여야 하나, 남을 가망이 없음에도 매각허가결정을 한 경우 압류채권자 및 우선채권자는 물론 민사집행법 제90조에 규정된 경매절차의 이해관계인은 매각허가결정에 대하여 즉시항고를 할 수 있다.

② 집행채무자가 수 개의 공유지분을 순차로 취득하고, 압류채권자가 집행채무자의 공유지분 전부에 관하여 강제집행을 하는 경우에는 그 수 개의 공유지분 각각에 대한 권리관계가 다르다고 하더라도 이는 하나의 목적물에 대한 강제집행이므로, 공유지분 전부 중 일부 지분만을 매각한다면 남을 가망이 없는 때에도 압류채권자가 나머지 지분의 매각대금에서 일부라도 배당받을 가능성이 있다면 공유지분 전부에 대한 경매가 남을 가망이 있는 경매에 해당한다.

③ 부동산임의경매 신청채권자가 경매절차 진행 중에 신청채권과 별개의 선순위 채권 및 근저당권을 양수받은 경우에도 선순위 근저당권의 피담보채권액을 선순위 채권액의 계산에 포함시켜 민사집행법 제102조에 따른 잉여 여부를 계산하여야 한다.

④ 필요비, 유익비를 지출한 제3취득자는 그 상환청구권에 관하여 우선권이 있고 그에 의하여 우선배당을 받을 수 있다. 따라서 제3취득자가 지출한 필요비, 유익비는 선순위 채권액의 계산에 포함시켜 민사집행법 제102조에 따른 잉여 여부를 계산하여야 한다.

⑤ 경매신청 채권자에게 우선하는 주택임차인의 보증금반환채권이 있음을 간과하고 선순위 근저당권의 피담보채권만이 있음을 통지하여 경매신청 채권자가 위 선순위 근저당권의 피담보채권과 절차비용을 변제하고 잉여있을 가격을 정하여 매수신고를 한 때에도 경매법원이 그 후 위 보증금반환채권이 누락되었음을 발견하였을 때에는 경매신청 채권자에게 새로이 위 통지를 하여야 하고, 경매신청 채권자가 위 통지를 받은 날로부터 1주일 이내에 위 보증금반환채권까지 변제하고 잉여있을 가격을 정하여 매수신고를 하지 않으면 경매법원으로서는 경매절차를 취소하는 결정을 하여야 한다.

해설 ① ≪대결 1987.10.30, 87마861≫
「민사소송법」제608조 제1항(법 제91조 제1항), 제616조(법 제102조), 제631조(법 제119조)의 규정은 압류채권자가 집행에 의해서 변제를 받을 가망이 전혀 없는데도 무익한 경매가 행해지는 것을 막고(= **무익집행의 금지**) 또 우선채권자가 그 의사에 반한 시기에 투자의 회수를 강요당하는 것과 같은 부당한 결과를 피하기 위한 것으로서(= **우선채권자의 현금화시기 선택권의 보호**) 우선채권자나 압류채권자를 보호하기 위한 규정일 뿐 결코 채무자나 그 목적부동산소유자의 법률상 이익이나 권리를 위한 것이 아니므로 강제경매에 있어서의 채무자 겸 경매목적물의 소유자는 경락절차에 있어서 위 규정에 어긋난 잘못이 있음을 다툴 수 있는 이해관계인에 해당하지 않는다.

② ≪대결 2013.11.19, 2012마745≫
[2] 집행채무자가 수 개의 공유지분을 순차로 취득하고, 압류채권자가 집행채무자의 공유지분 전부에 관하여 강제집행을 하는 경우에는 그 수 개의 공유지분 각각에 대한 권리관계가 다르다고 하더라도 이는 하나의 목적물에 대한 강제집행이므로, 공유지분 전부 중 일부 지분만을 매각한다면 남을 가망이 없는 때에도 압류채권자가 나머지 지분의 매각대금에서 일부라도 배당받을 가능성이 있다면 공유지분 전부에 대한 경매가 남을 가망이 있는 경매라고 보아야 한다.

③ ≪대결 2010.11.26, 2010마1650≫
부동산임의경매 신청채권자가 경매절차 진행 중에 신청채권과 별개의 선순위 채권 및 근저당권을 양수받은 경우에도 선순위 근저당권의 피담보채권액을 선순위 채권액의 계산에 포함시켜 「민사집행법」제102조에 따른 잉여 여부를 계산하여야 한다고 본 원심판단을 수긍한 사례

④ 저당권설정등기 후에 목적부동산의 제3취득자가 그 부동산의 보존, 개량을 위하여 필요비나 유익비를 지출한 때에 가지는 비용상환청구권은 저당물의 매각대금에서 우선상환을 받을 수 있는데(민법 제367조), 이러한 규정은 저당권이 설정된 부동산을 강제경매하는 경우에도 적용되므로, 필요비, 유익비를 지출한 제3취득자는 그 상환청구권에 관하여 우선권이 있고 그에 의하여 우선배당을 받을 수 있다. 따라서 제3취득자의 그러한 비용상환청구권도 우선채권에 해당한다. 다만 제3취득자가 실제로 배당을 받으려면 배당요구의 신청을 하여야 할 것이기 때문에 우선채권의 인정도 제3취득자의 배당요구 신청이 있어야 가능하다.

정답 10 ①

⑤ ≪대결 1994.9.5, 94마1205≫ 통지 받은 압류채권자 매수신청 후 우선채권 누락 발견 ⇒ 새로이 통지

경매법원이 경매신청 채권자에게 「민사소송법」 제728조에 의하여 준용되는 같은 법 제616조(법 제102조) 소정의 통지를 함에 있어 경매신청 채권자에게 우선하는 주택임차인의 보증금반환채권이 있음을 간과하고 선순위 근저당권의 피담보채권만이 있음을 통지하여 경매신청 채권자가 위 선순위 근저당권의 피담보채권과 절차비용을 변제하고 잉여있을 가격을 정하여 매수신고를 한 때에도 경매법원이 그 후 위 보증금반환채권이 누락되었음을 발견하였을 때에는 경매신청 채권자에게 새로이 위 통지를 하여야 하고, 경매신청 채권자가 위 통지를 받은 날로부터 7일 이내(1주 이내)에 위 보증금반환채권까지 변제하고 잉여 있을 가격을 정하여 매수신고를 하지 않으면 경매법원으로서는 경매절차를 취소하는 결정을 하여야 한다.

11 부동산경매절차의 개별매각과 일괄매각에 관한 다음 설명 중 가장 옳지 않은 것은?

▶ 2022 법무사

① 여러 개의 부동산을 동시에 매각하는 집행법원이 일괄매각결정을 한 바 없었다면 그 부동산들은 개별매각되는 것이다.

② 법원은 여러 개의 부동산의 위치·형태·이용관계 등을 고려하여 이를 일괄매수하게 하는 것이 알맞다고 인정하는 경우에는 직권으로 또는 이해관계인의 신청에 따라 일괄매각하도록 결정할 수 있다.

③ 경매목적물인 부동산에 신청근저당권자 이외의 근저당권자의 공장저당이 있을 때에는 집행법원으로서는 그 근저당권자의 공장저당의 목적이 된 기계, 기구 등도 함께 일괄매각하여야 한다.

④ 일괄매각절차에서 서로 다른 별개의 부동산에 대한 매각대금의 배당 순서를 달리하여야 한다면, 각 부동산에 대한 최저매각가격의 비율을 정하여야 하며, 각 부동산의 대금액은 총대금액을 각 부동산의 최저매각가격비율에 따라 나눈 금액으로 한다.

⑤ 수개의 부동산을 일괄하여 매각하는 경우 그 중 일부에 매각불허가 사유가 있다면 그 일부에 대하여 불허가하면 되고, 그 전부를 불허가하여야 하는 것은 아니다.

해설 ① ≪대결 1994.8.8, 94마1150≫

(민사집행법은 **개별매각을 원칙**으로 하고 있다.) 여러 개의 부동산을 동시에 입찰(**매각**)하는 경매법원이 일괄입찰(**일괄매각**)결정을 한 바 없었다면 그 부동산들은 개별입찰(**개별매각**)되는 것이다.

② 법 제98조(일괄매각결정)

① 법원은 여러 개의 부동산의 위치·형태·이용관계 등을 고려하여 이를 일괄매수하게 하는 것이 알맞다고 인정하는 경우에는 직권으로 또는 이해관계인의 신청에 따라 일괄매각하도록 결정할 수 있다.

③ ≪대결 2003.2.19, 2001마785≫

[1] 공장저당의 목적이 된 토지 또는 건물과 거기에 설치된 기계, 기구 등은 이를 분할하여 경매할 수 없으므로, 그 부동산에 신청근저당권자 이외의 근저당권자의 공장저당이 있을 때에는

경매법원으로서는 그 근저당권자의 공장저당의 목적이 된 기계, 기구 등도 함께 일괄경매하여야 한다.

④ 법 제101조(일괄매각절차)

② 제1항의 (일괄)매각절차에서 각 재산의 대금액을 특정할 필요가 있는 경우[각 재산별로 배당절차를 진행할 필요가 있는 경우가 이에 해당한다. 매각목적물의 채무자나 소유자가 서로 다른 경우, 매각목적물 위의 저당권 등 권리자가 다르거나 그 순위가 다른 경우, 서로 다른 별개의 부동산에 대한 매각대금의 **배당 순서를 달리하여야 하는 경우**(대판 1999.7.27, 98다35020).]에는 각 재산에 대한 최저매각가격의 비율을 정하여야 하며, 각 재산의 대금액은 총 대금액을 각 재산의 최저매각가격비율에 따라 나눈 금액으로 한다. 각 재산이 부담할 집행비용액을 특정할 필요가 있는 경우에도 또한 같다.

⑤ ≪대결 1985.2.8, 84마카31≫

사. 수개의 부동산을 일괄하여 경매하는 경우 그 중 일부에 경락불허가사유가 있다면 그 전부를 불허가하여야 한다. (일·不·전·不)

12 일괄매각에 관한 다음 설명 중 가장 옳지 않은 것은?

▶ 2025 법무사

① 경매목적 부동산이 2개 이상 있는 경우 분할매각보다 일괄매각을 하는 것이 물건 전체의 효용을 높이고 가액도 현저히 고가로 될 것이 명백한 경우, 일괄매각을 하는 것이 부당하다고 인정할 특별한 사유가 없는 한 일괄매각의 방법에 의하는 것이 타당하다.

② 토지와 그 지상 건물을 일괄매각하는 경우, 지상 건물의 매각대금으로 모든 채권자의 채권액과 강제집행비용을 변제하기에 충분하다면 토지에 대한 매각은 허가할 수 없다.

③ 일괄매각결정은 법원이 직권으로 할 수 있을 뿐 아니라, 이해관계인의 신청에 의하여도 가능하다.

④ 일괄매각결정의 중대한 흠을 간과하고 매각허가결정을 한 경우, 당사자들은 매각허가에 대한 이의 또는 매각허가결정에 대한 항고로 다툴 수 있다.

⑤ 부동산의 일괄매각의 경우에 서로 다른 별개의 부동산에 대한 매각대금의 배당순서를 달리하여야 한다면, 각 부동산에 대한 매각대금을 별도로 특정할 필요가 있고, 일괄매각 대상인 각 부동산별로 그 최저매각가격을 정하여 매각절차를 진행하여야 한다.

[해설] ① ≪대결 2004.11.9, 2004마94≫

[1] (개별매각은 법정매각조건은 아니므로) 경매목적 부동산이 2개 이상 있는 경우 분할경매를 할 것인지 일괄경매를 할 것인지 여부는 집행법원의 자유재량에 의하여 결정할 성질의 것이다. (따라서 법원은 이해관계인의 합의가 없어도 일괄매각을 명할 수 있고, 또 일단 정한 매각 **방법을 재량으로 다른 방법으로 변경할 수도 있다.**) 다만, ⅰ) 토지와 그 지상건물이 동시에 매각되는 경우, ⅱ) 토지와 건물이 하나의 기업시설을 구성하고 있는 경우, ⅲ) 2필지 이상의 토지를 매각하면서 분할경매에 의하여 일부 토지만 매각되면 나머지 토지가 맹지 등이 되어 값이 현저히 하락하게 될 경우 등 분할경매를 하는 것보다 일괄경매를 하는 것이 당해 물건 전체의 효용을 높이고 그 가액도 현저히 고가로 될 것이 명백히 예측되는 경우 등에는 일괄

경매를 하는 것이 부당하다고 인정할 특별한 사유가 없는 한 일괄경매의 방법에 의하는 것이 타당하고, 이러한 경우에도 이를 분할경매하는 것은 그 부동산이 유기적 관계에서 갖는 가치를 무시하는 것으로써 집행법원의 재량권의 범위를 넘어 위법한 것이 된다.

② 법 제101조(일괄매각절차)

③ 여러 개의 재산을 일괄매각하는 경우에 그 가운데 일부의 매각대금으로 모든 채권자의 채권액과 강제집행비용을 변제하기에 충분하면 다른 재산의 매각을 허가하지 아니한다. 다만, 토지와 그 위의 건물을 일괄매각하는 경우나 재산을 분리하여 매각하면 그 경제적 효용이 현저하게 떨어지는 경우 또는 채무자의 동의가 있는 경우에는 그러하지 아니하다.

③ 법 제98조(일괄매각결정)

① 법원은 여러 개의 부동산의 위치·형태·이용관계 등을 고려하여 이를 일괄매수하게 하는 것이 알맞다고 인정하는 경우에는 직권으로 또는 이해관계인의 신청에 따라 일괄매각하도록 결정할 수 있다.

④ 법 제121조(매각허가에 대한 이의신청사유) (= **매각허가결정에 대한 항고사유=직권매각불허사유**)
매각허가에 관한 이의는 다음 각호 가운데 어느 하나에 해당하는 이유가 있어야 신청할 수 있다.
5. 최저매각가격의 결정, 일괄매각의 결정 또는 매각물건명세서의 작성에 중대한 흠이 있는 때

⑤ ≪대판 1999.7.27, 98다35020≫

[2] 어느 부동산에 대하여 저당권의 효력이 미친다는 것은 그 부동산이 저당권 실행의 대상이 된다는 것과 그 부동산의 처분대가가 피담보채권의 우선변제에 충당되고 그 결과 경락인은 그 부동산에 대한 소유권을 취득하게 된다는 것을 의미하므로, 서로 다른 별개의 부동산에 대한 낙찰대금의 배당 순서를 달리하여야 한다면, 각 부동산에 대한 낙찰대금을 별도로 특정할 필요가 있다고 할 것이고, 민사소송법 제655조 제2항(**법 제101조 제2항**)은 "부동산 일괄경매의 경우에 각 부동산의 대금액을 특정할 필요가 있는 때에는 그 각 대금액은 총 대금액을 각 부동산의 최저경매가격 비율에 의하여 안분한 금액으로 한다."라고 규정하고 있으므로, 일괄경매의 각 부동산별로 그 최저경매가격을 정하여 경매절차를 진행하여야 한다.
[🔋 각 부동산별로 따로 최저매각가격을 정하지 않은 경우에는 매각허가결정에 대한 즉시항고사유가 된다(대결 1995.3.2, 94마1729).]

05 매각방법의 결정, 매각기일 및 매각결정기일의 지정 · 공고 · 통지

01 부동산경매절차상 매각조건에 관한 다음 설명 중 가장 옳지 않은 것은? ▸2025 법무사

① 매수신청의 보증은 진지한 매수의사가 없는 사람의 매수신청을 배제하여 매각의 적정성을 보장하는 한편 매수인이 대금을 지급하지 않는 경우에는 보증금을 몰취하게 된다. 매수신청의 보증금액은 매각기일의 공고에 명시되어야 하고 집행관은 매각기일에 입찰을 개시하기 전에 참가자들에게 매수신청보증의 제공방법 등에 관하여 고지하여야 한다.

② 법원은 재매각의 경우는 물론 일반의 매각절차에서도 최저매각가격의 10분의 1이 아닌 다른 금액으로 보증금액을 정함으로써 매수신청인의 보증 제공의무에 관한 법정매각조건을 변경할 수 있으나, 법원이 최저매각가격의 10분의 1이 아닌 다른 금액으로 보증금액을 정하려면 이러한 내용의 결정을 해야 한다.

③ 최저매각가격의 10분의 1이 아닌 다른 금액으로 보증금액을 정하는 결정 없이 다른 금액으로 한 매각기일공고는 위법한 공고이고, 이를 간과한 채 매각을 실시한 경우 이해관계인의 이익이 침해되거나 매각절차의 공정성을 해칠 우려가 있으므로 특별한 사정이 없는 한 '경매절차에 그 밖의 중대한 잘못이 있는 때'로서 매각허가에 대한 이의신청사유 및 매각불허가사유가 된다. 따라서 법원은 위와 같은 위법한 공고를 간과하고 매각기일을 진행하였을 경우 형식상 유효한 최고가매수가격의 신고가 있었더라도 매각결정기일에 그 매각을 불허하는 결정을 하고 새 매각기일을 정하여 적법한 매각기일공고를 한 후에 매각을 실시하여야 한다.

④ 재단법인은 정관에 재단법인의 자산에 관한 규정을 두어야 하고, 재단법인의 설립과 정관의 변경에는 주무관청의 허가를 얻어야 한다. 따라서 주무관청의 허가를 얻은 정관에 기재된 기본재산의 처분행위로 인하여 재단법인의 정관 기재사항을 변경하여야 하는 경우에는, 그에 관하여 주무관청의 허가를 얻어야 한다. 이는 재단법인의 기본재산에 대하여 강제집행을 실시하는 경우에도 동일하나, 주무관청의 허가는 반드시 사전에 얻어야 하는 것은 아니므로, 재단법인의 정관변경에 대한 주무관청의 허가는 경매개시요건은 아니고 경락인의 소유권취득에 관한 요건이다.

⑤ 민법상 재단법인의 정관에 기본재산은 담보설정 등을 할 수 없으나 주무관청의 허가 · 승인을 받은 경우에는 이를 할 수 있다는 취지로 정해져 있고, 정관 규정에 따라 주무관청의 허가 · 승인을 받아 민법상 재단법인의 기본재산에 관하여 근저당권을 설정한 경우라도, 그와 같이 설정된 근저당권을 실행하여 기본재산을 매각할 경우에는 주무관청의 허가를 다시 받아야 한다.

정답　01 ⑤

해설 ①,②,③ ≪대결 2023.3.10. 2022마6559≫

[1] 경매절차에서 매수신청인은 대법원규칙이 정하는 바에 따라 집행법원이 정하는 금액과 방법에 맞는 보증을 집행관에게 제공하여야 하고(민사집행법 제113조), 기일입찰에서 매수신청의 보증금액은 최저매각가격의 10분의 1로 하되(민사집행규칙 제63조 제1항), 법원은 상당하다고 인정하는 때에는 보증금액을 그와 달리 정할 수 있다(제63조 제2항).

[2] 매수신청의 보증은 진지한 매수의사가 없는 사람의 매수신청을 배제하여 매각의 적정성을 보장하는 한편 매수인이 대금을 지급하지 않는 경우에는 보증금을 몰취하게 된다. 매수신청의 보증금액은 최저매각가격의 10분의 1로 정하는 경우는 물론, 이를 변경하는 경우에도 매각기일의 공고에 명시되어야 한다(민사집행규칙 제56조 제3호). 집행관은 매각기일에 입찰을 개시하기 전에 참가자들에게 매수신청보증의 제공방법(법원이 달리 정하지 아니한 이상 최저매각가격의 10분의 1에 해당하는 금전 등이어야 한다는 것 포함) 등에 관하여 고지하여야 한다[부동산 등에 대한 경매절차 처리지침(재민 2004-3, 재판예규 제1728호) 제31조].

[3] 매수신청인이 최저매각가격의 10분의 1에 해당하는 금액으로 보증을 집행관에게 제공해야 하는 의무는 민사집행법령에 의하여 미리 정해진 법정매각조건이다.
법원은 재매각(민사집행법 제138조)의 경우는 물론 일반의 매각절차에서도 최저매각가격의 10분의 1이 아닌 다른 금액으로 보증금액을 정함으로써 매수신청인의 보증 제공의무에 관한 법정매각조건을 변경할 수 있으나(민사집행법 제111조 제1항, 민사집행규칙 제63조 제2항), 법원이 최저매각가격의 10분의 1이 아닌 다른 금액으로 보증금액을 정하려면 이러한 내용의 '결정'을 해야 한다.

[4] 최저매각가격의 10분의 1이 아닌 다른 금액으로 보증금액을 정하는 '결정' 없이 다른 금액으로 한 매각기일공고는 위법한 공고이고, 이를 간과한 채 매각을 실시한 경우 이해관계인의 이익이 침해되거나 매각절차의 공정성을 해칠 우려가 있으므로 특별한 사정이 없는 한 '경매절차에 그 밖의 중대한 잘못이 있는 때'로서 매각허가에 대한 이의신청사유 및 매각불허가사유(민사집행법 제121조 제7호, 제123조 제2항)가 된다. 따라서 법원은 위와 같은 위법한 공고를 간과하고 매각기일을 진행하였을 경우 형식상 유효한 최고가매수가격의 신고가 있었더라도 매각결정기일에 매각을 불허하는 결정을 하고 새 매각기일을 정하여 적법한 매각기일공고를 한 후에 매각을 실시하여야 한다.

④ ≪대결 2018.7.20. 2017마1565≫

[1] 「민법」 제32조, 제40조 제4호, 제42조 제2항, 제43조, 제45조 제3항, 제1항에 의하면, 재단법인은 정관에 재단법인의 자산에 관한 규정을 두어야 하고, 재단법인의 설립과 정관의 변경에는 주무관청의 허가를 얻어야 한다. 따라서 주무관청의 허가를 얻은 정관에 기재된 기본재산의 처분행위로 인하여 재단법인의 정관 기재사항을 변경하여야 하는 경우에는, 그에 관하여 주무관청의 허가를 얻어야 한다. 이는 재단법인의 기본재산에 대하여 강제집행을 실시하는 경우에도 동일하나, 주무관청의 허가는 반드시 사전에 얻어야 하는 것은 아니므로, 재단법인의 정관변경에 대한 주무관청의 허가는, 경매개시요건은 아니고, 경락인의 소유권취득에 관한 요건이다. 그러므로 집행법원으로서는 그 허가를 얻어 제출할 것을 특별매각조건으로 경매절차를 진행하고, 매각허가결정 시까지 이를 제출하지 못하면 매각불허가결정을 하면 된다.

⑤ ≪대결 2019.2.28. 2018마800≫

「민법」상 재단법인의 정관에 기본재산은 담보설정 등을 할 수 없으나 주무관청의 허가·승인을 받은 경우에는 이를 할 수 있다는 취지로 정해져 있고, 정관 규정에 따라 주무관청의 허가·승인을 받아 민법상 재단법인의 기본재산에 관하여 근저당권을 설정한 경우, 그와 같이 설정된 근저당권을 실행하여 기본재산을 매각할 때에는 주무관청의 허가를 다시 받을 필요는 없다.

02 부동산경매절차에서 통지에 관한 다음 설명 중 가장 옳지 않은 것은? ▸ 2024 법무사

① 집행법원이 이해관계인 등에게 매각기일 등의 통지를 하지 아니하여 그가 매각허가결정에 대한 항고기간을 준수하지 못하였다면 특별한 사정이 없는 한 그 이해관계인은 자기책임에 돌릴 수 없는 사유로 항고기간을 준수하지 못한 것으로 보아야 하며, 그러한 경우에는 형평의 원칙으로부터 인정된 구제방법으로서의 추후보완이 허용된다.

② 공유물의 지분을 매각할 때에는 다른 공유자에게 매각기일 등을 통지하여야 하므로 이를 통지받지 못한 공유자도 이해관계인으로서 그 절차상의 흠을 들어 항고할 수 있다.

③ 이해관계인이 기일 통지를 받지 못하였더라도 매각기일을 스스로 알고 그 기일에 출석하여 입찰에 참가함으로써 자신의 권리보호에 필요한 조치를 취할 수 있었다면, 특별한 사정이 없는 한 이러한 통지 누락은 매각허가결정의 이의사유에 해당한다고 볼 수 없다.

④ 매각기일의 공고 및 다른 이해관계인에 대한 매각기일 및 매각결정기일에 대한 통지절차가 완료된 후에 권리신고가 있더라도 그 신고가 매각기일 전에 행하여졌다면 당해 이해관계인에게 매각기일 및 매각결정기일을 통지하지 아니한 것은 위법하다.

⑤ 권리신고절차를 취하지 아니한 주택임대차보호법상의 대항요건을 갖춘 임차인에 대하여 경매절차 진행사실의 통지를 하지 않았더라도 경매절차에 위법이 있다고 할 수 없다.

해설 ① ≪대결(全員合議体) 2002.12.24, 2001마1047≫

[3] 경매법원이 이해관계인 등에게 경매기일 등의 통지를 하지 아니하여 그가 경락허가결정에 대한 항고기간을 준수하지 못하였다면 특단의 사정이 없는 한 그 이해관계인은 자기책임에 돌릴 수 없는 사유로 항고기간을 준수하지 못한 것으로 보아야 하며, 그러한 경우에는 형평의 원칙으로부터 인정된 구제방법으로서의 추완이 허용되어야 할 것이다.

② ≪대결 1998.3.4, 97마962≫

[1] 경매법원은 공유물의 지분을 경매함에 있어 다른 공유자에게 경매기일과 경락기일을 통지하여야 하므로 경매부동산의 다른 공유자들이 그 경매기일을 통지받지 못한 경우에는 이해관계인으로서 그 절차상의 하자를 들어 항고를 할 수 있다.

③ ≪대결 1999.11.15, 99마5256≫ **스스로 알고 그 기일에 출석 ⇒ 항고사유×**

[4] 「민사소송법」 제617조 제2항(법 제104조 제2항)이 이해관계인에게 입찰기일과 낙찰기일을 통지하도록 규정하고 있는 취지에 비추어 볼 때, 이해관계인이 기일 통지를 받지 못하였더라도 그 이해관계인이 입찰기일을 스스로 알고 그 기일에 출석하여 입찰에 참가함으로써 자신의 권리보호에 필요한 조치를 취할 수 있었다면, 그 이해관계인에 대한 입찰 및 낙찰기일 통지의 누락은 특별한 사정이 없는 한 같은 법 제633조 제1호(법 제121조 제1호) 소정의 경락이의사유인 '집행을 속행할 수 없을 때'에 해당한다고 볼 수 없다.

④ ≪대결 1998.3.12, 98마206≫ [통지 후 (매각기일 전) 권리신고 ⇒ 통지× ⇒ 위법×]

입찰기일의 공고 및 다른 이해관계인에 대한 입찰기일 및 낙찰기일에 대한 통지절차가 완료된 후에 비로소 권리신고가 있는 경우에는 비록 그 신고가 입찰기일 전에 행하여졌다고 할지라도 당해 이해관계인에게 입찰기일 및 낙찰기일을 통지하지 않았다고 하여 위법하다고 할 수 없으므로 이를 낙찰(= 매각허가)에 대한 이의 내지 항고사유로 삼을 수 없다.

정답 02 ④

⑤ ≪대판 2008.11.13, 2008다43976≫

[1] 대법원예규(재민 98-6)에 따른 경매절차 진행사실의 주택임차인에 대한 통지는 법률상 규정된 의무가 아니라 당사자의 편의를 위하여 경매절차와 배당제도에 관한 내용을 안내하여 주는 것에 불과하므로, 이해관계인 아닌 임차인은 위와 같은 통지를 받지 못하였다고 하여 경매절차가 위법하다고 다툴 수 없다.

06 매각 실시 절차

01 부동산경매의 기일입찰 절차에 관한 다음 설명 중 가장 옳지 않은 것은? ▸ 2021 법무사

① 매수신청 보증에 관한 원칙은 입찰절차에서 요구되는 신속성, 명확성 등을 감안할 때 획일적으로 적용되어야 하나 입찰자가 제공한 보증의 미달액이 극히 근소한 20원에 불과하다면 그 입찰표는 유효한 것으로 처리하여야 한다.

② 기일입찰의 입찰장소에는 입찰자가 다른 사람이 알지 못하게 입찰표를 적을 수 있도록 설비를 갖추어야 한다.

③ 채무자, 매각절차에 관여한 집행관, 매각 부동산을 평가한 감정인(감정평가법인이 감정인인 때에는 그 감정평가법인 또는 소속 감정평가사)은 입찰기일 매수신청을 할 수 없다.

④ 미성년자는 경매 부동산을 매수할 수 없고, 설사 매수인이 되었다 할지라도 이러한 매수행위는 무효라 할 것이다.

⑤ 민법 제124조는 "대리인은 본인의 허락이 없으면 본인을 위하여 자기와 법률행위를 하거나 동일한 법률행위에 관하여 당사자 쌍방을 대리하지 못한다."고 규정하고 있으므로 부동산 입찰절차에서 동일물건에 관하여 이해관계가 다른 2인 이상의 대리인이 된 경우에는 그 대리인이 한 입찰은 무효라고 할 것이다.

해설 ① ≪대결 2008.7.11, 2007마911≫

입찰자가 입찰표와 함께 집행관에게 제출한 보증이 최저매각가격의 10분의 1 또는 집행법원이 정한 기준에 미달하는 경우에는 민사집행법 제113조, 민사집행규칙 제63조, 제64조의 각 규정에 따라 그 입찰자에게 매수를 허가할 수 없으므로, 집행관으로서는 그 입찰표를 무효로 처리하고 차순위자를 최고가매수신고인으로 결정하여야 한다(대법원 1998.6.5.자 98마626 결정 참조). 이러한 원칙은 입찰절차에서 요구되는 신속성, 명확성, 예측가능성 등을 감안할 때 획일적으로 적용되어야 하고, 입찰자가 제공한 보증의 미달액이 극히 근소하다고 하여 그 적용을 달리할 것이 아니다. (최저매각가격인 1,411,437,000원의 10분의 1에 상당하는 141,143,700원을 매수신청의 보증으로 제공하여야 함에도 위 금액에서 20원이 부족한 141,143,680원만을 보증으로 제공한 사안)

② 규칙 제61조(기일입찰의 장소 등)

① 기일입찰의 입찰장소에는 입찰자가 다른 사람이 알지 못하게 입찰표를 적을 수 있도록 설비를 갖추어야 한다.

③ 규칙 제59조(채무자 등의 매수신청금지)

다음 각호의 사람은 매수신청을 할 수 없다.

1. (강제경매, 임의경매) 채무자 (⇒ 매수신청×, 다만 다른 사람의 대리인으로서 매수신청○)
   (**CF**) 임의경매 물상보증인, 제3취득자, 연대채무자, 연대보증인 ⇒ 매수신청○)
2. 매각절차에 관여한 집행관
3. 매각 부동산을 평가한 감정인(감정평가법인이 감정인인 때에는 그 감정평가법인 또는 소속 감정평가사)

④ ≪대판 1967.7.12, 67마507≫
(의사능력 없는) 미성년자는 경매목적물을 경락할 수 없고 가사 경락이 되었다 할지라도 이러한 경락행위는 무효이다.

⑤ 裁判例規 ≪부동산등에 대한 경매절차 처리지침(재민 2004-3)≫
제31조(입찰사항·입찰방법 및 주의사항 등의 고지)
7. (ⅰ) 입찰자는 같은 물건에 관하여 동시에 다른 입찰자의 대리인이 될 수 없으며, / (ⅱ) 한 사람이 공동입찰자의 대리인이 되는 경우 외에는 / (ⅲ) 두 사람 이상의 다른 입찰자의 대리인으로 될 수 없다는 것 및 이에 위반한 입찰은 무효라는 것

02 매수신청의 보증에 관한 다음 설명 중 가장 옳지 않은 것은?

▸ 2023 법무사

① 기일입찰에서 매수신청의 보증금액은 최저매각가격의 10분의 1로 한다.
② 매수신청의 보증금액을 변경하는 경우에도 매각기일의 공고에 명시되어야 한다.
③ 매수신청 보증의 경우에는 남을 가망이 없는 경우의 보증과 달리 보증의 변경은 인정되지 않는다.
④ 공유자가 우선매수권을 행사하는 경우 입찰표를 제출한 후에는 매수신청의 보증을 제공하는 것이 허용되지 않는다.
⑤ 차순위매수신고인은 매수인이 대금을 모두 지급한 때 즉시 매수신청의 보증을 돌려 줄 것을 요구할 수 있다.

해설 ① 규칙 제63조(기일입찰에서 매수신청의 보증금액)
① 기일입찰에서 매수신청의 보증금액은 최저매각가격의 10분의 1로 한다.
② 규칙 제56조(매각기일의 공고내용 등)
법원은 매각기일(기간입찰의 방법으로 진행하는 경우에는 입찰기간의 개시일)의 2주 전까지 법 제106조에 규정된 사항과 다음 각호의 사항을 공고하여야 한다.
1. 법 제98조의 규정에 따라 일괄매각결정을 한 때에는 그 취지
2. 제60조의 규정에 따라 매수신청인의 자격을 제한한 때에는 그 제한의 내용
3. 법 제113조의 규정에 따른 매수신청의 보증금액과 보증제공방법
③ 매수신청의 보증에 관하여는 남을 가망이 없는 경우의 보증(규칙 제54조 제2항, 민사소송법 제126조 본문)과 달리, 보증의 변경은 인정되지 않는다.
④ ≪대결 2002.6.17, 2002마234≫
[2] 공유자가 입찰기일 이전에 집행법원 또는 집행관에게 공유자우선매수신고서를 제출하는 방식으로 우선매수신고를 한 경우에도 반드시 이와 동시에 입찰보증금(최고가입찰자가 제공하게 될 입찰보증금 이상의 금액)을 집행관에게 제공하여야만 적법한 우선매수신고를 한 것으

정답 01 ① 02 ④

로 볼 것은 아니고, / 우선매수신고서만을 제출하거나 최고가입찰자가 제공한 입찰보증금에
미달하는 금액의 보증금을 제공한 경우에도 입찰기일에 입찰법정에서 집행관은 최고가입찰
자와 그 입찰가격을 호창하고 입찰의 종결선언을 하기 전에 그 우선매수신고자의 출석 여부
를 확인한 다음, 최고가입찰자의 입찰가격으로 매수할 의사가 있는지 여부를 확인하여 즉시
입찰보증금을 제공 또는 추가제공하도록 하는 등으로 그 최고입찰가격으로 매수할 기회를
주어야 한다.

[3] 입찰기일 전에 공유자우선매수신고서를 제출한 공유자가 입찰기일에 입찰에 참가하여 입찰
표를 제출하였다고 하여 그 사실만으로 우선매수권을 포기한 것으로 볼 수도 없다.

⑤ 법 제142조(대금의 지급)

⑥ 차순위매수신고인은 매수인이 대금을 모두 지급한 때 매수의 책임을 벗게 되고 즉시 매수신
청의 보증을 돌려 줄 것을 요구할 수 있다.

03 매각기일에 관한 다음 설명 중 가장 옳지 않은 것은?

▶ 2023 법무사

① 매각기일을 이해관계인에게 통지하였다면 이해관계인이 출석하지 않은 경우 그 불출석
사실을 매각기일조서에 기재하여야 한다.

② 입찰기일에 최고가매수신고인이 한 사람이어서 추가입찰의 요건에 해당하지 않는데도
집행관이 추가입찰을 실시하였다면 비록 그 추가입찰에서 최고가매수신고인이 나왔다고
하더라도 직권으로 매각을 불허하여야 한다.

③ 1기일 2회 매각을 실시하는 경우에 1회에는 입찰을 실시하다가 2회에는 호가경매를 실
시하는 것은 허용되지 않는다.

④ 매각기일 종결 시까지 적법한 차순위매수신고를 한 사람이 없는 경우에는 집행관이 최고
가매수신고인의 성명과 그 입찰가격만을 불렀다고 하여 매각허가결정이 위법하다고 할
수 없다.

⑤ 기일입찰 또는 호가경매의 방법에 의한 매각기일에서 매각기일을 마감할 때까지 허가할
매수가격의 신고가 없는 때에는 집행관은 즉시 매각기일의 마감을 취소하고 같은 방법으
로 매수가격을 신고하도록 최고할 수 있다.

해설 ① ※ 법 제116조(매각기일조서), 규칙 제67조(기일입찰조서의 기재사항), 법 제118조 참조
매각기일을 이해관계인에게 적법하게 통지한 이상 이해관계인이 출석하지 않았다면 그 불출석
사실을 기재할 필요는 없다. 출석한 이해관계인 등이 조서작성 전에 퇴석하였거나, 서명날인을
거부하는 경우에는 그 사유를 기재하면 될 것이다.

② ≪대결 2000.3.28, 2000마724≫
최고가매수신고인이 있음에도 불구하고 집행관이 그의 성명과 가격을 호창하고 경매의 종결을
고지하는 절차를 취함이 없이 (甲이 11억500만 원, 乙이 11억50만 원으로 입찰한 것을 집행관
이 **동액입찰로 잘못 보아**) 추가입찰을 실시한 경우 (甲이 11억5,500만 원, 乙이 11억2,870만
원으로 신고하자 집행관이 甲을 최고가매수신고로 정하였더라도)「민사소송법」제635조 제2
항 소정의 직권에 의한 (법 제121조 제7호) 경락불허가 사유에 해당한다.

③,⑤ 법 제115조(매각기일의 종결)

④ 기일입찰 또는 호가경매의 방법에 의한 매각기일에서 매각기일을 마감할 때까지 허가할 매수가격의 신고가 없는 때에는 집행관은 즉시 매각기일의 마감을 취소하고 같은 방법으로 매수가격을 신고하도록 최고할 수 있다.

(⊞ 1기일 2회 매각을 실시하는 경우에도 매각방법은 제1회째에서와 같다. **1회에는 입찰을 실시하다가 2회에는 호가경매에 의하거나 그 반대의 경우는 허용되지 않는다.**)

⑤ 제4항의 최고에 대하여 매수가격의 신고가 없어 매각기일을 마감하는 때에는 매각기일의 마감을 다시 취소하지 못한다.

④ ≪대결 1996.8.19, 96마1174≫

[2] 민사소송법 제626조의2(법 제114조) 및 제627조 제1항(법 제115조 제1항)의 각 규정을 종합하여 보면 차순위 매수신고인의 성명과 입찰가격은 입찰의 종결시까지 적법한 차순위 매수신고를 한 자가 있는 경우에 한하여 호창하면 되므로, 그 때까지 적법한 차순위매수신고를 한 자가 없는 경우에는 집행관이 최고가매수신고인의 성명과 입찰가격만을 호창하였다고 하여 낙찰허가결정이 위법하다고 할 수 없다.

04 민사집행절차에서 공유자에 관한 다음 설명 중 가장 옳지 않은 것은? ▸ 2024 법무사

① 공유자가 매각기일까지 민사집행법 제113조에 따른 보증을 제공하고 최고매수신고가격과 같은 가격으로 채무자의 지분을 우선매수하겠다는 신고를 하면 집행법원은 최고가매수신고가 있더라도 그 공유자에게 매각을 허가하여야 한다.

② 공유물지분을 경매하는 경우에는 채권자의 채권을 위하여 채무자의 지분에 대한 경매개시결정이 있음을 등기부에 기입하고 다른 공유자에게 그 경매개시결정이 있다는 것을 원칙적으로 통지하여야 하나, 이 통지는 채무자에 대한 경매개시결정의 송달과는 성질을 달리하는 것이므로 이러한 통지가 누락된 경우라도 경매개시결정의 효력에는 영향이 없다. 그러나 공유자에게 매각기일과 매각결정기일을 통지하지 않으면 매각허가결정에 대한 즉시항고 사유가 된다.

③ 공유자가 우선매수신고를 한 경우에는 최고가매수신고인을 민사집행법 제114조의 차순위매수신고인으로 본다. 이 경우 그 매수신고인은 집행관이 매각기일을 종결한다는 고지를 하기 전까지 차순위매수신고인의 지위를 포기할 수 있다.

④ 공유물분할판결에 기하여 공유물 전부를 경매에 붙여 그 매각대금을 분배하기 위한 현금화의 경우에도 공유물의 지분경매에 있어 다른 공유자에 대한 통지를 규정한 민사집행법 제139조가 적용된다.

⑤ 집행법원이 일괄매각결정을 하는 경우, 매각대상인 여러 개의 부동산 중 일부에 대한 공유자는 특별한 사정이 없는 한 일괄매각된 부동산 전체에 대하여 공유자의 우선매수권을 행사할 수 없다.

정답 ▸ 03 ① 04 ④

해설 ①,③ 법 제140조(공유자의 우선매수권)

① 공유자는 매각기일까지 제113조에 따른 보증을 제공하고 최고매수신고가격과 같은 가격으로 채무자의 지분을 우선매수하겠다는 신고를 할 수 있다.

② 제1항의 경우에 법원은 최고가매수신고가 있더라도 그 공유자에게 매각을 허가하여야 한다.

③ 여러 사람의 공유자가 우선매수하겠다는 신고를 하고 제2항의 절차를 마친 때에는 특별한 협의가 없으면 공유지분의 비율에 따라(균등한 비율로×) 채무자의 지분을 매수하게 한다.

④ 제1항의 규정에 따라 공유자가 우선매수신고를 한 경우에는 최고가매수신고인을 제114조의 차순위매수신고인으로 본다.

규칙 제76조(공유자의 우선매수권 행사절차 등)

③ 최고가매수신고인을 법 제140조 제4항의 규정에 따라 차순위매수신고인으로 보게 되는 경우 그 매수신고인은 집행관이 매각기일을 종결한다는 고지를 하기 전까지 차순위매수신고인의 지위를 포기할 수 있다.

② 공유부동산의 지분에 관하여 경매개시결정을 하였을 때에는 다른 공유자에게 그 경매개시결정이 있다는 것을 통지하여야 한다(법 제139조 제1항 본문). 이 통지는 채무자에 대한 경매개시결정의 송달과는 성질을 달리하는 것이므로 이 통지가 없었다 하더라도 경매개시결정의 효력에는 영향이 없다. 그러나 공유자에게 매각기일과 매각결정기일을 통지하지 않으면 매각허가결정에 대한 즉시항고사유가 된다(대결 1998.3.4, 97962).

④ ≪대결 1991.12.16, 91마239≫

마. 공유물분할판결에 기하여 공유물 전부를 경매에 붙여 그 매득금을 분배하기 위한 환가의 경우에는 공유물의 지분경매에 있어 다른 공유자에 대한 경매신청통지(경매개시결정의 통지)와 다른 공유자의 우선매수권을 규정한 「민사소송법」 제649조(법 제139조), 제650조(법 제140조)는 적용이 없다.

⑤ ≪대결 2006.3.13, 2005마1078≫

[1] 집행법원이 여러 개의 부동산을 일괄매각하기로 결정한 경우, 집행법원이 일괄매각결정을 유지하는 이상 매각대상 부동산 중 일부에 대한 공유자는 특별한 사정이 없는 한 매각대상 부동산 전체에 대하여 공유자의 우선매수권을 행사할 수 없다고 봄이 상당하다.

05 부동산의 매각결정절차에 관한 다음 설명 중 가장 옳지 않은 것은? ▸ 2022 법무사

① 여러 차례의 매각기일에서 매수가격의 신고가 없어 매각불능으로 된 후 그 다음 기일에서 매수가격의 신고가 이루어진 경우, 당해 매각기일의 공고에 법규 위반이 없는 이상 이전의 매각기일의 공고가 법률의 규정에 위반되었다고 하더라도 이는 민사집행법 제121조 제7호의 매각불허가사유에 해당하지 않는다.

② 매각물건명세서 및 매각기일공고가 농지법에서 정한 농지취득자격증명이 필요하지 않음에도 불구하고 이와 반대의 취지로 작성된 경우, 일반 매수희망자가 매수의사나 매수신고가격을 결정함에 있어 심대한 영향을 끼쳤다고 할 것이므로 매각불허가사유에 해당한다.

③ 매각허가에 대한 이의가 받아들여지지 아니한 경우에 이의를 진술한 이해관계인은 매각허가결정에 대한 즉시항고를 할 수 있을 뿐 별도로 매각에 관한 이의가 받아들여지지 아니한 데 대한 불복항고를 할 수 없다.

④ 채무자 및 소유자가 한 매각허가결정에 대한 항고가 기각된 때에는 항고인은 보증으로 제공한 금전이나 유가증권을 돌려 줄 것을 요구하지 못하지만, 채무자 및 소유자가 항고를 취하한 경우에는 보증으로 제공한 금전이나 유가증권을 돌려 줄 것을 요구할 수 있다.

⑤ 매각을 허가하거나 허가하지 아니하는 결정은 선고한 때에 고지의 효력이 생기므로 이에 대한 즉시항고의 제기기간은 선고일로부터 진행한다.

해설 ① ≪대결 2008.5.20, 2008마463≫

매각기일의 공고가 법률의 규정에 위반한 때에도 「민사집행법」 제121조 제7호 소정의 "경매절차에 중대한 잘못이 있는 때"에 해당하여 매각을 불허하여야 할 경우가 있을 수 있으나, 여기서 '매각기일'이라 함은 매각허가 또는 불허가의 대상이 된 매수가격의 신고가 이루어진 당해 매각기일을 의미하므로 / 여러 차례의 매각기일에서 매수가격의 신고 없이 매각불능으로 된 후 그 다음 기일에서 비로소 매수가격의 신고가 이루어진 경우에는 매수가격의 신고가 된 당해 매각기일의 공고가 법률의 규정에 위반되었는지 여부만을 따져 「민사집행법」(이하 '법'이라 한다) 제121조 제7호에 의하여 매각을 허가 또는 불허하여야 할 것이어서 / 당해 매각기일의 공고에 법규 위반이 없는 이상 이전의 매각기일의 공고가 법률의 규정에 위반되었다고 하더라도 이를 법 제121조 제7호 소정의 매각불허가사유에 해당한다고 보아 매각을 불허할 것은 아니다(대결 2001.8.30, 99마7372 결정 참조).

② ≪대결 2003.12.30, 2002마1208≫

[3] 입찰물건명세서 및 입찰기일공고가 입찰 목적물의 취득에 「농지법」소정의 농지취득자격증명이 필요하지 않음에도 불구하고 이와 반대의 취지로 작성되어, 일반인에게 입찰대상 물건에 대한 필요한 정보를 제공하는 역할을 할 부동산 표시를 그르친 하자가 있는 경우, 이와 같은 하자는 일반 매수희망자가 매수의사나 매수신고가격을 결정함에 있어 심대한 영향을 끼쳤다고 할 것이므로, 이는 구 「민사소송법」(2002.1.26. 법률 제6626호로 전문 개정되기 전의 것) 제633조 제5호, 제6호에 정한 낙찰불허가사유에 해당한다.

③ ≪대결 1983.7.1, 83그18≫

경락(**매각허가**)에 관한 이의는 (소송법상의 진술에 불과하고) 독립된 청구나 신청이 아니어서 경매법원이 이를 참고로 하여 경락허부의 결정을 선고하면 되는 것이고, 따로 그 이의에 대하여 인용한다거나 기각한다는 재판을 할 필요는 없는 것이며 / 이의가 받아들여지지 아니한 경우에도 이의를 진술한 이해관계인은 경락허가결정에 대한 즉시항고를 할 수 있을 뿐 별도로 경락(**매각허가**)에 관한 이의가 받아들여지지 아니한데 대한 불복항고를 할 수 없다.

④ 항고인이 항고를 취하한 경우 항고인이 항고를 취하한 경우에도 항고가 기각된 경우와 같이 취급하므로, 민사집행법 제130조 제6항, 제7항의 준용(법 제130조 제8항)에 의하여 위와 같이 보증의 반환이 제한된다. 재항고를 취하한 경우에는 항고기각으로 확정되어 항고가 기각된 경우(법 제130조 제6항·제7항)에 따라 처리하게 되므로, 역시 보증의 반환이 제한된다.

⑤ 규칙 제74조(매각허부결정 고지의 효력발생시기)

매각을 허가하거나 허가하지 아니하는 결정은 선고한 때에 고지의 효력이 생긴다.

(∴ 즉시항고의 제기기간은 **선고일로부터** 진행한다.)

06 부동산경매절차에 관한 다음 설명 중 가장 옳지 않은 것은?

▸ 2022 법무사

① 부동산을 목적으로 하는 담보권 실행을 위한 경매절차에서 그 경매신청 전에 부동산의 소유자가 사망하였으나 그 상속인이 상속등기를 마치지 않아 경매신청인이 경매절차의 진행을 위하여 부득이 상속인을 대위하여 상속등기를 마쳤다면 그 상속등기를 마치기 위해 지출한 비용은 담보권 실행을 위한 경매를 직접 목적으로 하여 지출된 비용으로서 그 경매절차의 준비 또는 실시를 위하여 필요한 비용이고, 나아가 그 경매절차에서 모든 채권자를 위해 체당한 공익비용이므로 집행비용에 해당한다고 봄이 타당하다.

② 부동산 강제경매절차에서 매각을 허가하거나 허가하지 아니하는 결정은 선고하여야 한다.

③ 부동산 강제경매절차에서 매각허가결정은 확정되어야 효력을 가진다.

④ 주택임대차보호법상의 대항요건을 갖춘 임차인은 경매법원에 스스로 그 권리를 증명하여 신고하지 않더라도 당연히 민사집행법 제90조 제4호의 경매절차의 이해관계인이 된다.

⑤ 집행법원이 부동산 경매절차에서 외화채권자에 대하여 배당을 할 때에는 특별한 사정이 없는 한 배당기일 당시의 외국환시세를 우리나라 통화로 환산하는 기준으로 삼아야 한다.

해설 ① ≪대판 2021.10.14, 2016다201197≫

[2] 집행비용에 관한 민사집행법 제53조 제1항은 담보권 실행을 위한 경매절차에도 준용된다(민사집행법 제275조). 부동산을 목적으로 하는 담보권 실행을 위한 경매절차에서 그 경매신청 전에 부동산의 소유자가 사망하였으나 그 상속인이 상속등기를 마치지 않아 경매신청인이 경매절차의 진행을 위하여 부득이 상속인을 대위하여 상속등기를 마쳤다면 그 상속등기를 마치기 위해 지출한 비용은 담보권 실행을 위한 경매를 직접 목적으로 하여 지출된 비용으로서 그 경매절차의 준비 또는 실시를 위하여 필요한 비용이고, 나아가 그 경매절차에서 모든 채권자를 위해 체당한 공익비용이므로 집행비용에 해당한다고 봄이 타당하다.

②,③ 법 제126조(매각허가여부의 결정 선고)

① 매각을 허가하거나 허가하지 아니하는 결정은 선고하여야 한다.

② 매각결정기일조서에는 「민사소송법」 제152조 내지 제154조와 제156조 내지 제158조 및 제164조의 규정을 준용한다.

③ 제1항의 결정은 확정되어야 효력을 가진다.

④ ≪대판 2008.11.13, 2008다43976≫

[1] 「주택임대차보호법」상의 대항요건을 갖춘 임차인이라고 하더라도 매각허가결정 이전에 경매법원에 스스로 그 권리를 증명하여 신고하지 않는 한 집행관의 현황조사결과 임차인으로 조사·보고되어 있는지 여부와 관계없이 이해관계인이 될 수 없다.

⑤ ≪대판 2011.4.14, 2010다103642≫

집행법원이 경매절차에서 외화채권자에 대하여 배당을 할 때에는 특별한 사정이 없는 한 (㊟ 이행기가 아니라 현실로 이행하는 때, 즉 **현실이행 시**) 배당기일 당시의 외국환시세를 우리나라 통화로 환산하는 기준으로 삼아야 한다.

07 부동산경매절차에서 매수인에 관한 다음 설명 중 가장 옳지 않은 것은? ▸ 2024 법무사

① 매각허가에 정당한 이유가 없거나 결정에 적은 것 외의 조건으로 허가하여야 한다고 주장하는 매수인 또는 매각허가를 주장하는 매수신고인도 즉시항고를 할 수 있다.

② 천재지변, 그 밖에 자기가 책임을 질 수 없는 사유로 부동산이 현저하게 훼손된 사실이 매각허가결정의 확정 뒤에 밝혀진 경우에 매수인은 대금을 낼 때까지 매각허가결정의 취소신청을 할 수 있다.

③ 매수인이 매각대금을 낸 뒤에 강제집행의 일시정지를 명한 취지를 적은 재판의 정본이 제출된 경우에는 집행절차를 계속 진행하여야 한다. 이 경우 배당절차가 실시되는 때에는 그 채권자를 배당에서 제외하여야 한다.

④ 매각기일에 매수신고가 있은 뒤, 매각대금을 내기 전에 강제집행을 하지 아니한다거나 강제집행의 신청이나 위임을 취하한다는 취지를 적은 화해조서의 정본 또는 공정증서의 정본이 제출된 경우, 최고가매수신고인 또는 매수인과 민사집행법 제114조의 차순위매수신고인의 동의를 받아야 그 효력이 생긴다.

⑤ 매수인이 재매각기일의 3일 이전까지 대금, 그 지급기한이 지난 뒤부터 지급일까지의 대금에 대한 대법원규칙이 정하는 이율에 따른 지연이자와 절차비용을 지급한 때에는 재매각절차를 취소하여야 한다. 이 경우 차순위매수신고인이 매각허가결정을 받았던 때에는 위 금액을 먼저 지급한 매수인이 매매목적물의 권리를 취득한다.

해설 ① 법 제129조(이해관계인 등의 즉시항고)

　　① 이해관계인은 매각허가여부의 결정에 따라 손해를 볼 경우에만 그 결정에 대하여 즉시항고를 할 수 있다.

　　② 매각허가에 정당한 이유가 없거나 결정에 적은 것 외의 조건으로 허가하여야 한다고 주장하는 매수인 또는 매각허가를 주장하는 매수신고인도 즉시항고를 할 수 있다.

② 법 제127조(매각허가결정의 취소신청)

　　① 제121조 제6호에서 규정한 사실이 매각허가결정의 확정 뒤에 밝혀진 경우에는 매수인은 대금을 낼 때까지 매각허가결정의 취소신청을 할 수 있다.

　　② 제1항의 신청에 관한 결정에 대하여는 즉시항고를 할 수 있다.

③ 규칙 제50조(집행정지서류 등의 제출시기)

　　③ 매수인이 매각대금을 낸 뒤에 법 제49조 각호 가운데 어느 서류가 제출된 때에는 절차를 계속하여 진행하여야 한다. 이 경우 배당절차가 실시되는 때에는 그 채권자에 대하여 다음 각호의 구분에 따라 처리하여야 한다.

　　　1. 제1호·제3호·제5호 또는 제6호의 서류가 제출된 때에는 그 채권자를 배당에서 제외한다.

　　　2. 제2호의 서류가 제출된 때에는 그 채권자에 대한 배당액을 공탁한다.

　　　3. 제4호의 서류가 제출된 때에는 그 채권자에 대한 배당액을 지급한다.

④ 「민사집행법」 제49조 제6호의 서류에 해당한다. 매수신고가 있은 뒤 동조 제6호의 서류를 제출하는 경우에는 매수인등의 동의를 받아야 그 효력이 생긴다(법 제93조 제3항, 규칙 제50조 제1항).

⑤ 법 제138조(재매각)

③ 매수인이 재매각기일의 3일 이전까지 대금, 그 지급기한이 지난 뒤부터 지급일까지의 대금에 대한 대법원규칙이 정하는 이율에 따른 지연이자와 절차비용을 지급(**특별지급 허용×**)한 때에는 재매각절차를 (**반드시**) 취소하여야 한다. / 이 경우 차순위매수신고인이 매각허가결정을 받았던 때에는 (**제1매수인과 제2매수인 둘 중**) 위 금액을 먼저 지급한 매수인이 매매목적물의 권리를 취득한다.

07 매각대금의 지급

01 부동산경매에서의 매각절차에 관한 다음 설명 중 가장 옳지 않은 것은?　　▶ 2021 법무사

① 최고가매수신고인에 대한 매각이 불허된 경우에 차순위매수신고인이 있으면 그에 대하여 매각허부결정을 하여야 하고, 새로 매각을 실시하여서는 아니 된다.

② 매각기일을 직권으로 변경한 경우에 최저매각가격을 저감할 수 없음에도 착오로 가격저감을 하였다면 최저매각가격의 저감 자체가 잘못된 이상 비록 저감 전의 최저매각가격 이상의 매수신고가 있더라도 그 매각절차는 위법하다.

③ 매수인이 대금지급기한까지 매수대금지급의무를 완전히 이행하지 아니하여 재매각절차가 진행되는 경우, 부동산 중 일부에 관한 권리관계가 변동되어 법원이 직권으로 최저매각가격을 변경하였더라도 전의 매수인은 매수신청보증의 반환을 요구하지 못한다.

④ 매수인이 재매각기일의 3일 이전까지 대금, 그 지급기한이 지난 뒤부터 지급일까지의 대금에 대한 대법원규칙이 정하는 이율에 따른 지연이자와 절차비용을 지급한 때에는 재매각절차를 취소하여야 하는데, 이때 재매각기일은 재매각명령 후 첫 매각기일만을 의미하는 것이 아니라 유찰·변경 등의 사유로 다시 정한 매각기일도 포함된다.

⑤ 매각기일의 공고내용에 흠결사항이 있는 등 매각기일이 적법하게 열릴 수 없는 경우라면 그 매각기일에 허가할 매수신고가 없더라도 최저매각가격을 저감할 수는 없으며, 따라서 매각기일공고 등의 위법으로 매각을 불허하고 다시 매각을 하는 경우에 있어서 최저매각가격은 당초의 최저매각가격에 의하여야 하고 위법한 절차에 의하여 저감된 가격에 의할 수는 없다.

해설 ① ≪대결 2011.2.15, 2010마1793≫

부동산에 대한 강제경매절차에 있어서 최고가매수신고인에 대한 매각이 불허된 경우에는 「민사집행법」 제114조 소정의 차순위매수신고제도에 의한 차순위매수신고인이 있다고 하더라도 그에 대하여 매각허가결정을 하여서는 안 되고, 새로 매각을 실시하여야 한다.

② ≪대결 1969.9.23, 69마544≫

(**공고·통지 누락 등 절차상 하자로 매각기일이 변경된 경우에는 가격 저감을 할 수 없다.**) 최저경매가격의 저감 자체가 잘못된 이상 비록 경매가격이 저감되기 전의 최저경매가격 이상이었다 하더라도 그 경매절차는 위법이다. (**⇒ 매각불허가결정**)

③ ≪대결 2008.9.12, 2008마1112≫

매수신청의 보증제도는 진지한 매수의사가 없는 사람의 매수신청을 배제하여 매각의 적정성을 보장하기 위한 것이라는 점에 비추어 볼 때, 매수인이 대금지급기한까지 그 의무를 완전히 이행하지 아니하여 진행되는 재매각절차에서는 전의 매수인은 매수신청의 보증을 돌려줄 것을 요구하지 못하며, 이는 재매각절차의 진행중에 부동산 중 일부에 관한 권리관계가 변동되어 법원이 직권으로 최저매각가격을 변경하였더라도 마찬가지라고 할 것이다.

④ 매수인이 재매각기일의 3일 전까지 대금 및 지연이자와 절차비용을 지급한 때에는 재매각절차를 취소하여야 한다(법 제138조 제3항). '재매각기일'은 재매각명령 후 첫 매각기일만을 의미하는 것이 아니라 유찰·변경 등의 사유로 다시 정한 매각기일도 포함되고, '3일 전까지'란 재매각기일의 전날로부터 소급하여 3일이 되는 날까지를 의미하며, 그 3일이 되는 날이 일요일 기타 공휴일이면 그 다음날까지 납부할 수 있다.

⑤ ≪대결 1994.11.30, 94마1673≫

다. 최저입찰가격은 입찰법원이 직권으로 변경할 수 있지만, 그 변경은 수긍할 만한 합리적인 이유가 있는 경우에 한하여 허용되고, 한편 입찰기일에 허가할 입찰신고가 없으면 입찰법원은 신기일을 정하면서 최저입찰가격을 상당히 저감할 수 있으나, 이는 어디까지나 그 입찰기일이 적법하게 열린 입찰기일이어야 하는 것이므로 입찰기일의 공고내용에 흠결사항이 있는 등 입찰기일이 적법하게 열릴 수 없는 경우라면 그 입찰기일에 허가할 입찰신고가 없더라도 최저입찰가격을 저감할 수는 없으며, 따라서 입찰기일공고 등의 위법으로 낙찰을 불허하고 다시 입찰을 하는 경우에 있어서 최저입찰가격은 당초의 최저가격에 의하여야 하고 위법한 절차에 의하여 저감된 가격에 의할 수는 없다.

02 매수인의 대금지급의무불이행과 법원의 조치에 관한 다음 설명 중 가장 옳지 않은 것은?

▸ 2022 법무사

① 최고가매수신고인에 대한 매각허가결정이 항고심이나 재항고심에서 취소된 경우에는 차순위매수신고인이 있더라도 차순위매수신고인에 대한 매각허가여부 결정을 하여서는 안 되고 집행법원은 새 매각기일을 정하여 매각절차를 진행한다.

② 민사집행법 제138조 제2항에 의하면 재매각절차에도 종전에 정한 최저매각가격, 그 밖의 매각조건을 적용한다고 규정하고 있는데, 위 규정은 재매각절차가 종전의 경매절차를 속행하는 것이고 또 전 매수인의 책임을 분명하게 하기 위한 것이므로 재매각명령 후 최초의 재매각기일의 최저매각가격은 전의 매수인이 최고가매수인으로 호명받은 매각기일에서의 최저매각가격을 저감한 금액을 최저매각가격으로 하여야 한다.

③ 매수인이 대금지급기한 또는 민사집행법 제142조 제4항의 다시 정한 기한까지 그 의무를 완전히 이행하지 아니하였고, 차순위매수신고인이 없는 때에는 법원은 직권으로 부동산의 재매각을 명하여야 한다.

④ 재매각절차에서는 전의 매수인은 매수신청을 할 수 없고 매수신청의 보증을 돌려 줄 것을 요구하지 못하며, 이 규정에 의하여 매수인이 돌려줄 것을 요구할 수 없는 보증은 배당할 금액에 포함된다.

⑤ 매수인 또는 매각허가결정을 받은 차순위매수신고인 중 재매각기일의 3일 이전까지 대금, 그 지급기한이 지난 뒤부터 지급일까지의 대금에 대한 연 100분의 12의 비율에 의한 지연이자와 절차비용을 먼저 지급한 사람이 매매목적물의 권리를 취득하고, 이때 법원은 재매각절차를 취소하여야 한다.

해설 ① ≪대결 2011.2.15, 2010마1793≫

부동산에 대한 강제경매절차에 있어서 최고가매수신고인에 대한 매각이 불허된 경우에는 (또는 **최고가매수신고인**에 대한 **매각허가결정**이 항고심이나 재항고심에서 **취소된 경우**)「민사집행법」제114조 소정의 차순위매수신고제도에 의한 차순위매수신고인이 있다고 하더라도 **(법 제137조가 적용될 여지가 없으므로)** 그에 대하여 매각허가결정을 하여서는 안 되고, 새로 매각을 실시하여야 한다.

②.③.④.⑤ 법 제138조(재매각)

① 매수인이 대금지급기한 또는 제142조 제4항의 다시 정한 기한까지 그 의무를 완전히 이행하지 아니하였고, 차순위매수신고인이 없는 때에는 법원은 직권으로 부동산의 재매각을 명하여야 한다.

② 재매각절차에도 종전에 정한 최저매각가격, 그 밖의 매각조건을 적용한다.

[⊕ 종전에 정한 최저매각가격, 그 밖의 매각조건'이란 전의 매수인이 최고가매수신고인으로 호칭받은 매각기일에 있어서 정하여졌던 최저매각가격(대결 1975.5.31, 75마172), 매각조건을 말한다. 따라서 민사집행법 제97조 제1항에 의하여 감정인이 처음 평가한 금액이나 전의 매수인이 매수신고한 가격을 최저매각가격으로 하여 재매각을 실시하여서는 안 된다(대결 1975.5.31, 75마172). 또한 재매각 직전의 매각기일에서의 최저매각가격을 **저감**하여 이를 재매각에서의 최저매각가격으로 하여서도 **안 된다.**]

③ 매수인이 재매각기일의 3일 이전까지 대금, 그 지급기한이 지난 뒤부터 지급일까지의 대금에 대한 대법원규칙이 정하는 이율(연 100분의 12)에 따른 지연이자와 절차비용을 지급(**특별지급 허용×**)한 때에는 재매각절차를 (반드시) 취소하여야 한다. / 이 경우 차순위매수신고인이 매각허가결정을 받았던 때에는 (제1매수인과 제2매수인 **둘 중**) 위 금액을 먼저 지급한 매수인이 매매목적물의 권리를 취득한다.

④ 재매각절차에서는 전의 매수인은 매수신청을 할 수 없으며 매수신청의 보증을 돌려 줄 것을 요구하지 못한다. [⊕ 몰취된 보증은 배당할 금액에 포함된다(법 제147조 제1항 제5호).]

03 부동산경매절차상 매수인에 관한 다음 설명 중 가장 옳지 않은 것은? ▸ 2025 법무사

① 천재지변, 그 밖에 자기가 책임을 질 수 없는 사유로 부동산이 현저하게 훼손된 사실 또는 부동산에 관한 중대한 권리관계가 변동된 사실이 매각허가결정의 확정 뒤에 밝혀진 경우에는 매수인은 대금을 낼 때까지 매각허가결정의 취소신청을 할 수 있으나, 재매각명령이 난 이후에는 매각허가결정의 취소신청을 할 수 없다.

② 재매각절차에서는 전의 매수인은 매수신청을 할 수 없으며 매수신청의 보증을 돌려 줄 것을 요구하지 못한다.

③ 법원은 매수인이 대금을 낸 뒤 6월 이내에 신청하면 채무자·소유자 또는 부동산 점유자에 대하여 부동산을 매수인에게 인도하도록 명할 수 있다. 다만, 점유자가 매수인에게 대항할 수 있는 권원에 의하여 점유하고 있는 것으로 인정되는 경우에는 그러하지 아니하다.

④ 매수인이 재매각기일의 3일 이전까지 대금, 그 지급기한이 지난 뒤부터 지급일까지의 대금에 대한 대법원규칙이 정하는 이율에 따른 지연이자와 절차비용을 지급한 때에는 재매각절차를 취소하여야 한다. 이 경우 차순위매수신고인이 매각허가결정을 받았던 때에는 위 금액을 먼저 지급한 매수인이 매매목적물의 권리를 취득한다.

⑤ 채권자가 매수인인 경우에는 배당기일 전까지 법원에 신고하고 배당받아야 할 금액을 제외한 대금을 배당기일에 낼 수 있다.

해설 ① ≪대결 2009.5.6, 2008마1270≫

민사집행법 제127조 제1항, 제121조 제6호가 "천재지변 그 밖에 자기가 책임을 질 수 없는 사유로 부동산이 현저하게 훼손된 사실 또는 부동산에 관한 중대한 권리관계가 변동된 사실이 매각허가결정의 확정 뒤에 밝혀진 경우에는 매수인은 대금을 낼 때까지 매각허가결정의 취소신청을 할 수 있다."고 규정한 취지는, 위와 같은 경우에 매수인으로 하여금 매각허가결정의 취소신청을 할 수 있도록 허용함으로써 매수인의 불이익을 구제하려는 데 있는 점, 민사집행법 제138조 제1항은 "매수인이 대금지급기한 또는 제142조 제4항의 다시 정한 기한까지 그 의무를 완전히 이행하지 아니하였고, 차순위매수신고인이 없는 때에는 법원은 직권으로 부동산의 재매각을 명하여야 한다."고 규정하고 있는데, 재매각명령이 나면 확정된 매각허가결정의 효력이 상실되는 점, 민사집행법 제138조 제3항이 "매수인이 재매각기일의 3일 이전까지 대금, 그 지급기한이 지난 뒤부터 지급일까지의 대금에 대한 대법원규칙이 정하는 이율에 따른 지연이자와 절차비용을 지급한 때에는 재매각절차를 취소하여야 한다."고 규정한 취지는, 재매각절차가 전 매수인의 대금지급의무의 불이행에 기인하는 것이어서 그 전 매수인이 법정의 대금 등을 완전히 지급하려고 하는 이상 구태여 번잡하고 시일을 요하는 재매각절차를 반복하는 것보다는 최초의 매각절차를 되살려서 그 대금 등을 수령하는 것이 경매의 목적에 합당하다는 데에 있는 점 등을 종합하여 보면, 매수인은 재매각명령이 난 이후에는 매각허가결정의 취소신청을 할 수 없다고 봄이 상당하다.

②,④ 법 제138조(재매각)

① 매수인이 대금지급기한 또는 제142조 제4항의 다시 정한 기한까지 그 의무를 완전히 이행하지 아니하였고, 차순위매수신고인이 없는 때에는 법원은 직권으로 부동산의 재매각을 명하여야 한다.

② 재매각절차에도 종전에 정한 최저매각가격, 그 밖의 매각조건을 적용한다.

③ 매수인이 재매각기일의 3일 이전까지 대금, 그 지급기한이 지난 뒤부터 지급일까지의 대금에 대한 대법원규칙이 정하는 이율에 따른 지연이자와 절차비용을 지급(**특별지급 허용×**)한 때에는 재매각절차를 (**반드시**) 취소하여야 한다. / 이 경우 차순위매수신고인이 매각허가결정을 받았던 때에는 (**제1매수인과 제2매수인 둘 중**) 위 금액을 먼저 지급한 매수인이 매매목적물의 권리를 취득한다.

④ 재매각절차에서는 전의 매수인은 매수신청을 할 수 없으며 매수신청의 보증을 돌려 줄 것을 요구하지 못한다.

③ 법 제136조(부동산의 인도명령 등)

① 법원은 매수인이 대금을 낸 뒤 6월 이내에 신청하면 채무자·소유자 또는 부동산 점유자에 대하여 부동산을 매수인에게 인도하도록 명할 수 있다. 다만, 점유자가 매수인에게 대항할 수 있는 권원에 의하여 점유하고 있는 것으로 인정되는 경우에는 그러하지 아니하다.

⑤ 법 제143조(특별한 지급방법)

② 채권자가 매수인인 경우에는 매각결정기일이 끝날 때까지(= 매가허가결정 선고될 때까지) 법원에 신고하고 배당받아야 할 금액을 제외한 대금을 배당기일에 낼 수 있다.

 **03 ⑤**

04 새 매각과 재매각에 관한 다음 설명 중 가장 옳지 않은 것은? ▸ 2023 법무사

① 수인이 공동매수인이 되어 그 중 일부가 자기 몫에 해당하는 매각대금을 냈다고 하더라도 나머지 사람이 대금을 내지 않으면 전부에 대하여 재매각을 실시하여야 한다.

② 여러 개의 부동산을 동시에 매각하는 경우에 일괄매각하는 경우를 제외하고는 일부의 부동산에·대하여서만 매수가격의 신고가 없는 경우에는 그 부동산에 대하여서만 새 매각을 실시하고 모든 부동산에 대하여 새 매각을 실시할 것은 아니다.

③ 경매법원은 상당한 기간을 두고 매수인에게 대금지급기한을 통지하여야 하고, 통지를 하지 않거나 통지서가 송달불능된 것을 간과하고 지정된 대금지급기한까지 대금을 지급하지 않았다고 하여 재매각을 명하게 되면 위법하다.

④ 새 매각에서의 가격 저감에 대하여는 즉시항고로 다툴 수 있다.

⑤ 매수인은 재매각명령이 난 이후에는 매각허가결정의 취소신청을 할 수 없다.

해설 ① 수인이 공동매수인이 되어 그 중 일부가 자기 몫에 해당하는 매수대금을 납부하였더라도 나머지 사람이 대금을 납부하지 아니하면 역시 전부에 대하여 재매각을 하여야 하며, 이 경우에는 자기 몫을 낸 매수인도 법 제138조 제4항의 책임을 지게 된다.

② 여러 개의 부동산을 동시에 매각하는 경우에 일괄매각하는 경우를 제외하고는 일부의 부동산에 대하여서만 매수가격의 신고가 없는 경우에는 그 부동산에 대하여서만 새 매각을 실시하고 모든 부동산에 대하여 새 매각을 실시할 것은 아니다.

③ 경매법원은 상당한 기간을 두고 매수인에게 대금지급기한을 통지하여야 하고, 통지를 하지 아니하거나 통지서가 송달불능된 것을 간과하고 지정된 대금지급기한까지 대금을 지급하지 않았다고 하여 재매각을 명하게되면 위법하다(대결 1994.9.22, 94마759; 대결 2001.6.4, 2000마7550).
≪대결 2001.6.4, 2000마7550≫
(**원칙적으로 전의 매수인**은 재매각의 매각결정기일에 이의진술권을 가지지 **못한다. 다만**) 부동산 임의경매절차에서 낙찰인(**전의 매수인**)에 대한 대금지급기일 소환장의 송달이(**대금지급기한 통지가**) 적법하지 않다면 낙찰인이 대금지급기일에 대금을 납부하지 않았다는 이유로 경매법원이 재입찰을 명하여 경매절차를 진행한 것은 위법하다.

④ ≪대결 1971.7.19, 71마215≫
최저경매가격의 저감결정에 대해서는 (**독립하여**) 불복할 수 없다. [**다만**, 매각결정기일에서 매각허가에 대한 이의 또는 매각허가결정에 대한 항고로 불복할 수는 있다(법 제121조 제5호, 제129조).]

⑤ ≪대결 2009.5.6, 2008마1270≫
매수인은 재매각명령이 난 이후에는 매각허가결정의 취소신청을 할 수 없다고 봄이 상당하다.

08 매각대금지급 뒤의 처리

01 부동산경매절차에서 매수인의 소유권 취득에 관한 다음 설명 중 가장 옳지 않은 것은?

▶ 2021 법무사

① 학교법인이 해산명령을 받아 해산되고 학교폐쇄 처분을 받아 사실상 학교법인으로서 실체를 상실하는 등 학교법인이 학교로서의 기능을 제대로 유지하지 못하는 경우라 하더라도 학교법인의 기본재산이 주무관청의 허가 없이 강제경매절차에 의하여 매각되어 매수인 명의의 소유권이전등기가 마쳐졌다면 그 등기는 적법한 원인을 결여한 등기로서 말소된다.

② 구분소유권이 이미 성립한 집합건물이 증축되어 새로운 전유부분이 생긴 경우에는 건축자의 대지소유권은 기존 전유부분을 소유하기 위한 대지사용권으로 이미 성립하여 기존 전유부분과 일체불가분성을 가지게 되었으므로 규약 또는 공정증서로써 달리 정하는 등의 특별한 사정이 없는 상태에서 부동산경매절차가 진행되었다면 위 경매절차에서 새로운 전유부분을 취득한 매수인은 대지사용권이 없는 전유부분만을 취득하게 된다.

③ 의료법인의 기본재산에 대하여 주무관청의 허가를 받아 근저당권이 설정되었으나 근저당권자의 근저당권 실행에 의하여 임의경매가 실시된 것이 아니라 강제경매절차가 진행되어 매각되었다면 비록 그 강제경매절차의 매각대금이 모두 위 근저당권자에게 배당되어 그 근저당권이 소멸되었다 하더라도 담보제공에 관한 허가의 효력이 강제경매절차에는 미치지 않으므로 강제경매절차의 매수인은 별도의 주무관청의 허가를 받아야만 매각 부동산의 소유권을 취득할 수 있다.

④ 집합건물의 소유 및 관리에 관한 법률 제20조 제2항에 의하면 구분소유자는 특별한 사정이 없는 한 대지사용권을 전유부분과 분리하여 처분할 수 없고, 이를 위반한 대지사용권의 처분은 법원의 공유물분할경매절차에 의한 것이라 하더라도 무효이므로, 구분소유의 목적물인 건물 각 층과 분리하여 그 대지만에 대하여 경매분할을 명한 확정판결에 기하여 진행되는 공유물분할경매절차에서 그 대지만을 매수하더라도 매수인은 원칙적으로 그 대지의 소유권을 취득할 수 없다.

⑤ 피담보채권의 소멸로 저당권이 소멸하였는데도 이를 간과하고 경매개시결정이 되고 그 경매절차가 진행되어 매각허가결정이 확정되었다면 이는 소멸한 저당권을 바탕으로 하여 이루어진 무효의 절차와 결정으로서 비록 매수인이 매각대금을 완납하였다고 하더라도 그 부동산의 소유권을 취득할 수 없다.

> **해설** ① ≪대판 2010.4.8, 2009다93329≫
> 학교법인이 「사립학교법」 제47조 제1항에 의한 해산명령을 받아 해산되고 「고등교육법」 제62조 제1항에 의한 학교폐쇄 처분을 받아 사실상 학교법인으로서 실체를 상실하고 기능을 수행할 수 없게 된 경우에도 「사립학교법」 제28조 제1항이 여전히 적용되어 그 기본재산을 처분하고자 할 때에는 관할청의 허가를 받아야 한다.

> **정답** 04 ④ / 01 ③

② ≪대판 2017.5.31, 2014다236809≫

구분소유권이 이미 성립한 집합건물이 증축되어 새로운 전유부분이 생긴 경우에는, 건축자의 대지소유권은 기존 전유부분을 소유하기 위한 대지사용권으로 이미 성립하여 기존 전유부분과 일체불가분성을 가지게 되었으므로 규약 또는 공정증서로써 달리 정하는 등의 특별한 사정이 없는 한 새로운 전유부분을 위한 대지사용권이 될 수 없다.

③ ≪대판 1993.7.16, 93다2094≫

나. 「의료법」 제41조 제3항의 규정에 의한 보건사회부장관의 허가는 강제경매의 경우에도 그 효력요건으로 보아야 할 것이지만, 강제경매의 대상이 된 부동산에 보건사회부장관의 허가를 받아 소외 은행을 근저당권자로 한 근저당이 설정되었고, 그 경락대금이 모두 위 은행에 배당되어 그 근저당권이 소멸되었다면 이는 위 은행의 근저당권실행에 의하여 임의경매가 실시된 것과 구별할 이유가 없다고 하겠고, 담보제공에 관한 보건사회부장관의 허가를 받았을 경우에 저당권의 실행으로 경락될 때에 다시 그 허가를 필요로 한다고 해석되지 아니하는 이치에서 위와 같은 경락의 경우에도 별도의 허가를 필요로 하지 아니한다고 할 것이다.

④ ≪대판 2010.5.27, 2006다84171≫

[5] 「집합건물의 소유 및 관리에 관한 법률」 제20조 제2항에 의하면 구분소유자는 특별한 사정이 없는 한 대지사용권을 전유부분과 분리하여 처분할 수 없고, 이를 위반한 대지사용권의 처분은 법원의 공유물분할경매절차에 의한 것이라 하더라도 무효이므로, 구분소유의 목적물인 건물 각 층과 분리하여 그 대지만에 대하여 경매분할을 명한 확정판결에 기하여 진행되는 공유물분할경매절차에서 그 대지만을 매수하더라도 매수인은 원칙적으로 그 대지의 소유권을 취득할 수 없다.

⑤ ≪대판 1976.2.10, 75다994≫

경매개시결정 이전에 피담보채권이 소멸됨에 따라 소멸된 저당권을 바탕으로 한 경매개시결정을 비롯한 일련의 절차와 경락허가결정이 모두 무효인 경우에는 비록 경락인이 경락대금을 완납하였다고 해도 저당물의 소유권을 취득할 수 없고 담보부동산 소유자인 채무자는 이에 대한 소유권을 상실할 리가 없으므로 피담보채권자에 대하여 손해배상을 청구할 수 없다.

02 부동산경매절차에서 부동산인도명령에 관한 다음 설명 중 가장 옳은 것은? ▸ 2021 법무사

① 甲과 乙 명의로 각 2분의 1지분씩 소유권이전등기가 마쳐진 부동산의 甲 공유지분에 관하여 강제경매절차가 진행되어 위 공유지분을 취득한 매수인은 공유물의 보존행위로서 위 부동산 전부를 점유하고 있는 乙을 상대로 부동산의 인도를 청구할 수 있다.

② 부동산경매절차에서 대금을 납부한 매수인이 채무자·소유자 또는 부동산 점유자를 상대로 인도를 청구하는 소를 제기하여 그 인도청구를 인용하는 판결이 확정되어 기판력 있는 집행권원을 얻게 된 경우라 하더라도 부동산인도명령을 신청할 이익이 있다.

③ 매수인이 매각대금을 납부한 후에 채무자로부터 민사집행법 제49조 소정의 집행정지서류가 제출되었다면 부동산인도명령을 발령할 수 없다.

④ 부동산인도명령에 대한 불복사유는 인도명령 발령의 전제가 되는 절차적 요건의 흠, 인도명령 심리절차의 흠, 인도명령 자체의 형식적 흠, 인도명령의 상대방이 매수인에 대하여 부동산의 인도를 거부할 수 있는 점유권원의 존재에 한정되며, 경매절차 고유의 절차적 흠은 인도명령에 대한 불복사유가 될 수 없다.

⑤ 매수인이 부동산인도명령 집행에 의한 인도로 일단 부동산을 인도받은 후라도 제3자가 불법으로 점유를 침탈한 경우에는 그 자를 상대방으로 하여 다시 부동산인도명령을 신청할 수 있다.

해설 ① ≪대판(全員合議体) 2020.5.21, 2018다287522≫ (다수의견)
(다) 공유물의 소수지분권자가 다른 공유자와 협의 없이 공유물의 전부 또는 일부를 독점적으로 점유·사용하고 있는 경우 **(토지의 2분의1 지분을 소유하고 있는)** 다른 소수지분권자는 공유물의 보존행위로서 그 인도를 청구할 수는 없고, 다만 자신의 지분권에 기초하여 공유물에 대한 방해 상태를 제거하거나 공동 점유를 방해하는 행위의 금지 등을 청구할 수 있다고 보아야 한다. (판례 변경)
[註 그러므로 부동산을 공유자 甲, 乙이 각 2분의 1 지분씩 공유하고 있는데, 甲의 공유지분 (2분의 1 지분)이 경매로 매각되어 매수인이 부동산 전부를 점유하고 있는 공유자 乙을 상대로 부동산 인도명령을 신청한 경우 법원은 그 신청을 기각해야 한다.]

② 부동산인도명령은 부동산경매절차에서 대금을 납부한 매수인의 신청에 의하여 채무자·소유자 또는 부동산 점유자에 대하여 부동산을 매수인에게 인도할 것을 명하는 재판으로서 간이·신속한 절차에 의하여 매수인으로 하여금 부동산을 인도받을 수 있도록 기판력이 없는 집행권원을 부여하는 것이므로(법 제136조 제1항·제5항, 법 제56조 제1호), 만약 매수인이 소로써 같은 부동산에 관하여 채무자·소유자 또는 부동산 점유자를 상대로 인도를 청구하는 소를 제기하여 그 인도청구를 인용하는 판결이 확정되어 기판력 있는 집행권원을 얻게 된 경우에는 더 이상 부동산인도명령을 신청할 이익이 없게 된다(대결 2013.12.27, 2011마1204).

③ 매수인이 대금을 낸 뒤에 채무자로부터 법 제49조의 집행정지서면이 제출되더라도 매수인의 권리에 영향을 주지 못하므로 인도명령을 발하는 데 아무런 지장이 없다.

④ ≪대결 2015.4.10, 2015마19≫
인도명령에 대한 불복사유는 인도명령 발령의 전제가 되는 절차적 요건의 흠(**예** 신청인의 자격, 상대방의 범위, 신청기한 등), 인도명령 심리절차의 흠, 인도명령 자체의 형식적 흠(**예** 인도목적물의 불특정, 상대방의 불특정 등), 인도명령의 상대방이 매수인에 대하여 부동산의 인도를 거부할 수 있는 점유권원의 존재(**예** 매수인이 상대방에게 부동산을 양도하였거나 임대한 경우 등)에 한정되며, / 경매절차 고유의 절차적 흠(**예** 매각허가절차 등에 관한 하자 등)은 인도명령에 대한 불복사유가 될 수 없다. (**註** 인도명령 집행 자체에 존재하는 위법에 대하여는 집행이의로 다툴 수 있다.)

⑤ 임의인도이든 인도명령집행에 의한 인도이든 매수인이 일단 부동산을 인도(점유개정 또는 반환청구권의 양도에 의한 점유이전의 경우도 포함한다)받은 후에는 제3자가 불법으로 이를 점유하여도 그 자를 상대방으로 하여 더 이상 인도명령을 신청할 수 없다.

09 배당절차(配當節次)

01 **배당에 관한 다음 설명 중 가장 옳지 않은 것은?** ▸ 2021 법무사

① 민사집행법 제91조 제3항은 "전세권은 저당권·압류채권·가압류채권에 대항할 수 없는 경우에는 매각으로 소멸된다."라고 규정하고, 같은 조 제4항은 "제3항의 경우 외의 전세권은 매수인이 인수한다. 다만 전세권자가 배당요구를 하면 매각으로 소멸된다."라고 규정하고 있는데, 이는 저당권 등에 대항할 수 없는 전세권과 달리, 최선순위의 전세권은 존속기간에 상관없이 오로지 전세권자의 배당요구에 의하여만 소멸하고, 전세권자가 배당요구를 하지 않는 한 매수인에게 인수된다는 취지이다. 따라서 최선순위의 전세권은 전세권자 스스로 배당요구를 하여야만 매각으로 소멸함이 원칙이다.

② 전세권이 존속기간의 만료 등으로 종료한 경우라면 최선순위 전세권자의 채권자는 그 전세권이 설정된 부동산에 대한 경매절차에서 채권자대위권에 기하거나 전세금반환채권에 대하여 압류 및 추심명령을 받은 다음 그 추심권한에 기하여 자기 이름으로 전세권에 대한 배당요구를 할 수 있다.

③ 배당요구에 따라 매수인이 인수하여야 할 부담이 바뀌는 경우 배당요구를 한 채권자는 배당요구의 종기가 지난 뒤에 이를 철회하지 못한다.

④ 주채무자 소유 부동산에 대한 강제경매절차에서 집행법원이 배당요구의 종기를 결정하였는데, 보증인이 채무를 대위변제한 후 주채무자에 대한 구상권을 행사하는 과정에서 위 종기를 준수하지 못하여 그 연기를 구하여 온 경우에, 집행법원은 경매절차의 진행경과, 보증인이 위 종기를 준수하지 못한 데에 귀책사유가 있는지 여부, 위 종기를 준수하지 못한 기간의 크기, 채권자 등 이해관계인이나 경매절차에 미치는 영향 등을 고려하여 특별히 필요하다고 인정하는 경우에 한하여 배당요구의 종기를 연기할 수 있고, 위와 같은 사유로 배당요구종기 연기 신청을 인용하거나 기각하는 집행법원의 결정은 민사집행법 제84조 제6항에 따른 재량에 의한 것이다.

⑤ 주택임대차보호법에 따른 주택임차인의 대항력 발생일과 임대차계약서상 확정일자가 모두 당해 주택에 관한 1순위 근저당권 설정일보다 앞서는 경우, 주택임차인은 특별한 사정이 없는 한 대항력뿐 아니라 1순위 근저당권자보다 선순위의 우선변제권도 가지므로, 그 주택에 관하여 개시된 경매절차에서 배당요구종기 이전에 배당요구를 하지 않더라도 1순위 근저당권자보다 우선하는 배당순위를 가진다.

> **해설** ①, ② ≪대판 2015.11.17. 2014다10694≫
>
> [1] 「민사집행법」 제91조 제3항은 "전세권은 저당권·압류채권·가압류채권에 대항할 수 없는 경우에는 매각으로 소멸된다."라고 규정하고, 같은 조 제4항은 "제3항의 경우 외의 전세권은 매수인이 인수한다. 다만 전세권자가 배당요구를 하면 매각으로 소멸된다."라고 규정하고 있는데, 이는 저당권 등에 대항할 수 없는 전세권과 달리, 최선순위의 전세권은 존속기간에 상관없이 오로지 전세권자의 배당요구에 의하여만 소멸하고, 전세권자가 배당요구를 하지 않는 한 매수인에게 인수된다는 취지이다(대판 2010.6.24. 2009다40790 참조). 따라서 최선순위의 전세권은 전세권자 스스로 배당요구를 하여야만 매각으로 소멸함이 원칙이다.

[2] 그러나 전세권이 존속기간의 만료나 합의해지 등으로 종료하면 전세권의 용익물권적 권능은 소멸하고 단지 전세금반환채권을 담보하는 담보물권적 권능의 범위 내에서 전세금의 반환 시까지 그 전세권설정등기의 효력이 존속하므로(대판 2005.3.25, 2003다35659 참조), 전세권이 존속기간의 만료 등으로 종료한 경우라면 최선순위 전세권자의 채권자는 그 전세권이 설정된 부동산에 대한 경매절차에서 채권자대위권에 기하거나 전세금반환채권에 대하여 압류 및 추심명령을 받은 다음 그 추심권한에 기하여 자기 이름으로 전세권에 대한 배당요구를 할 수 있다.

③ 법 제88조(배당요구)

② 배당요구에 따라 매수인이 인수하여야 할 부담이 바뀌는 경우 배당요구를 한 채권자는 배당요구의 종기가 지난 뒤에 이를 철회하지 못한다.

④ ≪대판 2013.7.25, 2013다204324≫

「민사집행법」 제84조 제6항은 법원이 특별히 필요하다고 인정하는 경우에는 배당요구의 종기를 연기할 수 있다고 규정하고 있는바, 주채무자 소유 부동산에 대한 강제경매절차에서 집행법원이 배당요구의 종기를 결정하였는데, 보증인이 채무를 대위변제한 후 주채무자에 대한 구상권을 행사하는 과정에서 위 종기를 준수하지 못하여 그 연기를 구하여 온 경우에, 집행법원은 경매절차의 진행 경과, 보증인이 위 종기를 준수하지 못한 데에 귀책사유가 있는지 여부, 위 종기를 준수하지 못한 기간의 크기, 채권자 등 이해관계인이나 경매절차에 미치는 영향 등을 고려하여 특별히 필요하다고 인정하는 경우에 한하여 배당요구의 종기를 연기할 수 있고, 위와 같은 사유로 배당요구종기 연기 신청을 인용하거나 기각하는 집행법원의 결정은 위 조항에 따른 재량에 의한 것이다(대법원 2005.7.12.자 2005마477 결정, 대법원 2008.6.12.자 2008그72 결정 등 참조).

⑤ ≪대판 2017.4.7, 2016다248431≫

[1] 「주택임대차보호법」에 따른 주택임차인의 대항력 발생일과 임대차계약서상 확정일자가 모두 당해 주택에 관한 1순위 근저당권 설정일보다 앞서는 경우, 주택임차인은 특별한 사정이 없는 한 대항력뿐 아니라 1순위 근저당권자보다 선순위의 우선변제권도 가지므로, 그 주택에 관하여 개시된 경매절차에서 배당요구종기 이전에 배당요구를 하였다면 1순위 근저당권자보다 우선하는 배당순위를 가진다.

---

02 배당요구에 관한 다음 설명 중 가장 옳은 것은?　　　　▶ 2022 법무사

① 권리신고는 배당요구와 구별되는 것으로 권리신고를 한 것만으로 당연히 배당을 받게 되는 것은 아니다. 따라서 채권자가 경매목적 부동산에 관하여 경매개시결정 후 가압류결정을 받은 다음 채권의 수액을 기재한 서면에 그 가압류 결정을 첨부하여 제출하면서 제목을 '권리신고'라고 하여 제출하였다면 이는 적법한 배당요구라고 볼 수 없다.

② 주택임대차보호법상 임차인으로서의 지위와 전세권자로서의 지위를 함께 가지고 있는 자가 그 중 임차인으로서의 지위에 기하여 경매법원에 배당요구를 하면 전세권에 관하여도 배당요구가 있다고 볼 수 있다.

③ 주택임대차보호법상의 대항력과 우선변제권을 모두 가지고 있는 임차인이 보증금을 반환받기 위하여 보증금반환청구 소송의 확정판결 등 집행권원을 얻어 임차주택에 대하여 스스로 강제경매를 신청하였다면 특별한 사정이 없는 한 대항력과 우선변제권 중 우선변제권을 선택하여 행사한 것으로 보아야 하고, 이 경우 우선변제권을 인정받기 위하여 배당요구의 종기까지 별도로 배당요구를 하여야 하는 것은 아니다.

정답 ▶ **01** ⑤ **02** ③

④ 전세권이 존속기간의 만료 등으로 종료되기 전이라도 최선순위 전세권자의 채권자는 전세권이 설정된 부동산에 대한 경매절차에서 채권자대위권에 기하거나 전세금반환채권에 대하여 압류 및 추심명령을 받은 다음 추심권한에 기하여 자기 이름으로 전세권에 대한 배당요구를 할 수 있다.

⑤ 경매개시결정 전에 체납처분에 의한 압류등기가 된 경우라도 별도의 교부청구를 해야만 배당요구를 한 효력이 발생한다.

해설 ① ≪대판 1999.2.9, 98다53547≫

배당요구는 채권의 원인과 수액을 기재한 서면에 의하여 집행법원에 배당을 요구하는 취지가 표시되면 되므로, 채권자가 경매목적 부동산에 관하여 가압류결정을 받은 다음 채권의 수액을 기재한 서면에 그 가압류결정을 첨부하여 경매법원에 제출하였다면 채권의 원인과 수액을 기재하여 배당을 요구하는 취지가 표시된 것으로 보아야 하고, 그 서면의 제목이 권리신고라고 되어 있다 하여 달리 볼 것이 아니다.

(🈁 서면의 제목이 '권리신고'이더라도 채권의 원인과 액수가 적혀 있다면 배당요구로 보아야 한다.)

② ≪대판 2010.6.24, 2009다40790≫

[1] 「주택임대차보호법」상 임차인으로서의 지위와 (**최선순위**) 전세권자로서의 지위를 함께 가지고 있는 자가 그 중 임차인으로서의 지위에 기하여 경매법원에 배당요구를 하였다면 / 배당요구를 하지 아니한 전세권에 관하여는 배당요구가 있는 것으로 볼 수 없다.

③ ≪대판 2013.11.14, 2013다27831≫

[1] 「주택임대차보호법」상의 대항력과 우선변제권을 모두 가지고 있는 임차인이 보증금을 반환받기 위하여 보증금반환청구 소송의 확정판결 등 집행권원을 얻어 임차주택에 대하여 스스로 강제경매를 신청하였다면 특별한 사정이 없는 한 대항력과 우선변제권 중 우선변제권을 선택하여 행사한 것으로 보아야 하고, 이 경우 우선변제권을 인정받기 위하여 배당요구의 종기까지 별도로 배당요구를 하여야 하는 것은 아니다.

④ ≪대판 2015.11.17, 2014다10694≫

[2] 전세권이 존속기간의 만료나 합의해지 등으로 종료하면 전세권의 용익물권적 권능은 소멸하고 단지 전세금반환채권을 담보하는 담보물권적 권능의 범위 내에서 전세금의 반환 시까지 그 전세권설정등기의 효력이 존속하므로(대판 2005.3.25, 2003다35659 참조), 전세권이 존속기간의 만료 등으로 종료한 경우라면 최선순위 전세권자의 채권자는 그 전세권이 설정된 부동산에 대한 경매절차에서 채권자대위권에 기하거나 전세금반환채권에 대하여 압류 및 추심명령을 받은 다음 그 추심권한에 기하여 자기 이름으로 전세권에 대한 배당요구를 할 수 있다.

⑤ 조세 등 공과금채권은 첫 경매개시결정등기 전에 압류한 경우에는 「민사집행법」 제148조 제4호에 해당하여 별도의 배당요구 없이 당연히 배당(교부)받게 된다. 반면, 첫 경매개시결정등기 후에 압류하거나 압류등기가 되어 있지 않은 경우에는 배당요구의 종기까지 교부청구를 한 경우에 한하여 동조 제2호에 해당하여 배당받게 된다.

03 **배당받을 채권자에 관한 다음 설명 중 가장 옳지 않은 것은?** ▸ 2024 법무사

① 집행력 있는 정본을 가진 채권자, 경매개시결정이 등기된 후에 가압류를 한 채권자, 민법·상법 기타 법률에 의하여 우선변제청구권이 있는 채권자는 배당요구의 종기까지 배당요구를 하지 않으면 배당을 받지 못한다.

② 첫 경매개시결정등기 전에 등기한 전세권자는 배당요구를 한 경우에 매각으로 인하여 전세권이 소멸하기 때문에 배당을 받게 된다.

③ 첫 경매개시결정등기 전에 등기한 전세권자는 그 보다 앞서는 저당권이나 가압류가 되어 있는 경우에 그 저당권이나 가압류가 매각으로 인하여 소멸하는 결과 전세권 역시 소멸하기 때문에 배당을 받게 된다.

④ 압류, 참가압류, 교부청구를 한 국세, 지방세 등 공과금채권자는 압류, 참가압류의 등기가 첫 경매개시결정등기 전에 행하여진 경우 다시 별도의 교부청구를 하지 않더라도 배당을 받는다.

⑤ 조세채권자인 과세관청이 파산선고 전 체납처분으로 부동산을 압류하고 이후 체납자가 파산선고를 받은 경우, 별제권(담보물권 등) 행사에 따른 부동산경매절차에서 채무자 회생 및 파산에 관한 법률 제349조 제1항에 따라 위 체납처분에 배당할 금원은 채권자인 과세관청이 아닌 파산관재인이 배당받게 된다.

해설 ① ≪대판 2012.5.10, 2011다44160≫

[1] **(법 제88조 제1항의)** 집행력 있는 정본을 가진 채권자, 경매개시결정이 등기된 뒤에 가압류를 한 채권자, 민법·상법, 그 밖의 법률에 의하여 우선변제청구권이 있는 채권자는 배당요구의 종기까지 배당요구를 한 경우에 한하여 비로소 배당을 받을 수 있고, 적법한 배당요구를 하지 아니한 경우에는 실체법상 우선변제청구권이 있는 채권자라 하더라도 그 매각대금으로부터 배당을 받을 수 없다.

② 최선순위 전세권은 실체법상 존속기간이 지났는지에 관계없이 배당요구를 함으로써 비로소 매각으로 소멸하므로(법 제91조 제4항 단서), 배당요구를 하여야만 배당받을 수 있다.

③ 첫 경매개시결정등기 전에 설정된 매각부동산 위의 권리 중 담보권이나 최선순위가 아닌 용익권(저당권 압류·가압류에 대항할 수 없는 것)은 매각으로 인하여 당연히 소멸(소멸주의, 법 제91조 제2항·제3항, 법 제148조 제4호)하는 대신, 법률상 당연히 배당요구한 것과 동일한 효력이 있으므로(대판 1996.5.28, 95다 34415; 대판 1999.1.26, 98다21946; 대판 2009.5.14. 2008다 78880), 별도의 배당요구가 없더라도 순위에 따라 배당받을 수 있다.

④ 조세나 그 밖의 공과 금채권의 채권자는 첫 경매개시결정등기 전에 체납처분에 의한 압류등기 또는 참가 압류등기를 한 경우에는 배당요구를 한 것으로 인정된다.

⑤ ≪대판 2023.10.12, 2018다294162≫

채무자회생법 제349조 제1항은 파산선고 전에 파산재단에 속하는 재산에 대하여 조세채권에 기한 체납처분을 한 때에는 파산선고는 그 처분의 속행을 방해하지 아니한다고 규정하고 있고, 이에 따라 조세채권자인 과세관청이 파산선고 전 체납처분으로 부동산을 압류(참가압류를 포함한다)한 경우에는 이후 체납자가 파산선고를 받더라도 선착수한 체납처분의 우선성에 따라 별제권(담보물권 등) 행사에 따른 부동산경매절차에서 조세채권자가 매각대금으로부터 직접 배당받을

정답 **03 ⑤**

수 있다. 다만 채무자회생법 제349조 제1항은 파산선고 전 체납처분이 있었던 경우에 한하여 파산선고 후에도 체납처분을 속행할 수 있다는 것을 특별히 정한 규정이므로, 과세관청이 이와 같이 예외적으로 직접 배당금을 교부받을 수 있는 조세채권의 범위를 판단함에 있어서는 조세채권이 가지는 재단채권으로서의 지위, 파산재단 부족 시 파산관재인을 통해 안분변제받도록 되어 있는 재단채권의 원칙적인 변제방법 등을 충분히 고려하여 엄격하게 해석해야 한다.

04 부동산경매절차에서 배당요구에 관한 다음 설명 중 가장 옳지 않은 것은? ▸ 2024 법무사

① 근로기준법 및 근로자퇴직급여 보장법에 의하여 우선변제청구권을 갖는 임금 및 퇴직금 채권자가 배당요구를 하는 경우, 배당요구 종기까지 그 자격을 소명하는 소명자료를 제출하지 않았더라도 배당표가 확정되기 전까지 이를 보완하였다면 우선배당을 받을 수 있다.

② 적법한 배당요구가 필요함에도 이를 하지 않아 배당에서 제외된 선순위 채권자는 대신 배당받은 후순위 채권자를 상대로 부당이득반환을 청구할 수 없다.

③ 부동산에 관한 경매개시결정이 등기된 뒤에 체납처분에 의한 압류등기가 마쳐진 경우, 조세채권자인 국가가 경매법원에 배당요구의 종기까지 배당요구로써 교부청구를 하여야만 배당을 받을 수 있다.

④ 저당부동산의 소유권을 취득한 자가 민법 제367조에 의하여 우선상환을 받으려면 저당부동산의 경매절차에서 배당요구의 종기까지 배당요구를 할 필요는 없다.

⑤ 주택임대차보호법에서 정한 대항력과 우선변제권 두 가지 권리를 겸유하고 있는 임차인이 먼저 우선변제권을 선택하여 임차주택에 대하여 진행되고 있는 경매절차에서 배당요구를 하였으나 보증금 전액을 배당받지 못한 경우 임차인은 여전히 대항요건을 유지함으로써 임대차관계의 존속을 주장할 수 있으므로, 임차인이 대항력을 구비한 후 임차주택을 양수한 자는 그와 같이 존속되는 임대차의 임대인 지위를 당연히 승계한다.

해설 ① ≪대판 2022.4.28. 2020다299955≫

근로기준법 및 근로자퇴직급여 보장법에 의하여 우선변제청구권을 갖는 임금 및 퇴직금 채권자는 그 자격을 소명하는 서면을 붙인 배당요구서에 의하여 **(배당요구종기까지)** 배당요구를 해야 한다. / 다만 민사집행절차의 안정성을 보장하여야 하는 절차법적 요청과 근로자의 임금채권을 보호하여야 하는 실체법적 요청을 형량하여 보면 우선변제청구권이 있는 임금 및 퇴직금 채권자가 배당요구 종기까지 위와 같은 소명자료를 제출하지 않았다고 하더라도 배당표가 확정되기 전까지 이를 보완하였다면 우선배당을 받을 수 있다고 해석하여야 한다.

② ≪대판 2002.1.22. 2001다70702≫

[1] 「민사소송법」 제605조 제1항**(법 제88조 제1항)**에서 규정하는 배당요구가 필요한 배당요구채권자는, 압류의 효력발생 전에 등기한 가압류채권자, 경락으로 인하여 소멸하는 저당권자 및 전세권자로서 압류의 효력발생 전에 등기한 자 등 당연히 배당을 받을 수 있는 채권자의 경우와는 달리, 경락기일까지**(배당요구의 종기까지)** 배당요구를 한 경우에 한하여 비로소 배당을 받을 수 있고, 적법한 배당요구를 하지 아니한 경우에는 비록 실체법상 우선변제청구권이 있다 하더라도 경락대금으로부터 배당을 받을 수는 없을 것이므로, / 이러한 배당요구채권자가 적법한 배당요구를 하지 아니하여 그를 배당에서 제외하는 것으로 배당표가 작성·

확정되고 그 확정된 배당표에 따라 배당이 실시되었다면 그가 적법한 배당요구를 한 경우에 배당받을 수 있었던 금액 상당의 금원이 후순위채권자에게 배당되었다고 하여 이를 법률상 원인이 없는 것이라고 할 수 없다. (부당이득반환청구 **할 수 없다.**)

③ 첫 경매개시결정등기 후에 체납처분에 의한 압류등기(「국세징수법」 제57조에 의한 참가압류등기도 마찬가지이다)가 된 경우에는 집행법원에 배당요구의 종기까지 배당요구로서 교부청구를 하여야만 배당을 받을 수 있다(대판 2001.11.27, 99다22311 등).

④ ≪대판 2023.7.13, 2022다265093≫

[1] 민법 제367조는 저당물의 제3취득자가 그 부동산의 보존, 개량을 위하여 필요비 또는 유익비를 지출한 때에는 제203조 제1항, 제2항의 규정에 의하여 저당물의 경매대가에서 우선상환을 받을 수 있다고 규정하고 있다. 이는 저당권이 설정되어 있는 부동산의 제3취득자가 저당부동산에 관하여 지출한 필요비, 유익비는 그 부동산 가치의 유지·증가를 위하여 지출된 일종의 공익비용이므로 저당부동산의 환가대금에서 부담하여야 할 성질의 비용이고 더욱이 제3취득자는 경매의 결과 그 권리를 상실하게 되므로 특별히 경매로 인한 매각대금에서 우선적으로 상환을 받도록 한 것이다. 저당부동산의 소유권을 취득한 자도 민법 제367조의 제3취득자에 해당한다(대법원 2004.10.15, 선고 2004다36604 판결 참조). 제3취득자가 민법 제367조에 의하여 우선상환을 받으려면 저당부동산의 경매절차에서 배당요구의 종기까지 배당요구를 하여야 한다(민사집행법 제268조, 제88조).

⑤ ≪대판 2023.2.2, 2022다255126≫

주택임차인은 주택임대차보호법 제3조 제1항에서 정한 주택의 인도와 주민등록을 구비하면 대항력을 취득하고 대항요건이 존속되는 한 대항력은 계속 유지된다. 한편 주택임대차보호법에 정한 대항력과 우선변제권 두 가지 권리를 겸유하고 있는 임차인이 먼저 우선변제권을 선택하여 임차주택에 대하여 진행되고 있는 경매절차에서 배당요구를 하였으나 보증금 전액을 배당받지 못한 경우 임차인은 여전히 대항요건을 유지함으로써 임대차관계의 존속을 주장할 수 있으므로, 임차인이 대항력을 구비한 후 임차주택을 양수한 자는 그와 같이 존속되는 임대차의 임대인 지위를 당연히 승계한다. 이는 주택임대차보호법 제3조의2 제7항에서 정한 금융기관이 임차인으로부터 보증금반환채권을 계약으로 양수함으로써 양수한 금액의 범위에서 우선변제권을 승계한 다음 경매절차에서 배당요구를 하여 보증금 중 일부를 배당받은 경우에도 마찬가지이다. 따라서 주택임대차의 대항요건이 존속되는 한 임차인은 보증금반환채권을 양수한 금융기관이 보증금 잔액을 반환받을 때까지 임차주택의 양수인을 상대로 임대차관계의 존속을 주장할 수 있다.

정답 ▶ 04 ④

05 부동산경매절차에서 임차인에 관한 다음 설명 중 가장 옳지 않은 것은? ▸ 2024 법무사

① 주택임대차보호법상의 대항요건을 갖춘 임차인이 집행관의 현황조사결과 임차인으로 조사·보고되었다 하여도 매각허가결정 이전에 경매법원에 스스로 그 권리를 증명하여 신고하지 않았다면 경매절차의 이해관계인이 될 수 없다.

② 대법원예규에 의한 경매절차 진행사실의 주택임차인에 대한 통지는 법률상 규정된 의무가 아니라 당사자의 편의를 위하여 주택임차인에게 임차 목적물에 대하여 경매절차가 진행 중인 사실과 소액임차권자나 확정일자부 임차권자라도 배당요구를 하여야 우선변제를 받을 수 있다는 내용을 안내하여 주는 것일 뿐이므로, 임차인이 그 권리신고를 하기 전에 임차 목적물에 대한 경매절차의 진행 사실에 관한 통지를 받지 못하였다고 하더라도 이는 매각허가결정에 대한 불복사유가 될 수 없다.

③ 매각허가결정이 확정되어 대금지급기일(대금지급기한)이 정해진 상태에서 임차인이 자기보다 선순위 저당권의 피담보채무를 대위변제한 경우, 매각으로 인하여 저당권이 소멸하고 경매절차의 매수인이 소유권을 취득하는 시점인 매각대금 납부 전에 선순위의 저당권이 다른 사유로 소멸한 경우에는 대항력 있는 임차권의 존재로 인하여 담보가치의 손상을 받을 선순위 저당권이 없게 되므로 임차권의 대항력이 소멸하지 않는다.

④ 주택임대차보호법상의 대항력과 임대차계약서상의 확정일자를 갖춘 임차인은 경매절차의 매각대금에서 후순위권리자나 그 밖의 채권자보다 우선하여 보증금을 변제받을 권리가 있고, 이는 배당절차에 있어서 확정일자를 갖춘 임차인은 담보물권자와 유사한 지위를 갖는다는 의미이다. 따라서 확정일자를 갖춘 임차인이 여러 명 있고 이들이 모두 저당권자에 우선하는 경우에는 각 임차인별로 우선변제권을 인정하되, 그들 상호간에는 대항력 및 확정일자를 최종적으로 갖춘 순서대로 우열관계를 정하고, 선순위 가압류권자가 있는 경우에는 확정일자를 갖춘 임차인은 가압류권자에게 우선권을 주장할 수 없고 평등배당을 받는다.

⑤ 임차인이 임대인에게 임차보증금의 일부만을 지급하고 주택임대차보호법 제3조 제1항에서 정한 대항요건과 임대차계약증서상의 확정일자를 갖춘 다음 나머지 보증금을 나중에 지급하였다면 특별한 사정이 없는 한 대항요건과 확정일자를 갖춘 때를 기준으로 임차보증금 전액에 대해서 후순위권리자나 그 밖의 채권자보다 우선하여 변제를 받을 권리를 가지지는 못한다.

> **해설** ① ≪대판 2008.11.13. 2008다43976≫
> [1] 「주택임대차보호법」상의 대항요건을 갖춘 임차인이라고 하더라도 매각허가결정 이전에 경매법원에 스스로 그 권리를 증명하여 신고하지 않는 한 집행관의 현황조사결과 임차인으로 조사·보고되어 있는지 여부와 관계없이 이해관계인이 될 수 없다.
>
> ② ≪대결 2000.1.31. 99마7663≫
> [1] 주택임대차보호법상의 대항요건을 갖춘 임차인이라 하더라도 낙찰허가결정이 있을 때까지 경매법원에 스스로 그 권리를 증명하여 신고하여야만 경매절차에 있어서 이해관계인으로 되는 것이고, 대법원예규(재민 98-6)에 의한 경매절차 진행 사실의 주택임차인에 대한 통지는 법

률상 규정된 의무가 아니라 당사자의 편의를 위하여 주택임차인에게 임차 목적물에 대하여 경매절차가 진행중인 사실과 소액임차권자나 확정일자부 임차권자라도 배당요구를 하여야 우선변제를 받을 수 있다는 내용을 안내하여 주는 것일 뿐이므로, 임차인이 그 권리신고를 하기 전에 임차 목적물에 대한 경매절차의 진행 사실에 관한 통지를 받지 못하였다고 하더라도 이는 낙찰허가결정에 대한 불복사유가 될 수 없다.

③ ≪대판 2003.4.25, 2002다70075≫

[1] 부동산의 경매절차에 있어서 「주택임대차보호법」 제3조에 정한 대항요건을 갖춘 임차권보다 선순위의 근저당권이 있는 경우에는, 낙찰로 인하여 선순위 근저당권이 소멸하면 그보다 후순위의 임차권도 선순위 근저당권이 확보한 담보가치의 보장을 위하여 그 대항력을 상실하는 것이지만, 낙찰로 인하여 근저당권이 소멸하고 낙찰인이 소유권을 취득하게 되는 시점인 낙찰대금지급기일(**매각대금 납부**) 이전에 선순위 근저당권이 다른 사유로 소멸한 경우에는, 대항력이 있는 임차권의 존재로 인하여 담보가치의 손상을 받을 선순위 근저당권이 없게 되므로 임차권의 대항력이 소멸하지 아니한다.

④ ≪대판 1992.10.13, 92다30597≫

가. 주택임대차보호법 제3조의2 제1항은 대항요건(주택인도와 주민등록전입신고)과 임대차계약 증서상의 확정일자를 갖춘 주택임차인은 후순위권리자 기타 일반채권자보다 우선하여 보증금을 변제받을 권리가 있음을 규정하고 있는바, 이는 임대차계약증서에 확정일자를 갖춘 경우에는 부동산 담보권에 유사한 권리를 인정한다는 취지이므로, 부동산 담보권자보다 선순위의 가압류채권자가 있는 경우에 그 담보권자가 선순위의 가압류채권자와 채권액에 비례한 평등배당을 받을 수 있는 것과 마찬가지로 위 규정에 의하여 우선변제권을 갖게 되는 임차보증금채권자도 선순위의 가압류채권자와는 평등배당의 관계에 있게 된다.

⑤ ≪대판 2017.8.29, 2017다212194≫

[2] 「주택임대차보호법」은 임차인에게 우선변제권이 인정되기 위하여 대항요건과 임대차계약증서상의 확정일자를 갖추는 것 외에 계약 당시 임차보증금이 전액 지급되어 있을 것을 요구하지는 않는다. 따라서 임차인이 임대인에게 임차보증금의 일부만을 지급하고 「주택임대차보호법」 제3조 제1항에서 정한 대항요건과 임대차계약증서상의 확정일자를 갖춘 다음 나머지 보증금을 나중에 지급하였다고 하더라도 특별한 사정이 없는 한 대항요건과 확정일자를 갖춘 때를 기준으로 임차보증금 전액에 대해서 후순위권리자나 그 밖의 채권자보다 우선하여 변제를 받을 권리를 갖는다고 보아야 한다.

06 근로기준법상 최종 3개월분의 임금에 관한 다음 설명 중 가장 옳지 않은 것은? ▶ 2021 법무사

① 최종 3개월분의 임금채권은 사용자의 총재산에 대하여 사용자가 사용자 지위를 취득하기 전에 설정한 질권 또는 저당권에 따라 담보된 채권에 대하여까지 우선권을 인정할 수는 없다.

② 최종 3개월분의 임금채권자가 경매절차개시 전에 경매 목적 부동산을 가압류한 경우에는 배당요구의 종기까지 우선권 있는 임금채권임을 소명하지 않았다고 하더라도 배당표가 확정되기 전까지 그 가압류의 청구채권이 우선변제권 있는 임금채권임을 소명하면 우선배당을 받을 수 있다.

③ 근로복지공단이 임금채권보장법에 따라 근로자에게 최종 3개월분의 임금 중 일부를 체당금으로 지급하고 그에 해당하는 근로자의 임금채권을 대위하여 행사하는 경우에는 근로자의 나머지 임금채권이 공단이 대위하는 채권에 대하여 우선변제권을 갖는다.

④ 최종 3개월분의 임금채권의 우선변제권의 적용 대상이 되는 '사용자의 총재산'이라 함은 근로계약의 당사자로서 임금채무를 1차적으로 부담하는 사업주인 사용자의 총재산을 의미하고, 따라서 사용자가 법인인 경우에는 법인 자체의 재산만을 가리키며 법인의 대표자 등 사업경영 담당자의 개인 재산은 이에 포함되지 않는다.

⑤ 최종 3개월분의 임금은 배당요구 종기에 이미 근로관계가 종료된 근로자의 경우에는 근로관계 종료일부터 소급하여 3개월 사이에 지급사유가 발생한 임금 중 미지급분, 배당요구의 종기 당시에도 근로관계가 종료되지 않은 근로자의 경우에는 배당요구의 종기부터 (⇒ 배당요구 시점부터) 소급하여 3개월 사이에 지급사유가 발생한 임금 중 미지급분을 말한다.

해설 ① ≪대판 2011.12.8, 2011다68777≫
최종 3개월분의 임금 채권은 사용자의 총재산에 대하여 사용자가 사용자 지위를 취득하기 전에 설정한 질권 또는 저당권에 따라 담보된 채권에도 우선하여 변제되어야 한다.

② ≪대판 2004.7.22, 2002다52312≫
[2] 「근로기준법」상 우선변제권이 있는 임금채권자가 경매절차개시 전에 경매 목적 부동산을 가압류한 경우에는 배당요구의 종기까지 우선권 있는 임금채권임을 소명하지 않았다고 하더라도 '배당표가 확정되기 전'까지 그 가압류의 청구채권이 우선변제권 있는 임금채권임을 소명하면 우선배당을 받을 수 있다.

③ ≪대판 2011.1.27, 2008다13623≫
변제할 정당한 이익이 있는 자가 채무자를 위하여 근저당권의 피담보채무의 일부를 대위변제한 경우, 대위변제자는 변제한 가액의 범위 내에서 종래 채권자가 가지고 있던 채권 및 담보에 관한 권리를 법률상 당연히 취득하게 되지만 이때에도 채권자는 대위변제자에 대하여 우선변제권을 가진다. / 이러한 법리는 근로복지공단(대위자)이 최우선변제권이 있는 최종 3개월분의 임금과 최종 3년분의 퇴직금 중 일부를 체당금으로 지급하고 그에 해당하는 근로자의 임금 등 채권(피대위자)을 대위하여 행사하는 경우에도 그대로 적용되어 최우선변제권이 있는 근로자의 나머지 임금 등 채권이 공단이 대위하는 채권에 대하여 우선변제권을 갖는다.

④ ≪대판 1996.2.9, 95다719≫

   [1] 「근로기준법」 제30조의2 제2항(「근로기준법」 제38조 제2항)의 규정은 근로자의 최저생활을 보장하고자 하는 공익적 요청에서 예외적으로 일반 담보물권의 효력을 일부 제한하고 임금채권의 우선변제권을 규정한 것으로서, 그 입법취지에 비추어 보면 여기서 임금 우선변제권의 적용 대상이 되는 '사용자의 총재산'이라 함은 근로계약의 당사자로서 임금채무를 1차적으로 부담하는 사업주인 사용자의 총재산을 의미하고, 따라서 사용자가 법인인 경우에는 법인 자체의 재산만을 가리키며 법인의 대표자 등 사업경영 담당자의 개인 재산은 이에 포함되지 않는다고 봄이 상당하다.

⑤ ≪대판 2015.8.19, 2015다204762≫

   [1] 최종 3개월분의 임금은 배당요구 이전에 이미 근로관계가 종료된 근로자의 경우에는 근로관계 종료일부터 소급하여 3개월 사이에 지급사유가 발생한 임금 중 미지급분, / 배당요구 당시에도 근로관계가 종료되지 않은 근로자의 경우에는 배당요구 시점부터 소급하여 3개월 사이에 지급사유가 발생한 임금 중 미지급분을 말한다. 그리고 최종 3년간의 퇴직금도 이와 같이 보아야 하므로, 배당요구 종기일 이전에 퇴직금 지급사유가 발생하여야 한다.

   [2] 우선변제권이 있는 임금채권자가 현재 및 장래의 임금이나 퇴직금 채권을 피담보채권으로 하여 사용자의 재산에 관한 근저당권을 취득한 경우 배당요구의 종기까지 우선권 있는 임금채권임을 소명하지 않았다고 하더라도 배당표가 확정되기 전까지 피담보채권이 우선변제권이 있는 임금채권임을 소명하면 최종 3개월분의 임금이나 최종 3년간의 퇴직금 등에 관한 채권에 대하여는 선순위 근저당권자 등보다 우선배당을 받을 수 있다. 다만 근저당권 설정 없이 우선변제권이 있는 임금채권자로서 배당요구의 종기까지 배당요구를 한 경우와 마찬가지로, 근저당권의 피담보채권이 우선권 있는 임금채권임을 소명함으로써 선순위 근저당권자 등보다 우선배당을 받을 수 있는 최종 3개월분의 임금은 배당요구의 종기에 이미 근로관계가 종료된 근로자의 경우에는 근로관계 종료일부터, / 배당요구의 종기 당시에도 근로관계가 종료되지 않은 근로자의 경우에는 배당요구의 종기부터 소급하여 3개월 사이에 지급사유가 발생한 임금 중 미지급분을 말하는 것이고, 최종 3년간의 퇴직금도 배당요구 종기일 이전에 퇴직금 지급사유가 발생하여야 한다.

(註 ⑤지문은 사용자의 재산에 관한 근저당권 취득하지 아니한 일반의 임금채권자를 출제한 것이어서 '배당요구의 종기부터' ⇒ '배당요구 시점부터'여야 함.)

07 **부동산 경매절차에서 임금채권자에 관한 다음 설명 중 가장 옳지 않은 것은?** ▶ 2024 법무사

① 사용사업주가 파견근로자 보호 등에 관한 법률 제34조 제2항에 따라 근로자에 대하여 임금지급의무를 부담하고 그에 따라 파견근로자가 사용사업주에 대하여 임금채권을 가지는 경우, 파견근로자의 사용사업주에 대한 임금채권에 관하여도 근로기준법 제38조 제2항이 정하는 최우선변제권이 인정된다고 봄이 타당하다.

② 임금, 재해보상금, 그 밖에 근로 관계로 인한 채권은 사용자의 총재산에 대하여 질권·저당권 또는 「동산·채권 등의 담보에 관한 법률」에 따른 담보권에 따라 담보된 채권 외에는 조세·공과금 및 다른 채권에 우선하여 변제되어야 한다. 다만, 질권·저당권 또는 「동산·채권 등의 담보에 관한 법률」에 따른 담보권에 우선하는 조세·공과금에 대하여는 그러하지 아니하다.

③ 최종 3개월분의 임금은 배당요구 이전에 이미 근로관계가 종료된 근로자의 경우에는 근로관계 종료일부터 소급하여 3개월 사이에 지급사유가 발생한 임금 중 미지급분, 배당요구 당시에도 근로관계가 종료되지 않은 근로자의 경우에는 배당요구 시점부터 소급하여 3개월 사이에 지급사유가 발생한 임금 중 미지급분을 말한다. 그리고 최종 3년간의 퇴직금도 이와 같이 보아야 하므로, 배당요구 종기일 이전에 퇴직금 지급사유가 발생하여야 한다.

④ 근로기준법에 의하면 근로관계로 인한 채권 중 최종 3개월분의 임금, 재해보상금의 채권은 사용자의 총재산에 대하여 질권 또는 저당권에 의하여 담보된 채권, 조세·공과금 및 다른 채권에 우선하여 변제되어야 한다고 규정하고 있는바, 위와 같은 임금 등 채권의 최우선변제권은 근로자의 생활안정을 위한 사회정책적 고려에서 담보물권자 등의 희생 아래 인정되고 있는 점, 민법 제334조, 제360조 등에 의하면 공시방법이 있는 민법상의 담보물권의 경우에도 우선변제권이 있는 피담보채권에 포함되는 이자 등 부대채권 및 그 범위에 관하여 별도로 규정하고 있음에 비추어 볼 때, 임금 등에 대한 지연손해금 채권에 대하여도 최우선변제권이 인정된다고 봄이 상당하다 할 것이다.

⑤ 근로복지공단이 임금채권보장법에 따라 어느 근로자에게 최우선변제권이 있는 임금과 퇴직금 중 일부를 대지급금으로 지급하고 그에 해당하는 근로자의 임금 등 채권을 대위행사하는 경우, 근로복지공단이 대위하는 채권은 대지급금을 지급받지 아니한 다른 근로자의 최우선변제권이 있는 임금 등 채권과 서로 같은 순위로 배당받아야 하고, 단순히 근로복지공단의 대위채권이 근로자의 생활안정을 위한 공익적 성격을 갖는다는 등의 이유만으로 대지급금을 지급받지 아니한 다른 근로자의 최우선변제권 있는 임금 등 채권보다 후순위로 배당받게 된다고 볼 수는 없다.

해설 ① ≪대판 2022.12.1, 2018다300586≫

  [1] 「파견근로자 보호 등에 관한 법률」(이하 '파견법'이라 한다) 제1조, 제34조 제2항, 같은 법 시행령 제5조, 「근로기준법」 제38조 제2항 제1호의 내용에 의하면, 사용사업주가 정당한 사유 없이 근로자파견의 대가를 지급하지 아니하고 그로 인하여 파견사업주가 근로자에게 임금을 지급하지 못한 경우 사용사업주는 근로자에 대하여 파견사업주와 연대하여 임금지급의무를 부담하게 된다. 이와 같이 사용사업주가 파견법 제34조 제2항에 따라 근로자에 대하여

임금지급의무를 부담하고 그에 따라 파견근로자가 사용사업주에 대하여 임금채권을 가지는 경우, 파견근로자의 복지증진에 관한 파견법의 입법 취지와 더불어 사용사업주가 파견사업주 와 연대하여 임금지급의무를 부담하는 경우 임금 지급에 관하여 사용자로 본다는 파견법 제 34조 제2항 후문 및 근로자의 최저생활을 보장하려는 근로기준법 제38조 제2항의 규정 취 지를 고려하여 보면, 파견근로자의 사용사업주에 대한 임금채권에 관하여도 근로기준법 제 38조 제2항이 정하는 최우선변제권이 인정된다고 봄이 타당하다.

② 「근로기준법」 제38조(임금채권의 우선변제) 「근로자퇴직급여 보장법」 제12조(퇴직급여 등의 우 선변제)

① 임금, 재해보상금, (퇴직급여 등) 그 밖에 근로 관계로 인한 채권은 사용자의 총재산에 대하여 질 권·저당권 또는 「동산·채권 등의 담보에 관한 법률」에 따른 담보권에 따라 담보된 채권 외에 는 조세·공과금 및 다른 채권에 우선하여 변제되어야 한다. 다만, 질권·저당권 또는 동산· 채권 등의 담보에 관한 법률에 따른 담보권에 우선하는 조세·공과금에 대하여는 그러하지 아 니하다.

③ ≪대판 2015.8.19, 2015다204762≫

[1] 최종 3개월분의 임금은 배당요구 이전에 이미 근로관계가 종료된 근로자의 경우에는 근로관 계 종료일부터 소급하여 3개월 사이에 지급사유가 발생한 임금 중 미지급분, / 배당요구 당 시에도 근로관계가 종료되지 않은 근로자의 경우에는 배당요구 시점부터 소급하여 3개월 사 이에 지급사유가 발생한 임금 중 미지급분을 말한다. 그리고 최종 3년간의 퇴직금도 이와 같이 보아야 하므로, 배당요구 종기일 이전에 퇴직금 지급사유가 발생하여야 한다.

④ ≪대결 2000.1.28, 99마5143≫

「근로기준법」 제37조(제38조) 제2항에 의하면, 근로관계로 인한 채권 중 최종 3월분의 임금, 최 종 3년간의 퇴직금, 재해보상금의 채권은 사용자의 총재산에 대하여 질권 또는 저당권에 의하여 담보된 채권, 조세·공과금 및 다른 채권에 우선하여 변제되어야 한다고 규정하고 있는바, 위와 같은 임금 등 채권의 최우선변제권은 근로자의 생활안정을 위한 사회정책적 고려에서 담보물권 자 등의 희생 아래 인정되고 있는 점, 민법 제334조, 제360조 등에 의하면 공시방법이 있는 민법 상의 담보물권의 경우에도 우선변제권이 있는 피담보채권에 포함되는 이자 등 부대채권 및 그 범위에 관하여 별도로 규정하고 있음에 반하여, 위 「근로기준법」의 규정에는 최우선변제권이 있 는 채권으로 원본채권만을 열거하고 있는 점 등에 비추어 볼 때, 임금 등에 대한 지연손해금 채권 에 대하여는 최우선변제권이 인정되지 않는다고 봄이 상당하다.

⑤ ≪대판 2015.11.27, 2014다208378≫

근로복지공단이 구 임금채권보장법에 따라 근로자에게 최우선변제권이 있는 임금과 퇴직금 중 일부를 체당금으로 지급하고 그에 해당하는 근로자의 임금 등 채권을 배당절차에서 대위행사하 는 경우, 근로복지공단(대위자)이 대위하는 채권은 체당금을 지급받지 아니한 다른 근로자의 최 우선변제권이 있는 임금 등 채권과 서로 같은 순위로 배당받아야 하고, 단순히 원고의 대위채권 이 근로자의 생활안정을 위한 공익적 성격을 갖는다는 등의 이유만으로 체당금을 지급받지 아니 한 다른 근로자의 최우선변제권 있는 임금 등 채권보다 후순위로 배당받게 된다고 볼 수는 없다.

정답 07 ④

08 다음 중 부동산경매절차 및 배당에 관한 다음 설명 중 옳지 않은 것을 모두 고른 것은?

▸ 2023 법무사

가. 압류선착주의는 조세채권과 공시를 수반하는 담보물권 사이의 우선순위를 정하는 데 적용할 수는 없다.

나. 국세기본법 제35조 제3항에도 불구하고 주택임대차보호법 제3조의2 제2항에 따라 대항요건과 확정일자를 갖춘 임차권에 의하여 담보된 임대차보증금반환채권 또는 같은 법 제2조에 따른 주거용 건물에 설정된 전세권에 의하여 담보된 채권은 해당 임차권 또는 전세권이 설정된 재산이 국세의 강제징수 또는 경매 절차를 통하여 매각되어 그 매각금액에서 국세를 징수하는 경우 그 확정일자 또는 설정일보다 법정기일이 빠른 해당 재산에 대하여 부과된 상속세, 증여세 및 종합부동산세의 우선 징수 순서에 대신하여 변제될 수 있다.

다. 공시를 수반하는 담보물권이 설정된 부동산에 관하여 담보물권 설정일 이전에 법정기일이 도래한 조세채권과 담보물권 설정일 이후에 법정기일이 도래한 조세채권에 기한 압류가 모두 이루어진 경우, 당해세를 제외한 조세채권과 담보물권 사이의 우선순위는 그 법정기일과 담보물권 설정일의 선후에 의하여 결정하고, 이와 같은 순서에 의하여 매각대금을 배분한 후, 압류선착주의에 따라 각 조세채권 사이의 우선순위를 결정하여야 한다.

라. 주택임대차보호법상 임차인이 대항요건을 미리 갖추었다면 확정일자를 부여받은 날짜가 비록 가압류일자보다 늦은 경우라도 가압류채권자를 선순위라고 볼 수는 없다.

마. 한정승인자의 고유채권자가 상속재산에 관하여 담보권을 취득하였다는 등의 사정이 없는 이상, 한정승인자의 고유채권자는 상속채권자가 상속재산으로부터 채권의 만족을 받지 못한 상태에서 상속재산을 고유채권에 대한 책임재산으로 삼아 이에 대하여 강제집행을 할 수 없다고 보는 것이 형평의 원칙이나 한정승인제도의 취지에 부합하며, 이는 한정승인자의 고유채무가 조세채무인 경우에도 그것이 상속재산 자체에 대하여 부과된 조세나 가산금, 즉 당해세에 관한 것이 아니라면 마찬가지이다.

① 가, 나 ② 가, 다
③ 나, 다 ④ 나, 라
⑤ 라, 마

해설 ※ 나, 라 - ✕

가. ≪대판 2005.11.24. 2005두9088≫

압류선착주의는 조세채권 사이의 우선순위를 정하는 데 적용할 수 있을 뿐 / 조세채권과 공시를 수반하는 담보물권 사이의 우선순위를 정하는 데 적용할 수는 없다.

나. 당해세 우선원칙에 관하여 국세기본법 제35조 제7항이 2022.12.31. 신설되어(지방세에 관하여는 지방세기본법 제71조 제6항이 2023.5.4. 신설) 국세기본법 제35조 제3항(지방세기본법 제71조 제1항 제3호 각 목 외의 부분 및 제2항 단서에도 불구하고 「주택임대차보호법」 제3조의2

제2항에 따라 대항요건과 확정일자를 갖춘 임차권에 의하여 담보된 임대차보증금반환채권 또는 같은 법 제2조에 따른 주거용 건물에 설정된 전세권에 의하여 담보된 채권(이하 이 항에서 "임대차보증금반환채권등"이라 한다)은 해당 임차권 또는 전세권이 설정된 재산이 국세·지방세의 강제징수 또는 경매 절차를 통하여 매각되어 그 매각금액에서 국세·지방세를 징수하는 경우 그 확정일자 또는 설정일보다 법정기일이 늦은 **(빠른×)** 해당 재산에 대하여 부과된 상속세, 증여세, 종합부동산세 및 재산세 등의 우선 징수 순서에 대신하여 변제될 수 있게 되었다. 다만, 이 경우 대신 변제되는 금액은 우선 징수할 수 있었던 해당 재산에 대하여 부과된 상속세, 증여세, 종합부동산세 및 재산세 등의 징수액에 한정하며, 임대차보증금반환채권등보다 우선 변제되는 저당권 등의 변제액과 국세기본법 제35조 제3항(지방세기본법 제71조 제1항 제3호 각 목 외의 부분 및 제2항 단서)에 따라 해당 재산에 대하여 부과된 상속세, 증여세, 종합부동산세 및 재산세 등을 우선 징수하는 경우에 배분받을 수 있었던 임대차보증금반환채권등의 변제액에는 영향을 미치지 아니함을 유의할 필요가 있다. 이 신설조항의 시행일은 2023.4.1.부터이다(지방세에 관하여는 2023.5.4.부터 시행).

다. ≪대판 2005.11.24, 2005두9088≫

[2] 공시를 수반하는 담보물권이 설정된 부동산에 관하여 담보물권 설정일 이전에 법정기일이 도래한 조세채권과 담보물권 설정일 이후에 법정기일이 도래한 조세채권에 기한 압류가 모두 이루어진 경우, 당해세를 제외한 조세채권과 담보물권 사이의 우선순위는 그 법정기일과 담보물권 설정일의 선후에 의하여 결정하고, 이와 같은 순서에 의하여 매각대금을 배분한 후, 압류선착주의에 따라 각 조세채권 사이의 우선순위를 결정하여야 한다.

라. ≪대판 1992.10.13, 92다30597≫ **선순위 가압류 뒤 임차보증금 ⇒ 평등배당**

가. 부동산 담보권자보다 선순위의 가압류채권자가 있는 경우에 그 담보권자가 선순위의 가압류채권자와 채권액에 비례한 평등배당을 받을 수 있는 것과 마찬가지로 위 규정에 의하여 우선변제권을 갖게 되는 임차보증금채권자도 선순위의 가압류채권자와는 평등배당의 관계에 있게 된다.

나. 가압류채권자가 주택임차인보다 선순위인지 여부는, 주택임대차보호법 제3조의2의 법문상 임차인이 확정일자 부여에 의하여 비로소 우선변제권을 가지는 것으로 규정하고 있음에 비추어, 임대차계약증서상의 확정일자 부여일을 기준으로 삼는 것으로 해석함이 타당하므로, 대항요건을 미리 갖추었다고 하더라도 확정일자를 부여받은 날짜가 가압류일자보다 늦은 경우에는 가압류채권자가 선순위라고 볼 수밖에 없다.

마. ≪대판 2016.5.24, 2015다250574≫

[2] 상속채권자가 아닌 한정승인자의 고유채권자가 상속재산에 관하여 저당권 등의 담보권을 취득한 경우, 담보권을 취득한 채권자와 상속채권자 사이의 우열관계는 민법상 일반원칙에 따라야 하고 상속채권자가 우선적 지위를 주장할 수 없다.

그러나 상속재산에 관하여 담보권을 취득하였다는 등 사정이 없는 이상, 한정승인자의 고유채권자는 상속채권자가 상속재산으로부터 채권의 만족을 받지 못한 상태에서 상속재산을 고유채권에 대한 책임재산으로 삼아 이에 대하여 강제집행을 할 수 없다고 보는 것이 형평의 원칙이나 한정승인제도의 취지에 부합하며, 이는 한정승인자의 고유채무가 조세채무인 경우에도 그것이 상속재산 자체에 대하여 부과된 조세나 가산금, 즉 당해세에 관한 것이 아니라면 마찬가지이다.

09 '乙' 소유 부동산에 대하여 '甲'이 가압류를 한 상태에서 '戊'에게로 소유권이 이전되었고, 그 후 '丙'이 근저당권에 기하여 담보권실행을 위한 경매를 신청하여 경매절차가 개시되었다. 등기기록상 기재와 배당요구 내지 채권신고가 아래와 같고 배당할 금액이 7천만 원일 때, 위 담보권실행을 위한 경매절차에서 '甲', '丙', '丁'에게 배당되어야 할 금액을 바르게 기재한 것을 고르시오.(다툼이 있는 경우 판례·예규에 따르고 전원합의체 판결의 경우 다수의견에 의함. 이하 같음)

> 1. 2020. 2. 7. 채권자 '甲' 가압류(청구금액 3천만 원)
> 2. 2020. 4. 8. '戊'에게로 소유권이전
> 3. 2020. 4. 9. 채권자 '丙' 근저당권설정(채무자 '戊', 채권최고액 5천만 원)
> 4. 2020. 11. 6. 임의경매개시결정(채권자 '丙', 청구금액 5천만 원)
> 5. 2020. 12. 30. 채권자 '丁' 지급명령정본 첨부하여 배당요구 종기 이내에 배당요구(채무자 '乙'에 대한 물품대금채권 6천만 원)

① '甲' 1천5백만 원,　'丙' 2천5백만 원,　'丁' 3천만 원
② '甲' 0원,　　　　　'丙' 5천만 원,　　'丁' 2천만 원
③ '甲' 3천만 원,　　'丙' 0원,　　　　'丁' 4천만 원
④ '甲' 3천만 원,　　'丙' 4천만 원,　　'丁' 0원
⑤ '甲' 1천만 원,　　'丙' 5천만 원,　　'丁' 1천만 원

해설 ④ ≪대판 2006.7.28, 2006다19986≫

부동산에 대한 가압류집행 후 가압류목적물의 소유권이 제3자에게 이전된 경우 가압류의 처분금지적 효력이 미치는 것은 가압류결정 당시의 청구금액의 한도 안에서 가압류목적물의 교환가치이고, 위와 같은 처분금지적 효력은 가압류채권자와 제3취득자 사이에서만 있는 것이므로 제3취득자의 채권자가 신청한 경매절차에서 매각 및 경락인이 취득하게 되는 대상은 가압류목적물 전체라고 할 것이지만, 가압류의 처분금지적 효력이 미치는 매각대금 부분은 가압류채권자가 우선적인 권리를 행사할 수 있고 제3취득자의 채권자들은 이를 수인하여야 하므로, 가압류채권자는 그 매각절차에서 당해 가압류목적물의 매각대금에서 가압류결정 당시의 청구금액을 한도로 하여 **(먼저 = 우선)** 배당을 받을 수 있고, / 제3취득자의 채권자는 위 매각대금 중 가압류의 처분금지적 효력이 미치는 범위의 금액에 대하여는 배당을 받을 수 없다. [**제3취득자에 대한 채권자는** 그 집행절차에서 가압류의 처분금지적 효력이 미치는 범위 외의 **나머지의 부분**에 대하여 배당에 **참가할 수 있다**(대판 2005.7.29, 2003다40637).]

※ 문제의 경우 가압류채권자 甲이 3천만 원 먼저 배당을 받고 남은 금액에 대하여 제3취득자 戊의 채권자인 근저당권자 丙이 4천만 원을 배당받게 된다. 채무자 乙에 대한 일반채권자 丁은 甲의 가압류로 인한 처분금지효(개별상대효 설)에 저촉되어 제3취득자 戊의 소유권 취득 후 개시된 경매절차에서 가압류채무자에 대한 다른 채권자로서 당해 부동산의 매각대금에 대한 배당에 참가할 수 없다.

10 **다음 설명 중 가장 옳지 않은 것은?** ▸ 2022 법무사

① 주택임대차보호법 제8조에 규정된 소액보증금에 대하여 주택임차인이 대지와 건물 모두로부터 배당을 받는 경우에는 마치 그 대지와 건물 전부에 대한 공동저당권자와 유사한 지위에 서게 되므로 대지와 건물이 동시에 매각되어 주택임차인에게 그 경매대가를 동시에 배당하는 때에는 대지와 건물의 경매대가에 비례하여 그 채권의 분담을 정하여야 한다.

② 대항요건과 확정일자를 갖춘 임차인이 주택임대차보호법 제8조 제1항에 의하여 보증금 중 일정액의 보호를 받는 소액임차인의 지위를 겸하는 경우, 먼저 소액임차인으로서 보호받는 일정액을 우선 배당하고 난 후의 나머지 임차보증금채권액에 대하여는 대항요건과 확정일자를 갖춘 임차인으로서의 순위에 따라 배당을 하여야 하는 것이다.

③ 가압류등기 후 근당권설정등기가 마쳐지고 이후 강제경매신청이 이루어진 경우, 배당관계에 있어서 근저당권자는 선순위 가압류채권자에 대하여 우선변제권을 주장할 수 없으므로 가압류권자와 근저당권자, 경매신청채권자는 각 채권액에 따른 안분비례에 의하여 평등배당을 받을 수 있다.

④ 1개 부동산에 대하여 체납처분의 일환으로 압류가 행하여졌을 때 그 압류에 관계되는 조세는 국세나 지방세를 막론하고 교부청구한 다른 조세보다 우선하고 이는 선행압류 조세와 후행압류 조세 사이에도 적용되지만(압류선착주의 원칙), 이러한 압류선착주의 원칙은 공매 대상 부동산 자체에 대하여 부과된 조세와 가산금(당해세)에 대하여는 적용되지 않는다.

⑤ 강제경매의 목적 부동산에 설정된 근저당권의 피담보채권이 경매신청채권자의 임금 채권에 대한 지연손해금 채권에 우선한다.

> **해설** ① ≪대판 2003.9.5, 2001다66291≫
> [2] 「주택임대차보호법」 제8조에 규정된 소액보증금반환청구권은 임차목적 주택에 대하여 저당권에 의하여 담보된 채권, 조세 등에 우선하여 변제받을 수 있는 이른바 법정담보물권으로서, 주택임차인이 대지와 건물 모두로부터 배당을 받는 경우에는 마치 그 대지와 건물 전부에 대한 공동저당권자와 유사한 지위에 서게 되므로 대지와 건물이 동시에 매각되어 주택임차인에게 그 경매대가를 동시에 배당하는 때에는 「민법」 제368조 제1항을 유추적용하여 대지와 건물의 경매대가에 비례하여 **(합산하여×)** 그 채권의 분담을 정하여야 한다.
>
> ② ≪대판 2007.11.15, 2007다45562≫
> 「주택임대차보호법」 제3조의2 제2항은 대항요건(주택인도와 주민등록전입신고)과 임대차계약증서상의 확정일자를 갖춘 주택임차인에게 부동산 담보권에 유사한 권리를 인정한다는 취지로서, 이에 따라 대항요건과 확정일자를 갖춘 임차인들 상호간에는 대항요건과 확정일자를 최종적으로 갖춘 순서대로 우선변제받을 순위를 정하게 되므로, 만일 대항요건과 확정일자를 갖춘 임차인들이 「주택임대차보호법」 제8조 제1항에 의하여 보증금 중 일정액의 보호를 받는 소액임차인의 지위를 겸하는 경우, 먼저 소액임차인으로서 보호받는 일정액을 우선 배당하고 난 후의 나머지 임차보증금채권액에 대하여는 대항요건과 확정일자를 갖춘 임차인으로서의 순위에 따라 배당을 하여야 하는 것이다.

정답 ▸ **09 ④ 10 ③**

③ ≪대결 1994.11.29, 94마417≫

가. 부동산에 대하여 가압류등기가 먼저 되고 나서 근저당권설정등기가 마쳐진 경우에 그 근저당권등기는 가압류에 의한 처분금지의 효력 때문에 그 집행보전의 목적을 달성하는 데 필요한 범위 안에서 가압류채권자에 대한 관계에서만 상대적으로 무효이다.

나. '가'항의 경우 [1]가압류채권자와 [2]근저당권자 및 근저당권설정등기 후 ㅣ 강제경매신청을 한 압류채권자 사이의 배당관계에 있어서, 근저당권자는 선순위 가압류채권자에 대하여는 우선변제권을 주장할 수 없으므로 1차로 채권액에 따른 안분비례에 의하여 평등배당을 받은 다음, **(1단계 안분배당) / (2차로 2근저당권자)** 후순위 [3]경매신청압류채권자에 대하여는 우선변제권이 인정되므로 경매신청압류채권자가 받을 배당액으로부터 자기의 채권액을 만족시킬 때까지 이를 흡수하여 배당받을 수 있다. **(2단계 흡수배당)**

④ ≪대판 2007.5.10, 2007두2197≫

1개 부동산에 대하여 체납처분의 일환으로 압류가 행하여졌을 때 그 압류에 관계되는 조세는 국세나 지방세를 막론하고 교부청구한 다른 조세보다 우선하고 이는 선행압류 조세와 후행압류 조세 사이에도 적용되지만(압류선착주의 원칙), 이러한 압류선착주의 원칙은 [체납처분절차를 통하여 징수되는 **경우뿐만 아니라 강제경매절차를 통하여 징수되는 경우에도 적용되나**(대판 2003.7.11, 2001다83777),] 공매대상 부동산 자체에 대하여 부과된 조세(🔘 **당해세**)와 가산금(당해세)에 대하여는 적용되지 않는다.

⑤ ≪대결 2000.1.28, 99마5143≫

임금 등에 대한 지연손해금 채권에 대하여는 최우선변제권이 인정되지 않는다고 봄이 상당하다. (🔘 ∴ 임금채권자들이 집행력 있는 정본으로써 배당요구를 하는 경우에 원금만을 우선배당하고, **지연손해금은 일반채권자와 안분배당**한다. 따라서 근저당권의 피담보채권이 임금채권에 대한 지연손해금 채권에 우선하게 된다.)

11 부동산경매절차에서 배당받을 채권자에 관한 다음 설명 중 가장 옳지 않은 것은?

▶ 2023 법무사

① 공동근저당권자가 스스로 근저당권을 실행하거나 타인에 의하여 개시된 경매 등의 환가절차를 통하여 공동담보의 목적 부동산 중 일부에 대한 환가대금 등으로부터 다른 권리자에 우선하여 피담보채권의 일부에 대하여 배당받은 경우에, 그와 같이 우선변제받은 금액에 관하여는 공동담보의 나머지 목적 부동산에 대한 경매 등의 환가절차에서 다시 공동근저당권자로서 우선변제권을 행사할 수 없다고 보아야 하며, 공동담보의 나머지 목적 부동산에 대하여 공동근저당권자로서 행사할 수 있는 우선변제권의 범위는 피담보채권의 확정 여부와 상관없이 최초의 채권최고액에서 위와 같이 우선변제받은 금액을 공제한 나머지 채권최고액으로 제한된다.

② 근저당권거래계약의 결산기에 이미 발생한 채권이 그 채권최고액을 초과하고 있고 근저당권자가 경매신청서에 그 초과액까지 청구하고 있을 경우에, 근저당권설정자와 채무자가 동일하고 민사집행법 제148조에 따라 배당받을 채권자나 제3취득자가 없는 경우 매각대금 중 그 채권최고액을 초과하는 금액이 있으면 이는 근저당권설정자에게 반환하여야 한다.

③ 가압류가 된 후 제3자 앞으로 소유권이 변동된 경우에 집행권원을 얻은 가압류채권자의 신청에 의하여 제3자의 소유권 취득 후 당해 부동산에 대하여 개시된 경매절차에서 가압류채무자에 대한 다른 채권자는 당해 부동산의 매각대금의 배당에 참가할 수 없다.

④ 임금 등에 대한 지연손해금에 대하여는 우선변제권을 인정할 수 없으므로 임금채권자들이 집행력 있는 정본으로써 배당요구를 하는 경우에 원금만을 우선배당하고, 지연손해금은 일반채권자와 안분배당한다.

⑤ 주택임차인이 소액임차인으로서 최우선변제를 받기 위해서는 첫 경매개시결정등기 전에 주택의 인도와 주민등록이라는 우선변제의 요건을 갖추어야 하고 배당요구의 종기까지 위 요건을 유지하여야 한다.

해설 ① ≪대판(全員合議体) 2017.12.21. 2013다16992≫

공동근저당권자가 스스로 근저당권을 실행하거나 타인에 의하여 개시된 경매 등의 환가절차를 통하여 공동담보의 목적 부동산 중 일부에 대한 환가대금 등으로부터 다른 권리자에 우선하여 피담보채권의 일부에 대하여 배당받은 경우에, 그와 같이 우선변제받은 금액에 관하여는 공동담보의 나머지 목적 부동산에 대한 경매 등의 환가절차에서 다시 공동근저당권자로서 우선변제권을 행사할 수 없다고 보아야 하며, 공동담보의 나머지 목적 부동산에 대하여 공동근저당권자로서 행사할 수 있는 우선변제권의 범위는 피담보채권의 확정 여부와 상관없이 최초의 채권최고액에서 위와 같이 우선변제받은 금액을 공제한 나머지 채권최고액으로 제한된다고 해석함이 타당하다. 그리고 이러한 법리는 채권최고액을 넘는 피담보채권이 원금이 아니라 이자·지연손해금인 경우에도 마찬가지로 적용된다.

② ≪대판 2009.2.26. 2008다4001≫

「민사집행법」상 경매절차에 있어 근저당권설정자와 채무자가 동일한 경우에 근저당권의 채권최고액은 「민사집행법」 제148조에 따라 배당받을 채권자나 저당목적 부동산의 제3취득자에 대한 우선변제권의 한도로서의 의미를 갖는 것에 불과하고, 그 부동산으로써는 그 최고액 범위 내의 채권에 한하여서만 변제를 받을 수 있다는 이른바 책임의 한도라고까지는 볼 수 없다. / 그러므로 「민사집행법」 제148조에 따라 배당받을 채권자나 제3취득자가 없는 한 근저당권자의 채권액이 근저당권의 채권최고액을 초과하는 경우에 매각대금 중 그 최고액을 초과하는 금액이 있더라도 이는 근저당권설정자에게 반환할 것은 아니고 근저당권자의 채권최고액을 초과하는 채무의 변제에 충당하여야 한다.

③ ≪대판 1998.11.13. 97다57337≫

「중기관리법」에 의하여 등록된 중기에 대하여 가압류등록이 먼저 되고 나서 제3자 앞으로 소유권이전등록이 된 경우에 그 제3자의 소유권 취득은 가압류에 의한 처분금지의 효력 때문에 그 집행 보전의 목적을 달성하는데 필요한 범위 안에서 가압류채권자에 대한 관계에서만 상대적으로 무효일 뿐이고 가압류채무자의 다른 채권자 등에 대한 관계에서는 유효하다 할 것이므로, / 위와 같은 경우 채무명의를 얻은 가압류채권자의 신청에 의하여 제3자의 소유권 취득 후 당해 중기에 대하여 개시된 강제경매절차에서 가압류채무자에 대한 다른 채권자(배당×)는 당해 중기의 경락대금의 배당에 참가할 수 없다.

④ ≪대결 2000.1.28. 99마5143≫

임금 등에 대한 지연손해금 채권에 대하여는 최우선변제권이 인정되지 않는다고 봄이 상당하다. (∴ 임금채권자들이 집행력 있는 정본으로써 배당요구를 하는 경우에 원금만을 우선배당하고, **지연손해금은 일반채권자와 안분배당**한다. 따라서 근저당권의 피담보채권이 임금채권에 대한 지연손해금 채권에 우선하게 된다.)

정답   11 ②

⑤ 주택소액임차인으로서 최우선변제를 받기 위해서는 첫 경매개시결정등기 전에 주택의 인도와 주민등록이라는 우선변제의 요건을 갖추어야 하고(주택임대차보호법 제8조 제1항), 배당요구의 종기까지 위 요건을 유지하여야 한다(대판 2007.6.14, 2007다17475).

12 다음 설명 중 가장 옳지 않은 것은?

▶ 2023 법무사

① 특별한 사정이 없는 한 배당액에 대한 이의가 있었던 채권은 공탁된 배당액으로 충당되는 범위에서 배당표의 확정 시에 소멸한다고 보아야 하고, 다만 위와 같은 배당표의 확정 전에 어떤 경위로든 채권자가 공탁된 배당금을 지급받아 수령하고 그 후 같은 내용으로 배당표가 확정된 경우에는, 채권자가 현실적으로 채권의 만족을 얻은 시점인 공탁금 수령 시에 변제의 효력이 발생한다고 보아야 한다.

② 민법상 재단법인의 정관 규정에 따라 주무관청의 허가·승인을 받아 민법상 재단법인의 기본재산에 관하여 근저당권을 설정한 경우, 그와 같이 설정된 근저당권을 실행하여 기본재산을 매각할 때에는 주무관청의 허가를 다시 받을 필요는 없다.

③ 부동산을 목적으로 하는 담보권 실행을 위한 경매절차에서 그 경매신청 전에 부동산의 소유자가 사망하였으나 그 상속인이 상속등기를 마치지 않아 경매신청인이 경매절차의 진행을 위하여 부득이 상속인을 대위하여 상속등기를 마친 경우 그 상속등기를 마치기 위해 지출한 비용은 그 경매절차에서 모든 채권자를 위해 체당한 공익비용이므로 집행비용에 해당한다.

④ 납세의무자가 신고납세방식인 국세의 과세표준과 세액을 신고한 다음 매각 재산에 저당권 등의 설정등기를 마쳤는데, 이후에 과세관청이 당초 신고한 세액을 증액하는 경정을 하여 당초보다 증액된 세액을 고지한 경우, 당초 처분은 증액경정처분에 흡수되므로, 저당권 등에 의하여 담보되는 채권은 위 국세 전액에 대하여 우선한다.

⑤ 상속채권자는 상속인이 아직 상속 승인, 포기 등으로 상속관계가 확정되지 않은 동안에도 상속인을 상대로 상속재산에 관한 가압류결정을 받아 이를 집행할 수 있고, 그 후 상속인이 상속포기로 인하여 상속인의 지위를 소급하여 상실한다고 하더라도 이미 발생한 가압류의 효력에 영향을 미치지 않는다. 따라서 위 상속채권자는 종국적으로 상속인이 된 사람 또는 민법 제1053조에 따라 선임된 상속재산관리인을 채무자로 한 상속재산에 대한 경매절차에서 가압류채권자로서 적법하게 배당을 받을 수 있다.

> **해설** ① ≪대판 2018.3.27, 2015다70822≫
>
> [3] 채무자가 공탁금 출급을 곤란하게 하는 장애요인을 스스로 형성·유지하는 등의 특별한 사정이 없는 한 배당액에 대한 이의가 있었던 채권은 공탁된 배당액으로 충당되는 범위에서 배당표의 확정 시에 소멸한다고 보아야 한다. 다만 위와 같은 배당표의 확정 전에 어떤 경위로든 채권자가 공탁된 배당금을 지급받아 수령하고 그 후 같은 내용으로 배당표가 확정된 경우에는, 채권자가 현실적으로 채권의 만족을 얻은 시점인 공탁금 수령 시에 변제의 효력이 발생한다고 봄이 타당하다.

② ≪대결 2019.2.28, 2018마800≫

　정관 규정에 따라 주무관청의 허가·승인을 받아 민법상 재단법인의 기본재산에 관하여 근저당권을 설정한 경우, 그와 같이 설정된 근저당권을 실행하여 기본재산을 매각할 때에는 주무관청의 허가를 다시 받을 필요는 없다.

③ ≪대판 2021.10.14, 2016다201197≫

　[2] 집행비용에 관한 민사집행법 제53조 제1항은 담보권 실행을 위한 경매절차에도 준용된다(민사집행법 제275조). 부동산을 목적으로 하는 담보권 실행을 위한 경매절차에서 그 경매신청 전에 부동산의 소유자가 사망하였으나 그 상속인이 상속등기를 마치지 않아 경매신청인이 경매절차의 진행을 위하여 부득이 상속인을 대위하여 상속등기를 마쳤다면 그 상속등기를 마치기 위해 지출한 비용은 담보권 실행을 위한 경매를 직접 목적으로 하여 지출된 비용으로서 그 경매절차의 준비 또는 실시를 위하여 필요한 비용이고, 나아가 그 경매절차에서 모든 채권자를 위해 체당한 공익비용이므로 집행비용에 해당한다고 봄이 타당하다.

④ ≪대판 2018.6.28, 2017다236978≫

　구 「국세기본법」(2014. 12. 23. 법률 제12848호로 개정되기 전의 것) 제35조 제1항 제3호의 입법취지와 관련 규정의 내용 및 체계 등에 비추어 보면, 납세의무자가 신고납세방식인 국세의 과세표준과 세액을 신고한 다음 매각재산에 저당권 등의 설정등기를 마친 경우라면, 이후에 과세관청이 당초 신고한 세액을 증액하는 경정을 하여 당초보다 증액된 세액을 고지하였더라도, 당초 신고한 세액에 대해서는 구 「국세기본법」 제35조 제1항 제3호 (가)목에 따라 당초의 신고일이 법정기일이 되어 저당권 등에 의하여 담보되는 채권보다 우선하여 징수할 수 있다고 보아야 한다. 이러한 경우 원칙적으로 증액경정처분만이 항고소송의 심판대상이 된다는 사정 등이 있다고 하여 달리 보기도 어렵다.

⑤ ≪대판 2021.9.15, 2021다224446≫

　상속인은 아직 상속 승인, 포기 등으로 상속관계가 확정되지 않은 동안에도 잠정적으로나마 피상속인의 재산을 당연 취득하고 상속재산을 관리할 의무가 있으므로, 상속채권자는 그 기간 동안 상속인을 상대로 상속재산에 관한 가압류결정을 받아 이를 집행할 수 있고, 그 후 상속인이 상속포기로 인하여 상속인의 지위를 소급하여 상실한다고 하더라도 이미 발생한 가압류의 효력에 영향을 미치지 않는다. 따라서 위 상속채권자는 종국적으로 상속인이 된 사람 또는 민법 제1053조에 따라 선임된 상속재산관리인을 채무자로 한 상속재산에 대한 경매절차에서 가압류채권자로서 적법하게 배당을 받을 수 있다.

13 **부동산 매각대금의 배당절차에 관한 다음 설명 중 가장 옳지 않은 것은?** ▸ 2023 법무사

① 매수인이 매각대금을 지급하면 법원은 배당에 관한 진술 및 배당을 실시할 기일을 정하고 이해관계인과 배당을 요구한 채권자에게 이를 통지하여야 한다. 다만, 채무자가 외국에 있거나 있는 곳이 분명하지 아니한 때에는 통지하지 아니한다.

② 법원은 채권자와 채무자에게 보여 주기 위하여 배당기일의 3일 전에 배당표원안을 작성하여 법원에 비치하여야 한다.

③ 집행력 있는 집행권원의 정본을 가진 채권자에 대하여 배당기일에 이의한 채무자는 배당이의의 소를 제기하여야 한다.

④ 배당이의한 채권자가 배당기일부터 1주 이내에 집행법원에 대하여 배당이의의 소를 제기한 사실을 증명하는 서류를 제출하지 아니한 때에는 이의가 취하된 것으로 본다.

⑤ 배당기일에 출석한 이해관계인과 배당을 요구한 채권자가 합의한 때에는 이에 따라 배당표를 작성하여야 한다.

[해설] ① 법 제146조(배당기일)

매수인이 매각대금을 지급하면 법원은 배당에 관한 진술 및 배당을 실시할 기일을 정하고 이해관계인과 배당을 요구한 채권자에게 이를 통지하여야 한다. 다만, 채무자가 외국에 있거나 있는 곳이 분명하지 아니한 때에는 통지하지 아니한다.

② 법 제149조(배당표의 확정)

① 법원은 채권자와 채무자에게 보여 주기 위하여 배당기일의 3일전에 배당표원안을 작성하여 법원에 비치하여야 한다.

③,④ 법 제154조(배당이의의 소 등)

① 집행력 있는 집행권원의 정본을 가지지 아니한 채권자(가압류채권자를 제외한다)에 대하여 이의한 채무자와 다른 채권자에 대하여 이의한 채권자는 배당이의의 소를 제기하여야 한다.

② 집행력 있는 집행권원의 정본을 가진 채권자에 대하여 이의한 채무자는 청구이의의 소를 제기하여야 한다.

③ 이의한 채권자나 채무자가 배당기일부터 1주 이내에 집행법원에 대하여 제1항의 소(**배당이의의 소**)를 제기한 사실을 증명하는 서류를 제출하지 아니한 때 또는 제2항의 소(**청구이의의 소**)를 제기한 사실을 증명하는 서류와 그 소에 관한 집행정지재판의 정본을 제출하지 아니한 때에는 이의가 취하된 것으로 본다.

⑤ 법 제150조(배당표의 기재 등)

① 배당표에는 매각대금, 채권자의 채권의 원금, 이자, 비용, 배당의 순위와 배당의 비율을 적어야 한다.

② 출석한 이해관계인과 배당을 요구한 채권자가 합의한 때에는 이에 따라 배당표를 작성하여야 한다.

14 배당에 관한 다음 설명 중 가장 옳지 않은 것은?

▶ 2025 법무사

① 경매개시결정이 등기된 뒤에 가압류를 한 채권자는 배당요구의 종기까지 배당요구를 한 경우에 한하여 비로소 배당을 받을 수 있다.

② 배당받을 권리 있는 채권자가 자신이 배당받을 몫을 받지 못하고 그로 인해 권리 없는 다른 채권자가 그 몫을 배당받은 경우에는 배당이의 여부 또는 배당표의 확정 여부와 관계없이 배당받을 수 있었던 채권자가 배당금을 수령한 다른 채권자를 상대로 부당이득반환 청구를 할 수 있다.

③ 집행력 있는 정본을 가진 채권자가 적법한 배당요구를 하지 않아 배당에서 제외되는 것으로 배당표가 작성되어 배당이 실시된 경우, 그 채권자는 자신이 적법한 배당요구를 했다면 배당받을 수 있었던 금액에 해당하는 돈을 배당받은 다른 채권자를 상대로 부당이득반환을 청구할 수 있다.

④ 배당이의의 소에서 원고적격이 있는 사람은 배당기일에 출석하여 배당표에 대한 실체상 이의를 신청한 채권자나 채무자에 한정된다.

⑤ 배당기일에 이의한 채권자나 채무자는 배당기일부터 1주일 이내에 배당이의의 소를 제기해야 하는데, 소송 도중 배당이의의 소로 청구취지를 변경한 경우 제소기간을 준수하였는지는 청구취지 변경신청서를 법원에 제출한 때를 기준으로 판단해야 한다.

[해설] ①,②,③,④,⑤ ≪대판 2020.10.15, 2017다216523≫

[1] 집행력 있는 정본을 가진 채권자, 경매개시결정이 등기된 뒤에 가압류를 한 채권자, 민법·상법, 그 밖의 법률에 따라 우선변제청구권이 있는 채권자는 배당요구의 종기까지 배당요구를 한 경우에 한하여 비로소 배당을 받을 수 있다(민사집행법 제88조 제1항, 제148조 제2호). 배당이의의 소에서 원고적격이 있는 사람은 배당기일에 출석하여 배당표에 대한 실체상 이의를 신청한 채권자나 채무자(**cf** 채무자 서면 이의 가능)에 한정된다. 채권자로서 배당기일에 출석하여 배당표에 대한 실체상 이의를 신청하려면 실체법상 집행채무자에 대한 채권자라는 것만으로 부족하고 배당요구의 종기까지 적법하게 배당요구를 했어야 한다. 적법하게 배당요구를 하지 않은 채권자는 배당기일에 출석하여 배당표에 대한 실체상 이의를 신청할 권한이 없으므로 배당기일에 출석하여 배당표에 대한 이의를 신청하였더라도 부적법한 이의신청에 불과하고, 배당이의의 소를 제기할 원고적격이 없다.

[2] 「민사집행법」 제154조 제1항, 제3항, 「민사소송법」 제262조 제1항 본문, 제2항, 제265조의 규정을 종합하면, 배당기일에 이의한 채권자나 채무자는 배당기일부터 1주일 이내에 배당이의의 소를 제기해야 하는데, 소송 도중에 배당이의의 소로 청구취지를 변경한 경우 제소기간을 준수하였는지는 청구취지 변경신청서를 법원에 제출한 때를 기준으로 판단해야 한다.

[3] [확정된 배당표에 의하여 배당을 실시하는 것은 실체법상의 권리를 확정하는 것이 아니므로 (대판 2011.2.10, 2010다90708).] 배당받을 권리 있는 채권자가 자신이 배당받을 몫을 받지 못하고 그로 말미암아 권리 없는 다른 채권자가 그 몫을 배당받은 경우에는 배당이의 여부 또는 배당표의 확정 여부와 관계없이 배당받을 수 있었던 채권자가 배당금을 수령한 다른 채권자를 상대로 부당이득반환청구를 할 수 있다.

다만 집행력 있는 정본을 가진 채권자 등은 배당요구의 종기까지 배당요구를 한 경우에 한하여 비로소 배당을 받을 수 있고, 적법한 배당요구를 하지 않은 경우에는 매각대금으로부터 배당을 받을 수는 없다. 이러한 채권자가 적법한 배당요구를 하지 않아 배당에서 제외되는 것으로 배당표가 작성되어 배당이 실시되었다면, 그가 적법한 배당요구를 한 경우에 배당받을 수 있었던 금액에 해당하는 돈이 다른 채권자에게 배당되었다고 해서 법률상 원인이 없는 것이라고 할 수 없다(대법원 2005.8.25. 선고 2005다14595 판결 참조).

(= 법률상 원인이 있다. = 부당이득 아니다. = 부당이득반환청구 할 수 없다.)

15 배당이의의 소에 관한 다음 설명 중 가장 옳지 않은 것은?

▶ 2023 법무사

① 채권자가 제기한 배당이의 소송에서 원고의 청구가 인용되어 피고에 대한 애초 배당표상 배당액을 원고의 채권이 전부 만족을 받을 때까지 추가로 배당하고도 남는 돈이 있는 경우에는 이를 채무자에게 교부하여야 한다.

② 채무자나 소유자가 제기한 배당이의의 소에서는 피고로 된 채권자에 대한 배당액 자체만 심리대상이고, 원고인 채무자나 소유자로서도 피고의 채권이 존재하지 아니함을 주장·증명하는 것으로 충분하다.

③ 배당이의의 소송에서 첫 변론준비기일에 출석한 원고라고 하더라도 첫 변론기일에 불출석하면 소를 취하한 것으로 볼 수밖에 없다.

④ 가등기담보 등에 관한 법률 제16조 제2항에 해당하는 담보가등기권자가 집행법원이 정한 배당요구종기까지 적법한 배당요구를 한 바 없다면 배당이의의 소를 제기할 원고적격이 없다.

⑤ 채권자가 제기한 배당이의의 소에서 피고의 채권이 존재하지 않는 것으로 인정되는 경우 계쟁 배당부분 가운데 원고에게 귀속시키는 배당액을 계산함에 있어서 이의신청을 하지 아니한 다른 채권자의 채권을 참작할 필요가 없고, 이는 이의신청을 하지 아니한 다른 채권자 가운데 원고보다 선순위의 채권자가 있다고 하더라도 마찬가지이다.

해설 ① ≪대결 1998.5.22, 98다3818≫

채권자가 제기한 배당이의소송은 대립하는 당사자인 채권자들 사이의 배당액을 둘러싼 분쟁을 상대적으로 해결하는 것에 지나지 아니하고 그 판결의 효력은 오직 소송당사자인 채권자들 사이에만 미칠 뿐이므로, 배당이의소송의 판결에서 계쟁 배당 부분에 관하여 배당을 받을 채권자와 그 수액을 정함에 있어서는 피고의 채권이 존재하지 않는 것으로 인정되는 경우에도, 이의신청을 하지 아니한 다른 채권자의 채권을 참작함이 없이 그 계쟁 배당 부분을 원고가 가지는 채권액의 한도 내에서 구하는 바에 따라 원고의 배당액으로 하고, 그 나머지는 피고의 배당액으로 유지함이 상당하다. (註 채권자가 제기한 배당이의소송에서 원고의 청구를 인용할 경우에 피고에 대한 애초의 배당액을 원고의 채권이 전부 만족을 받을 때까지 추가로 배당하고도 돈이 남는다면 그 남는 돈을 누구에게 귀속시킬 것인가? 이에 관하여는 피고에게 그대로 남겨 두어야 한다는 견해와 채무자에게 교부하여야 한다는 견해가 대립한다. 이 문제에 관하여 위 대법원1998.5.22, 선고 98다3818판결이 **被告說**을 취함을 정면으로 밝히고 있다.)

② ≪대판 2015.4.23, 2014다53790≫

[2] 채권자는 자기의 이해에 관계되는 범위 안에서만 다른 채권자를 상대로 그의 채권 또는 그 채권의 순위에 대하여 이의할 수 있으므로(「민사집행법」 제151조 제3항), 채권자가 제기한 배당이의의 소에서 승소하기 위하여는 피고의 채권이 존재하지 아니함을 주장·증명하는 것만으로 충분하지 아니하고 원고 자신이 피고에게 배당된 금원을 배당받을 권리가 있다는 점까지 주장·증명하여야 한다. / 그러나 채무자나 소유자에게는 위와 같은 제한이 없을 뿐만 아니라(「민사집행법」 제151조 제1항), 채무자나 소유자가 배당이의의 소에서 승소하면 집행법원은 그 부분에 대하여 배당이의를 하지 아니한 채권자를 위하여서도 배당표를 바꾸어야 하므로(「민사집행법」 제161조 제2항 제2호), 채무자나 소유자가 제기한 배당이의의 소에서는 피고로 된 채권자에 대한 배당액 자체만 심리대상이고, 원고인 채무자나 소유자로서도 피고의 채권이 존재하지 아니함을 주장·증명하는 것으로 충분하다. [원고 자신이 피고에게 배당

된 금원을 배당받을 권리가 있다는 점까지 주장·증명할 필요는 없다(대판 2023.2.23, 2022다285288).]

③ ≪대판 2007.10.25, 2007다34876≫

「민사집행법」 제158조에서 말하는 '첫 변론기일'에 '첫 변론준비기일'은 포함되지 않는다. / 따라서 배당이의의 소송에서 첫 변론준비기일에 출석한 원고라고 하더라도 첫 변론기일에 불출석하면 「민사집행법」 제158조에 따라서 소를 취하한 것으로 볼 수밖에 없다.

④ ≪대판 2008.9.11, 2007다25278≫

「가등기담보 등에 관한 법률」 제16조는 압류등기(=첫 경매개시결정등기) 전에 경료된 담보가등기권리가 매각에 의하여 소멸하는 때에는 (배당요구종기까지=채권신고의 최고기간까지) 제1항의 채권신고를 한 경우에 한하여 그 채권자는 매각대금의 배당 또는 변제금의 교부를 받을 수 있다고 규정하고 있으므로(제2항), 위 제2항에 해당하는 담보가등기권리자가 집행법원이 정한 기간 안에 채권신고를 하지 아니하면 매각대금의 배당을 받을 권리를 상실한다. (가등기권리자임을 주장하는 원고가 집행법원이 정한 채권신고기간 안에 신고를 하지 아니함으로써 이 사건 집행절차에서 배당을 받을 자격을 상실하였음이 분명하니, 원고에 대한 이 사건 채권신고의 최고가 적법하고, 또한 원고에게 배당이의의 소를 제기할 적격이 없다고 한 원심의 판단은 결론적으로 모두 정당하다.)

⑤ ≪대판 2001.2.9, 2000다41844≫

[1] 채권자가 제기하는 배당이의의 소는 대립하는 당사자인 채권자들 사이의 배당액을 둘러싼 분쟁을 해결하는 것이므로, 그 소송의 판결은 원·피고로 되어 있는 채권자들 사이에서 상대적으로 계쟁 배당부분의 귀속을 변경하는 것이어야 하고, (그 판결의 효력은 오직 소송당사자인 채권자들 사이에만 미칠 뿐 그 밖의 채권자와 채무자에게는 미치지 아니한다. 즉 **상대효의 원칙이 지배한다.**) 따라서 피고의 채권이 존재하지 않는 것으로 인정되는 경우 계쟁 배당부분 가운데 원고에게 귀속시키는 배당액을 계산함에 있어서 이의신청을 하지 아니한 다른 채권자의 채권을 참작할 필요가 없으며, [그 계쟁 배당 부분을 원고가 가지는 채권액의 한도 내에서 구하는 바에 따라 원고의 배당액으로 하고, 그 나머지는 피고의 배당액으로 유지함이 상당하다(대판 1998.5.22, 98다3818).] 이는 이의신청을 하지 아니한 다른 채권자 가운데 원고보다 선순위의 채권자가 있다 하더라도 마찬가지이다.

---

16 배당이의의 소에 관한 다음 설명 중 가장 옳지 않은 것은?   ▶ 2024 법무사

① 채권자인 원고가 배당이의의 소에서 승소하기 위해서는 피고로 된 채권자에 대한 배당액 자체만이 심리대상이어서, 원고는 피고의 채권이 존재하지 아니함을 주장·증명하는 것으로 충분하고, 자신이 피고에게 배당된 금원을 배당받을 권리가 있다는 점까지 주장·증명할 필요는 없다.

② 배당이의의 소는 배당을 실시한 집행법원이 속한 지방법원이 관할하며, 이는 전속관할이다.

③ 채권자가 배당이의를 하면서 배당이의 사유로 채무자를 대위하여 집행권원의 정본을 가진 다른 채권자의 채권의 소멸시효가 완성되었다는 등의 주장을 하는 경우 그 다른 채권자가 집행력 있는 집행권원의 정본을 가지고 있는지 여부에 상관없이 배당이의의 소를 제기하여야 한다.

④ 채무자나 소유자가 배당이의의 소를 제기한 경우의 소송목적물은 피고로 된 채권자가 경매절차에서 배당받을 권리의 존부·범위·순위에 한정되는 것이므로, 제3자가 채무자나 소유자로부터 위와 같이 배당받을 권리를 양수하였더라도 배당이의의 소가 계속되어 있는 동안에 소송목적인 권리 또는 의무의 전부 또는 일부를 승계한 경우에 해당된다고 볼 수는 없다.

⑤ 배당이의의 소에서 원고가 변론준비기일에 출석한 적이 있더라도 첫 변론기일에 불출석하면 소를 취하한 것으로 간주된다.

해설 ① ≪대판 2015.4.23. 2014다53790≫

[2] 채권자는 자기의 이해에 관계되는 범위 안에서만 다른 채권자를 상대로 그의 채권 또는 그 채권의 순위에 대하여 이의할 수 있으므로(「민사집행법」 제151조 제3항), 채권자가 제기한 배당이의의 소에서 승소하기 위하여는 피고의 채권이 존재하지 아니함을 주장·증명하는 것만으로 충분하지 아니하고 원고 자신이 피고에게 배당된 금원을 배당받을 권리가 있다는 점까지 주장·증명하여야 한다.

② 법 제21조(재판적)

이 법에 정한 재판적(裁判籍)은 전속관할(專屬管轄)로 한다.

법 제156조(배당이의의 소의 관할)

① 제154조 제1항의 배당이의의 소는 배당을 실시한 집행법원이 속한 지방법원의 관할로 한다. 다만, 소송물이 단독판사의 관할에 속하지 아니할 경우에는 지방법원의 합의부가 이를 관할한다.

③ ≪대판 2023.8.18. 2023다234102≫

[1] 채권자가 다른 채권자에 대한 배당에 대하여 이의를 한 경우에는 그 다른 채권자가 집행력 있는 집행권원의 정본을 가지고 있는지 여부에 상관없이 배당이의의 소를 제기하여야 하고(대법원 2013. 8. 22. 선고 2013다36668 판결), 이는 채권자가 배당이의를 하면서 배당이의 사유로 채무자를 대위하여 집행권원의 정본을 가진 다른 채권자의 채권의 소멸시효가 완성되었다는 등의 주장을 한 경우에도 마찬가지이다.

④ ≪대판 2023.2.23. 2022다285288≫

[2] 채무자나 소유자가 배당이의의 소를 제기한 경우의 소송목적물은 피고로 된 채권자가 경매절차에서 배당받을 권리의 존부·범위·순위에 한정되는 것이지, 원고인 채무자나 소유자가 경매절차에서 배당받을 권리까지 포함하는 것은 아니므로, 제3자가 채무자나 소유자로부터 위와 같이 배당받을 권리를 양수하였더라도 그 배당이의 소송이 계속되어 있는 동안에 소송목적인 권리 또는 의무의 전부 또는 일부를 승계한 경우에 해당된다고 볼 수는 없다.

⑤ ≪대판 2007.10.25. 2007다34876≫

「민사집행법」 제158조에서 말하는 '첫 변론기일'에 '첫 변론준비기일'은 포함되지 않는다. 따라서 배당이의의 소송에서 첫 변론준비기일에 출석한 원고라고 하더라도 첫 변론기일에 불출석하면 「민사집행법」 제158조에 따라서 소를 취하한 것으로 볼 수밖에 없다.

17 대법원 2013.6.13. 선고 2011다75478 판결에 관한 다음 설명 중 가장 옳지 않은 것은?

▶ 2021 법무사

⊙ 가압류의 효력은 가압류를 청구한 피보전채권액에 한하여 미치므로, 가압류결정에 피보전채권액으로서 기재된 액(이하 '가압류 청구금액'이라 한다)이 가압류채권자에 대한 배당액의 산정 기준이 되며, 배당법원이 배당을 실시할 때에 가압류채권자의 피보전채권은 공탁하여야 하고, 그 후 피보전채권의 존재가 본안의 확정판결 등에 의하여 확정된 때 가압류채권자가 확정판결 등을 제출하면 배당법원은 가압류채권자에게 배당액을 지급하게 된다.

⊙ 이 경우 확정된 피보전채권액이 가압류 청구금액 이상인 경우에는 가압류채권자에 대한 배당액 전부를 가압류채권자에게 지급하지만, 반대로 확정된 피보전채권액이 가압류 청구금액에 미치지 못하는 경우에는 집행법원은 그 확정된 피보전채권액을 기준으로 하여 다른 동순위 배당채권자들과 사이에서의 배당비율을 다시 계산하여 배당액을 감액 조정한 후 공탁금 중에서 그 감액 조정된 금액만을 가압류채권자에게 지급하고 나머지는 다른 배당채권자들에게 추가로 배당하여야 한다.

⊙ 가압류에 대한 본안의 확정판결에서 그 피보전채권의 원금 중 일부만이 남아 있는 것으로 확정된 경우라도, 특별한 사정이 없는 한 가압류 청구금액 범위 내에서는 그 나머지 원금과 청구기초의 동일성이 인정되는 지연손해금도 피보전채권의 범위에 포함되므로, 이를 가산한 금액이 가압류 청구금액을 넘는지 여부를 가리고 만약 가압류 청구금액에 미치지 못하는 경우에는 그 금액을 기초로 배당액을 조정하여야 한다.

⊙ 그리고 위와 같이 배당채권자들과 사이에서 배당비율을 다시 계산하여 공탁되었던 배당액을 감액 조정하여 지급하는 것은 그 범위 내에서 잠정적으로 보류되었던 배당절차를 마무리 짓는 취지이고, 동순위 채권자들 사이에서는 배당채권으로 산입될 수 있는 채권원리금액 산정에 형평을 기하여야 할 터인데 가압류채권자에 대한 배당금 조정시에 다른 배당채권자들의 잔존 채권원리금액을 모두 다시 확인하기 쉽지 아니함을 고려하면, 배당금 조정시에 다른 배당채권자들의 채권액은 종전 배당기일의 채권원리금액을 기준으로 하고 가압류채권자의 경우에도 종전 배당기일까지의 지연손해금을 가산한 채권원리금액을 기준으로 하여 조정한 후 공탁금 중에서 그 감액 조정된 금액을 가압류채권자에게 지급하며, 나머지 공탁금은 특별한 사정이 없는 한 종전 배당기일의 채권액을 기준으로 하여 다른 배당채권자들에게 추가로 배당함이 타당하다.

① ㉠

② ㉡

③ ㉢

④ ㉣

⑤ 없음

정답 ▶ 17 ⑤

해설 ≪대판 2013.6.13, 2011다75478≫

[1] 가압류의 효력은 가압류를 청구한 피보전채권액에 한하여 미치므로, 가압류결정에 피보전채권액으로서 기재된 액(이하 '가압류 청구금액'이라 한다)이 가압류채권자에 대한 배당액의 산정 기준이 되며, 배당법원이 배당을 실시할 때에 가압류채권자의 피보전채권은 공탁하여야 하고, 그 후 피보전채권의 존재가 본안의 확정판결 등에 의하여 확정된 때 가압류채권자가 확정판결 등을 제출하면 배당법원은 가압류채권자에게 배당액을 지급하게 된다(「민사집행법」 제160조 제1항 제2호, 제161조 제1항).

이 경우 확정된 피보전채권액(**예** 1억 원)이 가압류 청구금액(**예** 5천만 원) 이상인 경우에는 가압류채권자에 대한 배당액 전부를 가압류채권자에게 지급하지만, 반대로 확정된 피보전채권액(**예** 2천만 원)이 가압류 청구금액(5천만 원)에 미치지 못하는 **(일부 승소)** 경우에는 집행법원은 그 확정된 피보전채권액을 기준으로 하여 다른 동순위 배당채권자들과 사이에서의 배당비율을 다시 계산하여 배당액을 감액 조정한 후 공탁금 중에서 그 감액 조정된 금액만을 가압류채권자에게 지급하고 나머지는 다른 배당채권자들에게 추가로 배당하여야 한다.

[2] 가압류에 대한 본안의 확정판결에서 그 피보전채권의 원금 중 일부(2천만 원)만이 남아 있는 것으로 확정된 **(일부 승소)** 경우라도, 특별한 사정이 없는 한 가압류 청구금액(5천만 원) 범위 내에서는 그 나머지 원금과 청구기초의 동일성이 인정되는 지연손해금(**예** 1백만 원)도 피보전채권의 범위에 포함되므로, 이를 가산한 금액(2천만 원+1백만 원)이 가압류 청구금액(5천만 원)을 넘는지 여부를 가리고 만약 가압류 청구금액에 미치지 못하는 경우에는 그 금액을 기초로 배당액을 조정하여야 한다.

그리고 위와 같이 배당채권자들과 사이에서 배당비율을 다시 계산하여 공탁되었던 배당액을 감액 조정하여 지급하는 것은 그 범위 내에서 잠정적으로 보류되었던 배당절차를 마무리 짓는 취지이고, 동순위 채권자들 사이에서는 배당채권으로 산입될 수 있는 채권원리금액 산정에 형평을 기하여야 할 터인데 가압류채권자에 대한 배당금 조정 시에 다른 배당채권자들의 잔존 채권원리금액을 모두 다시 확인하기 쉽지 아니함을 고려하면, 배당금 조정 시에 **(추가배당은)** 다른 배당채권자들의 채권액은 종전 배당기일의 **(추가배당기일×)** 채권원리금액을 기준으로 하고 가압류채권자의 경우에도 종전 배당기일까지의 **(추가배당기일까지×)** 지연손해금을 가산한 채권원리금액을 기준으로 하여 조정한 후 공탁금 중에서 그 감액 조정된 금액을 가압류채권자에게 지급하며, 나머지 공탁금은 특별한 사정이 없는 한 종전 배당기일의 채권액을 기준으로 하여 다른 배당채권자들에게 추가로 배당함이 타당하다.

18 대법원 2018.3.27. 선고 2015다70822 판결에 관한 다음 설명 중 가장 옳지 않은 것은?

▶ 2021 법무사

부동산 경매절차에서 배당기일에 출석한 채권자는 자기의 이해에 관계되는 범위 안에서 다른 채권자를 상대로 그의 채권 또는 그 채권의 순위에 대하여 이의할 수 있고, 이 경우 이의한 채권자는 배당이의의 소를 제기하여야 한다. 배당표에 대한 이의가 있는 채권에 관하여 적법한 배당이의의 소가 제기된 때에는 그에 대한 배당액을 공탁하여야 하고, 이의된 부분에 대해서는 배당표가 확정되지 않는다.

㉠ 위와 같이 배당액이 공탁된 뒤 배당이의의 소에서 이의된 채권에 관한 전부 또는 일부 승소의 판결이 확정되면 이의된 부분에 대한 배당표가 확정된다. 이때 공탁의 사유가 소멸하게 되므로, 그러한 승소 확정판결을 받은 채권자가 집행법원에 그 사실 등을 증명하여 배당금의 지급을 신청하면, 집행법원은 판결의 내용에 따라 종전의 배당표를 경정하고 공탁금에 관하여 다시 배당을 실시하여야 한다. 이 경우 집행법원의 법원사무관등은 지급할 배당금액을 적은 지급위탁서를 공탁관에게 송부하고, 지급받을 자에게는 배당액 지급증을 교부하여야 한다.

㉡ 이때 공탁관은 집행법원의 보조자로서 공탁금 출급사유 등을 심리함이 없이 집행법원의 공탁금 지급위탁서에 따라 채권자에게 공탁금을 출급하게 된다.

㉢ 위와 같은 절차에 비추어 보면, 배당표가 확정되어야 비로소 채권자가 공탁된 배당금의 지급을 신청할 수 있으므로, 배당표 확정 이전에 채권자가 배당금을 수령하지 않았는데도 채권에 대해 변제의 효력이 발생한다고 볼 수는 없다. 한편 배당표가 일단 확정되면 채권자는 공탁금을 즉시 지급받아 수령할 수 있는 지위에 있는데, 배당표 확정 이후의 어느 시점(가령 배당액 지급증 교부 시 또는 공탁금 출급 시)을 기준으로 변제의 효력이 발생한다고 보게 되면, 채권자의 의사에 따라 채무의 소멸 시점이 늦추어질 수 있고, 그때까지 채무자는 지연손해금을 추가로 부담하게 되어 불합리하다.

㉣ 따라서 채무자가 공탁금 출급을 곤란하게 하는 장애요인을 스스로 형성·유지하는 등의 특별한 사정이 없는 한 배당액에 대한 이의가 있었던 채권은 공탁된 배당액으로 충당되는 범위에서 배당표의 확정 시에 소멸한다고 보아야 한다.

㉤ 그러므로 위와 같은 배당표의 확정 전에 어떤 경위로든 채권자가 공탁된 배당금을 지급받아 수령하고 그 후 같은 내용으로 배당표가 확정된 경우라면 채권자가 현실적으로 채권의 만족을 얻은 시점인 공탁금 수령 시가 아니라 배당표의 확정 시에 변제의 효력이 발생한다.

① ㉠ 　　　　　　② ㉡
③ ㉢ 　　　　　　④ ㉣
⑤ ㉤

해설 ⑤ ≪대판 2018.3.27, 2015다70822≫

[3] 부동산 경매절차에서 배당기일에 출석한 채권자는 자기의 이해에 관계되는 범위 안에서 다른 채권자를 상대로 그의 채권 또는 그 채권의 순위에 대하여 이의할 수 있고(「민사집행법」 제151조 제3항), 이 경우 이의한 채권자는 배당이의의 소를 제기하여야 한다(「민사집행법」 제154조 제1항). 배당표에 대한 이의가 있는 채권에 관하여 적법한 배당이의의 소가 제기된 때에는 그에 대한 배당액을 공탁하여야 하고(민사집행법 제160조 제1항 제5호), 이의된 부분에 대해서는 배당표가 확정되지 않는다(「민사집행법」 제152조 제3항).

위와 같이 배당액이 공탁된 뒤 배당이의의 소에서 이의된 채권에 관한 전부 또는 일부 승소의 판결이 확정되면 이의된 부분에 대한 배당표가 확정된다. 이때 공탁의 사유가 소멸하게 되므로, 그러한 승소 확정판결을 받은 채권자가 집행법원에 그 사실 등을 증명하여 배당금의 지급을 신청하면, 집행법원은 판결의 내용에 따라 종전의 배당표를 경정하고 공탁금에 관하여 다시 배당을 실시하여야 한다(「민사집행법」 제161조 제1항).

이 경우 집행법원의 법원사무관 등은 지급할 배당금액을 적은 지급위탁서를 공탁관에게 송부하고, 지급받을 자에게는 배당액 지급증을 교부하여야 한다(「민사집행법」 제159조 제2항, 제3항, 「민사집행규칙」 제82조 제1항, 「공탁규칙」 제43조 제1항).

이때 공탁관은 집행법원의 보조자로서 공탁금 출급사유 등을 심리함이 없이 집행법원의 공탁금 지급위탁서에 따라 채권자에게 공탁금을 출급하게 된다.

위와 같은 절차에 비추어 보면, 배당표가 확정되어야 비로소 채권자가 공탁된 배당금의 지급을 신청할 수 있으므로, 배당표 확정 이전에 채권자가 배당금을 수령하지 않았는데도 채권에 대해 변제의 효력이 발생한다고 볼 수는 없다. 한편 배당표가 일단 확정되면 채권자는 공탁금을 즉시 지급받아 수령할 수 있는 지위에 있는데, 배당표 확정 이후의 어느 시점(가령 배당액 지급증 교부 시 또는 공탁금 출급 시)을 기준으로 변제의 효력이 발생한다고 보게 되면, 채권자의 의사에 따라 채무의 소멸 시점이 늦추어질 수 있고, 그때까지 채무자는 지연손해금을 추가로 부담하게 되어 불합리하다.

따라서 채무자가 공탁금 출급을 곤란하게 하는 장애요인을 스스로 형성·유지하는 등의 특별한 사정이 없는 한 배당액에 대한 이의가 있었던 채권은 공탁된 배당액으로 충당되는 범위에서 배당표의 확정 시에 소멸한다고 보아야 한다. 다만 위와 같은 배당표의 확정 전에 어떤 경위로든 채권자가 공탁된 배당금을 지급받아 수령하고 그 후 같은 내용으로 배당표가 확정된 경우에는, 채권자가 현실적으로 채권의 만족을 얻은 시점인 공탁금 수령 시에 변제의 효력이 발생한다고 봄이 타당하다.

이러한 법리는 근저당권자의 피담보채권에 대하여 다른 채권자가 이의함으로써 해당 배당액이 공탁되었다가 배당이의소송을 거쳐 배당표가 확정됨에 따라 공탁된 배당금이 지급되는 경우에도 마찬가지로 적용된다.

19 추가배당에 관한 다음 설명 중 가장 옳지 않은 것은? ▶ 2025 법무사

① 가압류채권자에 대한 배당액이 공탁된 후 가압류집행이 취소되거나 가압류채권자가 본안소송에서 패소확정판결을 받는 등의 경우, 그 공탁금은 채무자에게 교부할 것이 아니라 다른 채권자들에게 추가로 배당하여야 하고, 이는 가압류채권자가 본안에서 승소확정판결을 받은 금액이 가압류채권자에게 공탁된 배당액을 초과한다고 하여도 마찬가지다.

② 가압류채권자의 확정된 피보전채권액이 가압류 청구금액에 미치지 못하는 경우에는 집행법원은 그 확정된 피보전채권액을 기준으로 하여 다른 동순위 배당채권자들과 사이에서의 배당비율을 다시 계산하여 배당액을 감액 조정한 후 공탁금 중에서 그 감액 조정된 금액만을 가압류채권자에게 지급하고 나머지는 다른 배당채권자들에게 추가로 배당하여야 한다.

③ 가압류에 대한 본안의 확정판결에서 그 피보전채권의 원금 중 일부만이 남아 있는 것으로 확정된 경우라도, 특별한 사정이 없는 한 가압류 청구금액 범위 내에서는 그 나머지 원금과 청구기초의 동일성이 인정되는 지연손해금도 피보전채권의 범위에 포함되므로, 이를 가산한 금액이 가압류 청구금액을 넘는지 여부를 가리고 만약 가압류 청구금액에 미치지 못하는 경우에는 그 금액을 기초로 배당액을 조정하여야 한다.

④ 위 ③의 경우, 다른 배당채권자들의 채권액은 종전 배당기일의 채권원리금액을 기준으로 하고 가압류채권자의 경우에는 추가 배당기일까지의 지연손해금을 가산한 채권원리금액을 기준으로 하여 조정한 후 공탁금 중에서 그 감액 조정된 금액을 가압류채권자에게 지급하여야 한다.

⑤ 가압류채권자의 채권에 대하여는 그에 대한 배당액을 공탁하여야 하고, 그 후 그 채권에 관하여 채권자 승소의 본안판결이 확정됨에 따라 공탁의 사유가 소멸한 때에는 가압류채권자에게 공탁금을 지급하여야 하므로, 가압류채권자가 본안판결이 확정되었음에도 공탁된 배당금의 수령을 지체하던 중 채무자에 대하여 파산이 선고된 경우에도 가압류채권자는 적법하게 공탁금을 수령할 수 있다.

> **해설** ① 가압류채권자에 대한 배당액이 공탁된 후 가압류집행이 취소되거나 가압류채권자가 본안소송에서 패소확정판결을 받는 등의 경우에는, 그 공탁금은 채무자에게 교부할 것이 아니라 다른 채권자들에게 추가배당하여야 하고(나머지가 있으면 채무자등에게 지급), 이는 가압류채권자가 본안에서 승소확정판결을 받은 금액이 가압류 청구금액에 미치지 못하지만 공탁된 배당액을 초과한다고 하여도 마찬가지이다(대판 2004.4.9, 2003다32681; 대판 2013.6.13, 2011다75478 등).
>
> ②,③,④ ≪대판 2013.6.13, 2011다75478≫
> [1] 가압류의 효력은 가압류를 청구한 피보전채권액에 한하여 미치므로, 가압류결정에 피보전채권액으로서 기재된 액(이하 '가압류 청구금액'이라 한다)이 가압류채권자에 대한 배당액의 산정 기준이 되며, 배당법원이 배당을 실시할 때에 가압류채권자의 피보전채권은 공탁하여야 하고, 그 후 피보전채권의 존재가 본안의 확정판결 등에 의하여 확정된 때 가압류채권자가 확정판결 등을 제출하면 배당법원은 가압류채권자에게 배당액을 지급하게 된다(「민사집행법」 제160조 제1항 제2호, 제161조 제1항).

> **정답** **19** ④

이 경우 확정된 피보전채권액(**예** 1억 원)이 가압류 청구금액(**예** 5천만 원) 이상인 경우에는 가압류채권자에 대한 배당액 전부를 가압류채권자에게 지급하지만, 반대로 확정된 피보전채권액(**예** 2천만 원)이 가압류 청구금액(5천만 원)에 미치지 못하는 (**일부 승소**) 경우에는 집행법원은 그 확정된 피보전채권액을 기준으로 하여 다른 동순위 배당채권자들과 사이에서의 배당비율을 다시 계산하여 배당액을 감액 조정한 후 공탁금 중에서 그 감액 조정된 금액만을 가압류채권자에게 지급하고 나머지는 다른 배당채권자들에게 추가로 배당하여야 한다.

[2] 가압류에 대한 본안의 확정판결에서 그 피보전채권의 원금 중 일부(**예** 2천만 원)만이 남아 있는 것으로 확정된 (**일부 승소**) 경우라도, 특별한 사정이 없는 한 가압류 청구금액(5천만 원) 범위 내에서는 그 나머지 원금과 청구기초의 동일성이 인정되는 지연손해금(**예** 1백만 원)도 피보전채권의 범위에 포함되므로, 이를 가산한 금액(2천만 원+1백만 원)이 가압류 청구금액(5천만 원)을 넘는지 여부를 가리고 만약 가압류 청구금액에 미치지 못하는 경우에는 그 금액을 기초로 배당액을 조정하여야 한다.

그리고 배당금 조정 시에 (**추가배당은**) 다른 배당채권자들의 채권액은 종전 배당기일의(**추가배당기일×**) 채권원리금액을 기준으로 하고 가압류채권자의 경우에도 종전 배당기일까지의 (**추가배당기일까지×**) 지연손해금을 가산한 채권원리금액을 기준으로 하여 조정한 후 공탁금 중에서 그 감액 조정된 금액을 가압류채권자에게 지급하며, 나머지 공탁금은 특별한 사정이 없는 한 종전 배당기일의 채권액을 기준으로 하여 다른 배당채권자들에게 추가로 배당함이 타당하다.

⑤ ≪대판 2018.7.24, 2016다227014 ≫

채무자가 파산선고 당시에 가진 모든 재산은 파산재단에 속하고[채무자 회생 및 파산에 관한 법률(이하 '채무자회생법'이라고 한다) 제382조 제1항], 채무자에 대하여 파산선고 전의 원인으로 생긴 재산상의 청구권인 파산채권에 기하여 파산재단에 속하는 재산에 대하여 행하여진 강제집행·가압류 또는 가처분은 파산재단에 대하여는 그 효력을 잃는다(채무자회생법 제423조, 제348조 제1항). 한편 부동산에 대한 경매절차에서 배당법원은 배당을 실시할 때에 가압류채권자의 채권에 대하여는 그에 대한 배당액을 공탁하여야 하고, 그 후 그 채권에 관하여 채권자 승소의 본안판결이 확정됨에 따라 공탁의 사유가 소멸한 때에는 가압류채권자에게 공탁금을 지급하여야 한다(민사집행법 제160조 제1항 제2호, 제161조 제1항). 따라서 특별한 사정이 없는 한 본안의 확정판결에서 지급을 명한 가압류채권자의 채권은 위와 같이 공탁된 배당액으로 충당되는 범위에서 본안판결의 확정 시에 소멸한다. 이러한 법리는 위와 같은 본안판결 확정 이후에 채무자에 대하여 파산이 선고되었다 하더라도 마찬가지로 적용되므로, 본안판결 확정 시에 이미 발생한 채권 소멸의 효력은 채무자회생법 제348조 제1항에도 불구하고 그대로 유지된다고 보아야 한다. (**가압류채권자는 적법하게 공탁금을 수령할 수 있다.**)

이러한 경우에 가압류채권자가 공탁된 배당금을 채무자의 파산선고 후에 수령하더라도 이는 본안판결 확정 시에 이미 가압류채권의 소멸에 충당된 공탁금에 관하여 단지 수령만이 본안판결 확정 이후의 별도의 시점에 이루어지는 것에 지나지 않는다. 따라서 가압류채권자가 위와 같이 수령한 공탁금은 파산관재인과의 관계에서 민법상의 부당이득에 해당하지 않는다고 보아야 한다.

10 경매신청의 취하

01 **부동산경매신청 취하에 관한 다음 설명 중 가장 옳지 않은 것은?** ▸ 2025 법무사

① 민사집행법 제87조의 적용을 받는 이중경매개시결정이 있는 때에는 선행사건의 경매신청이 매수신고가 있은 뒤에 취하될 경우 민사집행법 제105조 제1항 제3호의 기재사항(등기된 부동산에 대한 권리 또는 가처분으로서 매각으로 효력을 잃지 아니하는 것)이 바뀌는 경우에는 선행사건의 취하에 최고가매수신고인 등의 동의를 받아야 하고, 반대로 선행사건이 취하되더라도 동법 제105조 제1항 제3호의 기재사항이 바뀌지 아니하는 경우에는 최고가매수신고인 등의 동의를 받을 필요가 없지만, 후행사건이 배당요구의 종기가 지난 후의 신청에 의한 것인 경우에는 선행사건의 취하에 최고가매수신고인 등의 동의를 받아야 한다.

② 매수인의 대금미납으로 재매각명령이 내려진 상태에서 경매신청인이 경매신청을 취하할 경우, 대금 미납으로 재매각절차를 야기한 전 매수인도 경매신청 취하에 대한 동의권자에 해당한다.

③ 임의경매절차가 개시된 후 경매신청의 기초가 된 담보물권이 대위변제에 의하여 이전된 경우에는 경매절차의 진행에는 아무런 영향이 없고, 대위변제자가 경매신청인의 지위를 승계하므로, 종전의 경매신청인이 한 취하는 효력이 없다.

④ 매수인이 대금을 납부한 후에는 경매신청의 취하는 허용되지 아니하고 배당절차를 속행하면 된다.

⑤ 매수신고가 있은 뒤 경매신청을 취하하는 경우에는 최고가매수신고인 또는 매수인과 민사집행법 제114조의 차순위매수신고인의 동의를 받아야 그 효력이 생긴다.

> **해설** ① 규칙 제49조(경매신청의 취하 등) (⇒ 선행사건의 취하)
>
> ① 법 제87조 제1항의 신청(배당요구의 종기가 지난 뒤에 한 신청을 제외한다. 다음부터 이 조문 안에서 같다)이 있는 경우 매수신고가 있은 뒤 압류채권자가 경매신청을 취하하더라도 법 제105조 제1항 제3호의 기재사항이 바뀌지 아니하는 때에는 법 제93조 제2항의 규정을 적용하지 아니한다. (동의를 받을 필요가 없다.)
> [🌞 후행사건이 배당요구종기가 지난 뒤의 신청에 의한 것인 경우에는 (최고가매수신고인 등의 이익을 해할 우려가 있으므로) 선행사건의 취하에 최고가매수신고인 등의 동의를 받아야 한다.]
> [(🌞 선행사건의 경매신청이 취하될 경우 법 제105조 제1항 제3호의 기재사항이 바뀌는 경우에는 (최고가매수신고인 등을 보호할 필요가 있으므로) 선행사건의 취하에 최고가매수신고인 등의 동의를 받아야 한다.]
>
> ② ≪대결 1999.5.31, 99마468≫
> 재경매명령이 내려진 이후 전 경락인이 법정의 대금 등을 지급하지 아니한 상태에서 경매신청인이 경매신청 자체의 취하로써 경매절차를 종결시키고자 하는 경우, 원래의 대금지급기일에(**대금지급기한까지**) 그 의무를 이행하지 아니하여 재경매절차를 야기한 전 경락인은 같은 법 제610조 제2항이 규정하는 경매신청 취하에 대한 동의권자에 해당하지 아니한다.

> **정답** 　01 ②

③ ≪대결 2001.12.28. 2001마2094≫

[2] 임의경매절차가 개시된 후 경매신청의 기초가 된 담보물권이 대위변제에 의하여 이전된 경우에는 경매절차의 진행에는 아무런 영향이 없고, / 대위변제자가 경매신청인의 지위를 승계하므로, 종전의 경매신청인이 한 취하는 효력이 없다.

④ 매수인이 대금을 납부한 때에는 목적 부동산의 소유권이 매수인에게 이전하기 때문에, 그 후의 취하는 허용되지 아니하고, 배당절차를 속행하면 된다.

⑤ 법 제93조(경매신청의 취하)

① 경매신청이 취하되면 압류의 효력은 소멸된다.

② 매수신고가 있은 뒤 경매신청을 취하하는 경우에는 최고가매수신고인 또는 매수인과 제114조의 차순위매수신고인의 동의를 받아야 그 효력이 생긴다.

제2절 담보권 실행 등을 위한 경매(임의경매)

01 한국자산관리공사 등 일정한 금융기관의 담보권실행을 위한 경매 신청시 송달특례에 관한 다음 설명 중 가장 옳지 않은 것은? ▶ 2021 법무사

① 경매신청 당시 당해 부동산등기부상에 기재되어 있는 주소(주민등록표 주소와 다른 경우 주민등록표에 적힌 주소 포함, 주소를 법원에 신고한 때에는 그 주소)에 발송함으로써 송달의 효력이 발생하고, 발송된 송달서류가 실제로 송달되었는지 아니면 송달불능이 되었는지 여부는 위와 같은 효력에 영향이 없다.

② 발송송달특례는 담보권 실행을 위한 경매의 경우에 한하고, 강제경매의 경우에는 적용이 없다.

③ 발송송달의 특례를 인정받기 위해서는 경매신청 전에 채무자 및 소유자에게 경매실행예정사실 통지를 하였다는 확인서를 경매신청서에 첨부하여야 하므로 경매 사건을 접수한 이후에 비로소 경매예정사실을 통지한 경우에는 송달특례를 인정할 수 없다.

④ 채무자 및 소유자에게 모두 경매실행 예정사실통지를 한 경우만 송달특례를 적용받을 수 있으므로, 채무자 또는 소유자 중 1인에게만 경매실행 예정사실을 통지한 경우에는 채무자와 소유자 모두에게 송달특례를 적용할 수 없다.

⑤ 발송송달은 통상의 우편에 의한 송달방법으로 발송하더라도 그 효력이 발생하는 것이나, 반드시 민사소송법 제187조 소정의 우편송달의 경우와 같이 별도의 형식을 갖춘 송달보고서가 작성되어야만 송달의 효력이 발생한다.

해설 ①,⑤ ≪대판 2003.6.24. 2003다13116≫

[1] 구 금융기관의연체대출금에관한특별조치법(1999.1.29. 법률 제5693호로 폐지) 제3조(**현행 한국자산관리공사 설립 등에 관한 법률 제45조의2 참조**)의 규정에 의한 통지 또는 송달은 경매신청 당시 당해 부동산등기부상에 기재되어 있는 주소(주소를 법원에 신고한 때에는 그 주소)에 발송함으로써 송달의 효력이 발생하고, 발송된 송달서류가 실제로 송달되었는지, 아

니면 송달불능이 되었는지 여부는 위와 같은 효력에 영향이 없는바, / 여기에서의 송달은 통상의 우편에 의한 송달방법으로 발송하더라도 그 효력이 발생하는 것이고, 반드시 민사소송법 제187조 소정의 우편송달의 경우와 같이 별도의 형식을 갖춘 송달보고서가 작성되어야만 송달의 효력이 발생한다고 볼 것은 아니다.

② 위 특례는 임의경매의 경우에 한하고, 강제경매의 경우에는 적용이 없다.

③ 「한국자산관리공사 설립 등에 관한 법률」 제45조의2에 의한 발송송달의 특례를 인정받기 위하여는 경매신청 전에 채무자 및 소유자에게 경매실행 예정사실을 통지하였다는 뜻의 확인서를 임의경매신청서에 첨부하여야 한다(재민 99-4).

④ 채무자 및 소유자에게 모두 경매실행 예정사실통지를 한 경우만 송달특례를 적용받을 수 있으므로, 채무자 또는 소유자 중 1인에게만 경매실행 예정사실을 통지한 경우에는 채무자·소유자 모두에게 송달특례를 적용할 수 없다.

02 강제경매와 담보권 실행을 위한 경매에 관한 다음 설명 중 가장 옳지 않은 것은?

▸ 2022 법무사

① 담보권 실행을 위한 경매신청을 함에는 집행권원이 필요하지 않고 담보권의 존재를 증명하는 서류를 내어야 하며, 담보권을 승계한 경우에는 승계를 증명하는 서류를 내야 한다.

② 가집행선고있는 판결에 기한 강제집행은 확정판결에 기한 경우와 같이 본집행이므로 상소심의 판결에 의하여 가집행선고의 효력이 소멸되거나 집행채권의 존재가 부정된다고 할지라도 그에 앞서 이미 완료된 집행절차나 이에 기한 매수인의 소유권취득의 효력에는 아무런 영향을 미치지 아니한다.

③ 채무자에 대하여 파산이 선고되거나 회생절차개시결정이 있는 때에는 강제경매나 담보권 실행을 위한 경매신청을 할 수 없고, 이미 경매절차가 진행 중인 경우에는 모두 중지된다.

④ 담보권실행을 위한 경매 신청을 위하여는 채권자·채무자 및 소유자, 담보권과 피담보채권의 표시, 담보권의 실행 대상이 될 재산의 표시, 피담보채권의 일부에 대하여 담보권을 실행하는 때에는 그 취지 및 범위를 기재한 신청서와 담보권의 존재를 증명하는 서류를 제출하면 되는 것이고, 집행법원은 담보권의 존재에 관해서 위 서류의 한도에서 심사를 하고 채권자에게 피담보채권의 존부를 입증하게 할 것은 아니다.

⑤ 강제경매에서는 집행채권의 부존재나 소멸 등과 같은 실체상 하자를 경매개시결정에 대한 이의의 원인으로 주장할 수 없으나, 담보권 실행을 위한 경매에서는 담보권의 부존재나 소멸 등과 같은 실체상의 이유도 개시결정에 대한 이의사유로 할 수 있다.

> **해설** ① 법 제264조(부동산에 대한 경매신청)
> ① 부동산을 목적으로 하는 담보권을 실행하기 위한 경매신청을 함에는 담보권이 있다는 것을 증명하는 서류를 내야 한다.
> ② 담보권을 승계한 경우에는 승계를 증명하는 서류를 내야 한다.

정답 01 ⑤ 02 ③

② ≪대판 1993.4.23. 93다3165≫
가집행선고 있는 판결에 기한 강제집행은 확정판결에 기한 경우와 같이 본집행이므로 상소심의 판결에 의하여 가집행선고의 효력이 소멸되거나 집행채권의 존재가 부정된다 하더라도 그에 앞서 이미 완료된 집행절차나 이에 기한 경락인의 소유권취득의 효력에는 아무런 영향을 미치지 아니한다 할 것이고, 다만 강제경매가 반사회적 법률행위의 수단으로 이용된 경우에는 그러한 강제경매의 결과를 용인할 수 없다.

③ 파산신청 자체에 강제집행을 저지하는 효력은 없지만, 파산선고에 의하여 파산채권자는 개별적인 권리행사가 금지된다. 이에 반한 강제집행은 무효로 된다. 파산채권에 기하여 파산재단에 속하는 재산에 대하여 행하여진 강제집행·가압류 또는 가처분은 파산재단에 대하여는 그 효력을 잃는다. 다만, 파산관재인은 파산재단을 위하여 강제집행절차를 속행할 수 있다(동법 제348조 제1항). 파산선고로 인하여 효력을 잃게 되는 집행절차는 파산채권에 기하여 파산재단에 속하는 재산에 관하여 한 강제집행, 보전처분 등이다. 따라서 별제권(파산재단에 속하는 재산상에 존재하는 유치권·질권·저당권·전세권 등), 환취권(채무자에 속하지 아니하는 재산을 파산재단으로부터 환취하는 권리)의 행사는 파산선고에 의하여 아무런 영향을 받지 않으므로(동법 제407조, 제412조) 파산선고로 실효되지 않는다.
회생절차개시결정이 있으면 채무자의 재산에 대하여 회생채권 또는 회생담보권에 기한 강제집행 등의 신청이 금지되고, 이미 진행 중인 절차는 중지된다(동법 제58조). 이 경우 금지되거나 중지되는 처분은 회생채권 또는 회생담보권의 청구권에 기한 채무자의 재산에 대한 것이므로 환취권(동법 제70조)에 기한 채권 또는 공익채권(임금채권 등, 동법 제179조)에 기한 강제집행 등은 금지·중지의 대상이 아니다.

④ ≪대판 2002.1.25. 2000다26388≫
부동산에 대한 담보권의 실행을 위한 경매신청을 함에 있어서는 민사소송규칙 제204조(**규칙 제192조**)에 정해진 채권자·채무자 및 소유자(제1호), 담보권과 피담보채권의 표시(제2호), 담보권의 실행 대상이 될 재산의 표시(제3호), 피담보채권의 일부에 대하여 담보권을 실행하는 때에는 그 취지 및 범위(제4호)를 기재한 신청서에 담보권의 존재를 증명하는 서류를 첨부하여 제출하면 되는 것이므로, 집행법원은 담보권의 존재에 관해서 위 서류의 한도에서 심사를 하지만, 그밖에 실체법상 담보권 실행의 요건인 피담보채권의 존재 등에 관해서는 신청서에 기재하도록 하는데 그치고, 담보권 실행을 위한 경매절차의 개시요건으로서 피담보채권의 존재와 그 이행지체를 증명하도록 요구하고 있는 것은 아니다.

⑤ 강제경매개시결정에 대한 이의는 절차적 하자만 이의사유로 삼을 수 있으며, 집행채권의 소멸 등 실체상의 하자를 이유로 다툴 경우에는 이의신청할 수 없고, 청구이의의 소를 제기여야 한다(법 제44조). 임의경매개시결정에 대한 이의는 절차상의 하자뿐만 아니라(제86조의 준용), 담보권의 부존재·소멸 등 실체상의 하자도 이의사유로 주장할 수 있다(제265조).

03 저당권이 설정 당시부터 부존재하거나 또는 경매개시결정 이전에 피담보채권이 소멸함에 따라 저당권이 소멸하였는데도 이를 간과하고 경매개시결정이 된 경우에 관한 다음 설명 중 가장 옳지 않은 것은?

▶ 2024 법무사

① 경매개시결정에 대한 이의신청을 하였으나 집행정지결정을 받지 아니하여 경매가 계속 진행되어 매각허가결정이 확정되고 매수인이 매각대금을 납부하였다면 경매개시결정을 취소할 수 없다.

② 채무자는 피담보채무부존재확인의 소 또는 저당권설정등기말소청구의 소를 제기하면서 수소법원으로부터 경매절차의 일시정지를 명하는 잠정처분을 받아 경매절차를 정지할 수 있다.

③ 채무자는 담보권실행을 위한 경매의 불허를 구하는 소를 제기하면서 수소법원으로부터 경매절차의 일시정지를 명하는 잠정처분을 받아 경매절차를 정지할 수 있다.

④ 담보권실행을 위한 경매는 담보권의 부존재·무효, 피담보채권의 불성립·소멸 또는 변제와 같은 실체상의 흠도 경매절차에 영향을 미치므로, 이해관계인은 이러한 실체상의 흠을 이유로 경매개시결정에 대한 이의를 할 수 있고, 매각허가결정에 대한 항고를 할 수 있다.

⑤ 채무자는 경매신청채권자의 저당권을 말소한 다음 저당권이 말소된 등기사항증명서를 제출하여 경매절차취소결정을 받을 수 있다.

해설 ① 저당권이 설정 당시부터 부존재하거나 또는 경매개시결정 이전에 피담보채권이 소멸함에 따라 저당권이 소멸하였는데도 이를 간과하고 경매개시결정이 된 경우 경매개시결정에 대한 이의신청을 하였으나 집행정지결정을 받지 아니하여 경매가 계속 진행되어 매각허가결정이 확정되고 매수인이 매각대금을 납부하였다면 경매개시결정을 취소할 수 없다. 다만, 이를 간과하여 매각허가결정이 확정되고 매수인이 매각대금을 완납하여 소유권이전등기를 마치더라도 매수인은 매각부동산의 소유권을 취득하지 못하므로(대판 1999.2.9, 98다51855; 대판 2009.2.26, 2006다72802; 대판 2012.1.12, 2011다68012 등), 매수인을 상대로 소유권에 관한 별소를 구제받을 수는 있다.

② 부동산을 목적으로 하는 담보권을 실행하기 위한 경매절차를 정지하려면 민사집행법 제268조에 의하여 준용되는 같은 법 제86조 제1항에 따라 경매개시결정에 대한 이의신청을 하고 같은 조 제2항에 따라 같은 법 제16조 제2항에 준하는 매각 절차의 일시정지를 명하는 가처분(잠정처분) 결정을 받거나, 담보권의 효력을 다투는 소(통상 채무부존재확인이나 저당권설정등기말소청구의 소)를 먼저 제기하고 같은 법 제46조 제2항에 의하여 정지를 명하는 잠정처분 결정을 받아 집행법원에 제출하여야 한다.

③ ≪대판 2018.11.15, 2018다38591≫

저당권의 피담보채무가 부존재하는 경우, 채무자는 그 사유를 들어 「민사집행법」 제265조, 제268조, 제86조 제1항에 따라 경매개시결정에 대한 이의신청을 하고 같은 법 제86조 제2항에 따라 같은 법 제16조 제2항에 준하는 잠정처분을 받거나, 채무부존재확인의 소 등 채무에 관한 이의의 소를 제기하고 같은 법 제46조 제2항에 따라 잠정처분을 받아 그 근저당권에 기한 임의경매절차를 정지시킬 수 있으나, 직접 근저당권에 기한 임의경매의 불허를 구하는 (**청구이의의**) 소를 제기할 수는 없다(대판 2002.9.24, 2002다43684 참조).

정답 03 ③

④ 임의경매개시결정에 대한 이의는 절차상의 하자뿐만 아니라(제86조의 준용), 담보권의 부존재·소멸 등 실체상의 하자도 이의사유로 주장할 수 있다(제265조). 임의경매에서는 담보권의 부존재·소멸, 피담보채권의 불발생·소멸·이행기의 연기 등 실체상의 하자를 매각허가결정에 대한 항고 사유 또는 사법보좌관 처분에 대한 이의신청 사유로 삼을 수 있다(대결 1980.9.14, 80마 166; 대결 1991.1.21, 901946 등).

⑤ 경매신청채권자가 경매신청의 기초가 된 담보물권(근저당권)을 말소하여 주지 않아 채무자가 채권자를 상대로 채무부존재확인소송이나 저당권말소청구 소송을 제기하고 수소법원으로부터 경매절차의 일시정지를 명하는 잠정처분을 받은 다음 승소확정판결의 정본을 법 제266조 제1항 제2호의 집행취소서류로 제출하거나, 승소확정판결에 기하여 근저당권을 말소한 다음 근저당권이 말소된 등기사항증명서를 같은 조 제1항 제1호의 집행취소서류로 제출한 경우, 채무자의 임의경매개시결정에 대한 이의에 의하여 경매절차취소결정이 확정된 경우(대결 2000.6.28, 99마 7385 참조)에는 최고가매수신고인 또는 매수인 등의 동의가 없더라도 경매절차가 취소된다.

04 부동산에 대한 경매개시결정에 관한 다음 설명 중 가장 옳지 않은 것은? ▸ 2021 법무사

① 경매신청서에 청구금액으로서 원리금의 기재가 있는데 경매개시결정에는 원금만이 기재되어 있다고 하여 매각대금에서 채권자가 변제받을 수 있는 금액이 원금에 한정된다고 할 수는 없다.

② 강제경매절차 또는 담보권 실행을 위한 경매절차를 개시하는 결정을 한 부동산에 대하여 다른 강제경매의 신청이 있는 때에는 법원은 다시 경매개시결정을 하고, 먼저 경매개시결정을 한 집행절차에 따라 경매한다.

③ 피담보채권을 저당권과 함께 양수한 자가 저당권이전의 부기등기를 마치고 저당권실행을 위한 경매를 신청한 경우 경매개시결정을 할 때에 양수인이 채무자에 대한 채권양도의 대항요건을 갖추었다는 점을 증명하여야 한다.

④ 담보권 실행을 위한 경매에 있어서 피담보채무가 일부라도 잔존하는 한 법원은 저당목적물 전부에 관하여 경매개시결정을 하여야 하고 그 개시결정에 표시된 채권액이 현존 채권액과 상위하다 하여 이를 이유로 경매개시결정에 대한 이의를 할 수 없다.

⑤ 담보권자가 피담보채권의 조건이 성취되기 전에 담보권을 실행하여 경매절차가 개시되었더라도 그 경매신청이나 경매개시결정이 무효로 되는 것은 아니고, 이러한 경우 채무자나 소유자는 경매개시결정에 대한 이의신청 등으로 경매절차의 진행을 저지할 수 있을 뿐이다.

> **해설** ① ≪대결 1968.6.3, 68마378≫
> 경매신청서에 청구금액으로서 원리금의 기재가 있는데 경매개시결정서에는 원금만이 기재되어 있다고 하여서 매득금에서 채권자가 변제받을 수 있는 금액이 원금에 한정된다고 할 수는 없다.
> ② 법 제87조(압류의 경합)
> ① 강제경매절차 또는 담보권 실행을 위한 경매절차를 개시하는 결정을 한 부동산에 대하여 다른 강제경매(또는 담보권 실행을 위한 경매)의 신청이 있는 때에는 법원은 다시 경매개시결정을 하고, 먼저 경매개시결정을 한 집행절차에 따라 경매한다.

③ ≪대결 2014.12.2, 2014마1412≫

피담보채권을 저당권과 함께 양수한 자는 저당권이전의 부기등기를 마치고 저당권실행의 요건을 갖추고 있는 한 채권양도의 대항요건을 갖추고 있지 아니하더라도 경매신청을 할 수 있으며, 이 경우에 경매개시결정을 할 때에 피담보채권의 양수인이 채무자에 대한 채권양도의 대항요건을 갖추었다는 점을 증명할 필요는 없지만, 적어도 그와 같은 사유는 경매개시결정에 대한 이의나 항고절차에서는 신청채권자가 증명하여야 한다.

④ ≪대결 1973.2.26, 72마991≫

[피담보채권의 일부가 부존재 또는 소멸하여도 나머지 일부가 잔존하는 한 법원은 저당목적물 전부에 관하여 경매개시결정을 하여야 하므로, **채권액이 일부라도 존재하는 경우**(대결 1964.4.17, 63마224) 또는] 채권액이 과다한 경우에는 청구이의나 (임의경매) 배당이의의 절차에 의하여 그 시정을 구할 수는 있어도 경매개시결정에 대한 이의사유는 되지 않는다.

⑤ ≪대판 2015.12.24, 2015다200531≫

[1] 장래에 발생할 특정의 조건부 채권을 담보하기 위하여도 저당권을 설정할 수 있으므로 그러한 채권도 근저당권의 피담보채권으로 확정될 수 있고, 그 조건이 성취될 가능성이 없게 되었다는 등의 특별한 사정이 없는 이상 확정 당시 조건이 성취되지 아니하였다는 사정만으로 근저당권이 소멸하는 것은 아니다.

[2] 담보권자가 피담보채권의 (**이행기의 도래 전** or) 조건이 성취되기 전에 담보권을 실행하여 경매절차가 개시되었더라도 그 경매신청이나 경매개시결정이 무효로 되는 것은 아니고, 이러한 경우 채무자나 소유자는 경매개시결정에 대한 이의신청 등으로 경매절차의 진행을 저지할 수 있을 뿐이다. 따라서 이러한 조치를 취하지 아니한 채 경매절차가 진행되어 매각허가결정에 따라 매각대금이 납입되었다면, 이로써 매수인은 유효하게 매각부동산의 소유권을 취득하고 신청채권자의 담보권은 소멸하므로(대판 2002.1.25, 2000다26388 등 참조), 장래에 발생할 조건부 채권을 피담보채권으로 하여 임의경매를 신청한 담보권자도 배당을 받을 수 있다.

05 **부동산경매절차에 관한 다음 설명 중 가장 옳지 않은 것은?** ▸ 2022 법무사

① 배당요구의 종기가 정하여진 때에는 법원은 경매개시결정을 한 취지 및 배당요구의 종기를 공고하여야 한다.

② 민사집행법 제143조 제1항에 따라 매수인이 관계채권자의 승낙을 얻어 매각대금의 지급을 갈음하여 채무를 인수한 경우 매수인이 현금으로 매각대금을 내는 것과 효과가 같다. 이러한 채무인수를 승낙한 관계채권자는 인수된 채무액 범위에서 채권의 만족을 얻은 것으로 보아야 하므로, 그 범위에서 채무자의 채무도 소멸하게 된다. 따라서 위 규정에서 정하고 있는 채무인수는 면책적 채무인수로 보아야 한다.

③ 부동산에 대한 근저당권의 실행을 위한 경매는 그 근저당권 설정등기에 표시된 채무자 및 저당 부동산의 소유자와의 관계에서 그 절차가 진행되는 것이므로, 그 절차의 개시 전 또는 진행 중에 채무자나 소유자가 사망하였다고 하더라도 그 재산상속인들이 경매법원에 대하여 그 사망 사실을 밝히고 자신을 이해관계인으로 취급하여 줄 것을 신청하지 아니한 이상 그 절차를 속행하여 저당 부동산의 매각을 허가하였다고 하더라도 그 허가결정에 위법이 있다고 할 수 없다.

정답   04 ③   05 ⑤

④ 집행법원은 매각대상 부동산에 관한 이해관계인이나 그 현황조사를 실시한 집행관 등으로부터 제출된 자료를 기초로 매각대상 부동산의 현황과 권리관계를 되도록 정확히 파악하여 이를 매각물건명세서에 기재하여야 하고, 만일 경매절차의 특성이나 집행법원이 가지는 기능의 한계 등으로 인하여 매각대상 부동산의 현황이나 권리관계를 정확히 파악하는 것이 곤란한 경우에는 그 부동산의 현황이나 권리관계가 불분명하다는 취지를 매각물건명세서에 그대로 기재함으로써 매수신청인 스스로의 판단과 책임하에 매각대상 부동산의 매수신고가격이 결정될 수 있도록 하여야 한다.

⑤ 공동저당권이 설정되어 있는 수개의 부동산 중 일부는 채무자 소유이고 일부는 물상보증인의 소유인 경우 위 각 부동산의 경매대가를 동시에 배당하는 때에도, "동일한 채권의 담보로 수개의 부동산에 저당권을 설정한 경우에 그 부동산의 경매대가를 동시에 배당하는 때에는 각 부동산의 경매대가에 비례하여 그 채권의 분담을 정한다"고 규정하고 있는 민법 제368조 제1항은 적용된다고 봄이 상당하다. 따라서 이러한 경우 경매법원으로서는 채무자 소유 부동산의 경매대가에서 공동저당권자에게 우선적으로 배당을 하고, 부족분이 있는 경우에 한하여 물상보증인 소유 부동산의 경매대가에서 추가로 배당을 하는 것이 아니라 각 부동산의 경매대가에 비례하여 그 채권의 분담을 정하여야 한다.

해설 ① 법 제84조(배당요구의 종기결정 및 공고)

② 배당요구의 종기가 정하여진 때에는 법원은 경매개시결정을 한 취지 및 배당요구의 종기를 공고하고, 제91조 제4항 단서의 전세권자 및 법원에 알려진 제88조 제1항의 채권자에게 이를 고지하여야 한다.

② ≪대판 2018.5.30, 2017다241901≫

[2] 「민사집행법」 제143조 제1항에 따라 매수인이 관계채권자의 승낙을 얻어 매각대금의 지급을 갈음하여 채무를 인수한 경우 매수인이 현금으로 매각대금을 내는 것과 효과가 같다. 이러한 채무인수를 승낙한 관계채권자는 인수된 채무액 범위에서 채권의 만족을 얻은 것으로 보아야 하므로, 그 범위에서 채무자의 채무도 소멸하게 된다. 따라서 위 규정에서 정하고 있는 채무인수는 면책적 채무인수로 보아야 한다.

③ ≪대결 1998.12.23, 98마2509, 2510≫

부동산에 대한 근저당권의 실행을 위한 경매는 그 근저당권 설정등기에 표시된 채무자 및 저당부동산의 소유자와의 관계에서 그 절차가 진행되는 것이므로, 그 절차의 개시 전 또는 진행 중에 채무자나 소유자가 사망하였다고 하더라도 그 재산상속인들이 경매법원에 대하여 그 사망 사실을 밝히고 자신을 이해관계인으로 취급하여 줄 것을 신청하지 아니한 이상 그 절차를 속행하여 저당 부동산의 낙찰을 허가하였다고 하더라도 그 허가결정에 위법이 있다고 할 수 없다.

④ ≪대판 2010.6.24, 2009다40790≫

[2] 집행법원은 매각대상 부동산에 관한 이해관계인이나 그 현황조사를 실시한 집행관 등으로부터 제출된 자료를 기초로 매각대상 부동산의 현황과 권리관계를 되도록 정확히 파악하여 이를 매각물건명세서에 기재하여야 하고, 만일 경매절차의 특성이나 집행법원이 가지는 기능의 한계 등으로 인하여 매각대상 부동산의 현황이나 권리관계를 정확히 파악하는 것이 곤란한 경우에는 그 부동산의 현황이나 권리관계가 불분명하다는 취지를 매각물건명세서에 그대로 기재함으로써 매수신청인 스스로의 판단과 책임하에 매각대상 부동산의 매수신고가격이 결정될 수 있도록 하여야 한다.

⑤ ≪대판 2010.4.15, 2008다41475≫

공동저당권이 설정되어 있는 수개의 부동산 중 일부는 채무자 소유이고 일부는 물상보증인의 소유인 경우 위 각 부동산의 경매대가를 동시에 배당하는 때에는, 물상보증인이 민법 제481조, 제482조의 규정에 의한 변제자대위에 의하여 채무자 소유 부동산에 대하여 담보권을 행사할 수 있는 지위에 있는 점 등을 고려할 때, "동일한 채권의 담보로 수개의 부동산에 저당권을 설정한 경우에 그 부동산의 경매대가를 동시에 배당하는 때에는 각 부동산의 경매대가에 비례하여 그 채권의 분담을 정한다"고 규정하고 있는 민법 제368조 제1항은 적용되지 아니한다고 봄이 상당하다. 따라서 이러한 경우 경매법원으로서는 채무자 소유 부동산의 경매대가에서 공동저당권자에게 우선적으로 배당을 하고, 부족분이 있는 경우에 한하여 물상보증인 소유 부동산의 경매대가에서 추가로 배당을 하여야 한다.

06 담보권실행경매절차에 관한 다음 설명 중 가장 옳지 않은 것은? ▸ 2023 법무사

① 피담보채권을 저당권과 함께 양수한 자는 저당권이전의 부기등기를 마치고 저당권실행의 요건을 갖추고 있는 한 채권양도의 대항요건을 갖추고 있지 아니하더라도 경매신청을 할 수 있으며, 이 경우에 경매개시결정을 할 때에 피담보채권의 양수인이 채무자에 대한 채권양도의 대항요건을 갖추었다는 점을 증명할 필요는 없으므로, 그와 같은 사유가 구비되지 않았다는 사실을 경매개시결정에 대한 이의나 항고절차에서 채무자가 증명하여야 한다.

② 공동저당권이 설정되어 있는 수개의 부동산 중 일부는 채무자 소유이고 일부는 물상보증인 소유인 경우 위 각 부동산의 경매대가를 동시에 배당하는 때에는 민법 제368조 제1항은 적용되지 아니하고, 채무자 소유 부동산의 경매대가에서 공동저당권자에게 우선적으로 배당을 하고, 부족분이 있는 경우에 한하여 물상보증인 소유 부동산의 경매대가에서 추가로 배당을 하여야 한다.

③ 근저당권자가 피담보채무의 불이행을 이유로 경매신청을 한 경우에는 경매신청시에 근저당 채무액이 확정되고, 그 이후부터 근저당권은 부종성을 가지게 되어 보통의 저당권과 같은 취급을 받게 되는바, 위와 같이 경매신청을 하여 경매개시결정이 있은 후에 경매신청이 취하되었다고 하더라도 채무확정의 효과가 번복되는 것은 아니다.

④ 신청채권자로서는 피담보채권의 표시로서 채권발생의 원인 및 그 일자, 채권액, 원본채권 이외에 지연손해금에 대하여 배당을 받으려고 하는 때에는 그 금액 또는 이율 및 기산일을 신청서에 기재할 필요가 있으나, 이를 증명하는 문서를 제출할 필요까지는 없고, 집행법원은 담보권실행을 위한 경매절차를 개시함에 있어서 단지 담보권의 형식적 존재를 증명하는 서류를 조사함으로써 충분하다.

정답 **06 ①**

⑤ 피담보채권과 근저당권을 함께 양도하는 경우에 채권양도는 당사자 사이의 의사표시만으로 양도의 효력이 발생하지만 근저당권이전은 이전등기를 하여야 하므로 채권양도와 근저당권이전등기 사이에 어느 정도 시차가 불가피한 이상 피담보채권이 먼저 양도되어 일시적으로 피담보채권과 근저당권의 귀속이 달라진다고 하여 근저당권이 무효로 된다고 볼 수는 없으나, 위 근저당권은 그 피담보채권의 양수인에게 이전되어야 할 것에 불과하고, 근저당권의 명의인은 피담보채권을 양도하여 결국 피담보채권을 상실한 셈이므로 집행채무자로부터 변제를 받기 위하여 배당표에 자신에게 배당하는 것으로 배당표의 경정을 구할 수 있는 지위에 있다고 볼 수 없다.

해설 ① ≪대결 2014.12.2, 2014마1412≫ [저당권이전의 부기등기를 마치고 채권양도의 대항요건을 갖추지 못한 경우 ⇒ 경매신청○]

피담보채권을 저당권과 함께 양수한 자는 저당권이전의 부기등기를 마치고 저당권실행의 요건을 갖추고 있는 한 채권양도의 대항요건을 갖추고 있지 아니하더라도 경매신청을 할 수 있으며, 이 경우에 경매개시결정을 할 때에 피담보채권의 양수인이 채무자에 대한 채권양도의 대항요건을 갖추었다는 점을 증명할 필요는 없지만, 적어도 그와 같은 사유는 경매개시결정에 대한 이의나 항고절차에서는 신청채권자가(**채무자✕**) 증명하여야 한다.

② ≪대판 2016.3.10, 2014다231965≫

공동저당권이 설정되어 있는 수개의 부동산 중 일부는 채무자 소유이고 일부는 물상보증인 소유인 경우 위 각 부동산의 경매대가를 동시에 배당하는 때에는 「민법」 제368조 제1항은 적용되지 아니하고, 채무자 소유 부동산의 경매대가에서 공동저당권자에게 우선적으로 배당을 하고, 부족분이 있는 경우에 한하여 물상보증인 소유 부동산의 경매대가에서 추가로 배당을 하여야 한다(대판 2010.4.15. 2008다41475 판결 참조). 그리고 이러한 이치는 물상보증인이 채무자를 위한 연대보증인의 지위를 겸하고 있는 경우에도 마찬가지이다.

③ ≪대판 2002.11.26, 2001다73022≫

[2] 근저당권자가 피담보채무의 불이행을 이유로 경매신청을 한 경우에는 경매신청시에 근저당채무액이 확정되고, 그 이후부터 근저당권은 부종성을 가지게 되어 보통의 저당권과 같은 취급을 받게 되는바, 위와 같이 경매신청을 하여 경매개시결정이 있은 후에 경매신청이 취하되었다고 하더라도 채무확정의 효과가 번복되는 것은 아니다.

④ ≪대결 2000.10.25, 2000마5110≫

[3] 피담보채권의 존재는 민사소송법 제725조(**법 제265조**)에 기한 채무자 또는 소유자로부터 제기된 경매개시결정에 대한 이의 등의 절차에서 심리·판단함에 있어서 채권자가 피담보채권을 증명하여야 하는 것이며, 이를 증명을 할 수 없는 때에는 담보권실행의 개시결정을 취소하게 되는 것이고, 따라서 신청채권자로서는 피담보채권의 표시로서 채권발생의 원인 및 그 일자, 채권액, 원본채권 이외에 지연손해금에 대하여 배당을 받으려고 하는 때에는 그 금액 또는 이율 및 기산일을 기재할 필요가 있으나, 이를 증명하는 문서를 제출할 필요까지는 없고, 집행법원은 담보권실행을 위한 경매절차를 개시함에 있어서 단지 담보권의 형식적 존재를 증명하는 서류를 조사함으로써 충분하다고 할 것이다.

⑤ ≪대판 2003.10.10, 2001다77888≫ [**근저당권부 채권이 양도**되었으나 **근저당권의 이전등기가 경료되지 않은** 상태에서 실시된 배당절차에서 **근저당권의 명의인**이 **배당이의**로 배당표의 경정을 구할 수는 없다.**]

피담보채권과 근저당권을 함께 양도하는 경우에 채권양도는 당사자 사이의 의사표시만으로 양도의 효력이 발생하지만 근저당권이전은 이전등기를 하여야 하므로 채권양도와 근저당권이전등기

사이에 어느 정도 시차가 불가피한 이상 피담보채권이 먼저 양도되어 일시적으로 피담보채권과 근저당권의 귀속이 달라진다고 하여 근저당권이 무효로 된다고 볼 수는 없으나, 위 근저당권은 그 피담보채권의 양수인에게 이전되어야 할 것에 불과하고, 근저당권의 명의인은 피담보채권을 양도하여 결국 피담보채권을 상실한 셈이므로 집행채무자로부터 변제를 받기 위하여 배당표에 자신에게 배당하는 것으로 배당표의 경정을 구할 수 있는 지위에 있다고 볼 수 없다.

07 형식적 경매에 관한 다음 설명 중 가장 옳지 않은 것은? ▶ 2022 법무사

① 유치권에 의한 경매절차가 개시된 유체동산에 대하여 유치권자의 승낙 없이 민사집행법 제215조에 따라 다른 채권자의 강제집행을 위하여 압류를 한 다음 민사집행법 제274조 제2항에 따라 유치권에 의한 경매절차를 정지하고 채권자를 위한 강제경매절차를 진행하였다면, 그 강제경매절차에서 목적물이 매각되었더라도 유치권자의 지위에는 영향을 미칠 수 없고 유치권자는 그 목적물을 계속하여 유치할 권리가 있다고 보아야 한다.

② 공유물분할소송에서 민법 제269조 제2항에 의하여 공유물을 경매에 부쳐 그 매각대금을 분배할 것을 명한 판결은 공유자 전원에 대하여 획일적으로 공유관계의 해소를 목적으로 하는 것이므로 그 판결의 당사자는 원고이든 피고이든 동 판결에 기하여 그 공유물에 대한 경매를 신청할 권리가 있다고 봄이 상당하다.

③ 민법 제1037조에 근거하여 민사집행법 제274조에 따라 행하여지는 상속재산에 대한 형식적 경매는 한정승인자가 상속재산을 한도로 상속채권자나 유증받은 자에 대하여 일괄하여 변제하기 위하여 청산을 목적으로 당해 재산을 현금화하는 절차이므로, 그 제도의 취지와 목적, 관련 민법 규정의 내용, 한정승인자와 상속채권자 등 관련자들의 이해관계 등을 고려할 때 일반채권자인 상속채권자로서는 민사집행법이 아닌 민법 제1034조, 제1035조, 제1036조 등의 규정에 따라 변제받아야 한다고 볼 것은 아니고, 따라서 그 경매에서는 일반채권자의 배당요구가 허용된다고 할 것이다.

④ 유치권에 의한 경매절차는 목적물에 대하여 강제경매 또는 담보권 실행을 위한 경매절차가 개시된 경우에는 이를 정지하고, 채권자 또는 담보권자를 위하여 그 절차를 계속하여 진행한다. 이 경우에 강제경매 또는 담보권 실행을 위한 경매가 취소되면 유치권에 의한 경매절차를 계속하여 진행하여야 한다.

⑤ 유치권에 의한 경매는 담보권 실행을 위한 경매의 예에 따라 실시한다.

해설 ① ≪대결 2012.9.13. 2011그213≫

[2] 또한 유체동산의 유치권자가 「민사집행법」 제274조 제1항, 제271조에 따라 유치권에 의한 경매를 신청하고 집행관에게 그 목적물을 제출하여 유치권에 의한 경매절차가 개시된 때에도 그 목적물에 대한 유치권자의 유치권능은 유지되고 있다고 보아야 하므로, 유치권에 의한 경매절차가 개시된 유체동산에 대하여 다른 채권자가 「민사집행법」 제215조에 정한 이중압류의 방법으로 강제집행을 하기 위해서는 채권자의 압류에 대한 유치권자의 승낙이 있어야 한다.

정답. 07 ③

그런데도 유치권에 의한 경매절차가 개시된 유체동산에 대하여 유치권자의 승낙 없이 「민사집행법」 제215조에 따라 다른 채권자가 강제집행을 위하여 압류를 한 다음 「민사집행법」 제274조 제2항에 따라 유치권에 의한 경매절차를 정지하고 채권자를 위한 강제경매절차를 진행하였다면, 그 강제경매절차에서 목적물이 매각되었더라도 유치권자의 지위에는 영향을 미칠 수 없고 유치권자는 그 목적물을 계속하여 유치할 권리가 있다고 보아야 한다.

② ≪대판 1979.3.8, 79마5≫

공유물을 경매에 부쳐 그 매득금을 분배할 것을 명한 판결은 경매를 조건으로 하는 특수한 형성판결로서 공유자 전원에 대하여 획일적으로 공유관계의 해소를 목적으로 하는 것이므로 그 판결의 당사자는 원고·피고의 구별없이 동 판결에 기한 그 공유물의 경매를 신청할 권리가 있다.

③ ≪대판 2013.9.12, 2012다33709≫

「민법」 제1037조(상속재산의 경매)에 근거하여 「민사집행법」 제274조에 따라 행하여지는 상속재산에 대한 형식적 경매는 한정승인자가 상속재산을 한도로 상속채권자나 유증받은 자에 대하여 일괄하여 변제하기 위하여 청산을 목적으로 당해 재산을 현금화하는 절차이므로, 일반채권자인 상속채권자로서는 「민사집행법」이 아닌 「민법」 제1034조, 제1035조, 제1036조 등의 규정에 따라 변제받아야 한다고 볼 것이고, 따라서 그 경매에서는 일반채권자(**피상속인의 채권자인 상속채권자**)의 배당요구가 허용되지 아니한다.

④,⑤ 법 제274조(유치권 등에 의한 경매)

① 유치권에 의한 경매와 「민법」·「상법」, 그 밖의 법률이 규정하는 바에 따른 경매(이하 "유치권등에 의한 경매"라 한다)는 담보권 실행을 위한 경매의 예에 따라 실시한다.

② 유치권 등에 의한 (**선행**)경매절차는 목적물에 대하여 강제경매 또는 담보권 실행을 위한 (**후행**)경매절차가 개시된 경우에는 이(**선행경매절차**)를 정지하고, 채권자 또는 담보권자를 위하여 그 (**후행경매**)절차를 계속하여 진행한다.

선박 등에 대한 집행

01 **자동차에 대한 강제집행에 관한 다음 설명 중 가장 옳지 않은 것은?** ▶2024 법무사

① 법원은 영업상의 필요, 그 밖의 상당한 이유가 있다고 인정하는 때에는 이해관계를 가진 사람의 신청에 따라 자동차의 운행을 허가할 수 있다.

② 강제경매개시결정에 기초한 인도집행은 그 개시결정이 채무자에게 송달되기 전에도 할 수 있다.

③ 강제경매개시결정이 송달되거나 등록되기 전에 집행관이 자동차를 인도받은 경우에는 그때에 압류의 효력이 생긴다.

④ 자동차집행의 신청이 취하된 때 또는 강제경매절차를 취소하는 결정의 효력이 생긴 때에는 법원사무관등은 집행관에게 그 취지를 통지하여야 하고, 집행관이 이 통지를 받은 경우 자동차를 수취할 권리를 갖는 사람이 채무자 외의 사람인 때에는 집행관은 그 사람에게 자동차집행의 신청이 취하되었다거나 또는 강제경매절차가 취소되었다는 취지를 통지하여야 한다.

⑤ 법원사무관등으로부터 자동차집행의 신청이 취하된 사실 또는 강제경매절차를 취소하는 결정의 효력이 생긴 사실에 대한 통지를 받은 집행관은 자동차를 수취할 권리를 갖는 사람에게 자동차가 있는 곳에서 이를 인도하여야 하지만, 자동차를 수취할 권리를 갖는 사람이 자동차를 보관하고 있는 경우에는 그러하지 아니하다. 집행관이 이러한 인도를 할 수 없는 때에는 법원은 직권으로 자동차집행의 절차에 따라 자동차를 매각한다는 결정을 하여야 한다.

해설 ① 규칙 제117조(운행의 허가)

① 법원은 영업상의 필요, 그 밖의 상당한 이유가 있다고 인정하는 때에는 이해관계를 가진 사람의 신청에 따라 자동차의 운행을 허가할 수 있다.

② 법원이 제1항의 허가를 하는 때에는 운행에 관하여 적당한 조건을 붙일 수 있다.

③ 제1항의 **(자동차)**운행허가결정에 대하여는 즉시항고를 할 수 있다.

②.③ 규칙 제111조(강제경매개시결정)

① 법원은 [1]강제경매개시결정을 하는 때에는 법 제83조 제1항에 규정된 사항을 [2](압류명령) 명하는 외에 채무자에 대하여 자동차를 [3]집행관에게 인도할 것을 명하여야 한다. 다만, 그 자동차에 대하여 제114조 제1항의 규정에 따른 신고가 되어 있는 때에는 채무자에 대하여 자동차 인도명령을 할 필요가 없다.

② 제1항의 개시결정에 기초한 인도집행은 그 개시결정이 채무자에게 송달되기 전에도 할 수 있다.

정답 **01** ⑤

③ 강제경매개시결정이 송달되거나 등록되기 전에 집행관이 자동차를 인도받은 경우에는 **(빠른 때)** 그때에 압류의 효력이 생긴다.

④ 제1항의 개시결정에 대하여는 즉시항고를 할 수 있다.

④,⑤ 규칙 제127조(자동차집행의 신청이 취하된 경우 등의 조치)

① 자동차집행의 신청이 취하된 때 또는 강제경매절차를 취소하는 결정의 효력이 생긴 때에는 법원사무관등은 집행관에게 그 취지를 통지하여야 한다.

② 집행관이 제1항의 규정에 따른 통지를 받은 경우 자동차를 수취할 권리를 갖는 사람이 채무자 외의 사람인 때에는 집행관은 그 사람에게 자동차집행의 신청이 취하되었다거나 또는 강제경매절차가 취소되었다는 취지를 통지하여야 한다.

③ 집행관은 제1항의 규정에 따른 통지를 받은 때에는 자동차를 수취할 권리를 갖는 사람에게 자동차가 있는 곳에서 이를 인도하여야 한다. 다만, 자동차를 수취할 권리를 갖는 사람이 자동차를 보관하고 있는 경우에는 그러하지 아니하다.

④ 집행관이 제3항의 규정에 따라 인도를 할 수 없는 때에는 법원은 집행관의 신청을 받아 자동차집행의 절차에 따라 자동차를 매각한다는 결정을 할 수 있다.

⑤ 제4항의 규정에 따른 결정이 있은 때에는 법원사무관등은 채무자와 저당권자에게 그 취지를 통지하여야 한다.

⑥ 제4항의 규정에 따른 결정에 기초하여 자동차가 매각되어 그 대금이 법원에 납부된 때에는 법원은 그 대금에서 매각과 보관에 든 비용을 빼고, 나머지가 있는 때에는 매각대금의 교부계산서를 작성하여 저당권자에게 변제금을 교부하고, 그 나머지를 채무자에게 교부하여야 한다.

⑦ 제6항의 규정에 따른 변제금 등을 교부하는 경우에는 제81조, 제82조, 법 제146조, 법 제160조 및 법 제161조 제1항의 규정을 준용한다.

동산에 대한 집행

01 동산담보권에 관한 다음 설명 중 가장 옳지 않은 것은?
▶ 2022 법무사

① 동산담보권자는 채무자 또는 제3자가 제공한 담보목적물에 대하여 다른 채권자보다 자기 채권을 우선변제받을 권리가 있다.

② 여러 개의 동산을 종류와 보관장소로 특정하여 집합동산에 관한 담보권, 즉 집합동산 담보권을 설정한 경우 같은 보관장소에 있는 같은 종류의 동산 전부가 동산담보권의 목적물이다. 등기기록에 종류와 보관장소 외에 중량이 기록되었다고 하더라도 당사자가 중량을 지정하여 목적물을 제한하기로 약정하였다는 등 특별한 사정이 없는 한 목적물이 그 중량으로 한정된다고 볼 수 없다.

③ 동산담보등기부는 담보목적물인 동산 또는 채권의 등기사항에 관한 전산정보자료를 담보목적물별로 구분하여 작성한다.

④ 동산담보권자는 자기 채권을 변제받기 위해 담보목적물의 경매를 청구할 수 있고, 정당한 이유가 있는 경우 담보권자는 담보목적물로써 직접 변제에 충당하거나 담보목적물을 매각하여 그 대금을 변제에 충당할 수 있는데, 이때에도 동산담보등기부에 선순위권리자가 있다면 그의 동의를 받아야 한다.

⑤ 동산·채권 등의 담보에 관한 법률에 따라 동산담보권이 설정된 유체동산에 대하여 다른 채권자의 신청에 의한 강제집행절차가 진행되는 경우, 집행관의 압류 전에 등기된 동산담보권을 가진 채권자는 배당요구를 하지 않아도 당연히 배당에 참가할 수 있다.

> **해설** ① 동산·채권 등의 담보에 관한 법률 제8조(동산담보권의 내용)
> 담보권자는 채무자 또는 제3자가 제공한 담보목적물에 대하여 다른 채권자보다 자기채권을 우선 변제받을 권리가 있다.
>
> ② 《대결 2021.4.8.자 2020그872》
> 동산·채권 등의 담보에 관한 법률 제3조 제2항, 동산·채권의 담보등기 등에 관한 규칙 제35조 제1항 제1호 (가)목, (나)목, 제2항, 동산·채권의 담보등기 신청에 관한 업무처리지침(대법원 등기예규 제1710호) 제6조 제1항 제1호 (가)목, (나)목, 제3항의 규정 내용, 체계와 입법 취지를 종합하면, 여러 개의 동산을 종류와 보관장소로 특정하여 집합동산에 관한 담보권, 즉 집합동산 담보권을 설정한 경우 같은 보관장소에 있는 같은 종류의 동산 전부가 동산담보권의 목적물이다. 등기기록에 종류와 보관장소 외에 중량이 기록되었다고 하더라도 당사자가 중량을 지정하여 목적물을 제한하기로 약정하였다는 등 특별한 사정이 없는 한 목적물이 그 중량으로 한정된다고 볼 수 없고 중량은 목적물을 표시하는 데 참고사항으로 기록된 것에 불과하다고 보아야 한다.

정답 ▶ 01 ③

③ 동산·채권 등의 담보에 관한 법률 제47조(등기부의 작성 및 기록사항)

　① 담보등기부는 담보목적물인 동산 또는 채권의 등기사항에 관한 전산정보자료를 전산정보처리조직에 의하여 담보권설정자별로 구분하여 작성한다.

④ 동산·채권 등의 담보에 관한 법률 제21조(동산담보권의 실행방법)

　① 담보권자는 자기의 채권을 변제받기 위하여 담보목적물의 경매를 청구할 수 있다.

　② 정당한 이유가 있는 경우 담보권자는 담보목적물로써 직접 변제에 충당하거나 담보목적물을 매각하여 그 대금을 변제에 충당할 수 있다. 다만, 선순위권리자(담보등기부에 등기되어 있거나 담보권자가 알고 있는 경우로 한정한다)가 있는 경우에는 그의 동의를 받아야 한다.

⑤ ≪대판 2022.3.31, 2017다263901≫

동산담보권이 설정된 유체동산에 대하여 다른 채권자의 신청에 의한 강제집행절차가 진행되는 경우 민사집행법 제148조 제4호를 유추적용하여 집행관의 압류 전에 등기된 동산담보권을 가진 채권자는 배당요구를 하지 않아도 당연히 배당에 참가할 수 있다고 보아야 한다.

02 유체동산 집행에 관한 다음 설명 중 가장 옳지 않은 것은?　▸ 2024 법무사

① 부부공유 유체동산의 압류에 관한 민사집행법 제190조의 규정은 체납처분의 경우에 유추적용을 배제할 만한 특수성이 없으므로 이를 체납처분의 경우에도 유추적용할 수 있다.

② 채무자와 그 배우자의 공유로서 채무자가 그 배우자와 공동으로 점유하고 있는 유체동산은 배우자가 제출을 거부하지 아니한 때에 한하여 압류할 수 있다.

③ 부부공유재산을 제외한 유체동산의 공유지분은 유체동산집행의 대상이 아니므로 민사집행법 제251조의 그 밖의 재산권에 대한 집행의 방법에 따라 압류한다.

④ 부부공동생활의 실체를 갖추고 있으면서 혼인신고만을 하지 아니한 사실혼관계에 있는 부부의 공유 유체동산에 대하여도 민사집행법 제190조의 규정은 유추적용된다.

⑤ 채무자가 점유하고 있는 유체동산의 압류는 집행관이 그 물건을 점유함으로써 한다. 다만, 채권자의 승낙이 있거나 운반이 곤란한 때에는 봉인, 그 밖의 방법으로 압류물임을 명확히 하여 채무자에게 보관시킬 수 있다.

해설　① ≪대판 2006.4.13, 2005두15151≫

　[3] 부부공유 유체동산의 압류에 관한 민사집행법 제190조의 규정은 체납처분의 경우에 유추적용을 배제할 만한 특수성이 없으므로 이를 체납처분의 경우에도 유추적용할 수 있다.

② 법 제190조(부부공유 유체동산의 압류)

채무자와 그 배우자의 공유로서 채무자가 점유하거나 그 배우자와 공동으로 점유하고 있는 유체동산은 (배우자가 제출을 거부하여도) 제189조의 규정에 따라 압류할 수 있다.

(註 부부가 공동으로 점유하고 있는 부부공유의 유체동산인 경우에는 이를 압류함에 있어서 배우자의 승낙이나 제출을 거부하지 아니한다는 의사표시는 필요 없다.)

③ 유체동산의 공유지분은 유체동산 집행에 의하지 아니하고 그 밖의 재산권에 대한 집행(법 제251조)에 따른다. 다만, 부부공유 유체동산은 채무자에 대한 집행권원으로 집행하는 경우에도 유체동산집행에 따른다(법 제190조).

④ ≪대판 1997.11.11, 97다34273≫
「민사소송법」 제527조의2(법 제190조, **부부공유 유체동산의 압류**)는 채무자와 그 배우자의 공유에 속하는 유체동산은 채무자가 점유하거나 그 배우자와 공동점유하는 때에는 같은 법 제527조(법 제189조)의 규정에 의하여 압류할 수 있다고 규정하고 있는바, 위와 같은 규정은 부부공동생활의 실체를 갖추고 있으면서 혼인신고만을 하지 아니한 사실혼관계에 있는 부부의 공유 유체동산에 대하여도 유추적용된다.
⑤ 법 제189조(채무자가 점유하고 있는 물건의 압류)
① 채무자가 점유하고 있는 유체동산의 압류는 집행관이 그 물건을 점유함으로써 한다. 다만, 채권자의 승낙이 있거나 운반이 곤란한 때에는 봉인(封印), 그 밖의 방법으로 압류물임을 명확히 하여 채무자에게 보관시킬 수 있다.

03 유체동산 집행에 관한 다음 설명 중 가장 옳지 않은 것은? ▸ 2025 법무사

① 집행관이 독립·단독의 사법기관으로서 스스로 법령을 해석하고 집행할 권한이 있고, 특히 유체동산집행은 개시부터 종료까지 집행관의 고유권한으로서 무잉여인지 여부도 스스로 판단하는 것이라고 하더라도, 집행관은 유체동산집행에 관한 법률전문가로서 집행의 근거로 삼는 법령에 대한 해석이 복잡, 미묘하여 워낙 어렵고, 이에 대한 학설, 판례조차 귀일되어 있지 않는 등의 특별한 사정이 있는 경우가 아니라면 유체동산집행에 관한 관계 법규나 필요한 지식을 충분히 갖출 것이 요구되는 한편, 압류하려는 물건이 환가가능성이 있는지 여부는 통상적인 거래관행과 사례를 기초로 합리적으로 판단하여야 할 것이며, 만일 집행관으로서 당연히 알아야 할 관계 법규를 알지 못하거나 필요한 지식을 갖추지 못하였고 또한 조사를 게을리 하여 법규의 해석을 그르쳤고 이로 인하여 타인에게 손해를 가하였다면 불법행위가 성립한다.
② 공장저당의 목적인 동산은 공장저당법에 의하여 유체동산집행의 대상이 되지 아니하는 이른바 압류금지물에 해당하므로 집행관은 압류하여서는 아니되지만, 금지규정을 어겨 압류한 경우에는 집행관은 집행에 관한 이의에 의한 법원의 결정이나 채권자의 신청에 의하지 아니하고도 스스로 압류를 해제할 수 있다.
③ 동산·채권 등의 담보에 관한 법률에 따라 동산을 담보로 제공하기로 하는 담보약정을 하고 담보등기를 마치면 동산담보권이 성립한다. 동산담보권자는 담보목적물에 대하여 다른 채권자보다 자기채권을 우선변제받을 권리가 있다.
④ 등기를 통해 공시되는 동산담보권을 창설한 동산·채권 등의 담보에 관한 법률의 입법취지, 부동산 집행절차에서 등기된 담보권자를 당연히 배당받을 채권자로 정하는 민사집행법 제148조 제4호의 취지, 동산담보권자와 경매채권자 사이의 이익형량 등을 고려하면, 동산담보권이 설정된 유체동산에 대하여 다른 채권자의 신청에 의한 강제집행절차가 진행되는 경우 민사집행법 제148조 제4호를 유추적용하여 집행관의 압류 전에 등기된 동산담보권을 가진 채권자는 배당요구를 하지 않아도 당연히 배당에 참가할 수 있다.

정답 02 ② 03 ②

⑤ 유치권에 의한 경매절차가 개시된 유체동산에 대하여 유치권자의 승낙 없이 민사집행법 제215조에 따라 다른 채권자가 강제집행을 위하여 압류를 한 다음 민사집행법 제274조 제2항에 따라 유치권에 의한 경매절차를 정지하고 채권자를 위한 강제경매절차를 진행하였다면, 그 강제경매절차에서 목적물이 매각되었더라도 유치권자의 지위에는 영향을 미칠 수 없고 유치권자는 그 목적물을 계속하여 유치할 권리가 있다.

해설 ①,② ≪대판 2003.9.26, 2001다52773≫

[1] 집행관이 독립·단독의 사법기관으로서 스스로 법령을 해석하고 집행할 권한이 있고, 특히 유체동산집행은 개시부터 종료까지 집행관의 고유권한으로서 무잉여인지 여부도 스스로 판단하는 것이라고 하더라도, 집행관은 유체동산집행에 관한 법률전문가로서 집행의 근거로 삼는 법령에 대한 해석이 복잡, 미묘하여 워낙 어렵고, 이에 대한 학설, 판례조차 귀일되어 있지 않는 등의 특별한 사정이 있는 경우가 아니라면 유체동산집행에 관한 관계 법규나 필요한 지식을 충분히 갖출 것이 요구되는 한편, 압류하려는 물건이 환가가능성이 있는지 여부는 통상적인 거래관행과 사례를 기초로 합리적으로 판단하여야 할 것이며, 만일 집행관으로서 당연히 알아야 할 관계 법규를 알지 못하거나 필요한 지식을 갖추지 못하였고 또한 조사를 게을리하여 법규의 해석을 그르쳤고 이로 인하여 타인에게 손해를 가하였다면 불법행위가 성립한다.

[2] 공장저당의 목적인 동산은 「공장저당법」에 의하여 유체동산집행의 대상이 되지 아니하는 이른바 압류금지물에 해당하므로 집행관은 압류하여서는 아니되지만, 금지규정을 어겨 압류한 경우에는 집행관은 집행에 관한 이의에 의한 법원의 결정이나 채권자의 신청에 의하지 아니하고는 스스로 압류를 해제할 수 없는 것이고, 압류의 부당해제의 경우 집행관의 처분에 대한 이의로서 구제받을 것을 예정하고 있다고 하더라도, 그러한 구제절차를 취하였더라면 부당한 압류해제로 인한 손해를 방지할 수 있었다고 단정할 수 없는 이상 구제절차를 취하지 아니하였다는 사유만으로 부당한 압류해제로 인한 손해발생을 부정할 수는 없다.

③,④ ≪대판 2022.3.31, 2017다263901≫

[1] 동산·채권 등의 담보에 관한 법률(이하 '동산채권담보법'이라 한다)에 따라 동산을 담보로 제공하기로 하는 담보약정을 하고 담보등기를 마치면 동산담보권이 성립한다(제7조). 동산담보권자는 담보목적물에 대하여 다른 채권자보다 자기채권을 우선변제받을 권리가 있다(제8조).

[2] 등기를 통해 공시되는 동산담보권을 창설한 동산채권담보법의 입법 취지, 부동산 집행절차에서 등기된 담보권자를 당연히 배당받을 채권자로 정하는 민사집행법 제148조 제4호의 취지, 동산담보권자와 경매채권자 사이의 이익형량 등을 고려하면, 동산담보권이 설정된 유체동산에 대하여 다른 채권자의 신청에 의한 강제집행절차가 진행되는 경우 민사집행법 제148조 제4호를 유추적용하여 집행관의 압류 전에 등기된 동산담보권을 가진 채권자는 배당요구를 하지 않아도 당연히 배당에 참가할 수 있다고 보아야 한다.

⑤ ≪대결 2012.9.13, 2011그213≫

[2] 유치권에 의한 경매절차가 개시된 유체동산에 대하여 유치권자의 승낙 없이 「민사집행법」 제215조에 따라 다른 채권자가 강제집행을 위하여 압류를 한 다음 「민사집행법」 제274조 제2항에 따라 유치권에 의한 경매절차를 정지하고 채권자를 위한 강제경매절차를 진행하였다면, 그 강제경매절차에서 목적물이 매각되었더라도 유치권자의 지위에는 영향을 미칠 수 없고 유치권자는 그 목적물을 계속하여 유치할 권리가 있다고 보아야 한다.

제2절 채권과 그 밖의 재산권에 대한 집행

01 금전채권에 대한 강제집행

01 다음 설명 중 가장 옳지 않은 것은? ▶ 2021 법무사

① 부동산 경매절차에서 채무자 소유 부동산이 매각되고 매수인이 매각대금을 다 납부하여 매각 부동산 위의 저당권이 소멸하였더라도 배당절차에 이르기 전에 채무자에 대해 회생절차개시결정이 있었다면, 저당권자는 회생절차 개시 당시 저당권으로 담보되는 채권 또는 청구권을 가진 채무자 회생 및 파산에 관한 법률 제141조에 따른 회생담보권자라고 봄이 타당하다.

② 채무자 소유 부동산에 관하여 경매절차가 진행되어 부동산이 매각되고 매각대금이 납부되었으나 배당기일이 열리기 전에 채무자에 대하여 회생절차가 개시되었다면, 집행절차는 중지되고, 만약 이에 반하여 집행이 이루어졌다면 이는 무효이다. 이후 채무자에 대한 회생계획인가결정이 있은 때에 중지된 집행절차는 효력을 잃게 된다.

③ 강제집행에 의한 채권의 만족은 변제자의 의사에 기하지 아니하고 행하여지는 것이나, 예외적으로 비채변제가 성립할 수 있다.

④ 금전채권에 대한 압류·추심명령이 있더라도 압류채권자에게 채무자의 제3채무자에 대한 채권이 이전되거나 귀속되는 것이 아니라 채권을 추심할 권능만 부여될 뿐이고 이러한 추심권능은 압류의 대상이 될 수 없다.

⑤ 집행권원상의 청구권이 양도되어 대항요건을 갖춘 경우에는 집행당사자적격이 양수인으로 변경되며, 양수인이 승계집행문을 부여받음에 따라 집행채권자가 양수인으로 확정된다. 승계집행문의 부여로 인하여 양도인에 대한 기존 집행권원의 집행력은 소멸한다.

> **해설** ①,②,③ ≪대판 2018.11.29. 2017다286577≫
> [1] 민사집행법 제135조, 제91조 제2항에 따라 매수인이 매각 부동산의 소유권을 취득하고 매각 부동산 위의 저당권이 소멸하더라도, 저당권자는 이후 배당절차에서 저당권의 순위와 내용에 따라 저당부동산의 교환가치에 해당하는 매각대금으로부터 피담보채권에 대한 우선변제를 받게 된다. 따라서 부동산 경매절차에서 채무자 소유 부동산이 매각되고 매수인이 매각대금을 다 납부하여 매각 부동산 위의 저당권이 소멸하였더라도 배당절차에 이르기 전에 채무자에 대해 회생절차개시결정이 있었다면, 저당권자는 회생절차 개시 당시 저당권으로 담보되는 채권 또는 청구권을 가진 채무자 회생 및 파산에 관한 법률 제141조에 따른 회생담보권자라고 봄이 타당하다.
> [2] 개개의 강제집행절차가 종료된 후에는 그 절차가 중지될 수 없는데, 부동산에 대한 금전집행은 매각대금이 채권자에게 교부 또는 배당된 때에 비로소 종료한다. 따라서 채무자 소유 부동산에 관하여 경매절차가 진행되어 부동산이 매각되고 매각대금이 납부되었으나 배당기일이 열리기 전에 채무자에 대하여 회생절차가 개시되었다면, 집행절차는 중지되고, 만약 이에 반하여 집행이 이루어졌다면 이는 무효이다. 이후 채무자에 대한 회생계획인가결정이 있은 때에 중지된 집행절차는 효력을 잃게 된다.

정답 01 ③

[4] 강제집행에 의한 채권의 만족은 변제자의 의사에 기하지 아니하고 행하여지는 것으로서 비채변제가 성립되지 아니한다.

④ ≪대판 1997.3.14, 96다54300≫
금전채권에 대하여 압류 및 추심명령이 있었다고 하더라도 이는 강제집행절차에서 압류채권자에게 채무자의 제3채무자에 대한 채권을 추심할 권능만을 부여하는 것으로서 강제집행절차상의 환가처분의 실현행위에 지나지 아니한 것이며, 이로 인하여 채무자가 제3채무자에 대하여 가지는 채권이 압류채권자에게 이전되거나 귀속되는 것이 아니므로, 이와 같은 추심권능은 그 자체로서 독립적으로 처분하여 환가할 수 있는 것이 아니어서 압류할 수 없는 성질의 것이고, 따라서 이러한 추심권능에 대한 가압류결정은 무효이며, 추심권능을 소송상 행사하여 승소확정판결을 받았다 하더라도 그 판결에 기하여 금원을 지급받는 것 역시 추심권능에 속하는 것이므로, 이러한 판결에 기하여 지급받을 채권에 대한 가압류결정도 무효라고 보아야 한다.

⑤ ≪대판 2008.2.1, 2005다23889≫
집행권원상의 청구권이 양도되어 대항요건을 갖춘 경우 집행당사자적격이 양수인으로 변경되고, 양수인이 승계집행문을 부여받음에 따라 집행채권자는 양수인으로 확정되는 것이므로, 승계집행문의 부여로 인하여 양도인에 대한 기존 집행권원의 집행력은 소멸한다. 따라서, 그 후 양도인을 상대로 제기한 청구이의의 소는 피고적격이 없는 자를 상대로 한 소이거나 이미 집행력이 소멸한 집행권원의 집행력 배제를 구하는 것으로 권리보호의 이익이 없어 부적법하다.

02 피압류채권의 특정에 관한 다음 설명 중 가장 옳지 않은 것은? ▸ 2024 법무사

① 피압류채권의 내용이 특정되지 않은 압류명령은 무효이고, 나중에 채권자가 이를 보완하더라도 압류명령이 소급하여 유효로 되는 것은 아니다.

② 가압류명령의 가압류할 채권의 표시에 '채무자가 각 제3채무자들에게 대하여 가지는 다음의 예금채권 중 다음에서 기재한 순서에 따라 위 청구금액에 이를 때까지의 금액'이라고 기재된 사안에서, 위 문언의 기재로써 가압류명령의 송달 이후에 새로 입금되는 예금채권까지 포함하여 가압류되었다고 보는 것은 통상의 주의력을 가진 사회평균인을 기준으로 할 때 의문을 품을 여지가 충분하다고 보이므로, 이 부분 예금채권까지 가압류의 대상이 되었다고 해석할 수는 없고, 이는 압류 및 추심명령에서 '압류 및 추심할 채권의 표시'에 대하여도 마찬가지이다.

③ 채무자가 수인이거나 제3채무자가 수인인 경우 또는 채무자가 제3채무자에 대하여 여러 채권을 가지고 있는 경우에는 집행채권액을 한도로 하여 각 채무자나 제3채무자별로 얼마씩의 전부를 명하는 것인지 또는 채무자의 어느 채권에 대하여 얼마씩의 전부를 명하는 것인지를 특정하여야 하고, 이를 특정하지 아니한 경우에는 그 전부명령은 무효이다.

④ 채무자나 제3채무자가 수인인 경우, 압류의 대상인 수인의 채무자들의 채권 합계액이나 수인의 제3채무자들에 대한 채권의 집행의 범위가 명확하지 않더라도 그 채권 합계액이 집행채권액을 초과하지 않는 경우에는 특별한 경우가 아니라면 압류명령이 무효로 되는 것은 아니다.

⑤ 채무자가 제3채무자에 대하여 여러 개의 채권을 가지고 있고, 압류의 대상인 여러 채권의 합계액이 집행채권액보다 오히려 적다거나 복수의 채권이 모두 하나의 계약에 기하여 발생하였거나 제3채무자가 채무자에게 그 채무를 일괄 이행하기로 약정하였다는 등 특별한 사정이 있는 경우에는 압류할 대상인 채권별로 압류될 부분을 따로 특정하지 아니하였더라도 그 압류 등 결정은 유효한 것으로 볼 수 있다.

해설 ① ≪대판 1973.1.30, 72다2151≫
압류할 채권의 내용이 특정되지 아니하고 또 압류 통지서의 필요적 기재사항인 제3채무자에 대한 채무이행 금지명령의 기재가 누락되므로서 채권압류가 무효로 될 경우에는 뒤에 그러한 보완조치를 하였다 하여 소급적으로 유효하게 치유될 수는 없는 것이다.

② ≪대판 2011.2.10, 2008다9952≫
[3] 가압류명령의 가압류할 채권의 표시에 '채무자가 각 제3채무자들에게 대하여 가지는 다음의 예금채권 중 다음에서 기재한 순서에 따라 위 청구금액에 이를 때까지의 금액'이라고 기재된 사안에서, 위 문언의 기재로써 가압류명령의 송달 이후에 새로 입금되는 예금채권까지 포함하여 가압류되었다고 보는 것은 통상의 주의력을 가진 사회평균인을 기준으로 할 때 의문을 품을 여지가 충분하다고 보이므로, 이 부분 예금채권까지 가압류의 대상이 되었다고 해석할 수는 없다. [**註** 이는 **압류 및 추심명령에서 '압류 및 추심할 채권의 표시'에 대하여도 마찬가지이다**(대판 2023.3.30, 선고 2022다297335 등).]

③ ≪대판 2004.6.25, 2002다8346≫
전부명령이 확정된 경우에는 전부명령이 제3채무자에게 송달된 때에 채무자가 채무를 변제한 것으로 보게 되므로 ⅰ) 채무자가 수인이거나 ⅱ) 제3채무자가 수인인 경우 또는 ⅲ) 채무자가 제3채무자에 대하여 여러 채권을 가지고 있는 경우에는 집행채권액을 한도로 하여 각 채무자나 제3채무자별로 얼마씩의 전부를 명하는 것인지 또는 채무자의 어느 채권에 대하여 얼마씩의 전부를 명하는 것인지를 특정하여야 하고, 이를 특정하지 아니한 경우에는 집행의 범위가 명확하지 아니하므로 그 전부명령은 무효라고 보아야 한다.

④ ≪대판 2014.5.16, 2013다52547≫
채권에 대한 가압류 또는 압류를 신청하는 채권자는 신청서에 압류할 채권의 종류와 액수를 밝혀야 하고(「민사집행법」 제225조, 제291조), 채무자가 수인이거나 제3채무자가 수인인 경우에는 집행채권액을 한도로 하여 가압류 또는 압류로써 각 채무자나 제3채무자별로 어느 범위에서 지급이나 처분의 금지를 명하는 것인지를 가압류 또는 압류할 채권의 표시 자체로 명확하게 인식할 수 있도록 특정하여야 하며, 이를 특정하지 아니한 경우에는 집행의 범위가 명확하지 아니하여 특별한 사정이 없는 한 그 가압류결정이나 압류명령은 무효라고 보아야 한다(대판 2004.6.25, 2002다8346 등 참조). / 각 채무자나 제3채무자별로 얼마씩의 압류를 명하는 것인지를 개별적으로 특정하지 않고 단순히 채무자들의 채권이나 제3채무자들에 대한 채권을 포괄하여 압류할 채권으로 표시하고 그중 집행채권액과 동등한 금액에 이르기까지의 채권을 압류하는 등으로 금액만을 한정한 경우에, 각 채무자나 제3채무자는 자신의 채권 혹은 채무 중 어느 금액 범위 내에서 압류의 대상이 되는지를 명확히 구분할 수 없고, 그 결과 각 채무자나 제3채무자가 압류의 대상이 아닌 부분에 대하여 권리를 행사하거나 압류된 부분만을 구분하여 공탁을 하는 등으로 부담을 면하는 것이 불가능하기 때문이다. / 그리고 압류의 대상인 수인의 채무자들의 채권 합계액이나 수인의 제3채무자들에 대한 (**피압류**)채권 합계액이 집행채권액을 초과하지 않는다 하더라도, 개별 채무자 및 제3채무자로서

는 자신을 제외한 다른 모든 채무자들의 채권액이나 모든 제3채무자들의 채무액을 구체적으로 알고 있는 특별한 경우가 아니라면 자신에 대한 집행의 범위를 알 수 없음은 마찬가지이므로 달리 볼 것은 아니다.

⑤ ≪대판 2013.12.26. 2013다26296≫

[1] 채권에 대한 가압류 또는 압류명령을 신청하는 채권자는 신청서에 압류할 채권의 종류와 액수를 밝혀야 하고(「민사집행법」 제225조, 제291조), 특히 압류할 채권 중 일부에 대하여만 압류명령을 신청하는 때에는 그 범위를 밝혀 적어야 한다(「민사집행규칙」 제159조 제1항 제3호, 제218조). 그럼에도 채권자가 가압류나 압류를 신청하면서 압류할 채권의 대상과 범위를 특정하지 않음으로 인해 가압류결정 및 압류명령(이하 '압류 등 결정'이라 한다)에서도 피압류채권이 특정되지 아니한 경우에는 그 압류 등 결정에 의해서는 압류 등의 효력이 발생하지 않는다 할 것이다. / 이러한 법리는 채무자가 제3채무자에 대하여 여러 개의 채권을 가지고 있고, 채권자가 그 각 채권 전부를 대상으로 하여 압류 등의 신청을 할 때에도 마찬가지로 적용되므로, 그 경우 채권자는 여러 개의 채권 중 어느 채권에 대하여 어느 범위에서 압류 등을 신청하는지 신청취지 자체로 명확하게 인식할 수 있도록 특정하여야 한다. / 다만 압류의 대상인 여러 채권의 합계액이 집행채권액보다 오히려 적다거나 복수의 채권이 모두 하나의 계약에 기하여 발생하였거나 제3채무자가 채무자에게 그 채무를 일괄 이행하기로 약정하였다는 등 특별한 사정이 있는 경우에는 압류할 대상인 채권별로 압류될 부분을 따로 특정하지 아니하였더라도 그 압류 등 결정은 유효한 것으로 볼 수 있다(대판 2012.11.15. 2011다38394 참조).

03 다음 중 압류금지채권은 모두 몇 개인가?

▸ 2021 법무사

> 가. 법령에 규정된 부양료 및 유족부조료
> 나. 채무자가 구호사업이나 제3자의 도움으로 계속 받는 수입
> 다. 병사의 급료
> 라. 급료·연금·봉급·상여금·퇴직연금, 그 밖에 이와 비슷한 성질을 가진 급여채권의 2분의 1에 해당하는 금액
> 마. 퇴직금 그 밖에 이와 비슷한 성질을 가진 급여채권의 2분의 1에 해당하는 금액
> 바. 주택임대차보호법 제8조, 같은 법 시행령의 규정에 따라 우선변제를 받을 수 있는 금액
> 사. 생명, 상해, 질병, 사고 등을 원인으로 채무자가 지급받는 보장성보험의 보험금(해약환급 및 만기환급금을 포함한다)
> 아. 채무자의 1월간 생계유지에 필요한 예금(적금·부금·예탁금과 우편대체를 포함한다)

① 4개   ② 5개
③ 6개   ④ 7개
⑤ 8개

해설 ⑤ 법 제246조(압류금지채권) 〈제6호 신설 2010.7.23.〉 〈제7호, 제8호 신설 2011.4.5. 시행 2011.7.6.〉
① 다음 각호의 채권은 압류하지 못한다.
1. 법령에 규정된 부양료 및 유족부조료

2. 채무자가 구호사업이나 제3자의 도움으로 계속 받는 수입

3. 병사의 급료

4. 급료·연금·봉급·상여금·퇴직연금, 그 밖에 이와 비슷한 성질을 가진 급여채권의 2분의 1에 해당하는 금액. 다만, 그 금액이 국민기초생활보장법에 의한 최저생계비를 고려하여 대통령령이 정하는 금액(**월 250만 원**)에 미치지 못하는 경우 또는 표준적인 가구의 생계비를 고려하여 대통령령이 정하는 금액을 초과하는 경우에는 각각 당해 대통령령이 정하는 금액으로 한다.

5. 퇴직금 그 밖에 이와 비슷한 성질을 가진 급여채권의 2분의 1에 해당하는 금액

6. 「주택임대차보호법」 제8조, 같은 법 시행령의 규정에 따라 우선변제를 받을 수 있는 금액
   (**cf** 상가건물 소액보증금 압류금지 x ⇒ 압류○)

7. 생명, 상해, 질병, 사고 등을 원인으로 채무자가 지급받는 보장성보험의 보험금(해약환급 및 만기환급금을 포함한다). 다만, 압류금지의 범위는 생계유지, 치료 및 장애 회복에 소요될 것으로 예상되는 비용 등을 고려하여 대통령령으로 정한다.

8. 채무자의 1월간 생계유지에 필요한 예금(적금·부금·예탁금과 우편대체를 포함한다). 다만, 그 금액은 「국민기초생활 보장법」에 따른 최저생계비, 제195조 제3호에서 정한 금액 등을 고려하여 대통령령으로 (250만 원 이하) 정한다. (250만 원 초과사실 ⇒ 채권자 증명)

04 채권집행의 대상에 관한 다음 설명 중 가장 옳지 않은 것은?

▶ 2022 법무사

① 강제집행정지의 담보를 위하여 공동 명의로 공탁한 경우, 제3자가 다른 공동공탁자의 공탁금회수청구권에 대하여 압류 및 추심명령을 한 경우에 그 압류 및 추심명령은 공탁자 간 균등한 비율에 의한 공탁금액의 한도 내에서 효력이 있으므로 담보공탁금을 전액 출연한 공탁자는 그 압류채권자에 대하여 자금 부담의 실질관계를 이유로 대항할 수 없다.

② 주택임대차보호법 제8조, 같은 법 시행령 및 상가건물임대차보호법 제14조, 같은 법 시행령의 각 규정에 따라 임차인의 보증금 중 일정액을 다른 담보물권자보다 우선변제 받을 수 있는 금액은 압류할 수 없다.

③ 당사자가 이혼이 성립하기 전에 이혼소송과 병합하여 재산분할의 청구를 한 경우에, 아직 발생하지 아니하였고 구체적 내용이 형성되지 아니한 재산분할청구권을 미리 양도하는 것은 성질상 허용되지 아니하며, 이혼과 동시에 재산분할로서 금전의 지급을 명하는 판결이 확정된 이후부터 채권집행의 대상이 될 수 있다.

④ 장래 발생할 채권이나 조건부 채권도 현재 그 권리의 특정이 가능하고 가까운 장래에 발생할 것이 상당 정도 기대되는 경우에는 이를 압류할 수 있으므로 20년 이상 근속한 지방공무원이 명예퇴직수당 지급대상자로 확정되기 전의 명예퇴직수당 채권도 압류할 수 있다.

⑤ 압류금지채권의 목적물이 채무자의 예금계좌에 입금된 경우에는 그 예금채권에 대하여 더 이상 압류금지의 효력이 미치지 아니하므로, 그 예금은 압류금지채권에 해당하지 아니하여 압류할 수 있다.

정답   **03 ④   04 ②**

해설 ① ≪대판 2015.9.10, 2014다29971≫

공탁자가 공탁한 내용은 공탁의 기재에 의하여 형식적으로 결정되므로 수인의 공탁자가 공탁하면서 각자의 공탁금액을 나누어 기재하지 않고 공동으로 하나의 공탁금액을 기재한 경우에 공탁자들은 균등한 비율로 공탁한 것으로 보아야 하고, 공탁자들 내부의 실질적인 분담금액이 다르다고 하더라도 이는 공탁자들 내부 사이에 별도로 해결하여야 할 문제이다. 이러한 법리는 강제집행정지의 담보를 위하여 공동 명의로 공탁한 경우 담보취소에 따른 공탁금회수청구권의 귀속과 비율에 관하여도 마찬가지로 적용된다. 따라서 제3자가 다른 공동공탁자의 공탁금회수청구권에 대하여 압류 및 추심명령을 한 경우에 압류 및 추심명령은 공탁자 간 균등한 비율에 의한 공탁금액의 한도 내에서 효력이 있고, 공동공탁자들 중 실제로 담보공탁금을 전액 출연한 공탁자가 있다 하더라도 이는 공동공탁자들 사이의 내부관계에서만 주장할 수 있는 사유에 불과하여 담보공탁금을 전액 출연한 공탁자는 압류채권자에 대하여 자금 부담의 실질관계를 이유로 대항할 수 없다.

② 법 제246조(압류금지채권)

　① 다음 각호의 채권은 압류하지 못한다.

　　6. 「주택임대차보호법」 제8조, 같은 법 시행령의 규정에 따라 우선변제를 받을 수 있는 (**소액보증**)금액 (**cf** **상가건물 소액보증금 압류**○)

③ ≪대판 2017.9.21, 2015다61286≫

이혼으로 인한 재산분할청구권은 이혼을 한 당사자의 일방이 다른 일방에 대하여 재산분할을 청구할 수 있는 권리로서, 이혼이 성립한 때에 법적 효과로서 비로소 발생하며, 또한 협의 또는 심판에 의하여 구체적 내용이 형성되기 전까지는 범위 및 내용이 불명확·불확정하기 때문에 구체적으로 권리가 발생하였다고 할 수 없다. 따라서 당사자가 이혼이 성립하기 전에 이혼소송과 병합하여 재산분할의 청구를 한 경우에, 아직 발생하지 아니하였고 구체적 내용이 형성되지 아니한 재산분할청구권을 미리 양도하는 것은 성질상 허용되지 아니하며, 법원이 이혼과 동시에 재산분할로서 금전의 지급을 명하는 판결이 확정된 이후부터 채권 양도의 대상이 될 수 있다.

④ ≪대결 2001.9.18, 2000마5252≫

[1] 장래 발생할 채권이나 조건부 채권도 현재 그 권리의 특정이 가능하고 가까운 장래에 발생할 것이 상당 정도 기대되는 경우에는 이를 압류할 수 있다.

[2] 「지방공무원법」 제66조의2 제1항, 「지방공무원명예퇴직수당등지급규정」 제3조, 제4조, 제5조, 제7조 등의 규정에 비추어 보면, 20년 이상 근속한 공무원이 그 정년퇴직일 전 1년 이상의 기간 중 자진 퇴직하는 때에는 예산상 부득이하여 그 지급대상범위와 인원이 제한되는 경우 및 위 지급규정 제3조 제3항에 정해진 결격사유가 없는 한 명예퇴직수당 지급신청을 하여 그 지급을 받을 수 있으므로, 20년 이상 근속한 지방공무원의 경우에는 명예퇴직수당의 기초가 되는 법률관계가 존재하고 그 발생근거와 제3채무자를 특정할 수 있어 그 권리의 특정도 가능하며 가까운 장래에 발생할 것이 상당 정도 기대된다고 할 것이어서, 그 공무원이 명예퇴직수당 지급대상자로 확정되기 전에도 그 명예퇴직수당 채권에 대한 압류가 가능하다고 할 것이고, 그 공무원이 명예퇴직 및 명예퇴직수당 지급신청을 할지 여부가 불확실하다거나 예산상 부득이한 경우 그 지급대상범위가 제한될 수 있다는 것 때문에 그것이 가까운 장래에 발생할 것이 상당 정도 확실하지 않다고 볼 것은 아니다.

⑤ ≪대결 2008.12.12, 2008마1774≫

압류금지채권의 목적물이 채무자의 예금계좌에 입금된 경우에는 그 예금채권에 대하여 더 이상 압류금지의 효력이 미치지 아니하므로, 그 예금은 압류금지채권에 해당하지 아니한다.

05 압류금지채권에 관한 다음 설명 중 가장 옳지 않은 것은? ▸ 2023 법무사

① 채권자가 채권압류 및 추심명령에 기하여 채무자의 제3채무자에 대한 예금채권의 추심을 구하는 소를 제기한 경우 추심 대상 채권이 압류금지채권에 해당하지 않는다는 점은 채권자가 증명하여야 한다.

② 상계가 금지되는 채권이라면 설령 압류금지채권에 해당하지 않더라도 전부명령의 대상이 될 수 없다.

③ 원칙적으로 보험가입 당시 예정된 해당 보험의 만기환급금이 보험계약자의 납입보험료 총액을 초과하지 않으면 민사집행법 제246조 제1항 제7호에서 압류금지채권의 하나로 규정하는 '보장성보험'에 해당한다고 보아야 한다.

④ 주식회사의 이사, 대표이사의 보수청구권(퇴직금 등의 청구권을 포함한다)은 특별한 사정이 없는 이상 민사집행법 제246조 제1항 제4호 또는 제5호가 정하는 압류금지채권에 해당한다고 보아야 한다.

⑤ 압류금지채권의 목적물이 채무자의 예금계좌에 입금된 경우에 그 예금은 압류금지채권에 해당하지 않는다.

해설 ① ≪대판 2015.6.11, 2013다40476≫

채권자가 채권압류 및 추심명령에 기하여 채무자의 제3채무자에 대한 예금채권의 추심을 구하는 소를 제기한 경우 추심 대상 채권이 압류금지채권에 해당하지 않는다는 점, 즉 채무자의 개인별 예금 잔액과 「민사집행법」 제195조 제3호에 의하여 압류하지 못한 금전의 합계액이 150만 원 (⇒ **250만 원**)을 초과한다는 사실은 채권자가 증명하여야 한다.

② ≪대판 2017.8.21, 2017마499≫

[2] 상계가 금지되는 채권이라고 하더라도 압류금지채권에 해당하지 않는 한 강제집행에 의한 전부명령의 대상이 될 수 있다(대결 1994.3.16.자 93마1822, 1823).

③ ≪대판 2018.12.27, 2015다50286≫

[3] 하나의 보험계약에 보장성보험과 저축성보험의 성격이 모두 있는 경우에 저축성보험의 성격을 갖는 계약 부분만을 분리하여 해지할 수 없다면, 해당 보험 전체를 두고 「민사집행법」 제246조 제1항 제7호에서 규정하는 '보장성보험'에 해당하는지를 결정하여야 한다. 원칙적으로 보험가입 당시 예정된 해당 보험의 만기환급금이 보험계약자의 납입보험료 총액을 초과하는지를 기준으로 하여, 만기환급금이 납입보험료 총액을 초과하지 않으면 「민사집행법」 제246조 제1항 제7호에서 규정하는 '보장성보험'에 해당한다고 보아야 한다. 그러나 만기환급금이 납입보험료 총액을 초과하더라도, 해당 보험이 예정하는 보험사고의 성질과 보험가입 목적, 납입보험료의 규모와 보험료의 구성, 지급받는 보험료의 내용 등을 종합적으로 고려하였을 때 보장성보험도 해당 보험의 주된 성격과 목적으로 인정할 수 있다면 이를 민사집행법이 압류금지채권으로 규정하고 있는 보장성보험으로 보아야 한다.

④ ≪대판 2018.5.30, 2015다51968≫

[3] 주식회사의 이사, 대표이사(이하 '이사 등'이라고 한다)의 보수청구권(퇴직금 등의 청구권을 포함한다)은, 그 보수가 합리적인 수준을 벗어나서 현저히 균형을 잃을 정도로 과다하거나, 이를 행사하는 사람이 법적으로는 주식회사 이사 등의 지위에 있으나 이사 등으로서의 실질

정답 ▸ **05 ②**

적인 직무를 수행하지 않는 이른바 명목상 이사 등에 해당한다는 등의 특별한 사정이 없는 이상 「민사집행법」 제246조 제1항 제4호 또는 제5호가 정하는 압류금지채권에 해당한다고 보아야 한다.

⑤ ≪대결 2008.12.12, 2008마1774≫

압류금지채권의 목적물이 채무자의 예금계좌에 입금된 경우에는 그 예금채권에 대하여 더 이상 압류금지의 효력이 미치지 아니하므로, 그 예금은 압류금지채권에 해당하지 아니한다.

06 재판에 의한 압류금지채권의 범위변경에 관한 다음 설명 중 가장 옳지 않은 것은?

▸ 2024 법무사

① 법원은 당사자가 신청하면 채권자와 채무자의 생활형편, 그 밖의 사정을 고려하여 압류명령의 전부 또는 일부를 취소하거나 위 압류금지채권에 대하여 압류명령을 할 수 있다. 이 재판은 직권으로 할 수는 없고, 채권자가 압류금지채권에 대한 압류명령을 신청하거나 채무자가 압류명령의 취소를 신청하여야 한다.

② 법원은 압류금지채권의 범위변경의 재판 또는 그 변경의 재판에 앞서 채무자에게 담보를 제공하게 하거나 담보를 제공하게 하지 않고 강제집행을 일시정지하도록 명하거나, 채권자에게 담보를 제공하게 하고 그 집행을 계속하도록 명하는 등의 잠정처분을 할 수 있다.

③ 법원은 압류금지채권의 목적물이 금융기관에 개설된 채무자의 계좌에 이체되는 경우 채무자의 신청에 따라 그에 해당하는 부분의 압류명령을 취소하여야 하고, 압류명령이 취소된 경우 채권자가 집행행위로 취득한 금전을 채무자에게 부당이득으로 반환하여야 한다.

④ 사용자인 법인이 민사집행법 제246조 제1항 제5호가 정하는 압류금지채권인 근로자의 퇴직금 2분의 1 상당액을 민법 제487조의 규정에 의하여 근로자의 수령거절을 원인으로 변제공탁한 경우, 그 공탁금은 임금채권의 성질을 유지하므로, 이를 집행대상으로 한 압류 및 전부명령은 무효다. (근로자의 퇴직금 ⇒ 이사 등의 퇴직금)

⑤ 채무자가 압류금지채권의 목적물이 입금된 예금채권을 압류당한 다음에 압류명령의 전부 또는 일부의 취소를 구하는 내용의 서면을 집행법원에 제출한 경우에 집행법원으로서는 위와 같은 서면에 즉시항고나 이의신청 등의 다른 제목이 붙어 있다 하더라도 특별한 사정이 없는 한 이를 민사집행법 제246조 제2항에서 정한 압류명령의 취소 신청으로 보아야 한다.

> **해설** ①,② 법 제246조(압류금지채권)
> ③ 법원은 당사자가 신청하면 채권자와 채무자의 생활형편, 그 밖의 사정을 고려하여 압류명령의 전부 또는 일부를 취소하거나 제1항의 압류금지채권에 대하여 압류명령을 할 수 있다.
> ④ 제3항의 경우에는 제196조 제2항 내지 제5항의 규정을 준용한다.
> 準用 법 제196조(압류금지 물건을 정하는 재판)
> ② 제1항의 결정이 있은 뒤에 그 이유가 소멸되거나 사정이 바뀐 때에는 법원은 직권으로 또는 당사자의 신청에 따라 그 결정을 취소하거나 바꿀 수 있다.
> ③ 제1항 및 제2항의 경우에 법원은 제16조 제2항에 준하는 결정을 할 수 있다.

④ 제1항 및 제2항의 결정에 대하여는 즉시항고를 할 수 있다.

⑤ 제3항의 결정에 대하여는 불복할 수 없다.

③ ≪대판 2014.7.10, 2013다25552≫

2011.4.5. 법률 제10539호로 개정된 「민사집행법」(이하 '개정 「민사집행법」'이라 한다)에서 신설된 제246조 제2항은, 압류금지채권이 금융기관에 개설된 채무자의 계좌에 이체되는 경우 더 이상 압류금지의 효력이 미치지 아니하므로 그 예금에 대한 압류명령은 유효하지만, 원래의 압류금지의 취지는 참작되어야 하므로 채무자의 신청에 의하여 압류명령을 취소하도록 한 것으로서 개정 「민사집행법」 제246조 제3항과 같은 압류금지채권의 범위변경에 해당하고, 위 조항에 따라 압류명령이 취소되었다 하더라도 압류명령은 장래에 대하여만 효력이 상실할 뿐 이미 완결된 집행행위에는 영향이 없고, 채권자가 집행행위로 취득한 금전을 채무자에게 부당이득으로 반환하여야 하는 것도 아니다.

④ 공탁선례 제1-95호 (제정 1999.10.6) ['2020'실무제요 4권 207면 수록]

사용자인 법인이 민사소송법 제579조 제4호(법 제246조 제1항 제5호) 소정의 압류금지채권인 근로자의 퇴직금 2분의 1 상당액을 민법 제487조의 규정에 의하여 근로자의 수령거절을 원인으로 변제공탁한 경우, 그 공탁금(출급청구권)은 (압류금지채권인) 임금채권의 성질을 유지한다고 보아야 하므로 이를 집행대상으로 한 압류 및 전부명령은 비록 그 방식이 적법하더라도 그 내용은 무효라 할 것이나 형식적심사권밖에 없는 공탁공무원으로서는 그 압류 및 전부명령의 유·무효를 심사할 수는 없는 것이므로 피공탁자 또는 전부채권자가 공탁금의 출급을 청구하는 어느 경우라도 그 출급을 인가할 수 없을 것이다. 그러므로 피공탁자인 근로자가 공탁금출급청구권을 행사하려면 위 전부채권자를 상대로 하여 피공탁자에게 공탁금의 출급청구권이 있음을 증명하는 확인판결(또는 화해조서, 조정조서 등)을 얻어 이를 공탁공무원에게 제출하는 방법으로 하여야 할 것이다. (1999.10.6. 법정 제3302-340 질의회답)

(🔒 근로자의 퇴직금 ⇒ 근로자에 해당하지 않는 이사 등의 퇴직금)

⑤ ≪대결 2008.12.12, 2008마1774≫

압류금지채권의 목적물이 채무자의 예금계좌에 입금된 경우에는 그 예금채권에 대하여 더 이상 압류금지의 효력이 미치지 아니하므로, 그 예금은 압류금지채권에 해당하지 아니하는 것이지만, 이러한 경우에도 원래의 압류금지의 취지는 참작되어야 할 것이므로 민사집행법 제246조 제2항이 정하는 바에 따라 집행법원이 채무자의 신청에 의하여 채무자와 채권자의 생활 상황 기타의 사정을 고려하여 압류명령의 전부 또는 일부를 취소할 수 있다(대법원 1996.12.24.자 96마1302, 1303 결정, 대법원 1999.10.6.자 99마4857 결정 등).

(압류명령에 대한 이러한 취소신청은 압류명령과 독립된 별개의 신청으로 즉시항고가 아니고, 사법보좌관이 행할 수 없는 사무이므로(사법보좌관규칙 제2조 제1항 제9호 단서 다목) 판사가 담당한다.)

한편, 채무자가 압류금지채권의 목적물이 입금된 예금채권을 압류당한 다음에 압류명령의 전부 또는 일부의 취소를 구하는 내용의 서면을 집행법원에 제출한 경우에 집행법원으로서는 위와 같은 서면에 즉시항고나 이의신청 등의 다른 제목이 붙어 있다 하더라도 특별한 사정이 없는 한 이를 민사집행법 제246조 제2항에 정한 압류명령의 취소 신청으로 보고 이에 대한 판단을 하여야 한다.

07 압류금지채권에 관한 다음 설명 중 가장 옳지 않은 것은? ▸2025 법무사

① 민사집행법 제246조 제1항 제8호에 따라 압류가 금지되는 '채무자의 1월간 생계유지에 필요한 예금'은 채무자 명의의 어느 한 계좌에 예치되어 있는 금액이 아니라 개인별 잔액, 즉 각 금융기관에 예치되어 있는 채무자 명의의 예금을 합산한 금액 중 일정 금액을 의미한다.

② 예금채권에 대하여 채권압류 및 추심명령이 있음에도 채무자가 제3채무자인 금융기관을 상대로 해당 예금이 채무자의 1월간 생계유지에 필요한 예금으로서 압류금지채권에 해당한다고 주장하며 예금의 반환을 구하는 경우, 그러한 압류금지채권에 해당한다는 사실은 예금주인 채무자가 증명하여야 한다.

③ 민사집행법은 제246조 제1항 제4호에서 퇴직연금, 그 밖에 이와 비슷한 성질을 가진 급여채권은 그 1/2에 해당하는 금액만 압류하지 못하는 것으로 규정하고 있으나, 근로자퇴직급여 보장법상 퇴직연금채권은 압류가 전액 금지된다.

④ 민사집행법 제246조 제1항 제7호가 생명, 상해, 질병, 사고 등을 원인으로 채무자가 지급받는 보장성보험의 보험금 채권을 압류금지채권으로 규정한 입법 취지는 생계유지나 치료 및 장애 회복 등 보험계약자의 기본적인 생활을 보장하기 위한 최소한의 수단을 마련하기 위함이다.

⑤ 채권자가 스스로를 제3채무자로 하여 채무자의 자신에 대한 채권을 압류하는 것은 허용되지 않는다.

> **해설** ①,② ≪대판 2024.2.8. 2021다206356≫
>
> [2] 민사집행법 제246조 제1항 제8호(**제9호**)는 채무자의 1월간 생계유지에 필요한 예금을 압류금지채권으로 정하고, 구 민사집행법 시행령(2019.3.5. 대통령령 제29603호로 개정되기 전의 것) 제7조는 '민사집행법 제246조 제1항 제8호(⇒**제9호**)에 따라 <u>압류하지 못하는 예금 등의 금액은 개인별 잔액</u>이 150만 원(**현 250만 원**) 이하인 예금 등으로 한다.'고 정하였다. 위 규정에 따라 압류가 금지되는 '채무자의 1월간 생계유지에 필요한 예금'은 채무자 명의의 <u>어느 한 계좌에 예치되어 있는 금액이 아니라 개인별 잔액</u>, 즉 각 금융기관에 예치되어 있는 <u>채무자 명의의 예금을 합산한 금액 중 일정 금액을 의미</u>한다.
>
> 채무자의 제3채무자에 대한 예금채권에 대하여 (**추심채권자의**) <u>채권압류 및 추심명령이 있음에도</u> 채무자가 제3채무자인 금융기관을 상대로 해당 예금이 위 규정에서 정한 채무자의 1월간 생계유지에 필요한 예금으로서 압류금지채권에 해당한다고 주장하며 예금의 반환을 구하는 경우, (**채무자가 원고, 제3채무자를 피고로 하는**) 해당 소송에서 지급을 구하는 예금이 압류 당시 채무자의 개인별 예금 잔액 중 위 규정에서 정한 금액 이하로서 <u>압류금지채권에 해당한다는 사실은 예금주인 (**원고**) 채무자가 증명</u>하여야 한다.
>
> (**채무자**의 제3채무자에 대한 예금반환의 소 ⇒ 압류금지채권○, 250만원 이하 ⇒ **원고 채무자 증명**)
>
> ③ ≪대판 2014.1.23. 2013다71180≫
>
> 2005.1.27. 법률 제7379호로 「근로자퇴직급여 보장법」(이하 '퇴직급여법'이라고 한다)이 제정되면서 그 제7조에서 퇴직연금제도의 급여를 받을 권리에 대하여 양도를 금지하고 있으므로 위 양도금지 규정은 강행법규에 해당한다. 한편 「민사집행법」은 제246조 제1항 제4호에서 퇴직연금

그 밖에 이와 비슷한 성질을 가진 급여채권은 그 1/2에 해당하는 금액만 압류하지 못하는 것으로 규정하고 있으나, 이는 위 퇴직급여법상의 양도금지 규정과의 사이에서 일반법과 특별법의 관계에 있으므로, 퇴직급여법상의 퇴직연금채권은 그 전액에 관하여 압류가 금지된다고 보아야 한다.

④ ≪대판 2018.12.27, 2015다50286≫

[2] 「민사집행법」 제246조 제1항 제7호는 '생명, 상해, 질병, 사고 등을 원인으로 채무자가 지급받는 보장성보험의 보험금(해약환급 및 만기환급금을 포함한다) 채권은 압류하지 못하되, 압류금지의 범위는 생계유지, 치료 및 장애 회복에 소요될 것으로 예상되는 비용 등을 고려하여 대통령령으로 정한다'고 규정하고 있다. 「민사집행법」 시행령 제6조 제1항 제3호 가목은 「민법」 제404조에 따라 채권자가 채무자의 보험계약 해지권을 대위행사하거나 추심명령 또는 전부명령을 받은 채권자가 보장성보험에 관한 해지권을 행사하여 발생하는 해약환급금은 (금액의 제한 없이) 압류하지 못한다'고 규정하고 있다. 이처럼 민사집행법이 보장성보험의 보험금 채권을 압류금지채권으로 규정하는 입법 취지는 생계유지나 치료 및 장애 회복 등 보험계약자의 기본적인 생활을 보장하기 위한 최소한의 수단을 마련하기 위함이다.

⑤ ≪대판 2017.8.21, 2017마499≫

[1] 채권자가 채무자의 제3채무자에 대한 채권을 압류하는 경우 제3채무자가 채권자 자신인 경우에도 이를 압류하는 것이 금지되지 않으므로 단지 채권자와 제3채무자가 같다고 하여 채권 압류 및 전부명령이 위법하다고 볼 수 없다.

08 금전채권에 대한 압류명령에 관한 다음 설명 중 가장 옳은 것은? ▶ 2022 법무사

① 채권압류에 있어서 제3채무자는 순전히 타의에 의하여 다른 사람들 사이의 법률분쟁에 편입되어 압류명령에서 정한 의무를 부담하는 것이므로 이러한 제3채무자는 압류된 채권이나 그 범위를 파악함에 있어서 과도한 부담을 가지지 아니하도록 보호할 필요가 있다. 따라서 그에 있어서 '압류할 채권의 표시'에 기재된 문언은 그 문언 자체의 내용에 따라 객관적으로 엄격하게 해석하여야 하고, 문언의 의미가 불명확한 경우 그로 인한 불이익은 압류 신청채권자에게 부담시키는 것이 타당하므로, 제3채무자가 통상의 주의력을 가진 사회평균인을 기준으로 그 문언을 이해할 때 포함 여부에 의문을 가질 수 있는 채권은 특별한 사정이 없는 한 압류의 대상에 포함되었다고 보아서는 아니 된다.

② 가압류한 지명채권에 대하여 가압류에서 본압류로 전이하는 내용의 주문이 누락된 채 압류 및 추심명령이 발령되었다면, 어떠한 경우에도 해당 가압류는 본압류로 이전되는 효력이 생기지 않는다. 이는 가압류 및 압류·추심의 당사자 사이에 서로 동일성이 인정되고, 가압류의 피보전채권과 압류·추심의 집행채권 사이 및 가압류 대상 채권과 압류·추심 대상 채권 사이에 서로 동일성이 인정되는 경우라 하더라도 마찬가지이다.

③ 가압류에서 이전되는 채권압류의 경우 압류명령을 할 집행법원은 가압류를 명한 법원이 있는 곳을 관할하는 지방법원이 아니라 채권자의 보통재판적이 있는 곳의 지방법원이다.

④ 압류명령은 제3채무자에게만 송달하면 되며 채무자에게도 송달하여야 하는 것은 아니다.

⑤ 채권압류명령의 경정결정이 확정된 경우에는 처음부터 경정된 내용의 압류명령이 있었던 것과 같은 효력이 있으므로 당초의 결정정본이 제3채무자에게 송달된 때에 소급하여 경정된 내용의 압류결정의 효력이 발생하는 것이 원칙이다. 따라서 채권압류명령의 채무자를 변경하는 경정결정은 그 결정정본이 제3채무자에게 송달된 때에 비로소 경정된 내용의 결정의 효력이 발생하는 것이 아니라 당초의 결정정본이 제3채무자에게 송달된 때에 소급하여 경정된 내용의 압류결정의 효력이 발생한다고 보아야 한다.

해설 ① ≪대판 2013.6.13. 2013다10628≫

[1] 채권압류에 있어서 제3채무자는 순전히 타의에 의하여 다른 사람들 사이의 법률분쟁에 편입되어 압류명령에서 정한 의무를 부담하는 것이므로 이러한 제3채무자는 압류된 채권이나 그 범위를 파악함에 있어서 과도한 부담을 가지지 아니하도록 보호할 필요가 있다. 따라서 그에 있어서 '압류할 채권의 표시'에 기재된 문언은 그 문언 자체의 내용에 따라 객관적으로 엄격하게 해석하여야 하고, 문언의 의미가 불명확한 경우 그로 인한 불이익은 압류 신청채권자에게 부담시키는 것이 타당하므로, 제3채무자가 통상의 주의력을 가진 사회평균인을 기준으로 그 문언을 이해할 때 포함 여부에 의문을 가질 수 있는 채권은 특별한 사정이 없는 한 압류의 대상에 포함되었다고 보아서는 아니 된다.

② ≪대판 2010.10.14. 2010다48455≫

[2] 가압류한 지명채권에 대하여 가압류에서 본압류로 전이하는 내용의 주문이 누락된 채 압류 및 추심명령이 발령되었다 하더라도, 가압류 및 압류·추심의 당사자 사이에 서로 동일성이 인정되고, 가압류의 피보전채권과 압류·추심의 집행채권 사이 및 가압류 대상 채권과 압류·추심 대상 채권 사이에 서로 동일성이 인정되는 경우에는, 해당 가압류는 특별한 사정이 없는 한 당연히 본압류로 이전되는 효력이 생긴다.

③ 법 제224조(집행법원)

③ 가압류에서 이전되는 채권압류의 경우에 제223조의 집행법원은 가압류를 명한 법원이 있는 곳을 관할하는 지방법원으로 한다.

④ 법 제227조(금전채권의 압류)

② 압류명령은 제3채무자와 채무자에게 송달하여야 한다.

⑤ ≪대판 2005.1.13. 2003다29937≫

채무자를 '주식회사 척산개발'에서 '주식회사 광우종건'으로 변경함으로써 당초의 채권가압류결정의 동일성에 실질적으로 변경을 가한 경우에 해당하므로 위 경정결정의 효력은 그 결정이 제3채무자인 광산구에 송달된 때인 2002.11.1.에야 비로소 효력이 발생하였다고 보아야 한다.

09 대법원 2022.9.29. 선고 2019다278785 판결에 관한 다음 설명 중 가장 옳지 않은 것은?

▸ 2023 법무사

> 가. 집행채권이 압류 또는 가압류된 상태에서 집행채무자에 대한 강제집행절차가 진행되어 집행채권자에게 적법하게 배당이 이루어진 경우, 집행채권에 대한 압류 또는 가압류의 효력은 집행채권자의 배당금지급청구권에 미친다고 할 것이다.
>
> 나. 한편 집행채권자의 다른 채권자들은 집행채권자의 배당금지급청구권을 압류 또는 가압류할 수 있다. 이러한 압류 등으로 인하여 집행채권자의 배당금지급청구권에 대하여 민사집행법 제235조의 압류경합이 발생하고 채무자에 해당하는 집행법원 등이 압류경합을 이유로 민사집행법 제248조 제1항에 따라 집행공탁을 하였다면, 그 집행공탁으로써 배당금지급의무는 소멸하고 특별한 사정이 없는 한 집행채무자는 집행채권의 압류 또는 가압류권자에 대하여 집행채권 소멸의 효력을 대항할 수 있다.
>
> 다. 위와 같이 배당금지급청구권에 관한 압류경합에 따른 적법한 공탁사유신고에 의하여 채권배당절차가 개시되면 집행채권을 압류 또는 가압류하였던 채권자는 그 채권배당절차에서 배당금지급청구권에 대한 압류 또는 가압류권자의 지위에서 배당을 받아야 하므로, 집행법원 등이 집행채권자의 배당금지급청구권에 대한 압류의 경합을 이유로 사유신고를 할 때 사유신고서에 집행채권자에 대한 압류 또는 가압류명령도 기재하여야 한다.
>
> 라. 만약 이 경우 집행채권자에 대한 압류 또는 가압류명령이 사유신고서에 기재되지 않는 등의 이유로 그 후에 이루어진 배당절차에서 집행채권자의 채권자가 배당을 받지 못하였다고 하더라도 과다배당을 받은 다른 채권자를 상대로 자신이 배당받을 수 있었던 금액만큼 부당이득반환청구를 할 수는 없다.

① 가
② 나
③ 다
④ 라
⑤ 없음

 ※ 가, 나, 다 – ○ // 라 – ×

가. ≪대판 2022.9.29, 2019다278785≫

[1] 집행채권(⇒**집행채권자**)의 채권자가 집행권원에 표시된 집행채권을 압류 또는 가압류한 경우 그 효력으로 집행채무자의 변제가 금지되고 이에 위반되는 행위는 집행채권자의 채권자에게 대항할 수 없게 되므로, 집행기관은 압류 또는 가압류가 해제되지 않는 한 집행할 수 없다. 따라서 집행채권이 압류 또는 가압류되었다는 사정은 집행장애사유에 해당한다. 다만 이러한 경우에도 집행채권을 압류 또는 가압류한 채권자를 해하는 것이 아닌 집행절차는 집행채권에 대한 압류 또는 가압류의 효력에 반하는 것이 아니므로 허용된다.

[2] 집행채권이 압류 또는 가압류된 상태에서 집행채무자에 대한 강제집행절차가 진행되어 집행채권자에게 적법하게 배당이 이루어진 경우, 집행채권에 대한 압류 또는 가압류의 효력은 집행채권자의 배당금지급청구권(만약 민사집행법 제160조 제1항 각호에서 정한 배당유보공탁 사유로 인하여 공탁이 이루어진 경우에는 공탁사유가 소멸하면 집행채권자에게 발생할 공탁금출급청구권도 포함한다. 이하 '배당금지급청구권'이라고만 한다)에 미친다고 할 것이다.

정답 09 ④

　　나. 한편 집행채권자의 다른 채권자들은 집행채권자의 배당금지급청구권을 압류 또는 가압류할 수 있다. 이러한 압류 등으로 인하여 집행채권자의 배당금지급청구권에 대하여 민사집행법 제235조의 압류경합이 발생하고 채무자에 해당하는 집행법원 등이 압류경합을 이유로 민사집행법 제248조 제1항에 따라 집행공탁을 하였다면, 그 집행공탁으로써 배당금지급의무는 소멸하고 특별한 사정이 없는 한 집행채무자는 집행채권의 압류 또는 가압류권자에 대하여 집행채권 소멸의 효력을 대항할 수 있다.

　　다. 위와 같이 배당금지급청구권에 관한 압류경합에 따른 적법한 공탁사유신고에 의하여 채권배당절차가 개시되면 집행채권을 압류 또는 가압류하였던 채권자는 그 채권배당절차에서 배당금지급청구권에 대한 압류 또는 가압류권자의 지위에서 배당을 받아야 하므로, 집행법원 등이 집행채권자의 배당금지급청구권에 대한 압류의 경합을 이유로 사유신고를 할 때 사유신고서에 집행채권자에 대한 압류 또는 가압류명령도 기재하여야한다.

　　라. 만약 이 경우 집행채권자에 대한 압류 또는 가압류명령이 사유신고서에 기재되지 않는 등의 이유로 그 후에 이루어진 배당절차에서 집행채권자의 채권자가 배당을 받지 못한 경우에는 과다배당을 받은 다른 채권자를 상대로 자신이 배당받을 수 있었던 금액만큼 부당이득반환청구를 할 수 있다.

10　압류명령의 효력에 관한 다음 설명 중 가장 옳지 않은 것은?

▶ 2024 법무사

① 채권에 대한 압류가 행하여지면 그 효력으로 채무자나 제3채무자가 압류된 채권 그 자체를 처분하더라도 채권자에게 대항하지 못하므로, 차임채권을 압류하였는데 그 후 임대차가 종료하여 차임채권이 불법행위로 인한 손해배상채권으로 바뀐 경우에도 압류의 효력은 유지된다.

② 양도인의 제3채무자에 대한 채권이 압류된 후 채권의 발생원인인 계약의 당사자 지위를 이전하는 계약인수가 이루어진 경우 양수인은 압류에 의하여 권리가 제한된 상태의 채권을 이전받게 되므로, 제3채무자는 계약인수에 의하여 그와 양도인 사이의 계약관계가 소멸하였음을 내세워 압류채권자에 대항할 수 없다.

③ 채권의 압류는 집행채권의 소멸시효를 중단시키는 효력을 가지며, 집행채권에 관한 시효중단의 효력은 압류명령 신청 시에 발생한다. 이는 채권자가 채무자의 제3채무자에 대한 채권을 압류할 당시 그 피압류채권이 이미 소멸하였다는 등으로 부존재하는 경우에도 특별한 사정이 없는 한 압류집행을 함으로써 그 집행채권의 소멸시효는 중단된다고 할 것이다.

④ 채권자는 추심명령에 따라 얻은 권리를 포기할 수 있지만 추심권의 포기는 압류의 효력에는 영향을 미치지 아니하므로, 추심권의 포기만으로는 압류로 인한 소멸시효 중단의 효력은 상실되지 아니하고 압류명령의 신청을 취하하면 비로소 소멸시효 중단의 효력이 소급하여 상실된다.

⑤ 압류의 효력은 소극적으로 압류된 채권의 처분행위를 금지하는 것뿐이므로 그 압류된 채권의 소멸시효는 압류만으로 중단되지 아니한다. 다만 채무자의 제3채무자에 대한 채권에 관하여 압류 및 추심명령을 받아 그 결정이 제3채무자에게 송달되었다면 거기에 채무자의 제3채무자에 대한 채권에 대한 민법 제174조 소정의 소멸시효 중단사유인 '최고'로서의 효력은 인정된다.

해설 ① 채권에 대한 압류가 행하여지면 그 효력으로 채무자나 제3채무자가 압류된 채권 그 자체를 처분하더라도 채권자에게 대항하지는 못하지만, 그 압류로써 압류채권의 발생 원인인 기본적인 법률관계의 처분까지 금지되는 것은 아니기 때문이다. 따라서 채무자나 제3채무자는 기본적 계약관계 자체를 해지할 수 있고, 채무자와 제3채무자 사이의 기본적 계약관계가 해지된 이상 그 계약에 의하여 발생한 채권은 소멸하게 되므로 이를 대상으로 한 압류명령 또한 실효될 수밖에 없다 (대판 2006.1.26, 2003다29456 등 참조). 또한 예를 들어 차임채권을 압류하였는데 그 후 임대차가 종료하여 차임채권이 불법행위로 인한 손해배상채권으로 바뀐 경우, 종업원인 채무자가 퇴직하였다가 제3채무자와 새로운 고용계약을 맺은 경우, 도급계약이 해지되기 전에 수급인의 보수채권을 압류한 경우 등에는 그 압류의 효력이 손해배상채권이나 새로운 고용계약상의 임금채권 또는 도급 계약 해지 후 제3채무자와 제3자 사이에 새로 체결한 공사계약에서 발생한 공사대금채권(대판 2006.1.26, 2003다29456) 등에는 미치지 않는다. 물론 이러한 법률관계의 변경이 강제집행을 면탈하기 위한 것으로 평가될 때에는 달리 취급할 여지가 있다.

② ≪대판 2015.5.14, 2012다41359≫

[2] 계약 당사자로서의 지위 승계를 목적으로 하는 계약인수의 경우에는 양도인이 계약관계에서 탈퇴하는 까닭에 양도인과 상대방 당사자 사이의 계약관계가 소멸하지만, 양도인이 계약관계에 기하여 가지던 권리의무가 동일성을 유지한 채 양수인에게 그대로 승계된다. 따라서 양도인의 제3채무자에 대한 채권이 압류된 후 채권의 발생원인인 계약의 당사자 지위를 이전하는 계약인수가 이루어진 경우 양수인은 압류에 의하여 권리가 제한된 상태의 채권을 이전받게 되므로, 제3채무자는 계약인수에 의하여 그와 양도인 사이의 계약관계가 소멸하였음을 내세워 압류채권자에 대항할 수 없다.

③ ≪대판 2025.9.11, 2025다212338≫

채권의 소멸시효는 압류에 의하여 중단된다(민법 제168조 제2호). 압류채권자의 권리행사는 압류를 신청한 때에 시작되므로 압류에 따른 시효중단의 효력은 채권자가 집행기관인 집행법원 또는 집행관에게 금전채권에 관한 강제집행을 신청하거나 위임한 때에 소급하여 생기는 것이 원칙이다. 압류할 당시 그 피압류채권이 이미 소멸하여 존재하지 않는 경우에도 집행채권에 대한 권리 행사로 볼 수 있다면 특별한 사정이 없는 한 압류집행으로써 그 집행채권의 소멸시효는 중단된다. 다만 이 경우 압류의 대상이 존재하지 않아 압류명령이 제3채무자에게 송달되더라도 민사집행법 제227조에서 정한 압류의 효력은 발생하지 않고 채권압류에 따른 집행절차가 바로 종료하므로, 집행채권의 소멸시효는 그때부터 새로이 진행한다.

④ ≪대판 2014.11.13, 2010다63591≫

[2] 금전채권에 대한 압류명령과 그 현금화 방법인 추심명령을 동시에 신청하더라도 압류명령과 추심명령은 별개로서 그 적부는 각각 판단하여야 하고, 그 신청의 취하 역시 별도로 판단하여야 한다. 채권자는 추심명령에 따라 얻은 권리를 포기할 수 있지만「민사집행법」제240조 제1항) 추심권의 포기는 압류의 효력에는 영향을 미치지 아니하므로, 추심권의 포기만으로는 압류로 인한 소멸시효 중단의 효력은 상실되지 아니하고 압류명령의 신청을 취하하면 비로소 소멸시효 중단의 효력이 소급하여 상실된다.

③,⑤ ≪대판 2003.5.13, 2003다16238≫

[1] 채권자가 채무자의 제3채무자에 대한 채권을 압류 또는 가압류한 경우에 채무자에 대한 채권자의 채권(**집행채권**)에 관하여 (**압류명령신청시에 소급하여**) 시효중단의 효력이 생긴다고 할 것이나, / 압류 또는 가압류된 채무자의 제3채무자에 대한 채권(**피압류채권**)에 대하여는 「민법」 제168조 제2호 소정의 소멸시효 중단사유에 준하는 확정적인 시효중단의 효력이 생긴다고 할 수 없다. (**최고로서의 효력은 인정**)

정답. 10 ①

11 금전채권의 압류에 관한 다음 설명 중 가장 옳지 않은 것은?

▸2025 법무사

① 금전채권에 대한 압류명령이 있으면 채무자는 채권을 소멸 또는 감소시키는 등의 행위를 할 수 없고 그 행위로 채권자에게 대항할 수 없다. 다만 채권의 발생원인인 법률관계에 대한 채무자의 처분까지도 구속하는 효력은 없다.

② 압류의 처분금지 효력은 절대적인 것이 아니고, 채무자의 처분행위 또는 제3채무자의 변제로써 처분 또는 변제 전에 집행절차에 참가한 압류채권자나 배당요구채권자에게 대항하지 못한다는 의미로서 상대적 효력을 가진다.

③ 압류한 채권이 추심명령이나 전부명령에 의하여 현금화하기 곤란한 경우 법원은 채권자의 신청에 의하여 양도명령 등 특별현금화방법을 명할 수 있다.

④ 집행채권에 대한 압류는 집행채권자가 그 채무자를 상대로 한 채권압류명령의 집행장애사유가 될 수 없다.

⑤ 장래의 예금채권에 대한 압류의 경우 그 압류명령 정본이 제3채무자에게 송달될 당시 채무자의 제3채무자에 대한 예금계좌가 개설되어 있지 않더라도 일단 제3채무자 및 금액이 특정되어 있기만 하다면 그러한 채권압류도 효력이 있다.

해설 ① ≪대판 2015.5.14, 2012다41359≫

[1] 채권의 압류는 제3채무자에 대하여 채무자에게 지급 금지를 명하는 것이므로 채무자는 채권을 소멸 또는 감소시키는 등의 행위를 할 수 없고 그와 같은 행위로 채권자에게 대항할 수 없는 것이지만, 채권의 발생원인인 법률관계에 대한 **채무자(or 제3채무자)**의 처분까지도 구속하는 효력은 없다.

② ≪대판 2003.5.30, 2001다10748≫

[3] 압류의 처분금지 효력은 절대적인 것이 아니고, 채무자의 처분행위 또는 제3채무자의 변제로써 처분 또는 변제 전에 집행절차에 참가한 압류채권자나 배당요구채권자에게 대항하지 못한다는 의미에서의 상대적 효력만을 가지는 것이어서, 압류의 효력발생 전에 채무자가 처분하였거나 제3채무자가 변제한 경우에는, 그 보다 먼저 압류한 채권자가 있어 그 채권자에게는 대항할 수 없는 사정이 있더라도, 그 처분이나 변제 후에 압류명령을 얻은 채권자에 대하여는 유효한 처분 또는 변제가 된다.

③ 금전채권에 대한 집행도 압류, 현금화, 변제의 3단계로 실시된다. 즉 채권자가 집행법원에 집행신청(압류명령의 신청)을 하면 집행법원은 압류명령을 발령하여 채무자의 제3채무자에 대한 채권을 압류한 후(법 제227조 제1항), 다시 채권자의 신청에 의하여 추심명령 또는 전부명령을 발령하여 현금화한다(법 제229조 제1항). 다만 압류한 채권이 추심명령이나 전부명령에 의하여 현금화하기 곤란한 경우에는 법원은 채권자의 신청에 의하여 양도명령 등 특별현금화방법을 명할 수 있다(법 제241조 제1항).

④ ≪대결 2000.10.2, 2000마5221≫

[3] 채권압류명령은 비록 강제집행절차에 나간 것이기는 하나 채권전부명령과는 달리 집행채권의 환가나 만족적 단계에 이르지 아니하는 보전적 처분으로서 집행채권을 압류한 채권자를 해하는 것이 아니기 때문에 집행채권에 대한 압류의 효력에 반하는 것은 아니라고 할 것이므로 **(집행채권자의 채권자에 의한)** 집행채권에 대한 압류는 집행채권자(= 집행채권의 채권자)가 그 채무자를 상대로 한 채권압류명령에는 집행장애사유가 될 수 없다. (압류명령은 받을 수 있으나, 나아가 추심명령이나 전부명령은 받을 수 없다.)

⑤ ≪대판 2011.2.10, 2008다9952≫

[1] 가압류(**압류·추심**)명령의 송달 이후에 채무자의 계좌에 (**새로**) 입금될 예금채권도 (**제3채무자에게 송달될 당시**) 그 발생의 기초가 되는 법률관계가 (**예금거래계약이**) 존재하여 현재 그 권리의 특정이 가능하고 가까운 장래에 예금채권이 발생할 것이 상당한 정도로 기대된다고 볼만한 (**언제든지 입출금이 가능한**) 예금계좌가 개설되어 있는 경우 등에는 가압류(**압류·추심**)의 대상이 될 수 있다. (**압류·추심명령의 효력이 미친다.**)

12 보전처분에서 제3채무자의 지위에 관한 다음 설명 중 가장 옳지 않은 것은? ▸2023 법무사

① 채권압류명령을 받을 당시에 반대채권과 피압류채권 모두의 이행기가 도래한 때에는 제3채무자가 당연히 반대채권으로써 상계할 수 있고, 반대채권과 피압류채권 모두 또는 그 중 어느 하나의 이행기가 아직 도래하지 아니하여 상계적상에 놓이지 아니하였더라도 그 이후 제3채무자가 피압류채권을 채무자에게 지급하지 아니하고 있는 동안에 반대채권과 피압류채권 모두의 이행기가 도래한 때에도 제3채무자는 반대채권으로써 상계할 수 있고, 이로써 지급을 금지하는 명령을 신청한 채권자에게 대항할 수 있다.

② 소유권이전등기청구권에 대한 처분금지가처분의 제3채무자가 채권자를 상대로 한 본안 제소명령신청은 부적법하다.

③ 제3채무자가 압류나 가압류를 이유로 집행공탁을 하면 제3채무자에 대한 피압류채권은 소멸하고, 채권에 대한 압류·가압류명령은 그 명령이 제3채무자에게 송달됨으로써 효력이 생기므로, 제3채무자의 집행공탁 전에 동일한 피압류채권에 대하여 다른 채권자의 신청에 따라 압류·가압류명령이 발령되었더라도, 제3채무자의 집행공탁 후에야 그에게 송달된 경우, 압류·가압류명령은 집행공탁으로 이미 소멸한 피압류채권에 대한 것이어서 압류·가압류의 효력이 생기지 아니한다.

④ 기존의 임대차계약에 따른 임대차보증금 반환채권에 대하여 채권가압류명령, 채권압류 및 추심명령 등을 받은 채권자 등 그 임대차보증금 반환채권에 관하여 양수인의 지위와 양립할 수 없는 법률상의 지위를 취득한 제3자에 대하여 임대차계약상의 지위 양도 등 그 권리의무의 포괄적 양도에 포함된 임대차보증금 반환채권의 양도로써 대항할 수 있는 경우가 있을 수도 있다.

⑤ 주택임대차보호법 제3조 제1항이 정한 대항요건을 갖춘 임대주택의 임차인이 임대인에 대하여 가지는 임대차보증금반환채권이 가압류된 상태에서 그 임대주택이 양도되면 양수인은 채권가압류의 제3채무자 지위를 승계하고, 가압류권자 또한 임대주택의 양도인이 아니라 양수인에 대하여만 위 가압류의 효력을 주장할 수 있다.

해설 ① ≪대판(**全員合議体**) 2012.2.16, 2011다45521≫

[**다수의견**] 「민법」 제498조는 "지급을 금지하는 명령을 받은 제3채무자는 그 후에 취득한 채권에 의한 상계로 그 명령을 신청한 채권자에게 대항하지 못한다"라고 규정하고 있다. 위 규정의

취지, 상계제도의 목적 및 기능, 채무자의 채권이 압류된 경우 관련 당사자들의 이익상황 등에 비추어 보면, 채권압류명령 또는 채권가압류명령(이하 채권압류명령의 경우만을 두고 논의하기로 한다)을 받은 제3채무자가 압류채무자에 대한 반대채권을 가지고 있는 경우에 상계로써 압류채권자에게 대항하기 위하여는, 압류의 효력 발생 당시에 대립하는 양 채권이 상계적상에 있거나, 그 당시 반대채권(자동채권)의 변제기가 도래하지 아니한 경우에는 그것이 피압류채권(수동채권)의 변제기와 동시에 또는 그보다 먼저 도래하여야 한다.

[**대법관 김능환, 대법관 안대희, 대법관 이인복의 반대의견**] 지급을 금지하는 명령을 받을 당시에 반대채권과 피압류채권 모두의 이행기가 도래한 때에는 제3채무자가 당연히 반대채권으로써 상계할 수 있고, 반대채권과 피압류채권 모두 또는 그 중 어느 하나의 이행기가 아직 도래하지 아니하여 상계적상에 놓이지 아니하였더라도 그 이후 제3채무자가 피압류채권을 채무자에게 지급하지 아니하고 있는 동안에 반대채권과 피압류채권 모두의 이행기가 도래한 때에도 제3채무자는 반대채권으로써 상계할 수 있고, 이로써 지급을 금지하는 명령을 신청한 채권자에게 대항할 수 있다. (대법원 전원합의체 소수의견이 틀린 것으로 출제됨)

② ≪대결 1993.10.15. 93마1435≫

소유권이전등기청구권에 대한 처분금지가처분의 제3채무자는 가처분에 대한 본안제소명령의 신청권이 없으므로 제3채무자가 채권자를 상대로 한 본안제소명령신청은 부적법하다.

③ ≪대판 2021.12.16. 2018다226428≫

[1] 제3채무자가 압류나 가압류를 이유로 민사집행법 제248조 제1항이나 민사집행법 제291조, 제248조 제1항에 따라 집행공탁을 하면 그 제3채무자에 대한 피압류채권은 소멸한다. 채권에 대한 압류·가압류명령은 그 명령이 제3채무자에게 송달됨으로써 효력이 생기므로(민사집행법 제227조 제3항, 제291조), 제3채무자의 집행공탁 전에 동일한 피압류채권에 대하여 다른 채권자의 신청에 의하여 압류·가압류명령이 발령되었더라도, 제3채무자의 집행공탁 후에야 그 (**제3채무자**)에게 송달되었다면 그 압류·가압류명령은 집행공탁으로 인하여 이미 소멸한 피압류채권에 대한 것이어서 효력이 생기지 아니한다(대법원 2008.11.27. 선고 2008다59391 판결 등 참조).

④ ≪대판 2017.1.25. 2014다52933≫

[1] 임대차보증금 반환채권을 양도하는 경우에 확정일자 있는 증서로 이를 채무자에게 통지하거나 채무자가 확정일자 있는 증서로 이를 승낙하지 아니한 이상 양도로써 채무자 이외의 제3자에게 대항할 수 없으며(민법 제450조 참조), 이러한 법리는 임대차계약상의 지위를 양도하는 등 임대차계약상의 권리의무를 포괄적으로 양도하는 경우에 권리의무의 내용을 이루고 있는 임대차보증금 반환채권의 양도 부분에 관하여도 마찬가지로 적용된다. 따라서 위 경우에 기존 임차인과 새로운 임차인 및 임대인 사이에 임대차계약상의 지위 양도 등 권리의무의 포괄적 양도에 관한 계약이 확정일자 있는 증서에 의하여 체결되거나, 임대차보증금 반환채권의 양도에 대한 통지·승낙이 확정일자 있는 증서에 의하여 이루어지는 등의 절차를 거치지 아니하는 한, 기존의 임대차계약에 따른 임대차보증금 반환채권에 대하여 채권가압류명령, 채권압류 및 추심명령 등을 받은 채권자 등 임대차보증금 반환채권에 관하여 양수인의 지위와 양립할 수 없는 법률상의 지위를 취득한 제3자에 대하여는 임대차계약상의 지위 양도 등 권리의무의 포괄적 양도에 포함된 임대차보증금 반환채권의 양도로써 대항할 수 없다.

(🔢) 기존 임차인과 새로운 임차인 및 임대인 사이에 임대차계약상의 지위 양도 등 권리의무의 포괄적 양도에 관한 계약이 확정일자 있는 증서에 의하여 체결되거나, 임대차보증금 반환채권의 양도에 대한 통지·승낙이 확정일자 있는 증서에 의하여 이루어지는 등의 절차를 **거쳤다면** 기존의 임대차계약에 따른 임대차보증금 반환채권에 대하여 채권가압류명령, 채권압류 및 추심명령 등을 받은 채권자 등 임대차보증금 반환채권에 관하여 양수인의 지위와 양립할

수 없는 법률상의 지위를 취득한 제3자에 대하여는 임대차계약상의 지위 양도 등 권리의무의 포괄적 양도에 포함된 임대차보증금 반환채권의 양도로써 **대항할 수 있게 된다.**)

13 금전채권에 대한 강제집행절차의 제3채무자에 관한 다음 설명 중 가장 옳지 않은 것은?

▸ 2024 법무사

① 원인채권에 대한 압류의 효력이 발생하기 전에 제3채무자가 원인채권의 지급을 위하여 어음이나 수표를 발행한 경우 원인채권에 대한 압류의 효력은 어음이나 수표채권에는 미치지 아니하므로 제3채무자는 어음이나 수표의 소지인에 대하여 지급할 의무가 있고, 압류명령이 송달된 뒤에 지급하더라도 그 지급으로써 압류된 원인채권이 소멸하였다는 것을 압류채권자에게도 대항할 수 있다.

② 원인채권인 물품대금 채권에 대한 가압류나 압류의 효력이 발생하기 전에 물품대금의 지급을 위하여 신용장이 발행된 경우에는 그 가압류나 압류의 효력이 발생한 후에 신용장 대금의 지급이 이루어졌다 하더라도 수입업자는 그 신용장 대금의 지급으로 물품대금 채권이 소멸하였다는 것을 가압류채권자나 압류채권자에게 대항할 수 있다.

③ 동산 양도담보권자가 물상대위권 행사로 양도담보 설정자의 화재보험금청구권에 대하여 압류 및 추심명령을 얻어 추심권을 행사하는 경우 특별한 사정이 없는 한 제3채무자인 보험회사는 그 양도담보 설정 후 취득한 양도담보 설정자에 대한 별개의 채권을 가지고 상계로써 양도담보권자에게 대항할 수 없다.

④ 압류명령이 송달될 당시 제3채무자가 채무자에 대하여 가지는 채권(자동채권)과 압류된 채권(수동채권)이 모두 변제기에 도래하여 상계적상에 있었던 경우는 물론 상계적상에 있지 아니한 경우에도 자동채권만이 변제기가 지났거나, 또는 두 채권 모두 변제기가 지나지 않았더라도 자동채권이 먼저 또는 압류된 채권과 동시에 변제기에 도달할 경우에는 제3채무자의 상계를 허용하고 있다. 그러나 이러한 법리는 피압류채권이 장래 발생할 채권으로서 압류의 효력 발생 당시 아직 발생하지 않은 경우에는 적용되지 않는다.

⑤ 은행 등 금융기관은 통상 대출금 등 채권과 관련하여 채무자의 변제자력에 의심이 가는 상황이 발생한 때에는 채무자의 그 대출금 등 채권에 관한 기한의 이익이 상실되도록 함으로써 예금 등 채권에 대한 압류가 있어도 그 대출금 등 채권으로 피압류채권인 예금 등의 채권과 상계를 할 수 있도록 특약을 하고 있는데, 판례는 이러한 기한의 이익 상실 등 특약의 유효성을 인정하면서 그러한 특약에 따라 대출금 등 채권과 피압류채권인 예금채권이 곧바로 상계적상에 이르기 때문에 제3채무자인 은행 등은 제한 없이 상계권을 행사할 수 있다고 보고 있다.

해설 ① ≪대판 2000.3.24, 99다1154≫
[원인채권 발생 ⇒ (지급을 위하여) 어음 발행 ⇒ 원인채권 압류 후 ⇒ 어음금 지급]
원인채권에 대한 압류의 효력이 발생하기 전에 원인채권(**피압류채권**)의 지급을 위하여 (**제3채무자가**) 약속어음을 발행하거나 배서·양도하고 그것이 다시 제3자에게 양도된 경우에는 (**원인채**

정답 13 ④

권의 압류의 효력은 **어음채권**에는 **미치지 아니**하므로 제3채무자는 어음소지인에 대하여 지급할 의무가 있고) 그 어음의 소지인에 대한 어음금의 지급이 원인채권에 대한 압류의 효력이 발생한 후에 이루어졌다 하더라도 그 어음을 발행하거나 배서·양도한 원인채무자(제3채무자)는 그 어음금의 지급에 의하여 원인채권이 소멸하였다는 것을 압류채권자에게 대항할 수 있다.

② ≪대판 2022.11.17, 2017다235036≫

[물품대금채권 발생 ⇒ (지급을 위하여) 신용장 발행 ⇒ 물품대금채권 압류 후 ⇒ 신용장 대금 지급]

[1] 수입업자가 물품대금 지급을 위하여 은행에 신용장 개설을 의뢰하고 그 은행이 수출업자를 수익자로 하여 신용장을 개설한 경우, 수출업자와 개설은행 사이의 신용장 거래는 직접적 상품의 거래가 아니라 서류에 의한 거래로서 원칙적으로 수입업자와 수출업자 사이의 원인관계로부터는 물론이고 수입업자와 개설은행 사이의 관계로부터도 독립하여 규율된다. 따라서 원인채권인 물품대금 채권에 대한 가압류나 압류의 효력이 발생하기 전에 물품대금의 지급을 위하여 신용장이 발행된 경우에는 그 가압류나 압류의 효력이 발생한 후에 신용장 대금의 지급이 이루어졌다 하더라도 수입업자는 그 신용장 대금의 지급으로 물품대금 채권이 소멸하였다는 것을 가압류채권자나 압류채권자에게 대항할 수 있다. 반면 원인채권인 물품대금 채권에 대한 가압류나 압류의 효력이 발생한 후에 물품대금의 지급을 위하여 신용장이 발행된 경우에는 수입업자는 가압류채권자나 압류채권자에게 신용장 대금의 지급으로써 물품대금 채권이 소멸하였다는 것을 대항할 수 없다.

③ ≪대판 2014.9.25, 2012다58609≫

동산 양도담보권자는 양도담보 목적물이 소실되어 양도담보 설정자가 보험회사에 대하여 화재보험계약에 따른 보험금청구권을 취득한 경우 담보물 가치의 변형물인 화재보험금청구권에 대하여 양도담보권에 기한 물상대위권을 행사할 수 있는데(대법원 2009.11.26, 선고 2006다37106 판결 참조), 동산 양도담보권자가 물상대위권 행사로 양도담보 설정자의 화재보험금청구권에 대하여 압류 및 추심명령을 얻어 추심권을 행사하는 경우 특별한 사정이 없는 한 제3채무자인 보험회사는 양도담보 설정 후 취득한 양도담보 설정자에 대한 별개의 채권을 가지고 상계로써 양도담보권자에게 대항할 수 없다. 그리고 이는 보험금청구권과 본질이 동일한 공제금청구권에 대하여 물상대위권을 행사하는 경우에도 마찬가지이다.

④ ≪대판(全員合議体) 2012.2.16, 2011다45521≫ (다수의견)

[다수의견] 「민법」 제498조는 "지급을 금지하는 명령을 받은 제3채무자는 그 후에 취득한 채권에 의한 상계로 그 명령을 신청한 채권자에게 대항하지 못한다"라고 규정하고 있다. 위 규정의 취지, 상계제도의 목적 및 기능, 채무자의 채권이 압류된 경우 관련 당사자들의 이익상황 등에 비추어 보면, 채권압류명령 또는 채권가압류명령(이하 채권압류명령의 경우만을 두고 논의하기로 한다)을 받은 제3채무자가 압류채무자에 대한 반대채권을 가지고 있는 경우에 상계로써 압류채권자에게 대항하기 위하여는, 압류의 효력 발생 당시에 대립하는 양 채권이 상계적상에 있거나, 그 당시 반대채권(자동채권)의 변제기가 도래하지 아니한 경우에는 그것이 피압류채권(수동채권)의 변제기와 동시에 또는 그보다 먼저 도래하여야 한다.

≪대판 2005.11.10, 2004다37676≫

제3채무자의 압류채무자에 대한 자동채권이 수동채권인 피압류채권과 동시이행의 관계에 있는 경우에는, 비록 압류명령이 제3채무자에게 송달되어 압류의 효력이 생긴 후에 비로소 자동채권이 발생하였다고 하더라도 동시이행의 항변권을 주장할 수 있는 제3채무자로서는 그 채권에 의한 상계로써 압류채권자에게 대항할 수 있는 것으로서, 이 경우 자동채권이 발생한 기초가 되는 원인은 수동채권이 압류되기 전에 이미 성립하여 존재하고 있었던 것이므로 그 자동채권은 「민법」 제498조에 규정된 '지급을 금지하는 명령을 받은 제3채무자가 그 후에 취득한 채권'에 해당하지 않는다.

(상계할 수 있다)

⑤ 은행 등 금융기관은 통상 대출금 등 채권과 관련하여 채무자의 변제자력에 의심이 가는 상황이 발생한 때에는 채무자의 그 대출금 등 채권에 관한 기한의 이익이 상실되도록 함으로써 예금 등 채권에 대한 압류가 있어도 그 대출금 등 채권으로 피압류채권인 예금 등의 채권과 상계를 할 수 있도록 특약을 하고 있는데, 판례는 이러한 기한의 이익 상실 등 특약의 유효성을 인정하면서 그러한 특약에 따라 대출금 등 채권과 피압류채권인 예금채권이 곧바로 상계적상에 이르기 때문에 제3채무자인 은행 등은 제한 없이 상계권을 행사할 수 있다고 보고 있다(대판 2003.6.27, 2003다7623; 대판 2015.4.23, 2012다79750).

14 금전채권에 대한 집행절차에서 제3채무자의 공탁에 관한 다음 설명 중 가장 옳지 않은 것은?

▶ 2021 법무사

① 채권가압류를 이유로 한 제3채무자의 공탁은 압류를 이유로 한 제3채무자의 공탁과 달리 그 공탁금으로부터 배당을 받을 수 있는 채권자의 범위를 확정하는 효력이 없고, 가압류의 제3채무자가 공탁을 하고 공탁사유를 법원에 신고하더라도 배당절차를 실시할 수 없다.

② 금전채권에 관하여 배당요구서를 송달받은 제3채무자는 배당에 참가한 채권자의 청구가 있으면 압류된 부분에 해당하는 금액을 공탁하여야 한다.

③ 제3채무자가 금전채권의 일부만이 압류되었음에도 그 채권 전액을 공탁한 경우에는 그 공탁금 중 압류의 효력이 미치는 금전채권액은 그 성질상 당연히 집행공탁으로 보아야 하나, 압류금액을 초과하는 부분은 압류의 효력이 미치지 않으므로 집행공탁이 아니라 변제공탁으로 보아야 한다.

④ 금전채권에 대한 압류를 이유로 제3채무자가 민사집행법 제248조 제1항에 의하여 공탁한 후에 압류채권자가 압류명령신청을 취하하였다면, 채무자는 압류된 채권액에 대하여 압류명령 실효를 이유로 직접 공탁관에게 공탁금의 출급을 청구할 수 있다.

⑤ 민사집행법 제248조가 정하는 제3채무자의 공탁은 채무자의 제3채무자에 대한 금전채권의 전부 또는 일부가 압류된 경우에 허용되므로, 그러한 공탁에 따른 변제의 효과 역시 압류의 대상에 포함된 채권에 대해서만 발생한다고 보아야 한다.

해설 ① ≪대판 2006.3.10, 2005다15765≫

채권가압류를 이유로 한 제3채무자의 공탁은 압류를 이유로 한 제3채무자의 공탁과 달리 그 공탁금으로부터 배당을 받을 수 있는 채권자의 범위를 확정하는 효력(**배당가입차단효**)이 없고, 가압류의 제3채무자가 공탁을 하고 공탁사유를 법원에 신고하더라도 배당절차를 실시할 수 없으며, / 공탁금에 대한 채무자의 출급청구권에 대하여 압류 및 공탁사유신고가 있을 때 비로소 배당절차를 실시할 수 있다.

② 법 제248조(제3채무자의 채무액의 공탁)

② 금전채권에 관하여 (**압류 뒤**) 배당요구서를 송달받은 제3채무자는 배당에 참가한 채권자의 청구가 있으면 압류된 부분에 해당하는 금액을 공탁하여야 한다.

정답 14 ④

③ ≪대판 2008.5.15, 2006다74693≫

[2] 「민사집행법」 제248조 제1항은 "제3채무자는 압류에 관련된 금전채권의 전액을 공탁할 수 있다"고 규정하여 채권자의 공탁청구, 추심청구, 경합 여부 등을 따질 필요 없이 당해 압류에 관련된 채권 전액을 공탁할 수 있도록 규정하고 있는바, 이에 따라 금전채권의 일부만이 압류되었음에도 그 채권 전액을 공탁한 경우에는 그 공탁금 중 압류의 효력이 미치는 금전채권액은 그 성질상 당연히 집행공탁으로 보아야 하나, 압류금액을 초과하는 부분은 압류의 효력이 미치지 않으므로 집행공탁이 아니라 변제공탁으로 보아야 한다.

④ 行政例規 제1018호 [제3채무자의 권리공탁에 관한 업무처리절차]

5. 제3채무자의 공탁 후 압류 또는 가압류가 실효된 경우

가. 압류가 실효된 경우

금전채권에 대한 압류를 이유로 제3채무자가 민사집행법 제248조 제1항에 의하여 공탁한 후에, 압류명령이 취소되거나 신청의 취하 등으로 인하여 압류가 실효된 경우, 채무자는 압류된 채권액에 대하여 집행법원의 지급위탁에 의하여 공탁금의 출급을 청구할 수 있다. (🛈 공탁사유신고 뒤에는 압류채권자는 압류명령신청을 취하할 수 없고 취하하더라도 자신의 **배당금수령권을 포기하는 효과**가 있을 뿐, 배당절차의 진행에는 영향이 없다.)

나. 가압류가 실효된 경우

금전채권에 대한 가압류를 이유로 제3채무자가 민사집행법 제291조 및 제248조 제1항에 의하여 공탁한 후에, 가압류명령이 취소되거나 신청의 취하 등으로 인하여 가압류가 실효된 경우, 가압류채무자(피공탁자)는 공탁통지서와 가압류가 실효되었음을 증명하는 서면을 첨부하여 공탁관에게 공탁금의 출급을 청구할 수 있다.

⑤ ≪대판 2018.5.30, 2015다51968≫

[6] 「민사집행법」 제248조가 정하는 제3채무자의 공탁은 채무자의 제3채무자에 대한 금전채권의 전부 또는 일부가 압류된 경우에 허용되므로, 그러한 공탁에 따른 변제의 효과 역시 압류의 대상에 포함된 채권에 대해서만 발생한다고 보아야 한다. (공탁에 따라 압류의 대상에 포함된 예금채권이 소멸할 수는 있어도, 압류의 대상에 포함되지 않은 퇴직연금 채권은 위 공탁에도 불구하고 소멸하지 않는다)

15 집행공탁에 관한 다음 설명 중 가장 옳지 않은 것은?

▶ 2025 법무사

① 금전채권에 대한 압류를 원인으로 제3채무자가 집행공탁을 하면 피압류채권이 소멸하고, 압류명령은 그 목적을 달성하여 효력을 상실하며, 압류채권자의 지위는 집행공탁금에 대하여 배당을 받을 채권자의 지위로 전환된다.

② 제3채무자의 집행공탁 전 동일한 피압류채권에 대하여 다른 채권자의 신청에 따라 압류·가압류명령이 발령되었더라도 집행공탁 후에야 제3채무자에게 송달된 경우, 그 압류·가압류명령은 집행공탁으로 이미 소멸한 피압류채권에 대한 것이므로 효력이 생기지 않는다.

③ 금전채권의 일부만이 압류되었음에도 채권 전액을 한꺼번에 공탁한 경우 그 공탁금 전부가 집행공탁으로 취급된다.

④ 집행공탁은 공탁 후 행해질 배당 등 절차의 진행을 전제로 한 것인데, 처분금지가처분은 그것이 설령 금전채권을 목적으로 하더라도 이러한 배당 등 절차와는 관계가 없으므로 제3채무자로서는 이를 이유로 집행공탁을 할 수는 없다.

⑤ 제3채무자가 압류를 이유로 집행공탁 한 경우, 압류채권자 이외의 다른 채권자는 제3채
무자가 공탁사유를 법원에 신고하기 전까지 배당요구를 하여야 해당 채권에 대한 강제집
행절차에 참가할 수 있다.

해설 ① ≪대판 2015.4.23, 2013다207774≫

[1] 압류가 경합되면 각 압류의 효력은 피압류채권 전부에 미치므로(「민사집행법」 제235조), 압
류가 경합된 상태에서 제3채무자가 「민사집행법」 제248조의 규정에 따라 집행공탁을 하여
피압류채권을 소멸시키면 그 효력은 압류경합 관계에 있는 모든 채권자에게 미친다. 그리고
이때 압류경합 관계에 있는 모든 채권자의 압류명령은 목적을 달성하여 효력을 상실하고 압
류채권자의 지위는 집행공탁금에 대하여 배당을 받을 채권자의 지위로 전환되므로, 압류채권
자는 제3채무자의 공탁사유 신고 시까지 「민사집행법」 제247조에 의한 배당요구를 하지 않
더라도 배당절차에 참가할 수 있다.

② ≪대판 2021.12.16, 2018다226428≫

[1] 제3채무자가 압류나 가압류를 이유로 민사집행법 제248조 제1항이나 민사집행법 제291조,
제248조 제1항에 따라 집행공탁을 하면 그 제3채무자에 대한 피압류채권은 소멸한다. 채권
에 대한 압류·가압류명령은 그 명령이 제3채무자에게 송달됨으로써 효력이 생기므로(민사
집행법 제227조 제3항, 제291조), 제3채무자의 집행공탁 전에 동일한 피압류채권에 대하여
다른 채권자의 신청에 의하여 압류·가압류명령이 발령되었더라도, 제3채무자의 집행공탁
후에야 그 (**제3채무자**)에게 송달되었다면 그 압류·가압류명령은 집행공탁으로 인하여 이미
소멸한 피압류채권에 대한 것이어서 효력이 생기지 아니한다(대법원 2008.11.27. 선고 2008
다59391 판결 등 참조).

③,④,⑤ ≪대판 2008.5.15, 2006다74693≫

[2] 「민사집행법」 제248조 제1항은 "제3채무자는 압류에 관련된 금전채권의 전액을 공탁할 수
있다"고 규정하여 채권자의 공탁청구, 추심청구, 경합 여부 등을 따질 필요 없이 당해 압류에
관련된 채권 전액을 공탁할 수 있도록 규정하고 있는바, 이에 따라 금전채권의 일부만이 압류
되었음에도 그 채권 전액을 공탁한 경우에는 그 공탁금 중 압류의 효력이 미치는 금전채권액
은 그 성질상 당연히 집행공탁으로 보아야 하나, 압류금액을 초과하는 부분은 압류의 효력이
미치지 않으므로 집행공탁이 아니라 변제공탁으로 보아야 한다.

[3] 집행공탁은 공탁 이후 행해질 배당 등 절차의 진행을 전제로 한 것인데, 처분금지가처분은
그것이 설령 금전채권을 목적으로 하더라도 이러한 배당 등 절차와는 관계가 없으므로 제3채
무자로서는 이를 이유로 집행공탁을 할 수는 없고, 다만 채권자불확지에 의한 변제공탁을 할
수 있다. (**집행공탁×**)

[4] 「민사집행법」 제247조 제1항 제1호가 압류채권자 이외의 채권자가 배당요구의 방법으로 채
권에 대한 강제집행절차에 참가하여 압류채권자와 평등하게 자신의 채권의 변제를 받는 것을
허용하면서도, 다른 한편으로 그 배당요구의 종기를 제3채무자의 공탁사유 신고시까지로 제
한하고 있는 이유는 제3채무자가 채무액을 공탁하고 그 사유 신고를 마치면 배당할 금액이
판명되어 배당절차를 개시할 수 있는 만큼 늦어도 그 때까지는 배당요구가 마쳐져야 배당절
차의 혼란과 지연을 막을 수 있다고 본 때문이다. 따라서 「민사집행법」 제247조 제1항에 의
한 배당가입차단효는 배당을 전제로 한 집행공탁에 대하여만 발생하므로, 집행공탁과 변제공
탁이 혼합된 소위 혼합공탁의 경우 변제공탁에 해당하는 부분에 대하여는 제3채무자의 공탁
사유신고에 의한 배당가입차단효가 발생할 여지가 없다.

정답 **15** ③

16 대법원 2017.1.12. 선고 2016다38658 판결 요지에 관한 다음 설명 중 옳지 않은 것은?

▶ 2021 법무사

> ㉠ 채권압류 및 추심명령은 제3채무자를 심문하지 않은 채 이루어지고 제3채무자에게 송달함으로써 효력이 생긴다.
>
> ㉡ 그 후 채권압류 및 추심명령의 경정결정이 확정되는 경우 당초의 채권압류 및 추심명령은 경정결정과 일체가 되어 처음부터 경정된 내용의 채권압류 및 추심명령이 있었던 것과 같은 효력이 있으므로, 원칙적으로 당초의 결정이 제3채무자에게 송달된 때에 소급하여 경정된 내용으로 결정의 효력이 있다.
>
> ㉢ 그런데 직접 당사자가 아닌 제3채무자는 피보전권리의 존재와 내용을 모르고 있다가 결정을 송달받고 비로소 이를 알게 되는 것이 일반적이기 때문에 당초의 결정에 잘못된 계산이나 기재, 그 밖에 이와 비슷한 잘못이 있음이 객관적으로는 명백하더라도 제3채무자의 입장에서는 당초의 결정 자체만으로 잘못된 계산이나 기재, 그 밖에 이와 비슷한 잘못이 있다는 것을 알 수 없는 경우가 있다.
>
> ㉣ 이러한 경우에도 일률적으로 채권압류 및 추심명령의 경정결정이 확정되면 당초의 채권압류 및 추심명령이 송달되었을 때에 소급하여 경정된 내용의 채권압류 및 추심명령이 있었던 것과 같은 효력이 있다고 하게 되면 순전히 타의에 의하여 다른 사람들 사이의 분쟁에 편입된 제3채무자를 보호한다는 견지에서 타당하지 않다.
>
> ㉤ 그러나 채권압류 및 추심명령의 통일적 기능을 위해서는 제3채무자의 입장에서 볼 때 객관적으로 경정결정이 당초의 채권압류 및 추심명령의 동일성을 실질적으로 변경한 것이라고 인정되는 경우라도 당초의 결정이 제3채무자에게 송달된 때에 소급하여 경정된 내용으로 결정의 효력이 있다고 해석해야 한다.

① ㉠　　　　　　　　　　　　② ㉡
③ ㉢　　　　　　　　　　　　④ ㉣
⑤ ㉤

해설　⑤ 《대판 2017.1.12, 2016다38658》

채권압류 및 추심명령은 제3채무자를 심문하지 않은 채 이루어지고 제3채무자에게 송달함으로써 효력이 생긴다.

그 후 채권압류 및 추심명령의 경정결정이 확정되는 경우 당초의 채권압류 및 추심명령은 경정결정과 일체가 되어 처음부터 경정된 내용의 채권압류 및 추심명령이 있었던 것과 같은 효력이 있으므로, 원칙적으로 당초의 결정이 제3채무자에게 송달된 때에 소급하여 경정된 내용으로 결정의 효력이 있다.

그런데 직접 당사자가 아닌 제3채무자는 피보전권리의 존재와 내용을 모르고 있다가 결정을 송달받고 비로소 이를 알게 되는 것이 일반적이기 때문에 당초의 결정에 잘못된 계산이나 기재, 그 밖에 이와 비슷한 잘못이 있음이 객관적으로는 명백하더라도 제3채무자의 입장에서는 당초의 결정 자체만으로 잘못된 계산이나 기재, 그 밖에 이와 비슷한 잘못이 있다는 것을 알 수 없는 경우가 있다.

이러한 경우에도 일률적으로 채권압류 및 추심명령의 경정결정이 확정되면 당초의 채권압류 및 추심명령이 송달되었을 때에 소급하여 경정된 내용의 채권압류 및 추심명령이 있었던 것과 같은 효력이 있다고 하게 되면 순전히 타의에 의하여 다른 사람들 사이의 분쟁에 편입된 제3채무자를 보호한다는 견지에서 타당하지 않다.

그러므로 제3채무자의 입장에서 볼 때 객관적으로 경정결정이 당초의 채권압류 및 추심명령의 동일성을 실질적으로 변경한 것이라고 인정되는 경우에는 경정결정이 제3채무자에게 송달된 때에 비로소 경정된 내용의 채권압류 및 추심명령의 효력이 생긴다.

17 추심권의 재판상청구에 관한 다음 설명 중 가장 옳지 않은 것은?

▶ 2024 법무사

① 추심의 소의 원고는 압류한 채권에 대하여 추심명령을 얻어 추심권을 취득한 채권자로서 추심소송에서 추심명령이 유효하지 않은 것으로 인정되는 경우 또는 추심소송 계속 중에 추심명령이 취소된 경우에는 당사자적격 흠결을 이유로 소를 각하하여야 한다.

② 압류가 경합하고 있는 경우에도 압류채권자 중 1인은 추심명령을 얻어 단독으로 추심의 소를 제기할 수 있고, 다른 추심채권자가 먼저 추심의 소를 제기한 경우에 그와 별개의 소송으로 추심의 소를 제기하는 것은 중복제소 금지의 원칙에 위배되어 부적법하나, 민사소송법 제83조나 민사집행법 제249조 제2항에 따라 기존의 추심소송에 공동소송참가를 하는 것은 적법하다.

③ 채무자가 제3채무자를 상대로 제기한 이행의 소가 법원에 계속되어 있는 경우에도 압류채권자는 제3채무자를 상대로 압류된 채권의 이행을 청구하는 추심의 소를 제기할 수 있고, 제3채무자를 상대로 압류채권자가 제기한 추심의 소는 채무자가 제기한 이행의 소에 대한 관계에서 민사소송법 제259조가 금지하는 중복된 소제기에 해당하지 않는다.

④ 채권자가 추심금청구소송을 제기하여 확정판결을 받은 경우라도 그 집행에 의한 변제를 받기 전에 압류명령의 신청을 취하하여 추심권이 소멸하면 추심권능과 소송수행권이 모두 채무자에게 복귀한다. 이는 국가가 국세징수법에 의한 체납처분으로 채무자의 제3채무자에 대한 채권을 압류하였다가 압류를 해제한 경우에도 마찬가지이다.

⑤ 동일한 채권에 대해 복수의 채권자들이 압류·추심명령을 받은 경우 어느 한 채권자가 제기한 추심금소송에서 확정된 판결의 기판력은 그 소송의 변론종결일 이전에 압류·추심명령을 받았던 다른 추심채권자에게도 미친다.

해설 ① ≪대판 2016.11.10, 2014다54366≫

채권압류 및 추심명령 결정정본이 제3채무자인 피고에게 적법하게 송달되지 아니하여 채권압류 및 추심명령의 효력이 발생하지 아니한 이상, 채권자인 원고는 피고를 상대로 추심금청구의 소를 제기할 권능이 없다. 그렇다면 이 사건 소는 당사자 적격이 없는 자에 의하여 제기된 것으로서 부적법하므로 각하되어야 한다.

정답 ▶ 16 ⑤ 17 ③,④,⑤

≪대판 2021.9.15, 2020다297843≫

1. 추심채권자의 제3채무자에 대한 추심소송 계속 중에 채권압류 및 추심명령이 취소되어 추심채권자가 추심권능을 상실하게 되면 추심소송을 제기할 당사자적격도 상실한다(대법원 2003.2.11, 선고 2001다15583 판결 참조). 이러한 사정은 직권조사사항으로서 당사자가 주장하지 않더라도 법원이 직권으로 조사하여 판단하여야 하고, 사실심 변론종결 이후에 당사자적격 등 소송요건이 흠결되거나 그 흠결이 치유된 경우 상고심에서도 이를 참작하여야 한다(대법원 2018.9.28, 선고 2016다231198 판결 등 참조).

② 압류가 경합하고 있는 경우에도 압류채권자 중 1인은 추심명령을 얻어 단독으로 소를 제기할 수 있다. 다른 추심채권자가 먼저 추심의 소를 제기한 경우에 그와 별개의 소송으로 추심의 소를 제기하는 것은 중복된 소제기 금지(민사소송법 제259조)의 원칙에 위배되어 부적법하나(대판 1994.2.8, 93다53092 등 참조), 민사소송법 제83조나 민사집행법 제249조 제2항에 따라 기존의 추심소송에 공동소송 참가를 하는 것은 적법하다고 보아야 한다(대판 2015.7.23, 2013다30301·30325 참조).

③ ★★★ ≪대판(全員合議体) 2025.10.23, 2021다252977≫ (다수의견)

가. 대법원의 판단

채무자의 제3채무자에 대한 채권에 관하여 추심명령이 있더라도 채무자가 제3채무자를 상대로 피압류채권에 관한 이행의 소를 제기할 당사자적격을 상실하지 않는다고 보아야 한다. 이러한 법리는 국가가 국세징수법에 의한 체납처분으로 채무자의 제3채무자에 대한 채권을 압류한 경우에도 마찬가지이다.

나. 판례 변경

이와 달리 채무자의 제3채무자에 대한 채권에 관하여 추심명령이 있으면 제3채무자에 대한 이행의 소는 추심채권자만 제기할 수 있고 채무자는 피압류채권에 관한 이행의 소를 제기할 당사자적격을 상실한다고 본 대법원 2000.4.11, 선고 99다23888 판결과 국세징수법에 의한 체납처분으로 채무자의 제3채무자에 대한 채권을 압류하는 경우에도 마찬가지라고 본 대법원 2009.11.12. 선고 2009다48879 판결을 비롯하여 그와 같은 취지의 판결들은 이 판결의 견해에 배치되는 범위에서 모두 변경하기로 한다.

≪대판(全員合議体) 2013.12.18, 2013다202120≫ (다수의견)

[다] 채무자가 제3채무자를 상대로 제기한 이행의 소가 법원에 계속되어 있는 경우에도 채무자의 제3채무자에 대한 금전채권 등에 대하여 압류 및 추심명령이 있으면 추심채권자는 제3채무자를 상대로 압류된 채권의 이행을 청구하는 추심의 소를 제기할 수 있고(⇒ **없고**), 제3채무자를 상대로 압류채권자가 제기한 추심의 소는 채무자가 제기한 이행의 소에 대한 관계에서 「민사소송법」 제259조가 금지하는 중복된 소제기에 해당하지 않는다. (⇒ **해당한다.**)

(🏛 대법원(全員合議体) 2025.10.23, 2021다252977판결에 따라 위와 같이 변경되어야 함.)

④ ≪대판 2009.11.12, 2009다48879≫

채권에 대한 압류 및 추심명령이 있으면 제3채무자에 대한 이행의 소는 추심채권자만이(⇒ **채무자 또는 추심채권자가**) 제기할 수 있고 채무자는 피압류채권에 대한 이행소송을 제기할 당사자적격을 상실한다.(⇒ **당사자적격을 상실하지 않는다.**) 그러나 채권자는 현금화절차가 끝나기 전까지 압류명령의 신청을 취하할 수 있고, 이 경우 채권자의 추심권도 당연히 소멸하게 되며, 추심금 청구소송을 제기하여 확정판결을 받은 경우라도 그 집행에 의한 변제를 받기 전에 압류명령의 신청을 취하하여 추심권이 소멸하면 추심권능과 소송수행권이 모두 채무자에게 복귀하며,(⇒ **소멸한다.**) / 이는 국가가 「국세징수법」에 의한 체납처분으로 채무자의 제3채무자에 대한 채권을 압류하였다가 압류를 해제한 경우에도 마찬가지이다.

(🏛 대법원(全員合議体) 2025.10.23, 2021다252977판결에 따라 위와 같이 변경되어야 함.)

⑤ ≪대판 2020.10.29. 2016다35390≫

[2] 동일한 채권에 대해 복수의 채권자들이 압류·추심명령을 받은 경우 어느 한 채권자가 제기한 추심금소송에서 확정된 판결의 기판력은 그 소송의 변론종결일 이전에 압류·추심명령을 받았던 다른 추심채권자에게 미치지 않는다.

18 추심명령에 관한 다음 설명 중 가장 옳지 않은 것은? ▸ 2025 법무사

① 추심명령이 있으면 압류채권자는 대위절차 없이 압류채권을 추심할 수 있고, 제3채무자가 추심절차에 대하여 의무를 이행하지 아니하는 때에는 압류채권자는 소로써 그 이행을 청구할 수 있다.

② 압류 및 추심명령의 제3채무자는 추심의 소를 제기당한 경우 집행력 있는 정본을 가진 다른 채권자를 공동소송인으로 원고 쪽에 참가하도록 명할 것을 첫 변론기일까지 신청할 수 있다.

③ 압류 및 추심명령이 있는 경우 추심집행이 종료될 때까지 채무자가 제3채무자에게 가지는 채권이 추심채권자에게 이전되므로, 만약 채권자가 추심할 채권의 행사를 게을리 한 때에는 이로써 생긴 채무자의 손해를 부담한다.

④ 금전채권에 대하여 압류 및 추심명령이 있더라도 그 추심권능은 그 자체로서 독립적으로 처분하여 환가할 수 있는 것이 아니므로 압류할 수 없는 성질의 것이다.

⑤ 추심채권자가 집행법원에 추심신고를 하기 전에 다른 압류·가압류 또는 배당요구가 있었을 때에는 추심채권자는 추심한 금액을 바로 공탁하고 그 사유를 신고하여야 하며 이에 따라 배당절차가 개시된다.

해설 ①.②.③.⑤ 법 제229조(금전채권의 **(일반)**현금화방법)

② 추심명령이 있는 때에는 압류채권자는 대위절차 없이 **(자기 이름으로 제3채무자에 대하여)** 압류채권을 추심할 수 있다.

법 제236조(추심의 신고)

① 채권자는 추심한 채권액을 법원에 신고하여야 한다.

② 제1항의 **(추심)**신고 전에 다른 압류·가압류 또는 배당요구가 있었을 때에는 채권자는 추심한 금액을 바로 공탁하고 그 사유를 신고하여야 한다. (⇒ 배당절차 개시)

법 제239조(추심의 소홀)

채권자가 추심할 채권의 행사를 게을리 한 때에는 이로써 생긴 채무자의 손해를 부담한다.

법 제249조(추심의 소)

① 제3채무자가 추심절차에 대하여 의무를 이행하지 아니하는 때에는 압류채권자는 **(제3채무자를 상대로)** 소로써 그 이행을 청구할 수 있다.

② 집행력 있는 정본을 가진 모든 채권자는 **(압류·추심명령을 얻지 않더라도)** 공동소송인으로 원고 쪽에 참가할 권리가 있다.

 **18 ③**

③ 소를 제기당한 제3채무자는 제2항의 (**집행력 있는 정본을 가진 다른**) 채권자를 공동소송인으로 원고 쪽에 참가하도록 명할 것을 첫 변론기일까지 신청할 수 있다.

④ 소에 대한 재판은 제3항의 명령을 받은 채권자에 대하여 효력이 미친다.

③ 압류 및 추심명령이 있는 경우 채무자가 제3채무자에게 가지는 채권이 추심채권자에게 이전되는 것이 아니다.

채권자가 추심할 채권의 행사를 게을리한 때에는 이로써 생긴 채무자의 손해를 부담한다(법 제239조). 압류 및 추심명령이 있으면 채무자는 압류된 채권의 행사에 제약을 받게 되는 반면 채권자는 추심권에 기초하여 압류한 채권을 행사할 수 있게 되는데, 이 경우 채권자는 채무자를 위하여 선량한 관리자의 주의의무를 가지고 채권을 행사하여야 함에도 그러한 채권행사의 의무를 게을리함으로써 채무자에게 손해를 끼쳤을 때에는 손해배상의 책임을 져야 하는 것이 당사자 사이의 이익균형상 적절하기 때문이다.

④ ≪대판 1997.3.14, 96다54300≫

금전채권에 대하여 압류 및 추심명령이 있었다고 하더라도 이는 강제집행절차에서 압류채권자에게 채무자의 제3채무자에 대한 채권을 추심할 권능만을 부여하는 것으로서 강제집행절차상의 환가처분의 실현행위에 지나지 아니한 것이며, 이로 인하여 채무자가 제3채무자에 대하여 가지는 채권이 압류채권자에게 이전되거나 귀속되는 것이 아니므로, 이와 같은 추심권능은 그 자체로서 독립적으로 처분하여 환가할 수 있는 것이 아니어서 압류할 수 없는 성질의 것이고, 따라서 이러한 추심권능에 대한 가압류결정은 무효이며, 추심권능을 소송상 행사하여 승소확정판결을 받았다 하더라도 그 판결에 기하여 금원을 지급받는 것 역시 추심권능에 속하는 것이므로, 이러한 판결에 기하여 지급받을 채권에 대한 가압류결정도 무효라고 보아야 한다.

19 다음 설명 중 가장 옳지 않은 것은?

▶ 2021 법무사

① 채권 일부가 압류된 뒤에 그 나머지 부분을 초과하여 다시 압류명령이 내려진 때에는 각 압류의 효력은 그 채권 전부에 미친다.

② 장래의 불확정채권에 대하여 압류가 중복된 상태에서 전부명령이 있는 경우 그 압류의 경합으로 인하여 전부명령이 무효가 되는지의 여부는 나중에 확정된 피압류채권액을 기준으로 판단할 것이 아니라 전부명령이 제3채무자에게 송달된 당시의 계약상의 피압류채권액을 기준으로 판단하여야 한다.

③ 전부명령 송달 당시 피압류채권의 발생 원인이 되는 계약에 그 채권액이 정해지지 아니하여 그 채권액을 알 수 없는 경우에는 그 계약의 체결 경위와 내용 및 그 이행 경과, 그 계약에 기하여 가까운 장래에 채권이 발생할 가능성 및 그 채권의 성격과 내용 등 제반 사정을 종합하여 그 계약에 의하여 장래 발생할 것이 상당히 기대되는 채권액을 산정한 후 이를 그 계약상의 피압류채권액으로 봄이 상당하다.

④ 채권자는 추심명령에 따라 얻은 권리를 포기할 수 있고, 이 경우 기본채권은 소멸한다.

⑤ 저당권이 있는 채권을 압류할 경우 채권자는 채권압류사실을 등기부에 기입하여 줄 것을 법원사무관등에게 신청할 수 있다. 이 신청은 채무자의 승낙 없이 법원에 대한 압류명령의 신청과 함께 할 수 있다.

해설 ① 법 제235조(압류의 경합)

① 채권 일부가 압류된 뒤에 그 나머지 부분을 초과하여 다시 압류명령이 내려진 때에는 각 압류의 효력은 그 채권 전부에 미친다.

② ≪대판 1998.8.21, 98다15439≫

[2] (예 임대차보증금반환채권등) 장래의 불확정채권에 대하여 압류가 중복된 상태에서 전부명령이 있는 경우 그 압류의 경합으로 인하여 전부명령이 무효가 되는지의 여부는 나중에 확정된 피압류채권액을 기준으로 판단할 것이 아니라 전부명령이 제3채무자에게 송달된 당시의 계약상의 피압류채권액을 기준으로 판단하여야 한다.

③ ≪대판 2010.5.13, 2009다98980≫

[1] 장래의 불확정채권에 대하여 압류가 중복된 상태에서 전부명령이 있는 경우 그 압류의 경합으로 인하여 전부명령이 무효가 되는지의 여부는 나중에 확정된 피압류채권액을 기준으로 판단할 것이 아니라 전부명령이 제3채무자에게 송달된 당시의 계약상의 피압류채권액을 기준으로 판단하여야 하고, / 장래의 불확정채권에 대한 전부명령을 허용하는 것은 가까운 장래에 채권이 발생할 것이 상당한 정도로 기대되기 때문이므로, 전부명령 송달 당시 피압류채권의 발생원인이 되는 계약에 그 채권액이 정해지지 아니하여 그 채권액을 알 수 없는 경우에는 그 계약의 체결 경위와 내용 및 그 이행 경과, 그 계약에 기하여 가까운 장래에 채권이 발생할 가능성 및 그 채권의 성격과 내용 등 제반 사정을 종합하여 그 계약에 의하여 장래 발생할 것이 상당히 기대되는 채권액을 산정한 후 이를 그 계약상의 피압류채권액으로 봄이 상당하다.

④ 법 제240조(추심권의 포기)

① 채권자는추심명령에 따라 얻은 권리를 포기할 수 있다. 다만, 기본채권에는 영향이 없다.

⑤ 법 제228조(저당권이 있는 채권의 압류)

① 저당권이 있는 채권을 압류할 경우 채권자는 채권압류사실을 등기부에 기입하여 줄 것을 법원사무관등에게 신청할 수 있다. 이 신청은 채무자의 승낙 없이 법원에 대한 압류명령의 신청과 함께 할 수 있다.

20 금전채권에 대한 전부명령에 관한 다음 설명 중 가장 옳지 않은 것은? ▸ 2022 법무사

① 당사자 사이에 양도금지의 특약이 있는 채권이라도 압류 및 전부명령에 따라 이전될 수 있고, 양도금지의 특약이 있는 사실에 관하여 압류채권자가 선의인가 악의인가는 전부명령의 효력에 영향이 없다.

② 동일한 채권에 대하여 두 개 이상의 채권압류 및 전부명령이 발령되어 제3채무자에게 동시에 송달된 경우 당해 전부명령이 채권압류가 경합된 상태에서 발령된 것으로서 무효인지의 여부는 그 각 채권압류명령의 압류액을 합한 금액이 피압류채권액을 초과하는지를 기준으로 판단하여야 하므로 전자가 후자를 초과하는 경우에는 당해 전부명령은 모두 채권의 압류가 경합된 상태에서 발령된 것으로서 무효로 될 것이지만 그렇지 않은 경우에는 채권의 압류가 경합된 경우에 해당하지 아니하여 당해 전부명령은 모두 유효하게 된다고 할 것이다.

정답 19 ④ 20 ③

③ 채권자가 약속어음금 채권을 집행채권으로 하여 약속어음 채무자가 제3채무자에 대하여 가지는 채권의 압류 및 전부명령을 받아 확정되었다면 위 전부명령이 제3채무자에게 송달된 때에 소급하여 피전부채권이 채권자에게 이전하는 것이나, 이는 집행채무자가 채무의 이행에 갈음하여 현실적인 출연을 한 것과 법률상 동일하게 취급되지 않으므로 집행채권인 약속어음금 채권은 변제된 것으로 보아 소멸하는 것은 아니다.

④ 가분적인 금전채권의 일부에 대한 전부명령이 확정되면 특별한 사정이 없는 한 전부명령이 제3채무자에 송달된 때에 소급하여 전부된 채권 부분과 전부되지 않은 채권 부분에 대하여 각기 독립한 분할채권이 성립하게 되므로, 그 채권에 대하여 압류채무자에 대한 반대채권으로 상계하고자 하는 제3채무자로서는 전부채권자 혹은 압류채무자 중 어느 누구도 상계의 상대방으로 지정하여 상계하거나 상계로 대항할 수 있고, 그러한 제3채무자의 상계 의사표시를 수령한 전부채권자는 압류채무자에 잔존한 채권 부분이 먼저 상계되어야 한다거나 각 분할채권액의 채권 총액에 대한 비율에 따라 상계되어야 한다는 이의를 할 수 없다.

⑤ 전부명령은 확정되어야 효력을 가진다.

해설 ① ≪대판 2002.8.27, 2001다71699≫

당사자 사이에 양도금지의 특약이 있는 채권이라도 압류 및 전부명령에 따라 이전될 수 있고, 양도금지의 특약이 있는 사실에 관하여 압류채권자가 선의인가 악의인가는 전부명령의 효력에 영향이 없다.

② ≪대판 2002.7.26, 2001다68839≫

[1] 동일한 채권에 대하여 두 개 이상의 채권압류 및 전부명령이 발령되어 제3채무자에게 동시에 송달된 경우 당해 전부명령이 채권압류가 경합된 상태에서 발령된 것으로서 무효인지의 여부는 / 그 각 채권압류명령의 압류액을 합한 금액이 피압류채권액을 초과하는지를 기준으로 판단하여야 하므로 / 전자가(**각 채권압류명령의 압류액을 합한 금액이**) 후자를(**피압류채권액을**) 초과하는 경우에는 당해 전부명령은 모두 채권의 압류가 경합된 상태에서 발령된 것으로서 무효로 될 것이지만 그렇지 않은 경우에는 채권의 압류가 경합된 경우에 해당하지 아니하여 당해 전부명령은 모두 유효하게 된다.

③ ≪대판 2009.2.12, 2006다88234≫

[1] 민사집행법 제231조 본문은 "전부명령이 확정된 경우에는 전부명령이 제3채무자에게 송달된 때에 채무자가 채무를 변제한 것으로 본다"고 규정하고 있는바, 이는 집행채권자가 전부명령에 의하여 피전부채권에 대하여 독점적인 권리를 취득하는 것에 상응하여 전부명령으로 집행채권이 변제되는 것과 동일한 효과가 발생한다는 취지를 정하고 있는 것으로 해석된다. 그러므로 채권자가 약속어음금 채권을 집행채권으로 하여 약속어음 채무자가 제3채무자에 대하여 가지는 채권의 압류 및 전부명령을 받아 확정되었다면 위 전부명령이 제3채무자에게 송달된 때에 소급하여 피전부채권이 채권자에게 이전하고, 이는 집행채무자가 채무의 이행에 갈음하여 현실적인 출연을 한 것과 법률상 동일하게 취급되어 집행채권인 약속어음금 채권은 변제된 것으로 보아 소멸한다.

④ ≪대판 2010.3.25, 2007다35152≫

[4] 가분적인 금전채권의 일부에 대한 전부명령이 확정되면 특별한 사정이 없는 한 전부명령이 제3채무자에 송달된 때에 소급하여 전부된 채권 부분과 전부되지 않은 채권 부분에 대하여

각기 독립한 분할채권이 성립하게 되므로, 그 채권에 대하여 압류채무자에 대한 반대채권으로 상계하고자 하는 제3채무자로서는 전부채권자 혹은 압류채무자 중 어느 누구도 상계의 상대방으로 지정하여 상계하거나 상계로 대항할 수 있고, / 그러한 제3채무자의 상계 의사표시를 수령한 전부채권자는 압류채무자에 잔존한 채권 부분이 먼저 상계되어야 한다거나 각 분할채권액의 채권 총액에 대한 비율에 따라 상계되어야 한다는 이의를 할 수 없다.

⑤ 법 제229조(금전채권의 현금화방법)

⑦ 전부명령은 확정되어야 효력을 가진다.

21 전부명령에 관한 다음 설명 중 가장 옳지 않은 것은?

▶ 2022 법무사

① 개인회생재단에 속하는 채권에 대한 전부명령이 확정되지 않은 상태에서 개인회생절차가 개시되고 이를 이유로 전부명령에 대하여 즉시항고가 제기된 경우 항고법원은 다른 이유로 전부명령을 취소하는 경우를 제외하고는 항고에 관한 재판을 정지하여야 한다.

② 압류 및 전부명령에 대한 항고재판 진행 중 채무자가 신청하였던 개인회생절차가 채무자의 개인회생신청 취하 등을 이유로 폐지되었다면 항고법원은 다른 사유가 없는 한 항고심을 진행하여 그 항고를 기각하여야 하고, 그 채무자가 새롭게 신청한 개인회생절차가 다시 개시되었더라도 마찬가지이다.

③ 채권압류 및 전부명령에 대한 항고심에서 항고인이 가집행의 선고가 있는 판결을 취소한 항소심 판결의 정본을 제출하였다면 항고심으로서는 즉시항고를 받아들여 채권압류 및 전부명령을 취소한다.

④ 저당권에 기한 물상대위권의 행사를 위해 압류 및 전부명령을 발령받은 때 그 기초가 된 저당권의 피담보채권의 부존재를 확인하는 취지의 확정판결정본이 항고심 또는 재항고심 계류 중에 제출된 경우에도 채권압류 및 전부명령을 취소하여야 한다.

⑤ 전부명령이 제3채무자에게 송달될 당시에 압류 등의 경합이 있으면 그 전부명령은 무효이고 후에 경합된 압류나 가압류 또는 배당요구 등의 효력이 소멸된다고 하더라도 그 전부명령의 효력이 되살아나는 것은 아니다.

해설 ① ≪대결 2008.1.31. 2007마1679≫

채권자목록에 기재된 개인회생채권에 기하여 개인회생재단에 속하는 채권에 대하여 내려진 전부명령이 확정되지 아니하여 아직 효력이 없는 상태에서, 채무자에 대하여 개인회생절차가 개시되고 이를 이유로 위 전부명령에 대하여 즉시항고가 제기되었다면, 항고법원은 다른 이유로 전부명령을 취소하는 경우를 제외하고는 항고에 관한 재판을 정지하였다가 변제계획이 인가된 경우 전부명령의 효력이 발생하지 않게 되었음을 이유로 전부명령을 취소하고 전부명령신청을 기각하여야 한다.

② ≪대결 2009.9.24. 2009마1300≫

애초에 신청한 개인회생절차가 채무자의 개인회생신청 취하 등을 이유로 폐지되었다고 하더라도, 그 압류 및 전부명령에 대한 항고재판 진행중에 채무자가 새롭게 신청한 개인회생절차가 다시 개시되었다면 변제계획이 인가시까지 그 항고재판을 정지하여야 하는 것은 마찬가지이다.

정답 21 ②

③ ≪대결 2004.7.9, 2003마1806≫

채권압류 및 전부명령의 기초가 된 가집행의 선고가 있는 판결을 취소한 상소심 판결의 정본은
「민사집행법」 제49조 제1호 소정의 집행취소서류에 해당하는 것이므로, 채권압류 및 전부명령에
대한 항고심에서 항고인이 가집행의 선고가 있는 판결을 취소한 항소심 판결의 사본을 제출하였
다면 항고심으로서는 항고인으로 하여금 그 정본을 제출하도록 한 후, 즉시항고를 받아들여 채권
압류 및 전부명령을 취소하여야 한다.

④ ≪대결 2008.10.9, 2006마914≫

(담보권실행에서) 별도의 집행권원 없이 「민사집행법」 제273조 제1항에서 정한 저당권 증빙서류의
제출로써 저당물에 갈음하는 채권의 압류 및 전부명령을 발령받는 저당권에 기한 물상대위권의 행
사절차는, 저당권의 실행과 마찬가지로 채권 및 기타 재산권에 대한 강제집행에 준하여 절차가 진행
되는 관계로 「민사집행법」 제49조 제1호, 제50조의 규정이 준용될 뿐만 아니라 「민사집행법」 제
266조 제1항 제3호, 제2항에서 정한 담보권실행절차 취소규정의 적용도 받게 되므로, 그 실질에
있어서 위 각 규정에서 정한 취소서류에 준하는, 채권압류 및 전부명령의 기초가 된 저당권의 피담
보채권의 부존재를 확인하는 취지의 확정판결 정본이 채권압류 및 전부명령에 대한 항고심 혹은
재항고심 계류 중 제출된 경우에는 그 항고를 받아들여 채권압류 및 전부명령을 취소하여야 한다.

⑤ ≪대판 2001.10.12, 2000다19373≫

[2] 채권가압류와 채권압류의 집행이 경합된 상태에서 발령된 (압류명령은 유효) 전부명령은 무효
이고, 한 번 무효로 된 전부명령은 일단 경합된 가압류 및 압류가 그 후 채권가압류의 집행해
제로 경합상태를 벗어났다고 하여 되살아나는 것은 아니다.

22 금전채권에 대한 전부명령에 관한 다음 설명 중 가장 옳지 않은 것은? ▸ 2024 법무사

① 채권압류 및 전부명령이 적법하게 이루어진 이상 피압류채권은 집행채권의 범위 내에서
당연히 집행채권자에게 이전하는 것이므로, 비록 집행채권이 이미 소멸하였거나 실제 채
무액을 초과하더라도 채권압류 및 전부명령의 효력에는 아무런 영향이 없다.

② 전부명령이 제3채무자에게 송달될 때까지 그 금전채권에 관하여 압류 등이 경합하면 전
부명령은 무효이지만, 압류 경합이 전부명령 송달 뒤에 발생하였다면 전부명령이 확정되
기 전이었다 하더라도 전부명령의 효력에는 영향이 없고, 이는 피전부채권이 존재하지
않는 경우에도 마찬가지다.

③ 사용자가 근로자에 대한 집행권원을 가지고 근로자의 자신에 대한 임금채권 중 압류가
가능한 부분에 관하여 압류 및 전부명령을 받는 것은 가능하다.

④ 임차인의 임대인에 대한 보증금반환채권이 전부된 경우에도 임차인의 건물인도의무와
임대인의 보증금반환의무 사이의 동시이행관계는 존속하므로, 임대인이 임차인에게 보
증금반환의무를 이행하거나 그 현실적인 이행의 제공을 하지 않는 한 임차인의 건물인도
의무는 이행지체에 빠지지 않는다.

⑤ 전부명령이 확정된 후 그 집행권원인 집행증서의 기초가 된 법률행위 중 전부 또는 일부에 무효사유가 있는 것으로 판명된 경우에는 그 무효 부분에 관하여는 집행채권자가 부당이득을 한 셈이 되므로 그 집행채권자는 집행채무자에게, 위 전부명령에 따라 전부받은 채권 중 실제로 추심한 금전 부분에 관하여는 그 상당액을 반환하여야 하고, 추심하지 않은 나머지 부분에 관하여는 그 채권 자체를 양도하는 방법에 의하여 반환하여야 한다. 이는 전부명령이 확정된 후 그 집행권원상의 집행채권이 소멸한 것으로 판명된 경우에도 동일하다.

해설 ① ≪대판 2004.5.28, 2004다6542≫

[2] **(형식적으로 유효한)** 집행력 있는 집행권원에 기하여 채권압류 및 전부명령이 적법하게 이루어진 이상 피압류채권은 집행채권의 범위 내에서 당연히 집행채권자에게 이전한다 할 것이어서 그 집행채권이 이미 소멸하였거나 **(소멸할 가능성이 있더라도 또는)** 실제 채무액을 초과하더라도 그 채권압류 및 전부명령에는 아무런 영향이 없고, 제3채무자로서는 채무자에 대하여 부담하고 있는 채무액의 한도 내에서 집행채권자에게 변제하면 완전히 면책된다.

② 전부명령이 제3채무자에게 송달될 때까지 그 금전채권에 관하여 압류 등이 경합하면 전부명령은 무효이지만 압류의 경합이 전부명령 송달 뒤에 발생하였다면 비록 그 전부명령이 확정되기 전이었다 하더라도 이는 전부명령의 효력에 영향을 미치지 않는다(법 제229조 제5항). 피전부채권이 존재하지 않는 경우 피전부채권이 존재하지 않는 경우에는 전부명령은 실체법상 무효이므로 집행채권 소멸의 효력은 발생하지 않는다(법 제231조 단서).

③ ≪대판 2017.8.21, 2017마499≫

[2] 상계가 금지되는 채권이라고 하더라도 압류금지채권에 해당하지 않는 한 강제집행에 의한 전부명령의 대상이 될 수 있다(대판 1994.3.16, 93마1822·1823 참조). [🔒 **따라서 사용자가 근로자에 대한 집행권원을 가지고 근로자의 자신(사용자)에 대한 임금채권(압류가 금지된 1/2 을 제외한 나머지)을 압류하고 전부명령을 받는 것은 허용된다**(대결 1994.3.16, 93마1822·1823).]

④ 임차인의 임대인에 대한 보증금반환채권이 전부된 경우에도 임차인의 건물인도의무와 임대인의 보증금반환의무 사이의 동시이행관계는 존속하므로, 임대인이 임차인에게 보증금반환의무를 이행하거나 그 현실적인 이행의 제공을 하지 않는 한 임차인의 건물인도의무는 이행지체에 빠지지 않는다(대판 1989.10.27, 89다카4298; 대판 2002.7.26, 2001다68839 참조).

⑤ ≪대판 2005.4.15, 2004다70024≫

[1] 채무자 또는 그 대리인의 유효한 작성촉탁과 집행인낙의 의사표시에 터잡아 작성된 공정증서를 집행권원으로 하는 금전채권에 대한 강제집행절차에서, 비록 그 공정증서에 표시된 청구권의 기초가 되는 법률행위에 무효사유가 있다고 하더라도 그 강제집행절차가 청구이의의 소 등을 통하여 적법하게 취소·정지되지 아니한 채 계속 진행되어 채권압류 및 전부명령이 적법하게 확정되었다면, 그 강제집행절차가 반사회적 법률행위의 수단으로 이용되었다는 등의 특별한 사정이 없는 한, 단지 이러한 법률행위의 무효사유를 내세워 확정된 전부명령에 따라 전부채권자에게 피전부채권이 이전되는 효력 자체를 부정할 수는 없고, 다만 위와 같이 전부명령이 확정된 후 그 집행권원인 집행증서의 기초가 된 법률행위 중 전부 또는 일부에 무효사유가 있는 것으로 판명된 경우에는 그 무효 부분에 관하여는 집행채권자가 부당이득을 한 셈이 되므로, 그 집행채권자는 집행채무자에게, 위 전부명령에 따라 전부받은 채권 중 실제로 추심한 금전 부분에 관하여는 그 상당액을 반환하여야 하고, 추심하지 아니한 나머지 부분에 관하여는 그 채권 자체를 양도하는 방법에 의하여 반환하여야 한다.

정답 **22** ②

[🏛 이는 전부명령이 확정된 후 그 집행권원상의 집행채권이 소멸한 것으로 판명된 경우에도 동일하다(대판 2008.2.29, 2007다49960).]

23 금전채권의 강제집행에 관한 다음 설명 중 가장 옳지 않은 것은?

▶ 2024 법무사

① 금전채권에 대하여 채권압류 및 전부명령이 있는 때에는 피전부채권이 동일성을 유지한 채로 집행채무자로부터 집행채권자에게 이전되므로 제3채무자는 채권압류 전 피전부채권자에 대하여 가지고 있었던 항변사유로 전부채권자에게 대항할 수 있다.

② 수인의 채권자에게 금전채권이 불가분적으로 귀속되는 경우에, 불가분채권자들 중 1인을 집행채무자로 한 압류 및 전부명령이 이루어지면 그 불가분채권자의 채권은 전부채권자에게 이전되므로, 피전부채권자가 아닌 다른 불가분채권자는 모든 채권자를 위하여 채무자에게 불가분채권 전부의 이행을 청구할 수 없다.

③ 전부명령이 제3채무자에게 송달되었으나 확정되기 전 즉시항고 절차 단계에서 국가가 국세징수법에 의한 체납처분으로 체납자의 채무자에 대한 집행채권을 압류한 경우 특별한 사정이 없는 한 항고법원은 전부명령을 직권으로 취소하여야 한다.

④ 채무자가 압류 또는 가압류의 대상인 채권을 양도하고 확정일자 있는 통지 등에 의한 채권양도의 대항요건을 갖추었다면, 그 후 채무자의 다른 채권자가 그 양도된 채권에 대하여 압류 또는 가압류를 하더라도 그 압류 또는 가압류 당시에 피압류채권은 이미 존재하지 않는 것과 같아 압류 또는 가압류로서의 효력이 없고, 그에 기한 추심명령 또한 무효이므로, 그 다른 채권자는 압류 등에 따른 집행절차에 참여할 수 없다.

⑤ 위 ④의 경우 압류된 금전채권에 대한 전부명령이 절차상 적법하게 발부되어 확정되었다고 하더라도 전부명령이 제3채무자에게 송달될 때에 피압류채권이 존재하지 않으면 전부명령도 무효이므로, 피압류채권이 전부채권자에게 이전되거나 집행채권이 변제되어 소멸하는 효과는 발생할 수 없다.

해설 ① ≪대판 1993.9.28, 92다55794≫

금전채권에 대한 압류 및 전부명령이 있는 때에는 압류된 채권은 동일성을 유지한 채로 압류채무자로부터 압류채권자에게 이전되고, 제3채무자는 채권이 압류되기 전에 압류채무자에게 대항할 수 있는 사유로써 압류채권자에게 대항할 수 있다.

② ≪대판 2023.3.30, 2021다264253≫

(공동임차인의 임대차보증금반환채권) 수인의 채권자에게 금전채권이 불가분적으로 귀속되는 경우에, 불가분채권자들 중 1인을 집행채무자로 한 압류 및 전부명령이 이루어지면 그 불가분채권자의 채권은 전부채권자에게 이전되지만, 그 압류 및 전부명령은 집행채무자가 아닌 다른 불가분채권자에게 효력이 없으므로, 다른 불가분채권자의 채권의 귀속에 변경이 생기는 것은 아니다. / 따라서 다른 불가분채권자는 모든 채권자를 위하여 채무자에게 불가분채권 전부의 이행을 청구할 수 있고, 채무자는 모든 채권자를 위하여 다른 불가분채권자에게 전부를 이행할 수 있다. 이러한 법리는 불가분채권의 목적이 금전채권인 경우 그 일부에 대하여만 압류 및 전부명령이 이루어진 경우에도 마찬가지이다.

③ ≪대결 2023.1.12, 2022마6107≫

[1] 채권압류명령은 집행채권의 현금화나 만족적 단계에 이르지 아니하는 보전적 처분으로서 집행채권에 대한 압류의 효력에 반하지 않으므로, 집행채권에 대한 압류는 집행채권자가 그 채무자를 상대로 한 채권압류명령의 집행장애사유가 될 수 없고, 이는 국가가 국세징수법에 의한 체납처분으로 체납자의 채무자에 대한 집행채권을 압류한 경우에도 마찬가지이다.

[2] 집행법원은 강제집행의 개시나 속행에 있어서 집행장애사유에 대하여 직권으로 그 존부를 조사하여야 한다. 집행개시 전부터 그 사유가 있는 경우에는 집행의 신청을 각하 또는 기각하여야 하고, 만일 집행장애사유가 존재함에도 간과하고 강제집행을 개시한 다음 이를 발견한 때에는 이미 한 집행절차를 직권으로 취소하여야 한다. 그리고 집행개시 당시에는 집행장애사유가 없었더라도 집행 종료 전 집행장애사유가 발생한 때에는 만족적 단계에 해당하는 집행절차를 진행할 수 없으므로, 전부명령이 제3채무자에게 송달되었으나 확정되기 전 즉시항고 절차 단계에서 집행채권이 압류되는 등으로 집행장애사유가 발생한 경우 특별한 사정이 없는 한 항고법원은 전부명령을 직권으로 취소하여야 한다.

④ ≪대판 2010.10.28, 2010다57213, 57220≫

채권압류의 효력발생 전에 채무자가 그 채권을 처분한 경우에는 그보다 [1]먼저 압류한 채권자가 있어 그 채권자에게는 대항할 수 없는 사정이 있더라도 그 처분 후에 집행에 참가하는 채권자에 대하여는 처분의 효력을 대항할 수 있는 것이므로, 채무자가 압류 또는 가압류의 대상인 [2]채권을 양도하고 확정일자 있는 통지 등에 의한 채권양도의 대항요건을 갖추었다면, 그 후 채무자의 다른 채권자가 그 양도된 채권에 대하여 [3]압류 또는 가압류를 하더라도 그 압류 또는 가압류 당시에 피압류채권은 이미 존재하지 않는 것과 같아 압류 또는 가압류로서의 효력이 없고, 따라서 그 (채무자의) 다른 채권자는 압류 등에 따른 집행절차에 참여할 수 없다.

⑤ ≪대판 2007.4.12, 2005다1407≫

[1] 압류된 금전채권에 대한 전부명령이 절차상 적법하게 발부되어 확정되었다고 하더라도, 전부명령이 제3채무자에게 송달될 때에 피압류채권이 존재하지 않으면 전부명령은 무효이므로, 피압류채권이 전부채권자에게 이전되거나 집행채권이 변제되어 소멸하는 효과는 발생할 수 없다.

---

24 금전채권에 대한 강제집행에 관한 다음 설명 중 가장 옳지 않은 것은? ▶ 2021 법무사

① 압류된 금전채권에 대한 전부명령이 절차상 적법하게 발부되어 확정되었다고 하더라도, 전부명령이 제3채무자에게 송달될 때에 피압류채권이 존재하지 않으면 전부명령은 무효이므로, 피압류채권이 전부채권자에게 이전되거나 집행채권이 변제되어 소멸하는 효과는 발생할 수 없다.

② 판결 결과에 따라 제3채무자가 채무자에게 지급하여야 하는 금액을 피압류채권으로 표시한 경우 해당 소송의 소송물인 실체법상의 채권이 채권압류 및 추심명령의 대상이 된다고 볼 수밖에 없고, 결국 채권자가 받은 채권압류 및 추심명령의 효력은 거기에서 지시하는 소송의 소송물인 청구원인 채권에 미친다고 보아야 한다.

③ 사해행위취소의 소에서 수익자가 원상회복으로서 채권자취소권을 행사하는 채권자에게 가액배상을 할 경우, 수익자 자신이 사해행위취소소송의 채무자에 대한 채권자라는 이유로 채무자에 대하여 가지는 자기의 채권과 상계하거나 채무자에게 가액배상금 명목의 돈을 지급하였다는 점을 들어 채권자취소권을 행사하는 채권자에 대해 이를 가액배상에서 공제할 것을 주장할 수 없으므로 수익자가 채권자취소권을 행사하는 채권자에 대해 가지는 별개의 다른 채권을 집행하기 위하여 그에 대한 집행권원을 가지고 채권자의 수익자에 대한 가액배상채권을 압류하고 전부명령을 받는 것도 허용되지 않는다.

④ 근저당권 피담보채권에 관한 압류명령(별지 부동산목록 첨부)이 내려진 이후 압류명령에 부동산 일부가 누락되었다며 누락된 부동산을 추가한 부동산 목록으로 압류명령의 부동산 표시를 고치는 것은 결정 주문의 내용을 실질적으로 변경하는 경우에 해당하여 허용할 수 없다.

⑤ 재산적 가치가 있는 것이라도 독립성이 없어 그 자체로 처분하여 현금화할 수 없는 권리는 집행의 목적으로 할 수 없다. 채권압류 및 추심명령의 채무자가 유치권 행사 과정에서 제3채무자로부터 공사대금을 변제받을 수 있다 하더라도, 이는 유치권에 의한 목적물의 유치 및 인도 거절 권능에서 비롯된 것에 불과하므로, 이러한 변제에 관한 채무자의 권한은 유치권 내지는 그 피담보채권인 공사대금 채권과 분리하여 독립적으로 처분하거나 환가할 수 없는 것으로서, 결국 압류할 수 없는 성질의 것이라고 봄이 타당하다.

해설 ① ≪대판 2007.4.12, 2005다1407≫

[1] 압류된 금전채권에 대한 전부명령이 절차상 적법하게 발부되어 확정되었다고 하더라도, 전부명령이 제3채무자에게 송달될 때에 피압류채권이 존재하지 않으면 전부명령은 무효이므로, 피압류채권이 전부채권자에게 이전되거나 집행채권이 변제되어 소멸하는 효과는 발생할 수 없다.

② ≪대판 2018.6.28, 2016다203056≫

[1] 판결 결과에 따라 제3채무자가 채무자에게 지급하여야 하는 금액을 피압류채권으로 표시한 경우 해당 소송의 소송물인 실체법상의 채권이 채권압류 및 추심명령의 대상이 된다고 볼 수밖에 없고, 결국 채권자가 받은 채권압류 및 추심명령의 효력은 거기에서 지시하는 소송의 소송물인 청구원인 채권에 미친다고 보아야 한다.

③ ≪대판 2017.8.21, 2017마499≫

[1] 사해행위취소의 소에서 수익자가 원상회복으로서 채권자취소권을 행사하는 채권자에게 가액배상을 할 경우, 수익자 자신이 사해행위취소소송의 채무자에 대한 채권자라는 이유로 채무자에 대하여 가지는 자기의 채권과 상계하거나 채무자에게 가액배상금 명목의 돈을 지급하였다는 점을 들어 채권자취소권을 행사하는 채권자에 대해 이를 가액배상에서 공제할 것을 주장할 수 없다(대판 2001.6.1, 99다63183 참조). 그러나 수익자가 채권자취소권을 행사하는 채권자에 대해 가지는 별개의 다른 채권을 집행하기 위하여 그에 대한 집행권원을 가지고 위 채권자의 수익자에 대한 가액배상채권을 압류하고 전부명령을 받는 것은 허용된다. 이는 수익자의 채무자에 대한 채권을 기초로 한 상계나 임의적인 공제와는 그 내용과 성질이 다르다. 또한 채권자가 채무자의 제3채무자에 대한 채권을 압류하는 경우 제3채무자가 채권자 자신인 경우에도 이를 압류하는 것이 금지되지 않으므로 단지 채권자와 제3채무자가 같다고 하여 채권압류 및 전부명령이 위법하다고 볼 수 없다.

④ 근저당권부 채권압류 및 추심명령이 발령된 후 신청인의 착오로 위 압류명령에 부동산의 일부가 누락되었다며 누락된 부동산을 추가한 부동산 목록으로 압류명령의 부동산 표시를 고치는 것은 결정 주문의 내용을 실질적으로 변경하는 경우에 해당하여 허용할 수 없다(대결 2018.9.7, 2018마535 참조). **(※ 종된권리인 근저당권에 관한 사항에 대하여 경정결정 허용할 수 없다는 부분은 의문이다.)**

⑤ ≪대결 2014.12.30, 2014마1407≫

[2] 재산적 가치가 있는 것이라도 독립성이 없어 그 자체로 처분하여 현금화할 수 없는 권리는 집행의 목적으로 할 수 없다(대법원 1988.12.13, 선고 88다카3465 판결 등 참조). 한편 유치권자는 경락인에 대하여 그 피담보채권의 변제가 있을 때까지 유치목적물인 부동산의 인도를 거절할 수 있을 뿐이고 그 피담보채권의 변제를 청구할 수는 없다(대판 1996.8.23, 95다8720 참조). 이러한 변제에 관한 채무자(**유치권자**)의 권한은 유치권 내지는 그 피담보채권과 분리하여 독립적으로 처분하거나 환가할 수 없는 것으로서, 결국 압류할 수 없는 성질의 것이라고 봄이 타당하다.

[3] (1) 채무자가 이 사건 부동산에 대한 진정한 유치권자라 하여도, 채무자로서는 매수인인 제3채무자에 대하여 적극적으로 이 사건 공사대금의 변제를 청구할 수 있는 채권은 없고, 매수인인 제3채무자에 대하여 이 사건 공사대금의 변제가 있을 때까지 이 사건 부동산의 인도를 거절할 수 있을 뿐이며, (2) 비록 이와 같이 채무자가 유치권 행사 과정에서 제3채무자로부터 이 사건 공사대금을 변제받을 수 있다 하더라도, 이는 이 사건 공사대금에 관한 채권을 소멸시키는 것이고 또한 이 사건 유치권에 의한 목적물의 유치 및 인도 거절 권능에서 비롯된 것에 불과하므로, 이러한 변제에 관한 채무자의 권한은 이 사건 유치권 내지는 그 피담보채권인 이 사건 공사대금 채권과 분리하여 독립적으로 처분하거나 환가할 수 없는 것으로서, 결국 압류할 수 없는 성질의 것이라고 봄이 타당하다.

25 금전채권에 대한 강제집행절차에 관한 다음 설명 중 가장 옳지 않은 것은? ▶ 2022 법무사

① 근저당권에 기한 물상대위권을 갖는 채권자가 그 물상대위권을 행사하기 위하여 채권의 압류 및 전부명령을 신청하는 경우 담보권의 존재를 증명하는 서류를 제출하여 개시하면 되는 것이고, 집행권원을 필요로 하지 않는다.

② 임차인의 임대차보증금 반환채권이 가압류된 상태에서 임차주택이 양도되면 가압류채권자는 가압류에서 이전하는 본압류를 신청할 때 임차주택의 양수인을 제3채무자로 하여 신청하여야 한다.

③ 압류명령신청시 압류할 채권의 표시는 이해관계인 특히 제3채무자로 하여금 다른 채권과 구별할 수 있을 정도로 기재되어 동일성 인식을 저해할 정도에 이르지 않아야 한다.

④ 채권자가 채무자의 제3채무자에 대한 채권을 압류하는 경우 제3채무자가 채권자 자신인 경우에도 이를 압류하는 것이 금지되지 않으므로 단지 채권자와 제3채무자가 같다고 하여 채권압류 및 전부명령이 위법하다고 볼 수 없다.

⑤ 추심명령에 의한 추심권능은 그 자체로서 독립적으로 처분하여 현금화할 수 있는 것이 아니므로 이러한 추심권능을 압류할 수는 없으나, 추심권능을 소송상 행사하여 받은 승소확정판결에 기하여 지급받을 채권에 대하여 한 압류는 유효하다.

 **25 ⑤**

해설 ① ≪대판 1994.11.22, 94다25728≫

　가. 민법 제370조, 제342조 단서가 저당권자는 물상대위권을 행사하기 위하여 저당권설정자가 받을 금전 기타 물건의 지급 또는 인도 전에 압류하여야 한다고 규정한 것은 물상대위의 목적인 채권의 특정성을 유지하여 그 효력을 보전함과 동시에 제3자에게 불측의 손해를 입히지 않으려는 데 있는 것이므로, 저당목적물의 변형물인 금전 기타 물건에 대하여 일반 채권자가 물상대위권을 행사하려는 저당채권자보다 단순히 먼저 압류나 가압류의 집행을 함에 지나지 않은 경우에는 저당권자는 그 전은 물론 그 후에도 목적채권에 대하여 물상대위권을 행사하여 일반 채권자보다 우선변제를 받을 수가 있고, 그 실행절차는 민사소송법 제733조에서 채권 및 다른 재산권에 대한 강제집행절차에 준하여 처리하도록 규정하고 있으므로, 결국 채권의 압류 및 전부명령을 신청하여 할 것이나 이는 어디까지나 담보권의 실행절차이므로, 그 요건으로서 담보권의 존재를 증명하는 서류를 집행법원에 제출하여 개시된 경우이어야 한다.

② ≪대판(全員合議体) 2013.1.17, 2011다49523≫ (다수의견)

（「주택임대차보호법」 소정의 대항력을 갖춘) 임차인의 임대차보증금반환채권이 가압류된 상태에서 임대주택이 양도되면 양수인이 채권가압류의 제3채무자의 지위도 승계하고, 가압류권자 또한 임대주택의 양도인이 아니라 양수인에 대하여만 위 가압류의 효력을 주장할 수 있다.

(註 이와 같이 채권가압류의 제3채무자 지위가 승계된 경우에는 가압류에서 이전하는 본압류를 임차주택의 **양수인을 제3채무자로** 하여 신청하여야 한다.)

③ ≪대판 2011.4.28, 2010다89036≫

[3] 압류 및 전부명령의 목적인 채권의 표시가 이해관계인 특히 제3채무자로 하여금 다른 채권과 구별할 수 있을 정도로 기재되어 동일성 인식을 저해할 정도에 이르지 아니하였다면, 그 압류 및 전부명령은 유효하다고 보아야 한다.

④ ≪대판 2017.8.21, 2017마499≫

[1] 채권자가 채무자의 제3채무자에 대한 채권을 압류하는 경우 제3채무자가 채권자 자신인 경우에도 이를 압류하는 것이 금지되지 않으므로 단지 채권자와 제3채무자가 같다고 하여 채권압류 및 전부명령이 위법하다고 볼 수 없다.

⑤ ≪대판 1997.3.14, 96다54300≫

금전채권에 대하여 압류 및 추심명령이 있었다고 하더라도 이는 강제집행절차에서 압류채권자에게 채무자의 제3채무자에 대한 채권을 추심할 권능만을 부여하는 것으로서 강제집행절차상의 환가처분의 실현행위에 지나지 아니한 것이며, 이로 인하여 채무자가 제3채무자에 대하여 가지는 채권이 압류채권자에게 이전되거나 귀속되는 것이 아니므로, 이와 같은 추심권능은 그 자체로서 독립적으로 처분하여 환가할 수 있는 것이 아니어서 압류할 수 없는 성질의 것이고, 따라서 이러한 추심권능에 대한 가압류결정은 무효이며, 추심권능을 소송상 행사하여 승소확정판결을 받았다 하더라도 그 판결에 기하여 금원을 지급받는 것 역시 추심권능에 속하는 것이므로, 이러한 판결에 기하여 지급받을 채권에 대한 가압류결정도 무효라고 보아야 한다.

26 **채권압류 및 추심·전부명령의 효력에 관한 다음 설명 중 가장 옳지 않은 것은?** ▶2023 법무사

① 민법 제450조 제2항 소정의 지명채권양도의 제3자에 대한 대항요건은, 양도된 채권이 존속하는 동안에 그 채권에 관하여 양수인의 지위와 양립할 수 없는 법률상의 지위를 취득한 제3자가 있는 경우에 적용되는 것이므로, 양도된 채권이 이미 변제 등으로 소멸한 경우에는 그 후에 그 채권에 관한 채권압류 및 추심명령이 송달되더라도 그 채권압류 및 추심명령은 존재하지 아니하는 채권에 대한 것으로서 무효이고, 위와 같은 대항요건의 문제는 발생될 여지가 없다.

② 채권가압류와 채권압류의 집행이 경합된 상태에서 발령된 전부명령은 무효이고, 한 번 무효로 된 전부명령은 일단 경합된 가압류 및 압류가 그 후 채권가압류의 집행해제로 경합상태를 벗어났다고 하여 되살아나는 것은 아니다.

③ 채권압류 및 추심명령 또는 전부명령 당시 피압류채권이 이미 제3자에 대한 대항요건을 갖추어 양도되어 그 명령이 효력이 없는 것이 되었더라도, 그 후의 사해행위취소소송에서 위 채권양도계약이 취소되어 채권이 원채권자에게 복귀하였다면 일단 무효로 된 채권압류 및 추심명령 또는 전부명령은 유효로 된다.

④ 다른 채권자가 제3채무자의 변제 전에 동일한 피압류채권에 대하여 압류·가압류명령을 신청하고 나아가 압류·가압류명령을 얻었다고 하더라도 제3채무자가 추심권자에게 지급한 후에 그 압류·가압류명령이 제3채무자에게 송달된 경우에는 추심권자가 추심한 금원에 그 압류·가압류의 효력이 미친다고 볼 수 없고, 추심채권자가 추심의 신고를 하기 전에 다른 채권자가 동일한 피압류채권에 대하여 압류·가압류명령을 신청하였다고 하더라도 이를 당해 채권추심사건에 관한 적법한 배당요구로 볼 수도 없다.

⑤ 같은 채권에 관하여 추심명령이 여러 번 발령되더라도 그 사이에는 순위의 우열이 없고, 추심명령을 받아 채권을 추심하는 채권자는 자기채권의 만족을 위하여서 뿐만 아니라 압류가 경합되거나 배당요구가 있는 경우에는 집행법원의 수권에 따라 일종의 추심기관으로서 압류나 배당에 참가한 모든 채권자를 위하여 제3채무자로부터 추심을 하는 것이므로 그 추심권능은 압류된 채권 전액에 미치며, 제3채무자로서도 정당한 추심권자에게 변제하면 그 효력은 위 모든 채권자에게 미치므로 압류된 채권을 경합된 압류채권자 및 또 다른 추심권자의 집행채권액에 안분하여 변제하여야 하는 것도 아니다.

해설 ① ≪대판 2003.10.24, 2003다37426≫

민법 제450조 제2항 소정의 지명채권양도의 제3자에 대한 대항요건은 양도된 채권이 존속하는 동안에 그 채권에 관하여 양수인의 지위와 양립할 수 없는 법률상의 지위를 취득한 제3자가 있는 경우에 적용되는 것이므로, 양도된 채권이 이미 변제 등으로 소멸한 경우에는 그 후에 그 채권에 관한 채권압류 및 추심명령이 송달되더라도 그 채권압류 및 추심명령은 존재하지 아니하는 채권에 대한 것으로서 무효이고, 위와 같은 대항요건의 문제는 발생될 여지가 없다.

정답 **26** ③

② ≪대판 2001.10.12. 2000다19373≫

　　[2] 채권가압류와 채권압류의 집행이 경합된 상태에서 발령된 **(압류명령은 유효)** 전부명령은 무효
　　이고, 한 번 무효로 된 전부명령은 일단 경합된 가압류 및 압류가 그 후 채권가압류의 집행해
　　제로 경합상태를 벗어났다고 하여 되살아나는 것은 아니다.

③ ≪대판 2022.12.1. 2022다247521≫

　　[2] 채권자가 사해행위의 취소와 함께 수익자 또는 전득자로부터 책임재산의 회복을 명하는 사해
　　행위취소의 판결을 받은 경우 그 취소의 효과는 채권자와 수익자 또는 전득자 사이에만 미치
　　므로, 수익자 또는 전득자가 채권자에 대하여 사해행위의 취소로 인한 원상회복 의무를 부담
　　하게 될 뿐, 채무자와 사이에서 그 취소로 인한 법률관계가 형성되거나 취소의 효력이 소급하
　　여 채무자의 책임재산으로 회복되는 것은 아니다. / 따라서 채권압류명령 등 당시 피압류채권
　　이 이미 제3자에 대한 대항요건을 갖추어 양도되어 그 명령이 효력이 없는 것이 되었다면,
　　그 후의 사해행위취소소송에서 위 채권양도계약이 취소되어 채권이 원채권자에게 복귀하였
　　다고 하더라도 이미 무효로 된 채권압류명령 등이 다시 유효로 되는 것은 아니다(대법원
　　2001.5.29. 선고 99다9011 판결, 대법원 2006.8.24. 선고 2004다23110 판결 등 참조).

④ ≪대판 2008.11.27. 2008다59391≫

　　[2] 채권에 대한 압류·가압류명령은 그 명령이 제3채무자에게 송달됨으로써 효력이 생기는
　　것이므로(「민사집행법」 제227조 제3항, 제291조), 제3채무자의 지급으로 인하여 피압류채
　　권이 소멸한 이상 설령 다른 채권자가 그 변제 전에 동일한 피압류채권에 대하여 압류·가
　　압류명령을 신청하고 나아가 압류·가압류명령을 얻었다고 하더라도 제3채무자가 추심권자
　　에게 지급한 후에 그 압류·가압류명령이 제3채무자에게 송달된 경우에는 추심권자가 추심
　　한 금원에 그 압류·가압류의 효력이 미친다고 볼 수 없다.

　　[3] 추심채권자가 추심의 신고를 하기 전에 다른 채권자가 동일한 피압류채권에 대하여 압류·
　　가압류명령을 신청하였다고 하더라도 이를 당해 채권추심사건에 관한 적법한 배당요구로 볼
　　수도 없다.

⑤ ≪대판 2001.3.27. 2000다43819≫

　　[1] 같은 채권에 관하여 추심명령이 여러 번 발부되더라도 그 사이에는 순위의 우열이 없고, 추심
　　명령을 받아 채권을 추심하는 채권자는 자기채권의 만족을 위하여서 뿐만 아니라 압류가 경
　　합되거나 배당요구가 있는 경우에는 집행법원의 수권에 따라 일종의 추심기관으로서 압류나
　　배당에 참가한 모든 채권자를 위하여 제3채무자로부터 추심을 하는 것이므로 그 추심권능은
　　압류된 채권 전액에 미치며, 제3채무자로서도 정당한 추심권자에게 **(압류된 채권 전액을)** 변
　　제하면 그 효력은 위 모든 채권자에게 미치므로 압류된 채권을 경합된 압류채권자 및 또 다
　　른 추심권자의 집행채권액에 안분하여 변제하여야 하는 것도 아니다.

27 채권압류명령 및 추심명령 또는 전부명령에 관한 다음 설명 중 가장 옳지 않은 것은?

▶ 2025 법무사

① 채무자가 압류 또는 가압류의 대상인 채권을 양도하고 확정일자 있는 통지 등에 의한 채권양도의 대항요건을 갖추었다면, 그 후 채무자의 다른 채권자가 그 양도된 채권에 대하여 압류 또는 가압류를 하더라도 그 압류 또는 가압류 당시에 피압류채권은 이미 존재하지 않는 것과 같아 압류 또는 가압류로서의 효력이 없고, 그에 기한 추심명령 또한 무효이므로, 그 다른 채권자는 압류 등에 따른 집행절차에 참여할 수 없다.

② 압류된 금전채권에 대한 전부명령이 절차상 적법하게 발부되어 확정되었다고 하더라도 전부명령이 제3채무자에게 송달될 때에 피압류채권이 존재하지 않으면 전부명령도 무효이므로, 피압류채권이 전부채권자에게 이전되거나 집행채권이 변제되어 소멸하는 효과는 발생할 수 없다.

③ 채권자가 사해행위의 취소와 함께 수익자 또는 전득자로부터 책임재산의 회복을 명하는 사해행위취소의 판결을 받은 경우 그 취소의 효과는 채권자와 수익자 또는 전득자 사이에만 미치므로, 수익자 또는 전득자가 채권자에 대하여 사해행위의 취소로 인한 원상회복 의무를 부담하게 될 뿐, 채무자와 사이에서 그 취소로 인한 법률관계가 형성되거나 취소의 효력이 소급하여 채무자의 책임재산으로 회복되는 것은 아니다. 따라서 채권압류명령 등 당시 피압류채권이 이미 제3자에 대한 대항요건을 갖추어 양도되어 그 명령이 효력이 없는 것이 되었다면, 그 후의 사해행위취소소송에서 위 채권양도계약이 취소되어 채권이 원채권자에게 복귀하였다고 하더라도 이미 무효로 된 채권압류명령 등이 다시 유효로 되는 것은 아니다.

④ 채권에 대한 압류명령은 압류목적채권이 현실로 존재하는 경우에 그 한도에서 효력을 발생할 수 있는 것이고 그 효력이 발생된 후 새로 발생한 채권에 대하여는 압류의 효력이 미치지 아니한다.

⑤ 장래의 불확정채권에 대하여 압류가 중복된 상태에서 전부명령이 있는 경우 그 압류의 경합으로 인하여 전부명령이 무효가 되는지의 여부는 나중에 확정된 피압류채권액을 기준으로 판단할 것이지, 전부명령이 제3채무자에게 송달된 당시의 계약상의 피압류채권액을 기준으로 판단할 것은 아니다.

> **해설** ① ≪대판 2010.10.28, 2010다57213,57220≫ (⇒ 동판례는 2025 법무사 1차시험 2문제에 지문 중복되어 출제됨)
>
> 채권압류의 효력발생 전에 채무자가 그 채권을 처분한 경우에는 그보다 [1]먼저 압류한 채권자가 있어 그 채권자에게는 대항할 수 없는 사정이 있더라도 그 처분 후에 집행에 참가하는 채권자에 대하여는 처분의 효력을 대항할 수 있는 것이므로, 채무자가 압류 또는 가압류의 대상인 [2]채권을 양도하고 확정일자 있는 통지 등에 의한 채권양도의 대항요건을 갖추었다면, 그 후 채무자의 다른 채권자가 그 양도된 채권에 대하여 [3]압류 또는 가압류를 하더라도 그 압류 또는 가압류 당시에 피압류채권은 이미 존재하지 않는 것과 같아 압류 또는 가압류로서의 효력이 없고, 따라서 그 **(채무자의)** 다른 채권자는 압류 등에 따른 집행절차에 참여할 수 없다.

> **정답** **27 ⑤**

② ≪대판 2007.4.12, 2005다1407≫

[1] 압류된 금전채권에 대한 전부명령이 절차상 적법하게 발부되어 확정되었다고 하더라도, 전부명령이 제3채무자에게 송달될 때에 피압류채권이 존재하지 않으면 전부명령은 무효이므로, 피압류채권이 전부채권자에게 이전되거나 집행채권이 변제되어 소멸하는 효과는 발생할 수 없다.

③ ≪대판 2022.12.1, 2022다247521≫

[2] 채권자가 사해행위의 취소와 함께 수익자 또는 전득자로부터 책임재산의 회복을 명하는 사해행위취소의 판결을 받은 경우 그 취소의 효과는 채권자와 수익자 또는 전득자 사이에만 미치므로, 수익자 또는 전득자가 채권자에 대하여 사해행위의 취소로 인한 원상회복 의무를 부담하게 될 뿐, 채무자와 사이에서 그 취소로 인한 법률관계가 형성되거나 취소의 효력이 소급하여 채무자의 책임재산으로 회복되는 것은 아니다. / 따라서 채권압류명령 등 당시 피압류채권이 이미 제3자에 대한 대항요건을 갖추어 양도되어 그 명령이 효력이 없는 것이 되었다면, 그 후의 사해행위취소소송에서 위 채권양도계약이 취소되어 채권이 원채권자에게 복귀하였다고 하더라도 이미 무효로 된 채권압류명령 등이 다시 유효로 되는 것은 아니다(대법원 2001.5.29. 선고 99다9011 판결, 대법원 2006.8.24. 선고 2004다23110 판결 등 참조).

④ ≪대판 2001.12.24, 2001다62640≫

채권에 대한 압류명령은 압류목적채권이 현실로 존재하는 경우에 그 한도에서 효력을 발생할 수 있는 것이고 그 효력이 발생된 후 새로 발생한 채권에 대하여는 압류의 효력이 미치지 아니하고, 따라서 공사금채권에 대한 압류 및 전부명령은 그 송달 후 체결된 추가공사계약으로 인한 추가공사금채권에는 미치지 아니한다.

⑤ ≪대판 1998.8.21, 98다15439≫

[2] **(예 임대차보증금반환채권등)** 장래의 불확정채권에 대하여 압류가 중복된 상태에서 전부명령이 있는 경우 그 압류의 경합으로 인하여 전부명령이 무효가 되는지의 여부는 나중에 확정된 피압류채권액을 기준으로 판단할 것이 아니라 전부명령이 제3채무자에게 송달된 당시의 계약상의 피압류채권액을 기준으로 판단하여야 한다.

28 압류된 채권에 대한 특별현금화방법에 관한 다음 설명 중 가장 옳지 않은 것은?

▸ 2023 법무사

① 부동산 권리이전청구권에 대한 강제집행은 금전채권에 관한 강제집행의 선행적 절차에 해당하는 것으로서, 그 절차 내에 환가절차가 예정되어 있지 않아 그 청구권 자체를 환가·처분하여 그 대금으로 채권자를 만족시키는 방법은 인정되지 않으므로 민사집행법 제241조 소정의 특별현금화 방법을 적용할 수 없다.

② 압류된 채권을 매각한 경우에는 집행관은 채무자를 대신하여 제3채무자에게 서면으로 양도의 통지를 하여야 하는데, 집행관은 대금을 지급받은 후가 아니면 매수인에게 채권증서를 인도하거나 제3채무자에게 위 통지를 하여서는 아니된다.

③ 압류된 채권을 집행법원의 매각명령에 따라 집행관이 매각절차를 마친 때에는 스스로 배당할 수 없고, 바로 매각대금을 공탁하고 사유신고를 하여야 하고 집행관이 매각대금을 공탁한 때에는 집행법원에 의한 배당절차가 개시되고 집행법원의 사법보좌관이 채권 등 배당절차로 진행한다.

④ 압류된 채권에 대한 양도명령은 압류채권자에게 우선적 지위를 주는 것이므로 양도명령이 제3채무자에게 송달될 때까지 피압류채권에 관하여 다른 채권자가 압류·가압류 또는 배당요구를 한 경우에는 양도명령을 발할 수 없고, 발령하더라도 그 양도명령은 효력이 없다.

⑤ 민사집행법 제241조 제1항에 의한 채권자의 특별현금화명령 신청에 대하여 특별현금화를 명할 것인지 여부나 그 방법의 선택은 법원의 재량에 맡겨져 있으므로 같은 조 제3항에서 즉시항고의 대상으로 규정하고 있는 "제1항의 결정"에는 특별현금화명령 신청을 받아들이는 결정뿐만 아니라 신청을 기각하는 결정도 포함된다고 볼 수 있으므로 특별현금화명령 신청에 대한 법원의 기각결정에 대해서도 채권자는 민사집행법 제241조 제3항에 의하여 즉시항고로써 다툴 수 있다.

[해설] ① ≪대결 1999.12.9, 98마2934≫

같은 법 제575조(법 제242조) 이하에서 규정하는 부동산 권리이전청구권에 대한 강제집행은 금전채권에 관한 강제집행의 선행적 절차에 해당하는 것으로서, 그 절차 내에 환가절차가 예정되어 있지 않아 그 청구권 자체를 환가·처분하여 그 대금으로 채권자를 만족시키는 방법은 인정되지 아니하고, (부동산 권리이전청구권을 집행의 대상으로 하는 강제집행에 관하여는 「민사집행법」 제241조 소정의 특별현금화방법이 허용되지 않는다.) / 채무자 명의의 권리이전절차를 보관인에게 이행하게 하는 등으로 청구권의 내용을 실현시킴으로써 그 절차가 종료되며, / 그 집행채권의 만족은 위와 같이 권리이전절차가 실현된 채무자 명의의 목적 부동산에 대하여 강제경매신청 등 별도의 신청에 의한 강제집행을 함으로써 이루어지는 것이므로, 부동산 권리이전청구권을 집행의 대상으로 하는 강제집행에 관하여 같은 법 제574조(법 제241조 특별현금화)를 유추 적용할 것도 아니다.

② 법 제241조(특별한 현금화방법)

⑤ 압류된 채권을 매각한 경우에는 집행관은 채무자를 대신하여 제3채무자에게 서면으로 양도의 통지를 하여야 한다.

규칙 제165조(매각명령에 따른 매각)

③ 집행관은 대금을 지급받은 후가 아니면 매수인에게 채권증서를 인도하거나 법 제241조 제5항의 통지를 하여서는 아니된다.

③ 규칙 제165조(매각명령에 따른 매각)

④ 집행관은 (매각명령에 따른) 매각절차를 마친 때에는 바로 매각대금과 매각에 관한 조서를 법원에 제출하여야 한다. (매각대금 공탁×)

[📌 집행관은 매각절차를 마친 때에는 스스로 배당할 수 없고, 바로 매각대금과 매각에 관한 조서를 집행법원에 제출하여야 하는데(규칙 제165조 제4항), 현금화를 마친 집행관이 그 현금화한 금전을 법원에 제출하는 절차는 법원보관금취급규칙 제9조 내지 제11조에 따른다. 매각대금이 제출된 때에는 집행법원에 의한 배당절차가 개시되고(법 제252조 제3호), 집행법원의 사법보좌관이 채권 등 배당절차('타배' 사건)로 진행한다.]

④ 양도명령은 압류채권자에게 우선적 지위를 주는 것이므로 채권자가 경합 되어 있는 때에는 허용되지 않는다. 즉 양도명령이 제3채무자에게 송달될 때까지 피압류채권에 관하여 다른 채권자가 압류·가압류 또는 배당요구를 한 경우에는 양도명령을 발령할 수 없고, 발령하더라도 그 양도명령은 효력이 없다(법 제241조 제6항, 제229조 제5항).

⑤ ≪대결 2012.3.15. 2011그224≫

민사집행법 제241조 제1항에 의한 채권자의 특별현금화명령 신청에 대하여 특별현금화를 명할 것인지 여부나 그 방법의 선택은 법원의 재량에 맡겨져 있으므로 같은 조 제3항에서 즉시항고의 대상으로 규정하고 있는 "제1항의 결정"에는 특별현금화명령 신청을 받아들이는 결정뿐만 아니라 신청을 기각하는 결정도 포함된다고 볼 수 있다. 또한 추심명령 또는 전부명령의 신청을 기각한 결정에 대하여는 민사집행법 제229조 제6항에 따라 즉시항고를 할 수 있는데, 추심명령이나 전부명령과 특별현금화명령은 압류된 채권의 종류 및 성질에 따라 적용 범위와 대상, 그리고 현금화의 구체적 방법을 달리할 뿐 압류된 채권에 대한 강제집행이라는 제도의 취지는 같고, 신청이 기각됨으로 인한 당사자의 이해관계 등도 본질적으로 다르지 않다. 따라서 특별현금화명령 신청에 대한 법원의 기각결정에 대해서도 채권자는 민사집행법 제241조 제3항에 의하여 즉시항고로써 다툴 수 있다.

02 유체물의 인도·권리이전청구권에 대한 집행

01 부동산의 인도 또는 권리이전청구권에 대한 집행에 관한 다음 설명 중 가장 옳지 않은 것은?

▸ 2022 법무사

① 부동산의 인도나 권리이전의 청구권에 대한 압류명령이 제3채무자에게 송달되면 압류의 효력이 생긴다.

② 부동산의 인도나 권리이전의 청구권에 대하여도 전부명령을 할 수 있다.

③ 부동산에 관한 인도청구권의 압류에 대하여는 그 부동산소재지의 지방법원은 채권자 또는 제3채무자의 신청에 의하여 보관인을 정하고 제3채무자에 대하여 그 부동산을 보관인에게 인도할 것을 명하여야 한다.

④ 부동산에 관한 권리이전청구권의 압류에 대하여는 그 부동산소재지의 지방법원은 채권자 또는 제3채무자의 신청에 의하여 보관인을 정하고 제3채무자에 대하여 그 부동산에 관한 채무자명의의 권리이전등기절차를 보관인에게 이행할 것을 명하여야 한다.

⑤ 부동산의 인도나 권리이전의 청구권에 대한 압류명령의 신청에 관한 재판에 대하여는 즉시항고를 할 수 있다.

해설 ① 부동산의 인도나 권리이전의 청구권에 대한 압류명령은 채무자와 제3채무자에게 송달하여야 하고(법 제242조, 제227조 제2항), 채권자에게도 고지하여야 한다. 압류명령은 제3채무자에게 송달되어야 그 효력이 생긴다(법 제242조, 제227조 제3항).

② 법 제245조(전부명령 제외)

유체물의 인도나 권리이전의 청구권에 대하여는 전부명령을 하지 못한다.

③,④ 법 제244조(부동산청구권에 대한 압류)

① 부동산에 관한 인도청구권의 압류에 대하여는 그 부동산소재지의 지방법원은 채권자 또는 제3채무자의 신청에 의하여 보관인을 정하고 제3채무자에 대하여 그 부동산을 보관인에게 인도할 것을 명하여야 한다.

② 부동산에 관한 권리이전청구권의 압류에 대하여는 그 부동산소재지의 지방법원은 채권자 또는 제3채무자의 신청에 의하여 보관인을 정하고 제3채무자에 대하여 그 부동산에 관한 채무자명의의 권리이전등기절차를 보관인에게 이행할 것을 명하여야 한다.

⑤ 부동산의 인도나 권리이전의 청구권에 대한 압류명령의 신청에 관한 재판에 대하여는 즉시항고를 할 수 있다(법 제242조, 제227조 제4항).

03 채권과 그 밖의 재산권에 대한 담보권의 실행

01 물상대위권 행사에 관한 다음 설명 중 가장 옳지 않은 것은?

▶ 2024 법무사

① 근저당권자가 공탁금에 대하여 물상대위권 행사를 위한 압류를 하지 아니하고 일반채권에 기하여 가압류만 하고 있던 중에 다른 채권자가 압류를 하게 되면 공탁관은 압류와 가압류의 경합을 사유로 하여 압류법원에 사유신고를 하게 되므로, 그 이후에는 근저당권자는 물상대위권 행사를 위한 압류나 배당요구를 할 수 없으므로 근저당권자는 위 배당절차에서 근저당권자가 아닌 단순한 가압류채권자로서 다른 채권자들과 안분배당을 받을 수 있을 뿐이다.

② 저당권에 기한 물상대위권을 갖는 채권자가 동시에 집행권원을 가지고 있으면서 집행권원에 의한 강제집행의 방법을 선택하여 채권의 압류 및 전부명령을 얻은 경우에는, 비록 그가 물상대위권을 갖는 실체법상의 우선권자라 하더라도 압류가 경합된 상태에서 발부된 전부명령은 무효로 볼 수밖에 없다.

③ 수용보상금채권에 물상대위권을 행사하기 위해서는 대상물인 금전 그 밖의 물건이 지급 또는 인도되기 전에 압류하여야 하고, 담보물권자가 물상대위권을 행사하기 전에 양도 또는 전부명령 등에 의하여 보상금 채권이 타인에게 이전된 경우에는 담보물권자는 물상대위권을 행사하여 다른 일반 채권자보다 우선적으로 보상금을 지급받을 수 없다.

④ 수용보상금에 대하여 다른 일반채권자가 먼저 가압류나 압류의 집행을 하였다고 하더라도 담보물권자는 물상대위권을 행사하여 우선변제를 받을 수 있으나, 일단 사업시행자가 집행공탁하고 공탁사유신고를 한 때 또는 추심채권자가 추심하고 추심신고를 한 때에는 배당요구의 종기가 지난 후이므로 물상대위권을 행사할 수 없다.

⑤ 수용되는 토지에 가압류가 집행되어 있더라도 토지수용으로 사업시행자가 그 소유권을 원시취득하게 됨에 따라 그 토지 가압류의 효력은 절대적으로 소멸하는 것이고, 이 경우 법률에 특별한 규정이 없는 이상 토지에 대한 가압류가 그 수용보상금채권에 당연히 이전되어 효력이 미치게 된다거나 수용보상금채권에 대하여도 토지 가압류의 처분금지적 효력이 미친다고 볼 수는 없다.

> **해설** ① 공탁선례 제2-158호 [피수용토지의 소유자가 받을 보상금에 대하여 담보물권자가 물상대위권을 행사하는 방법과 그 행사 시기] (제정 1992.11.19)
> 근저당권자 갑이 근저당권설정자 을이 받을 토지수용보상의 공탁금에 대하여 물상대위권을 행사하려면 그 지불 전에 이를 압류하여야 하고(「토지수용법」 제69조 단서), 공탁금 출급청구권에 대하여 가압류의 경합만이 있는 상태에서는 공탁공무원의 사유신고에 기한 배당절차가 개시될 수

정답 ▶ 01 ② / 01 ③

는 없는 것이며, 갑이 위 공탁금에 대하여 물상대위권을 행사하기 위하여 근저당권의 존재를 증
명하는 서류(등기부등본)를 제출하여 채권에 대한 강제집행절차에 준하는 채권압류 및 전부명령
을 받은 경우에는 그 공탁금에 대하여 다른 일반 채권자가 먼저 가압류나 압류의 집행을 하였다
하더라도 그에 우선하여 변제를 받을 수 있을 것이나(대법원 1992.12.26. 선고 90다카24816
판결), 갑이 위 공탁금에 대하여 물상대위권 행사를 위한 압류를 하지 아니하고 일반채권에 기하
여 가압류만 하고 있던 중에 다른 채권자가 압류를 하게 되면 공탁공무원은 압류와 가압류의 경
합을 사유로 하여 압류법원에 사유신고를 하게 되므로(「공탁사무처리규칙」 제52조), 그 이후에는
갑은 물상대위권 행사를 위한 압류나 배당요구를 할 수 없으므로(「민사소송법」 제580조 참조)
갑은 위 배당절차에서 근저당권자가 아닌 단순한 가압류채권자로서 다른 채권자들과 안분배분을
받을 수 있을 뿐이며, 이 경우 갑이 다른 집행법원으로부터 근저당권의 피보전채권의 잔존채권에
대한 부기문을 받았다 하더라도 그 부기문 자체로서는 집행력이 없고, 단지 부동산임의경매절차
에서 지급받은 배당액을 입증하는 것에 불과하다고 보아야 할 것이다. [1992.11.19. 법정 제
2002호(공탁선례 1-232)]

② ≪대판 1990.12.26, 90다카24816≫

　　다. 저당권에 기한 물상대위권을 갖는 채권자가 동시에 채무명의를 가지고 있으면서 채무명의에
　　　의한 강제집행의 방법을 선택하여 채권의 압류 및 전부명령을 얻은 경우에는 비록 그가 물상
　　　대위권을 갖는 실체법상의 우선권자라 하더라도 원래 일반 채무명의에 의한 강제집행절차와
　　　담보권의 실행절차와는 그 개시요건이 다를 뿐만 아니라 다수의 이해관계인이 관여하는 집행
　　　절차의 안정과 평등배당을 기대한 다른 일반 채권자의 신뢰를 보호할 필요가 있는 점에 비추
　　　어 압류가 경합된 상태에서 발부된 전부명령은 무효로 볼 수 밖에 없다.

③ ≪대판 1998.9.22, 98다12812≫

　　[5] 담보권자는 「토지수용법」 제14조, 제16조 소정의 사업인정의 고시가 있으면 수용대상토지에
　　　대한 손실보상금의 지급이 확실시되므로 토지수용의 재결 이전 단계에서도 물상대위권의 행사로
　　　서 피수용자의 기업자에 대한 손실보상금 채권을 압류 및 전부받을 수 있어, 설사 그 압류
　　　전에 양도 또는 전부명령 등에 의하여 보상금 채권이 타인에게 이전된 경우라도 보상금이
　　　직접 지급되거나 보상금지급청구권에 관한 강제집행절차에 있어서 배당요구의 종기에 이르기
　　　전에는 여전히 그 청구권에 대한 추급이 가능하다. (🈳 물상대위권자에게 우선하여 배당한다.)

④ ≪대판 2003.3.28, 2002다13539≫

　　[1] 민법 제370조, 제342조에 의한 저당권자의 물상대위권의 행사는 구 민사소송법(2002.1.26.
　　　법률 제6626호로 전문 개정되기 전의 것) 제733조에 의하여 담보권의 존재를 증명하는 서류
　　　를 집행법원에 제출하여 채권압류 및 전부명령을 신청하거나, 구 민사소송법 제580조에 의
　　　하여 배당요구를 하는 방법에 의하여 하는 것이고, 이는 늦어도 구 민사소송법 제580조 제1
　　　항 각 호 소정의 배당요구의 종기까지 하여야 하는 것으로 그 이후에는 물상대위권자로서의
　　　우선변제권을 행사할 수 없다.

⑤ ≪대판 2000.7.4, 98다62961≫

　　[1] (「공익사업을 위한 토지 등의 취득 및 보상에 관한 법률」 제45조 제1항에 의하면) 기업자는
　　　토지를 수용한 날에 그 소유권을 취득하며 그 토지에 관한 다른 권리는 소멸하는 것인바, 수
　　　용되는 토지에 대하여 가압류가 집행되어 있어도 토지의 수용으로 기업자가 그 소유권을 원
　　　시취득함으로써 가압류의 효력은 소멸되는 것이고, 토지에 대한 가압류가 그 수용 보상금 청
　　　구권에 당연히 전이되어 그 효력이 미치게 된다고는 볼 수 없다.

02 체납처분에 의한 압류와 민사집행법에 따른 압류가 경합하는 경우에 관한 다음 설명 중 가장 옳지 않은 것은?
▸ 2021 법무사

① 현행법상 체납처분절차와 민사집행절차는 별개의 절차이고 두 절차 상호 간의 관계를 조정하는 법률의 규정이 없어 한쪽의 절차가 다른 쪽의 절차에 간섭할 수 없으므로, 체납처분에 의하여 압류된 채권에 대하여도 민사집행법에 따라 압류 및 추심명령을 할 수 있고, 그 반대로 민사집행법에 따른 압류 및 추심명령의 대상이 된 채권에 대하여도 체납처분에 의한 압류를 할 수 있다.

② 제3채무자는 체납처분에 따른 압류채권자와 민사집행절차에서 압류 및 추심명령을 받은 채권자 중 어느 한쪽의 청구에 응하여 그에게 채무를 변제하고 변제 부분에 대한 채무의 소멸을 주장할 수 있으며, 또한 민사집행법 제248조 제1항에 따른 집행공탁을 하여 면책될 수도 있다.

③ 우선권 있는 채권에 기한 체납처분에 의한 압류에 관하여서는 피압류채권의 일부를 특정하여 압류한 경우 그 특정한 채권 부분에 한하여 압류의 효력이 미치는 것이며 그 후 강제집행에 의한 압류가 있고 그 압류된 금액의 합계가 피압류채권의 총액을 초과한다고 하더라도 그 압류의 효력이 피압류채권 전액으로 확장되지 아니하므로 나머지 부분에 대하여는 압류경합이 되는 것은 아니다.

④ 민사집행법에 따른 압류 및 추심명령과 체납처분에 의한 압류가 경합한 후 제3채무자가 민사집행절차에서 압류 및 추심명령을 받은 채권자의 추심청구에 응하거나 민사집행법 제248조 제1항에 따른 집행공탁을 하게 되면, 피압류채권은 소멸하게 되고 이러한 효력은 체납처분에 의한 압류채권자에 대하여도 미치므로 체납처분에 의한 압류는 그 목적을 달성하여 효력을 상실한다.

⑤ 체납처분에 의한 압류는, 비록 민사집행절차에서 압류명령을 받은 채권자의 전속적인 만족을 배제하고 배당절차를 거쳐야만 하게 하는 민사집행법 제229조 제5항의 '다른 채권자의 압류'나 민사집행법 제236조 제2항의 '다른 압류'에는 해당하지 않지만, 제3채무자에게 채무자에 대한 지급을 금지하고 채무자에게 채권의 처분과 영수를 금지하는 효력을 가지는 것으로서 그 자체만을 이유로 집행공탁을 할 수 있는 민사집행법 제248조 제1항의 '압류'에는 포함된다.

해설 ①,②,④,⑤ ≪대판 2015.8.27. 2013다203833≫

[1] 현행법상 체납처분절차와 민사집행절차는 별개의 절차이고 두 절차 상호 간의 관계를 조정하는 법률의 규정이 없어 한쪽의 절차가 다른 쪽의 절차에 간섭할 수 없으므로, 체납처분에 의하여 압류된 채권에 대하여도 민사집행법에 따라 압류 및 추심명령을 할 수 있고, 그 반대로 민사집행법에 따른 압류 및 추심명령의 대상이 된 채권에 대하여도 체납처분에 의한 압류를 할 수 있다.
이처럼 민사집행법에 따른 압류 및 추심명령과 체납처분에 의한 압류가 경합하는 경우에 제3채무자는 민사집행절차에서 압류 및 추심명령을 받은 채권자와 체납처분에 의한 압류채권자

정답 02 ⑤

중 어느 한쪽의 청구에 응하여 그에게 채무를 변제하고 그 변제 부분에 대한 채무의 소멸을 주장할 수 있으며, 또한 민사집행법 제248조 제1항에 따른 집행공탁을 하여 면책될 수도 있다 (대법원 2007.9.6. 선고 2007다29591 판결, 대법원 2015.7.9. 선고 2013다60982 판결 참조). 한편 체납처분에 의한 압류는, 비록 그 자체만을 이유로 집행공탁을 할 수 있는 「민사집행법」 제248조 제1항(제3채무자는 압류에 관련된 금전채권의 전액을 공탁할 수 있다.)의 '압류'에는 포함되지 않지만, 제3채무자에게 채무자에 대한 지급을 금지하고 채무자에게 채권의 처분과 영수를 금지하는 효력을 가지는 것으로서 민사집행절차에서 압류명령을 받은 채권자의 전속 적인 만족을 배제하고 배당절차를 거쳐야만 하게 하는 「민사집행법」 제229조 제5항(전부명령 이 제3채무자에게 송달될 때까지 그 금전채권에 관하여 다른 채권자가 압류·가압류 또는 배 당요구를 한 경우에는 전부명령은 효력을 가지지 아니한다.)의 '다른 채권자의 압류'나 「민사집 행법」 제236조 제2항(추심신고전에 다른 압류·가압류 또는배당요구가 있었을 때에는 채권 자는 추심한 금액을 바로 공탁하고 그 사유를 신고하여야 한다.)의 '다른 압류'에는 해당한다.

[2] 「민사집행법」에 따른 압류 및 추심명령과 체납처분에 의한 압류가 경합한 후 제3채무자가 민사집행절차에서 압류 및 추심명령을 받은 채권자의 추심청구에 응하거나 「민사집행법」 제 248조 제1항에 따른 집행공탁을 하게 되면, 피압류채권은 소멸하게 되고 이러한 효력은 민 사집행절차에서 압류 및 추심명령을 받은 채권자에 대하여는 물론 체납처분에 의한 압류채권 자에 대하여도 미치므로, 「민사집행법」에 따른 압류 및 추심명령과 함께 체납처분에 의한 압 류도 목적을 달성하여 효력을 상실한다. / 따라서 민사집행절차에서 압류 및 추심명령을 받 은 채권자뿐만 아니라 체납처분에 의한 압류채권자의 지위도 「민사집행법」상의 배당절차에 서 배당을 받을 채권자의 지위로 전환되므로, 체납처분에 의한 압류채권자가 공탁사유신고 시나 추심신고 시까지 「민사집행법」 제247조에 의한 배당요구를 따로 하지 않았다고 하더라 도 배당절차에 참가할 수 있다. (당연 배당○)

③ ≪대판 1991.10.11. 91다12233≫

[2] 일반채권보다 우선권 있는 채권에 기한 (**체납처분에 의한**) 압류에 관하여서는 피압류채권의 일부를 특정하여 압류한 경우 그 특정한 채권부분에 한하여 압류의 효력이 미치는 것이며 그 후 체납처분에 의한 압류나 강제집행에 의한 압류가 있고 그 압류된 금액의 합계가 피압류채 권의 총액을 초과한다고 하더라도 압류의 효력이 피압류채권 전액으로 확장되지 아니한다.

03 **아래와 같은 원심의 판단에 대한 대법원의 판단으로 가장 옳지 않은 것은?** ▶ 2021 법무사

> 원심은, ㉠ 재항고인은 2018.2.6. 채무자에 대한 대여금 원금 9천5백만 원과 그에 대한 지연손
> 해금 등(이하 '이 사건 대여금 채권'이라고 한다)을 청구채권으로 하여 채무자가 제3채무자로
> 부터 매월 수령하는 급여 중 1백5십만 원(註 2019.4.1. 이후 현재 250만 원)을 초과하는 채권(이
> 하 '이 사건 급여채권'이라고 한다)에 관하여 이 사건 채권압류 및 전부명령을 신청하였고, 제1
> 심법원이 이를 인용하여 이 사건 전부명령이 2018.2.19. 제3채무자에게 송달되었는데, ㉡ 강
> ○○는 2017.8.9. 채무자에 대한 8천만 원의 어음채권 등을 청구채권으로 하여 이 사건 급여
> 채권에 관하여 압류 및 전부명령(원심은 이를 압류 및 추심명령으로 잘못 기재하였다)을 받았
> 고, ㉢ 재항고인 역시 2017.8.28. 이 사건 대여금채권을 청구채권으로 하여 이 사건 급여채
> 권에 관하여 압류 및 추심명령을 받은 사실을 인정한 다음 위 각 청구채권의 합계액이 이 사
> 건 급여채권의 액수를 초과함이 명백하므로, 이 사건 전부명령이 제3채무자에게 송달될 당시
> 에는 이미 압류의 경합이 발생하였다는 이유로 이 사건 전부명령 신청을 기각하였다.

① 장래의 채권에 관하여 압류 및 전부명령이 확정되면 그 부분 피압류채권은 이미 전부채
   권자에게 이전된다.
② 그러므로 그 이후 동일한 장래의 채권에 관하여 다시 압류 및 전부명령이 발하여졌다고
   하더라도 압류의 경합은 생기지 않는다.
③ 다만 장래의 채권 중 선행 전부채권자에게 이전된 부분을 제외한 나머지 중 해당 부분
   피압류채권이 후행 전부채권자에게 이전될 뿐이다.
④ 이에 의하면, 이 사건 급여채권에 관하여 ㉡ 강○○ 앞으로 발하여진 채권압류 및 전부
   명령이 확정된 다음 ㉠ 재항고인 앞으로 다시 채권압류 및 전부명령이 발하여진다고 하
   더라도 압류의 경합이 발생하지는 아니한다.
⑤ 그러나 재항고인의 ㉢ 2017.8.28.자 압류와 ㉠ 2018.2.6.자 압류는 동일한 채권자의
   동일한 채권에 기한 압류라 할 것이므로 압류의 경합에 해당한다.

해설 ⑤ ≪대판 2004.9.23, 2004다29354≫
   [1] 전부명령이 확정되면 피압류채권은 전부명령이 제3채무자에게 송달된 때에 소급하여 집행채
       권의 범위 안에서 당연히 전부채권자에게 이전하고 동시에 집행채권 소멸의 효력이 발생하는
       것이며, 이 점은 피압류채권이 그 존부 및 범위를 불확실하게 하는 요소를 내포하고 있는 장
       래의 채권인 경우에도 마찬가지라고 할 것이다.
   [2] (예 임금 및 퇴직금채권 등) 장래의 채권에 관하여 압류 및 전부명령이 확정되면 그 부분 피
       압류채권은 이미 전부채권자에게 이전된 것이므로 그 이후 동일한 장래의 채권에 관하여 다
       시 압류 및 전부명령이 발하여졌다고 하더라도 압류의 경합은 생기지 않고, / 다만 장래의
       채권 중 선행 전부채권자에게 이전된 부분을 제외한 나머지 중 해당 부분 피압류채권이 후행
       전부채권자에게 이전된다.

정답 ▶ **03** ⑤

제3절 배당절차

01 배당요구 등에 관한 다음 설명 중 가장 옳지 않은 것은? ▶ 2025 법무사

① 집행력 있는 정본을 가진 배당요구채권자는 압류채권자가 제기하는 추심소송에 공동소송 참가를 할 수 있고, 압류채권자가 추심절차를 게을리 한 때에는 일정한 기간 내에 추심하 도록 최고한 후 이에 따르지 아니한 경우에는 법원의 허가를 얻어 직접 추심할 수도 있다.

② 사업시행자가 국세징수법상의 체납처분에 의한 압류만을 이유로 민사집행법 제248조 제1항에 따라 공탁하고, 같은 법 제248조 제4항에 따라 법원에 사유신고를 한 이후에는 채무자의 공탁금출급청구권에 관하여 채권압류 및 전부명령을 받는 등의 방법으로 물상 대위권을 행사하여 위 공탁금으로부터 우선변제를 받을 수 없다.

③ 민법·상법, 그 밖의 법률에 의하여 우선변제청구권이 있는 채권자와 집행력 있는 정본 을 가진 채권자는 스스로 압류신청을 하지 않고 다른 채권자에 의하여 개시된 집행절차 에서 배당요구를 할 수 있다. 이와 달리 배당요구종기 전에 미리 가압류를 한 가압류채 권자는 이중압류 채권자로 취급되어 배당에 참가하게 되므로 배당요구를 할 필요가 없 고, 배당요구를 할 자격도 없다.

④ 수익자에 대한 사해행위취소(소유권이전등기말소)소송에서 승소하고 그 목적물인 부동 산의 경매절차에서 발생한 수익자의 배당잔금지급청구권에 대하여 지급정지가처분(위 사해행위취소소송을 본안으로 한 가처분)을 하여 두었을 뿐인 채권자는 위 배당잔금지급 청구권에 대한 압류경합에 따라 개시된 배당절차에서 배당요구를 할 수 있는 채권자에 해당하지 않는다.

⑤ 저당권자가 물상대위권을 행사하여 채권압류 및 추심명령 또는 전부명령을 신청하면서 그 청구채권 중 이자·지연손해금 등 부대채권의 범위를 신청일 무렵까지의 확정금액으 로 기재한 경우, 저당권자가 부대채권에 관하여는 신청일까지의 액수만 배당받겠다는 의 사를 명확하게 표시하였다고 볼 수 있는 등의 특별한 사정이 없는 한, 그 배당절차에서 는 채권계산서를 제출하였는지 여부에 관계없이 배당기일까지의 부대채권을 포함하여 원래 우선변제권을 행사할 수 있는 범위에서 우선 배당을 받을 수 있다.

> **해설** ① 법 제249조(추심의 소)
> ① 제3채무자가 추심절차에 대하여 의무를 이행하지 아니하는 때에는 압류채권자는 **(제3채무자를 상대로)** 소로써 그 이행을 청구할 수 있다.
> ② 집행력 있는 정본을 가진 모든 채권자는 **(압류·추심명령을 얻지 않더라도)** 공동소송인으로 원고 쪽에 참가할 권리가 있다.
> ③ 소를 제기당한 제3채무자는 제2항의 채권자를 공동소송인으로 원고 쪽에 참가하도록 명할 것을 첫 변론기일까지 신청할 수 있다.
> ④ 소에 대한 재판은 제3항의 명령을 받은 채권자에 대하여 효력이 미친다.

법 제250조(채권자의 추심최고)

압류채권자가 추심절차를 게을리 한 때에는 집행력 있는 정본으로 배당을 요구한 채권자는 일정한 기간 내에 추심하도록 최고하고, 최고에 따르지 아니한 때에는 법원의 허가를 얻어 직접 추심할 수 있다.

② ≪대판 2007.4.12, 2004다20326≫

「국세징수법」상의 압류와 「민사집행법」상의 압류의 효력의 차이 및 체납처분절차와 강제집행절차의 차이 등에 비추어 볼 때, 「민사집행법」 제248조 제1항 및 공익사업을 위한 토지 등의 취득 및 보상에 관한 법률 제40조 제2항 제4호 소정의 공탁의 전제가 되는 '압류'에는 국세징수법에 의한 채권의 압류는 포함되지 않는다고 보아야 한다. 따라서 국세징수법상의 체납처분에 의한 압류만을 이유로 **(집행공탁을 할 수는 없으므로, 설령)** 집행공탁이 이루어진 경우에는 사업시행자가 「민사집행법」 제248조 제4항에 따라 법원에 공탁사유를 신고하였다고 하더라도 「민사집행법」 제247조 제1항에 의한 배당요구종기가 도래한다고 할 수는 없다.

그러므로 이 사건 부동산의 소외인 지분에 대한 근저당권자인 피고는 위 공탁금에 대한 법률적 권리가 이미 위 각 지분의 소유자인 소외인 외의 제3자에게 속하게 되었다거나 위 공탁금이 이미 출급되어 제3자에게 귀속되었다는 등의 특별한 사정이 없는 한, 강북구청장이 **(체납처분에 의한 압류만을 이유로 민사집행법 제248조 제1항에 따라 집행공탁하고)** 공탁사유신고를 한 2003.4.15. 이후에도 소외인의 위 공탁금에 대한 출급청구권에 관하여 채권압류 및 전부명령을 받는 등의 방법으로 물상대위권을 행사하여 위 공탁금으로부터 우선 변제를 받을 수 있다.

③,④ ≪대판 2003.12.11, 2003다47638≫

[1] 구 민사소송법 제580조 제1항(**법 제247조 제1항**)은 금전채권에 대한 강제집행에 있어서 배당요구를 할 수 있는 채권자의 범위를 '민법·상법 기타 법률에 의하여 우선변제청구권이 있는 채권자'와 '집행력 있는 정본을 가진 채권자'로 제한하여 규정하고 있으므로, 그 어느 것에도 해당하지 않는 채권자는, 위 조항 각 호의 사유 발생 전에 미리 가압류를 하여 이른바 경합압류채권자(= **이중압류채권자**)로서 배당에 참가하게 되는 것은 별론으로 하고(**배당요구를 할 필요가 없고**), 별도의 배당요구를 할 자격이 없다.

[2] 수익자에 대한 사해행위취소(소유권이전등기말소)소송에서 승소하고 그 목적물인 부동산의 경매절차에서 발생한 수익자의 배당잔금지급청구권에 대하여 지급정지가처분(위 사해행위취소소송을 본안으로 한 가처분)을 하여 두었을 뿐인 채권자는 위 배당잔금지급청구권에 대한 압류경합에 따라 개시된 배당절차에서 배당요구를 할 수 있는 채권자에 해당하지 않는다고 한 사례

⑤ ≪대판 2022.8.11, 2017다256668≫

[2] 저당권자가 물상대위권을 행사하여 채권압류명령 등을 신청하면서 그 청구채권 중 이자·지연손해금 등 부대채권(이하 '부대채권'이라 한다)의 범위를 신청일 무렵까지의 확정금액으로 기재한 경우, 그 신청 취지와 원인 및 집행 실무 등에 비추어 저당권자가 부대채권에 관하여는 신청일까지의 액수만 배당받겠다는 의사를 명확하게 표시하였다고 볼 수 있는 등의 특별한 사정이 없는 한, 그 배당절차에서는 채권계산서를 제출하였는지 여부에 관계없이 배당기일까지의 부대채권을 포함하여 원래 우선변제권을 행사할 수 있는 범위에서 우선배당을 받을 수 있다.

정답 **01 ②**

02 채권배당절차에 관한 다음 설명 중 가장 옳지 않은 것은?

▶ 2022 법무사

① 동일한 채권에 대하여 두 개 이상의 채권압류 및 전부명령이 발령되어 제3채무자에게 동시에 송달된 경우, 각 채권압류명령의 압류액을 합한 금액이 피압류채권액을 초과하면 당해 전부명령은 모두 무효이나, 각 압류명령까지 무효가 되는 것은 아니므로 각 압류채권자의 지위에서 배당에 참여할 수 있다.

② 제3채무자가 일부 압류를 원인으로 금전채권 전액을 집행공탁을 하고 사유신고를 한 후 변제공탁의 성질을 갖는 부분에 관한 피공탁자(압류채무자)의 공탁금출급청구권에 대하여 압류경합이 발생하면 공탁관이 사유신고를 하여야 하는데, 이때 개시되는 배당절차는 제3채무자의 공탁사유신고로 인해 진행되는 배당절차사건과는 별개이다.

③ 집행력 있는 집행권원의 정본을 가지지 아니한 채권자 및 가압류채권자에 대하여 이의한 채무자와 다른 채권자에 대하여 이의한 채권자는 배당이의의 소를 제기하여야 하고, 집행력 있는 집행권원의 정본을 가진 채권자에 대하여 이의한 채무자는 청구이의의 소를 제기하여야 한다.

④ 동일한 피압류채권에 대한 다른 채권자의 압류명령이 추심권자의 추심 종료 후에 제3채무자에게 송달된 경우, 그 압류의 효력은 추심금에 미치지 아니하며 이를 배당요구로도 볼 수 없다.

⑤ 국세징수법상의 체납처분에 의한 압류만을 이유로 집행공탁이 이루어진 경우에 제3채무자가 민사집행법 제248조 제4항에 따라 법원에 공탁사유를 신고하였다고 하더라도 민사집행법 제247조 제1항에 의한 배당요구 종기가 도래한다고 할 수는 없다.

> **해설** ① ≪대판 2002.7.26, 2001다68839≫
>
> [1] 동일한 채권에 대하여 두 개 이상의 채권압류 및 전부명령이 발령되어 제3채무자에게 동시에 송달된 경우 당해 전부명령이 채권압류가 경합된 상태에서 발령된 것으로서 무효인지의 여부는 / 그 각 채권압류명령의 압류액을 합한 금액이 피압류채권액을 초과하는지를 기준으로 판단하여야 하므로 / 전자가(**각 채권압류명령의 압류액을 합한 금액이**) 후자를(**피압류채권액을**) 초과하는 경우에는 당해 전부명령은 모두 채권의 압류가 경합된 상태에서 발령된 것으로서 무효로 될 것이지만,
>
> (註 각 압류명령까지 무효가 되는 것은 아니므로 각 압류채권자의 지위에서 배당에 참여할 수 있다.)
>
> ② 제3채무자가 일부 압류를 원인으로 금전채권 전액을 집행공탁을 하고 사유신고를 한 후 변제공탁의 성질을 갖는 부분에 관한 피공탁자(압류채무자)의 공탁금 출급청구권에 대하여 압류경합이 발생하면 공탁관이 사유신고를 하여야 하는데, 제3채무자의 공탁사유신고로 인해 진행되는 배당절차사건과는 별개의 배당절차가 개시된다.
>
> ③ 법 제256조(배당표의 작성과 실시)
>
> 배당표의 작성, 배당표에 대한 이의 및 그 완결과 배당표의 실시에 대하여는 제149조 내지 제161조의 규정(**부동산경매 배당절차**)을 준용한다.

準用 법 제154조(배당이의의 소 등)

① 집행력 있는 집행권원의 정본을 가지지 아니한 채권자(가압류채권자를 제외한다)에 대하여 이의한 채무자와 다른 채권자에 대하여 이의한 채권자는 배당이의의 소를 제기하여야 한다.

② 집행력 있는 집행권원의 정본을 가진 채권자에 대하여 이의한 채무자는 청구이의의 소를 제기하여야 한다.

④ ≪대판 2008.11.27. 2008다59391≫

[2] 채권에 대한 압류·가압류명령은 그 명령이 제3채무자에게 송달됨으로써 효력이 생기는 것이므로(「민사집행법」제227조 제3항, 제291조), 제3채무자의 지급으로 인하여 피압류채권이 소멸한 이상 설령 다른 채권자가 그 변제 전에 동일한 피압류채권에 대하여 압류·가압류명령을 신청하고 나아가 압류·가압류명령을 얻었다고 하더라도 제3채무자가 추심권자에게 지급한 후에 그 (**다른 채권자의**) 압류·가압류명령이 제3채무자에게 송달된 경우에는 추심권자가 추심한 금원에 그 (**다른 채권자의**) 압류·가압류의 효력이 미친다고 볼 수 없다.

[3] 추심채권자가 추심의 신고를 하기 전에 다른 채권자가 동일한 피압류채권에 대하여 압류·가압류명령을 신청하였다고 하더라도 이를 당해 채권추심사건에 관한 적법한 배당요구로 볼 수도 없다.

⑤ ≪대판 2007.4.12. 2004다20326≫

「국세징수법」상의 압류와 「민사집행법」상의 압류의 효력의 차이 및 체납처분절차와 강제집행절차의 차이 등에 비추어 볼 때, 「민사집행법」제248조 제1항 및 공익사업을 위한 토지 등의 취득 및 보상에 관한 법률 제40조 제2항 제4호 소정의 공탁의 전제가 되는 '압류'에는 국세징수법에 의한 채권의 압류는 포함되지 않는다고 보아야 한다. 따라서 국세징수법상의 체납처분에 의한 압류만을 이유로 (**집행공탁을 할 수는 없으므로, 설령**) 집행공탁이 이루어진 경우에는 사업시행자가 「민사집행법」제248조 제4항에 따라 법원에 공탁사유를 신고하였다고 하더라도 「민사집행법」제247조 제1항에 의한 배당요구종기가 도래한다고 할 수는 없다.

정답   02 ③

금전채권 외의 채권에 기초한 강제집행

PART 03

금전채권 외의 채권에 기초한 강제집행

01 간접강제에 관한 다음 설명 중 가장 옳지 않은 것은? ▶ 2023 법무사

① 부대체적 작위채무로서 장부 또는 서류의 열람·등사를 허용할 것을 명하는 집행권원에 대한 간접강제결정의 주문에서 채무자가 열람·등사 허용의무를 위반하는 경우 배상금을 지급하도록 명하였다면, 위 간접강제결정에 부여되는 집행문은 단순집행문이므로 위의 경우에 특별한 사정이 없는 한 집행문부여에 대한 이의의 소의 대상이 되지 않는다.

② 부작위채무의 위반행위는 원칙적으로 집행권원 성립 후에 생긴 것이어야 하지만, 위반상태가 집행권원 성립 전부터 있었어도 집행권원 성립 후의 행위에 의하여 침해상태가 계속되는 경우에는 부작위채무에 대한 집행의 대상이 된다고 보아야 한다.

③ 지방법원 합의부가 재판한 간접강제결정을 대상으로 한 청구이의의 소나 집행문부여에 대한 이의의 소는 그 재판을 한 지방법원 합의부의 전속관할에 속한다.

④ 부대체적 작위채무의 이행을 명하는 가처분결정과 함께 그 의무위반에 대한 간접강제결정이 동시에 이루어진 경우에는 그 간접강제결정에 기한 강제집행을 반드시 가처분결정이 송달된 날로부터 2주 이내에 할 필요는 없다.

⑤ 간접강제결정 발령 후에 채무자가 부대체적 작위채무를 이행하였다고 하더라도 이미 발생한 강제금 지급의무는 소멸하지 않고, 다만 간접강제결정에 대하여 부대체적 작위채무의 이행을 이유로 하는 청구이의의 소를 제기할 수 있다.

> **해설** ① ≪대판 2021.6.24. 2016다268695≫
>
> [2] 채권자가 부대체적 작위채무에 대한 간접강제결정을 집행권원으로 하여 강제집행을 하기 위해서는 집행문을 받아야 한다.
>
> 부대체적 작위채무로서 장부 또는 서류의 열람·등사를 허용할 것을 명하는 집행권원에 대한 간접강제결정의 주문에서 채무자가 열람·등사 허용의무를 위반하는 경우 민사집행법 제261조 제1항의 배상금을 지급하도록 명하였다면, 그 문언상 채무자는 채권자가 특정 장부 또는 서류의 열람·등사를 요구할 경우에 한하여 이를 허용할 의무를 부담하는 것이지 채권자의 요구가 없어도 먼저 채권자에게 특정 장부 또는 서류를 제공할 의무를 부담하는 것은 아니다. 따라서 그러한 간접강제결정에서 명한 배상금 지급의무는 그 발생 여부나 시기 및 범위가 불확정적이라고 봄이 타당하므로, 그 간접강제결정은 이를 집행하는 데 민사집행법 제30조 제2항의 조건이 붙어 있다고 보아야 한다.
>
> 채권자가 그 조건이 성취되었음을 증명하기 위해서는 채무자에게 특정 장부 또는 서류의 열람·등사를 요구한 사실, 그 특정 장부 또는 서류가 본래의 집행권원에서 열람·등사의 허용을 명한 장부 또는 서류에 해당한다는 사실 등을 증명하여야 한다. 이 경우 집행문은 민사집행법 제32조 제1항에 따라 재판장의 명령에 의해 부여하되 강제집행을 할 수 있는 범위를 집행문에 기재하여야 한다.

정답 ▶ **01** ①

② ◎ 부작위채무위반이 존재하지만 물적 위반상태를 남기지 않는 경우

주택출입금지의무에 위반하여 주택에 거주하는 경우에는 적당한 처분으로서 집행관의 원조를 구할 수는 있겠으나 사실상 그것이 곤란하다면 간접강제도 허용될 수 있다. 화물반입방해금지채무에 위반하여 화물의 반입을 방해하는 경우에도 마찬가지이다. 그리고 일조방해금지채무에 위반하여 일조를 방해하는 경우에도 대체집행을 할 수 없는 것은 아니지만 그 위반행위가 매일 반복되는 경우에는 간접강제가 허용되는 것으로 해석된다.

이러한 부작위채무의 위반행위는 원칙적으로 집행권원이 성립한 후에 생긴 것이어야 하지만 위반상태가 집행권원이 성립하기 전부터 있었어도 집행권원이 성립한 후의 행위에 의하여 침해상태가 계속되는 경우에는 부작위집행의 대상이 된다고 보아야 한다.

③ ≪대판 2017.4.7, 2013다80627≫

[1] 지방법원 합의부가 재판한 간접강제결정을 대상으로 한 청구이의의 소나 집행문부여에 대한 이의의 소는 그 재판을 한 지방법원 합의부의 전속관할에 속한다.

④ ≪대결 2008.12.24, 2008마1608≫

("채무자는 채권자에게 결정 정본을 송달받은 날로부터 5일 이내에 ○○○재건축조합 조합원 명부를 교부하여야 한다. 채무자가 위 기간 내에 위 의무를 이행하지 아니하는 때에는 채무자는 채권자에게 위 기간만료일 다음날부터 의무이행시까지 1일 2,000,000원의 비율에 의한 돈을 지급하라"는) 부대체적 작위채무의 이행을 명하는 가처분결정과 함께 그 의무위반에 대한 간접강제결정이 동시에 이루어진 경우에는 간접강제결정 자체가 독립된 집행권원이 되고 간접강제결정에 기초하여 배상금을 현실적으로 집행하는 절차는 간접강제절차와 독립된 별개의 금전채권에 기초한 집행절차이므로, 그 간접강제결정에 기한 강제집행을 반드시 가처분결정이 송달된 날로부터 2주 이내에 할 필요는 없다. / 다만, 그 집행을 위해서는 당해 간접강제결정의 정본에 집행문을 받아야 한다.

⑤ ≪대판 2023.2.23, 2022다277874≫

[1] 부대체적 작위의무의 이행으로서 장부 또는 서류의 열람·복사를 허용하라는 판결 등의 집행을 위한 간접강제결정에서 채무자로 하여금 의무위반 시 배상금을 지급하도록 명한 경우, 채권자는 특정 장부 또는 서류의 열람·복사를 요구한 사실, 그것이 본래의 집행권원에서 열람·복사 허용을 명한 장부 또는 서류에 해당한다는 사실 등을 증명함으로써 간접강제결정에 집행문을 받을 수 있다. 한편 채무자는 위와 같은 조건이 성취되지 않았음을 다투는 집행문부여에 대한 이의의 소를 통해 간접강제결정에 기초한 배상금채권의 집행을 저지할 수 있다(대법원 2021.6.24, 선고 2016다268695 판결 참조). 아울러 채무자는 부대체적 작위의무를 이행하였음을 내세워 청구이의의 소로써 본래의 집행권원인 판결 등의 집행력 자체를 배제해 달라고 할 수 있고, 그 판결 등을 집행권원으로 하여 발령된 간접강제결정에 대하여도 청구이의의 소를 제기할 수 있다. 부대체적 작위의무는 채무자의 의무이행으로 소멸하므로 이 경우 채무자는 판결 등 본래의 집행권원에 기한 강제집행을 당할 위험에서 종국적으로 벗어날 수 있어야 하고, 또한 간접강제결정은 부대체적 작위의무의 집행방법이면서 그 자체로 배상금의 지급을 명하는 독립한 집행권원이기도 하므로, 본래의 집행권원에 따른 의무를 이행한 채무자는 그 의무이행 시점 이후로는 간접강제결정을 집행권원으로 한 금전의 강제집행을 당하는 것까지 면할 수 있어야 하기 때문이다.

[2] 간접강제결정에서 부대체적 작위의무를 위반한 때부터 의무이행 완료 시까지 위반일수에 비례하여 배상금 지급을 명한 경우, 그에 대한 청구이의의 소에서 채무자는 간접강제의 대상인 작위의무를 이행했음을 증명하여 의무이행일 이후 발생할 배상금에 관한 집행력 배제를 구할 수 있지만, 이미 작위의무를 위반한 기간에 해당하는 배상금 지급의무는 소멸하지 아니하므로 그 범위 내에서 간접강제결정의 집행력은 소멸하지 않는다(대법원 2013.2.14, 선고 2012다26398 판결 참조).

02 금전채권 외의 채권에 기초한 강제집행에 관한 다음 설명 중 가장 옳지 않은 것은?

▶ 2024 법무사

① 채무의 성질이 간접강제를 할 수 있는 경우에 제1심 법원은 채권자의 신청에 따라 간접강제를 명하는 결정을 한다.

② 부대체적 작위채무로서 장부 또는 서류의 열람·등사를 허용할 것을 명하는 집행권원에 대한 간접강제결정의 주문에서 채무자가 열람·등사 허용의무를 위반하는 경우 민사집행법 제261조 제1항의 배상금을 지급하도록 명한 경우, 이러한 간접강제결정에서 명한 배상금 지급의무는 그 발생 여부나 시기 및 범위가 불확정적이라고 봄이 타당하므로, 그 간접강제결정은 이를 집행하는 데 민사집행법 제30조 제2항의 조건이 붙어 있다고 보아야 한다.

③ 부대체적 작위의무의 이행으로서 장부 또는 서류의 열람·복사를 허용하라는 판결 등의 집행을 위한 간접강제결정에서 채무자로 하여금 의무위반 시 배상금을 지급하도록 명한 경우, 채권자는 특정 장부 또는 서류의 열람·복사를 요구한 사실, 그것이 본래의 집행권원에서 열람·복사 허용을 명한 장부 또는 서류에 해당한다는 사실 등을 증명함으로써 간접강제결정에 집행문을 받을 수 있다. 한편 채무자는 위와 같은 조건이 성취되지 않았음을 다투는 집행문부여에 대한 이의의 소를 통해 간접강제결정에 기초한 배상금채권의 집행을 저지할 수 있을 뿐 부대체적 작위의무를 이행하였음을 내세워 청구이의의 소로써 본래의 집행권원인 판결 등의 집행력 자체를 배제해 달라고 할 수 없고, 그 판결 등을 집행권원으로 하여 발령된 간접강제결정에 대하여도 청구이의의 소를 제기할 수 없다.

④ 채무자가 간접강제결정에서 명한 이행기간이 지난 후에 채무를 이행하였다면, 채권자는 특별한 사정이 없는 한 채무의 이행이 지연된 기간에 상응하는 배상금의 추심을 위한 강제집행을 할 수 있다.

⑤ 채권자가 부대체적 작위채무에 대한 간접강제결정을 집행권원으로 하여 강제집행을 하기 위해서는 집행문을 받아야 한다.

> **해설** ① 법 제261조(간접강제)
> ① 채무의 성질이 간접강제를 할 수 있는 경우에 <u>제1심 법원</u>은 채권자의 신청에 따라 간접강제를 명하는 결정을 한다. 그 결정에는 채무의 이행의무 및 상당한 이행기간을 밝히고, 채무자가 그 기간 이내에 이행을 하지 아니하는 때에는 늦어진 기간에 따라 일정한 배상을 하도록 명하거나 즉시 손해배상을 하도록 명할 수 있다.
> ② 제1항의 신청에 관한 재판에 대하여는 즉시항고를 할 수 있다.
>
> ② ≪대판 2021.6.24. 2016다268695≫
> [2] 채권자가 부대체적 작위채무에 대한 간접강제결정을 집행권원으로 하여 강제집행을 하기 위해서는 집행문을 받아야 한다.
> 부대체적 작위채무로서 장부 또는 서류의 열람·등사를 허용할 것을 명하는 집행권원에 대한 간접강제결정의 주문에서 채무자가 열람·등사 허용의무를 위반하는 경우 민사집행법 제261조 제1항의 배상금을 지급하도록 명하였다면, 그 문언상 채무자는 채권자가 특정 장부 또는 서류의 열람·등사를 요구할 경우에 한하여 이를 허용할 의무를 부담하는 것이지 채권

자의 요구가 없어도 먼저 채권자에게 특정 장부 또는 서류를 제공할 의무를 부담하는 것은 아니다. 따라서 그러한 간접강제결정에서 명한 배상금 지급의무는 그 발생 여부나 시기 및 범위가 불확정적이라고 봄이 타당하므로, 그 간접강제결정은 이를 집행하는 데 민사집행법 제30조 제2항의 조건이 붙어 있다고 보아야 한다. 채권자가 그 조건이 성취되었음을 증명하기 위해서는 채무자에게 특정 장부 또는 서류의 열람·등사를 요구한 사실, 그 특정 장부 또는 서류가 본래의 집행권원에서 열람·등사의 허용을 명한 장부 또는 서류에 해당한다는 사실 등을 증명하여야 한다. 이 경우 집행문은 민사집행법 제32조 제1항에 따라 재판장의 명령에 의해 부여하되 강제집행을 할 수 있는 범위를 집행문에 기재하여야 한다.

③ ≪대판 2023.2.23, 2022다277874≫

[1] 부대체적 작위의무의 이행으로서 장부 또는 서류의 열람·복사를 허용하라는 판결 등의 집행을 위한 간접강제결정에서 채무자로 하여금 의무위반 시 배상금을 지급하도록 명한 경우, 채권자는 특정 장부 또는 서류의 열람·복사를 요구한 사실, 그것이 본래의 집행권원에서 열람·복사 허용을 명한 장부 또는 서류에 해당한다는 사실 등을 증명함으로써 간접강제결정에 집행문을 받을 수 있다. 한편 채무자는 위와 같은 조건이 성취되지 않았음을 다투는 집행문부여에 대한 이의의 소를 통해 간접강제결정에 기초한 배상금채권의 집행을 저지할 수 있다(대법원 2021.6.24. 선고 2016다268695 판결 참조). 아울러 채무자는 부대체적 작위의무를 이행하였음을 내세워 청구이의의 소로써 본래의 집행권원인 판결 등의 집행력 자체를 배제해 달라고 할 수 있고, 그 판결 등을 집행권원으로 하여 발령된 간접강제결정에 대하여도 청구이의의 소를 제기할 수 있다. 부대체적 작위의무는 채무자의 의무이행으로 소멸하므로 이 경우 채무자는 판결 등 본래의 집행권원에 기한 강제집행을 당할 위험에서 종국적으로 벗어날 수 있어야 하고, 또한 간접강제결정은 부대체적 작위의무의 집행방법이면서 그 자체로 배상금의 지급을 명하는 독립한 집행권원이기도 하므로, 본래의 집행권원에 따른 의무를 이행한 채무자는 그 의무이행 시점 이후로는 간접강제결정을 집행권원으로 한 금전의 강제집행을 당하는 것까지 면할 수 있어야 하기 때문이다.

④ ≪대판 2013.2.14, 2012다26398≫

「민사집행법」 제261조 제1항의 간접강제결정에 기한 배상금은 채무자에게 이행기간 이내에 이행을 하도록 하는 심리적 강제수단이라는 성격뿐만 아니라 채무자의 채무불이행에 대한 법정 제재금이라는 성격도 가진다고 보아야 한다. 따라서 채무자가 간접강제결정에서 명한 이행기간이 지난 후에 채무를 이행하였다면, 채권자는 특별한 사정이 없는 한 채무의 이행이 지연된 기간에 상응하는 배상금의 추심을 위한 강제집행을 할 수 있다.

⑤ ≪대결 2008.12.24, 2008마1608≫

("채무자는 채권자에게 결정 정본을 송달받은 날로부터 5일 이내에 ○○○재건축조합 조합원 명부를 교부하여야 한다. 채무자가 위 기간 내에 위 의무를 이행하지 아니하는 때에는 채무자는 채권자에게 위 기간만료일 다음날부터 의무이행시까지 1일 2,000,000원의 비율에 의한 돈을 지급하라"는) 부대체적 작위채무의 이행을 명하는 가처분결정과 함께 그 의무위반에 대한 간접강제결정이 동시에 이루어진 경우에는 간접강제결정 자체가 독립된 집행권원이 되고 간접강제결정에 기초하여 배상금을 현실적으로 집행하는 절차는 간접강제절차와 독립된 별개의 금전채권에 기초한 집행절차이므로, 그 간접강제결정에 기한 강제집행을 반드시 가처분결정이 송달된 날로부터 2주 이내에 할 필요는 없다. 다만, 그 집행을 위해서는 당해 간접강제결정의 정본에 집행문을 받아야 한다.

정답 02 ③

03 간접강제에 관한 다음 설명 중 가장 옳지 않은 것은?

▶ 2025 법무사

① 특정물의 인도를 내용으로 하는 채무는 원칙적으로 집행관이 특정물을 채무자로부터 빼앗아 채권자에게 인도하는 방법으로 집행해야 한다. 다만 채권자가 인도 집행을 시도하였으나 한 차례 불능에 이른 사정이 있다면 그러한 특정물 인도채무에 관하여도 간접강제를 명할 수 있다.

② 계속적 부작위의무를 명한 가처분에 기한 간접강제결정이 발령된 상태에서 의무위반행위가 계속되던 중 채무자가 그 행위를 중지하고 장래의 의무위반행위를 방지하기 위한 적당한 조치를 취했다거나 가처분에서 정한 금지기간이 경과하였다고 하더라도, 채무자는 간접강제결정 발령 후에 행한 의무위반행위에 대하여 배상금의 지급의무를 면하지 못한다.

③ 채무자가 간접강제결정에서 명한 이행기간이 지난 후 채무를 이행하였다면, 채권자는 특별한 사정이 없는 한 채무의 이행이 지연된 기간에 상응하는 배상금의 추심을 위한 강제집행을 할 수 있다.

④ 간접강제 배상금은 채무자로부터 추심된 후 국고로 귀속되는 것이 아니라 채권자에게 지급하여 채무자의 의무 불이행으로 인한 손해의 전보에 충당된다.

⑤ 부작위채무에 관하여 판결절차의 변론종결 당시에 보아 부작위채무를 명하는 집행권원이 성립하더라도 채무자가 이를 단기간 내에 위반할 개연성이 있고, 또한 판결절차에서 명할 적정한 배상액을 산정할 수 있는 경우에는 판결절차에서도 채무불이행에 대한 간접강제를 할 수 있다.

해설 ① ≪대결 2012.1.27, 2010마1850≫

민사집행법 제261조 제1항은 채무의 성질이 간접강제를 할 수 있는 경우에 법원이 채권자의 신청에 따라 간접강제를 명할 수 있다고 규정하고 있다. 여기서 '간접강제를 할 수 있는 경우'에 해당하는 간접강제의 대상이 되는 채무는 일반적으로 부대체적 작위채무나 부작위채무에 한정되고, 특정물의 인도를 내용으로 하는 채무는 원칙적으로 민사집행법 제257조의 방법에 따른 집행의 대상이 될 뿐이어서 특별한 사정이 없는 한 간접강제의 대상이 되지 아니하며, (채권자가 시도한 인도집행이 불능에 이른 적이 있다는 등의 사정으로) 단순히 민사집행법 제257조의 방법에 따른 강제집행이 실효를 거두지 못하였다는 사유만으로 간접강제의 대상이 된다고 볼 수도 없다.

② ≪대판 2012.4.13, 2011다92916≫

[1] ("채무자는 이 결정 송달일로부터 1년간 경쟁회사에 취업하여서는 아니되고, 이를 위반할 경우에는 채권자에게 각 위반행위 1일당 100만 원씩을 지급하여야 한다"는 내용의) 계속적 부작위의무를 명한 가처분에 기한 간접강제결정이 발령된 상태에서 의무위반행위가 계속되던 중 채무자가 그 행위를 중지하고 장래의 의무위반행위를 방지하기 위한 적당한 조치를 취했다거나 가처분에서 정한 금지기간이 경과하였다고 하더라도, 그러한 사정만으로는 처음부터 가처분위반행위를 하지 않은 것과 같이 볼 수 없고 간접강제결정 발령 후에 행해진 가처분위반행위의 효과가 소급적으로 소멸하는 것도 아니므로, 채무자는 간접강제결정 발령 후에 행한 의무위반행위에 대하여 배상금의 지급의무를 면하지 못하고 채권자는 위반행위에 상응하는 배상금의 추심을 위한 강제집행을 할 수 있다.

③ ≪대판 2013.2.14, 2012다26398≫

「민사집행법」 제261조 제1항의 간접강제결정에 기한 배상금은 채무자에게 이행기간 이내에 이행을 하도록 하는 심리적 강제수단이라는 성격뿐만 아니라 채무자의 채무불이행에 대한 법정 제재금이라는 성격도 가진다고 보아야 한다.

따라서 채무자가 간접강제결정에서 명한 이행기간이 지난 후에 채무를 이행하였다면, 채권자는 특별한 사정이 없는 한 채무의 이행이 지연된 기간에 상응하는 배상금의 추심을 위한 강제집행을 할 수 있다.

④ ≪대판 2014.7.24, 2012다49933≫

[3] 간접강제 배상금은 채무자로부터 추심된 후 국고로 귀속되는 것이 아니라 채권자에게 지급하여 채무자의 작위의무 불이행으로 인한 손해의 전보에 충당되는 것이다.

⑤ ≪대판 2014.5.29, 2011다31225≫

[3] 부대체적 채무인 부작위채무에 대한 강제집행은 간접강제만 가능하고, 간접강제결정은 판결절차에서 먼저 집행권원이 성립한 후에 채권자의 별도의 신청에 따라 채무자에 대한 필요적 심문을 거쳐 채무를 불이행하는 때에 일정한 배상을 하도록 명하는 것이 원칙이다. 따라서 부작위채무에 관한 집행권원 성립을 위한 판결절차에서 장차 채무자가 채무를 불이행할 경우에 대비하여 간접강제를 하는 것은 부작위채무에 관한 소송절차의 변론종결 당시에서 보아 부작위채무를 명하는 집행권원이 성립하더라도 채무자가 이를 단기간 내에 위반할 개연성이 있고, 또한 판결절차에서 「민사집행법」 제261조에 의하여 명할 적정한 배상액을 산정할 수 있는 경우라야 한다.

04 금전채권 외의 채권에 기초한 강제집행에 관한 다음 설명 중 가장 옳지 않은 것은?

▶ 2023 법무사

① 부동산의 인도명령의 상대방이 채무자인 경우에 그 인도명령의 집행력은 당해 채무자는 물론 채무자와 한 세대를 구성하며 독립된 생계를 영위하지 아니하는 가족과 같이 그 채무자와 동일시되는 자에게도 미친다.

② 부동산 인도청구의 집행을 할 때 강제집행의 목적물이 아닌 동산이 있어 이를 인도하려고 하나 인도받을 채무자나 채무자의 친족 등이 없는 경우, 집행관이 동산을 스스로 보관하거나 채권자 또는 제3자를 보관인으로 선임하여 보관하게 할 수 있으며, 이때 집행관이나 채권자 등은 발생한 보관비용에 관하여 동산에 유치권을 행사할 수 있다.

③ 대체집행을 위한 수권결정은 즉시 집행력이 생기고 수권결정 그 자체는 집행권원이 아니므로 수권결정에 대하여 별도의 집행문을 부여받을 필요가 없다. 다만 1개의 결정으로 수권결정과 대체집행비용선지급결정을 하는 경우에는 대체집행선지급결정 부분은 집행권원이 되고, 대체집행비용선지급결정을 집행하는 때에는 집행문을 부여받아야 한다.

④ 조건부 의사진술을 명하는 화해조서에 대하여 집행문이 부여된 후 등기의무자가 집행문 부여에 대하여 이의신청을 하여 위 이의신청에 대한 결정이 있을 때까지 집행력 있는 화해조서에 의한 강제집행을 정지한다는 결정문을 제출한 경우 등기관은 등기의 기입을 해서는 안된다.

정답 ▶ **03** ① **04** ④

⑤ 채무자가 민사집행법 제261조 제1항의 간접강제결정에서 명한 이행기간이 지난 후에 채무를 이행하였다면, 채권자는 특별한 사정이 없는 한 채무의 이행이 지연된 기간에 상응하는 배상금의 추심을 위한 강제집행을 할 수 있다.

해설 ① ≪대판 1998.4.24, 96다30786≫

[1] 부동산의 인도명령의 상대방이 채무자인 경우에 그 인도명령의 집행력은 당해 채무자는 물론 채무자와 한 세대를 구성하며 독립된 생계를 영위하지 아니하는 가족과 같이 그 채무자와 동일시되는 자에게도 미친다.

② ≪대판 2020.9.3, 2018다288044≫

민사집행법 제258조는 부동산 등 인도청구의 집행에 관하여 다음과 같이 정하고 있다. 부동산 인도청구의 집행을 할 때 강제집행의 목적물이 아닌 동산이 있는 경우 그 동산을 제거하여 채무자나 채무자의 친족 등(이하 '채무자 등'이라 한다)에게 인도하여야 한다(제3항, 제4항). 채무자 등이 없는 때에는 집행관은 그 동산을 채무자의 비용으로 보관하여야 한다(제5항).

채무자 등이 없는 때 집행관은 동산을 스스로 보관할 수도 있고 채권자나 제3자를 보관인으로 선임하여 보관하게 할 수도 있다. 이때 집행관이나 채권자 등은 보관비용이 생긴 경우 동산의 수취를 청구하는 채무자 등에게 보관비용을 변제받을 때까지 유치권을 행사할 수 있다.

③ 대체집행을 위한 수권결정은 즉시 집행력이 생긴다. 수권결정 그 자체는 집행권원이 아니므로 수권결정에 대하여 별도의 집행문을 부여받을 필요는 없다. 그러나 수권결정을 한 후 채무자의 승계가 있는 때에는 본래의 집행권원에 대하여 승계집행문을 부여받아 다시 승계인에 대하여 수권결정을 받아야 한다. 수권결정에 대하여 즉시항고가 있더라도 집행정지의 효력은 없고 집행을 정지하기 위해서는 별도로 집행정지의 잠정처분이 필요하다(법 제15조 제6항).

다만, 1개의 결정으로 수권결정과 대체집행비용선지급결정을 하는 경우에는 대체집행비용선지급결정부분은 집행권원이 되고, 대체집행비용선지급결정을 집행하는 때에는 집행문을 부여받아야 한다.

④ ≪대결 1979.5.22, 77마427≫

2. 조건부 의사진술을 명하는 재판은, 그 조건이 성취되어 집행문이 부여될 때 의사를 진술한 것과 동일한 효력이 발생하고, 집행기관이 관여하는 현실적인 강제집행절차가 존재할 수 없으므로, 강제집행의 정지도 있을 수 없으니, 등기공무원은 강제집행정지결정에 구애됨이 없이 등기신청을 받아들여 등기기입을 할 수 있다.

⑤ ≪대판 2013.2.14, 2012다26398≫

「민사집행법」 제261조 제1항의 간접강제결정에 기한 배상금은 채무자에게 이행기간 이내에 이행을 하도록 하는 심리적 강제수단이라는 성격뿐만 아니라 채무자의 채무불이행에 대한 법정 제재금이라는 성격도 가진다고 보아야 한다. 따라서 채무자가 간접강제결정에서 명한 이행기간이 지난 후에 채무를 이행하였다면, 채권자는 특별한 사정이 없는 한 채무의 이행이 지연된 기간에 상응하는 배상금의 추심을 위한 강제집행을 할 수 있다.

보전처분

보전소송의 요건

01 보전처분의 피보전권리에 관한 다음 설명 중 가장 옳지 않은 것은?　▶ 2021 법무사

① 가압류는 금전채권이나 금전으로 환산할 수 있는 채권에 의한 강제집행을 보전하기 위한 것이므로, 가압류의 피보전채권과 본안소송의 권리 사이에 청구의 기초의 동일성이 인정된다 하더라도 본안소송의 권리가 금전채권이 아닌 경우에는 가압류의 효력이 그 본안소송의 권리에 미친다고 할 수 없다.

② 처분금지가처분은 특정물의 인도 또는 특정의 급여를 목적으로 하는 청구권을 보전하기 위한 것이므로, 그 청구권의 목적인 다툼의 대상은 가처분에 의하여 보전될 강제집행이 될 수 있는 것이어야 하고, 따라서 그것이 제3자 소유라면 가처분의 대상으로 될 수 없다.

③ 주식을 매수하여 주주로서의 권리를 가진다는 것만으로 회사 소유의 부동산에 관하여 어떠한 청구권을 가진다고 할 수는 없으므로, 주주로서의 권리를 보전하기 위하여 회사 소유 부동산에 대한 처분금지가처분을 구하는 것은 허용되지 않는다.

④ 학교법인의 이사장이나 조합의 이사 등에 대하여 불법행위를 이유로 그 해임을 청구하는 소송을 제기하기에 앞서 이를 피보전권리로 하는 직무집행정지 및 직무집행대행자 선임의 가처분은 허용될 수 있다.

⑤ 다툼의 대상에 관한 가처분은 그 피보전권리가 특정물에 관한 이행청구권이므로 가처분의 결정 및 집행에서 그 대상 목적물인 다툼의 대상이 명확히 특정되어야 하나, 대체물이라도 채권자나 집행관이 집행의 목적물을 특정할 수 있는 경우에는 예외이다.

> **해설** ① ≪대결 2013.4.26. 2009마1932≫
>
> [1] 가압류의 피보전채권과 본안의 소송물인 권리는 엄격하게 일치될 필요는 없고 청구의 기초의 동일성이 인정되면 가압류의 효력은 본안소송의 권리에 미친다고 할 것이지만, 가압류는 금전채권이나 금전으로 환산할 수 있는 채권에 의한 강제집행을 보전하기 위한 것이므로(「민사집행법」 제276조 제1항), 가압류의 피보전채권과 본안소송의 권리 사이에 청구의 기초의 동일성이 인정된다 하더라도 본안소송의 권리가 금전채권이 아닌 경우에는 가압류의 효력이 그 본안소송의 권리에 미친다고 할 수 없다.
>
> ② ≪대판 1996.1.26. 95다39410≫
>
> 처분금지가처분은 특정물의 인도 또는 특정의 급여를 목적으로 하는 청구권을 보전하기 위한 것이므로, 그 청구권의 목적인 계쟁물은 가처분에 의하여 보전될 강제집행이 될 수 있는 것이어야 하고, 따라서 그것이 제3자 소유라면 가처분의 대상으로 될 수 없다.
>
> ③ ≪대판 1998.9.18. 96다44136≫
>
> 계쟁물에 관한 가처분은 특정물의 인도 또는 특정의 급여를 목적으로 하는 청구권을 보전하기 위한 경우에 허용되는 것인바, / 주식을 매수하여 주주로서의 권리를 가진다는 것만으로 회사 소유의 부동산에 관하여 어떠한 청구권을 가진다고 할 수는 없으므로, 주주로서의 권리를 보전하기 위하여 회사 소유 부동산에 대한 처분금지가처분을 구하는 것은 허용되지 아니한다.

④ 임시의 지위를 정하기 위한 가처분은 가처분에 의하여 보전될 권리관계의 존재를 그 요건으로 한다(대결 1966.12.9, 66마516; 대결 1993.1.14, 92마916). 기존 법률관계의 변경·형성을 목적으로 하는 형성의 소는 법률에 명문의 규정이 있는 경우에 한하여 제소할 수 있는데, 학교법인의 이사장이나 조합의 이사 등에 대하여 불법행위를 이유로 그 해임을 청구하는 소는 형성의 소로서 이를 허용하는 법적 근거가 없으므로 이를 피보전권리로 하는 직무집행정지 및 직무집행대행자 선임의 가처분은 허용되지 않는다는 것이 판례이다(대결 1997.10.27, 97마2269; 대판 2001.1.16, 2000다45020).

⑤ 다툼의 대상에 관한 가처분은 그 피보전권리가 특정물에 관한 이행청구권이므로 가처분의 결정 및 집행에 있어서 그 대상 목적물인 다툼의 대상이 명확히 특정되어야 하나(대결 1999.5.13, 99마230), 대체물이라도 채권자나 집행관이 집행의 목적물을 특정할 수 있는 경우에는 예외이다. 예컨대, 대체물에 관하여 일정한 수량이 정하여져 있는 경우에는 채무자의 점유 중에 있는 동종, 동질, 동량의 물건에 대하여 집행관이 특정하여 인도집행하는 것이 가능하므로(법 제257조) 그에 대한 가처분이 가능하다.

02 보전처분의 요건에 관한 다음 설명 중 가장 옳지 않은 것은?

▶ 2022 법무사

① 배당절차에서 작성된 배당표가 잘못되어 배당을 받아야 할 채권자가 배당을 받지 못하고 배당을 받을 수 없는 사람이 배당받는 것으로 되어 있으나 아직 배당금이 지급되지 않은 경우 채권자는 배당금지급청구권의 양도에 의한 부당이득의 반환을 구하여야 하므로 그 집행의 보전은 배당금지급금지가처분의 방법으로 하여야 한다.

② 부집행의 특약이 있거나 파산에 의하여 면책된 채권이나 이른바 자연채무의 이행을 구하는 것 등은 가압류의 피보전권리가 될 수 없으나, 단지 본안의 소를 제기할 수 없다는 사유만으로 반드시 그 청구권이 가압류에 부적합하다고는 할 수 없다.

③ 다툼의 대상에 관한 가처분의 피보전권리는 청구권의 이행기가 현실적으로 도래할 필요는 없으므로 기한부·조건부 청구권이라도 피보전권리가 될 수 있다.

④ 목적물의 점유자인 가처분채권자가 그 소유권을 갖지 아니하여 결국에는 불법점유자로 된다 하더라도 그 목적물을 인도할 때까지는 점유권을 가지므로 가처분으로 그 방해의 예방이나 그 밖의 조치를 청구할 수 있다.

⑤ 국유재산의 임차인이 연고자로서 우선매수권이 있는 경우 이를 피보전권리로 하여 그 부동산에 대한 처분금지가처분을 청구할 수 있다.

해설 ① ≪대결 2013.4.26, 2009마1932≫

[2] 부당이득의 반환은 법률상 원인 없이 취득한 이익을 반환하여 원상으로 회복하는 것을 말하므로, 배당절차에서 작성된 배당표가 잘못되어 배당을 받아야 할 채권자가 배당을 받지 못하고 배당을 받을 수 없는 사람이 배당받는 것으로 되어 있을 경우, 배당금이 실제 [1]지급되었다면 배당금 상당의 [1]금전지급을 구하는 부당이득반환청구를 할 수 있지만 아직 배당금이 [2]지급되지 아니한 때에는 [2]배당금지급청구권의 양도에 의한 부당이득의 반환을 구하여야지 그 채권 가액에 해당하는 금전의 지급을 구할 수는 없고, 그 경우 집행의 보전은 [1]가압류에 의할 것이 아니라 [2]배당금지급금지가처분의 방법으로 하여야 한다.

② 특수한 절차에 따라 집행되는 청구권(**예** 국세징수절차에 의하여 집행할 수 있는 조세채권 그 밖의 공법상의 청구권), 또 통상은 강제집행이 가능하나 특별한 사유로 인하여 집행할 수 없는 청구권(**예** 부집행의 특약이 있거나 파산에 의하여 면책된 채권이나 이른바 자연채무의 이행을 구하는 것) 등은 가압류의 피보전권리가 될 수 없다.

단지 본안소송을 제기할 수 없다는 사유만으로 반드시 그 청구권이 가압류에 부적합하다고는 할 수 없다.

③ 다툼의 대상에 관한 가처분의 피보전권리는 가압류의 경우와 마찬가지로 청구권의 이행기가 현실적으로 도래 할 필요는 없으므로 기한부·조건부 청구권이라도 좋다(대판 2002.8.23, 2002다1567; 대결 2002.9.27, 2000마6135).

④ ≪대판 1967.2.21, 66다2635≫

(민법 208조에 의하면 점유권에 기인한 소는 본권에 관한 이유로 재판하지 못하므로 점유권을 피보전권리로 하는 때에는 본권이 존재하지 아니하더라도 피보전권리는 존재한다) 가처분 신청인이 계쟁물에 대한 소유권이 없고, 비록 종말에 가서는 그 목적물의 소유자에게 인도를 하여 주어야 하고 그 때까지는 신청인의 점유가 불법점유라 할 수 있을지언정 정당한 절차를 밟아 신청인이 그 목적물을 인도할 때까지는 (점유권을 가지므로) 가처분으로 그 점유에 대한 방해의 예방이나 그 밖의 조처를 청구할 수 있다.

⑤ ≪대판 1971.10.11, 71다1826≫

(단순한 기대를 보전하기 위한 가처분도 허용되지 않는다. 예를 들면) 국유재산의 임차인이 연고자로서 우선매수권이 있다고 하더라도 위 연고권을 법률상의 권리라고 볼 수는 없는 것이므로 이를 피보전권리로 하여 그 부동산에 대한 처분금지가처분을 청구할 수 없다.

03 보전의 필요성에 관한 다음 설명 중 가장 옳지 않은 것은?

▸ 2024 법무사

① 가처분채권자가 본안소송에서 승소판결을 받은 그 집행채권이 정지조건부인 경우라 할지라도 그 조건이 집행채권자의 의사에 따라 즉시 이행할 수 있는 의무의 이행인 경우 정당한 이유 없이 그 의무의 이행을 게을리하고 집행에 착수하지 않고 있다면 보전의 필요성은 소멸되었다고 보아야 한다.

② 동일한 피보전권리에 관하여 다른 채권자에 의하여 동종의 가처분집행이 이미 마쳐졌다거나, 선행의 가처분에 따른 본안소송에 공동피고로 관여할 수 있다거나 또는 나아가 장차 후행 가처분신청에 따른 본안소송이 중복소송에 해당될 여지가 있다는 등의 사정이 있다고 하더라도 그러한 사정만으로 곧바로 보전의 필요성이 없다고 단정할 수는 없다.

③ 채권자의 금전채권에 관하여 충분한 물적 담보가 설정되어 있거나 채무자에게 재산이 충분히 있음이 소명된 경우, 동시이행관계에 있는 반대급부가 이행불능이 된 경우에는 가압류의 필요성이 부인된다.

④ 임시의 지위를 정하기 위한 가처분신청을 인용하는 결정에 따라 권리의 침해가 중단되었다고 하더라도 가처분채무자들이 그 가처분의 적법 여부에 대하여 다투고 있는 이상, 권리침해의 중단이라는 사정만으로 종래의 가처분이 보전의 필요성을 잃게 되는 것은 아니다.

⑤ 임시의 지위를 정하기 위한 가처분이 필요한지 여부를 결정함에 있어 본안소송에 있어서
의 장래의 승패의 예상은 고려할 필요가 없으므로, 특허권 등 침해금지 가처분 신청 당
시에 실체법상의 권리를 가지고 있다면 가까운 장래에 본안소송에서 채권자가 패소하여
특허권 등이 무효로 될 것이 충분히 예상되는 경우에도 보전의 필요성은 있다고 보
는 것이 판례의 태도이다.

해설 ① ≪대판 2000.11.14, 2000다40773≫
가처분채권자가 본안소송에서 승소판결을 받은 그 집행채권이 정지조건부인 경우라 할지라도 그 조
건이 집행채권자의 의사에 따라 즉시 이행할 수 있는 의무의 이행인 경우 정당한 이유 없이 그 의무
의 이행을 게을리하고 집행에 착수하지 않고 있다면 보전의 필요성은 소멸되었다고 보아야 한다.
② ≪대결 2005.10.17, 2005마814≫
[2] 다툼의 대상에 관한 가처분은 현상이 바뀌면 당사자가 권리를 실행하지 못하거나 이를 실행하
는 것이 매우 곤란할 염려가 있을 경우에 허용되는 것으로서(「민사집행법」 제300조 제1항),
이른바 만족적 가처분의 경우와는 달리 보전처분의 잠정성 · 신속성 등에 비추어 피보전권리에
관한 소명이 인정된다면 다른 특별한 사정이 없는 한 보전의 필요성도 인정되는 것으로 보아야
하고, 비록 동일한 피보전권리에 관하여 다른 채권자에 의하여 동종의 가처분집행이 이미 마쳐
졌다거나, 선행 가처분에 따른 본안소송에 공동피고로 관여할 수 있다거나 또는 나아가 장차
후행 가처분신청에 따른 본안소송이 중복소송에 해당될 여지가 있다는 등의 사정이 있다고
하더라도 그러한 사정만으로 곧바로 보전의 필요성이 없다고 단정하여서는 아니 된다.
③ 채권자의 금전채권에 관하여 충분한 물적 담보가 설정되어 있거나(대판 1967.12.29, 67다2289) 채
무자에게 재산이 충분히 있음이 소명된 경우(대결 2009.5.15, 2009마136), 동시이행관계에 있는
반대급부가 이행불능이 된 경우(대판 1992.1.21, 91다33032) 등에는 가압류의 필요성이 부인된다.
④ ≪대판 2007.1.25, 2005다11626≫
[4] 임시의 지위를 정하기 위한 가처분은 다툼 있는 권리관계에 관하여 그것이 본안소송에 의하
여 확정되기까지 가처분권리자가 현재의 현저한 손해를 피하거나 급박한 위험을 막기 위하
여, 또는 그 밖의 필요한 이유가 있는 경우에 허용되는 응급적 · 잠정적인 처분이므로, 이러한
가처분이 필요한지 여부는 당해 가처분신청의 인용 여부에 따른 당사자 쌍방의 이해득실관
계, 본안소송의 승패의 예상, 기타 여러 사정을 고려하여 법원의 재량에 따라 합목적적으로
결정하여야 할 것인바, / 가처분신청을 인용하는 결정에 따라 권리의 침해가 중단되었다고
하더라도 가처분 채무자들이 그 가처분의 적법 여부에 대하여 다투고 있는 이상 권리 침해의
중단이라는 사정만으로 종래의 가처분이 보전의 필요성을 잃게 되는 것이라고는 할 수 없다.
(사정변경등 취소사유에 해당하지 않는다.)
⑤ 특허권 또는 실용신안권 침해금지가처분 사건에서 채권자는 특허발명을 실시한 영업활동을 하지
않고 있고, 추후 본안에서 손해배상 등을 통하여 손해를 전보받을 수 있는 반면에 채무자로서는
가처분이 발령될 경우 본안소송에서 다투어 볼 기회도 없이 영업상 타격이 커 비교형량상 채무자
의 이해관계가 훨씬 피해를 볼 수 있을 때에도 보전의 필요성을 인정하기 어렵고, 신청 당시에는
실체법상의 권리를 가지고 있다 하더라도 가까운 장래에 본안소송에서 채권자가 패소하여 특허
권 등이 무효로 될 것이 충분히 예상되는 경우에는 보전의 필요성이 없다(대판 1993.2.12, 92다
40563; 대결 2007.6.4, 2006마907).

정답   03 ⑤

04 보전처분의 요건에 관한 다음 설명 중 가장 옳지 않은 것은? ▸ 2022 법무사

① 등기부상 진실한 소유자의 소유권에 방해가 되는 부실등기가 존재하는 경우에 그 등기명의인이 허무인 또는 실체가 없는 단체인 때에는 소유자는 그와 같은 허무인 또는 실체가 없는 단체 명의로 실제 등기행위를 한 사람에 대하여 소유권에 기한 방해배제로서 등기행위자를 표상하는 허무인 또는 실체가 없는 단체 명의의 등기의 말소를 구할 수 있고, 이와 같은 말소청구권을 보전하기 위하여 실제 등기행위를 한 사람을 상대로 처분금지가처분을 할 수 있다.

② 어느 피보전권리에 관하여 본안소송에서 패소확정이 되더라도 그 피보전권리와 청구의 기초가 동일한 다른 권리의 보전을 위하여 앞서 받은 보전처분을 유용할 수 있다.

③ 선박우선특권이 있는 채권자는 선박소유자의 변동에 관계없이 그 선박에 대하여 집행권원 없이도 경매청구권을 행사할 수 있으므로 채권자는 채권을 보전하기 위하여 그 선박에 대한 가압류를 하여 둘 필요가 없다 할 것이다.

④ 채권자가 채무자들이 업종제한약정에 위반하여 동종영업을 하고 있음을 알고도 그러한 상태를 장기간 아무런 조치를 취하지 아니한 채 방치하고 있었다면 보전의 필요성이 있다고 보기는 어렵다.

⑤ 주식을 매수하여 주주로서의 권리를 가진다는 것만으로 회사 소유의 부동산에 관하여 어떠한 청구권을 가진다고 할 수는 없으므로, 주주로서의 권리를 보전하기 위하여 회사 소유 부동산에 대한 처분금지가처분을 구하는 것은 허용되지 않는다.

해설 ① ≪대판 2008.7.11, 2008마615≫

[1] 등기부상 진실한 소유자의 소유권에 방해가 되는 불실등기가 존재하는 경우에 그 등기명의인이 허무인 또는 실체가 없는 단체인 때에는 소유자는 그와 같은 허무인 또는 실체가 없는 단체 명의로 실제 등기행위를 한 사람에 대하여 소유권에 기한 방해배제로서 등기행위자를 표상하는 허무인 또는 실체가 없는 단체명의 등기의 말소를 구할 수 있다. 또한, 소유자는 이와 같은 말소청구권을 보전하기 위하여 실제 등기행위를 한 사람을 상대로 처분금지가처분을 할 수도 있다.

② ≪대판 2004.12.24, 2004다53715≫

[2] 가압류의 피보전권리가 소멸되었거나 또는 존재하지 아니함이 본안소송에서 **(패소)** 확정된 경우에는 「민사집행법」 제288조 소정의 사정변경에 따른 가압류 취소사유가 되는 것이며, 이 경우 그 가압류를 그 피보전권리와 **(청구의 기초를 달리 하는 경우는 물론 청구의 기초를 같이 하는)** 다른 권리의 보전을 위하여 유용할 수 없는 것이다.

③ ≪대판 1988.11.22, 87다카1671≫

나. 선박우선특권 있는 채권자는 선박소유자의 변동에 관계없이 그 선박에 대하여 **[저당권에 관한 규정을 준용하여(**「상법」 제777조 제3호)**]** 채무명의 없이도 경매청구권을 행사할 수 있으므로 채권자는 채권을 보전하기 위하여 그 선박에 대한 가압류를 하여둘 필요가 없다.

④ ≪대결 2005.8.19, 2003마482≫

[3] 보전처분에 의하여 제거되어야 할 상태가 채권자에 의하여 오랫동안 방임되어 온 때에는 보전처분을 구할 필요성이 인정되기 어렵다고 할 것인바, 신청인이 피신청인들의 업종제한약정 위반을 알고도 그러한 상태를 장기간 아무런 조치를 취하지 아니한 채 방치하고 있었다면,

현재의 상태가 더 지속됨으로써 신청인에게 비로소 현저한 손해가 발생할 우려가 있다는 등
임시의 지위를 정하는 가처분을 하여야 할 긴급한 보전의 필요성이 없다고 한 사례
⑤ ≪대판 1998.9.18, 96다44136≫
계쟁물에 관한 가처분은 특정물의 인도 또는 특정의 급여를 목적으로 하는 청구권을 보전하기
위한 경우에 허용되는 것인바, / 주식을 매수하여 주주로서의 권리를 가진다는 것만으로 회사
소유의 부동산에 관하여 어떠한 청구권을 가진다고 할 수는 없으므로, 주주로서의 권리를 보전하
기 위하여 회사 소유 부동산에 대한 처분금지가처분을 구하는 것은 허용되지 아니한다.

05 보전처분의 요건에 관한 다음 설명 중 가장 옳지 않은 것은? ▶ 2025 법무사

① 부동산의 공유지분권자가 공유물 분할의 소를 본안으로 제기하기에 앞서 그 승소판결이
확정됨으로써 취득할 특정부분에 대한 소유권을 피보전권리로 하여 부동산 전부에 대한
처분금지가처분은 할 수 있지만, 다른 공유자의 공유지분에 대하여는 처분금지가처분을
할 수 없다.

② 채무자의 차용금채무를 담보하기 위하여 부동산에 관하여 채권자 명의의 가등기 및 본등
기가 마쳐진 경우에 채무자가 아직 그 차용금채무를 변제하지 아니한 상태라 할지라도,
채무변제를 조건으로 한 말소등기청구권을 보전하기 위하여 그 담보목적부동산에 관하
여 처분금지가처분을 신청할 수 있다.

③ 가압류결정의 피보전권리와 본안의 소송물인 권리는 엄격하게 일치될 필요는 없으며,
청구의 기초의 동일성이 인정되는 한 그 가압류의 효력은 본안소송의 권리에 미친다.

④ 가등기와 관련된 가처분 중 소유권이전등기청구권 보전을 위한 가등기상의 권리의 양도
그 밖의 일체의 처분을 금지하는 가처분은 가등기권리 자체에 대한 처분의 금지이므로
부동산등기법 제3조의 처분의 제한에 해당하여 허용된다.

⑤ 확정판결 또는 이와 동일한 효력이 있는 집행권원에 기한 강제집행의 정지는 오직 강제
집행에 관한 법규 중에 그에 관한 규정이 있는 경우에 한하여 가능한 것이고, 이와 같은
규정에 의함이 없이 일반적인 가처분의 방법으로 강제집행을 정지시킨다는 것은 허용되
지 않는다.

해설 ① ≪대결 2013.6.14, 2013마396≫
[2] (법원의 형성판결에 의하여 비로소 발생하는 청구권도 피보전권리의 적격을 갖는다. 예컨대,
사해행위취소에 의한 원상회복청구권을 피보전권리로 하여 처분금지가처분을 발하거나) 부
동산의 공유자는 공유물분할청구의 소를 본안으로 제기하기에 앞서 장래에 그 판결이 확정됨
으로써 취득할 부동산의 전부 또는 특정 부분에 대한 소유권 등의 권리를 피보전권리로 하여
(부동산 전부 or) 다른 공유자의 공유지분에 대한 처분금지가처분도 할 수 있다.

② ≪대판 2002.8.23, 2002다1567≫
[2] 채무자들의 차용금채무를 담보하기 위하여 부동산에 관하여 채권자 명의의 가등기 및 본등기
가 경료된 경우에 채무자들이 아직 그 차용금채무를 변제하지 아니한 상태라 할지라도, 채무

정답　　04 ②　05 ①

변제를 조건으로 한 말소등기청구권을 보전하기 위하여 그 담보목적 부동산에 관하여 처분금지가처분을 신청할 수도 있다 할 것이며, 그 경우 채권자가 담보목적 부동산에 대한 담보권 행사가 아닌 다른 처분행위를 하거나, 피담보채무를 변제받고서도 담보목적 부동산을 처분하는 것을 방지하는 목적 범위 내에서는 보전의 필요성도 있다고 할 것이다.

③ ≪대결 2013.4.26, 2009마1932≫

[1] 가압류의 피보전채권과 본안의 소송물인 권리는 엄격하게 일치될 필요는 없고 청구의 기초의 동일성이 인정되면 가압류의 효력은 본안소송의 권리에 미친다고 할 것이지만, 가압류는 금전채권이나 금전으로 환산할 수 있는 채권에 의한 강제집행을 보전하기 위한 것이므로(「민사집행법」 제276조 제1항), 가압류의 피보전채권과 본안소송의 권리 사이에 청구의 기초의 동일성이 인정된다 하더라도 본안소송의 권리가 금전채권이 아닌 경우에는 가압류의 효력이 그 본안소송의 권리에 미친다고 할 수 없다.

④ ≪대결 2007.2.22, 2004다59546≫

[3] 소유권이전청구권을 보전하기 위한 가등기는 부동산등기법 제3조에 의하여 등기사항임이 명백하므로 그 가등기상의 권리 자체의 처분을 금지하는 가처분은 같은 법 제2조에서 말하는 처분의 제한에 해당되어 등기사항에 해당되지만, 가등기에 터잡아 본등기를 하는 것은 그 가등기에 기하여 순위보전된 권리의 취득(권리의 증대 내지 부가)이지 가등기상의 권리 자체의 처분(권리의 감소 내지 소멸)이라고는 볼 수 없으므로 가등기에 기한 본등기절차의 이행을 금지하는 취지의 가처분은 등기사항이 아니어서 허용되지 아니한다고 봄이 상당하다(대법원 1978.10.14.자 78마282 결정, 1992.9.25, 선고 92다21258 판결 등 참조).

⑤ ≪대결 2004.8.17, 2004카기93≫

[1] 확정판결 또는 이와 동일한 효력이 있는 집행권원에 기한 강제집행의 정지는 오직 강제집행에 관한 법규 중에 그에 관한 규정이 있는 경우에 한하여 가능하고, 이와 같은 규정에 의함이 없이 일반적인 가처분의 방법으로 강제집행(또는 **임의경매**)을 정지시킨다는 것은 허용되지 아니하며, 「민사집행법」 제46조 제2항 소정의 강제집행에 관한 잠정처분은 청구에 관한 이의의 소가 계속 중임을 요하고, 이러한 집행정지요건이 결여되었음에도 불구하고 제기된 집행정지신청은 부적법하다.

보전처분의 신청

01 가압류에 관한 다음 설명 중 가장 옳지 않은 것은?

▶ 2024 법무사

① 채권에 대한 가압류명령을 신청하는 채권자는 신청서에 압류할 채권의 종류와 액수를 밝혀야 하고, 특히 가압류할 채권 중 일부에 대하여만 가압류명령을 신청하는 때에는 그 범위를 밝혀 적어야 한다.

② 채권자가 채무자의 제3채무자에 대한 여러 개의 채권 전부를 대상으로 하여 가압류를 신청하는 경우 가압류할 채권의 대상과 범위를 특정하지 않음으로 인해 가압류결정에서도 피압류채권이 특정되지 않은 경우 여러 채권 전부에 대하여 가압류의 효력이 발생한다.

③ 유체동산에 대한 가압류 집행절차에 착수하지 않은 경우에는 시효중단 효력이 없고, 집행절차를 개시하였으나 가압류할 동산이 없기 때문에 집행불능이 된 경우에는 집행절차가 종료된 때로부터 시효가 새로이 진행된다.

④ 가압류신청의 취하는 서면으로 하여야 하고, 다만 심문기일 또는 변론기일에서는 말로 할 수 있다.

⑤ 채권자가 가압류신청을 취하하면 가압류명령의 효력은 소멸하고 가압류로 인한 시효중단의 효력도 소급적으로 소멸한다.

해설 ①,② ≪대판 2013.12.26. 2013다26296≫

[1] 채권에 대한 가압류 또는 압류명령을 신청하는 채권자는 신청서에 압류할 채권의 종류와 액수를 밝혀야 하고(「민사집행법」 제225조, 제291조), 특히 압류할 채권 중 일부에 대하여만 압류명령을 신청하는 때에는 그 범위를 밝혀 적어야 한다(「민사집행규칙」 제159조 제1항 제3호, 제218조).

그럼에도 채권자가 가압류나 압류를 신청하면서 압류할 채권의 대상과 범위를 특정하지 않음으로 인해 가압류결정 및 압류명령(이하 '압류 등 결정'이라 한다)에서도 피압류채권이 특정되지 아니한 경우에는 그 압류 등 결정에 의해서는 압류 등의 효력이 발생하지 않는다 할 것이다.

③ ≪대판 2011.5.13. 2011다10044≫

[1] 민법 제168조에서 가압류를 시효중단사유로 정하고 있는 것은 가압류에 의하여 채권자가 권리를 행사하였다고 할 수 있기 때문인데 가압류에 의한 집행보전의 효력이 존속하는 동안은 가압류채권자에 의한 권리행사가 계속되고 있다고 보아야 할 것이므로 가압류에 의한 시효중단의 효력은 가압류 집행보전의 효력이 존속하는 동안은 계속된다. 유체동산에 대한 가압류결정을 집행한 경우 가압류에 의한 시효중단 효력은 가압류 집행보전의 효력이 존속하는 동안 계속된다. / 그러나 유체동산에 대한 가압류 집행절차에 착수하지 않은 경우에는 시효중단 효력이 없고, 집행절차를 개시하였으나 가압류할 동산이 없기 때문에 집행불능이 된 경우에는 집행절차가 종료된 때로부터 시효가 새로이 진행된다.

정답 01 ②

④ 절차의 안정과 명확성을 기하기 위하여 보전처분신청의 취하는 서면에 의하여야 하고(규칙 제 203조의2 제1항, 제203조 제1항 제1호), 다만 변론기일 또는 심문기일에서는 말로 할 수 있다 (규칙 제203조의2 제1항 단서).

⑤ ≪대판 2010.10.14, 2010다53273≫
금전채권의 보전을 위하여 채무자의 금전채권에 대하여 가압류가 행하여진 경우에 그 후 채권자의 신청에 의하여 그 집행이 취소되었다면, 다른 특별한 사정이 없는 한 (민법 제175조에 따라) 가압류에 의한 소멸시효 중단의 효과는 소급적으로 소멸된다. 민법 제175조는 가압류가 '권리자의 청구에 의하여 취소된 때에는' 소멸시효 중단의 효력이 없다고 정한다.
가압류의 집행 후에 행하여진 채권자의 집행취소 또는 집행해제의 신청은 실질적으로 집행신청의 취하에 해당하고, 이는 다른 특별한 사정이 없는 한 가압류 자체의 신청을 취하하는 것과 마찬가지로 그에게 권리행사의 의사가 없음을 객관적으로 표명하는 행위로서 위 법 규정에 의하여 시효중단의 효력이 소멸한다고 봄이 상당하다.

02 보전처분신청에 관한 다음 설명 중 가장 옳지 않은 것은?

▸ 2024 법무사

① 채권자가 가압류를 신청하면서 가압류신청 진술서를 첨부하지 아니하거나, 고의로 진술 사항을 누락하거나 허위로 진술한 내용이 발견된 경우에는 특별한 사정이 없는 한 보정 명령 없이 신청을 기각할 수 있다.

② 가처분이 집행된 뒤에 3년간 본안의 소를 제기하지 아니한 때에 해당하여 취소사유가 발생한 이후 채권자가 다시 동일한 내용의 가처분을 신청한 경우 보전의 필요성 유무는 최초의 가처분 신청과 동일한 기준으로 판단하여야 한다.

③ 확정일자 없는 증서에 의한 지명채권의 양도승낙 후에 채권양수인이 그 증서를 첨부하여 법원에 양수금채권을 피보전권리로 하여 채무자의 재산에 대한 가압류를 신청하고, 법원 공무원이 가압류신청서를 접수하면서 이에 접수일자를 표시하는 접수인을 찍은 경우, 가압류신청서에 찍힌 접수일자는 그 첨부서류인 승낙서에 대하여 확정일자에 해당한다.

④ 다툼의 대상에 관한 가처분은 그 피보전권리가 특정물에 관한 이행청구권이므로 신청서에 그 목적물을 명확하게 표시하여야 하나, 유체동산가압류의 경우에는 가압류할 유체동산이 있는 장소를 기재하면 된다.

⑤ 보전처분이 발령된 후에 채권자가 보전처분신청을 취하하면 보전처분을 취소하는 결정이 없어도 보전처분의 효력은 당연히 상실되므로 채무자로서는 보전처분 이의신청을 할 이익이 없다.

해설 ① 채권자가 가압류를 신청하면서 가압류신청 진술서를 첨부하지 아니하거나, 고의로 진술 사항을 누락하거나 허위로 진술한 내용이 발견된 경우에는 특별한 사정이 없는 한 보정명령 없이 신청을 기각할 수 있다(보전처분 신청사건의 사무처리요령(재민 2003-4) 제3호).

② ≪대결 2018.10.4, 2017마6308≫
[2] 「민사집행법」 제288조 제1항은 제1호에서 '가압류이유가 소멸되거나 그 밖에 사정이 바뀐 때'에 가압류를 취소할 수 있도록 규정하면서, 제3호에서 '가압류가 집행된 뒤에 3년간

본안의 소를 제기하지 아니한 때'(이하 '제3호 사유'라고 한다)에도 가압류를 취소할 수 있도록 규정하고 있고, 이 규정은 같은 법 제301조에 의해 가처분 절차에도 준용된다. 채권자가 가처분결정이 있은 후 보전의사를 포기하였거나 상실하였다고 볼 만한 사정이 있는 경우에는 제1호 사유인 '사정이 바뀐 때'에 해당하여 가처분을 취소할 수 있는데, 제3호 사유는 채권자가 보전의사를 포기 또는 상실하였다고 볼 수 있는 전형적인 경우로 보아 이를 가처분 취소 사유로 규정한 것이다.

이와 같은 「민사집행법」 규정의 내용과 취지에 비추어 보면, 가처분이 (「민사집행법」 제288조 제1항) 제3호 사유에 해당하여 취소사유가 발생한 이후 채권자가 다시 동일한 내용의 가처분을 신청한 경우, 그 보전의 필요성 유무는 최초의 가처분 신청과 동일한 기준으로 판단하여서는 아니 되고, 채권자와 채무자의 관계, 선행 가처분의 집행 후 발생한 사정의 변경 기타 제반 사정을 종합하여, 채권자가 선행 가처분의 집행 후 3년이 지나도록 본안소송을 제기하지 아니하였음에도 불구하고 채권자가 보전의사를 포기 또는 상실하였다고 볼 수 없는 특별한 사정이 인정되는 경우에 한하여 보전의 필요성을 인정할 수 있다.

③ ≪대결 2004.7.8, 2004다17481≫

　[2] 확정일자 없는 증서에 의한 지명채권의 양도승낙 후에 채권양수인이 그 증서를 첨부하여 법원에 양수금채권을 피보전권리로 하여 채무자의 재산에 대한 가압류를 신청하고, 법원공무원이 가압류신청서를 접수하면서 이에 접수일자를 표시하는 접수인을 찍은 경우, 가압류신청서에 찍힌 접수일자는 그 첨부서류인 승낙서에 대하여 민법 부칙 제3조 제4항 소정의 확정일자에 해당한다고 볼 것이다.

④ 가압류의 경우 실무상 편의라든지 그 집행과의 관계를 고려하여 가압류를 부동산가압류, 유체동산가압류, 채권가압류 등으로 구별하여 채권자가 동일채권을 위하여 동일채무자 소유의 부동산, 유체동산, 채권 등을 가압류할 때에는 각 각 별개의 사건으로서 가압류신청을 하고 있는 것이 대부분이다. 채무자의 모든 재산에 대하여 채무자의 처분을 제한하는 일반가압류는 허용되지 않는다. 신청 당시 목적물을 특정할 수 없는 유체동산가압류 이외에는 신청서에 목적물까지도 구체적으로 표시하여야 하고, 법원도 이를 가압류명령 중에 기재하여야 한다. 유체동산가압류의 경우에는 가압류할 유체동산이 있는 장소도 기재하여야 한다(법 제296조 제1항, 규칙 제131조 제3호).

다툼의 대상에 관한 가처분은 그 피보전권리가 특정물에 관한 이행청구권이므로 가처분신청서에 그 목적물을 명확하게 표시하여야 한다(대결 1999.5.13, 99마230).

⑤ 채권자는 보전처분이 발령된 이후라도 상대방의 동의를 받을 필요 없이 보전처분신청을 취하할 수 있고, 보전처분신청이 취하되면 보전처분을 취소하는 결정이 없어도 보전처분의 효력은 당연히 상실되므로(대판 2001.10.12, 2000다19373; 대결 2007.6.8, 2006마1333), 보전처분신청이 취하된 후에는 채무자는 이의를 신청할 수 없다. 이 경우 이미 발령된 보전처분결정은 당연히 효력을 상실하고, 채무자는 신청취하증명원을 집행기관에 제출하여 집행취소를 받을 수 있다.

03 **보전처분의 신청 및 그 효과에 관한 다음 설명 중 가장 옳지 않은 것은?** ▸2021 법무사

① 채권자는 채무자를 대위하여 그의 제3채무자에 대한 채권을 행사할 수 있으므로 보전처분신청도 대위하여 할 수 있다. 다만, 채권자는 자기의 채권의 기한이 도래하기 전에는 법원의 허가 없이 채권자대위권을 행사할 수 없으므로, 이 경우 채권자는 법원의 허가를 얻어야만 채무자를 대위하여 제3채무자에 대한 보전처분신청을 할 수 있다.

② 채권자가 가압류를 신청하면서 가압류할 채권의 대상과 범위를 특정하지 않음으로 인해 가압류명령에서도 피압류채권이 특정되지 않은 경우에는 그 가압류명령에 의해서는 가압류의 효력이 발생하지 않는다.

③ 부동산가압류에 의한 시효중단은 경매절차에서 부동산이 매각되어 가압류등기가 말소되기 전에 배당절차가 진행되어 가압류채권자에 대한 배당표가 확정되는 등의 특별한 사정이 없는 한, 채권자가 가압류집행에 의하여 권리행사를 계속하고 있다고 볼 수 있는 가압류등기가 말소된 때 그 중단사유가 종료되어, 그때부터 새로 소멸시효가 진행한다.

④ 채권가압류에서 채권자가 가압류신청을 취하하면 가압류결정은 그로써 효력이 소멸되지만, 채권가압류명령정본이 제3채무자에게 이미 송달되어 가압류명령이 집행되었다면 그 취하통지서가 제3채무자에게 송달되었을 때 가압류집행의 효력이 장래를 향하여 소멸된다. 이는 그 취하통지서가 제3채무자에게 송달되기 전에 제3채무자가 집행법원 법원사무관등의 통지에 의하지 아니한 다른 방법으로 가압류신청 취하사실을 알게 된 경우에도 마찬가지이다.

⑤ 보전처분신청이 중복신청에 해당하는지 여부는 후행 보전처분신청의 심리종결 시를 기준으로 판단하여야 하고, 보전명령에 대한 이의신청이 제기된 경우에는 이의소송의 심리종결 시가 기준이 된다.

> **해설** ① ≪대판 1958.5.29, 4290민상735≫
>
> 채권자가 자기채권의 보전을 위하여 채권자대위권을 행사할 수 있는 경우에는 그 청구권에 관한 강제집행의 보전을 위하여 가압류 또는 가처분 명령의 신청도 이를 할 수 있다.
>
> [🈐 이때에 **채권자가 채무자에게 그 대위사실을 통지**하면 **채무자**는 자기채권을 처분하거나 행사할 수 없고 따라서 **이중의 보전처분신청을 할 수 없다**(「민법」 제405조). 채권자는 자기의 채권의 **기한 전**이라도 법원의 허가를 얻어 대위권을 행사하여 신청할 수 있지만, 보전처분신청은 보전행위에 해당하므로 **허가를 얻지 않고** 행사할 수 있다(「민법」 제404조 제2항 단서).]
>
> ② ≪대판 2013.12.26, 2013다26296≫
>
> [1] 채권에 대한 가압류 또는 압류명령을 신청하는 채권자는 신청서에 압류할 채권의 종류와 액수를 밝혀야 하고(「민사집행법」 제225조, 제291조), 특히 압류할 채권 중 일부에 대하여만 압류명령을 신청하는 때에는 그 범위를 밝혀 적어야 한다(「민사집행규칙」 제159조 제1항 제3호, 제218조). 그럼에도 채권자가 가압류나 압류를 신청하면서 압류할 채권의 대상과 범위를 특정하지 않음으로 인해 가압류결정 및 압류명령(이하 '압류 등 결정'이라 한다)에서도 피압류채권이 특정되지 아니한 경우에는 그 압류 등 결정에 의해서는 압류 등의 효력이 발생하지 않는다 할 것이다.

③ ≪대판 2013.11.14, 2013다18622, 18639≫

[2] 매각대금 납부 후의 배당절차에서 가압류채권자의 채권에 대한 배당이 이루어지고 배당액이 공탁된 경우, 경매절차에서 부동산이 매각되어 가압류등기가 말소되기 전에 배당절차가 진행되어 가압류채권자에 대한 배당표가 확정되는 등의 특별한 사정이 없는 한, 채권자가 가압류집행에 의하여 권리행사를 계속하고 있다고 볼 수 있는 가압류등기가 말소된 때 그 중단사유가 종료되어, 그때부터 새로 소멸시효가 진행한다고 봄이 타당하다(매각대금 납부 후의 배당절차에서 가압류채권자의 채권에 대하여 배당이 이루어지고 배당액이 공탁되었다고 하여 가압류채권자가 그 공탁금에 대하여 채권자로서 권리행사를 계속하고 있다고 볼 수는 없으므로 그로 인하여 가압류에 의한 시효중단의 효력이 계속된다고 할 수 없다).

④ ≪대판 2008.1.17, 2007다73826≫

[1] 채권가압류에 있어서 채권자가 (**압류** or)가압류신청을 취하하면 가압류결정은 그로써 효력이 소멸되지만, 채권가압류결정정본이 제3채무자에게 이미 송달되어 가압류결정이 집행되었다면 그 취하통지서가 제3채무자에게 송달되었을 때 비로소 가압류집행의 효력이 장래를 향하여 소멸되는 것인바(대판 2001.10.12, 2000다19373 참조), 이러한 법리는 그 취하통지서가 제3채무자에게 송달되기 전에 제3채무자가 집행법원 법원사무관 등의 통지에 의하지 아니한 다른 방법으로 가압류신청 취하사실을 알게 된 경우에도 마찬가지라고 할 것이다. (**제3채무자에게 취하통지서의 송달이 필요하다**)

⑤ ≪대결 2018.10.4, 2017마6308≫

[1] 보전처분 신청에 관하여도 중복된 소제기에 관한 「민사소송법」 제259조의 규정이 준용되어 중복신청이 금지된다. 이 경우 보전처분 신청이 중복신청에 해당하는지 여부는 후행 보전처분 신청의 심리종결 시를 기준으로 판단하여야 하고, 보전명령에 대한 이의신청이 제기된 경우에는 이의소송의 심리종결 시가 기준이 된다.

04 **보전처분의 시효중단의 효과에 관한 다음 설명 중 가장 옳지 않은 것은?** ▸ 2022 법무사

① 채권자가 채무자의 제3채무자에 대한 채권을 압류 또는 가압류한 경우에 채무자에 대한 채권자의 채권에 관하여 시효중단의 효력이 생기지만, 압류 또는 가압류된 채무자의 제3채무자에 대한 채권에 대하여는 제3채무자에 대하여 위 가압류결정이 송달되면 민법 제168조 제2호 소정의 확정적인 시효중단의 효력이 생긴다.

② 민법 제169조는 '시효의 중단은 당사자 및 그 승계인 간에만 효력이 있다.'고 규정하고 있고, 한편 민법 제440조는 '주채무자에 대한 시효의 중단은 보증인에 대하여 그 효력이 있다.'라고 규정하고 있는바, 민법 제440조는 민법 제169조의 예외 규정으로서 이는 채권자 보호 내지 채권담보의 확보를 위하여 주채무자에 대한 시효중단의 사유가 발생하였을 때는 그 보증인에 대한 별도의 중단조치가 이루어지지 아니하여도 동시에 시효중단의 효력이 생기도록 한 것이고, 그 시효중단사유가 압류, 가압류 및 가처분이라고 하더라도 이를 보증인에게 통지하여야 비로소 시효중단의 효력이 발생하는 것은 아니다.

정답 ▸ 03 ① 04 ①

③ 민법 제168조에서 가압류를 시효중단사유로 정하고 있는 것은 가압류에 의하여 채권자가 권리를 행사하였다고 할 수 있기 때문인데 가압류에 의한 집행보전의 효력이 존속하는 동안은 가압류채권자에 의한 권리행사가 계속되고 있다고 보아야 할 것이므로 가압류에 의한 시효중단의 효력은 가압류 집행보전의 효력이 존속하는 동안은 계속된다. 따라서 유체동산에 대한 가압류결정을 집행한 경우 가압류에 의한 시효중단 효력은 가압류 집행보전의 효력이 존속하는 동안 계속된다. 그러나 유체동산에 대한 가압류 집행절차에 착수하지 않은 경우에는 시효중단 효력이 없고, 집행절차를 개시하였으나 가압류할 동산이 없기 때문에 집행불능이 된 경우에는 집행절차가 종료된 때로부터 시효가 새로이 진행된다.

④ 금전채권의 보전을 위하여 채무자의 금전채권에 대하여 가압류가 행하여진 경우에 그 후 채권자의 신청에 의하여 그 집행이 취소되었다면, 다른 특별한 사정이 없는 한 가압류에 의한 소멸시효 중단의 효과는 소급적으로 소멸된다.

⑤ 가압류에 의한 시효중단은 경매절차에서 부동산이 매각되어 가압류등기가 말소되기 전에 배당절차가 진행되어 가압류채권자에 대한 배당표가 확정되는 등의 특별한 사정이 없는 한, 채권자가 가압류집행에 의하여 권리행사를 계속하고 있다고 볼 수 있는 가압류등기가 말소된 때 그 중단사유가 종료되어, 그때부터 새로 소멸시효가 진행한다고 봄이 타당하다. 나아가 매각대금 납부 후의 배당절차에서 가압류채권자의 채권에 대하여 배당이 이루어지고 배당액이 공탁되었다고 하여 가압류채권자가 그 공탁금에 대하여 채권자로서 권리행사를 계속하고 있다고 볼 수는 없으므로 그로 인하여 가압류에 의한 시효중단의 효력이 계속된다고 할 수 없다.

해설 ① ≪대판 2003.5.13, 2003다16238≫

[1] 채권자가 채무자의 제3채무자에 대한 채권을 압류 또는 가압류한 경우에 채무자에 대한 채권자의 채권(**집행채권**)에 관하여 (**압류명령신청시에 소급하여**) 시효중단의 효력이 생긴다고 할 것이나. / 압류 또는 가압류된 채무자의 제3채무자에 대한 채권(**피압류채권**)에 대하여는 「민법」 제168조 제2호 소정의 소멸시효 중단사유에 준하는 확정적인 시효중단의 효력이 생긴다고 할 수 없다. (**최고로서의 효력은 인정**)

② ≪대판 2005.10.27, 2005다35554,35561≫

[3] 민법 제169조는 '시효의 중단은 당사자 및 그 승계인 간에만 효력이 있다.'고 규정하고 있고, 한편 민법 제440조는 '주채무자에 대한 시효의 중단은 보증인에 대하여 그 효력이 있다.'라고 규정하고 있는바, 민법 제440조는 민법 제169조의 예외 규정으로서 이는 채권자 보호 내지 채권담보의 확보를 위하여 주채무자에 대한 시효중단의 사유가 발생하였을 때는 그 보증인에 대한 별도의 중단조치가 이루어지지 아니하여도 동시에 시효중단의 효력이 생기도록 한 것이고, 그 시효중단사유가 압류, 가압류 및 가처분이라고 하더라도 이를 보증인에게 통지하여야 비로소 시효중단의 효력이 발생하는 것은 아니다.

③ ≪대판 2011.5.13, 2011다10044≫

[1] 민법 제168조에서 가압류를 시효중단사유로 정하고 있는 것은 가압류에 의하여 채권자가 권리를 행사하였다고 할 수 있기 때문인데 가압류에 의한 집행보전의 효력이 존속하는 동안은 가압류채권자에 의한 권리행사가 계속되고 있다고 보아야 할 것이므로 가압류에 의한 시효중단의 효력은 가압류 집행보전의 효력이 존속하는 동안은 계속된다. 유체동산에 대한 가압류

결정을 집행한 경우 가압류에 의한 시효중단 효력은 가압류 집행보전의 효력이 존속하는 동안 계속된다. 그러나 유체동산에 대한 가압류 집행절차에 착수하지 않은 경우에는 시효중단 효력이 없고, 집행절차를 개시하였으나 가압류할 동산이 없기 때문에 집행불능이 된 경우에는 집행절차가 종료된 때로부터 시효가 새로이 진행된다.

④ ≪대판 2010.10.14, 2010다53273≫

금전채권의 보전을 위하여 채무자의 금전채권에 대하여 가압류가 행하여진 경우에 그 후 채권자의 신청에 의하여 그 집행이 취소되었다면, 다른 특별한 사정이 없는 한 (민법 제175조에 따라) 가압류에 의한 소멸시효 중단의 효과는 소급적으로 소멸된다.

⑤ ≪대판 2013.11.14, 2013다18622,18639≫

[2] 매각대금 납부 후의 배당절차에서 가압류채권자의 채권에 대한 배당이 이루어지고 배당액이 공탁된 경우, 경매절차에서 부동산이 매각되어 가압류등기가 말소되기 전에 배당절차가 진행되어 가압류채권자에 대한 배당표가 확정되는 등의 특별한 사정이 없는 한, 채권자가 가압류 집행에 의하여 권리행사를 계속하고 있다고 볼 수 있는 가압류등기가 말소된 때 그 중단사유가 종료되어, 그때부터 새로 소멸시효가 진행한다고 봄이 타당하다(매각대금 납부 후의 배당절차에서 가압류채권자의 채권에 대하여 배당이 이루어지고 배당액이 공탁되었다고 하여 가압류채권자가 그 공탁금에 대하여 채권자로서 권리행사를 계속하고 있다고 볼 수는 없으므로 그로 인하여 가압류에 의한 시효중단의 효력이 계속된다고 할 수 없다).

05 집행채권의 시효중단에 관한 다음 설명 중 가장 옳지 않은 것은? ▶ 2024 법무사

① 채권자가 채무자의 제3채무자에 대한 채권을 가압류할 당시 그 피압류채권이 부존재하는 경우에도 집행채권에 대한 권리 행사로 볼 수 있어 특별한 사정이 없는 한 가압류집행으로써 그 집행채권의 소멸시효는 중단된다.

② 채무자가 건설공제조합에 대하여 갖는 출자증권의 인도청구권을 가압류한 경우에는 법원의 가압류명령이 제3채무자인 건설공제조합에 송달되면 가압류의 효력이 생기고, 이 경우 가압류로 인한 소멸시효 중단의 효력은 가압류명령이 제3채무자에게 송달된 때부터 발생한다.

③ 체납처분에 의한 채권압류로 채권자의 채무자에 대한 채권의 시효가 중단된 후, 피압류채권이 기본계약관계의 해지·실효 또는 소멸시효 완성 등으로 소멸함으로써 압류의 대상이 존재하지 않게 되어 압류 자체가 실효된 경우 체납처분 절차는 더 이상 진행될 수 없으므로 시효중단사유가 종료한 것으로 보아야 하고, 그때부터 시효가 새로이 진행한다.

④ 채무자가 제3채무자를 상대로 금전채권의 이행을 구하는 소를 제기한 후 채권자가 위 금전채권에 대하여 압류 및 추심명령을 받아 제3채무자를 상대로 추심의 소를 제기한 경우, 채무자가 권리주체의 지위에서 한 시효중단의 효력은 그 채권을 추심하는 추심채권자에게도 미친다.

⑤ 추심권의 포기는 압류의 효력에는 영향을 미치지 아니하므로, 추심권의 포기만으로는 압류로 인한 소멸시효 중단의 효력은 상실되지 아니하고 압류명령의 신청을 취하하면 비로소 소멸시효 중단의 효력이 소급하여 상실된다.

정답 **05 ②**

해설 ① ≪대판 2023.12.14, 2022다210093≫

[2] 채권자가 채무자의 제3채무자에 대한 채권을 가압류할 당시 그 피압류채권이 부존재하는 경우에도 집행채권(**피보전권리**)에 대한 권리 행사로 볼 수 있어 특별한 사정이 없는 한 가압류 집행으로써 그 집행채권의 소멸시효는 중단된다(대법원 2020.11.26, 선고 2020다239601 판결 참조). 다만 가압류결정 정본이 제3채무자에게 송달될 당시 피압류채권 발생의 기초가 되는 법률관계가 없어 가압류의 대상이 되는 피압류채권이 존재하지 않는 경우에는 가압류의 집행보전 효력이 없으므로, 특별한 사정이 없는 한 가압류결정의 송달로써 개시된 집행절차는 곧바로 종료되고, 이로써 시효중단사유도 종료되어 집행채권의 소멸시효는 그때부터 새로이 진행한다고 보아야 한다.

② ≪대판 2017.4.7, 2016다35451≫

[3] 건설공제조합의 조합원에게 발행된 출자증권은 위 조합에 대한 출자지분을 표창하는 유가증권으로서 위 출자증권에 대한 가압류는 「민사집행법」 제233조에 따른 지시채권 가압류의 방법으로 하고, 법원의 가압류명령으로 집행관이 출자증권을 점유하여야 한다(「건설산업기본법」 제59조 제4항). 한편 위 출자증권을 채무자가 아닌 제3자가 점유하고 있는 경우에는 채권자는 채무자가 제3자에 대하여 가지는 유체동산인 출자증권의 인도청구권을 가압류하는 방법으로 가압류집행을 할 수 있다(「민사집행법」 제242조, 제243조). 이 경우 유체동산에 관한 인도청구권의 가압류는 원칙적으로 금전채권의 가압류에 준해서 집행법원의 가압류명령과 그 송달로써 하는 것이므로(「민사집행법」 제223조, 제227조, 제242조, 제243조, 제291조), 가압류명령이 제3채무자에게 송달됨으로써 유체동산에 관한 인도청구권 자체에 대한 가압류집행은 끝나고 효력이 생긴다. 따라서 채무자가 건설공제조합에 대하여 갖는 출자증권의 인도청구권을 가압류한 경우에는 법원의 가압류명령이 제3채무자인 건설공제조합에 송달되면 가압류의 효력이 생기고, 이 경우 가압류로 인한 소멸시효 중단의 효력은 가압류 신청 시에 소급하여 생긴다.

③ ≪대판 2017.4.28, 2016다239840≫

[3] 체납처분에 의한 채권압류로 인하여 채권자의 채무자에 대한 채권의 시효가 중단된 경우에 압류에 의한 체납처분 절차가 채권추심 등으로 종료된 때뿐만 아니라, 피압류채권이 기본계약관계의 해지·실효 또는 소멸시효 완성 등으로 인하여 소멸함으로써 압류의 대상이 존재하지 않게 되어 압류 자체가 실효된 경우에도 체납처분 절차는 더 이상 진행될 수 없으므로 시효중단사유가 종료한 것으로 보아야 하고, 그때부터 시효가 새로이 진행한다.

④ ≪대판 2019.7.25, 2019다212945≫

[1] 채무자의 제3채무자에 대한 금전채권에 대하여 압류 및 추심명령이 있더라도, 이는 추심채권자에게 피압류채권을 추심할 권능만을 부여하는 것이고, 이로 인하여 채무자가 제3채무자에게 가지는 채권이 추심채권자에게 이전되거나 귀속되는 것은 아니다. 따라서 채무자가 제3채무자를 상대로 금전채권의 이행을 구하는 소를 제기한 후 채권자가 위 금전채권에 대하여 압류 및 추심명령을 받아 제3채무자를 상대로 추심의 소를 제기한 경우, 채무자가 권리주체의 지위에서 한 시효중단의 효력은 집행법원의 수권에 따라 피압류채권에 대한 추심권능을 부여받아 일종의 추심기관으로서 그 채권을 추심하는 추심채권자에게도 미친다.

[2] 재판상의 청구는 소송의 각하, 기각 또는 취하의 경우에는 시효중단의 효력이 없지만, 그 경우 6개월 내에 재판상의 청구, 파산절차참가, 압류 또는 가압류, 가처분을 한 때에는 시효는 최초의 재판상 청구로 인하여 중단된 것으로 본다(민법 제170조). 그러므로 채무자가 제3채무자를 상대로 제기한 금전채권의 이행소송이 압류 및 추심명령으로 인한 당사자적격의 상실로 각하되더라도, 위 이행소송의 계속 중에 피압류채권에 대하여 채무자에 갈음하여 당사자

적격을 취득한 추심채권자가 위 각하판결이 확정된 날로부터 6개월 내에 제3채무자를 상대
로 추심의 소를 제기하였다면, 채무자가 제기한 재판상 청구로 인하여 발생한 시효중단의 효
력은 추심채권자의 추심소송에서도 그대로 유지된다고 보는 것이 타당하다.

⑤ ≪대판 2014.11.13, 2010다63591≫

　[2] 금전채권에 대한 압류명령과 그 현금화 방법인 추심명령을 동시에 신청하더라도 압류명령과
　　추심명령은 별개로서 그 적부는 각각 판단하여야 하고, 그 신청의 취하 역시 별도로 판단하여
　　야 한다. 채권자는 추심명령에 따라 얻은 권리를 포기할 수 있지만(「민사집행법」 제240조
　　제1항) 추심권의 포기는 압류의 효력에는 영향을 미치지 아니하므로, 추심권의 포기만으로는
　　압류로 인한 소멸시효 중단의 효력은 상실되지 아니하고 압류명령의 신청을 취하하면 비로소
　　소멸시효 중단의 효력이 소급하여 상실된다.

보전처분 신청에 대한 심리와 재판

01 보전처분을 명하는 재판과 담보에 관한 다음 설명 중 가장 옳지 않은 것은? ▸ 2021 법무사

① 가처분채권자가 파산선고를 받게 되면 가처분채권자가 제공한 담보공탁금에 대한 공탁금 회수청구권에 관한 권리는 파산재단에 속하므로, 가처분채무자가 공탁금 회수청구권에 관하여 질권자로서 권리를 행사한다면 이는 별제권을 행사하는 것으로서 파산절차에 의하지 아니하고 담보권을 실행할 수 있다.

② 민사소송법 제125조 제3항에 따라 권리행사의 최고를 받은 담보권리자의 권리행사 방법은 보전처분으로 인한 손해배상을 구하는 소제기 등 재판상의 청구이어야 하므로, 소송비용액의 확정결정신청은 이에 해당하지 않는다.

③ 일반적으로 법원이 보전처분신청을 인용할 수 있다고 판단하였을 때 비로소 담보제공을 명하므로, 법원의 담보제공명령에 따라 채권자가 담보를 제공하면, 법원이 반드시 보전처분신청을 인용하는 재판을 하여야 한다.

④ 채권자가 제공한 담보는 채권자가 법원으로부터 담보취소결정을 받아 다시 찾을 수 있고, 담보를 제공한 원인이 부존재하거나 손해발생의 가능성이 없는 경우로서, 채권자가 본안의 승소확정판결을 얻은 때나 이행권고결정이 확정된 때가 담보취소의 사유로서 담보사유의 소멸에 해당한다.

⑤ 소송이 완결된 뒤 담보제공자의 신청에 의한 권리행사최고를 거쳐 담보취소결정이 발령된 후 그 결정이 확정되기 전에 담보권리자가 권리행사를 하고 이것을 증명한 경우에는 담보권리자가 담보취소에 동의한 것으로 간주하여 발령된 담보취소결정은 그대로 유지할 수 없다.

> **해설** ① ≪대판 2015.9.10, 2014다34126≫
> 가처분채권자가 파산선고를 받게 되면 가처분채권자가 제공한 담보공탁금에 대한 공탁금회수청구권에 관한 권리는 파산재단에 속하므로, 가처분채무자가 공탁금회수청구권에 관하여 질권자로서 권리를 행사한다면 이는 별제권을 행사하는 것으로서 파산절차에 의하지 아니하고 담보권을 실행할 수 있다.
>
> ② ≪대결 2011.2.21, 2010그220≫
> [3] 가집행선고 있는 제1심판결에 대하여 항소를 제기한 뒤 그 판결에 기한 강제집행 정지를 위하여 담보를 제공한 자가 항소기각으로 제1심판결이 확정된 후 담보권리자를 상대로 권리행사최고 및 담보취소 신청을 하자, 담보권리자가 본안소송에 관한 소송비용액확정결정 신청의 접수증명서를 제출한 사안에서, 본안소송에 관한 소송비용액확정결정 신청은 담보권리자로서 적법한 권리행사로 볼 수 없음에도 이를 적법한 권리행사로 보아 담보제공자의 담보취소신청을 기각한 원심결정에는 법리오해의 위법이 있다고 한 사례

③ 담보제공명령에 따라 담보를 제공하면 통상은 보전처분을 발하게 되지만 담보를 제공하였다고 하여 법원이 반드시 보전처분을 명하는 재판을 하여야 하는 것은 아니다(대판 1968.6.18, 68다539).

④ 채권자가 제공한 담보는 채권자가 법원으로부터 담보취소결정을 받아 다시 찾을 수 있다(민사소송법 제502조). 담보를 제공한 원인이 부존재하거나 손해 발생의 가능성이 없는 경우로서, 채권자가 본안의 승소확정판결을 얻은 때나 이행권고결정이 확정된 때(대결 2006.6.30, 2006마257)가 이에 해당한다.

⑤ ≪대결 2008.3.17, 2008마60≫

민사소송법 제125조 제3항은 소송완결 후 담보제공자의 신청에 의하여 법원이 담보권리자에 대하여 일정한 기간 내에 그 권리를 행사할 것을 최고하고, 담보권리자가 그 기간 내에 권리행사를 하지 아니하는 때에는 담보취소에 관하여 담보권리자의 동의가 있는 것으로 간주하여 법원이 담보취소결정을 할 수 있다고 규정하고 있는바, 이 경우 담보권리자의 권리행사는 담보의무자에 대하여 소송의 방법으로 하여야 하는 것이고(대법원 1992.10.20.자 92마728 결정 등 참조), 담보취소결정이 확정되기 전에 담보권리자가 권리행사를 하고 이것을 증명한 경우에는 담보권리자가 담보취소에 동의한 것으로 간주하여 발하여진 담보취소결정은 그대로 유지할 수 없는 것이다.

02 보전처분을 명하는 재판과 담보에 관한 다음 설명 중 가장 옳지 않은 것은? ▸2025 법무사

① 가처분채권자가 가처분으로 인하여 가처분채무자가 받게 될 손해를 담보하기 위하여 법원의 담보제공명령으로 일정한 금전을 공탁한 경우, 피공탁자로서 담보권리자인 가처분채무자는 담보공탁금에 대하여 질권자와 동일한 권리가 있다.

② 가처분채권자가 파산선고를 받게 되면 가처분채권자가 제공한 담보공탁금에 대한 공탁금회수청구권에 관한 권리는 파산재단에 속하므로, 가처분채무자가 공탁금회수청구권에 관하여 질권자로서 권리를 행사한다면 이는 별제권을 행사하는 것으로서 파산절차에 의하지 아니하고 담보권을 실행할 수 있다.

③ 민사집행법 제23조에 의하여 가압류를 위한 담보에도 준용되는 민사소송법 제125조 제1항에서 담보의 취소사유로 규정하고 있는 '담보사유가 소멸된 것'이란 그 담보를 제공할 원인이 부존재인 경우는 물론이고 그 후 담보의 존속을 계속시킬 원인이 부존재하게 된 경우 또는 장래에 있어서 손해발생의 가능성이 없게 된 경우 등을 의미한다.

④ 가압류 채권자가 본안소송에서 승소의 확정판결을 얻은 것과 같이 이미 집행된 가압류 등 보전처분의 정당성이 인용됨으로써 손해가 발생되지 아니할 것이 확실하게 된 경우도 담보의 취소사유에 해당하지만 이행권고결정이 확정된 경우까지 담보사유가 소멸되었다고 볼 수는 없다.

⑤ 담보제공명령에 따라 담보를 제공하면 통상 보전처분을 발하게 되나 담보를 제공하였다고 해서 법원이 반드시 보전처분을 명하는 재판을 하여야 하는 것은 아니다.

해설 ①,② ≪대판 2015.9.10, 2014다34126≫

가처분채권자가 가처분으로 인하여 가처분채무자가 받게 될 손해를 담보하기 위하여 법원의 담보제공명령으로 일정한 금전을 공탁한 경우에, 피공탁자로서 담보권리자인 가처분채무자는 담보

정답 01 ③ 02 ④

공탁금에 대하여 질권자와 동일한 권리가 있다(민사집행법 제19조 제3항, 민사소송법 제123조). 한편 가처분채권자가 파산선고를 받게 되면 가처분채권자가 제공한 담보공탁금에 대한 공탁금회수청구권에 관한 권리는 파산재단에 속하므로, 가처분채무자가 공탁금회수청구권에 관하여 질권자로서 권리를 행사한다면 이는 별제권을 행사하는 것으로서 파산절차에 의하지 아니하고 담보권을 실행할 수 있다.

③,④ ≪대결 2006.6.30, 2006마257≫

민사집행법 제23조에 의하여 가압류를 위한 담보에도 준용되는 민사소송법 제125조 제1항에서 담보의 취소사유로 규정하고 있는 담보사유가 소멸된 것이란 그 담보를 제공할 원인이 부존재인 경우는 물론이고 그 후 담보의 존속을 계속시킬 원인이 부존재하게 된 경우 또는 장래에 있어서 손해발생의 가능성이 없게 된 경우 등을 의미하는 것으로서, 가압류 채권자가 본안소송에서 승소의 확정판결을 얻은 것과 같이 이미 집행된 가압류 등 보전처분의 정당성이 인용됨으로써 손해가 발생되지 아니할 것이 확실하게 된 경우도 이에 해당한다고 할 것인바, 소액사건심판법 제5조의7 제1항에서는 확정된 이행권고결정도 확정판결과 같은 효력을 가진다고 규정하고 있으므로, 이행권고결정이 확정된 경우에도 본안승소의 확정판결을 받은 것과 같이 담보사유가 소멸되었다고 해석함이 상당하다.

⑤ 담보제공명령에 따라 담보를 제공하면 통상은 보전처분을 발하게 되지만 담보를 제공하였다고 하여 법원이 반드시 보전처분을 명하는 재판을 하여야 하는 것은 아니다(대판 1968.6.18, 68다539).

보전처분의 집행

01 **보전집행에 관한 다음 설명 중 가장 옳지 않은 것은?** ▸ 2022 법무사

① 원본채권 압류 당시 이미 변제기에 이른 이자채권에 압류의 효력이 당연히 미치지는 않는다.

② 부동산에 대한 가압류집행 후 가압류목적물의 소유권이 제3자에게 이전된 경우 제3취득자의 채권자가 신청한 경매절차에서 가압류채권자는 그 매각절차에서 당해 가압류목적물의 매각대금에서 가압류결정 당시의 청구금액을 한도로 하여 배당을 받을 수 있고, 제3취득자의 채권자는 위 매각대금 중 가압류의 처분금지적 효력이 미치는 범위의 금액을 제외한 나머지 금액에 대해서만 배당을 받을 수 있다.

③ 가압류집행의 목적물에 갈음하여 가압류해방금이 공탁된 경우에 가압류채무자의 다른 채권자가 가압류해방공탁금 회수청구권에 대하여 압류명령을 받은 경우에는 가압류채권자의 가압류와 다른 채권자의 압류는 그 집행대상이 같아 서로 경합하게 된다.

④ 상소법원에서 보전처분취소결정을 취소·변경함으로써 그 보전처분에 관하여 새로운 집행이 필요하게 된 때에는 법원이 집행기관이 되는 경우에 한하여 취소의 재판을 한 상소법원이 직권으로 그 집행절차를 진행하여야 하고, 위 결정이 채권자에게 송달된 다음날부터 2주가 경과하면 보전집행을 할 수 없다.

⑤ 부대체적 작위채무의 이행을 명하는 가처분결정과 함께 그 의무위반에 대한 간접강제결정이 동시에 이루어진 경우에 그 간접강제결정에 기한 강제집행은 반드시 가처분결정이 송달된 날로부터 2주 이내에 하여야 한다.

(해설) ① ≪대판 2015.5.28. 2013다1587≫

채권압류의 효력은 종된 권리에도 미치므로 (피압류채권을 위한 저당권 질권 등의 담보권은 물론) 압류의 효력이 발생한 뒤에 생기는 이자나 지연손해금에도 당연히 미치지만, / 그 효력 발생 전에 이미 생긴 이자나 지연손해금에는 미치지 아니한다. (∵ 이미 생긴 이자채권 = 집행의 대상이 아닌 독립된 채권)

② ≪대판 2006.7.28. 2006다19986≫

부동산에 대한 가압류집행 후 가압류목적물의 소유권이 제3자에게 이전된 경우 가압류의 처분금지적 효력이 미치는 것은 가압류결정 당시의 청구금액의 한도 안에서 가압류목적물의 교환가치이고, 위와 같은 처분금지적 효력은 가압류채권자와 제3취득자 사이에서만 있는 것이므로 제3취득자의 채권자가 신청한 경매절차에서 매각 및 경락인이 취득하게 되는 대상은 가압류목적물 전체라고 할 것이지만, 가압류의 처분금지적 효력이 미치는 매각대금 부분은 가압류채권자가 우선적인 권리를 행사할 수 있고 제3취득자의 채권자들은 이를 수인하여야 하므로, 가압류채권자는 그 매각절차에서 당해 가압류목적물의 매각대금에서 가압류결정 당시의 청구금액을 한도로 하여

정답 ▸ **01** ⑤

(**먼저** = 우선) 배당을 받을 수 있고, / 제3취득자의 채권자는 위 매각대금 중 가압류의 처분금지적 효력이 미치는 범위의 금액에 대하여는 배당을 받을 수 없다.

③ ≪대결 1996.11.11, 95마252≫

[1] 가압류집행의 목적물에 갈음하여 가압류해방금이 공탁된 경우에 그 가압류의 효력은 공탁금 자체가 아니라 공탁자인 채무자의 공탁금 회수청구권에 대하여 미치는 것이므로 / 채무자의 다른 채권자가 가압류해방공탁금 회수청구권에 대하여 압류명령을 받은 경우에는 가압류채권자의 가압류와 다른 채권자의 압류는 그 집행대상이 같아 서로 경합하게 된다.

④ 상소법원에서 보전처분취소결정을 취소·변경함으로써 그 보전처분에 관하여 새로운 집행이 필요하게 된 때에는, 법원이 집행기관이 되는 경우에 한하여 절차의 신속을 위하여 취소의 재판을 한 상소법원이 직권으로 그 집행절차를 진행하여야 한다(법 제298조 제1항, 법 제301조). 이 경우 채권자가 1심법원에 보전집행신청을 한 것은 여전히 유효하므로 채권자는 다시 보전집행신청을 할 필요가 없다. 따라서 항고법원은 보전처분취소결정을 취소·변경함과 동시에 보전집행에 착수하여야 하고, 위 결정이 채권자에게 송달된 다음날부터 2주가 경과하면 보전집행을 할 수 없다. 이와 달리 집행관이 집행기관이 되는 경우에는 채권자는 다시 집행신청을 하여야 한다.

⑤ ≪대결 2008.12.24, 2008마1608≫

("채무자는 채권자에게 결정 정본을 송달받은 날로부터 5일 이내에 ○○○재건축조합 조합원 명부를 교부하여야 한다. 채무자가 위 기간 내에 위 의무를 이행하지 아니하는 때에는 채무자는 채권자에게 위 기간만료일 다음날부터 의무이행시까지 1일 2,000,000원의 비율에 의한 돈을 지급하라"는) 부대체적 작위채무의 이행을 명하는 가처분결정과 함께 그 의무위반에 대한 간접강제결정이 동시에 이루어진 경우에는 간접강제결정 자체가 독립된 집행권원이 되고 간접강제결정에 기초하여 배상금을 현실적으로 집행하는 절차는 간접강제절차와 독립된 별개의 금전채권에 기초한 집행절차이므로, 그 간접강제결정에 기한 강제집행을 반드시 가처분결정이 송달된 날로부터 2주 이내에 할 필요는 없다. / 다만, 그 집행을 위해서는 당해 간접강제결정의 정본에 집행문을 받아야 한다.

02 가압류의 효력에 관한 다음 설명 중 가장 옳지 않은 것은? ▸ 2023 법무사

① 가압류등기가 원인 없이 말소된 이후에 부동산의 소유권이 제3자에게 이전되고 그 후 제3취득자의 채권자 등 다른 권리자의 신청에 따라 경매절차가 진행되어 매각허가결정이 확정되고 매수인이 매각대금을 다 낸 때에는, 경매절차에서 집행법원이 가압류의 부담을 매수인이 인수할 것을 특별매각조건으로 삼지 않은 이상 원인없이 말소된 가압류의 효력은 소멸한다.

② 채무자 또는 제3채무자가 수인인 경우 가압류로써 각 채무자나 제3채무자별로 어느 범위에서 지급이나 처분의 금지를 명하는 것인지를 특정하지 아니한 경우에는 특별한 사정이 없는 한 그 가압류결정은 무효라고 보아야 하고, 수인의 채무자들의 채권 합계액이나 수인의 제3채무자들에 대한 채권 합계액이 집행채권액을 초과하지 않는다고 하더라도 마찬가지이다.

③ 보전소송에서 피보전권리가 소명되어 보전신청이 판결에 의하여 인용되고, 위 판결이 확정되었다면 그로써 피보전권리에 관하여 기판력이 발생한다. (2005.7.28부터 전면적 '결정')

④ 부동산에 대한 가압류집행 후 가압류목적물의 소유권이 제3자에게 이전된 경우 가압류 채권자는 그 매각절차에서 당해 가압류목적물의 매각대금에서 가압류결정 당시의 청구 금액을 한도로 하여 배당을 받을 수 있고, 제3취득자의 채권자는 위 매각대금 중 가압류 의 처분금지적 효력이 미치는 범위의 금액에 대하여는 배당을 받을 수 없다.

⑤ 수용되는 토지에 대하여 가압류가 집행되어 있어도 토지의 수용으로 기업자가 그 소유권 을 원시취득함으로써 가압류의 효력은 소멸되는 것이고, 토지에 대한 가압류가 그 수용 보상금 청구권에 당연히 전이되어 그 효력이 미치게 된다고 볼 수는 없다.

해설 ① ≪대판 2017.1.25, 2016다28897≫

부동산에 관하여 가압류등기가 마쳐졌다가 등기가 아무런 원인 없이 말소되었다는 사정만으로는 곧바로 가압류의 효력이 소멸하는 것은 아니지만, 가압류등기가 원인 없이 말소된 이후에 부동산 의 소유권이 제3자에게 이전되고 그 후 제3취득자의 채권자 등 다른 권리자의 신청에 따라 경매 절차가 진행되어 매각허가결정이 확정되고 매수인이 매각대금을 다 낸 때에는, 경매절차에서 집 행법원이 가압류의 부담을 매수인이 인수할 것을 특별매각조건으로 삼지 않은 이상 원인 없이 말소된 가압류의 효력은 소멸한다. 그리고 말소회복등기절차에서 등기상 이해관계 있는 제3자가 있어 그의 승낙이 필요한 경우라 하더라도 제3자가 등기권리자에 대한 관계에서 승낙을 하여야 할 실체법상의 의무가 있는 경우가 아니면 승낙요구에 응하여야 할 이유가 없다.

② ≪대판 2014.5.16, 2013다52547≫

채권에 대한 가압류 또는 압류를 신청하는 채권자는 신청서에 압류할 채권의 종류와 액수를 밝혀 야 하고(「민사집행법」 제225조, 제291조), 채무자가 수인이거나 제3채무자가 수인인 경우에는 집행채권액을 한도로 하여 가압류 또는 압류로써 각 채무자나 제3채무자별로 어느 범위에서 지 급이나 처분의 금지를 명하는 것인지를 가압류 또는 압류할 채권의 표시 자체로 명확하게 인식할 수 있도록 특정하여야 하며, 이를 특정하지 아니한 경우에는 집행의 범위가 명확하지 아니하여 특별한 사정이 없는 한 그 가압류결정이나 압류명령은 무효라고 보아야 한다(대판 2004.6.25, 2002다8346 등 참조). / 그리고 압류의 대상인 수인의 채무자들의 채권 합계액이나 수인의 제3 채무자들에 대한 (**피압류**)채권 합계액이 집행채권액을 초과하지 않는다 하더라도, 개별 채무자 및 제3채무자로서는 자신을 제외한 다른 모든 채무자들의 채권액이나 모든 제3채무자들의 채무 액을 구체적으로 알고 있는 특별한 경우가 아니라면 자신에 대한 집행의 범위를 알 수 없음은 마찬가지이므로 달리 볼 것은 아니다.

③ ≪대결 2008.10.27, 2007마944≫

보전소송절차는 피보전권리를 종국적으로 확정하는 것을 목적으로 하는 것이 아니므로 보전소송 에서 피보전권리가 소명되어 보전신청이 판결에 의하여 인용되고, 위 판결이 확정되었다고 하더 라도 그로써 피보전권리에 관하여 기판력이 생기는 것은 아니다.

[註] 종전에는 가압류·가처분신청에 대한 재판은 변론하는 경우에는 종국판결로, 그 밖의 경우에 는 결정으로 하였다. 그러나 민사집행법 개정으로 2005.7.28부터 가압류·가처분신청에 대한 재 판은 결정으로 한다(법 제281조 제1항, 제301조).]

④ ≪대판 2006.7.28, 2006다19986≫

부동산에 대한 가압류집행 후 가압류목적물의 소유권이 제3자에게 이전된 경우 가압류의 처분금 지적 효력이 미치는 것은 가압류결정 당시의 청구금액의 한도 안에서 가압류목적물의 교환가치 이고, 위와 같은 처분금지적 효력은 가압류채권자와 제3취득자 사이에서만 있는 것이므로 제3취

정답 02 ③

득자의 채권자가 신청한 경매절차에서 매각 및 경락인이 취득하게 되는 대상은 가압류목적물 전체라고 할 것이지만, 가압류의 처분금지적 효력이 미치는 매각대금 부분은 가압류채권자가 우선적인 권리를 행사할 수 있고 제3취득자의 채권자들은 이를 수인하여야 하므로, <u>가압류채권자는 그 매각절차에서 당해 가압류목적물의 매각대금에서</u> 가압류결정 당시의 청구금액을 한도로 하여 (**먼저 = 우선**) 배당을 받을 수 있고, / 제3취득자의 채권자는 위 매각대금 중 가압류의 처분금지적 효력이 미치는 범위의 금액에 대하여는 배당을 받을 수 없다.

⑤ ≪대판 2000.7.4, 98다62961≫

[1] (「공익사업을 위한 토지 등의 취득 및 보상에 관한 법률」 제45조 제1항에 의하면) 기업자는 토지를 수용한 날에 그 소유권을 취득하며 그 토지에 관한 다른 권리는 소멸하는 것인바, 수용되는 토지에 대하여 가압류가 집행되어 있어도 토지의 수용으로 기업자가 그 소유권을 원시취득함으로써 가압류의 효력은 소멸되는 것이고, 토지에 대한 가압류가 <u>그 수용 보상금 청구권에 당연히 전이되어 그 효력이 미치게 된다고는 볼 수 없다.</u>

03 처분금지가처분에 관한 다음 설명 중 가장 옳지 않은 것은? ▸ 2023 법무사

① 피보전권리가 없음에도 불구하고 처분금지가처분 결정을 받아 이를 집행하였고, 이후 그 가처분에 따른 본안소송에서 그 가처분권자와 채무자 사이에 소송상의 화해가 이루어져 그 화해조서에 기하여 가처분권자 명의의 소유권이전등기가 경료된 이상, 그 가처분을 가지고 후에 이루어진 처분금지가처분의 권리자에게 대항할 수 있다.

② 부동산처분금지가처분등기가 유효하게 기입된 이후에도 가처분채권자의 지위만으로는 가처분 이후에 경료된 처분등기의 말소청구권은 없고, 등기관도 가처분 이후에 이루어진 가처분 위반등기를 직권으로 말소할 수 없다.

③ 아파트에 대한 분양금지 가처분결정을 받았다고 하더라도 그 가처분등기가 경료되기 이전에 가처분채무자가 그 가처분의 내용에 위반하여 처분행위를 함으로써 제3자 명의의 소유권이전등기가 마쳐진 경우, 그 소유권이전등기는 완전히 유효하다.

④ 부동산의 전득자(채권자)가 양수인 겸 전매인(채무자)에 대한 소유권이전등기청구권을 보전하기 위하여 양수인을 대위하여 양도인(제3채무자)을 상대로 처분금지가처분을 한 경우 그 가처분 후에 양수인이 양도인으로부터 경료받은 소유권이전등기는 위 가처분의 효력에 위배되지 아니하여 유효하다.

⑤ 부동산에 관하여 처분금지가처분의 등기가 된 후에 가처분권자가 본안소송에서 승소판결을 받아 확정이 되면 피보전권리의 범위 내에서 가처분 위반행위의 효력을 부정할 수 있고 이와 같은 가처분의 우선적 효력은 그 위반 행위가 체납처분에 기한 것이라 하여 달리 볼 수 없다.

해설 ① ≪대판 1994.4.29, 93다60434≫

<u>피보전권리가 없음에도 불구하고 그 권리보전이란 구실 아래 처분금지가처분</u> 결정을 받아 이를 집행한 경우에는 그 가처분 후에 그 가처분에 반하여 한 행위라도 그 행위의 효력은 그 가처분에 의하여 무시될 수 없는 것이고 이러한 경우 그 가처분에 따른 본안소송에서 그 <u>가처분권자와 채</u>

무자 사이에 소송상의 화해가 이루어져 그 화해조서에 기하여 가처분권자 명의의 소유권이전등기가 경료되었다 하더라도 이를 피보전권리의 실현에 의한 등기라고 할 수는 없으므로, 그 가처분을 가지고 후에 이루어진 (후행)처분금지가처분의 권리자에게 대항할 수 없다.

② ≪대판 1992.2.14, 91다12349≫

나. 부동산처분금지가처분등기가 유효하게 기입된 이후에도 가처분채권자의 지위만으로는 가처분 이후에 경료된 처분등기의 말소청구권은 없으며, / 나중에 가처분채권자가 본안 승소판결 **(또는 이와 동일시할 수 있는 사정이 발생한 때 예컨대, 화해, 조정, 청구의 인낙 등에 의하여 가처분채권자의 권리의 존재가 확정된 때)**에 의한 등기의 기재를 청구할 수 있게 되면서 가처분등기 후에 경료된 가처분 내용에 위반된 위 등기의 말소를 청구 할 수 있는 것이고, 또 등기공무원도 가처분 이후에 이루어진 가처분 위반등기를 직권으로 말소할 수도 없으므로 가처분 위반의 등기가 소유권이전등기시에 말소되지 아니한 채 남아 있다면 이는 말소하여야 할 등기상의 부담이라고 보아야 할 것이다.

③ ≪대판 1997.7.11, 97다15012≫

아파트에 대한 분양금지 가처분결정을 받았다고 하더라도 그 가처분은 그 집행에 해당하는 등기에 의하여 비로소 가처분채무자 및 제3자에 대하여 구속력을 갖게 되는 것이므로 그 가처분등기가 경료되기 이전에 가처분채무자가 그 가처분의 내용에 위반하여 처분행위를 함으로써 이에 따라 제3자 명의의 소유권이전등기가 마쳐진 경우, 그 소유권이전등기는 완전히 유효하다.

④ ≪대판 1994.3.8, 93다42665≫

부동산이 甲→乙→丙 순으로 순차 양도된 경우 丙이 (乙을 대위하여) 乙이 甲에 대하여 가지는 소유권이전등기청구권을 보전하기 위하여 甲을 상대로 처분금지가처분 ⇒ 甲이 乙에게 소유권이전등기 경료(유효) ⇒ 乙이 丁에게 소유권이전등기 경료(유효)

(부동산이 甲→乙→丙 순으로 순차 양도된 경우) 부동산의 전득자(채권자, 丙)가 양수인 겸 전매인(채무자, 乙)에 대한 소유권이전등기청구권을 보전하기 위하여 양수인(乙)을 대위하여 양도인(제3채무자, 甲)을 상대로 처분금지가처분결정을 받아 그 등기를 마친 경우 그 가처분은 전득자(丙)가 자신의 양수인(乙)에 대한 소유권이전등기청구권을 보전하기 위하여 양도인(甲)이 양수인(乙) 이외의 자에게 그 소유권의 이전 등 처분행위를 못하게 하는 데에 그 목적이 있는 것으로서 그 피보전권리는 양수인(乙)의 양도인(甲)에 대한 소유권이전등기청구권이고, 전득자의 양수인(乙)에 대한 소유권이전등기청구권까지 포함되는 것은 아닐 뿐만 아니라 그 가처분결정에서 제3자에 대한 처분을 금지하였다고 하여도 그 제3자 중에는 양수인(乙)은 포함되지 아니하며 따라서 그 가처분 이후에 양수인(乙)이 양도인(甲)으로부터 소유권이전등기를 넘겨 받았고 이에 터잡아 다른 등기가 경료되었다고 하여도 그 각 등기는 위 가처분의 효력에 위배되는 것이 아니다.

⑤ ≪대결 1993.2.19, 92마903≫

처분금지가처분의 등기 후 체납처분에 의한 압류등기가 되고 가처분권자가 본안소송에서 승소판결을 받아 확정되었다면 체납처분의 효력을 부정할 수 있는지 여부(적극, **가처분우위**)

부동산에 관하여 처분금지가처분의 등기가 된 후에 가처분권자가 본안소송에서 승소판결을 받아 확정이 되면 피보전권리의 범위 내에서 가처분 위반행위의 효력을 부정할 수 있고 이와 같은 가처분의 우선적 효력은 그 위반행위가 체납처분에 기한 것이라 하여 달리 볼 수 없다.

정답 ▶ 03 ①

04 보전처분의 집행 및 효력에 관한 다음 설명 중 가장 옳지 않은 것은? ▶ 2024 법무사

① 신축 중인 건물로서 아직 독립한 건물로 인정할 수 있는 단계에 이르지 않은 경우에는 부동산등기법 제66조의 미등기 부동산으로 취급할 수 없는 것은 물론이고, 독립하여 거래의 객체가 될 수 없어 유체동산 집행의 대상으로도 되지 않으므로 보전처분의 대상으로 삼을 수 없다.

② 점유이전금지가처분이 있었음에도 점유가 이전되었을 때에는 가처분채무자는 가처분채권자에 대한 관계에서 여전히 점유자의 지위에 있고, 따라서 가처분채권자는 가처분채무자의 점유상실을 고려하지 아니하고 가처분채무자를 피고로 한 채로 본안소송을 계속할 수 있다.

③ 부동산처분금지가처분과 부동산가압류는 그 내용이 서로 모순·저촉되지 않는 경우라면 경합이 가능하나, 그 내용이 모순·저촉되는 경우 효력의 우열은 집행의 선후에 의하여 결정된다.

④ 채권가압류는 채무자에 대하여 채권의 처분을 금지하는 명령을 발하지 않으므로 가압류된 채권도 이를 양도하는데 아무런 제한이 없으나, 다만 가압류된 채권을 양수받은 양수인은 그러한 가압류에 의하여 권리가 제한된 상태의 채권을 양수받는 것이다.

⑤ 채권가압류에 있어서 제3채무자의 채무자에 대한 지급금지는 집행보전을 위하여 인정된 것이므로 가압류채무자는 피압류채권의 이행기가 도래한 때에도 제3채무자를 상대로 이행의 소를 제기할 수 없고, 다만 제3채무자가 공탁을 할 수 있을 뿐이다.

[해설] ① 신축 중인 건물로서 아직 독립한 건물로 인정할 수 있는 단계에 이르지 않은 경우에는 부동산등기법 제66조의 미등기 부동산으로 취급할 수 없는 것은 물론이고, 독립하여 거래의 객체가 될 수 없어 유체동산 집행의 대상으로도 되지 않으므로(대결 1995.11.27, 95마820 참조), 보전처분의 대상으로 삼을 수 없다.

② 점유이전금지가처분이 있었음에도 점유가 이전되었을 때에는 가처분채무자는 가처분채권자에 대한 관계에서 여전히 점유자의 지위에 있고, 따라서 가처분 채권자는 가처분채무자의 점유상실을 고려하지 아니하고 가처분채무자를 피고로 한 채로 본안소송을 계속할 수 있다(대판 1966.7.26, 66다1060; 대판 1987.11.24, 87다카257). 그러나 가처분채무자가 가처분채권자가 아닌 제3자에 대한 관계에서도 점유자의 지위에 있다고 볼 수는 없다(대결 1996.6.7, 96마27).

③ 부동산가압류와 부동산처분금지가처분은 그 내용이 서로 모순, 저촉되지 않는 경우라면(가처분의 피보전권리가 제한물권의 설정청구권인 경우 등) 경합이 가능하다. 하지만 그 내용이 모순, 저촉되는 경우(가처분의 피보전권리가 소유권이전등기청구권 또는 말소등기청구권인 경우 등) 효력의 우열은 집행의 선후에 의하여 결정된다.

④ ≪대판 2000.4.11, 99다23888≫

[1] 일반적으로 채권에 대한 가압류(or **압류**)가 있더라도 이는 가압류채무자가 제3채무자로부터 현실로 급부를 추심하는 것만을 금지하는 것이므로 (추심명령이나 **전부명령이 있을 때까지**, 자기채권의 보존을 위하여) 가압류채무자는 제3채무자를 상대로 그 이행을 구하는 소송을 제기할 수 있고, [**다만 채무자가 이행소송의 승소판결을 받더라도 강제집행을 실시하여 만족을 얻을 수는 없다**(집행장애).] 가압류된 채권도 이를 양도하는 데 아무런 제한이 없으나, 다만 가압류된 채권을 양수받은 양수인은 그러한 가압류에 의하여 권리가 제한된 상태의 채권을 양수받는다고 보아야 할 것이다.

⑤ 압류 또는 가압류 된 채권이라도, (추심명령이나 전부명령이 행하여지지 않은 이상) 이를 집행권원으로 한 강제집행절차에서 압류, 현금화, 변제 중 압류 단계까지는 집행할 수 있으므로 가압류의 피보전권리가 되는데 지장이 없다(대결 2000.10.2, 2000마5221 참조). 나아가 이행의 소를 제기하여 승소판결을 받을 수도 있다. 다만 승소판결을 받더라도 압류를 제외한 강제집행(추심명령이나 전부명령)을 할 수는 없다(대판 1989.11.24, 88다카25038).

05 다음 설명 중 가장 옳지 않은 것은?

▶ 2025 법무사

① 소유권이전등기청구권이 가압류된 후 채무자가 제3채무자를 상대로 소유권이전등기청구의 소를 제기한 경우에는 법원은 가압류 해제를 조건으로 하여서만 청구를 인용할 수 있다.

② 집행채권자의 채권자가 집행권원에 표시된 집행채권을 가압류한 경우에는 가압류의 효력으로 집행채권자의 추심, 양도 등의 처분행위와 채무자의 변제가 금지되고 이에 위반되는 행위는 집행채권자의 채권자에게 대항할 수 없게 되므로 집행채권자는 채무자를 상대로 채권압류 및 전부명령이나 채권압류 및 추심명령을 신청할 수 없다.

③ 부동산소유권이전등기청구권의 가압류는 채무자 명의로 소유권을 이전하여 이에 대하여 강제집행을 할 것을 전제로 하고 있으므로 소유권이전등기청구권을 가압류하였다 하더라도 어떠한 경로로 제3채무자로부터 채무자 명의로 소유권이전등기가 마쳐졌다면 채권자는 부동산 자체를 가압류하거나 압류하면 될 것이지 등기를 말소할 필요는 없다.

④ 채권자가 채무자를 상대로 처분금지가처분결정을 받았다고 하더라도 가처분등기가 마쳐지기 전에 채무자가 그 가처분의 내용에 위반되는 처분행위를 하여 제3자 명의로 소유권이전등기 등이 마쳐졌다면 그 등기는 완전히 유효하고 위 가처분결정은 집행불능이 된다.

⑤ 가등기된 부동산소유권이전등기청구권에 대한 가압류의 기입등기가 마쳐진 후라면 가등기에 기한 본등기와 이에 터잡아 제3자 명의의 소유권이전등기가 경료되었다 하더라도 가압류채권자는 위 제3자에 대하여 위 가압류의 처분금지적 효력을 주장할 수 있다.

해설 ① ≪대판 1999.2.9, 98다42615≫

[1] **(가등기 되지 않은)** 소유권이전등기청구권에 대한 압류나 가압류는 채권에 대한 것이지 등기청구권의 목적물인 부동산에 대한 것이 아니고, 채무자와 제3채무자에게 그 결정을 송달하는 외에 현행법상 등기부에 이를 공시하는 방법이 없는 것으로서, 당해 채권자와 채무자 및 제3채무자 사이에만 효력이 있을 뿐 압류나 가압류와 관계가 없는 제3자에 대하여는 압류나 가압류의 처분금지적 효력을 주장할 수 없게 되므로, 소유권이전등기청구권의 압류나 가압류는 청구권의 목적물인 부동산 자체의 처분을 금지하는 대물적 효력은 없고, **(채권자가 제3채무자나 채무자로부터 소유권이전등기를 넘겨받은 제3자에 대하여는 취득한 등기가 원인무효라고 주장하여 말소를 청구할 수 없다.)** 또한 채권에 대한 가압류가 있더라도 이는 채무자가 제3채무자로부터 현실로 급부를 추심하는 것만을 금지하는 것이므로 채무자는 제3채무자를 상대로 그 이행을 구하는 소송을 제기할 수 있고 법원은 가압류가 되어 있음을 이유로 이를

배척할 수는 없는 것이지만, 소유권이전등기를 명하는 판결은 의사의 진술을 명하는 판결로서 이것이 확정되면 채무자는 일방적으로 이전등기를 신청할 수 있고 제3채무자는 이를 저지할 방법이 없게 되므로 위와 같이 볼 수는 없고 이와 같은 경우에는 가압류의 해제를 조건으로 하지 않는 한 법원은 이를 인용하여서는 안되는 것이며, 가처분이 있는 경우도 이와 마찬가지로 그 가처분의 해제를 조건으로 하여야만 소유권이전등기절차의 이행을 명할 수 있다.

② ≪대결 2000.10.2, 2000마5221≫

　　[2] 집행채권자의 채권자가 채무명의에 표시된 집행채권을 압류 또는 가압류, 처분금지가처분을 한 경우에는 압류 등의 효력으로 집행채권자의 추심, 양도 등의 처분행위와 채무자의 변제가 금지되고 이에 위반되는 행위는 집행채권자의 채권자에게 대항할 수 없게 되므로 집행기관은 압류 등이 해제되지 않는 한 집행할 수 없는 것이니 이는 집행장애사유에 해당한다고 할 것이다. (집행채권이 압류된 경우 집행채권자가 추심명령이나 전부명령은 신청할 수 없다.)

　　[3] (집행채권자의 채권자에 의하여) 집행채권이 압류된 경우에도 그 후 추심명령이나 전부명령이 행하여지지 않은 이상 집행채권의 채권자는 여전히 집행채권을 압류한 채권자를 해하지 않는 한도 내에서 그 채권을 행사할 수 있다고 할 것인데, 채권압류명령은 비록 강제집행절차에 나간 것이기는 하나 채권전부명령과는 달리 집행채권의 환가나 만족적 단계에 이르지 아니하는 보전적 처분으로서 집행채권을 압류한 채권자를 해하는 것이 아니기 때문에 집행채권에 대한 압류의 효력에 반하는 것은 아니라고 할 것이므로 (집행채권자의 채권자에 의한) 집행채권에 대한 압류는 집행채권자가 그 채무자를 상대로 한 채권압류명령에는 집행장애사유가 될 수 없다. (즉, 집행채권이 압류된 경우 집행채권자는 그 채무자를 상대로 압류명령은 신청할 수 있으나, 추심명령이나 전부명령은 신청할 수 없다.)

③ ≪대판(全員合議体) 1992.11.10, 92다4680≫

　　나. (가등기 되지 않은) 부동산소유권이전등기청구권의 가압류는 채무자 명의로 소유권을 이전하여 이에 대하여 강제집행을 할 것을 전제로 하고 있으므로 소유권이전등기청구권을 가압류하였다 하더라도 어떠한 경로로 제3채무자로부터 채무자 명의로 소유권이전등기가 마쳐졌다면 채권자는 부동산 자체를 가압류하거나 압류하면 될 것이지 (채무자 명의 소유권이전)등기를 말소할 필요는 없다.

④ ≪대판 1997.7.11, 97다15012≫

(가처분결정이 발령되었더라도) 그 가처분등기가 경료되기 이전에 가처분채무자가 그 가처분의 내용에 위반하여 처분행위를 함으로써 이에 따라 제3자 명의의 소유권이전등기가 마쳐진 경우, 그 소유권이전등기는 완전히 유효하다. (위 가처분결정이 집행불능이 될 따름이다.)

⑤ ≪대판 1998.8.21, 96다29564≫ 가등기된 부동산소유권이전등기청구권에 대한 가압류의 기입등기가 마쳐진 후 가등기에 기한 본등기와 이에 터잡아 제3자 명의의 소유권이전등기가 경료된 경우, 제3자 명의의 소유권이전등기가 등기된 가압류채권자에 대한 관계에서 무효인지 여부(적극)

　　[1] 부동산에 관하여 전소유자로부터 채무자 명의의 소유권이전등기가 되고 같은 날 채무자로부터 제3자가 소유권이전등기를 넘겨받기 전에 이미 가압류채권자 명의의 적법한 가압류기입등기가 되어 가압류결정이 공시되어 있었던 경우, (등기된)가압류채권자는 제3자에 대하여 위 가압류의 처분금지적 효력을 주장할 수 있다 할 것이어서, 제3자 명의의 소유권이전등기는 등기된 가압류의 채권자와의 관계에서는 무효이다.

06 보전처분의 집행 및 집행취소에 관한 다음 설명 중 가장 옳지 않은 것은? ▶ 2021 법무사

① 가압류가 본압류로 이행되기 전에 목적물의 소유권을 취득한 제3취득자가 가압류에서 본압류로 이행된 후에 본압류의 집행배제를 구하기 위해서는 가압류의 청구금액 외에, 그 가압류의 집행비용 및 본집행의 비용 중 가압류의 본압류로의 이행에 대응하는 부분까지를 변제하여야 한다.

② 가압류채무자에게 해방공탁금의 용도로 금원을 대여하여 가압류집행을 취소할 수 있도록 한 자는 특별한 사정이 없는 한 가압류채권자에 대한 관계에서 가압류해방공탁금 회수청구권에 대하여 위 대여금채권에 의한 가압류의 효력을 주장할 수 없다.

③ 가처분해제신청서가 위조되었다고 주장하는 채권자는 집행법원에 대하여 집행이의를 통하여 말소회복을 구할 수 있고, 이러한 경우 채권자가 말소된 가처분기입등기의 회복등기절차의 이행을 소구할 이익은 없다.

④ 다만 위 ③의 경우, 그 가처분기입등기가 말소될 당시 그 부동산에 관하여 소유권이전등기를 경료하고 있는 자는 법원이 그 가처분기입등기의 회복을 촉탁함에 있어서 등기상 이해관계가 있는 제3자에 해당하므로, 채권자는 그 자를 상대로 가처분기입등기의 회복절차에 대한 승낙청구의 소를 제기할 수 있다.

⑤ 가압류등기 후 제3자 앞으로 소유권이전등기가 마쳐진 부동산에 대하여, 가압류권자의 신청에 의한 강제경매절차가 진행 중 가압류해방금액 공탁으로 해당 가압류집행이 취소되어 가압류등기가 말소된 경우, 이를 이유로 강제경매개시결정을 취소할 수 있다.

> **해설** ① ≪대판 2006.11.24, 2006다35223≫
> 가압류만 되어 있을 뿐 아직 본압류로 이행되지 아니한 단계에서는 가압류채권자가 그 가압류의 집행비용을 변상받을 수 없고, 따라서 제3취득자가 가압류의 집행비용을 고려함이 없이 그 처분금지의 효력이 미치는 객관적 범위에 속하는 청구금액만을 변제함으로써 가압류의 집행의 배제를 소구할 수 있지만. / 가압류에서 본압류로 이행된 후에는「민사집행법」제53조 제1항의 적용을 받게 되므로 가압류 후 본압류로의 이행 전에 가압류의 목적물의 소유권을 취득한 제3취득자로서는 가압류의 청구금액 외에, 그 가압류의 집행비용 및 본집행의 비용 중 가압류의 본압류로의 이행에 대응하는 부분까지를 아울러 변제하여야만 가압류에서 이행된 본압류의 집행배제를 구할 수 있다.
>
> ② ≪대판 1998.6.26, 97다30820≫
> 가압류채권자의 가압류에 의하여 누릴 수 있는 이익이 (해방금액의 공탁에 의한) 가압류 집행취소에 의하여 침해되어서는 안되므로, 가압류채무자에게 해방공탁금의 용도로 금원을 대여하여 가압류집행을 취소할 수 있도록 한 자는 비록 가압류채무자에 대한 채권자라 할지라도 특별한 사정이 없는 한 가압류채권자에 대한 관계에서 가압류해방공탁금 회수청구권에 대하여 위 대여금 채권에 의한 압류 또는 가압류의 효력을 주장할 수는 없다.
>
> ③.④ ≪대판 2000.3.24, 99다27149≫
> [1] 부동산처분금지가처분의 기입등기는 채권자나 채무자가 직접 등기공무원에게 이를 신청하여 행할 수는 없고 반드시 법원의 촉탁에 의하여야 하는바, 이와 같이 당사자가 신청할 수 없는

정답   06 ⑤

처분금지가처분의 기입등기가 법원의 촉탁에 의하여 말소된 경우에는 그 회복등기도 법원의 촉탁에 의하여 행하여져야 하므로, 이 경우 처분금지가처분 채권자가 말소된 가처분기입등기의 회복등기절차의 이행을 소구할 이익은 없다.

[2] 가처분 채권자의 가처분해제신청은 가처분집행신청의 취하 내지 그 집행취소신청에 해당하는 것인바, 이러한 신청은 가처분의 집행절차를 이루는 행위이고, 그 신청이 가처분 채권자의 의사에 기한 것인지 여부는 집행법원이 조사·판단하여야 할 사항이라고 할 것이므로, 그 신청서가 위조되었다는 사유는 그 신청에 기한 집행행위, 즉 가처분기입등기의 말소촉탁에 대한 집행이의의 사유가 된다고 보아야 할 것이며, 따라서 가처분해제신청서가 위조되었다고 주장하는 가처분 채권자로서는 가처분의 집행법원에 대하여 집행이의를 통하여 말소회복을 구할 수 있을 것이고(만일 가처분기입등기의 회복에 있어서 등기상 이해관계가 있는 제3자가 있는 경우에는 그의 승낙서 또는 이에 대항할 수 있는 재판(**가처분기입등기의 회복절차에 대한 승낙청구의 소**)의 등본을 집행법원에 제출할 필요가 있다.), 그 집행이의가 이유 있다면 집행법원은 가처분기입등기의 말소회복등기의 촉탁을 하여야 한다.

⑤ ≪대결 2002.3.15. 2001마6620≫

[1] 가압류집행이 있은 후 그 가압류가 강제경매개시결정으로 인하여 본압류로 이행된 경우에 가압류집행이 본집행에 포섭됨으로써 당초부터 본집행이 있었던 것과 같은 효력이 있고, 본집행의 효력이 유효하게 존속하는 한 상대방은 가압류집행의 효력을 다툴 수는 없고 오로지 본집행의 효력에 대하여만 다투어야 하는 것이므로, 본집행이 취소 실효되지 않는 한 가압류집행이 취소되었다고 하여도 이미 그 효력을 발생한 본집행에는 아무런 영향을 미치지 않는다. (⊞ 따라서 가압류등기 후 제3자 앞으로 소유권이전등기가 마쳐진 부동산에 대하여 가압류권자의 신청에 의한 강제경매절차가 진행 중에 **가압류해방금액을 공탁**하였다고 하더라도 이를 이유로 가압류집행을 취소할 수 없고, 나아가 설령 **가압류집행취소의 결과 가압류등기가 말소**되었더라도 이를 이유로 **강제경매개시결정을 취소할 수는 없**는 것이다.)

07 보전집행의 취소에 관한 다음 설명 중 가장 옳지 않은 것은?

▸ 2024 법무사

① 채권가압류에서 채권자가 채권가압류신청을 취하하면 채권가압류결정은 그로써 효력이 소멸되지만, 채권가압류결정정본이 제3채무자에게 이미 송달되어 채권가압류결정이 집행되었다면 그 취하통지서가 제3채무자에게 송달되었을 때에 비로소 그 가압류집행의 효력이 장래를 향하여 소멸된다.

② 가압류 취하통지서가 제3채무자에게 송달되기 전에 제3채무자가 집행법원 법원사무관 등의 통지에 의하지 아니한 다른 방법으로 가압류신청취하사실을 알게 되었다면 취하통지서의 송달은 필요하지 아니하다.

③ 가압류가 본압류로 이행되어 강제집행이 이루어진 경우에는 가압류집행은 본집행에 포섭됨으로써 당초부터 본집행이 있었던 것과 같은 효력이 있게 되므로, 본집행이 되어 있는 한 채무자는 가압류에 대한 이의신청이나 취소신청 또는 가압류집행 자체의 취소 등을 구할 실익이 없다.

④ 가처분취소결정의 집행에 의하여 처분금지가처분등기가 말소된 경우 그 효력은 확정적인 것이므로, 그 이후에 당해 부동산에 관한 소유권이전등기를 경료받은 자는 그 부동산에 관하여 아무런 제한을 받지 않고 가처분 채권자에게 그 소유권 취득의 효력으로 대항할 수 있다.

⑤ 금전채권의 보전을 위하여 채무자의 금전채권에 대하여 가압류가 행하여진 경우에 그 후 채권자의 신청에 의하여 그 집행이 취소되었다면, 다른 특별한 사정이 없는 한 가압류에 의한 소멸시효 중단의 효과는 소급적으로 소멸된다.

해설 ①.② ≪대판 2008.1.17, 2007다73826≫

[1] 채권가압류에 있어서 채권자가 (**압류** or)가압류신청을 취하하면 가압류결정은 그로써 효력이 소멸되지만, 채권가압류결정정본이 제3채무자에게 이미 송달되어 가압류결정이 집행되었다면 그 취하통지서가 제3채무자에게 송달되었을 때 비로소 가압류집행의 효력이 장래를 향하여 소멸되는 것인바(대판 2001.10.12, 2000다19373 참조), 이러한 법리는 그 취하통지서가 제3채무자에게 송달되기 전에 제3채무자가 집행법원 법원사무관 등의 통지에 의하지 아니한 다른 방법으로 가압류신청 취하사실을 알게 된 경우에도 마찬가지라고 할 것이다. (**제3채무자에게 취하통지서의 송달이 필요하다.**)

③ ≪대판 2004.12.10, 2004다54725≫ (⇒ 동판례는 2024 법무사 1차시험 2문제에 지문 중복되어 출제됨)

[2] 가압류가 본압류로 이행되어 강제집행이 이루어진 경우에는 가압류집행은 본집행에 포섭됨으로써 당초부터 본집행이 있었던 것과 같은 효력이 있게 되므로, 본집행이 되어 있는 한 채무자는 가압류에 대한 이의신청이나 취소신청 또는 가압류집행 자체의 취소 등을 구할 실익이 없게 되고, 특히 강제집행조차 종료한 경우에는 그 강제집행의 근거가 된 가압류결정 자체의 취소나 가압류집행의 취소를 구할 이익은 더 이상 없다.

④ ≪대결 2008.5.7, 2008마401≫

가처분취소결정의 집행에 의하여 처분금지가처분등기가 말소된 경우 그 효력은 확정적인 것이므로, 그 이후에 당해 부동산에 관한 소유권이전등기를 경료받은 자는 그 부동산에 관하여 아무런 제한을 받지 않고 가처분 신청인에게 그 소유권 취득의 효력으로 대항할 수 있다고 할 것이고, 이와 같이 이미 계쟁 부동산에 관하여 제3자 앞으로 소유권이전등기가 경료된 경우에는 가처분 신청인은 더 이상 그 처분금지가처분명령을 신청할 이익이 없게 된다.

⑤ ≪대판 2010.10.14, 2010다53273≫

금전채권의 보전을 위하여 채무자의 금전채권에 대하여 가압류가 행하여진 경우에 그 후 채권자의 신청에 의하여 그 집행이 취소되었다면, 다른 특별한 사정이 없는 한 (**민법 제175조에 따라**) 가압류에 의한 소멸시효 중단의 효과는 소급적으로 소멸된다.

정답 **07** ②

08 다음 설명 중 가장 옳지 않은 것은?

▸ 2025 법무사

① 금전채권의 보전을 위하여 채무자의 금전채권에 대하여 가압류가 행하여진 경우에 그 후 채권자의 신청에 의하여 그 집행이 취소되었다면, 다른 특별한 사정이 없는 한 가압류에 의한 소멸시효 중단의 효과는 소급적으로 소멸된다.

② 가압류의 집행 후에 행하여진 채권자의 집행취소 또는 집행해제의 신청은 실질적으로 집행신청의 취하에 해당하고, 이는 다른 특별한 사정이 없는 한 가압류 자체의 신청을 취하하는 것과 마찬가지로 그에게 권리행사의 의사가 없음을 객관적으로 표명하는 행위로서 시효중단의 효력이 소멸한다.

③ 채권가압류취소결정의 집행으로서 집행법원이 제3채무자에게 가압류집행취소통지서를 송달한 경우 그 효력은 확정적이므로, 채권가압류결정이 제3채무자에게 송달된 상태에서 그 채권을 양수하여 확정일자 있는 통지 등에 의한 대항요건을 갖춘 채권양수인은 위와 같이 가압류집행취소통지서가 제3채무자에게 송달된 이후에는 더 이상 처분금지효의 제한을 받지 않고 아무런 부담이 없는 채권 취득의 효력을 가압류채권자에게 대항할 수 있다.

④ 가압류취소결정의 집행이 완료되었다 하더라도 이후 항고심에서 가압류취소결정을 취소하여 가압류결정을 인가하였다면 이미 취소된 가압류집행은 소급하여 부활하게 된다.

⑤ 채권압류의 효력발생 전에 채무자가 채권을 처분한 경우에는 그보다 먼저 압류한 채권자가 있어 그 채권자에게는 대항할 수 없는 사정이 있더라도 처분 후에 집행에 참가하는 채권자에 대하여는 처분의 효력을 대항할 수 있는 것이므로, 채무자가 압류 또는 가압류의 대상인 채권을 양도하고 확정일자 있는 통지 등에 의한 채권양도의 대항요건을 갖추었다면, 그 후 채무자의 다른 채권자가 양도된 채권에 대하여 압류 또는 가압류를 하더라도 압류 또는 가압류 당시에 피압류채권은 이미 존재하지 않는 것과 같아 압류 또는 가압류로서의 효력이 없다.

> **해설** ①,② ≪대판 2010.10.14, 2010다53273≫
>
> 금전채권의 보전을 위하여 채무자의 금전채권에 대하여 가압류가 행하여진 경우에 그 후 채권자의 신청에 의하여 그 집행이 취소되었다면, 다른 특별한 사정이 없는 한 **(민법 제175조에 따라)** 가압류에 의한 소멸시효 중단의 효과는 소급적으로 소멸된다. 민법 제175조는 가압류가 '권리자의 청구에 의하여 취소된 때에는' 소멸시효 중단의 효력이 없다고 정한다.
>
> 가압류의 집행 후에 행하여진 채권자의 집행취소 또는 집행해제의 신청은 실질적으로 집행신청의 취하에 해당하고, 이는 다른 특별한 사정이 없는 한 가압류 자체의 신청을 취하하는 것과 마찬가지로 그에게 권리행사의 의사가 없음을 객관적으로 표명하는 행위로서 위 법 규정에 의하여 시효중단의 효력이 소멸한다고 봄이 상당하다.
>
> ③,④ ≪대판 2022.1.27, 2017다256378≫
>
> [1] 채권가압류취소결정의 집행으로서 집행법원이 제3채무자에게 가압류집행취소통지서를 송달한 경우 그 효력은 확정적이므로, 채권가압류결정이 제3채무자에게 송달된 상태에서 그 채권을 양수하여 확정일자 있는 통지 등에 의한 대항요건을 갖춘 채권양수인은 위와 같이 가압류집행취소통지서가 제3채무자에게 송달된 이후에는 더 이상 처분금지효의 제한을 받지 않고 아무런 부담이 없는 채권 취득의 효력을 가압류채권자에게 대항할 수 있게 된다(대법원 2017.10.19.자 2015마1383 결정 참조).

위와 같이 가압류취소결정의 집행이 완료된 이상 그 이후 항고심에서 가압류취소결정을 취소하여 가압류결정을 인가하였다고 하더라도, 이미 취소된 가압류집행이 소급하여 부활하는 것은 아니므로, 채권양수인이 아무런 부담이 없는 채권 취득의 효력을 가압류채권자에게 대항할 수 있음은 마찬가지이다(대법원 1968.9.17, 선고 68다1118 판결 참조).
(팁) ① 채권가압류 ⇒ ② 채권양도 ⇒ ③ 채권가압류취소 및 집행취소 ⇒ ④ 채권가압류취소결정 취소)

⑤ ≪대판 2010.10.28, 2010다57213,57220≫ (⇒ 동판례는 2025 법무사 1차시험 2문제에 지문 중복되어 출제됨)

채권압류의 효력발생 전에 채무자가 그 채권을 처분한 경우에는 그보다 [1]먼저 압류한 채권자가 있어 그 채권자에게는 대항할 수 없는 사정이 있더라도 그 처분 후에 집행에 참가하는 채권자에 대하여는 처분의 효력을 대항할 수 있는 것이므로, 채무자가 압류 또는 가압류의 대상인 [2]채권을 양도하고 확정일자 있는 통지 등에 의한 채권양도의 대항요건을 갖추었다면, 그 후 채무자의 다른 채권자가 그 양도된 채권에 대하여 [3]압류 또는 가압류를 하더라도 그 압류 또는 가압류 당시에 피압류채권은 이미 존재하지 않는 것과 같아 압류 또는 가압류로서의 효력이 없고, 따라서 그 (채무자의) 다른 채권자는 압류 등에 따른 집행절차에 참여할 수 없다.

09 가압류가 본압류로 이전된 경우에 관한 다음 설명 중 가장 옳지 않은 것은? ▸ 2025 법무사

① 가압류집행이 있은 후 그 가압류가 본압류로 이전된 경우에는 가압류집행은 본집행에 포섭됨으로써 당초부터 본집행이 있었던 것과 같은 효력이 있다. 따라서 본집행이 되어 있는 한 채무자는 가압류에 대한 이의신청이나 취소신청 또는 가압류집행 자체의 취소 등을 구할 실익이 없게 된다.

② 가압류한 지명채권에 대하여 가압류에서 본압류로 이전하는 내용의 주문이 누락된 채 압류 및 추심명령이 발령되었다 하더라도, 가압류 및 압류·추심의 당사자 사이에 서로 동일성이 인정되고 가압류의 피보전채권과 압류·추심의 집행채권 사이 및 가압류 대상 채권과 압류·추심 대상채권 사이에 서로 동일성이 인정되는 경우에는, 해당 가압류는 본압류로 이전되는 효력이 생긴다.

③ 가압류를 본압류로 이전하는 압류 및 추심명령을 받아 본집행절차로 이행한 후 본압류의 신청을 취하함으로써 본집행절차가 종료한 경우, 가압류집행의 효력이 본집행과 함께 소멸되었으므로 채권자는 제3채무자에 대하여 그 가압류집행의 효력을 주장할 수 없다.

④ 가압류와 그 본집행인 강제집행절차는 하나의 목적을 위한 일련의 절차로서 일체를 이루는 것이므로 일단 가압류가 본집행으로 이전된 후 채무자가 청구이의 소송에서 승소함으로써 본집행절차가 종국적으로 취소된 경우에는 가압류절차도 본집행절차와 함께 효력을 상실한다.

⑤ 주택임대차보호법상 대항력을 갖춘 임차인의 임대차보증금반환채권이 가압류된 상태에서 임대주택이 양도되면 양수인이 채권가압류의 제3채무자의 지위를 승계하고, 가압류권자 또한 임대주택의 양도인이 아니라 양수인에 대하여만 위 가압류의 효력을 주장할 수 있다.

해설 ① ≪대판 2004.12.10, 2004다54725≫

[2] 가압류가 본압류로 이행되어 강제집행이 이루어진 경우에는 가압류집행은 본집행에 포섭됨으로써 당초부터 본집행이 있었던 것과 같은 효력이 있게 되므로, 본집행이 되어 있는 한 채무자는 가압류에 대한 이의신청이나 취소신청 또는 가압류집행 자체의 취소 등을 구할 실익이 없게 되고, 특히 강제집행조차 종료한 경우에는 그 강제집행의 근거가 된 가압류결정 자체의 취소나 가압류집행의 취소를 구할 이익은 더 이상 없다.

② ≪대판 2010.10.14, 2010다48455≫

[2] 가압류한 지명채권에 대하여 가압류에서 본압류로 전이하는 내용의 주문이 누락된 채 압류 및 추심명령이 발령되었다 하더라도, 가압류 및 압류·추심의 당사자 사이에 서로 동일성이 인정되고, 가압류의 피보전채권과 압류·추심의 집행채권 사이 및 가압류 대상 채권과 압류·추심 대상 채권 사이에 서로 동일성이 인정되는 경우에는, 해당 가압류는 특별한 사정이 없는 한 당연히 본압류로 이전되는 효력이 생긴다.

③ ≪대판 2000.6.9, 97다34594≫

채권자가 금전채권의 가압류를 본압류로 전이하는 압류 및 추심명령을 받아 본집행절차로 이행한 후 본압류의 신청만을 취하함으로써 본집행절차가 종료한 경우, 특단의 사정이 없는 한 그 가압류집행에 의한 보전 목적이 달성된 것이라거나 그 목적 달성이 불가능하게 된 것이라고는 볼 수 없으므로 그 가압류집행의 효력이 본집행과 함께 당연히 소멸되는 것은 아니라고 할 것이니, 채권자는 제3채무자에 대하여 그 가압류집행의 효력을 주장할 수 있다.

④ ≪대결 1980.6.26, 80마146≫

가압류와 강제집행의 효력은 연속일체를 이루게 되는 것이므로 본집행인 강제집행절차가 집행목적 달성이 불가능하게 되어 종료된 경우(**예 본집행인 강제집행절차가 남을 가망이 없어 취소된 경우, 채무자가 청구이의소송에서 승소함으로써 본집행절차가 종국적으로 취소된 경우 등**)에는 그에 선행한 가압류집행도 (**함께**) 그 효력을 상실한다.

⑤ ≪대판(**全員合議体**) 2013.1.17, 2011다49523≫ (**다수의견**)

(「**주택임대차보호법**」 소정의 대항력을 갖춘) 임차인의 임대차보증금반환채권이 가압류된 상태에서 임대주택이 양도되면 양수인이 채권가압류의 제3채무자의 지위도 승계하고, 가압류권자 또한 임대주택의 양도인이 아니라 양수인에 대하여만 위 가압류의 효력을 주장할 수 있다.

10 보전처분집행의 불복에 관한 다음 설명 중 가장 옳지 않은 것은?　　▸2025 법무사

① 부대체적 작위채무의 이행을 명하는 가처분결정과 동시에 이루어진 간접강제결정에 대한 즉시항고도 민사집행법상의 즉시항고이므로 그에 관한 항고법원의 결정에 대한 재항고절차에는 민사집행법상의 즉시항고와 재항고에 관한 규정이 적용된다.

② 동산에 대한 가처분결정에 기재한 다툼의 대상물 표시방법에 의하여는 그 대상물이 충분히 특정되어 있지 아니함에도 불구하고 집행관에 의한 집행처분이 이루어진 경우, 채무자는 집행에 관한 이의를 통하여 집행취소를 구할 수 있다.

③ 사망자를 상대로 한 부동산가압류결정에 기한 가압류집행에 대해서는 그 집행 이후 소유권을 취득한 제3자도 채권자에 대하여 그 소유권 취득을 주장하여 대항할 수 있으므로 제3자이의의 소에 의하여 집행배제를 구할 수 있다.

④ 점유이전금지가처분의 대상이 된 목적물의 소유자가 그 의사에 기하여 가처분채무자에게 직접점유를 하게 한 경우, 소유자는 간접점유자로서 위 점유이전금지가처분의 집행에 대하여 제3자이의의 소를 제기할 수 있다.

⑤ 서로 모순·저촉되는 점유이전금지가처분집행이 경합된 경우 선행 가처분채권자는 제3자이의의 소를 제기할 수도 있고 집행에 관한 이의로 후행 가처분집행의 배제를 구할 수도 있다.

[해설] ① ≪대결 2008.4.25, 2008마228≫

간접강제결정에 대한 즉시항고(「민사집행법」 제261조 제2항)도 「민사집행법」상의 즉시항고이므로 그에 관한 항고법원의 결정에 대한 재항고절차에 있어서는 「민사집행법」상의 즉시항고와 재항고에 관한 규정이 준용된다고 할 것이다.

② 동산에 대한 가처분집행이 그 대상물을 전혀 특정되지 아니한 채 이루어진 경우 집행관의 집행처분은 무효이나 형식적인 집행처분이 존재하고 있으므로 상대방은 집행에 관한 이의를 통하여 무효확인을 구하는 취지의 집행취소를 구할 수 있다(대결 1999.5.13, 99마230).

≪대결 1999.5.13, 99마230≫

[1] 계쟁물에 관한 가처분은 그 피보전권리가 특정물에 관한 이행청구권이므로 이러한 가처분의 결정 및 집행에 있어서는 그 대상 목적물인 계쟁물이 명확히 특정되어야 한다.

[2] 신청인 회사가 상대방 회사가 보관중인 자사의 제품에 대한 가처분을 신청하면서 그 대상 물건을 품목, 규격, 수량, 가격 등으로만 표시하여 가처분결정도 이와 같은 방식으로 목적물을 표시하였으나, 상대방 회사의 소재지에 다른 회사의 제품으로서 위 가처분 목적물로 표시된 것과 동일한 명칭과 규격을 가진 제품이 혼합되어 있는 경우, 위 가처분결정은 계쟁물이 특정되어 있지 않은 경우로서 그에 따른 집행관의 집행처분은 무효라고 볼 수밖에 없다.

③ ≪대판 1982.10.26, 82다카884≫

[3] 가압류결정시까지 이 사건 부동산에 관하여 원고 명의의 소유권이전등기가 경료되지 않았으나, 피고의 가압류신청이 사망자를 상대로 한 것이라면 사망자 명의의 그 가압류결정은 무효라고 할 것이고 따라서 무효의 가압류결정에 기한 가압류집행에 대해서는 그 집행이후 소유권을 취득한 원고도 그 집행채권자인 피고에 대하여 그 소유권취득을 주장하여 대항할 수 있다고 할 것이므로 원고는 제3자이의 소에 의하여 위 집행의 배제를 구할 수 있다.

정답　　**10 ④**

④ ≪대판 2002.3.29, 2000다33010≫

(유체동산의 직접점유자를 가처분채무자로 하는) 점유이전금지가처분의 대상이 된 목적물의 소유자가 그 의사에 기하여 가처분채무자에게 직접점유를 하게 한 경우에는 그 점유에 관한 현상을 고정시키는 것만으로 소유권이 침해되거나 침해될 우려가 있다고 할 수는 없고 소유자의 간접점유권이 침해되는 것도 아니라고 할 것이며, 따라서 간접점유자에 불과한 소유자는 직접점유자를 가처분채무자로 하는 점유이전금지가처분의 집행에 대하여 제3자이의의 소를 제기할 수 없다.

⑤ ≪대결 1981.8.29, 81마86≫ [모순·저촉되는 점유이전금지가처분집행의 경합과 이에 대한 구제수단]

건물에 대한 채무자 갑의 점유를 풀고 집달관에게 보관시킨 다음 갑의 청구에 따라 갑에게 그 사용을 허락하는 점유이전금지가처분(제1차 가처분)이 집행된 후에 다른 당사자사이의 별개의 가처분신청사건에서 같은 건물에 대하여 그 사건 채무자 을의 점유를 풀고 집달관에게 보관시킨 다음 이를 을에게 사용을 허락하는 점유이전금지가처분(제2차 가처분)이 다시 집행된 경우에는 그 두 개의 가처분은 비록 당사자는 서로 다르다 할지라도 각기 서로 다른 채무자에게 동일 건물의 사용을 허락한 한도내에서 모순 저촉된다고 할 것이므로 위 제2차 가처분의 집행은 불허되어야 할 것인바 이때 제1차 가처분채권자는 실체법상의 권리에 기하여 제3자 이의의 소를 제기할 수도 있고, 집행방법에 관한 이의로서 제2차 가처분집행의 배제를 구할 수도 있다.

11. 보전집행에 관한 다음 설명 중 가장 옳지 않은 것은?

▶ 2024 법무사

① 무효가 아닌 가처분등기 경료 후 가처분목적물에 대한 소유권을 취득한 사람은 집행법원에 가처분결정취소나 집행취소신청을 하여 그 결정을 받아 가처분등기를 말소시킬 수 있을 뿐, 곧바로 가처분등기 자체의 말소를 소구할 수는 없다.

② 가압류집행이 본집행절차로 이행한 후 본집행의 신청만을 취하함으로써 본집행절차가 종료된 경우나 채무자가 청구이의 소송에서 승소함으로써 본집행절차가 종국적으로 취소된 경우는 보전집행의 효력이 그대로 살아나서 보전집행상태가 유지된다.

③ 채무자가 가처분재판이 고지되기 전부터 가처분재판에서 명한 부작위에 위반되는 행위를 계속하고 있는 경우 가처분결정이 채권자에게 고지된 날부터 2주 이내에 간접강제를 신청하여야 한다.

④ 대법원에서 보전처분취소결정을 취소·변경함으로써 그 보전처분에 관하여 새로운 집행이 필요하게 된 때에는 법원이 집행기관이 되는 경우에 한하여 채권자의 신청에 따라 제1심법원이 집행한다.

⑤ 보전재판의 집행은 채무자에게 재판을 송달하기 전에도 할 수 있고, 보전재판이 있은 뒤에 채권자나 채무자의 승계가 이루어진 경우에 보전재판을 집행하려면 집행문을 덧붙여야 한다.

해설 ① ≪대판 1976.3.9, 75다1923,1924≫

[부동산에 대한 가압류등기가 무효라면 부동산소유자는 가압류채권자를 상대로 그 가압류등기의 말소청구를 할 수 있지만(대판 1988.10.11, 87다카2136),]

(무효가 아닌) 가처분등기경료 후 가처분 목적물에 대한 소유권 (제3)취득자는 집행법원에 가처

분결정의 취소나 집행취소 신청을 하여 그 결정을 받아 이를 원인증서로 하여야 하고 막바로 가처분등기 자체의 말소를 소구할 수 없고 이러한 이치는 가등기후에 한 가처분등기로서 가등기에 기하여 본등기를 한 권리자에게 대항할 수 없는 경우에도 마찬가지이다.

② ≪대판 2000.6.9, 97다34594≫

채권자가 금전채권의 가압류를 본압류로 전이하는 압류 및 추심명령을 받아 본집행절차로 이행한 후 본압류의 신청만을 취하함으로써 본집행절차가 종료한 경우, 특단의 사정이 없는 한 그 가압류집행에 의한 보전 목적이 달성된 것이라거나 그 목적 달성이 불가능하게 된 것이라고는 볼 수 없으므로 그 가압류집행의 효력이 본집행과 함께 당연히 소멸되는 것은 아니라고 할 것이니, 채권자는 제3채무자에 대하여 그 가압류집행의 효력을 주장할 수 있다.

≪대결 1980.6.26, 80마146≫

가압류와 강제집행의 효력은 연속일체를 이루게 되는 것이므로 본집행인 강제집행절차가 집행목적 달성이 불가능하게 되어 종료된 경우(**예 본집행인 강제집행절차가 남을 가망이 없어 취소된 경우, 채무자가 청구이의소송에서 승소함으로써 본집행절차가 종국적으로 취소된 경우** 등)에는 그에 선행한 가압류집행도 **(함께)** 그 효력을 상실한다.

③ ≪대결 2010.12.30, 2010마985≫

[2] 채무자에 대하여 단순한 부작위를 명하는 가처분은 그 가처분 재판이 채무자에게 고지됨으로써 효력이 발생하는 것이지만, 채무자가 그 명령 위반의 행위를 한 때에 비로소 간접강제의 방법에 의하여 부작위 상태를 실현시킬 필요가 생기는 것이므로 그때부터 2주 이내에 간접강제를 신청하여야 함이 원칙이고, / 다만 채무자가 가처분 재판이 고지되기 전부터 가처분 재판에서 명한 부작위에 위반되는 행위를 계속하고 있는 경우라면, 그 가처분결정이 채권자에게 고지된 날부터 2주 이내에 간접강제를 신청하여야 하고, 그 집행기간이 지난 후의 간접강제 신청은 부적법하다.

④ 법 제298조(가압류취소결정의 취소와 집행)

① 가압류의 취소결정을 상소법원이 취소한 경우로서 법원이 그 가압류의 집행기관이 되는 때에는 그 취소의 재판을 한 상소법원이 직권으로 가압류를 집행한다.

② 제1항의 경우에 그 취소의 재판을 한 상소법원이 대법원인 때에는 채권자의 신청에 따라 제1심법원이 가압류를 집행한다.

⑤ 법 제292조(집행개시의 요건)

① 가압류에 대한 재판이 있은 뒤에 채권자나 채무자의 승계가 이루어진 경우에 가압류의 재판을 집행하려면 집행문을 덧붙여야 한다.

② 가압류에 대한 재판의 집행은 채권자에게 재판을 고지한 날부터 2주를 넘긴 때에는 하지 못한다.

③ 제2항의 집행은 채무자에게 재판을 송달하기 전에도 할 수 있다.

보전처분에 대한 채무자의 구제

01 보전처분에 대한 채무자의 구제에 관한 다음 설명 중 가장 옳지 않은 것은? ▶ 2022 법무사

① 부동산에 대한 가압류결정이 있고 그에 기한 가압류등기가 마쳐진 후 해당 가압류에 기한 집행절차가 아닌 경매절차에서 부동산이 매각되어 가압류등기가 직권으로 말소되더라도 가압류결정의 효력은 그대로 남아 있게 되므로 채무자나 이해관계인은 가압류집행의 존속 여부에 관계없이 가압류결정이 유효하게 존재하고 그 신청의 이익이 있는 한 민사집행법 제288조 제1항 제3호에 의한 가압류취소신청을 할 수 있다.

② 가압류신청에서 채권액보다 지나치게 과다한 금액을 주장하여 그 청구금액대로 가압류결정이 된 경우, 본안판결에서 피보전권리가 없는 것으로 확인된 범위 내에서는 가압류채권자의 고의·과실이 추정된다.

③ 토지에 대한 부당한 가압류집행으로 그 지상에 건물을 신축하는 내용의 공사도급계약이 해제됨으로 인한 손해는 특별손해이므로 가압류채권자가 토지에 대한 가압류집행이 그 지상 건물 공사도급계약의 해제사유가 된다는 특별한 사정을 알았거나 알 수 있었을 때에 한하여 배상의 책임이 있다.

④ 보전처분의 신청을 인용한 결정에 대하여 채무자는 그 보전처분을 발한 법원에 이의를 신청할 수 있을 뿐이고, 그 인용결정이 항고법원에 의하여 행하여진 경우라 하더라도 이에 대하여 즉시항고나 재항고로는 다툴 수 없다.

⑤ 특별한 사정이 없더라도 보전처분에 대한 이의절차에서 채권자가 신청 취지를 확장하거나 변경하는 것은 허용된다.

해설 ① ≪대결 2019.5.17, 2018마1006≫

[1] 부동산에 대한 가압류결정이 있고 그에 기한 가압류등기가 마쳐진 후, 해당 가압류에 기한 집행절차가 아닌 경매절차에서 부동산이 매각되어 가압류등기가 직권으로 말소되더라도, 가압류결정의 효력은 그대로 남아 있게 된다. 따라서 채무자나 이해관계인은 가압류집행의 존속 여부에 관계없이 가압류결정이 유효하게 존재하고 그 신청의 이익이 있는 한 민사집행법 제288조 제1항 제3호('가압류가 집행된 뒤에 3년간 본안의 소를 제기하지 아니한 때')에 의한 가압류취소신청을 할 수 있다.

② ≪대판 1999.9.3, 98다3757≫

[1] 가압류신청에서 채권액보다 지나치게 과다한 가액을 주장하여 그 가액대로 가압류 결정이 된 경우 본안 판결에서 피보전권리가 없는 것으로 확인된 부분의 범위 내에서는 가압류채권자의 고의·과실이 추정되고 다만 특별한 사정이 있으면 고의·과실이 부정된다.

③ ≪대판 2008.6.26, 2006다84874≫

[1] 토지에 대한 부당한 가압류의 집행으로 그 지상에 건물을 신축하는 내용의 공사도급계약이 해제됨으로 인한 손해는 특별손해이므로, 가압류채권자가 토지에 대한 가압류집행이 그 지상

건물 공사도급계약의 해제사유가 된다는 특별한 사정을 알았거나 알 수 있었을 때에 한하여 배상의 책임이 있다.

④ ≪대결 2008.5.13, 2007마573≫
가압류신청이나 가처분신청을 인용한 결정에 대하여는 채무자나 피신청인은 「민사집행법」 제283조, 제301조에 의하여 그 보전처분을 발한 법원에 이의를 신청할 수 있을 뿐이고, 그 인용결정이 항고법원에 의하여 행하여진 경우라 하더라도 이에 대하여 「민사소송법」 제442조에 의한 재항고나 같은 법 제444조의 즉시항고로는 다툴 수 없다.

⑤ ≪대결 2010.5.27, 2010마279≫
특별한 사정이 없는 한 가처분에 대한 이의절차에서 채권자가 신청취지를 확장하거나 변경하는 것은 허용될 수 없다.

02 부당한 보전처분과 손해배상에 관한 다음 설명 중 가장 옳지 않은 것은? ▸ 2023 법무사

① 가압류집행 후에 집행채권자가 본안소송에서 패소 확정되었다면 특별한 반증이 없는 한 집행채권자는 채무자에게 그 부당한 집행으로 인한 손해를 배상하여야 하는데, 만일 가압류채무자가 가압류 이후 가압류청구금액을 공탁하고 그 집행취소결정을 받았다면 가압류채무자는 적어도 위 가압류집행으로 인하여 위 공탁금에 대한 민사법정이율 상당 이자와 공탁금이율 상당 이자의 차액 상당의 손해를 입었다고 할 것이다.

② 가압류채권자가 본안소송에서 패소하여 그의 과실이 추정되더라도 패소 확정된 금액에 관해서 제1심은 이를 인용하였으나 항소심에서 결론을 달리한 사정이 인정되고, 가압류채무자가 업무상배임죄로 유죄판결을 받았다거나 사실관계 및 소송의 경과가 복잡하였다는 등의 사정이 있으면 부당 보전처분에 대한 가압류채권자의 과실 추정이 번복된다.

③ 본안소송에서 패소확정된 처분금지가처분의 집행채권자인 피고가 그 신청이유로서 주장한 피보전권리의 존부가 사실관계의 차이에 의한 것이 아니라 원고와 소외인 사이의 화해조서의 기판력 범위에 관한 법적해석 내지는 평가상의 차이에 기인한 것이고, 그에 대한 피고의 법적 견해가 가처분 법원과 본안소송의 제2심에서 인용된 바 있었다면 피고가 피보전권리가 있다고 믿었음에 과실이 있다고 할 수 없다.

④ 운송 도중 화재로 운송물이 전소된 데 대하여 화주가 운송인을 상대로 손해배상청구권을 피보전권리로 한 가압류집행을 하고 본안소송이 대법원에서 파기환송되자 소를 취하하였지만, 그 사유가 실화책임에 관한 법률 소정의 "중대한 과실" 유무에 대한 법적 해석 및 평가상의 차이에 기인한 것이라면 부당가압류로 인한 손해배상책임이 있다고 할 수는 없다.

⑤ 사용금지가처분의 집행을 받은 자가 제3자이의의 소를 제기하여 제1심에서 그 가처분집행을 불허하는 취지의 승소판결과 가집행의 선언이 있었음에도 불구하고 집행정지나 가처분에 대한 해제조치를 취하지 않음으로써 손해가 증대되었다면 과실상계를 하여야 한다.

정답   01 ⑤   02 ②

해설 ① ≪대판 1992.9.25, 92다8453≫

[1] 가압류나 가처분 등 보전처분은 법원의 재판에 의하여 집행되는 것이기는 하나 그 실체상 청구권이 있는지 여부는 본안소송에 맡기고 단지 소명에 의하여 채권자의 책임하에 하는 것이므로, 그 집행 후에 집행채권자가 본안소송에서 패소확정되었다면 그 보전처분의 집행으로 인하여 채무자가 입은 손해에 대하여는 특별한 반증이 없는 한 집행채권자에게 고의 또는 과실이 있다고 추정되고, 따라서 그 부당한 집행으로 인한 손해에 대하여 이를 배상하여야할 책임이 있다.

[2] 가압류채무자가 가압류 이후 가압류청구금액을 공탁하고 그 집행취소결정을 받았다면, 가압류채무자는 적어도 위 가압류집행으로 인하여 위 공탁금에 대한 민사법정이율인 연 5푼 상당의 이자와 공탁금이율인 연 1푼(연 1천분의 1) 상당 이자의 차액 상당의 손해를 입었다고 할 것이다.

② ≪대판 1999.9.3, 98다3757≫

[2] 가압류채권자가 본안소송에서 패소하여 그의 과실이 추정되는 경우, 패소 확정된 금액에 관해서 제1심은 이를 인용하였으나 항소심에서 결론을 달리한 사정이 있기는 하지만 그 금액은 가압류채권자에게 귀책사유 있는 잘못된 충당행위로 인한 손해임이 본안소송에서 이미 확정된 이상 가압류채무자가 업무상배임죄로 유죄판결을 받았다거나 사실관계 및 소송의 경과가 복잡하였다는 사정만으로 부당 보전처분에 대한 가압류채권자의 과실 추정이 번복되지는 않는다고 본 사례

③ ≪대판 1980.11.25, 80다730≫

나. 본안소송에서 패소확정된 처분금지가처분의 집행채권자인 피고가 그 신청이유로서 주장한 피보전권리의 존부가 사실관계의 차이에 의한 것이 아니라 원고와 소외인 사이의 화해조서의 기판력 범위에 관한 법적해석 내지는 평가상의 차이에 기인된 것이고 피고의 그에 대한 법적 견해가 가처분법원과 본안소송의 제2심에서 인용된 바 있었다면 피고가 피보전권리가 있다고 믿었음에 과실이 있다고 할 수 없다.

④ ≪대판 1993.3.23, 92다49454≫

운송 도중 화재로 운송물이 전소된 데 대하여 화주가 운송인을 상대로 손해배상청구권을 피보전권리로 한 가압류집행을 하고 본안소송이 대법원에서 파기환송되자 소를 취하하였지만, 그 사유가 실화책임에관한법률 소정의 "중대한 과실" 유무에 대한 법적 해석 및 평가상의 차이에 기인한 것이라고 보아 부당가압류로 인한 손해배상책임을 부정한 사례

⑤ ≪대판 1970.11.30, 70다2218≫

나. 사용금지가처분의 집행을 받은 채무자가 제3자이의의 소를 제기하여 제1심에서 그 가처분집행을 불허하는 취지의 승소판결과 가집행의 선언이 있었음에도 불구하고 집행정지나 가처분에 대한 해제조치를 취하지 않음으로써 손해가 증대되었다면 채권자에게도 과실이 있다 할 것이므로 그 과실상계를 해야 한다.

03 보전명령에 대한 이의에 관한 다음 설명 중 가장 옳지 않은 것은? ▶ 2021 법무사

① 이의절차에서 심리의 대상이 되는 것이 보전처분신청의 당부인가 보전명령의 당부인가에 관하여 논의가 있으나, 보전처분신청의 당부를 심리·판단하여 달라는 신청으로 보는 것이 통설 및 실무례이고, 판단의 기준시도 보전처분시가 아닌 이의소송의 심리종결시이다.

② 이의신청은 보전절차 내에서 채무자에게 주어진 소송법상의 불복신청방법이므로 채무자의 특정승계인은 직접 자기 이름으로 이의신청을 할 수는 없고, 참가승계의 절차를 거쳐 승계인으로서 이의신청을 할 수 있을 뿐이다.

③ 가처분결정에 대하여 채무자의 이의가 있으면 법원은 변론을 하기 위하여 쌍방 당사자를 소환하여야 하는 것이고, 그 소송절차에서 가처분채권자가 적극당사자가 되고 가처분채무자가 소극당사자가 되는 것이므로, 가처분채무자가 가처분채권자의 주소를 확인하여 보정할 의무를 지는 것은 아니다.

④ 이의절차는 보전처분이 이미 발령되어 재산의 처분 등이 제한된 채무자를 위하여 인정된 불복절차로서, 특별한 사정이 없는 한 보전명령에 대한 이의절차에서 채권자가 신청 취지를 확장하거나 변경하는 것은 허용될 수 없다.

⑤ 당사자가 권리 없음이 명백한 피보전권리를 내세워 가압류 신청을 한 것이라는 등의 특별한 사정이 없는 한, 이의절차에서도 청구의 기초에 변경이 없는 범위 내에서는 피보전권리를 변경할 수 있다. 그러나 변경에 의하여 추가되는 권리가 가압류의 재판 당시 아직 발생하지 않았다면 이를 피보전권리로 변경할 수 없다.

해설 ① 보전처분에 대한 이의는 같은 심급에서의 불복신청으로서 변론 또는 당사자 쌍방이 참여할 수 있는 심문을 거쳐 다시 보전처분신청의 당부를 심리 판단하여 달라는 신청으로 보는 것이 통설 및 실무례이다(다만, 심리의 대상이 보전처분재판의 당부라고 한 판례도 있다). 따라서 판단의 기준시도 보전처분시가 아닌 <u>이의소송의 심리종결시이다</u>(대판 1978.2.14, 77다938).

② ≪대판 1970.4.28, 69다2108≫
「민사소송법」 제703조, 715조에 의하여 가처분결정에 대한 이의신청을 할 수 있는 자는 채무자와 그 <u>일반승계인(O)</u>이라야만 하고 <u>특정승계인(×)</u>도 (직접 **자기 이름으로 직접 또는 채무자를 대위하여 이의신청을 할 수는 없고**, 다만,) 같은법 제74조(**제81조**)에 의한 <u>참가승계(O)</u>를 하면 <u>이의신청을 할 수 있다</u>고 할 것이나 이 이외의 3자는 가처분에 대하여 사실상의 이해관계가 있다 하더라도 이의를 신청할 적격이 없다.

③ ≪대판 1992.4.14, 92다3441≫
가. 가처분결정에 대하여 채무자의 이의가 있으면 법원은 변론을 하기 위하여 쌍방 당사자를 소환하여야 하는 것이고, 그 소송절차에서 가처분신청인(**채권자**)이 적극당사자가 되고 피신청인(**채무자**)이 소극당사자가 되는 것이므로, 피신청인(**채무자**)이 신청인(**채권자**)의 주소를 확인하여 보정할 의무를 지는 것은 아니다.

정답   **03** ⑤

④ ≪대결 2010.5.27, 2010마279≫
가처분에 대한 이의절차는 가처분이 이미 발령되어 재산의 처분 등이 제한된 채무자를 위하여 인정된 불복절차로서, 특별한 사정이 없는 한 가처분에 대한 이의절차에서 채권자가 신청취지를 확장하거나 변경하는 것은 허용될 수 없다.

⑤ ≪대판 1982.3.9, 81다1221≫
가처분이의절차에서도 청구의 기초에 변경이 없는 한 (**채권자는**) 신청이유의 피보전권리를 변경할 수 있다. 따라서 소유권이전등기말소 청구권을 피보전권리로 하여 처분금지가처분결정을 받은 다음 청구의 기초에 변경이 없는 범위 안에서 그 가처분이의절차에서 가처분신청이유에 예비적으로 시효취득에 인한 소유권이전등기 청구권을 추가할 수 있다.

≪대판 1996.2.27, 95다45224≫
[2] 가압류이의 재판의 **변론(심리)**종결시까지 피보전권리의 요건이 구비된 이상 가압류를 인가할 필요가 있으므로, 변경에 의하여 피보전권리로 추가되는 권리가 가압류의 재판 당시 아직 발생하지 아니한 권리라 하더라도 이를 (**신청이유의**) 피보전권리로 변경할 수 있으며, 그 사이에 제3자가 가압류 목적물에 법률상의 이해관계를 가지게 되었다 하더라도 어차피 그 제3자는 가압류에 의한 권리제한이 있음을 전제로 하고 권리를 취득한 것이므로, 그 경우라고 해서 이와 달리 볼 수는 없다.

04 보전처분에 대한 이의에 관한 다음 설명 중 가장 옳지 않은 것은?

▶ 2024 법무사

① 소유권이전등기말소청구권을 피보전권리로 하여 처분금지가처분결정을 받은 다음 청구의 기초에 변경이 없는 범위 안에서 그 가처분이의절차에서 가처분신청이유에 예비적으로 시효취득으로 인한 소유권이전등기청구권을 추가할 수 있다.

② 보전집행이 본집행으로 이전된 경우 채무자는 보전집행 자체의 취소를 구할 실익은 없게 되나, 보전명령 자체의 효력이 소멸되는 것은 아니므로 보전처분에 대한 이의신청을 할 실익은 있게 된다.

③ 채권가압류에 있어서 채무자가 제3채무자에 대한 채권이 없다면 가압류채무자는 가압류결정에 의하여 법률상 아무런 불이익을 받을 지위에 있다 할 수 없을 것이므로 가압류에 대한 이의를 신청할 이익이 없다.

④ 채권자가 신청하지 아니하였음에도 선행 매매계약의 매매대금 지급청구권을 피보전채권으로 하는 가압류결정을 후행 매매계약에 기한 잔대금 및 그 지연배상금의 범위 내에서 인가하고 그 초과부분을 취소하는 것은 허용되지 않는다.

⑤ 보전처분에 대한 이의는 보전처분신청의 당부를 심리·판단하여 달라는 신청으로서, 사정변경에 해당하는 사유와 제소기간의 경과도 이의사유로서 주장할 수 있다.

해설 ① ≪대판 1982.3.9, 81다1221≫
가처분이의절차에서도 청구의 기초에 변경이 없는 한 (**채권자는**) 신청이유의 피보전권리를 변경할 수 있다. 따라서 소유권이전등기말소 청구권을 피보전권리로 하여 처분금지가처분결정을 받은 다음 청구의 기초에 변경이 없는 범위안에서 그 가처분이의절차에서 가처분신청이유에 예비적으로 시효취득에 인한 소유권이전등기 청구권을 추가할 수 있다.

② ≪대판 2004.12.10, 2004다54725≫ (⇒ 동판례는 2024 법무사 1차시험 2문제에 지문 중복되어 출제됨)

[2] 가압류가 본압류로 이행되어 강제집행이 이루어진 경우에는 가압류집행은 본집행에 포섭됨으로써 당초부터 본집행이 있었던 것과 같은 효력이 있게 되므로, 본집행이 되어 있는 한 채무자는 가압류에 대한 이의신청이나 취소신청 또는 가압류집행 자체의 취소 등을 구할 실익이 없게 되고, 특히 강제집행조차 종료한 경우에는 그 강제집행의 근거가 된 가압류결정 자체의 취소나 가압류집행의 취소를 구할 이익은 더 이상 없다.

③ ≪대판 1967.5.2, 67다267≫

가. 채권가압류에 있어서 채무자가 제3채무자에 대한 채권이 없다면 가압류채무자는 채무가압류결정에 의하여 법률상 아무런 불이익을 받을 지위에 있다 할 수 없을 것이므로 가압류에 대한 이의를 신청할 이익이 없다 할 것이다.

④ 보전소송에서도 처분권주의・변론주의가 적용되므로, 선행 매매계약의 매매대금 지급청구권을 피보전채권으로 하는 가압류결정을 후행 매매계약에 기한 잔대금 및 그 지연배상금의 범위 내에서 인가하고 그 초과부분을 취소하는 것은 허용되지 아니한다(대판 2009.11.26, 2008다23224).

⑤ 보전처분에 대한 이의는 같은 심급에서의 불복신청으로서 변론 또는 당사자 쌍방이 참여할 수 있는 심문을 거쳐 다시 보전처분신청의 당부를 심리 판단하여 달라는 신청으로 보는 것이 통설 및 실무례이다. 이의사유에 관하여는 아무런 제한이 없다. 이는 사정변경, 특별사정, 소제기기간 도과 등에 의한 보전명령의 취소에서 그 사유가 제한되어 있는 것과 다르다.

---

05 보전처분의 취소에 관한 다음 설명 중 가장 옳지 않은 것은? ▸ 2023 법무사

① 보전처분신청절차에서 이루어진 선정당사자 선정행위의 효력은 보전처분취소신청 사건에는 미치지 않는다.

② 부동산처분금지가처분이 집행된 이후 당해 부동산의 일부지분을 승계한 자는 공유물의 보존행위로서 단독으로 위 부동산 전체에 대한 가처분결정의 취소신청을 할 수 있다.

③ 채권자가 여러 개의 피보전권리를 주장하여 보전명령을 얻은 후 그 중 일부의 권리만을 주장한 본안소송에서 패소확정된 경우에도 사정변경에 따른 취소를 인정할 수 있다.

④ 제소명령 후 가압류결정의 청구채권을 양도하고 채권양도의 대항요건을 갖추지 못한 상태에서 제소명령에서 정한 기간 내에 채권양수인이 본안의 소를 제기하고 소장접수증명서를 첨부한 제소신고서를 제출한 경우라 하더라도 제소명령을 준수하였다고 볼 수 없다.

⑤ 보전처분의 취소신청 당시에 본안소송이 항소심에 계속된 때에는, 취소신청이 제1심법원에 잘못 제기된 경우 관할위반을 이유로 사건을 항소심법원에 이송하여야 한다.

해설 ① ≪대판 2001.4.10, 99다49170≫

(보전처분신청・제소명령신청・제소명령・보전처분에 대한 이의신청, 이의신청에 대한 결정까지는 모두 일련의 절차에 해당하므로) 가처분신청 절차에서 이루어진 선정행위의 효력은 그에 기한 제소명령신청사건에는 미친다고 할 것이나, 가처분결정취소신청사건에서는 그 선정의 효력이 미치지 아니한다.

정답 **04 ② 05 ④**

② 목적물의 일부지분승계인. 예를 들면 부동산에 대한 처분금지가처분결정이 있고 그 결정이 집행된 이후 당해 부동산의 일부지분을 승계한 자는 공유물의 보존행위로서 단독으로 위 부동산 전체에 대한 가처분결정의 취소신청을 할 수 있다.

③ 채권자가 여러 개의 피보전권리를 주장하여 보전처분을 얻은 후 그중 일부의 권리만을 주장한 본안소송에서 패소확정된 경우에도 사정변경에 따른 취소를 인정할 수 있다(보전의 1회성의 문제). 예를 들면 채권자가 점유권에 기한 인도청구권과 소유권에 기한 인도청구권을 피보전권리로 하여 보전처분을 받았는데 소유권에 기한 인도청구권을 본안으로 한 소송에서 패소확정되었다면. 그 후 다시 점유권에 기한 인도청구소송이 계속 중이더라도 사정이 변경된 경우에 해당한다(대판 1973.3.20. 73다165 참조).

④ ≪대결 2014.10.10. 2014마1284≫
제소명령 후 가압류결정의 청구채권을 갑에게 양도한 을이 채무자 병에게 채권양도 사실을 내용증명우편으로 통지하였으나 병이 이를 수령하지 못하였는데. 갑이 제소기간 내에 병을 상대로 본안의 소를 제기하고 제소신고서를 제출한 사안에서, 갑이 채권양도의 대항요건을 갖추지 못하였더라도 제소명령의 을 지위를 승계하고, 제소명령에서 정한 기간 내에 병을 상대로 본안의 소를 제기하고 소장접수증명서를 첨부한 제소신고서를 제출한 이상 제소명령을 준수하였다고 봄이 타당한데도, 갑의 제소신고가 부적법하다고 보아 위 가압류결정을 취소한 원심판단에 법리오해의 위법이 있다고 한 사례

⑤ 사정변경에 따른 보전처분 취소소송의 경우에는 보전처분을 명한 법원의 관할에 속하나, 본안이 이미 계속된 때에는 본안법원의 전속관할로 되어 있고(법 제288조 제3항, 제301조), 본안법원은 원칙적으로 제1심 법원이지만 취소소송 당시 본안소송이 제2심에 계속된 때에는 그 계속된 법원을 본안법원으로 하고 있으므로(법 제311조), 사정변경에 따른 보전처분 취소소송을 제기할 당시 본안소송이 항소심에 계속된 때에는 본안법원인 항소심만이 관할권을 가지고 있어, 취소소송이 제1심법원에 잘못 제기된 경우에는 사건을 관할위반을 이유로 항소심법원에 이송하여야 한다.

06 보전처분의 취소에 관한 다음 설명 중 가장 옳지 않은 것은?

▶ 2025 법무사

① 민사집행법 제288조 제1항 제2호에 따른 가압류취소를 받기 위해 제공된 담보는 가압류명령 기재 청구채권을 직접 담보하고 있으므로, 가압류채권자가 당해 가압류청구채권 중 일부에 관하여 본안의 소를 제기하였다고 하여 그 사실만으로 본안청구금액을 초과하는 부분에 대한 담보사유가 소멸하였다고 할 수 없다.

② 보전 집행 후 3년간 본안의 소를 제기하지 아니하였음을 이유로 한 보전처분 취소는 시효중단의 효력이 소급하여 없어지는 민법 제175조에서 정한 '압류, 가압류 및 가처분이 권리자의 청구에 의하여 또는 법률의 규정에 따르지 아니함으로 인하여 취소된 때'에 해당하지 않는다.

③ 법인 등 단체의 대표자를 채무자로 하여 그 직무집행을 정지하고 직무대행자를 선임하는 가처분이 있은 후, 종전의 대표자가 사임하고 새로 대표자가 선임된 경우 특별한 사정이 없는 한 가처분을 더 이상 유지할 필요가 없는 사정변경이 있는 것이지만 가처분 사건의 당사자가 될 수 없는 법인 등은 가처분취소신청을 할 수 없다.

④ 채권자가 정해진 기간 내에 본안의 소를 제기하고 소제기증명서를 제출하였으나 그 기간이 지난 뒤에 청구기초의 동일성이 인정되는 별소를 제기하고 원래의 소를 취하한 경우라면 채권자에게 피보전권리를 실현할 의사가 있었음이 명백하므로 제소명령 불이행에 따른 취소사유가 되지 아니한다.

⑤ 특별사정에 의한 가처분취소사건에 있어서 피보전권리의 존부 및 보전의 필요성의 유무는 심판의 대상이 되지 아니하므로 오직 가처분취소사유인 특별사정의 유무만을 심리판단하면 된다.

해설 ① ≪대결 2008.7.1, 2008마711≫
  민사집행법 제288조 제1항 제2호에 따른 가압류취소를 받기 위해 제공된 담보는 가압류명령 기재 청구채권을 직접 담보하고 있으므로, 가압류채권자가 당해 가압류 청구채권인 손해배상청구 채권 중 일부만에 관하여 본안소송을 제기하였다고 하여 그 사실만으로 본안 청구금액을 초과하는 부분에 대한 담보사유가 소멸하였다고 할 수 없다.

② ≪대판 2009.5.28, 2009다20≫
  구「민사소송법」제706조 제2항(법 제288조 제1항 제3호)이 규정하는 10년(3년)간 본안의 소를 제기하지 아니하였음을 이유로 한 가압류 취소는 시효중단의 효력이 소급하여 없어지는 「민법」 제175조에서 정한 가압류 취소의 경우에 해당하지 않는다.

③ ≪대판 1997.10.10, 97다27404≫
  법인 등 단체의 대표자 및 이사 등을 피신청인으로 하여 그 직무 집행을 정지하고 직무대행자를 선임하는 가처분이 있은 경우 그 후 사정변경이 있으면 그 가처분에 의하여 직무 집행이 정지된 대표자 등이 그 가처분의 취소신청을 할 수 있고, 이 경우 종전의 대표자 등이 사임하고 새로 대표자가 선임되었다고 하여도 가처분 사건의 당사자가 될 수 없는 법인 등은 그 가처분취소신청을 할 수 없다.

④ ≪대결 2008.7.10, 2008마332≫
  제소명령에 정하여진 기간 이내에 본안의 소를 제기하지 아니하거나 본안의 소가 계속되고 있지 아니한 때는 물론이고, 정하여진 기간 이내에 본안의 소가 제기되었거나 이미 소를 제기하여 계속되고 있었음에도 불구하고 채권자가 그러한 사실을 증명하는 서류를 기간 이내에 법원에 제출하지 아니한 경우에도 법원은 가압류를 취소하여야 하며, 그 기간이 지난 뒤에 증명서류를 제출하였다고 하더라도 마찬가지로서, 이러한 법리는 정하여진 기간 이내에 본안의 소를 제기하였다가 그 기간이 지난 뒤에 이를 취하하면서 그에 앞서 그 청구기초의 동일성이 인정되는 별소를 제기한 사실이 있다 하여 달리 볼 것은 아니다. (가압류를 취소하여야 한다.)

⑤ ≪대판 1987.1.20, 86다카1547≫
  가.「민사소송법」제720조(법 제307조)에 정한 특별사정에 의한 가처분취소신청 사건에 있어서는 피보전권리의 존부 및 보전의 필요 유무 즉, 가처분의 당부는 심판의 대상이 되지 아니하고 오직 가처분 취소사유인 특별사정의 유무를 판단하여야 할 것이며 다만 가처분의 당부는 특별사정의 채부에 관한 하나의 자료에 지나지 않는다.

07 다음 설명 중 가장 옳지 않은 것은?

▶ 2025 법무사

① 본안소송에서 소의 취하 또는 취하간주가 있다 하여도 재소금지에 해당하지 아니하는 이상 보전의사를 포기하였다고 볼 수 있는 경우가 아니면 보전처분의 취소 사유인 사정변경으로 볼 수 없다.

② 본안의 제소명령을 받은 가압류채권자가 가압류의 피보전채권 중 일부 채권액에 대하여만 제소명령에 정해진 기간 내에 본안의 소를 제기하고 나머지 채권액에 대하여는 그 기간이 지난 뒤에 청구취지 확장의 방법으로 본안의 소를 추가로 제기한 경우, 위 청구취지의 확장 부분에 대한 가압류명령을 취소하여야 한다.

③ 제소명령 불이행을 이유로 한 보전처분취소결정은 민사집행법 제15조의 '집행절차에 관한 집행법원의 재판'에 해당한다고 볼 수 없으므로 그에 대한 즉시항고에 관해서는 민사소송법상 즉시항고에 관한 규정이 적용된다.

④ 집행증서와 같이 소송절차 밖에서 채무자의 협력을 얻어 집행권원을 취득한 경우는 가압류채권자가 채권의 실현 내지 회수의사가 명백하고 가압류의 피보전권리와 청구기초의 동일성이 인정된다 하더라도 가압류 집행 후 3년 내에 본안의 소를 따로 제기하지 아니하였다면 가압류취소사유에 해당한다.

⑤ 보전집행 후 3년간 본안의 소가 제기되지 아니하였다고 하여 보전처분취소결정 없이도 보전처분의 효력이 당연히 소멸되거나, 보전처분취소결정이 확정된 때에 보전집행 시로부터 3년이 경과된 시점에 소급하여 보전처분의 효력을 소멸하게 하는 것은 아니다.

해설 ① 채권자가 본안에서 패소 판결을 받고 항소심에서 소를 취하하여 재소금지 원칙의 적용을 받는 경우는 사정변경에 해당한다(대판 1999.3.9, 98다12287). 반면에, 본안소송에서 소의 취하 또는 취하간주가 있다 하여도 재소금지에 해당 하지 아니하는 이상 보전의사를 포기하였다고 볼 수 있는 경우가 아니면 그 자체만으로는 사정변경사유로 볼 수 없다(대판 1992.6.26, 92다9449; 대판(全) 1998.5.21, 97다47637 등).

② ≪대결 2008.7.10, 2008마260≫
가압류의 피보전채권(예컨대 15억 원) 중 일부 채권액(1억 원)에 대해서만 정하여진 기간 이내에 본안의 소를 제기하고 나머지 채권액에 대하여는 그 기간이 지난 뒤에 청구취지 확장의 방법으로 본안의 소를 추가로 제기한 경우에도 위 청구취지의 확장 부분(1억 원을 초과하는 부분)에 대해서는 제소명령을 이행하지 아니한 것으로 보아 그 부분 가압류결정을 취소하여야 한다.

③ ≪대결 2006.9.28, 2006마829≫
보전처분에 대한 제소명령절차는 집행에 관한 절차가 아니므로, 제소명령 불이행을 이유로 한 보전처분 취소결정은 민사집행법 제15조의 '집행절차에 관한 집행법원의 재판'에 해당한다고 볼 수는 없고(대법원 2005.8.2.자 2005마201 결정, 2006.5.22.자 2006마313 결정 등 참조), 따라서 그에 대한 즉시항고에 관해서는 민사집행법 제15조가 아니라 민사소송법상 즉시항고에 관한 규정이 적용된다고 할 것이다.

④ ≪대결 2016.3.24, 2013마1412≫
[2] (가압류채권자가) 소송과정에서 확정판결과 같은 효력이 있는 조정이나 재판상 화해가 성립하는 경우뿐만 아니라 집행증서와 같이 소송절차 밖에서 채무자의 협력을 얻어 집행권원을 취득하는 경우에도 가압류채권자가 채권의 실현 내지 회수의사를 가졌음이 명백하다면 가압

류 집행 후 3년 내에 본안의 소를 따로 제기하지 아니하였더라도 「민사집행법」 제288조 제1항 제3호 사유에 해당한다고 할 수 없다. 다만 이 경우 집행권원은 가압류의 본안에 관한 것이어야 하므로, 집행권원에 표시된 권리는 가압류의 피보전권리와 청구기초의 동일성이 인정되어야 한다.

⑤ ≪대판 2008.2.14, 2007다17222≫

구 '민사소송법' 제715조에 의하여 가처분에도 준용되는 같은 법 제706조 제2항(**법 제288조 제1항 제3호**)은 보전처분을 집행한 때부터 10년(⟹ **3년**)이 경과할 때까지 채권자가 본안의 소를 제기하지 않은 경우에는 채무자가 보전처분 취소소송을 제기하여 그 취소를 구할 수 있다는 것에 불과하고, 보전처분 집행 후 10년(⟹ **3년**)간 본안소송이 제기되지 아니하였다고 하여 보전처분 취소판결(⟹ **취소결정**) 없이도 보전처분의 효력이 당연히 소멸되거나, 보전처분 취소판결(⟹ **취소결정**)이 확정된 때에 보전처분 집행시부터 10년(⟹ **3년**)이 경과된 시점에 소급하여 보전처분의 효력을 소멸하게 하는 것으로는 볼 수 없다(대법원 2004.4.9, 선고 2002다58389 판결 참조).

보전항고

01 보전항고에 관한 다음 설명 중 가장 옳은 것은?　　　　　　　▶ 2023 법무사

① 보전처분취소결정의 효력정지재판은 보전처분취소결정에 대한 즉시항고가 제기된 이후에 할 수 있으며, 효력정지의 요건에 관한 소명은 보증금을 공탁하는 방법으로 대신할 수 있으나 당사자는 효력정지결정에 대하여 불복할 수 없다.

② 가처분결정에 직무집행을 정지하는 기간이 정하여져 있는 경우 그 기간 경과 후에는 가처분결정이 외형상 잔존함으로 인하여 어떠한 법률상 이익이 침해되었다고 볼만한 특별한 사정이 없는 한 그 취소를 구할 법률상 이익이 없다.

③ 무담보의 가압류결정을 구하는 신청에 대하여 법원이 일정한 액수의 담보를 제공하는 것을 조건으로 가압류를 명하는 경우 채권자는 즉시항고로 불복할 수 없다.

④ 보전이의·취소에 대한 항고사건이 항고인의 항고취하에 따라 재판에 의하지 아니하고 완결된 경우에는 피항고인이 항고인의 항고취하 전에 변호사를 선임하여 그 변호사가 사건 검토 후 주장서면을 제출하고 이와 관련하여 지급한 변호사보수는 소송비용에 산입할 수 없다.

⑤ 보전처분이의·취소신청에 관한 재판에 있어서는 항고인이 즉시항고이유서를 제출하지 아니하거나 항고장을 제출한 날로부터 10일 이내에 대법원규칙이 정하는 바에 따라 항고이유를 적지 않았다는 이유로 즉시항고를 각하할 수 있다.

해설　① 법 제289조(가압류취소결정의 효력정지)

　　① 가압류를 취소하는 결정에 대하여 즉시항고가 있는 경우에, 불복의 이유로 주장한 사유가 법률상 정당한 사유가 있다고 인정되고 사실에 대한 소명이 있으며, 그 가압류를 취소함으로 인하여 회복할 수 없는 손해가 생길 위험이 있다는 사정에 대한 소명이 있는 때에는, 법원은 당사자의 신청에 따라 담보를 제공하게 하거나 담보를 제공하지 아니하게 하고 가압류취소결정의 효력을 정지시킬 수 있다.

　　② 제1항의 규정에 의한 소명은 보증금을 공탁하거나 주장이 진실함을 선서하는 방법으로 대신할 수 없다.

　　③ 재판기록이 원심법원에 있는 때에는 원심법원이 제1항의 규정에 의한 재판을 한다.

　　④ 항고법원은 항고에 대한 재판에서 제1항의 규정에 의한 재판을 인가·변경 또는 취소하여야 한다.

　　⑤ 제1항(**효력정지결정**) 및 제4항(**인가·변경 또는 취소결정**)의 규정에 의한 재판에 대하여는 불복할 수 없다.

② ≪대결 2013.6.27. 2013마568≫

법원의 **(직무집행정지)**가처분결정에 **(종중의 임시총회에서 신임 회장을 선출하는 날 또는 종중의 2011.9.25.자 임시총회결의 무효확인 청구소송의 판결 선고 시까지 채무자의 종중 회장으로서의 직무집행을 정지하는)** 직무집행을 정지하는 기간이 정하여져 있는 경우 그 기간의 경과로 가처분결정의 효력이 상실되므로, 그 기간 경과 후에는 가처분결정이 외형상 잔존함으로 인하여 어떠한 법률상 이익이 침해되었다고 볼 만한 특별한 사정이 없는 한 그 취소를 구할 법률상의 이익이 없다.

③ ≪대결 2000.8.28. 99그30≫

[1] 무담보의 가압류결정을 구하는 신청에 대하여 법원이 일정한 액수의 담보를 제공하는 것을 조건으로 가압류를 명하는 경우 이는 실질적으로 가압류신청에 대한 일부 기각의 재판과 같은 성격을 가지는 것이므로 신청인으로서는 위 일부 기각 부분(담보를 조건으로 명한 부분)에 대하여 불복할 이익을 갖는다고 할 것이고, 담보의 수액이 지나치게 과다하다고 다투는 경우도 마찬가지로 보아야 할 것인데, 이 때 담보를 제공할 것을 명한 부분을 다투거나 담보의 수액이 지나치게 많다고 하여 다툴 수 있는 방법은 법률상 다른 특별한 규정이 없는 이상 가압류신청의 일부 또는 전부가 기각이나 각하된 경우와 마찬가지로 통상의 항고(**즉시항고**)로써 다툴 수 있다.

④ ≪대결 2015.9.3. 2015마1043≫

가압류·가처분명령의 신청사건에 있어서 변론이나 심문 없이 진행된 경우(이러한 경우에는 소송이 대심적 구조의 형태를 지니지 아니한다)에는 변호사보수규칙 제3조 제2항 단서의 반대해석상 변호사보수를 소송비용에 산입할 수 없다(대법원 2010.5.25.자 2010마181 결정 참조). 그러나 일단 가압류·가처분명령의 신청사건에 대한 심리가 제1심 단계에서 변론 또는 심문을 거쳐 대심적인 구조로 들어선 이상, 그에 대한 항고심에서 변론 또는 심문기일이 열리기 전에 항고인의 항고 취하로 사건이 종결되었다고 하더라도 그 이전에 항고인의 상대방이 소송대리인을 선임하고 그 소송대리인이 항고이유에 대해 답변서 등을 제출하였다면 그 상대방이 지급한 변호사보수는 변호사보수규칙 제3조 제2항에 따라 소송비용에 산입된다고 보아야 한다.

⑤ ≪대결 2008.2.29. 2008마145≫

가압류이의신청에 대한 재판은 집행절차에 관한 집행법원의 재판에 해당하지 아니하므로 그에 대한 즉시항고에는 「민사집행법」 제15조가 적용되지 않고 / 「민사소송법」의 즉시항고에 관한 규정이 적용된다. 「민사소송법」상 항고법원의 소송절차에는 항소에 관한 규정이 준용되는데, 「민사소송법」은 항소이유서의 제출기한에 관한 규정을 두고 있지 아니하므로 가압류이의신청에 대한 재판의 항고인이 즉시항고이유서를 제출하지 아니하였다거나 그 이유를 적어내지 아니하였다는 이유로 그 즉시항고를 각하할 수는 없다.

정답 01 ②

상업등기법 및 비송사건절차법

상업등기법

상업등기(총론)

 상업등기제도 - 총설/ 등기사항/ 등기의 효력

01 **등기사항과 등기효력에 관한 다음 설명 중 가장 옳지 않은 것은?** ▸ 2024 법무사

① 개인상인의 상호에 관한 등기(상법 제22조)의 변경등기는 절대적 등기사항이다.

② 지점의 지배인에 관한 등기사항은 지배인을 두지 않은 본점소재지에서는 할 수 없다.

③ 외국회사의 영업소에 대해서는 상법에 의하여 설립되는 동종의 회사 또는 가장 유사한 회사의 지점과 동일한 사항을 등기하므로, 법인의 등기사항에 관한 특례법이 적용되지 않는다.

④ 등기사항을 등기하기 전에는 선의의 제3자에 대하여만 대항할 수 없을 뿐 악의 또는 중과실의 제3자에게는 대항할 수 있고, 등기한 후에는 선의의 제3자에게도 대항할 수 있는데, 제3자가 정당한 사유로 이를 알지 못한 때에도 대항할 수 있다.

⑤ 상업등기에는 공신력이 인정되지 아니하므로, 진실과 다른 내용이 등기되더라도 그 등기사항을 믿고 거래한 제3자는 보호를 받지 못하는데, 예외적으로 법률상 또는 사실상 추정력이 인정되는 경우가 있다.

해설 ① 개인상인이 상호를 등기하여야 하는 지 여부는 강제하고 있지 않지만, 상호를 등기할 때에는 상업등기법 제30조에 다음 각 사항을 등기사항으로 법정하여 놓았다. 즉, 상호, 영업소의 소재지, 영업의 종류, 상호사용자의 성명·주민등록번호 및 주소는 개인상인이 상호를 등기할 때에 반드시 등기하여야 할 등기사항이다. 일단 상호를 등기한 사람은 상업등기법 제30조 각 호의 사항이 변경되거나 상호를 폐지한 경우에는 변경 또는 상호 폐지의 등기를 신청하여야 한다(상등 제32조). 따라서 일단 상호를 등기한 개인상인의 상호에 관한 등기의 "변경등기"는 절대적(필수적) 등기사항이 된다.

② 출제 당시에는 맞는 지문이었으나 2025.1.31.부터는 법 개정으로 틀린 지문이 되었다. 상법은 "이 법에 따라 등기할 사항은 당사자의 신청에 의하여 영업소(회사의 경우 본점을 말한다)의 소재지를 관할하는 법원의 상업등기부에 등기한다(상 제34조)"라고 규정하여 회사의 등기는 본점소재지에서만 등기기록을 개설한다. 지점에 둔 지배인 또한 본점소재지의 등기기록에 등기할 사항이다.

③ 출제 당시에는 맞는 지문이었으나 2025.1.31.부터는 법 개정으로 틀린 지문이 되었다. 상법 제34조에 따라 회사의 지점소재지에서의 등기기록이 없어졌기 때문에 '회사의 지점과 동일한 사항을 등기한다'라는 표현도 틀리고, 회사 지점소재지에서의 등기를 전제로 하여 '법인의 등기사항에 관한 특례법' 적용 여부를 따진 것이었으므로 해당 부분도 옳지 않다. 현행 상법은 외국회사의 영업소의 등기사항에 관하여 별도로 독립된 규정을 두고 있다(상 제614조 제2항).

④ 등기할 사항을 등기하지 아니하면 선의의 제3자에게 대항할 수 없다(상 제37조 제1항). 등기사항을 등기한 후에는 선악불문 제3자에게 대항할 수 있지만, 제3자가 정당한 사유로 이를 알지 못한 때에는 당사자는 그 등기사항으로써 제3자에게 대항하지 못한다(상 제37조 제2항).

⑤ 상업등기는 공신력은 인정되지 않는다. 상업등기에는 원칙적으로 등기된 사항이 진실하다는 사실상의 추정력은 있으나, 등기된 사항이 적법하다는 법률상 추정력은 없다. 다만, "동일한 서울특별시·광역시·특별자치시·시 또는 군에서 동종영업으로 타인이 등기한 상호를 사용하는 자는 '부정한 목적으로 사용하는 것'으로 추정한다"라고 하여 예외적으로 상호의 등기에 법률상의 추정력을 부여하고 있다(대판 2004.3.26. 2001다72081).

02 상업등기의 등기사항에 관한 다음 설명 중 가장 옳지 않은 것은? ▸ 2023 법무사

① 등기사항이란 상법 또는 다른 법령에 의하여 상업등기부에 등기하도록 정하여진 사항을 말하며, 공시할 필요가 있다고 해서 무조건 등기할 수 있는 것은 아니고, 법령에 의하여 등기할 수 있는 사항으로 규정된 것만 등기할 수 있다.

② 이사 등의 직무집행정지 가처분과 달리, '신청인의 피신청인을 상대로 한 이사회결의무효확인등청구사건의 본안판결 확정 시까지 신청인은 피신청인의 공동대표이사의 지위에 있음을 임시로 정한다.'는 내용의 가처분은 등기할 수 없다.

③ 주식회사의 등기사항과 관련하여 상호, 본점의 소재지, 목적은 본점의 등기사항이면서 지점의 등기사항에도 해당한다.

④ 상법은 제3편 회사에서 등기의무자가 등기기간 내에 등기사항을 등기하지 않으면 과태료를 부과한다는 규정을 두고 있다.

⑤ '사건이 등기할 사항이 아닌 경우'에는 등기관은 그 등기신청을 각하하여야 하지만, 이를 간과하고 등기가 실행되었더라도 등기관은 그 등기를 직권으로 말소할 수는 없다.

[해설] ① 등기사항 법정주의(상등 제37조 등). 등기할 사항이 아닌 경우에는 설령 등기가 되어도 등기로서의 효력이 발생하지 아니한다.

② 상업선례 제2-88호. 등기사항으로 법정되어 있지 않다.

③ 출제 당시에는 맞는 지문이었으나 2025.1.31.부터는 법 개정으로 틀린 지문이 되었다. 상법은 "이 법에 따라 등기할 사항은 당사자의 신청에 의하여 영업소(회사의 경우 본점을 말한다)의 소재지를 관할하는 법원의 상업등기부에 등기한다(상 제34조)"라고 규정하여 회사의 등기는 본점소재지에서만 등기기록을 개설한다. 지점소재지에는 별도의 등기기록을 개설하지 않으므로 지점소재지의 등기사항이라는 개념이 없어졌다.

④ 상법 제2편의 합자조합과 상법 제3편의 회사에 관한 등기의 경우 일정한 기간 내에 등기를 하여야 하는데, 이를 해태한 때에는 500만원 이하의 과태료를 부과한다(상 제86조의9, 제181조 내지 제183조, 제635조 제1항 제1호). 상업등기에 해당하는 '개인상인', '회사', '합자조합'의 등기 중 '개인상인'의 등기를 제외하고는 과태료 규정을 두고 있다.

⑤ 상업등기법 제26조 제1호부터 제3호까지의 각하사유(관할위반, 이중등기, 등기할 사항이 아닐 때)가 있거나, 등기된 사항에 관하여 무효의 원인이 있는 때(소로써만 그 무효를 주장할 수 있는 경우를 제외한다)에도 불구하고 등기가 이루어진 경우, 해당 등기는 당사자의 신청 또는 소정의 절차를 거쳐 등기관의 직권으로 이를 말소할 수 있다(상등 제77조 내지 제81조).

[정답] 01 ②,③,④ 02 ③,⑤

제2절 등기기관 및 등기에 관한 장부 – 등기기관/ 등기에 관한 장부

제3절 등기 등의 공시 및 인감증명 – 등기사항증명서의 발급/ 등기기록, 등기신청서 기타 부속서류의 열람/ 주민등록번호의 공시 제한/ 인감증명 및 전자인감증명서

01 상업등기법에 따라 등기소에 제출하는 인감 및 그 인감의 증명에 관한 다음 설명 중 가장 옳지 않은 것은? (다툼이 있는 경우 판례·예규 및 선례에 따르고 전원합의체 판결의 경우 다수의견에 의함.) ▸ 2025 법무사

① 법원의 결정에 의하여 선임된 일시 대표이사의 직무를 행할 자도 대표자로서 등기를 신청하기 위해서는 상업등기법에 따른 인감을 등기소에 제출하여야 한다.

② 회사 설립을 위한 상호의 가등기는 발기인 또는 사원이 그 등기를 신청하여야 하는데, 발기인 또는 사원은 상업등기법에 따른 인감을 등기소에 제출할 필요는 없으며, 신청서 또는 위임장에 인감증명법에 따라 신고한 인감을 날인하고 그 인감증명을 제공하여야 한다.

③ 직무집행정지 가처분의 등기가 된 법인의 대표자는 법인을 대표하여 등기를 신청할 권한이 없지만, 상업등기법에 따른 인감에 관한 증명서를 발급받을 수는 있다.

④ 회생절차의 보전관리인, 관리인, 관리인대리, 파산절차의 파산관재인, 파산관재인대리는 상업등기법에 따른 인감을 등기소에 제출하고 그 인감에 관한 증명서의 발급을 신청할 수 있다.

⑤ 상업등기법에 따른 인감은 대조에 적당하고, 가로·세로 2.4센티미터의 정사각형 안에 들어갈 수 있는 것이어야 하며, 가로·세로 1센티미터의 정사각형 안에 들어가는 것이 아니어야 한다.

(해설) ① 법원의 결정에 의하여 선임된 일시대표이사, 법원의 가처분결정에 의하여 선임된 대표이사 등의 직무대행자와 파산관재인·관리인·국제도산관리인의 경우 그 선임에 관한 등기는 제1심 수소법원 또는 법원사무관 등의 촉탁에 의하여 이루어지므로(비송 제107조 제4호; 민집 제306호) 인감신고 없이 등기가 되겠지만, 그 후에 자신의 권한 범위 내에서 당해 회사에 관한 다른 등기를 신청할 때에는 그 등기를 신청하기 전에 미리 인감을 제출하여야 한다(상등 제25조 제1항).

② 등기신청서에 기명날인할 사람은 미리 그 인감을 등기소에 제출하여야 하고, 인감을 변경할 때에도 같다(상등 제25조 제1항). 다만, 몇가지 등기에 대해서는 이를 적용하지 아니하는데(상등 제25조 제3항), 상호의 가등기에 관한 등기가 그중 하나이다(동조 동항 제3호, 제4호).

이때 그 상호가등기에 관한 신청의 진정성과 신청인의 권한 확인에 관하여 의문이 생길 수 있는데 이에 대하여는 다음과 같은 방식에 따른다. 회사의 설립을 위한 상호가등기의 경우에는 신청서 또는 대리인의 권한을 증명하는 서면에 인감증명법에 따라 신고한 인감을 날인하고 그 인감증명서를 첨부한다(상등규 제80조 제2항). 그 외의 상호가등기의 경우에는 신청서 또는 대리인의 권한을 증명하는 서면에 회사의 대표자가 이미 등기소에 제출해 놓았던 인감을 날인하면 된다.

③ 대표이사 등으로 등기되어 있더라도 그 권한을 완전히 행사할 수 없는 자, 즉 ㉠ 직무집행정지 가처분의 등기가 된 법인의 대표자, ㉡ 채무자회생법에 따른 보전관리·회생절차개시·파산선고

의 등기가 된 법인의 대표자, 지배인, 대리인(기존 대표자 등을 말함), ⓒ 등기기록상 존립기간이 만료된 법인의 대표자, 지배인, 대리인, ② 해산간주된 법인의 대표자, 지배인, 대리인 등과, ⑩ 본점이전등기의 신청과 같이 인감제출자에 관한 사항에 변경이 발생하는 변경등기 또는 경정등기의 신청이 접수되어 처리 중에 있는 해당 등기기록의 인감제출자에 대한 인감증명서와 폐지된 인감에 대한 인감증명서는 발급하지 아니한다(등기예규 제1832호 제13조 제1항).

④ 회생 또는 파산 절차에 의하여 새롭게 선임된 자, 즉 '채무자 회생 및 파산에 관한 법률'에 의한 관리인, 관리인대리, 보전관리인, 파산관재인, 파산관재인대리, 국제도산관리인, 국제도산관리인대리는 등기신청서에 기명날인할 사람으로서 인감을 제출할 수 있는 자에 해당하고(등기예규 제1832호 제2조 제1항 제5호), 인감을 등기소에 제출한 경우 그 인감에 관한 증명서의 발급을 신청할 수 있다(상등 제16조).

⑤ 제출하는 인감의 내용에 대하여는 다른 제한은 없다(예를 들어 회사의 상호가 포함되어야 한다든가 하는 제한은 없다). 다만 인감은 상업등기규칙 제35조 제4항에서 정한 크기(가로·세로 2.4센티미터의 정사각형 안에 들어갈 수 있어야 하고, 가로·세로 1센티미터의 정사각형 안에 들어가는 것이 아니어야 함)로, 대조에 적당하여야 하며 선명하지 않거나 너무 복잡한 것이어서는 안 된다. 또한 법인을 대표하는 2인 이상의 인감은 각각 달라야 한다(등기예규 제1832호 제3조).

02 등기사항증명서의 발급 등 등기의 공시에 관한 다음 설명 중 가장 옳지 않은 것은?

▸ 2025 법무사

① 종이 폐쇄등기부를 열람하고자 하는 사람은 폐쇄등기부 열람신청서를 작성하여 관할 등기소에 제출하여야 한다. 다만 종이 폐쇄등기부를 전자촬영한 이미지에 의한 폐쇄등기부는 관할 등기소 외의 다른 등기소에서도 열람할 수 있다.

② 폐쇄된 등기용지에 이루어진 청산종결등기의 말소신청이 접수될 경우, 등기관은 그 사건의 처리가 종료될 때까지 폐쇄된 등기용지의 등·초본이 발급되지 않도록 하여야 한다. 이 경우 전자촬영한 이미지에 의한 폐쇄등기부 등·초본도 발급할 수 없다.

③ 등기기록의 부속서류는 이해관계 있는 부분만 열람을 신청할 수 있으므로 등기신청서와 그 첨부서면 등의 열람은 법률상 이해관계가 있는 자만이 신청할 수 있다. 법률상 이해관계가 있음을 판단하여야 하기 때문에 전자문서로 작성된 신청서 기타 부속서류의 열람은 관할 등기소에서 하여야 한다.

④ 인터넷등기소의 경우 현재유효사항·말소사항포함·폐쇄사항의 전부 또는 일부증명서를 발급하되, 모바일 기기에서 사용되는 인터넷등기소 애플리케이션에 의하여 발급하는 전자등기사항증명서의 종류는 등기사항전부증명서(말소사항 포함)·등기사항전부증명서(현재 유효사항)·등기사항전부증명서(폐쇄사항)로 한다.

⑤ 임원, 지배인, 상호사용자, 제한능력자, 법정대리인의 주민등록번호 중 뒷부분 7자리 숫자를 가리고 등기사항증명서를 발급하거나 등기기록을 열람하도록 하여 원칙적으로 주민등록번호의 공시를 제한하고 있다.

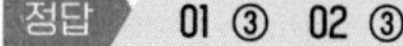

해설 ① 등기예규 제1825호 제7호 가. 1)
② 등기예규 제1829호 제6조 제1항
③ 전자문서로 작성된 신청서 기타 부속서류의 열람은 관할 등기소가 아닌 다른 등기소에서도 할 수 있다(상등규 제26조 제3항)
④ 등기예규 제1825호 제5호 가. 1), 2). (모바일 앱의 전자등기사항증명서는 '전부'증명서의 형태로만 발급됨에 유의)
⑤ 등기예규 제1825호 제8호

03 인감증명서 발급과 전자인감증명서에 관한 다음 설명 중 가장 옳지 않은 것은?

▸ 2025 법무사

① 등기기록상 존립기간이 만료된 법인의 대표자, 지배인, 대리인에 대한 인감증명서는 발급하지 아니한다.
② 인감카드와 그 비밀번호 또는 전자증명서와 인감증명서 발급용 비밀번호를 제시하면 인감제출자 본인 또는 대리권을 수여받은 대리인임을 확인함이 없이 인감증명서 발급신청을 할 권한이 있는 것으로 본다. 다만, 효력이 정지된 인감카드 또는 인감증명서 발급기능의 효력이 정지된 전자증명서로는 인감증명서를 발급받을 수 없다.
③ 무인발급기를 이용해서도 인감증명서를 발급할 수 있다. 다만, 부동산매도용 또는 자동차매도용 인감증명서는 매수자가 2인 이하인 경우에 한하여 매수자의 인적사항을 미리 인터넷등기소에 등록하는 절차를 거쳤을 때에만 무인발급기로 발급받을 수 있다.
④ 전자인감증명서 발급시스템의 이용승인을 받은 자는 인터넷등기소에서 상호, 인감제출자의 성명, 용도, 제출기관 등을 입력하고 전자증명서 및 보안매체에 의하여 본인확인을 거친 후 전자인감증명서 발급을 신청할 수 있다.
⑤ 전자인감증명서 발급신청인은 전자인감증명서 발급증을 발급받아 법원행정처장이 공고로써 지정한 행정기관 등에 제출하는 방법으로 전자인감증명서를 활용한다. 이 경우 발급증은 지정 행정기관 등에 하나의 용도로 한 번만 제출할 수 있다.

해설 ① 대표이사 등으로 등기되어 있더라도 그 권한을 완전히 행사할 수 없는 자, 즉 ㉠ 직무집행정지 가처분의 등기가 된 법인의 대표자, ㉡ 채무자회생법에 따른 보전관리・회생절차개시・파산선고의 등기가 된 법인의 대표자, 지배인, 대리인(기존 대표자 등을 말함), ㉢ 등기기록상 존립기간이 만료된 법인의 대표자, 지배인, 대리인, ㉣ 해산간주된 법인의 대표자, 지배인, 대리인 등과, ㉤ 본점이전등기의 신청과 같이 인감제출자에 관한 사항에 변경이 발생하는 변경등기 또는 경정등기의 신청이 접수되어 처리 중에 있는 해당 등기기록의 인감제출자에 대한 인감증명서와 폐지된 인감에 대한 인감증명서는 발급하지 아니한다(등기예규 제1832호 제13조 제1항).
② 인감카드와 그 비밀번호를 제시하면 인감제출자 본인 또는 대리권을 수여받은 대리인임을 확인함이 없이 인감증명서 발급신청을 할 권한이 있는 것으로 본다. 다만 효력이 정지된 인감카드로는 인감증명서를 발급받을 수 없다(등기예규 제1832호 제10조 제2항). 인감카드 외에 전자증명서의 인감증명서 발급기능은 제외되었다(2025.1.31.부터 시행).

③ 등기예규 제1832호 제14조 제1항
④ 등기예규 제1832호 제36조 제1항
⑤ 등기예규 제1832호 제36조 제2항

04 등기기록의 열람 또는 등기사항증명서의 발급에 관한 다음 설명 중 가장 옳지 않은 것은?

▶ 2022 법무사

① 등기기록의 열람 및 등기사항증명서의 발급 신청은 관할 등기소가 아닌 다른 등기소에서도 할 수 있다.
② 인터넷등기소를 통하여 등기기록의 열람은 가능하지만 등기사항증명서는 발급할 수 없다.
③ 등기사항일부증명서는 대법원예규로 정하는 바에 따라 상호, 법인등록번호 등 해당 등기기록을 특정할 수 있는 사항과 신청인이 청구한 사항을 기록한다.
④ 등기신청이 접수된 등기기록에 관하여는 그 등기기록에 등기신청사건이 접수되어 처리 중에 있다는 뜻을 등기사항증명서에 표시하여 발급할 수 있다.
⑤ 회사의 등기사항전부증명서를 발급함에 있어서, 지점 또는 지배인에 관한 신청이 없는 경우에는 그에 관한 기록을 생략하고 등기사항전부증명서를 발급할 수 있다.

해설 ① 등기기록은 전산에 기록되고 그에 따른 열람 및 등기사항증명서 발급은 그 전산기록을 열람 또는 증명서 발급을 하는 것이므로 특별히 관할 등기소에서 하여야 하는 규정이 없다.
② 인터넷등기소를 통하여 등기기록의 열람 및 등기사항증명서 발급이 모두 가능하다(등기예규 제1806호).
③ 등기예규 제1825호 3. 다. 2). 일부증명서라도 꼭 들어가야 하는 부분이 있다.
④ 등기신청이 접수되어 처리 중인 경우 등기관이 그 등기를 마칠 때까지 등기사항증명서를 발급하지 아니한다(상등규 제31조 제3항 본문). 다만, 그 등기기록에 등기신청사건이 접수되어 처리 중에 있다는 뜻을 등기사항증명서에 표시하여 발급할 수 있다(상등규 제31조 제3항 단서).
⑤ 등기예규 제1825호 3. 다. 1). 전부증명서라도 신청하지 않으면 빠지는 부분이 있다.

제4절 등기신청절차 - 등기신청의 기본원칙/ 등기신청인 및 신청대리인/ 등기청구권/ 등기신청 행위/ 첨부서면/ 인감의 제출/ 전산정보처리조직에 의한 등기신청(전자신청)/ 등기의무해태와 과태사항통지/ 등록면허세 · 등기신청수수료 등의 납부/ 등기의 촉탁절차

01 다음 중 주식회사의 등기와 관련하여 등기관이 직권으로 말소하여야 하는 등기가 아닌 것은?

▶ 2025 법무사

① 해산의 등기를 할 때 감사에 관한 등기
② 파산선고 취소의 등기를 할 때 파산관재인에 관한 등기
③ 회생절차종결의 등기를 할 때 법인의 대표자를 관리인으로 본다는 취지의 등기
④ 회사계속의 등기를 할 때 청산인에 관한 등기
⑤ 이사 선임결의의 부존재, 무효나 취소 또는 판결에 의한 해임의 등기를 할 때 그 이사가 대표이사인 경우 그 대표이사에 관한 등기

해설 ① 등기관은 해산등기를 할 때 이사, 대표이사, 집행임원, 대표집행임원 및 지배인에 관한 등기를 직권으로 말소하여야 한다(상등규 제88조, 제145조). '감사'는 해산 후에도 그 직을 여전히 유지하고 당연히 직권말소 규정도 없다.
② 등기관은 파산선고 취소의 등기를 한 때에는, 직권으로 파산선고의 등기, 파산관재인에 관한 등기, 파산관재인대리에 관한 등기를 말소하여야 한다(등기예규 제1777호 제16조 제1항).
③ 회생절차폐지결정 또는 회생절차종결의 등기를 한 경우, 등기관은 직권으로 회생절차개시등기, 회생계획인가등기 및 관리인, 관리인대리, 또는 법 제74조 제4항에 의하여 법인의 대표자를 관리인으로 본다는 취지의 등기를 말소하여야 한다(등기예규 제1777호 제13조 제2항).
④ 회사계속의 등기를 하는 때에는 해산에 관한 등기와 청산인에 관한 등기를 등기관이 직권으로 말소하여야 한다(상등규 제154조 제1항, 제109조 제1항).
⑤ 상등규 제132조

02 상업등기신청 시 첨부정보에 관한 다음 설명 중 가장 옳은 것은?

▶ 2025 법무사

① 복대리인이 복위임을 받아 등기를 신청하는 경우에는 대리인의 복대리인에 대한 위임장만 첨부정보로 제공하면 족하다.
② 첨부정보가 외국어로 작성된 경우에도 번역문을 함께 제공할 필요가 없다.
③ 유한회사가 주식회사와 합병하여 합병 후 존속하는 회사 또는 합병으로 인하여 설립되는 회사가 주식회사인 때에는 법원의 인가서를 첨부정보로 제공해야 한다.
④ 주민등록법에 따른 주민등록표등본 · 초본 및 가족관계의 등록 등에 관한 법률에 따른 가족관계등록사항별증명서를 첨부정보로 제출하는 경우에는 발행일로부터 6개월 이내의 것을 제출하면 족하다.
⑤ 첨부정보로 제출한 첨부서류 원본은 반환받을 수 없다.

해설 ① 복대리인이 복위임을 받아 등기를 신청하는 경우에는 본인의 대리인에 대한 위임장과 대리인의 복대리인에 대한 위임장을 첨부정보로 각각 제공하여야 한다. 만약, 본인의 대리인에 대한 위임장에 복대리인 선임에 관한 기재가 없음에도 복대리인이 등기를 신청하는 경우에는 복대리인 선임에 대한 본인의 승낙이 있음을 증명하는 서면을 첨부정보로 제공하여야 한다(민 제120조 참조, 상등규 제52조 제1항 제1호).

② 첨부정보가 외국어로 작성된 경우에는 그 번역문을 함께 제공하여야 한다(상등규 제52조 제5항).

③ 유한회사가 주식회사와 합병하는 경우에 합병 후 존속하는 회사 또는 합병으로 인하여 설립되는 회사가 주식회사인 때에는 법원의 인가를 얻지 아니하면 합병의 효력이 없다(상 제600조 제1항). 따라서 그 등기를 신청하는 경우에는 법원의 인가서를 첨부정보로 제공하여야 한다(관청의 인허가가 등기사항의 효력요건에 해당함).

④ 첨부정보 중 「주민등록법」에 따른 주민등록표등본·초본과 「인감증명법」에 따른 인감증명 및 「가족관계의 등록 등에 관한 법률」에 따른 가족관계등록사항별증명서는 발행일부터 3개월 이내의 것이어야 한다(상등규 제52조 제4항).

⑤ 신청서에 첨부한 원본인 서류의 반환을 청구하는 경우에 신청인은 그 원본과 같다는 뜻을 적은 사본을 첨부하여야 하고, 등기관이 서류의 원본을 반환할 때에는 그 사본에 원본 반환의 뜻을 적고 기명날인하여야 한다(상등규 제66조 제1항 본문). 즉, 첨부서류 원본 반환이 가능하다(단, 위임장, 주민등록등초본 등 반환이 안되는 예외 있음).

03 다음 설명 중 가장 옳은 것은?

▶ 2025 법무사

① 회사의 공고는 관보 또는 시사에 관한 사항을 게재하는 일간신문에 하여야 하므로, 회사의 설립등기를 신청하는 경우 정관 및 등기신청서의 일간신문 명칭에는 '일간'이라는 단어가 기재되어야 한다.

② 사회복지법인의 설립 근거 법률인 사회복지사업법에는 등기사항에 관한 규정이 없으므로 민법법인의 등기사항에 관한 규정이 준용된다. 따라서 사회복지법인의 대표이사를 등기할 때에는 대표권제한규정이 등기사항이다.

③ 공증인법에 따라 법인등기를 할 때 그 신청서류에 첨부되는 법인 총회 등의 의사록에는 공증인의 인증을 받아야 하는데, 해당 법인의 정관에 비로소 근거하여 설치된 별도의 기관인 위원회의 의사록에 대하여는 공증인의 인증을 받을 필요가 없다.

④ 신주발행에 의한 변경등기의 신청 시 '발행주식의 총수와 그 종류 및 각각의 수, 자본금의 총액의 변경등기, 종류주식의 내용의 등기' 전부에 대해 1건의 등기신청수수료를 납부하여야 한다.

⑤ 자본금 총액이 10억 원 미만인 주식회사를 발기설립하는 경우 납입금 보관을 증명하는 정보로 은행 그 밖의 금융기관의 잔고증명서를 제출할 수 있는데, 인터넷으로 발급한 잔고증명서를 제출할 수는 없다.

정답 　01 ①　02 ③　03 ④

해설 ① 회사의 공고는 관보 또는 시사에 관한 사항을 게재하는 일간신문에 하여야 하는데, 회사의 설립등기를 신청하는 경우 정관 및 등기신청서에 일간신문 명칭(예 한국○○신문, 한○○신문, 경○신문 등) 그대로 기재하면 되고, '일간' 단어를 추가로 기재할 필요는 없다(상업선례 제202403-1호).
② 사회복지법인의 설립 근거 법률인 사회복지사업법에는 등기사항에 관한 규정이 없으므로 민법법인의 등기사항에 관한 규정이 준용된다. 그런데 사회복지법인의 대표이사는 정관에 정해진 바에 따라 이사 중에서 호선으로 선출되어 단독으로 대표권이 있고, 사회복지사업법에 규정되어 있는 임원으로 법률상 명칭 그대로 공시할 필요성이 있으므로 '대표이사'로 등기하여야 한다. 한편, 사회복지법인의 대표이사는 법률에 의해 단독으로 대표권이 있으므로 대표권제한규정은 등기사항이 아니다(상업선례 제202405-1호).
③ 「공증인법」 제66조의2 제1항에 따라 법인등기를 할 때 그 신청서류에 첨부되는 법인 총회 등의 의사록은, 동조 단서에 해당하지 않는 한 공증인의 인증을 받아야 하므로, 해당 법인의 설립근거가 된 개별 법령에 근거하여 설치된 법인의 기관 의사록에 대하여 공증인의 인증을 받아야 하는 것은 물론이고, 해당 법인의 정관에 비로소 근거하여 설치된 별도의 기관인 위원회의 의사록에 대하여도 법인등기의 첨부서면으로서 공증인의 인증을 받아야 한다(상업선례 제202105-1호).
④ 신주발행에 의한 변경등기의 신청 시 '발행주식의 총수와 그 종류 및 각각의 수, 자본금의 총액의 변경등기, 종류주식의 내용의 등기' 전부에 대해 1건의 등기신청수수료를 납부하여야 한다. 종류주식의 발행에 따른 변경등기를 신청하는 경우 정관에 기재되어 있는 '종류주식의 내용'에 관한 등기도 함께 신청하여야 하나(종류주식의 등기에 관한 예규 제3조 제1항), '종류주식의 내용'란은 발행신주의 내용을 명확하게 공시하기 위한 것에 불과하므로 이에 대하여 별도의 수수료를 납부할 필요가 없다(상업선례 제201911-1호 ↔ 등록면허세에 대하여는 언급이 없으므로 원칙으로 돌아가 수개의 등기사항에 대하여 각각 납부한다고 보아야 함에 주의).
⑤ 자본금 총액이 10억 원 미만인 주식회사를 발기설립하는 경우, 납입금 보관을 증명하는 정보로 은행 그 밖의 금융기관의 잔고증명서를 제출할 수 있으며(상법 제295조, 제318조 제3항), 인터넷으로 발급한 잔고증명서도 동일하다(상업선례 제202106-4호).

04 등기의무해태와 관련하여 과태사항 통지와 과태료사건의 재판에 관한 다음 설명 중 가장 옳지 않은 것은?

▶ 2024 법무사

① 본점소재지와 지점소재지의 관할 등기소가 동일하지 아니한 때에는 그 등기도 각각 신청하여야 하는 것이므로, 그 등기해태에 따른 과태료도 본점소재지와 지점소재지의 등기해태에 따라 각각 부과된다.
② 과태료 사건의 관할법원은 다른 법령에 특별한 규정이 있는 경우를 제외하고는 과태료에 처할 자인 회사 대표자 주소지의 지방법원이다.
③ 당사자의 진술을 듣고 한 과태료의 재판에 대하여는 즉시항고로써 불복을 신청할 수 있고, 이 경우 즉시항고에는 집행정지의 효력이 있다.
④ 등기해태에 대하여 신청인의 과실이 있는 경우에 그 위반행위에 정당한 사유가 있는 때에는 등기기간을 도과하였더라도 등기관은 과태사항을 통지할 수 없다.
⑤ 회사의 지배인에 관한 등기에 대하여는 과태사항 통지를 하지 않는다.

해설 ① 출제 당시에는 맞는 지문이었으나 2025.1.31.부터는 법 개정으로 틀린 지문이 되었다. 상법은 "이 법에 따라 등기할 사항은 당사자의 신청에 의하여 영업소(회사의 경우 본점을 말한다)의 소재지를 관할하는 법원의 상업등기부에 등기한다(상 제34조)"라고 규정하여 회사의 등기는 본점소재지에서만 등기기록을 개설한다. 지점소재지에는 별도의 등기기록을 개설하지 않으므로 지점소재지의 등기해태가 발생하지 않는다.

② 등기예규 제1574호 제4조

③ 과태료 사건의 정식재판(당사자의 진술을 듣고 한 과태료 재판)에 대한 불복은 즉시항고에 의하고 그 즉시항고에는 집행정지 효력이 있다(비송 제248조 제3항).

④ 등기해태에 대하여 신청인의 고의·과실이 있는지 또는 그 위반행위에 정당한 사유가 있는지를 구분하지 않고 등기기간을 도과하였다면 등기관은 과태사항을 통지하여야 한다(대판 2000.5.26, 98두5972).

⑤ 개인상인의 지배인이든 회사의 지배인이든 지배인의 등기에 관하여는 등기기간에 정함이 없으므로 과태사항통지의 대상이 아니다(등기예규 제1574호 제2조 제1항).

05 상업등기에 관한 다음 설명 중 가장 옳은 것은?

▸ 2024 법무사

① 법인 등의 명칭이 변경된 경우에는 법인등록번호를 다시 부여받아 변경등기를 마쳐야 한다.

② 등기기록의 부속서류는 누구든지 열람할 수 있다.

③ 회사등기의 신청인에 관하여 대표이사의 원수를 결한 경우 법원은 이사, 감사 기타 이해관계인의 청구에 의하여 일시대표이사의 직무를 행할 자를 선임할 수 있고, 이렇게 선임된 일시대표이사는 회사의 상무에 속하는 행위로 제한되지 아니하므로 회사를 대표하여 등기를 신청할 수 있다.

④ 법원의 가처분결정에 의하여 대표자에 대한 직무집행을 정지하고 선임된 직무대행자는, 주주총회 및 이사회에서 직무집행이 정지된 대표자를 해임하고 새로운 대표자를 선임한 경우 새로운 대표자가 권한을 가지므로, 회사에 관한 등기를 신청할 수 없다.

⑤ 임기만료로 퇴임한 주식회사의 대표이사는 퇴임으로 법률 또는 정관에서 정한 대표이사의 원수를 결한 경우에도 일시이사의 선임 등의 방법으로 해결할 수 있으므로 회사를 대표하여 등기를 신청할 권한이 인정되지 않는다.

해설 ① 법인등록번호는 한번 부여되면 관할의 전속이 있거나 본점 또는 주사무소가 다른 등기소의 관할 구역 내로 이전하는 경우에도 이를 변경하지 아니한다(법인 및 재외국민의 부동산등기용등록번호 부여에 관한 규칙 제8조).

② 누구든지 이해관계 있는 부분에 한하여 등기부의 부속서류의 열람을 청구할 수 있다(상등 제15조 제1항). 등기기록의 열람과 달리 '이해관계 있는 부분'에 대한 제한이 있다.

③ 일시대표이사는 그 권한이 본래의 대표이사의 권한과 같으므로(상 제386조 제2항, 제389조 제3항; 대판 1981.9.8, 80다2511) 회사를 대표하여 상업등기를 신청할 수 있다.

정답 04 ①,④ 05 ③

④ 법원의 가처분결정에 의하여 선임된 대표자의 직무대행자는 가처분명령에 다른 정함이 있거나 법원의 허가를 얻은 경우 외에는 상무에 속하지 아니한 행위를 하지 못하므로 그 범위에서 등기신청권이 제한되지만(상 제408조 등), 원칙적으로 대표자의 권한 대행자이므로 상업등기의 신청인이 될 수 있다. 문제는 당해 직무집행정지 및 직무대행자 선임 가처분이 이루어진 이상, 그 후 대표이사 등이 해임되고 새로운 대표이사 등이 선임되었다 하더라도 당해 가처분이 본안판결의 확정으로 효력을 상실하거나 취소되지 아니하는 한 직무대행자의 권한은 유효하게 존속하는 한편, 새로 선임된 대표이사 등은 선임결의의 적법 여부에 관계없이 대표이사 등으로서의 권한을 가지지 못한다(대판 1992.5.12, 92다5638). 본 사안은 위 판례의 사안으로 가처분이 실효되지 않았기 때문에 여전히 직무대행자가 회사의 대표자 권한을 행사하여야 하는 경우에 해당한다.

⑤ 임기만료 또는 사임으로 퇴임한 결과 법률 또는 정관에 정한 대표이사의 원수를 결한 경우에는 새로 선임된 대표이사가 취임할 때까지 대표이사로서의 권리의무가 있으므로(상 제389조 제3항, 제386조 제1항; 대결(전) 2005.3.8, 2004마800), 이러한 자도 회사를 대표하여 등기신청인이 된다.

06 전자증명과 전자신청에 관한 다음 설명 중 가장 옳은 것은?

▶ 2024 법무사

① 등기기록상 존립기간이 만료된 법인의 대표자도 전자증명서를 발급받을 수 있다.

② 회사의 등기된 지배인과 특수법인의 등기된 대리인은 등기신청권한이 없으므로 전자증명서 발급을 청구할 수 없다.

③ 변경등기에 의하여 등기기록의 내용과 전자증명서에 기록된 내용이 서로 달라진 경우라도 전자증명서를 변경 발급받을 필요는 없다.

④ 자격자대리인이 위임인으로부터 받은 위임장에 해당하는 첨부서면을 전자적 이미지 정보로 변환하여 송신할 수 있는 등기신청의 경우에는, 위임장에 해당하는 첨부정보를 전자적 이미지 정보로 송신할 때에 위임인의 전자증명서 또는 인증서를 송신할 필요가 없다.

⑤ 주금납입금보관증명서에 해당하는 정보는 신청인이 금융기관에 요청하여 수신한 정보를 송신하는 방법으로 제출할 수 있으나 잔고증명서는 그러하지 아니하다.

해설 ① 등기기록상 존립기간이 만료된 법인은 해산등기 여부와 관계없이 이미 해산된 것이므로 그 법인의 대표자(청산인은 제외한다) 및 지배인은 전자증명서 발급이 제한된다(상등규 제43조; 등기예규 제1850호 제4조).

② 전자증명서는 상업등기법에 따라 등기소에 인감을 제출한 사람이면 그 권한이 제한되는 별도 사유가 없는한 발급을 청구할 수 있다(상등 제17조 제1항). 지배인의 경우 상업등기의 신청권은 없지만 등기소에 인감을 제출하였다면 전자증명서를 발급받을 수 있다(부동산등기 등의 전자신청에 사용할 수 있음).

③ 변경등기에 의하여 등기기록의 내용과 전자증명서에 기록된 내용이 서로 달라진 경우 전자증명서를 변경발급 받아야 한다(상등규 제49조 제1항).

④ 자격자 대리인이 전자신청을 하는 경우 '위임장'에 해당하는 첨부정보를 전자문서로 작성하여야 하지만, '대표자 주소 또는 주민등록번호의 변경이나 경정등기'처럼 몇가지 예외적인 경우에는 위임인으로부터 받은 위임장을 스캔하거나 애플리케이션에서 제공하는 촬영 기능을 통해 전자적 이미지 정보로 변환하여 송신할 수 있다(등기예규 제1855-1호 제7조 제2항). 자격자대리인이 위임장에 해당하는 첨부정보를 송신할 때에는 위임인의 전자증명서 또는 인증서를 함께 송신하여

야 하지만, 위임장을 전자적 이미지 정보로 변환하여 송신할 수 있는 경우에는 그러하지 아니하다(등기예규 제1855-1호 제10조 제4항).
⑤ 첨부정보 중 주금납입보관증명서 또는 잔고증명서에 해당하는 정보는 신청인이 금융기관에 요청하여 수신한 정보를 송신하는 방법으로 제출할 수 있다(등기예규 제1855-1호 제7조 제5항).

07 상업등기 신청 시 첨부정보에 관한 다음 설명 중 가장 옳지 않은 것은? ▸ 2023 법무사

① 변호사나 법무사 등 자격자대리인이 상업등기 및 법인등기를 전자신청할 때 위임인으로부터 받은 첨부서면인 공증인의 인증을 받은 법인 총회 등의 의사록 등을 전자적 이미지 정보로 변환(스캐닝)하여 송신하는 경우에는 위임인의 전자증명서 또는 공인인증서를 함께 송신하여야 하는데, 이때 전자적 이미지 정보로 변환(스캐닝)된 문서에 공증인법 제66조의6에 따라 공증인의 인증을 받아야 한다.

② 법인의 전자증명서 또는 개인의 공인인증서에 기초한 전자서명정보가 있는 경우에는, 법인인감 또는 인감증명법에 따라 신고한 인감의 날인이 있는 것으로 본다.

③ 법인등기의 전자신청 시 첨부정보에 해당하는 서면을 스캐닝하여 파일로 송신하면서 신청인 및 작성명의인의 전자서명정보를 함께 송신한 경우의 첨부정보는 단순한 스캔문서가 아닌 전자문서에 해당하므로, 자격자대리인이 아닌 당사자도 첨부정보로 송신할 수 있다.

④ 법인의사록의 인증과 사서증서의 인증은 인증의 대상, 인증 시 제출하여야 하는 서면, 내용, 인증 이후 서류의 보관방법 등이 다르고 공증인법에서도 별도로 규정하고 있으므로, 법인등기신청서에 첨부하여야 할 법인의 총회 또는 이사회 의사록의 인증방법으로는 법인의사록의 인증방식만 가능하고 사서증서의 인증방식으로는 할 수 없다.

⑤ 유통산업발전법 제8조 제1항은 "대규모점포를 개설하려는 자는 영업을 시작하기 전에 산업통상자원부령으로 정하는 바에 따라 상권영향평가서 및 지역협력계획서를 첨부하여 특별자치시장·시장·군수·구청장에게 등록하여야 한다."고 규정하고 있는데, 상법상의 회사가 같은 법 제2조 제3호 및 관련 별표 규정의 대형마트, 백화점 등을 등기기록의 목적란에 추가하는 변경등기를 신청할 때 관할 지방자치단체장에게 등록하였음을 증명하는 정보는 상업등기규칙 제52조 제1항 제2호의 첨부정보가 아니다.

해설 ① 전자신청을 하는 경우 첨부정보로서 등기소에 제공하여야 하는 정보를 전자문서로 등기소에 송신하거나 대법원예규로 정하는 바에 따라 등기소에 제공하여야 한다(상등규 제67조 제3항). '전자문서'란 정보처리시스템에 의하여 전자적 형태로 작성·변환되거나 송신·수신 또는 저장된 정보'를 말하고(공증인법 제1조의2 제2호; 전자문서 및 전자거래 기본법 제2조 제2호), 의사록이 전자문서로 작성된 경우에는 공증인법 제66조의5(전자문서의 인증) 규정에 따라 전자적으로 공증인의 인증을 받아 등기소에 제출하여야 한다. 그러나 대법원 예규는 '자격자대리인이 위임인으로부터 받은 첨부서면(「인감증명법」에 따른 인감증명서와 그 인감을 날인한 서면, 「본인서명사실 확인 등에 관한 법률」에 따른 본인서명사실확인서와 그 서명을 한 서면, 전자본인서명확인서발급증과 관련 서명을 한 서면은 제외)을 전자적 이미지 정보로 변환하여 송신하는 경우'에는 첨부정보를 전자문서로 송신하지 않아도 되는 예외를 인정하므로(등기예규 제1855-1호 제7조 제3항 제1호), 자격자 대리인이 위임인으로부터 '이미 공증인의 인증을 받은 총회의사록을 스캐닝하여 송신하는 경우'에는 해당 스캐닝문서(전자화문서)에 추가적으로 공증인의 인증을 받을 것은 아니다.

② 등기신청정보를 적은 서면(전자문서를 포함한다. 이하 '등기신청서'라 한다)에는 신청인 또는 그 대리인이 기명날인(대법원규칙으로 정하는 전자서명을 포함한다. 이하 같다)하여야 한다(상등 제24조 제4항 본문). 등기신청서에 기명날인할 사람은 미리 그 인감을 등기소에 제출하여야 한다(상등 제25조). 전자신청에서 전자서명은 법인인 경우에는 '상업등기법'의 전자증명서, 개인인 경우에는 '전자서명법'에 따른 인증서의 송신을 말한다(상등규 제67조 제4항). 따라서 법인의 전자증명서, 개인의 인증서에 기초한 전자서명정보는 원래 방문신청시 기명날인하여야 할 법인인감 또는 인감증명법에 따라 신고한 인감에 대응한다고 본다.

③ 상업선례 제201611-2호

④ 상업선례 제2-5호(상업등기와 관련하여 공증인의 인증방식으로는 크게 '공정증서 작성', '사서증서의 인증', '법인의사록 인증'으로 서로 구분됨)

⑤ 관청의 허가 또는 인가를 필요로 하는 사항의 등기를 신청하는 경우에는 그 허가 또는 인가가 있음을 증명하는 정보를 첨부하여야 하나(상등규 제52조 제1항 제2호), 이것은 당해 허가 또는 인가가 등기할 사항의 효력요건인 경우를 말한다(상업선례 제1-92호, 제1-103호, 제1-104호). 동 사항은 영업에 관한 등록으로서 영업수행을 위한 요건이며 등기할 사항의 효력요건이 아니므로 해당되지 않는다(상업선례 제201812-1호).

08 상업등기에 있어서의 인감의 제출 및 인감증명에 관한 다음 설명 중 가장 옳지 않은 것은?

▶ 2021 법무사

① 회사의 대표자가 제출한 인감의 문자에는 회사의 상호가 기재되어 있어야 하나, 제출자의 자격(대표이사 등)이 기재되어 있을 필요는 없다.

② 회사의 대표자가 2인 이상인 경우에 등기를 신청하는 대표자만 인감을 제출하여도 된다.

③ 인감을 제출한 사람이 그 자격을 상실하거나 개인 또는 인감의 폐지 신고를 한 경우 등기관은 인감에 관한 기록을 폐쇄하여야 한다.

④ 파산 선고의 등기가 된 회사의 대표자에 대하여는 인감증명을 발급하지 아니한다.

⑤ 채무자 회생 및 파산에 관한 법률에 따른 관리인과 관리인대리는 인감을 등기소에 제출한 후 그 인감증명의 발급을 신청할 수 있다.

해설 ① 인감은 대조에 적당한 것이여야 하고, 선명하지 않거나 너무 복잡한 것이어서는 안 된다(등기예규 제1832호 제3조 제1항). 인영의 모양에 대한 다른 제한은 없으므로 회사의 상호가 기재되거나 제출자의 자격이 기재되어 있을 필요는 없다.

② 법인의 대표자가 2인 이상인 경우 등기를 신청하는 대표자만 인감을 제출하여도 된다. 다만, 공동으로 대표권을 행사하여야 하는 자가 등기를 신청할 경우에는 공동으로 대표권을 행사하도록 되어 있는 자 전원의 인감을 제출하여야 한다(등기예규 제1832호 제2조 제2항).

③ 인감을 제출한 자가 인감을 제출할 수 있는 자격을 상실하거나 개인 또는 폐인신고를 한 경우, 등기관은 신고된 종전 인감에 관한 기록을 폐쇄하여야 한다(상등규 제38조 제1항). 다만 임기만료로 퇴임하였더라도 퇴임과 동시에 취임한 중임의 경우에는 다른 인감을 신고하는 경우가 아니면 중임 전에 신고한 인감을 폐쇄하지 않는다.

④ 파산 선고로 기존의 대표자는 그 직을 잃기 때문에 해당 대표자의 등기 말소 여부와 관계없이 인감증명을 발급하지 아니한다(등기예규 제1832호 제13조 제1항 제2호).

⑤ 상등 제16조 제1항 제2호

09 제1심 수소법원이 등기를 촉탁하여야 할 사항에 해당하지 않는 것은? ▸ 2021 법무사

① 회사의 청산인의 해임 재판이 있는 경우

② 법원이 청산인을 선임한 경우

③ 합명회사, 합자회사 또는 유한회사의 설립을 취소하는 판결이 확정된 경우

④ 주식회사의 이사·감사·대표이사 또는 청산인이나 유한회사의 이사·감사 또는 청산인의 직무를 일시적으로 맡아 할 사람을 선임한 경우

⑤ 주식회사의 이사 또는 감사나 유한회사 이사의 해임 판결이 확정된 경우

해설 ①,③,④,⑤ 모두 비송 제107조에 의하여 제1심 수소법원이 등기를 촉탁하는 경우에 해당한다.

② 다만, 법원이 청산인 해임 재판을 하는 경우에는 제1심 수소법원이 그 등기를 촉탁하지만(비송 제107조), 청산인 선임 재판을 하는 경우에는 촉탁규정이 없으므로 대표청산인의 신청에 의하여야 하므로 주의를 요한다.

제5절　등기실행절차 - 서설/ 등기신청의 취하·보정·각하

01 등기신청의 각하사유에 관한 다음 설명 중 가장 옳은 것은?

▸ 2022 법무사

① 정관에서 정하는 대표이사의 직무대행자에 관한 사항은 법률상 등기사항이 아니므로, 이에 관한 등기를 신청한 경우에는 '사건이 등기할 사항이 아닌 경우'로서 각하사유에 해당한다.

② 관공서에서 우편을 이용하여 등기를 촉탁한 경우에는 '신청인 또는 그 대리인이 출석하지 아니한 경우'로서 각하사유에 해당한다.

③ 등기할 사항에 무효의 원인이 있는 경우에는 각하사유에 해당하지만, 등기할 사항에 취소의 원인이 있는 경우에는 각하사유에 해당하지 아니한다.

④ 동일한 특별시, 광역시, 시 또는 군에서 동종의 영업을 위하여 다른 상인이 등기한 상호와 유사한 상호의 등기를 신청한 경우에는 각하사유에 해당한다.

⑤ 회사가 아니면 상호에 '회사'임을 표시하는 문자를 사용하지 못하지만, 각하사유에 해당하는 것은 아니다.

> **해설**　① 상업선례 제1-368호, 제1-434호, 제200912-1호
>
> ② 관공서의 촉탁은 우편으로 등기신청서를 제출하는 것이 가능하므로(상등 제24조 제2항), '당사자 또는 그 대리인 등의 출석이 필요한 경우에 출석하지 아니한 때(상등 제26조 제5호)'의 각하사유에 해당하지 않는다.
>
> ③ 등기할 사항에 무효 또는 취소의 원인이 있는 경우 모두 각하사유가 된다(상등 제26조 제10호). 다만, 소로써만 주장할 수 있는 무효 또는 취소의 원인이 있는 경우에 그 소가 제기기간 내에 제기되지 아니하였을 때에는 무효 또는 취소의 원인이 있는 경우의 각하사유를 적용하지 않는다(상등 제27조).
>
> ④ 동일상호 등기를 할 수 없고(상등 제29조), 동일상호의 등기 또는 가등기를 목적으로 하는 등기사건은 각하사유가 된다(상등 제26조 제13호). 유사상호에 관한 각하사유는 없다.
>
> ⑤ 회사가 아니면서 상호에 회사임을 표시하는 문자를 사용하여 등기신청한 경우(상 제20조)에는 '사건이 법령의 규정에 따라 사용이 금지된 상호의 등기 또는 가등기를 목적으로 하는 때'의 각하사유에 해당한다(상등 제26조 제14호).

정답　01 ①

제6절 등기의 경정과 말소

01 등기의 경정과 말소에 관한 다음 설명 중 가장 옳지 않은 것은? ▶ 2022 법무사

① 말소등기를 신청하는 경우에 등기에 무효원인이 있음이 그 등기의 신청정보 또는 첨부정보에 의하여 명백한 경우에도 그 무효원인이 있음을 증명하는 서면을 첨부정보로 제공해야만 한다.

② 등기에 착오나 빠진 부분이 있음이 그 등기의 신청정보 또는 첨부정보에 의하여 명백할 때에는 경정등기의 신청서에 그 뜻을 기재하고 착오나 빠진부분이 있음을 증명하는 정보를 제공하지 아니할 수 있다.

③ 등기관은 등기의 착오나 빠진 부분이 등기관의 잘못으로 인한 것이었을 때에는 지체 없이 그 등기를 직권으로 경정하고 그 사실을 등기를 한 자에게 통지하여야 한다.

④ 말소등기를 신청하는 경우에 말소등기에 의하여 불이익을 받는 등기기록상의 이해관계인이 있는 때에는 그 자의 동의서와 인감증명서를 첨부하여야 한다.

⑤ 등기된 사항에 무효의 원인이 있지만 소로써만 그 무효를 주장할 수 있는 경우에는 말소등기를 신청할 수 없다.

해설 ① 등기된 사항에 무효의 원인이 있는 것을 이유로 하는 말소신청서에는 그 무효의 원인이 있는 것을 증명하는 서면을 첨부하여야 한다. 신청서와 첨부서면 및 그 등기기록만으로도 등기에 무효원인이 있음이 명백한 경우에는 그 무효원인이 있음을 증명하는 서면을 첨부하지 아니하여도 된다. 이 경우에는 그 뜻을 말소신청서에 기재하여야 한다(상등규 제169조 제2항, 제167조 제2항).

② 상등규 제167조 제2항

③ 상등 제76조 제2항

④ 상업선례 제1–66호

⑤ 등기를 말소할 수 있는 사유는 상업등기법 제77조에 열거된 4개의 사유로 한정되어 있다. 즉 상업등기법 제26조 제1호부터 제3호까지의 각하사유(관할위반, 이중등기, 등기할 사항이 아닐 때)가 있거나, 등기된 사항에 관하여 무효의 원인이 있는 때(소로써만 그 무효를 주장할 수 있는 경우를 제외한다)에도 불구하고 등기가 이루어진 경우에 한한다.

제7절 등기관의 처분에 대한 이의

01 **등기관의 결정 또는 처분에 대한 이의에 관한 다음 설명 중 가장 옳은 것은?** ▶ 2025 법무사

① 등기관의 결정 또는 처분에 이의가 있는 회사는 본점 소재지를 관할하는 지방법원에 이의신청을 할 수 있다.

② 이의신청은 이의신청서를 제출하는 방법 외에 전산정보처리조직을 이용하여 이의신청정보를 보내는 방법으로도 가능하다.

③ 이의를 하려는 자는 등기관의 결정 또는 처분이 있은 날부터 1개월 이내에 이의신청을 하여야 한다.

④ 이의신청에는 집행정지의 효력이 있다.

⑤ 등기신청의 각하결정에 대한 이의신청에 따라 관할 지방법원이 그 등기의 기록명령을 하였다면 등기관은 신청인에게 첨부정보를 다시 등기소에 제공할 것을 명령할 수 없고, 그 기록명령에 따른 등기를 하여야 한다.

> **해설** ① 등기관의 결정 또는 처분에 이의가 있는 자는 그 결정 또는 처분을 한 등기관이 속한 지방법원(이하 "관할 지방법원"이라 한다)에 이의신청을 할 수 있다(상등 제82조).
> ② 상등 제83조(전자이의신청 제도가 도입됨. 2025.1.31.부터 시행)
> ③ 이의신청기간에 대한 기간의 정함은 없다.
> ④ 이의신청에는 집행정지의 효력이 없다(상등 제86조).
> ⑤ 등기관이 기록명령에 따른 등기를 하기 위하여 신청인에게 첨부정보를 다시 등기소에 제공할 것을 명령하였으나 신청인이 이에 응하지 아니한 경우에는 기록명령에 따른 등기를 할 수 없다(등기예규 제1812호 제6조 제2항 1. 라).

02 **등기관의 처분에 대한 이의에 관한 다음 설명 중 가장 옳지 않은 것은?** ▶ 2021 법무사

① 등기관의 결정 또는 처분에 이의가 있는 자는 관할 지방법원에 이의신청을 할 수 있다.

② 등기관의 결정이나 처분의 부당을 주장하는데 아무런 이해관계가 없는 자는 이의신청을 할 수 없다.

③ 등기관의 결정 또는 처분에 이의가 있는 자는 관할 지방법원에 이의신청서를 제출하여야 한다.

④ 등기관의 결정 또는 처분에 대한 이의는 집행정지의 효력이 없다.

⑤ 등기관이 등기를 완료한 처분에 대한 이해관계인의 이의에 대하여 관할법원이 이를 인용하여 그 등기의 말소를 명한 경우 말소의 대상이 된 당해 등기의 등기신청인은 항고할 수 있다.

해설 ① 상등 제82조

② 대결 1987.3.18, 87마206

③ 이의신청은 대법원규칙으로 정하는 바에 따라 결정 또는 처분을 한 등기관이 속한 등기소에 이의신청서를 제출하거나 전산정보처리조직을 이용하여 이의신청정보를 보내는 방법으로 한다(상등 제83조; 2025.1.31.부터 전자이의신청 제도 신설 시행됨). 전자이의신청의 경우에는 등기소에 출석하여 제출하지 않음.

④ 이의신청에는 집행정지의 효력이 없다(상등 제86조). 따라서 완료된 등기에 대한 이의신청이 있고 그 이의의 취지가 부기등기된 후라도 그 법인에 대한 다른 등기신청을 수리함에 장애가 없다.

⑤ 대결 2008.12.15, 2007마1154

상업등기(각론) – 개인상인에 관한 등기

 상호의 등기 – 상호의 등기 일반/ 상호의 가등기

01 상호의 등기 내지 가등기에 관한 다음 설명 중 가장 옳지 않은 것은?　　▸ 2023 법무사

① 상호나 목적 또는 상호와 목적 변경에 관계된 상호의 가등기의 본등기를 할 때까지의 기간은 1년을 초과할 수 없다.

② 의료업의 영위를 영업의 종류로 하는 개인의 상호등기 신청은 이를 수리할 수 있다.

③ 회사의 지점 및 외국회사의 영업소를 설치하거나 이전하는 등기, 지점의 등기기록에서 상호 또는 목적을 변경하는 등기신청에서는 동일상호 여부를 조사하지 아니한다.

④ 상호에 지점, 지사, 지부, 출장소 등의 문자나 영업부문임을 표시하는 문자(영업부, 판매부 등)를 사용한 경우(상법 제21조 제2항에 따라 지점의 상호에 본점과의 종속관계를 표시하기 위하여 사용하는 경우는 제외한다)는 등기할 수 없는 상호로 등기관은 이러한 등기신청을 각하하여야 한다.

⑤ 상호를 등기한 타인이 신청인의 상호에 관한 등기에 동의하거나 신청인이 발행한 주식을 100% 소유한 모회사라 하더라도, 동일상호인 경우에 등기관은 상호에 관한 등기 신청을 수리할 수 없다.

해설 ① 상등 제39조 제2항 후문

② 의료업의 영위를 영업의 종류로 하는 개인의 상호등기는 이를 수리할 수 없다(상업선례 제1–55호). 의사, 한의사, 변호사, 법무사, 변리사, 건축사, 작가, 예술인, 화가, 음악가 등은 전문직업인 또는 자유직업인으로 그 업무의 특성상 상인으로 볼 수 없으므로 상호의 등기를 할 수 없다.

③ 출제 당시에는 맞는 지문이었으나 2025.1.31.부터는 법 개정으로 틀린 지문이 되었다. 회사의 지점 및 외국회사의 영업소를 설치하거나 이전하는 등기에서는 동일상호 여부를 조사하지 않는다(등기예규 제1819호 제4조 제2항). '지점의 등기기록에서 상호 또는 목적을 변경하는 등기신청'이라는 부분이 삭제되었다(회사의 등기사항은 본점등기기록에만 등기하게 되었기 때문에 지점의 등기기록이 별도 편성되지 않는다).

④ 등기예규 제1819호 제3조 제4호

⑤ 등기예규 제1819호 제5조

 미성년자와 법정대리인의 등기

 지배인의 등기

정답 　01 ②,③

Chapter 03

상업등기(각론) - 회사 및 합자조합에 관한 등기

제1절 주식회사의 등기

01 총설

01 자본금 총액이 10억 원 미만인 주식회사(이하 '소규모 주식회사'라 함)에서 주주 전원의 동의로 서면에 의한 결의(이하 '서면결의'라 함)로써 주주총회의 결의를 갈음하거나(상법 제363조 제4항 전문), 결의의 목적사항에 대하여 주주 전원이 서면으로 동의(상법 제363조 제4항 후문, 이하 '서면동의'라 하고, '서면결의'와 '서면동의'를 합하여 '서면결의 등'이라 함)한 경우에 관한 다음 설명 중 가장 옳지 않은 것은? (다툼이 있는 경우 대법원 판례 · 예규 및 선례에 따르고 전원합의체 판결의 경우 다수의견에 의함.) ▸ 2024 법무사

① 서면결의 등에 대하여는 주주총회에 관한 규정을 준용하도록 하고 있기 때문에 서면결의 등의 경우에도 의사록을 작성하여야 한다.

② 자기주식을 소유한 소규모 주식회사는 자기주식에 관하여 서면결의서 또는 서면동의서를 작성할 필요가 없다.

③ 서면결의의 경우에는 서면결의를 하는 것에 관한 주주 전원의 동의서 및 해당 결의요건을 충족하는 서면결의서에 각 주주가 인감증명법에 따라 신고한 인감을 날인하고 그 인감증명서를 첨부하고, 서면결의 등이 이루어질 당시의 대표자가 등기소에 제출한 인감을 날인한 주주명부를 첨부하여야 한다.

④ 법원의 확정 판결 등으로 1인 주주라는 사실을 등기관이 명백하게 알 수 있는 때에는 서면결의 등이 이루어질 당시의 대표자가 등기소에 제출한 인감을 날인한 주주명부는 첨부할 필요가 없다.

⑤ 벤처투자 촉진에 관한 법률에 의하여 설립된 투자조합이 소규모 주식회사의 주주로서 서면결의서 또는 서면동의서를 작성하는 경우에는 그 조합에 업무집행조합원이 선임된 경우에는 업무집행조합원임을 증명하는 서면과 업무집행조합원이 등기소에 제출한 인감을 날인한 서면결의서 또는 서면동의서를 첨부하여야 한다.

해설 ① 서면결의 등의 경우에도 주주총회에 관한 규정이 준용되므로(상 제363조 제6항), 서면결의 등의 경우에도 의사록 작성의무(상 제373조)가 원칙이다. 다만 등기 실무상 첨부정보(첨부서류)에서 공증받은 의사록 대신 서면결의서 등을 작성해 제출하는 것을 예외적으로 인정하고 있다.

② 회사가 가진 자기주식은 의결권이 없고, 총회의 결의에 관하여는 자기주식의 수는 발행주식총수에 산입하지 않으며, 자기주식을 가진 주주에 대해서는 원칙적으로 주주총회의 소집통지도 할 필요가

정답 01 ⑤

없는 점 등을 고려할 때 자기주식을 소유한 자본금 총액이 10억 원 미만인 소규모 주식회사는 자기주식에 관하여 서면결의서 또는 서면동의서를 작성할 필요가 없다(상업선례 제202406-1호).

③ 등기첨부정보로서 서면결의서를 제출하는 경우, (i) 서면결의를 하는 것에 관한 주주 전원의 동의서 및 해당 결의요건을 충족하는 서면결의서에 각 주주가 인감증명법에 따라 신고한 인감을 날인하고 그 인감증명서를 제출하고, (ii) 서면결의 등의 진정성을 보장하기 위하여 서면결의 등이 이루어질 당시의 대표자가 등기소에 제출한 인감을 날인한 주주명부를 첨부하도록 하고 있다(상업선례 제201809-3호).

④ 위 ③의 지침에도 불구하고, 대표자 해임처럼 경영권 분쟁 등의 사유로 주주명부의 진정성에 의심이 드는 때에는 서면결의 등이 이루어질 당시의 대표자가 등기소에 제출한 인감을 날인한 주주명부를 첨부할 수 없게 되는데, 다만 법원의 확정 판결 등으로 1인 주주라는 사실을 등기관이 명백하게 알 수 있는 때처럼 주주명부의 진정성이 명백할 때에는 이를 생략할 수 있다(상업선례 제201901-2호).

⑤ 벤처투자 촉진에 관한 법률에 의하여 설립된 투자조합은 상법상 합자조합에 관한 규정을 준용하나 등기에 관한 규정을 준용하지 않으므로 설립등기를 할 수 없다. 따라서 투자조합의 업무집행자(대표)인 업무집행조합원이 해당 투자조합의 대표로서 등기소에 제출한 인감은 존재하지 않는다. 결국 서면결의에 인감을 날인할 자가 위 투자조합인 경우에는 투자조합 등기사항증명서도 없고 해당 업무집행조합원이 등기소에 제출한 인감도 없기 때문에, 그 조합에 업무집행조합원임을 증명하는 서면(어느 서면이 이에 해당할지는 등기관이 판단할 문제임)과 업무집행조합원이 이미 가지고 있는 인감(자연인의 경우에는 인감증명법에 따른 개인인감, 법인인 경우에는 법인인감) 및 그 증명서를 첨부하여야 한다(상업선례 제202312-1호; 키워드는 '조합의 업무집행조합원으로서 등기소에 제출한 인감'이 아니라는 점).

02 주식회사의 등기에 관한 다음 설명 중 가장 옳지 않은 것은?

▸ 2024 법무사

① 법인이 상법상 주식회사의 이사가 될 수 있는 경우가 있다.

② 상법 제386조 제1항에 의하여 임기만료 또는 사임으로 인하여 퇴임한 이사가 새로 선임된 이사가 취임할 때까지 이사로서의 권리의무가 있는 경우에는 이사의 퇴임등기를 하여야 하는 2주 또는 3주의 등기기간은 퇴임한 이사의 퇴임일로부터 기산하지 않고 후임이사의 취임일로부터 기산하여야 하며, 후임이사의 취임등기를 하기 전에는 퇴임한 이사의 퇴임등기만을 할 수 없다.

③ 법원의 가처분결정에 의하여 선임된 대표이사 직무대행자는 법원의 허가가 없이는 새로운 이사의 선임을 승인하는 안건이 포함된 임시주주총회를 소집할 수 없다.

④ 등기사유로서 주주총회결의에서 특별이해관계인의 주식의 수는 발행주식총수에 산입하지만, 출석한 주주의 의결권의 수에는 산입하지 아니한다.

⑤ 특별이해관계인은 주주총회에서 의결권을 행사할 수 없으나, 이해관계 없는 대리인을 통하면 의결권을 행사할 수 있다.

> **해설** ① 이사는 자연인에 한한다는 것이 통설이지만, '자본시장과 금융투자업에 관한 법률'에 따라 설립되는 주식회사 형태의 투자회사에 대하여는 법인이 이사가 되어 회사를 대표하도록 하는 특별규정

을 두고 있다(동법 제197조, 제198조). 성질에는 반하지만 특별법에 의하여 허용하는 예외적인 경우가 있다.
② 대결(전) 2005.3.8, 2004마800
③ 대판 2007.6.28, 2006다62362; 위 사안의 업무는 가처분에 의해 선임된 직무대행자의 '상무 외 행위'로 본다.
④ 상 제371조 제2항
⑤ 주주 자신에게 특별한 이해관계가 있으면 특별한 이해관계가 없는 대리인을 통해 의결권을 행사하더라도 특별이해관계가 있는 것으로 보고, 본인인 주주는 특별한 이해관계가 없지만 대리인인 주주가 특별한 이해관계를 가질 경우도 마찬가지로 해석된다(대판 2007.7.12, 2006다3585; 의결권을 행사할 수 없다).

03 **자본금 총액이 10억 원 미만인 소규모 주식회사의 특례에 관한 다음 설명 중 가장 옳지 않은 것은?** ▶ 2022 법무사

① 소규모 주식회사가 주주총회를 소집하는 경우에는 주주총회일의 10일 전에 각 주주에게 서면으로 소집통지를 발송하거나 각 주주의 동의를 받아 전자문서로 통지를 발송할 수 있다.
② 자본금 10억 원 미만인 회사가 이사를 1명으로 하여 등기 신청하는 경우에 그 이사는 "대표이사"로 기재하고, 그 성명, 주민등록번호 및 주소를 같이 기재한다.
③ 자본금 총액이 10억 원 미만인 회사는 주주 전원의 동의가 있을 경우에는 소집절차 없이 주주총회를 개최할 수 있고, 서면에 의한 결의로써 주주총회의 결의를 갈음할 수 있다.
④ 감사를 두지 않은 소규모 주식회사가 이사에 대하여 또는 이사가 그 회사에 대하여 소를 제기하는 경우에 회사, 이사 또는 이해관계인은 법원에 회사를 대표할 자를 선임하여 줄 것을 신청하여야 한다.
⑤ 자본금 총액이 10억 원 미만인 회사를 발기설립하는 경우에는 각 발기인이 정관에 기명날인 또는 서명함으로써 효력이 생기고 공증인의 인증을 요하지 않는다.

해설 ① 상 제363조 제3항
② 자본금 10억원 미만인 회사가 이사를 1명으로 하는 경우에는 그 이사는 '사내이사'로 기재하고, 그 성명, 주민등록번호 및 주소를 같이 기재한다(등기예규 제1538호 제3조 제2항 제1호).
③ 상 제363조 제4항
④ 상 제409조 제4항, 제5항
⑤ 주식회사의 원시정관은 공증인의 인증을 받음으로써 효력이 생긴다(상 제292조 본문). 다만, 자본금 총액이 10억원 미만인 주식회사를 발기설립하는 경우에는 각 발기인이 정관에 기명날인 또는 는 서명함으로써 효력이 생긴다(상 제292조 단서).

정답 02 ⑤ 03 ②

02 설립의 등기

01 **주식회사의 설립등기에 관한 다음 설명 중 가장 옳지 않은 것은?** ▸2024 법무사

① 현물출자를 하기로 한 발기인은 납입기일에 지체 없이 출자의 목적인 재산을 인도하고, 등기, 등록 기타 권리의 설정 또는 이전을 요할 경우에는 이에 관한 서류를 완비하여 교부하여야 한다.

② 모집설립의 경우 현물출자의 이행에 관한 사항은 상법 제310조에 의한 검사인의 조사나 공인된 감정인의 감정 대상에 포함되지 않고, 이사와 감사가 이를 조사하여 창립총회에 보고한다.

③ 발기설립의 방법으로 자본금 총액을 10억 원 이상으로 하여 주식회사를 설립하거나 모집설립의 방법으로 주식회사를 설립할 경우, 그 설립등기신청서에는 은행이나 그 밖의 금융기관이 발급한 납입금 보관에 관한 증명서면을 제출하여야 한다.

④ 발기설립의 경우 이사와 감사 중 발기인이었던 자를 포함한 이사와 감사 전원은, 취임 후 지체 없이 회사의 설립에 관한 모든 사항이 법령 또는 정관 규정에 위반되지 아니하는지를 조사하여 발기인에게 보고하여야 한다.

⑤ 소규모 주식회사를 발기설립하는 경우, 그 설립등기신청서에 첨부하는 이사회의사록은 공증인의 인증을 받을 필요가 없다.

> **해설** ① 상 제295조 제2항; 제305조 제3항
> ② 상 제313조; 상업선례 제1-95호(↔ 발기설립에서는 법원이 선임한 검사인이 현물출자의 이행을 조사하여 법원에 보고하여야 함(상 제299조 제1항))
> ③ 주금납입을 맡은 은행 기타 금융기관의 납입금 보관 증명서면이 주식회사 설립 시 첨부서면인데(상등규 제129조 제12호 본문), 자본금 총액이 10억원 미만인 소규모 주식회사를 발기설립하는 경우에만 은행 기타 금융기관의 잔고증명서로 납입보관증명서를 대체할 수 있다(상등규 제129조 제12호 단서; 상 제318조 제3항). 모집설립의 경우 또는 10억원 이상의 발기설립의 경우에는 특례가 적용되지 않는다.
> ④ 발기설립의 경우 이사와 감사 전원은 취임 후 지체 없이 회사의 설립에 관한 모든 사항이 법령 또는 정관의 규정에 위반되지 아니하는지의 여부를 조사하여 발기인에게 보고하여야 한다(상 제298조 제1항). 이때 이사와 감사 중 발기인이었던 자, 현물출자자 또는 회사성립 후 양수할 재산의 계약당사자인 자는 위 조사·보고에 참가하지 못하므로(상 제298조 제2항), 만약 이사와 감사 전원이 이에 해당하는 때에는 이사는 공증인으로 하여금 조사·보고하게 하여야 한다(상 제298조 제3항).
> ⑤ 등기에 첨부하는 의사록은 원칙적으로 공증인의 인증을 받아야 하지만(공증인법 제66조의2 제1항 본문), 자본금 10억원 미만인 소규모 주식회사를 발기설립하는 경우에는 공증인의 인증을 받지 않아도 된다(공증인법 제66조의2 제1항 단서).

02 주식회사의 설립등기에 관한 다음 설명 중 가장 옳지 않은 것은? (다툼이 있는 경우 판례 · 예규 및 선례에 따르고 전원합의체 판결의 경우 다수의견에 의함. 이하 같음) ▸ 2023 법무사

① 주식회사의 설립 시 1주의 액면가액이 5,000원인 주식의 발행가액을 A발기인에 대해서는 5,000원, B발기인에 대하여는 100,000원, C발기인에 대하여는 200,000원으로 각각 달리한 설립등기신청이 있을 경우, 등기관은 형식적 심사권만 가지고 있으므로 주주평등의 원칙에 반하는지 여부와 관계없이 위와 같은 내용의 설립등기신청을 수리할 수 있다.

② 주식회사의 설립등기 또는 새로운 대표이사의 취임으로 인한 변경등기를 신청함에 있어 대표이사 또는 새로이 취임하는 대표이사가 국내에 외국인등록을 한 외국국적자라면, 등기신청서에는 주소를 증명하는 서면으로 외국인등록표등본을 첨부하고 주소는 외국인등록표등본에 나타난 국내 체류지로 하여야 할 것이다.

③ 발기인회의사록은 발기인회에서 나온 회의내용과 결과를 기록한 문서로 필요한 경우 발기설립과정에서의 의사결정내용을 기록하는 것은 가능하나, 상법 제295조 제1항 후문의 주금납입을 맡은 은행 기타 금융기관과 납입장소에 대한 내용이 발기인회의사록에 포함되어야 하는 것은 아니다.

④ "동일한 특별시, 광역시, 특별자치시, 시 또는 군에서 동종의 영업을 위하여 다른 상인이 등기한 상호와 동일한 상호를 등기할 수 없다"는 동일상호 금지에 관한 규정은 사실상 상법의 회사와 같은 목적을 수행하는 민법 법인의 명칭에는 적용되므로, 예를 들어 '사단법인 OOO자산공제회'와 'OOO자산공제회 주식회사'는 다른 특별한 사정이 없는 한 동일상호 금지에 관한 규정이 적용된다.

⑤ 주식회사의 신설합병절차에서 합병계약서에 일반적인 합병사항과 신설회사의 등기할 사항에 대한 내용이 포함되고 이 합병계약서가 주주총회의 특별결의로 승인되었다면 단지 보고만을 위한 창립총회는 상법개정으로 이사회의 결의에 의한 공고로 갈음할 수 있으며, 신설회사에 대한 설립등기도 등기사항이 합병승인을 위한 주주총회에서 승인되었다고 볼 수 있으므로 일반적인 회사설립에서 필요한 창립총회를 거칠 필요없이 등기가 가능하다.

해설 ① 주주평등의 원칙상 발행가액은 균일하여야 하지만 주주평등의 원칙이 포기할 수 없는 절대적인 원칙은 아니기 때문에(대판 1980.8.26, 80다1263), 발기인 전원의 동의로 발기인 간에 발행가액을 달리 정하는 것도 가능하다고 한다(상업선례 제1-87호).

② 상업선례 제1-154호

③ 상업선례 제202306-1호. 주금납입을 맡은 은행 기타 금융기관과 납입장소에 대한 결정은 설립절차에서 '주식발행사항의 결정' 단계에서 행해질 사항이므로 그 후에 이루어지는 발기인회(이사, 감사의 선임절차)에서 반드시 포함되어야 할 사항은 아니다.

④ 상호는 '상인이 영업활동상 자기를 표시하기 위하여 사용하는 명칭'이다. 상호는 상인이 사용하는 명칭이므로 상인이 아닌 민법법인, 협동조합 등이 사용하는 명칭은 상호가 아니다. 상호가 아닌 이상 '동일상호 금지' 규정이 적용될 여지도 없다.

⑤ 상 제527조 제4항; 대판 2009.4.23, 2005다22701 · 22718

정답 01 ④ 02 ④

03 **주식회사의 설립등기에 있어서 등기사항이 아닌 것은?** ▸ 2022 법무사

① 감사위원회를 설치한 때에는 감사위원회 위원의 성명 및 주민등록번호

② 주식의 양도에 관하여 주주총회의 승인을 얻도록 정한 때에는 그 규정

③ 사내이사, 사외이사, 그 밖에 상무에 종사하지 아니하는 이사, 감사 및 집행임원의 성명과 주민등록번호

④ 둘 이상의 대표이사 또는 대표집행임원이 공동으로 회사를 대표할 것을 정한 경우에는 그 규정

⑤ 주식매수선택권을 부여하도록 정한 때에는 그 규정

> **해설** ① 상 제317조 제2항 제12호
> ② '주식의 양도에 관하여 이사회 승인을 얻도록 정한 때에는 그 규정(상 제317조 제2항 제3의2호)' 을 등기하도록 하고 있다.
> ③ 상 제317조 제2항 제8호
> ④ 상 제317조 제2항 제10호
> ⑤ 상 제317조 제2항 제3의3호

04 **주식회사의 설립등기에 관한 다음 설명 중 가장 옳지 않은 것은?** ▸ 2021 법무사

① 회사를 대표할 이사의 성명과 주민등록번호, 주소는 주식회사의 설립등기 사항이다.

② 주식회사의 존립기간 또는 해산사유는 주식회사 정관의 절대적 기재사항이다.

③ 회사 설립 시 '무액면주식을 발행하는 경우 주식의 발행가액과 주식의 발행가액 중 자본금으로 계상하는 금액'에 관하여 정관에 다른 정함이 없으면 발기인 전원의 동의로 이를 정한다.

④ 회사가 무액면주식을 발행하는 경우 회사의 자본금은 주식발행가액의 1/2 이상의 금액으로서 이사회(상법 제416조 단서에서 정한 주식발행의 경우에는 주주총회를 말한다)에서 자본금으로 계상하기로 한 금액의 총액으로 한다.

⑤ 투자회사의 발기인은 투자회사의 설립시에 발행하는 주식의 총수를 인수하여야 하고, 이에 따라 주식을 인수한 발기인은 지체 없이 주식의 인수가액을 금전으로 납입하여야 한다.

> **해설** ① 상 제13조, 제317조 제2항
> ② 정관의 상대적 기재사항이다(상 제517조 제1호, 제227조 제1호).
> ③ 상 제291조
> ④ 상 제451조 제1항
> ⑤ 자본시장법 제194조 제6항, 제7항(자본시장법상에 규정된 '투자회사'에 대한 특칙)

03 상호, 목적, 공고방법, 존립기간 또는 해산사유의 변경등기

04 본점이전의 등기

01 주식회사의 본점이전등기에 관한 다음 설명 중 가장 옳지 않은 것은?

▸ 2025 법무사

① 본점을 다른 등기소의 관할구역 내로 이전한 경우에 새 본점 소재지에서 하는 등기의 신청은 종전의 본점 소재지를 관할하는 등기소를 거쳐야 한다. 새 본점 소재지에서 하는 등기의 신청과 종전의 본점 소재지에서 하는 등기의 신청은 종전의 본점 소재지를 관할하는 등기소에 동시에 하여야 한다.

② 회생절차개시결정을 받은 주식회사의 경우 본점이전이 회생계획의 수행에 따른 것이라면 법원사무관 등의 촉탁에 의하여 본점이전등기를 하지만, 회생계획의 인가결정 전에 법원의 허가 등을 받아 본점이전을 하는 경우라면 관리인 또는 관리인으로 간주되는 자의 신청에 의하여 등기한다.

③ 주식회사의 본점에 지배인을 두고 있는 때에는 본점이전등기의 신청과 지배인을 둔 장소의 이전등기의 신청을 동시에 하여야 한다.

④ 정관에 기재된 본점 소재지 외의 장소로 본점을 이전하는 경우에는 신청서에 정관변경 결의에 관한 주주총회의사록을 첨부하여야 하는데, 정관변경의 효력은 주주총회의 결의만으로 발생하므로 변경된 정관을 첨부할 필요는 없다.

⑤ 본점을 이전하는 경우 인감제출자에 관한 사항에 변경이 생기지만, 본점이전등기를 신청하면서 대표자의 인감을 새로 제출하여야 하는 것은 아니다.

> **해설**
> ① 본점을 다른 등기소의 관할구역으로 이전한 경우에는 종전의 본점 또는 새 본점의 소재지를 관할하는 등기소 중 한 곳에 본점이전등기의 신청을 할 수 있다(상등 제55조; 2025.1.31.부터 시행). 종전의 본점 소재지를 관할하는 등기소를 거쳐야 하는 개념이 삭제되었다.
> ② 등기예규 제1777호 제4조 제1항
> ③ 상등 제51조 제3항
> ④ 상업선례 제1-102호, 제1-117호
> ⑤ 인감제출자에 관한 사항이 변경되는 변경등기 또는 경정등기를 신청하는 경우에는 인감을 재제출할 필요가 없다(등기예규 제1832호 제4조 제6항). 인감제출자가 새로 취임하는 경우라면 인감의 제출이 필요하지만, 인감제출자가 그 직을 유지한 채 인감기록에 관한 내용이 변경되는 경우(예 본점이전, 개명 등)에는 인감의 재제출이 필요가 없다는 취지이다.

정답 03 ② 04 ② / 01 ①

02 주식회사의 본점이전 또는 지점이전에 따른 등기에 관한 다음 설명 중 가장 옳지 않은 것은?

▸ 2021 법무사

① 주식회사가 파산선고를 받은 경우에 본점이전의 등기는 파산관재인이 아닌 주식회사의 대표자가 신청하여야 한다.

② 정관의 변경을 요하지 않는 본점이전의 등기 또는 지점이전의 등기를 신청할 때 첨부하는 이사회의사록은 공증인의 인증을 요하지 아니한다.

③ 본점과 지점 소재지를 관할하는 등기소가 다른 경우 지점의 이전에 관하여 지점 소재지에서 하는 등기의 신청은 본점 소재지를 관할하는 등기소에 할 수 있다.

④ 본점을 다른 등기소의 관할구역 내로 이전한 경우에 종전의 본점 소재지에서 하는 등기의 신청과 새로운 본점 소재지에서 하는 등기의 신청은 종전의 본점 소재지를 관할하는 등기소에 동시에 하여야 한다.

⑤ 새로운 본점 소재지에서 본점이전의 등기를 할 때에는 회사성립의 연월일도 등기하여야 한다.

해설 ① 파산법인도 회사의 비재산적 활동범위에 속하는 사항(조직법적 사단활동)에 관한 권한은 여전히 법인에게 있으므로 파산법인의 본점이전의 등기는 회사의 대표자가 신청하여야 한다(파산관재인 아님; 상업선례 제1-134호, 제1-264호).

② 이사회 의사록에 대하여 공증인의 인증을 받아야 한다(상등규 제128조 제2항).

③ 2025.1.31.부터 회사의 등기는 지점의 소재지를 구분하지 않고 모두 본점의 등기기록에 등기사항을 기재하므로(지점등기기록 따로 개설되지 않음; 상 제34조), 지점소재지에서의 변경등기라는 개념이 성립하지 않는다.

④ 2025.1.31.부터 개정됨. 본점을 다른 등기소의 관할구역으로 이전한 경우에는 종전의 본점 또는 새 본점의 소재지를 관할하는 등기소 중 한 곳에 본점이전등기의 신청을 할 수 있다(상등 제55조).

⑤ 2025.1.31.부터 개정됨. 관할외 본점이전등기신청을 접수한 등기관(신·구소재지 관할 중 어느 곳이든 접수한 등기관)은 해당 등기기록의 '본점'란에 새 본점소재지와 이전연월일(신청인의 신청사항을 등기)을, '기타사항'란에 접수한 등기소에서 그 등기를 하였다는 뜻(등기관의 직권등기)을 각각 기록한 후, 그 등기기록과 인감에 관한 기록의 처리권한을 전산정보처리조직을 이용하여 새 본점의 소재지로 넘겨주는 조치를 한다(등기기록 폐쇄, 신규 개설이 없으므로 새 소재지에서 등기기록에 다시 회사 성립연월일을 기재할 필요가 없음; 상등규 제99조 제2항).

05 지점의 설치·이전·폐지의 등기

06 행정구역 등의 변경에 따른 본점·지점의 변경등기

07 이사·대표이사·집행임원·감사 등에 관한 변경등기

01 **주식회사의 감사와 감사위원회위원에 관한 다음 설명 중 가장 옳은 것은?** ▶ 2023 법무사

① 감사는 주주총회에서 정관에 다른 정함이 없는 한 출석한 주주의 의결권의 과반수와 발행주식총수의 4분의 1 이상의 수로써 선임하고, 감사를 해임할 때는 출석한 주주의 의결권의 3분의 1 이상의 수와 발행주식의 3분의 1 이상의 수로써 한다.

② 감사위원회위원의 임기는 취임 후 3년 내의 최종의 결산기에 관한 정기총회의 종결일까지이다.

③ 감사위원회위원의 해임은 이사회에서 이사 총수의 3분의 2 이상의 결의로 하여야 하고, 최근 사업연도 말 현재의 자산총액이 2조원 이상인 상장회사의 경우에는 주주총회의 특별결의로써 하여야 한다.

④ 법률 또는 정관에 정한 감사의 원수를 결한 경우에는 임기의 만료, 사임 또는 해임으로 인하여 퇴임한 감사는 새로 선임된 감사가 취임할 때까지 감사의 권리의무가 있다.

⑤ 감사위원회는 3인 이상의 이사로 구성하고, 사외이사가 위원의 3분의 1 이상이어야 한다.

> **해설** ① 감사의 선임은 주주총회 보통결의 사항이고(상 제409조 제1항), 해임은 주주총회 특별결의 사항이다(상 제415조, 제385조). 주주총회 특별결의는 '출석한 주주의 의결권의 3분의 2 이상의 수와 발행주식총수의 3분의 1 이상의 수로써 하여야 한다(상 제434조).'
>
> ② 감사위원회 위원의 임기에 관한 법령의 규정은 없고, 정관의 규정 또는 선임기관(이사회 또는 주주총회)의 결의에 의한 정함이 있으면 그에 따른다. 이에 따라 정한 바가 없으면 이사의 자격을 전제로 한 자이므로 이사의 임기에 따른다.
>
> ③ 감사위원회 위원의 해임은 원칙적으로 이사회 결의에 의하는데(상 제393조의2 제2항), 이사 총수의 3분의 2 이상의 결의에 의한다(상 제415조의2 제3항). 다만, 대규모 상장회사의 경우에는 선임과 마찬가지로 주주총회에서 감사위원회 위원을 해임하고, 그 해임결의는 주주총회 특별결의에 의한다(상 제542조의12 제3항; 선임에서와 같이 의결권 제한 규정이 있음(상 제542조의12 제4항)).
>
> ④ 법률 또는 정관에 정한 이사의 원수를 결한 경우에는 임기의 만료 또는 사임으로 인하여 퇴임한 이사는 새로 선임된 이사가 취임할 때까지 이사의 권리의무가 있다(상 제386조 제1항). 감사의 경우에도 이사의 경우를 준용한다(상 제415조). '해임'으로 퇴임한 경우는 이에 해당하지 아니한다.
>
> ⑤ 감사위원회의 경우 3명 이상의 이사로 구성되며 사외이사가 위원의 3분의 2 이상이 되어야 한다(상 제415조의2 제2항).

정답 ▶ 02 ②,③,④,⑤ / 01 ③

02 주식회사의 대표자에 관한 다음 설명 중 가장 옳지 않은 것은?

▸ 2023 법무사

① 주식회사의 이사는 원칙적으로 3명 이상이어야 하며, 이사회의 결의로 대표이사를 선정하여야 한다. 그러나 정관으로 주주총회에서 이를 선정할 것을 정할 수 있다.

② 자본금 총액이 10억 원 미만인 주식회사는 1명 또는 2명의 이사만 두는 것도 가능하며, 이사가 2명일 때에는 각 이사(정관에 따라 대표이사를 정한 경우에는 그 대표이사를 말한다)가 회사를 대표하는 방식으로 대표자를 등기한다.

③ 집행임원을 둔 주식회사는 대표이사를 두지 못하므로 대표이사와 집행임원을 동시에 등기할 수 없다.

④ 대표이사 선임 방식과 동일하게 집행임원도 이사회에서 선임하는 것이 원칙이나, 정관으로 주주총회에서 선임하는 것으로 정할 수 있다.

⑤ 대표이사나 대표집행임원이 2명 이상인 경우에는 공동대표이사나 공동대표집행임원으로 등기를 하는 것이 가능하다.

> **해설**　① 상 제383조 제1항 본문(이사의 원수), 상 제389조 제1항(대표이사 선임)
> 　　　② 상 제383조; 등기예규 제1538호 제3조
> 　　　③ 상 제408조의2 제1항; 등기예규 제1538호 제4조 제1항
> 　　　④ 집행임원은 이사회에서만 선임되므로(상 제408조의2 제3항 제1호), 정관으로 주주총회에서 선임하는 것으로 정할 수 없고, 이사회가 구성되지 않는 경우(소규모 회사가 이사를 1인 또는 2인을 둔 경우)에는 집행임원도 선임할 수 없다.
> 　　　⑤ 상 제389조 제2항(공동대표이사), 상 제408조의5 제2항(공동대표집행임원)

03 주식회사의 이사 퇴임 및 그 등기절차에 관한 다음 설명 중 가장 옳지 않은 것은?

▸ 2023 법무사

① 이사의 사임을 증명하는 서면에는 인감증명법에 따라 신고한 인감을 날인하고 그 인감증명을 첨부하거나 그 서면에 본인이 기명날인 또는 서명하였다는 공증인의 인증서면을 첨부하여야 한다.

② 이사가 임기만료로 퇴임함과 동시에 동일 직위에 재취임하는 경우를 등기실무상 중임이라고 하는데, 이사가 임기만료 직전의 주주총회에서 다시 이사로 선임되고 그 임기만료 전에 취임을 승낙한 경우에는 임기만료일이 중임일이 되며 그날부터 2주 이내에 이사의 중임으로 인한 변경등기를 신청하여야 한다.

③ 주주총회 결의에 의하여 이사를 해임하고 그 이사의 퇴임등기를 신청할 때에는 공증인의 인증을 받은 주주총회의사록을 첨부하여야 한다.

④ 회생절차가 진행 중인 회사는 회생계획에 의하여 기존 이사 중 유임하게 할 자가 있는 때에는 회생계획에서 그 자와 임기를 정하는데, 회생계획에서 유임할 것으로 정하지 아니한 이사는 회생계획이 인가된 때에 해임된 것으로 본다.

⑤ 이사와 회사의 관계는 민법의 위임에 관한 규정이 준용되기 때문에 이사가 성년후견개시의 심판을 받은 경우에는 위임계약이 종료되어 당연히 퇴임한다.

해설 ① 상등규 제154조 제2항, 제104조 제1항
② ⊙ 주식회사의 감사가 그 취임 후 3년 내의 최종 결산기에 관한 정기총회에서 다시 감사로 선임되고 그 정기총회가 종결되기 전에 취임을 승낙한 경우에는, 공증인의 인증을 받은 그 정기총회 의사록과 취임 승낙을 증명하는 서면을 첨부하고 정기총회의 종결일을 중임일로 하여(상법 제410조) 감사의 중임으로 인한 변경등기를 신청할 수 있고, 이는 등기를 해태하다가 신청한 것인지 여부와는 관계가 없다. ⓒ 이사가 임기만료 직전의 주주총회에서 다시 이사로 선임되고 그 임기만료 전에 취임을 승낙한 경우에는, 임기만료일의 다음 날이 중임일이 되며 그날부터 2주 이내에 이사의 중임으로 인한 변경등기를 신청하여야 한다(상업선례 제2-27호).
③ 상등규 제128조 제2항, 제130조
④ 채무자회생법 제263조 제4항
⑤ 상 제382조 제2항; 민 제690조

08 명의개서대리인에 관한 등기

09 발행할 주식의 총수의 변경등기

10 주식의 양도제한에 관한 등기

11 신주발행으로 인한 변경등기

01 주식회사의 신주발행으로 인한 변경등기에 관한 다음 설명 중 가장 옳지 않은 것은?

▸ 2025 법무사

① 주주의 자격에는 특별한 제한이 없고 비법인사단도 주주명부에 기재될 수 있는 점에 비추어, 비법인사단도 주식을 양수하여 주주가 될 수 있다.
② 신주발행으로 인해 등기된 사항에 무효의 원인이 있는 때에는 당사자의 신청 또는 소정의 절차를 거쳐 등기관이 직권으로 이를 말소할 수 있다.
③ 상법 제418조 제2항에 의하여 정관에 정하는 바에 따라 이사회에서 주주 외의 자에게 신주를 발행하는 결의를 하고 그에 따른 변경등기를 신청하는 경우, 신주발행을 결의한 이사회 결의일과 청약기일 사이의 시간적 간격이 2주간이 되지 아니하여 상법 제419조 제3항의 최고기간을 준수하지 못하는 경우에도 그에 관한 신주인수권자 전원의 동의서는 첨부할 서면이 아니다.

정답 ▸ 02 ④ 03 ② / 01 ②

④ 신주발행의 결과 자본금 총액이 10억 원 미만인 주식회사는 주금납입금 보관증명서 대신에 은행이나 그 밖의 금융기관의 잔고증명서를 첨부할 수 있다.

⑤ 현물출자의 경우 변제기가 도래한 회사에 대한 금전채권을 출자의 목적으로 하는 경우로서 그 가액이 회사장부에 적혀 있는 가액을 초과하지 아니하면 변경등기신청서에 검사인의 조사보고서를 첨부할 필요가 없다.

[해설] ① 상업선례 제202205-1호

② 신주발행의 무효는 주주, 이사 또는 감사에 한하여 신주를 발행한 날로부터 6월 내에 소만으로 이를 주장할 수 있다(상 제429조). 등기된 사항에 관하여 무효의 원인이 있는 때(소로써만 그 무효를 주장할 수 있는 경우를 제외한다)에는 당사자의 신청 또는 소정의 절차를 거쳐 등기관의 직권으로 이를 말소할 수 있다(상등 제77조 내지 제80조). 즉 무효의 원인이 있음에도 소만으로 (소로써만) 그 무효를 주장할 수 있는 경우에 해당하므로 등기관이 직권으로 말소할 수 없다.

③ 상업선례 제2-60호. 상법 제419조는 주주배정방식의 신주발행에서 실권예고부청약최고에 관한 규정이므로 제3자 배정방식의 신주발행절차에 포함되지 않는다.

④ 상 제425조 제1항, 제318조 제3항; 상등규 제133조 제4호 단서

⑤ 현물출자의 방법으로 신주발행을 하는 경우에 ㉠ 현물출자의 목적인 재산의 가액이 자본금의 5분의 1을 초과하지 않고 대통령령으로 정한 금액(5,000만 원)을 초과하지 않는 경우, ㉡ 현물출자의 목적인 재산이 거래소에서 시세가 있는 유가증권인 경우로서 신주의 발행기관이 결정한 가격이 대통령령으로 정한 방법으로 산정된 시세를 초과하지 않는 경우, ㉢ 변제기가 도래한 회사에 대한 금전채권을 출자의 목적으로 하는 경우로서 그 가액이 회사장부에 적혀 있는 가액을 초과하지 아니하는 경우, ㉣ 그 밖에 이에 준하는 경우로서 대통령령으로 정하는 경우에는 검사인의 조사절차나 공인된 감정인의 감정절차와 이에 대한 법원의 심사절차를 요하지 않는다(상법 제422조 제2항 및 제3항 참조). (상업선례 제201807-2호)

02 주식회사의 신주발행절차 및 그 변경등기에 관한 다음 설명 중 가장 옳지 않은 것은?

▶ 2024 법무사

① 신주를 발행하는 당해 회사에 대한 채권도 현물출자의 목적물이 될 수 있다.

② 주주에게 신주의 인수기회를 부여하였으나 그 인수를 하지 않아 발생한 실권주를 제3자에게 재배정하여 신주를 발행한 것은 상법 제418조 제2항에 따라 주주 외의 자에게 신주를 배정한 경우가 아니므로, 그 변경등기신청서에 상법 제418조 제4항에 따른 통지 또는 공고하였음을 증명하는 서면을 첨부할 것은 아니다.

③ 주금의 납입을 상계의 방법으로 할 수 있으나, 상계는 주금납입채무의 전부에 대해서 하여야 하고 주금납입채무의 일부나 신주인수인 중 일부 신주인수인의 주금납입채무에 대해서는 할 수 없다.

④ 신주인수권을 가진 주주가 포기하여 발생한 실권주를 이사회 결의로 다른 주주나 제3자에게 배정하여 신주를 발행한 경우 그 변경등기의 신청서에는 실권주의 배정을 결정한 이사회의사록만 첨부하면 되고 신주인수권포기서는 첨부할 필요가 없다.

⑤ 신주발행 시에 현물출자를 하는 자가 있는 경우에는 회사와 현물출자자 간에 작성된 현물출자에 관한 합의를 증명하는 서면도 주식의 인수를 증명하는 서면에 해당한다.

해설 ① 현물출자의 목적물이 될 수 있는 재산은 대차대조표상 자산으로 계상될 수 있는 것이면 무엇이든 가능하다(상업선례 제1-85호, 제1-186호, 제1-187호, 제1-208호, 제1-209호, 제2-15호, 제2-47호). 노무나 신용이 아닌한 어떤 재산권이든 가능하다고 본다.

② 주주배정 후 실권주를 제3자에게 재배정한 것은 제3자 배정방식이 아닌 주주배정 방식이므로 그 변경등기신청서에 상법 제418조 제4항에 따른 통지 또는 공고를 하였음을 증명하는 서면을 첨부할 것이 아니다(산업선례 제2-57호).

③ 신주인수인의 회사에 대한 주금납입 채무와 회사에 대한 채권은 회사의 동의가 있으면 상계가 가능하고(상 제421조 제2항), 상계는 주금납입채무의 전부에 대해서도 할 수 있고, 주금납입채무의 일부나 신주인수인 중 일부 신주인수인의 주금납입채무에 대해서도 할 수 있다(등기예규 제1450호).

④ 상업선례 제1-207호

⑤ 상업선례 제2-42호

03 주식회사의 신주발행 및 그 등기절차에 관한 다음 설명 중 가장 옳지 않은 것은?

▶ 2022 법무사

① 신주발행 시 현물출자를 하는 자가 있는 경우 검사인 선임신청 사건은 본점소재지의 지방법원 합의부가 관할한다.

② 회사성립 후 2년이 경과한 회사는 주주총회 특별결의와 법원의 인가를 받아 액면미달가액으로 신주를 발행할 수 있다.

③ 신주발행으로 인한 자본금증가의 등기와 회사가 발행할 주식의 총수의 변경등기를 일괄하여 하나의 신청서로 동시에 신청하는 경우에 등기신청수수료는 자본금증가의 등기에 필요한 것만 납부하면 된다.

④ 신주의 인수인별로 주식인수를 증명하는 서면을 첨부할 필요는 없고, 주주명부 기타 주식의 배정 상황(각 인수인에게 배정한 주식의 수)에 관하여 대표이사가 작성한 서면도 주식의 인수를 증명하는 서면으로 첨부할 수 있다.

⑤ 신주인수권을 가진 주주의 일부가 신주인수권을 포기하여 발생한 실권주를 이사회 결의로 다른 주주나 제3자에게 배정하여 납입이 이루어진 경우 그 변경등기의 신청서에는 실권주의 배정을 결정한 이사회 의사록만 첨부하면 되고 신주인수권포기서는 첨부할 필요가 없다.

해설 ① 비송 제72조 제1항

② 상 제417조 제1항

③ 자본금증가의 등기는 '발행주식의총수, 그 종류와 각종 주식의 내용과 수, 자본금의 총액란'에 하는 등기이고, 회사가 발행할 주식의 총수의 변경 등기는 '발행할 주식의 총수란'에 하는 등기이다. 따

정답 02 ③ 03 ③

라서 수개의 등기를 하나의 등기신청서로 동시에 신청하는 경우라 하더라도 실질이 수개의 등기이므로 그 등록면허세와 등기신청수수료는 각각 납부하여야 한다(등기예규 제1790호, 제1861호). 다만 대법원은 개별적 사안에 대하여 경우에 따라 위 원칙을 깨는 해석례를 제시하는 경우가 있어서 주의를 요한다. 위 사안과 관련하여, 신주발행으로 인한 자본금 증가의 변경등기 신청 시 회사가 발행할 주식의 총수(발행예정주식총수)의 변경등기를 일괄하여 신청하더라도 신주발행으로 인한 자본금 증가의 변경등기에 필요한 등록면허세만 납부하면 된다(등기예규 제1790호 제10조). 같은 사안에 대해 '등기신청수수료' 부분에 대한 대법원의 해석례가 없기 때문에 다시 원칙으로 돌아가서 각각 납부하여야 한다.

④ 상업선례 제200701-2호

⑤ 상업선례 제1-207호

04 주식회사의 자금 조달을 직접적인 목적으로 하는 통상의 신주발행으로 인한 변경등기에 관한 다음 설명 중 가장 옳지 않은 것은?

▶ 2021 법무사

① 납입 또는 현물출자의 이행이 완료되면 납입기일의 다음 날부터 신주발행의 효력이 발생한다.

② 액면미달발행을 한 경우 액면미달금액의 총액은 주식발행초과금과 상계처리한 후 미상각액을 등기하여야 한다.

③ 신주의 인수인은 회사의 동의 없이 주금납입채무와 회사에 대한 채권을 상계할 수 없지만, 회사는 일방적 의사표시로 상계할 수 있다.

④ 주주 배정과 제3자 배정은 정관에 근거규정이 필요한지, 배정기준일 지정·공고 절차가 필요한지 등에서 차이가 나는데, 주주들이 실제로 인수권을 행사함으로써 신주를 배정받았는지에 따라 주주 배정인지 제3자 배정인지가 결정된다.

⑤ 제3자 배정 방식으로 신주를 발행하는 경우에는 등기 신청시 일정한 사항을 납입기일의 2주 전까지 주주에게 통지하거나 공고하였음을 증명하는 정보를 제공하여야 한다.

해설 ① 상 제423조 제1항

② 상 제426조

③ 상 제421조

④ 주주들에게 그들의 지분비율에 따라 신주를 우선적으로 인수할 기회를 부여하였다면 주주배정이고 그렇지 않다면 제3자 배정에 해당한다. 이때 주주들이 실제로 인수권을 행사함으로써 신주를 배정받았는지에 따라 주주 배정인지 제3자 배정인지가 달라지는 것은 아니다(대판(전) 2009.5.29, 2007도4949).

⑤ 상등규 제133조 제3호; 상 제418조 제4항

12 주식의 전환으로 인한 변경등기

13 주식매수선택권에 관한 등기

01 **주식매수선택권의 등기에 관한 다음 설명 중 가장 옳지 않은 것은?** ▶ 2023 법무사

① 설립등기신청서에 첨부된 원시정관에 주식매수선택권을 부여하도록 정한 규정이 있다면 그 규정에 관한 내용은 등기사항이므로, 신청서에 주식매수선택권에 관한 그 등기사항을 기재하여야 한다.

② 주식매수선택권의 행사로 발행할 신주 또는 양도할 자기의 주식은 회사의 발행주식총수의 100분의 10을 초과할 수 없다. 다만, 상장회사의 경우 발행주식총수의 100분의 20의 범위에서 상법 시행령으로 정하는 한도까지 주식매수선택권을 부여할 수 있다.

③ 주식매수선택권자는 주식매수선택권에 관한 사항을 정하는 주주총회결의일부터 2년 이상 재임 또는 재직하여야 주식매수선택권을 행사할 수 있다.

④ 신주발행형으로 주식매수선택권을 부여받은 자가 주식매수선택권을 행사하는 경우, 선택권을 행사하고 행사가액을 납입하면 납입일의 다음 날부터 주주가 된다.

⑤ 주식매수선택권의 행사로 인한 변경등기의 신청서에는 신주인수청구서 및 주금의 납입을 맡은 은행, 그 밖의 금융기관의 납입금보관 증명서 또는 잔고증명서를 첨부하여야 한다.

> **해설** ① ㉠ 회사 설립 시의 원시정관에 주식매수선택권에 관한 내용을 정한 때에는 설립등기를 할 때에, ㉡ 기왕에 정한 주식매수선택권 부여에 관한 정관 내용을 변경하거나 회사 설립 후에 주식매수선택권 부여에 관한 내용을 새로이 정관에 정한 경우에는 그 효력발생일로부터 2주간 내에 본점 소재지 관할등기소에서 등기하여야 한다(상 제317조 제2항 제3의3호, 제4항, 제183조; 상등 제83조 제1항).
> ② 주식매수선택권의 행사로 발행할 신주 또는 양도할 자기주식은 회사의 발행주식총수의 100분의 10을 초과할 수 없다(상 제340조의2 제3항). 한편, 상장회사는 발행주식총수의 100분의 15를 초과할 수 없고(상법상 '발행주식총수의 100분의 20의 범위에서 상법 시행령으로 정하는 한도까지', 시행령상으로는 '100분의 15'; 상 제542조의3 제2항; 상법 시행령 제30조 제3항), 벤처기업인 주식회사는 발행주식총수의 100분의 50을 초과할 수 없다(벤처기업육성에 관한 특별조치법 제16조의3 제8항; 동 시행령 제11조의3 제6항).
> ③ 상 제340조의4 제1항
> ④ 주식매수선택권의 행사로 신주를 발행하는 경우, 주식매수선택권을 행사하고 행사가액을 납입한 때에 주주가 된다(상 제340조의5, 제516조의9 제1문; 상업선례 제200611-3호).
> ⑤ 상등규 제134조

정답 04 ④ / 01 ④

14 주식분할로 인한 변경등기

15 준비금의 자본금전입으로 인한 변경등기

01 **주식회사에 있어서 준비금의 자본금 전입으로 인한 변경등기에 관한 다음 설명 중 가장 옳지 않은 것은?**
▸ 2023 법무사

① 주식회사는 이사회의 결의에 의하여 준비금의 전부 또는 일부를 자본금에 전입할 수 있다. 그러나 정관으로 주주총회에서 결정하기로 정한 경우나 소규모 주식회사로서 2명 이하의 이사를 둔 회사는 주주총회의 결의에 의한다.

② 주식회사는 그 자본금의 2분의 1이 될 때까지 매 결산기 이익배당액의 10분의 1 이상을 이익준비금으로 적립하여야 하는데, 결산기 중에 임시주주총회의 결의로 자본금의 2분의 1의 범위 내에서 임의준비금 중 일부를 이익준비금으로 이체한 경우에도 이를 자본금에 전입할 수 없다.

③ 준비금의 자본전입으로 인한 변경등기는 이사회에서 자본전입의 결의를 한 때에는 신주배정일, 주주총회에서 자본전입의 결의를 한 때에는 주주총회결의일이 속하는 달의 마지막 날부터 2주 내에 본점소재지에서 하여야 한다.

④ 분할로 설립되는 회사가 분할계획서상 승계된 주식발행초과금을 준비금으로 하여 자본금전입으로 인한 변경등기를 신청하는 경우, 분할되는 회사의 정기주주총회에서 승인한 재무제표 및 분할계획서가 준비금의 존재를 증명하는 정보에 해당할 수 있다.

⑤ 주식회사는 자본거래에서 발생한 잉여금을 자본준비금으로 적립하여야 하는데, 이에는 이익준비금과 달리 적립한도에 제한이 없다.

> **해설** ① 상 제461조 제1항, 제383조 제4항
> ② 상업선례 제1-175호, 제1-180호, 제1-195호(이익준비금은 회기 중에 임시주주총회 결의로 적립할 수 없다)
> ③ 자본금전입의 효력이 발생한 날로부터 본점소재지에서 2주간 내에 등기하여야 한다(상 제317조 제4항, 제183조, 제416조 제3항, 제4항). 자본금 전입의 효력발생은, 이사회에서 자본금전입을 결의한 때에는 신주배정일에, 주주총회에서 결의한 때에는 그 결의가 있는 때에 발생한다(상 제461조 제3항, 제4항).
> ④ 상업선례 제202108-2호
> ⑤ 상 제459조

16 주식배당으로 인한 변경등기

17 자본금 감소로 인한 변경등기

01 **주식회사의 자본금 감소로 인한 변경등기에 관한 다음 설명 중 가장 옳지 않은 것은?**

▸ 2024 법무사

① 액면주식을 발행한 회사에서 주식의 액면금액을 인하하거나, 주식을 임의소각하는 방식으로 자본을 줄이는 경우에는 주권제출공고를 하였음을 증명하는 서면을 첨부할 필요가 없다.

② 결손금 보전을 위한 자본금 감소나 회사의 재무제표상 채무가 없는 경우에는 채권자보호절차를 생략하거나 보다 간이한 방법으로 그 절차를 밟을 수 있다.

③ 자본금의 감소는 원칙적으로 주주총회의 특별결의에 의하여야 하나, 결손의 보전을 위한 자본금 감소의 경우에는 주주총회의 보통결의에 의한다.

④ 주식의 액면가는 균일해야 하므로 일부 주식에 대해서만 액면가를 낮출 수 없고, 1주의 금액은 100원 이상이어야 하므로 100원 미만으로 액면가를 낮출 수 없다.

⑤ 주식을 소각하거나 병합하는 방법으로 자본금을 감소하는 경우에도, 감소된 주식수만큼 발행예정주식총수가 당연히 감소하는 것은 아니하므로 정관의 변경 없이는 발행예정주식총수의 변경등기를 할 수 없다.

> **해설**　① 주식회사의 자본금 감소에서 주권제출공고가 필요한 경우는 감자의 방법으로 '주식의 병합 또는 강제소각'에 따른 경우에 한한다(상업선례 제1-188호).
> ② 결손금 보전을 위한 자본금 감소에는 채권자보호절차가 필요 없지만(상 제439조 제2항 단서), 그 외의 경우에는 채권자보호절차를 생략하거나 보다 간이한 방법으로 할 수 없다(상업선례 제1-228호).
> ③ 상 제438조 제1항, 제2항
> ④ 액면주식을 발행하는 경우 1주의 금액은 100원 이상으로 균일해야 한다(상 제329조 제2항, 제3항). 종류주식을 발행하는 경우도 마찬가지이다. 따라서 자본금 감소의 방법으로 1주의 금액을 낮추는 방법을 채택한다 하더라도 이에 위반할 수 없다.
> ⑤ 발행예정주식 총수(= 회사가 발행할 주식의 총수 = 수권자본)는 정관의 절대적 기재사항(상 제289조 제1항 제3호)으로서 등기사항이므로 정관을 변경하지 않고 바꿀 수 없다.

18 상환주식의 상환에 따른 변경등기

19 자기주식의 소각에 따른 변경등기

20 전환사채, 신주인수권부사채, 이익참가부사채의 등기

01 주식회사의 사채의 등기에 관한 다음 설명 중 가장 옳지 않은 것은? ▶ 2024 법무사

① 자본시장과 금융투자업에 관한 법률에 의하여 인정되는 전환형 조건부자본증권은 등기사항이다.

② 회사는 전에 모집한 사채의 총액의 납입이 완료된 후가 아니면 다시 사채를 모집하지 못하며, 각 사채의 금액은 1만 원 이상이어야 한다.

③ 한국예탁결제원에 예탁된 전환사채를 주식으로 전환하고 그로 인한 변경등기를 신청하는 경우, 그 신청서에는 전환사채를 발행한 회사가 공인인증서에 의한 인증을 거쳐 한국예탁결제원으로부터 온라인상 발급받은 전환청구서를 첨부할 수 있다.

④ 비분리형 신주인수권부사채의 경우, 사채가 전부상환 또는 전부매입 소각되면 신주인수권부사채의 등기를 말소하여야 하는데, 이 경우 그 말소등기신청서에는 상환완료 또는 전부매입소각을 증명하는 서면을 첨부하여야 한다.

⑤ 신주인수권부사채 총액의 변경등기신청서에 사채상환완료증명서를 첨부하는 경우 그 서면에 사채권자의 인감이 날인되거나 인감증명서가 첨부되어야 하는 것은 아니다.

해설 ① 등기사항인 사채는 특수사채 중 일부만 인정된다. 상법상 전환사채(상 제514조의2), 신주인수권부사채(상 제516조의8), 이익참가부사채(상법 시행령 제21조 제10항), 자본시장법상 조건부자본증권(상각형과 전환형 중 전환형만; 자본시장법 시행령 제176조의12 제6항)의 4가지만 등기능력이 인정된다.

② 구 상법상 존재하였던 제한사항이었으나 모두 폐지되었다.

③ 한국예탁결제원(이하 '예탁원'이라 한다)에 예탁된 전환사채를 주식으로 전환하고 그로 인한 변경등기를 신청하는 경우, 그 신청서에는 전환사채를 발행한 회사가 공인인증서에 의한 인증을 거쳐 예탁원으로부터 온라인(on-line)상 발급받은 전환청구서(발급번호에 의하여 그 진위를 확인할 수 있다)를 첨부할 수 있다(상업선례 제2-66호).

④ 분리형 신주인수권부사채와 달리 비분리형 신주인수권부사채의 경우에는 사채의 전부상환 또는 전부매입 소각으로도 신주인수권이 같이 소멸하기 때문에 해당 사항이 발생하면 사채등기를 말소한다. 당연히 그 상환완료 또는 전부매입소각을 증명하는 서면이 첨부서면이 된다.

⑤ 상업선례 제2-64호

02 전환사채의 등기에 관한 다음 설명 중 가장 옳지 않은 것은? (다툼이 있는 경우 판례·예규 및 선례에 따르고 전원합의체 판결의 경우 다수의견에 의함. 이하 같음) ▸ 2021 법무사

① 사채를 인수한 자는 자신이 회사에 대해 가지는 채권으로 사채의 납입의무와 상계할 수 있다.

② 신주발행절차와 같이 납입증명서면은 은행 등 금융기관의 납입증명서면만 가능하다.

③ 전환사채발행의 무효는 주주·이사 또는 감사에 한하여 사채를 발행한 날로부터 6개월 내에 소만으로 이를 주장할 수 있다.

④ 전환사채의 변경등기에 첨부할 사채상환증명서에는 사채권자의 기명날인 또는 서명이 있어야 하지만 인감이 날인되거나 인감증명서가 첨부되어야 하는 것은 아니다.

⑤ 전환사채의 발행에 관하여 정관으로 주주총회 결의사항으로도 할 수 있는데, 신주발행이 정관에 의해 주주총회의 권한사항으로 되어 있는 경우에는 전환사채의 발행에 관해서는 정관에 명문의 규정이 없다고 하더라도 주주총회의 결의를 거쳐야 한다.

> **해설** ① 대판 2004.8.20, 2003다20060; 상업선례 제1-190호
> ② 사채의 납입은 은행 등 금융기관에 한하지 않으므로, 은행 등 금융기관의 납입을 증명하는 서면 뿐만 아니라 사채를 발행하는 회사 자신이 납입기관으로서 작성한 서면, 수탁회사의 증명서, 우체국의 납입증명 등도 '사채의 납입증명서면'이 될 수 있다.
> ③ 전환사채 발행의 경우 신주발행 무효의 소에 관한 상법 제429조가 유추적용되므로(대판 2004.6.25, 2000다37326), 전환사채발행의 무효는 주주·이사 또는 감사에 한하여 사채를 발행한 날로부터 6개월 내에 소만으로 이를 주장할 수 있다(상 제429조).
> ④ 상업선례 제200701-1호
> ⑤ 대판 1999.6.25, 99다18435

21 해산, 청산인, 회사계속, 청산종결의 등기

01 해산 및 청산인의 등기에 관한 다음 설명 중 가장 옳은 것은? ▸ 2024 법무사

① 상법 제520조의2 제1항에 따라 최후의 등기 후 5년을 경과하여 관보에 공고하였음에도 신고하지 않음으로써 해산한 것으로 인정되는 경우에는 등기관이 직권으로 해산등기를 한다.

② 정관에 기재된 해산사유는 등기사항이 아니다.

③ 해산판결과 달리 해산명령은 공익상 회사의 존속이 허용될 수 없는 경우에 이루어지므로, 검사의 신청이나 법원의 직권에 의하여만 가능하다.

④ 일시이사는 법정청산인이 될 수 없다.

⑤ 회사가 존립기간의 만료 기타 정관에 정한 사유의 발생 또는 주주총회의 결의에 의하여 해산한 경우에는 발행주식총수의 과반수 이상의 결의로 회사를 계속할 수 있다.

정답 **01 ② 02 ② / 01 ①**

해설 ① 상등 제73조; 등기예규 제1824호
② 회사의 존립기간 또는 해산사유는 정관의 상대적 기재사항으로 등기사항이다(상 제317조 제2항, 제517조 제1호, 제227조 제1호).
③ 회사의 해산명령 사건의 재판은 이해관계인의 신청, 검사의 청구뿐 아니라 법원의 직권으로도 개시할 수 있다(상 제176조 제1항). 해산판결의 청구사건은 발행주식총수의 100분의 10 이상에 해당하는 주식을 가진 주주가 청구할 수 있다(상 제520조, 제186조).
④ 주식회사가 해산한 때에는 합병·분할·분할합병 또는 파산의 경우 외에는 해산 당시의 이사가 청산인이 된다(상 제531조 제1항 본문). 이를 법정청산인이라고 하고 해산 당시에 이사직에 있는 사람이 당연히 법정청산인 지위를 취득하는 것으로 보기 때문에 '일시이사'라고 하더라도 예외는 아니다. 다만, 정관에 다른 정함이 있거나 주주총회에서 청산인을 선임한 경우에는 법정청산인의 적용이 없다(상 제531조 제1항 단서).
⑤ 주식회사의 회사계속의 결의는 주주총회 특별결의에 의한다(상 제434조; 출석한 주주의 의결권의 3분의 2 이상의 수와 발행주식총수의 3분의 1 이상의 수로써 하여야 한다).

02 주식회사 회사계속의 등기에 관한 다음 설명 중 가장 옳은 것은?

▶ 2021 법무사

① 상법 제520조의2 제1항 본문에 의하여 해산간주된 회사는 5년 이내에 주주총회의 특별결의로 회사를 계속할 수 있다.
② 해산판결에 의하여 해산등기가 실행된 주식회사는 아직 청산종결 전이라면 회사계속의 등기를 신청할 수 있다.
③ 주주총회에서 회사계속의 특별결의를 하면 청산인은 당연히 그 권한을 상실하고, 해산 전의 이사 또는 대표이사가 종전의 지위를 회복한다.
④ 상법 제520조의2 제4항에 의하여 청산종결간주된 회사는 회사계속의 등기를 할 수 없다.
⑤ 회사계속의 등기를 할 때에는 해산에 관한 등기를 등기관이 직권으로 말소하여야 하나, 청산인에 관한 등기는 당사자의 신청으로 말소하여야 한다.

해설 ① 해산간주된 주식회사의 경우 해산간주된 후 '3년' 이내에는 상법 제434조의 주주총회의 특별결의로 회사계속결의를 하여 해산 전의 상태로 복귀할 수 있다(상업선례 제201608-1호).
② 법원의 해산명령·해산판결에 의한 해산의 경우에는 회사계속이 허용되지 않는다(상업선례 제1-253호).
③ 해산한 회사는 회사의 계속에 의하여 장래에 대하여 해산 전의 회사로 복귀하여 다시 영업능력을 회복한다(회사계속의 장래효). 따라서 해산 전의 이사 또는 대표이사가 종전의 지위를 회복하는 것은 아니다.
④ 상업선례 제1-225호, 제1-258호
⑤ 회사계속의 등기를 하는 때에는 해산에 관한 등기와 청산인에 관한 등기는 등기관이 직권으로 말소하여야 한다(상등규 제154조 제1항, 제109조 제1항).

03 **주식회사의 청산인 및 청산종결의 등기 등에 관한 다음 설명 중 가장 옳지 않은 것은?**

▶ 2021 법무사

① 청산종결의 등기에는 청산인이 결산보고서에 관해 주주총회의 승인을 얻었다는 것을 증명하는 주주총회의사록을 첨부하여야 하고, 결산보고서는 주주총회의 승인내용이므로 주주총회의사록의 내용의 일부로서 첨부하여야 한다.

② 청산인이 채권신고의 공고와 최고를 하였음을 증명하는 서면은 상업등기법 등의 법령에 의한 첨부서면으로서 청산종결의 등기신청서에 이를 첨부하여야 한다.

③ 해산간주된 회사가 회사를 계속하지 아니한 경우, 그 회사는 해산간주된 때로부터 3년이 경과한 때에 청산이 종결된 것으로 간주된다.

④ 주식회사의 청산은 법원의 감독을 받아야 하는데, 이는 회사의 본점 소재지 지방법원 합의부의 관할에 속한다.

⑤ 법정청산인 및 정관의 규정 또는 주주총회의 선임결의에 의한 청산인이 없는 때에는 법원은 이해관계인의 청구에 의하여 청산인을 선임하여야 하는데, 법원의 청산인 선임에 대해서는 불복신청이 허용되지 않는다.

> **해설** ① 상등규 제154조 제1항, 제110조 제2항
> ② 청산인이 채권신고의 공고와 최고를 하여야 하지만(상 제535조), 공고와 최고를 하였음을 증명하는 서면은 상업등기법 등의 법령에서 첨부서면으로 규정하고 있지 아니하므로 청산종결의 등기신청서에 이를 첨부할 필요는 없다(상업선례 제1-280호).
> ③ 상 제520조의2 제4항
> ④ 비송 제117조 제2항, 제118조
> ⑤ 상 제531조 제1항; 비송 제119조

22 합병의 등기

01 **법인등기에 관한 다음 설명 중 가장 옳지 않은 것은?** ▸ 2025 법무사

① 벤처투자 촉진에 관한 법률에 의하여 설립된 투자조합은 상법상 합자조합에 관한 규정을 준용하나, 합자조합의 등기에 관한 규정을 준용하지 않으므로 설립등기를 할 수 없다.

② 유한회사가 정관에 기재된 독립된 최소행정구역 내에서 본점을 이전하는 경우 정관에 다른 정함이 없으면 이사 과반수의 결의에 의하여야 하나, 유한회사의 사원총회는 업무집행을 포함한 모든 사항에 관하여 결의할 수 있으므로 사원총회 결의로도 본점이전을 할 수 있다.

③ 주식회사 발기설립등기신청 시 제출하는 발기인회의사록에 필요한 경우 발기설립과정에서의 의사결정내용을 기록하는 것은 가능하나, 주금납입을 맡은 은행 기타 금융기관과 납입장소는 발기인들의 과반수 동의로 정하되 이를 정하지 않은 경우에는 발기인 대표가 정할 수도 있으므로 반드시 이 내용이 발기인회의사록에 포함되어야 하는 것은 아니다.

④ 주식회사의 흡수합병으로 존속회사가 자기주식을 취득하는 경우 자기주식의 취득은 합병의 등기 후에 효력이 발생하므로, 합병의 절차와 합병으로 취득할 자기주식의 소각 절차를 동시에 진행한 경우에도 합병의 등기 후에 자본금 감소로 인한 변경등기를 신청하여야 하고, 이는 소규모합병의 경우에도 동일하다.

⑤ 농업회사법인 주식회사는 일반 주식회사로 전환(상호 및 사업목적 변경)이 가능하고, 이에 따른 변경등기신청을 하는 때에는 상호·목적 등의 변경을 증명하는 정보(주주총회의사록 등), 변경신고확인증 등을 첨부하여야 한다.

해설 ① 상업선례 제202312-1호

② 상업선례 제202203-1호

③ 상업선례 제202306-1호

④ 회사가 합병하는 경우에 해산회사가 존속회사의 주식을 가지고 있다면 이는 존속회사가 자기주식을 취득하게 되는 경우에 해당하는바, 합병계약서에 합병으로 취득하는 자기주식을 소각하는 뜻과 그 주식의 수 및 소각으로 인한 자본액의 변동이 없다는 사실을 기재하는 경우에는 합병절차 외에 별도의 절차를 거치지 않고도 자본감소가 없는 주식소각이 가능할 것이며, 이때 발행주식의 총수가 변경되므로 '발행주식의 총수, 그 종류와 각종주식의 내용과 수'에 대하여는 변경등기를 하여야 하나, '자본의 총액'에 대해서는 변경등기를 하지 않는다(상업선례 제1-235호).

⑤ 상업선례 제202306-3호

23 분할 또는 분할합병의 등기

01 상법상 회사의 분할 또는 분할합병의 등기에 관한 다음 설명 중 가장 옳지 않은 것은?

▶ 2021 법무사

① 해산 후의 회사는 존립 중의 회사를 존속하는 회사로 하거나 새로 회사를 설립하는 경우에 한하여 분할 또는 분할합병할 수 있다.

② 분할의 승인을 위한 총회에서는 의결권이 없거나 의결권이 제한되는 종류주식의 주주도 의결권을 행사할 수 있다.

③ 甲 회사의 일부를 분할하여 乙 회사를 설립할 때 관할등기소가 서로 다른 경우에는 분할 또는 분할합병으로 인한 등기의 신청서를 甲 회사의 관할등기소에 제출하여야 한다.

④ 분할 또는 분할합병으로 신설되는 회사의 설립등기신청서에는 정관을 첨부하여야 하는데, 이 정관에는 공증인의 인증을 요하지 않는다.

⑤ 분할소멸회사의 해산등기는 분할신설회사 또는 흡수분할합병회사의 대표자가 분할소멸회사를 대표하여 신청하고, 분할소멸회사의 해산등기신청서에는 일체의 서면을 첨부할 필요가 없다.

해설 ① 상 제530조의2 제5항

② 상 제530조의3 제3항

③ 본점 소재지에서 하는 분할신설회사 · 흡수분할합병회사 · 분할존속회사 · 분할소멸회사의 설립등기 · 변경등기 · 해산등기의 신청은 분할신설회사, 흡수분할합병회사 또는 분할존속회사의 본점 소재지를 관할하는 등기소 중 한 곳에 동시에 하여야 한다(상등 제71조).
따라서 甲 회사의 일부를 분할하여 乙 회사를 설립할 때 관할등기소가 서로 다른 경우에는 분할 또는 분할합병으로 인한 등기의 신청서는 甲(분할존속회사) 회사 또는 乙(분할신설회사) 회사의 관할등기소에 제출하여야 한다(등기예규 제1823호 제3조).

④ 발기인이나 최초 사원이 작성하는 원시정관으로 보지 않기 때문에 공증인의 인증을 요하지 않는다.

⑤ 2025.1.31. 개정됨. 분할 또는 분할합병으로 인한 분할소멸회사의 해산등기는 분할신설회사 또는 흡수분할합병회사 또는 '분할존속회사'의 대표자가 분할소멸회사를 대표하여 신청한다(상등 제71조 제1항; 등기예규 제1823호 제4조 제1항; 분할존속회사 추가됨). 이 경우 분할소멸회사의 해산등기신청서에는 첨부서면에 관한 규정을 적용하지 아니하므로(상등규 제53조 제3항) 일체의 서면을 첨부할 필요가 없다.

정답 01 ④ / 01 ③,⑤

24 주식의 포괄적 교환·이전의 등기

01 **주식의 포괄적 교환 및 이전의 등기에 관한 다음 설명 중 가장 옳은 것은?** ▸2022 법무사

① 주식의 포괄적 교환 또는 이전 시 완전모회사 및 완전자회사가 될 회사에서 채권자보호절차를 거쳐야 한다.

② 주식의 포괄적 교환을 한 때에는 완전자회사가 되는 회사의 대표이사는 주식교환일로부터 본점소재지에서 2주 이내에 변경등기를 하여야 한다.

③ 주식이전으로 인한 설립등기를 신청하는 경우에 완전모회사의 자본금의 한도액을 증명하는 정보뿐만 아니라 완전자회사의 주권의 실효절차에 따른 공고를 하였음을 증명하는 정보를 제공하여야 한다.

④ 주식이전의 무효는 각 회사의 주주, 이사, 감사에 한하여 주식이전의 날부터 6월 내에 소만으로 주장할 수 있다.

⑤ 주식이전의 무효의 판결이 확정되면 제1심 수소법원은 회사의 본점소재지의 등기소에만 그 등기를 촉탁하여야 되고, 지점소재지의 등기소에 그 등기를 촉탁할 필요는 없다.

> **해설** ① 주식의 포괄적 교환 또는 이전의 절차에서 채권자보호절차는 필요 없다.
> ② 완전자회사가 되는 회사는 주주만 변경될 뿐 아무런 등기사항이 발생하지 아니한다.
> ③ 완전모회사의 자본금의 한도액(상 제360조의18)을 증명하는 서면과 완전자회사가 주권의 실효절차로 주권제출공고를 하였음을 증명하는 서면은 첨부서면으로 하고 있다(상등규 제147조).
> ④ 주식이전의 무효는 각 회사의 주주·이사·감사·감사위원회의 위원 또는 청산인에 한하여 주식이전의 날부터 6월 내에 소만으로 이를 주장할 수 있다(상 제360조의23 제1조).
> ⑤ 2025.1.31. 이전에는 비송사건절차법 제107조 제9호에 "주식이전의 무효의 판결이 확정되면 제1심 수소법원은 회사의 본점과 지점소재지의 등기소에 그 등기를 촉탁하여야 한다"라고 규정되어 있었으나, 현재는 "주식이전의 무효의 판결이 확정되면 제1심 수소법원은 회사의 본점소재지의 등기소에 그 등기를 촉탁하여야 한다"라고 개정되었다.

25 조직변경의 등기

01 **회사의 조직변경등기에 관한 다음 설명 중 가장 옳지 않은 것은?** ▸2021 법무사

① 주식회사가 유한회사 또는 유한책임회사로 조직을 변경하기 위해서는 총주주의 일치에 의한 주주총회의 결의가 있어야 한다.

② 주식회사가 유한회사 또는 유한책임회사로 조직을 변경함으로 인한 설립등기신청서에는 사채의 상환을 완료하였음을 증명하는 서면을 첨부하여야 한다.

③ 유한회사와 유한책임회사 상호 간에는 조직변경이 인정되지 않는다.

④ 조직변경으로 인한 각 회사의 설립등기의 신청과 해산등기의 신청은 동시에 하여야 하며, 등기관은 어느 하나에 관하여 각하사유가 있을 때에는 이들 신청을 함께 각하하여야 한다.

⑤ 조직변경으로 설립되는 유한회사의 사원 총수와 관련하여 특별한 사정이 있어서 법원의 인가를 받을 때를 제외하고는 사원이 50명을 초과할 수 없다.

해설 ① 상 제604조 제1항 본문
② 상 제604조 제1항 단서, 상 제287조의44(유한회사나 유한책임회사는 사채를 발행할 수 없기 때문)
③ 상법 상 회사의 조직변경은 합명회사와 합자회사 상호 간(상 제242조, 제286조), 주식회사와 유한회사 상호 간(상 제604조, 제607조), 주식회사와 유한책임회사 상호 간(상 제287조의44, 제604조, 제607조)에 허용된다.
④ 조직변경으로 인한 설립등기와 해산등기는 동시에 신청하여야 하므로(동시신청 강제; 상등 제66조), 등기관은 동시에 신청된 등기 중 어느 하나에 관하여 각하사유가 있는 때에는 이들 신청을 함께 각하하여야 한다(상등 제67조).
⑤ 유한회사의 사원은 1인 이상이면 되고, 사원 수 상한에 대한 제한이 없다.

26 채무자 회생 및 파산에 관한 법률에 따른 등기

01 채무자회생 및 파산에 관한 법률(이하 '채무자회생법'이라 함)에 따른 등기절차에 관한 다음 설명 중 가장 옳지 않은 것은? ▸ 2024 법무사

① 채무자회생법 제242조 내지 제245조에 의하여 법원의 인가를 받아 효력이 발생한 회생계획의 수행에 따른 등기는 회생절차종결 후에는 채무자인 법인 또는 새로운 법인의 신청에 의하여 등기하여야 하고, 법원사무관등의 촉탁에 의하여 등기할 수 없다.
② 관리인 및 관리인대리와 파산관재인 및 파산관재인대리에 관한 등기는 회사의 등기기록 중 '임원에 관한 사항란'에 하고, 이러한 등기를 하는 경우에는 채무자의 대표자 등 임원에 관한 등기와 지배인에 관한 등기는 말소한다.
③ 파산선고를 받은 채무자의 대표자가 새로운 이사 등의 취임등기를 신청하지 않는 한 파산종결등기를 할 때까지 종전 이사 등의 퇴임등기를 할 수 없다.
④ 보전관리, 회생절차개시, 회생절차개시취소, 회생계획인가·불인가, 회생계획인가취소, 회생절차폐지, 회생절차종결의 등기 및 파산선고, 파산취소, 파산폐지, 파산종결의 등기는 '기타사항란'에 등기하여야 한다.
⑤ 파산절차가 진행 중인 회사의 경우 본점이전의 등기는 회사의 대표자가 신청하여야 한다.

해설 ① 채무자회생법에 의하여 법원의 인가를 받아 효력이 발생한 '회생계획의 수행에 따른 등기'는 회생절차 중에는 법원사무관 등의 촉탁에 의하여 등기하되 회생절차종결 후에는 채무자 또는 신회사의 신청에 의하여 등기하여야 하고 법원사무관 등의 촉탁에 의하여 등기할 수 없다. 다만 회생절차종결 이전에 등기사항이 발생하여 법원사무관 등이 회생절차종결 이전에 촉탁할 수 있었던 사항에 관하여 착오로 이를 누락한 경우에는 여전히 촉탁에 의하여 등기한다(등기예규 제1777호 제3조 제2항).

정답 · **01 ③,⑤ / 01 ⑤ / 01 ②**

② 보전관리인, 관리인, 관리인대리, 파산관재인, 파산관재인대리, 국제도산관리인 및 국제도산관리인대리는 임원란 또는 사원란에 등기하고, 채무자인 법인의 대표자 등 임원에 관한 등기와 지배인 또는 대리인에 관한 등기는 말소하지 아니 한다(등기예규 제1777호 제5조 제2항; 파산선고 등으로 기존의 이사등이 그 직을 잃게 되는 것은 맞지만 해당 등기를 등기관이 직권으로 말소할 것은 아니라는 의미임).

③ 파산선고를 받은 채무자의 업무집행기관이었던 이사 등은 민법 제690조에 따라 위임관계가 종료되어 당연히 퇴임하지만(상업선례 제1-266호), 후임이사 등이 선임될 때까지는 등기관이 종전 이사 등에 관한 등기를 직권으로 말소할 수는 없고(등기예규 제1777호 제5조 제2항 후단), 채무자가 새로운 이사 등을 선임한 경우 채무자의 대표자가 종전 이사 등의 퇴임등기와 새로운 이사 등의 취임등기를 신청하여야 한다(등기선례 제200303-15호). 따라서 파산선고를 받은 채무자의 대표자가 새로운 이사 등의 취임등기를 신청하지 않는 한 파산종결등기를 할 때까지 종전 이사 등의 퇴임등기를 할 수 없다(상업선례 제1-268호).

④ 등기예규 제1777호 제5조 제1항

⑤ 파산절차가 진행 중인 채무자인 법인은 파산절차가 진행 중인 동안은 파산의 목적범위 내에서는 아직 존속 중인 법인인데(채무자회생법 제328조), 파산재단 이외의 관계, 예컨대 회사의 본점이전, 임원의 선임 등과 같이 회사의 조직법적 사단활동에 속하는 사항(회사의 비재산적 활동범위에 속하는 사항)의 등기신청에 관한 권한은 여전히 채무자에게 있으므로(상업선례 제1-264호, 제1-134호) 채무자인 법인이 새로 선임한 대표자가 이를 신청하여야 한다(↔ 파산재단에 관한 사항의 등기의 경우에는 촉탁 규정이 있으면 법원의 촉탁으로, 촉탁규정이 없으면 파산관재인의 신청으로 등기가 이루어짐).

02 채무자 회생 및 파산에 관한 법률에 따른 법인등기에 대한 다음 설명 중 가장 옳지 않은 것은?

▸ 2022 법무사

① 파산재단과 관련된 등기사항은 파산관재인의 신청에 의하여 등기하여야 한다.

② 회생계획에 따른 해산등기와 회생절차종결등기를 한 때에 그 법인에 대하여 청산절차가 필요 없는 경우에 등기관은 해당 법인의 등기부를 직권으로 폐쇄하여야 한다.

③ 회생절차개시의 등기를 한 경우, 등기관은 직권으로 보전관리 및 보전관리인에 관한 등기를 말소하여야 한다.

④ 파산선고·파산취소·파산폐지 또는 파산종결의 결정에 따른 등기는 법원사무관 등의 촉탁으로 하여야 한다.

⑤ 법인인 채무자에 대하여 회생계획인가결정이 있는 경우에 채무자가 결정서의 등본 또는 초본 등 관련서류를 첨부하여 채무자의 각 사무소 및 영업소의 소재지의 등기소에 그 등기를 신청할 수 있다.

해설 ① 파산재단과 관련된 등기사항은 재산권에 관한 사항이므로 촉탁등기사항 이외의 등기사항은 파산관재인의 신청에 의하여 등기하여야 한다(등기예규 제1777호 제4조 제3항).

② 등기예규 제1777호 제13조 제3항

③ 등기예규 제1777호 제10조 제5항

④ 등기예규 제1777호 제15조 제1항

⑤ 회생계획인가결정이 있는 경우 그 등기는 법원사무관등의 촉탁으로 하여야 한다(등기예규 제1777호 제11조 제1항, 제10조 제1항).

27 설립무효의 판결 등의 재판에 따른 등기

01 재판에 따른 등기에 관한 다음 설명 중 가장 옳지 않은 것은? ▸ 2021 법무사

① 촉탁절차에 관하여는 원칙적으로 신청절차가 준용되지만, 촉탁의 경우 촉탁자가 등기소에 출석하지 않아도 되고, 사전에 등기소에 인감을 제출하거나 촉탁서에 인감을 날인하지 않아도 된다.

② 주주총회결의의 취소, 부존재 또는 무효의 등기는 제1심 수소법원이 그 등기를 촉탁하여야 하고, 촉탁서에는 재판의 등본을 첨부하여야 한다.

③ 이사 선임 주주총회결의의 부존재 판결이 확정된 경우, 그 등기를 할 때에는 해당 이사의 등기를 말소하여야 하는데, 말소의 결과 등기기록상 등기되어 있는 이사의 수가 법률 또는 정관에 정한 원수에 부족한 때에도 사임 또는 임기만료에 의해 퇴임한 전임 이사의 등기를 회복할 수 없다.

④ 주식회사의 설립무효의 판결에 따른 등기를 할 때 등기관은 직권으로 이사, 대표이사, 집행임원, 대표집행임원, 지배인에 관한 등기를 말소하여야 한다.

⑤ 법원이 촉탁하는 등기에 대하여는 등기신청수수료를 받지 아니한다.

> **해설** ① 상등 제22조 제2항, 제24조 제2항 제1호, 제24조 제3항
>
> ② 비송 제107조 제7호, 제108조
>
> ③ 그 결의된 사항에 관한 등기를 말소하고 그 등기에 의하여 말소된 등기사항이 있는 때에는 등기관이 이를 회복하여야 한다(상등규 제153조 제1항). 따라서 말소의 결과 등기기록상 등기되어 있는 이사의 수가 법률 또는 정관에 정한 원수에 부족하게 되면 사임 또는 임기만료에 의해 퇴임한 자는 권리의무행사자가 되므로 이를 회복하여야 한다.
>
> ④ 설립무효가 된 회사는 해산에 준하여 청산을 하여야 하므로, 설립무효의 등기를 할 때 등기관은 직권으로 이사 및 대표이사의 등기를 말소한다(상 제328조 제2항, 제193조 제1항; 상등규 제145조).
>
> ⑤ 수수료규칙 제5조의3 제2항 단서 제1호

 **제2절** **유한회사 · 합명회사 · 합자회사 · 유한책임회사 · 합자조합의 등기**

01 다음 중 유한책임회사의 설립등기에 있어 등기사항이 아닌 것은?
▶ 2025 법무사

① 목적
② 지점을 둔 경우에는 그 소재지
③ 사원의 성명, 주민등록번호 및 주소(다만, 회사를 대표할 사원을 정한 경우에는 그 외의 사원의 주소는 제외함)
④ 정관으로 공고방법을 정한 경우에는 그 공고방법
⑤ 존립기간 또는 해산사유를 정한 때에는 그 기간 또는 사유

해설 ①,②,③,④,⑤ 상법 제287조의5(유한책임회사 설립의 등기사항) 중에서 주의할 부분은 ㉠ 사원의 출자 및 목적 가액, 업무집행자의 성명(법인인 경우에는 명칭) 및 주소가 각각 정관의 절대적 기재사항이지만, 사원이 등기사항에서는 빠진다는 점, ㉡ 공고방법이 정관의 절대적 기재사항은 아니지만, 정관으로 공고방법을 정한 경우에는 그 공고방법이 등기사항이 된다는 점(공고방법은 정관의 상대적 기재사항으로서 등기사항)에 유의하여야 한다.

02 유한회사의 등기에 관한 다음 설명 중 가장 옳지 않은 것은?
▶ 2024 법무사

① 유한회사의 경우 회사의 공고방법이 정관의 절대적 기재사항으로 되어 있지 않으나 회사가 공고방법을 둔 경우에는 등기할 수 있다.
② 상법 제585조에 따른 사원총회의 특별결의는 총사원의 반수 이상이며 총사원의 의결권의 4분의 3 이상을 가진 자의 동의로 하는데, 의결권을 행사할 수 없는 사원은 이를 총사원의 수에, 그 행사할 수 없는 의결권은 이를 의결권의 수에 산입하지 않는다.
③ 유한회사를 설립할 때 작성하는 정관은 공증인의 인증을 받음으로써 효력이 생긴다. 다만, 자본금 총액이 10억 원 미만인 경우 각 사원이 정관에 기명날인 또는 서명함으로써 효력이 생긴다.
④ 유한회사의 자본금 증가에 따른 등기는 자본금증가로 인한 출자 전액의 납입 또는 현물출자의 이행이 완료된 날부터 2주 내에 본점소재지에서 신청하여야 하는데, 출자의 납입은 은행 기타 금융기관에 할 필요가 없으며, 현물출자의 이행의 경우에도 검사인 등의 검사를 받을 필요가 없다.
⑤ 유한회사가 정관에 기재된 독립된 최소행정구역 내에서 본점을 이전하는 경우 정관에 다른 정함이 없으면 이사 과반수의 결의에 의하여야 하나, 유한회사의 사원총회는 업무집행을 포함한 모든 사항에 관하여 결의를 할 수 있으므로, 사원총회 결의로도 본점이전을 할 수 있다.

해설 ① 유한회사의 경우 회사의 공고방법이 정관의 절대적 또는 상대적 기재사항 어느 것으로도 규정되어 있지 않고, 등기사항으로도 되어 있지 않다. 등기사항 법정주의에 따라 등기할 사항이 아니다.
② 상 제585조 제1항, 제2항
③ 상 제543조 제3항, 제292조
④ 상 제591조(등기기간); 유한회사는 주식회사와 달리 출자의 납입을 은행 기타 금융기관에 할 필요가 없고, 현물출자 등이 있는 경우에도 검사인 등의 검사를 받을 필요가 없다.
⑤ 상업선례 제202203-1호

03 합자조합의 등기에 관한 다음 설명 중 가장 옳지 않은 것은?

▶ 2023 법무사

① 합자조합의 등기는 법률에 다른 규정이 없는 경우에는 합자조합의 업무를 집행하고 대리할 권한이 있는 자가 신청한다.
② 유한책임조합원의 경우 조합계약에 다른 규정이 없으면 신용 또는 노무를 출자의 목적으로 하지 못한다.
③ 업무집행권이 없는 조합원의 등기를 할 때에는 그 자의 성명 또는 상호 및 주민등록번호 또는 법인등록번호를 등기하여야 한다.
④ 합자조합 등기를 게을리한 경우 회사 등기와 달리 과태료 근거 규정이 없으므로 등기해태에 대한 과태료를 부과하지 아니한다.
⑤ 합자조합의 주된 영업소를 다른 등기소의 관할구역 내로 이전한 경우에 새로운 주된 영업소 소재지에서 하는 등기의 신청은 종전의 주된 영업소 소재지를 관할하는 등기소를 거쳐야 한다.

해설 ① 상 제86조의5 제1항
② 상 제86조의8 제3항, 제272조
③ 상업등기규칙 제92조 제2항
④ 상법 제2편의 합자조합과 상법 제3편의 회사에 관한 등기의 경우 일정한 기간 내에 등기를 하여야 하는데, 이를 해태한 때에는 500만원 이하의 과태료를 부과한다(상 제86조의9, 제181조 내지 제183조, 제635조 제1항 제1호). 상업등기에 해당하는 '개인상인', '회사', '합자조합'의 등기 중 '개인상인'의 등기를 제외하고는 과태료 규정을 두고 있다.
⑤ 출제 당시에는 맞는 지문이었으나 2025.1.31.부터는 법 개정으로 틀린 지문이 되었다. 합자조합의 주된 영업소 이전에 따른 등기는 회사의 본점이전등기절차와 동일하므로(상 제86조의8 제1항, 제182조 제1항; 상등 제53조, 제54조 내지 제56조; 상등규 제96조 제1항, 제99조 제1항, 제116조 제1호, 제96조 제4항, 제115조 제1항 등), 회사의 본점 이전 등기와 마찬가지로 종전 주된 영업소 소재지 또는 새 주된 영업소 소재지를 관할하는 등기소 중 한 곳에 주사무소 이전등기를 신청할 수 있다.

정답 01 ③ 02 ① 03 ④,⑤

04 각 회사의 등기에 관한 다음 설명 중 가장 옳지 않은 것은?

▶ 2023 법무사

① 합자회사에서 총사원의 동의가 있더라도 유한책임사원을 대표사원으로 하는 변경등기는 허용되지 아니한다.

② 유한회사와 유한책임회사의 사원은 회사의 설립등기 이전에 금전이나 그 밖의 재산의 출자를 전부 이행하여야 한다.

③ 합자회사가 정관의 규정에 따라 공동대표사원을 두어 등기한 경우에 공동대표규정을 폐지하기 위해서는 그 정관변경을 먼저 한 다음 공동대표규정을 말소하는 변경등기를 신청할 수 있는데, 이 경우 정관변경을 위해서는 총사원의 동의가 있음을 증명하는 정보가 첨부정보로 제공되어야 한다.

④ 유한책임회사는 정관을 변경함으로써 새로운 사원을 가입시킬 수 있으므로, 정관을 변경한 때에 해당 사원이 출자에 관한 납입 또는 재산의 전부 또는 일부의 출자를 이행하지 아니한 경우이더라도 정관의 변경으로 사원이 된다.

⑤ 합명회사 지배인의 선임과 해임은 정관에 다른 정함이 없으면 업무집행사원이 있는 경우에도 총사원 과반수의 결의에 의하여야 한다.

해설 ① 합자회사의 유한책임사원은 회사의 업무집행이나 대표행위를 하지 못하고(상 제278조), 정관에 규정을 두더라도 회사를 대표하는 사원으로 할 수 없다(대판 1996.1.25, 63다2128).

② 상 제548조 제1항(유한회사), 상 제287조의4 제2항(유한책임회사)

③ 합명회사는 정관 또는 총사원의 동의로 수인의 사원이 공동으로 회사를 대표할 것을 정할 수 있고(상 제208조) 정관의 변경에는 총사원의 동의가 있어야 한다(상 제204조). 합자회사는 합명회사의 규정을 대부분 준용하므로(상 제269조), 정관의 규정에 따라 공동대표사원을 정한 경우 이를 폐지하는 등기신청서에는 정관 변경을 증명하는 총사원동의서가 첨부되어야 한다.

④ 유한책임회사는 정관을 변경함으로써 새로운 사원을 가입시킬 수 있다(상 제287조의23 제1항). 정관변경을 통한 사원의 가입은 정관을 변경한 때에 효력이 발생하는 것이 원칙이나(상 제287조의23 제2항 본문), 해당 사원이 출자에 관한 납입 또는 재산의 전부 또는 일부의 출자를 이행하지 아니한 경우에는 그 납입 또는 이행을 마친 때에 사원이 된다(상 제287조의23 제2항 단서).

⑤ 상 제203조

05 상법상 회사의 정관의 기재사항과 등기할 사항에 관한 다음 설명 중 가장 옳은 것은?

▶ 2023 법무사

① 합명회사, 합자회사 및 유한회사의 경우 사원의 성명·주민등록번호 및 주소가 정관의 절대적 기재사항이지만 유한책임회사의 경우에는 그러하지 아니하다.

② 사원이 등기할 사항인 경우에는 각 사원의 무한책임 또는 유한책임인 것을 등기하여야 한다.

③ 유한책임회사는 자본금의 액이, 유한회사는 자본금의 총액이 각 정관의 절대적 기재사항이나, 합명회사, 합자회사 및 주식회사의 경우에는 자본금의 액 또는 총액이 절대적 기재사항이 아니다.

④ 유한책임회사의 경우에는 공고방법이 정관의 기재사항 및 등기사항이 아니나 유한회사의 경우에는 정관으로 공고방법을 정한 때에는 그 공고방법을 등기하여야 한다.

⑤ 유한책임회사, 유한회사, 주식회사의 정관은 공증인의 인증을 받음으로써 효력이 생긴다.

해설 ① 합명회사(상 제179조), 합자회사(상 제270조, 제179조), 유한회사(상 제543조 제2항), 유한책임회사(상 제287조의3) 모두 사원의 성명·주민등록번호 및 주소가 정관의 절대적 기재사항이다.

② 합자회사의 경우에는 무한책임사원과 유한책임사원으로 그 책임이 구분되므로 이를 구분하여 등기하지만(상 제270조), 합명회사는 모두 무한책임을 지는 사원으로 구성되므로 '사원'으로만 등기한다(상 제180조).

③ 합명회사 또는 합자회사는 무한책임을 지는 사원이 신용 또는 노무도 출자 대상으로 할 수 있으므로 자본금 확정의 의미가 없다(정관의 기재사항도 아니고 등기사항도 아님). 주식회사는 자본금을 확정하여 등기하나 정관의 절대적 기재사항은 아니다. 유한책임회사의 자본금의 액(상 제287조의3)과 유한회사의 자본금의 총액(상 제543조 제2항)은 정관의 절대적 기재사항이다(각 등기사항이기도 함).

④ 유한책임회사의 경우 공고방법이 정관의 상대적 기재사항(상 제287조의5 제1항 제6호)으로 이를 기재한 경우에만 등기사항이 된다(상 제287조의5 제1항). 유한회사는 정관의 절대적·상대적 기재사항도 아니고 등기사항도 아니다.

⑤ 유한회사의 원시정관(상 제543조 제3항, 제292조)과 주식회사의 원시정관(상 제292조)은 공증인의 인증을 받음으로써 효력이 생기는 것이 원칙이다. 유한책임회사의 원시정관에는 공증인의 인증을 요하는 규정이 없다.

정답 04 ④ 05 ③

06 합명회사의 등기에 관한 다음 설명 중 가장 옳지 않은 것은?

▸ 2022 법무사

① 합명회사의 설립시에는 2인 이상의 사원이 공동으로 정관을 작성하여야 하고 총사원이 기명날인 또는 서명하여야 한다.

② 정관의 규정으로 출자를 하지 않는 사원을 정할 수 있으므로, 출자가 없는 자를 사원으로 정한 합명회사의 설립등기신청은 수리하여야 한다.

③ 사원의 출자의 목적은 동산·부동산·금전·채권 기타의 재산권은 물론 신용과 노무도 포함된다.

④ 합명회사의 사원은 정관의 절대적 기재사항이고 등기사항이므로 그 변동은 정관의 변경을 뜻하고 변경등기를 요한다.

⑤ 사원의 제명 또는 그 업무집행권한이나 대표권 상실의 판결이 확정된 때에는 제1심 수소법원이 그 재판의 등본을 첨부하여 본점과 지점 소재지의 등기소에 그 등기를 촉탁한다.

해설 ① 상 제178조

② 합명회사의 사원은 반드시 출자하여야 하고(상 제179조, 제195조; 민 제703조), 정관의 규정으로도 출자를 하지 않는 사원을 인정할 수 없다. 출자가 없는 자를 사원으로 정한 합명회사의 설립등기신청은 수리할 수 없다(상업선례 제1-64호).

③ 상 제195조, 제222조; 민 제703조 제2항

④ 상 제179조 제3호, 제180조 제1호

⑤ 2025.1.31. 이전에는 비송사건절차법 제107조 제3호에 "합명회사 또는 합자회사의 사원 제명 또는 그 업무집행권이나 대표권 상실의 판결이 확정된 경우 제1심 수소법원은 회사의 본점과 지점소재지의 등기소에 그 등기를 촉탁하여야 한다"라고 규정되어 있었으나, 현재는 "합명회사 또는 합자회사의 사원 제명 또는 그 업무집행권이나 대표권 상실의 판결이 확정된 경우 제1심 수소법원은 회사의 본점소재지의 등기소에 그 등기를 촉탁하여야 한다"라고 개정되었다. 이 법에 따라 법원이 회사의 본점 소재지의 등기소에 등기를 촉탁할 때에는 촉탁서에 재판의 등본을 첨부하여야 한다(비송 제108조).

<table><tr><td>제3절</td><td>외국회사의 등기</td></tr></table>

01 외국회사의 대한민국 영업소 등기에 관한 다음 설명 중 가장 옳지 않은 것은?

▶ 2025 법무사

① 외국회사가 대한민국 내에 영업소를 설치하는 경우에는 그 설치일부터 3주일 내에 영업소의 소재지에서 상호, 목적 등 상법에서 규정하고 있는 등기사항을 등기하여야 한다.

② 외국회사의 대한민국 영업소 등기는 대한민국에서의 대표자가 외국회사를 대표하여 신청하여야 하고, 대한민국에서의 대표자는 외국회사의 영업에 관하여 재판상 또는 재판 외의 모든 행위를 할 권한을 가지며 이에 대한 제한은 선의의 제3자에게 대항하지 못한다.

③ 외국회사는 스스로의 결정에 의해 대한민국 영업소를 폐쇄할 수 있고, 법원이 이해관계인 또는 검사의 청구에 의하여 영업소의 폐쇄를 명할 수도 있는데, 후자의 경우 법원의 촉탁에 의하여 영업소 폐쇄의 등기를 한다.

④ 법원은 영업소의 폐쇄를 명한 경우 이해관계인의 신청에 의하여 또는 직권으로 대한민국에 있는 외국회사의 재산 전부에 대한 청산개시를 명할 수 있고, 이때 법원은 청산인을 선임하여야 한다.

⑤ 외국회사는 대한민국 내에 2개 이상의 영업소를 설치할 수 있고, 이 경우 각 영업소별로 서로 다른 대한민국에서의 대표자를 정하여 등기할 수 있다.

> **해설** ① 상 제614조 제2항, 제3항
> ② 상 제614조 제4항, 제209조
> ③ 상 제619조; 비송 제101조 제2항, 제93조
> ④ 상 제620조 제1항
> ⑤ 외국회사의 대한민국에서의 대표자의 대표권은 국내의 모든 영업소에 미치므로, 외국회사가 국내에 2개 이상의 영업소를 설치하는 경우 각 영업소별로 서로 다른 대표자를 정하여 등기하거나 대표권을 특정 영업소의 영업에 한정하는 취지의 등기를 할 수는 없지만, 각 영업소마다 지배인을 선임하여 지배인등기를 할 수는 있다(상업선례 제1-287호).

PART

02

비송사건절차법

법인등기

부부재산약정등기

01 부부재산 약정의 등기에 관한 다음 설명 중 가장 옳지 않은 것은? ▸ 2021 법무사

① 부부재산의 약정은 혼인 성립 전까지 그 등기를 하지 아니하면 부부 상호 간에 그 효력이 없다.

② 부부재산 약정에 관한 등기는 약정자 양쪽이 신청한다. 다만, 부부 어느 한 쪽의 사망으로 인한 부부재산 약정 소멸의 등기는 다른 한 쪽이 신청한다.

③ 부부재산 약정의 등기에 관하여는 남편이 될 사람의 주소지를 관할하는 지방법원, 그 지원 또는 등기소를 관할등기소로 한다.

④ 부부재산 약정의 등기신청서에는 혼인신고를 하지 아니한 것을 증명하는 서면을 첨부하여야 한다.

⑤ 부부재산 약정의 변경등기신청서에는 약정내용의 변경, 재산관리자의 변경 또는 공유재산의 분할을 허가한 재판의 등본이나 이에 관한 약정서를 첨부하여야 한다.

(해설) ① 부부가 그 재산에 관하여 따로 약정을 한 때에는 혼인성립까지 그 등기를 하지 아니하면 이로써 부부의 승계인 또는 제3자에게 대항하지 못한다(민 제829조 제4항). 등기가 제3자 대항요건으로 되어있다(당사자끼리 효력에 영향 없음).

② 비송 제70조

③ 비송 제68조

④, ⑤ 등기예규 제1646호

01 비송사건절차에 관한 다음 설명 중 가장 옳은 것은? ▶ 2025 법무사

① 비송사건절차법이나 다른 법령에 비송사건임이 명확히 규정되어 있지 않은 비송사건이 민사소송의 방법으로 청구된 경우에는 당사자가 이를 비송사건으로 처리해달라고 요청하더라도 각하 판결을 해야 한다.

② 비송사건절차에는 변론주의가 적용됨이 원칙이다.

③ 비송사건의 심문은 공개함이 원칙이다.

④ 비송사건절차에 관하여는 선정당사자의 선정에 관한 근거 규정이 없다.

⑤ 민사소송절차와 달리 비송사건절차에서는 원칙적으로 사실에 대한 소명이 있으면 사실을 인정할 수 있다.

해설 ① 비송사건절차법에 의하여 비송사건으로 신청하여야 할 사건을 통상의 민사소송절차에 따라 제소한 경우 또는 그 반대의 경우, 판례는 법률상 근거가 없는 소 또는 신청으로 부적법하므로 각하하여야 한다고 한다(대판 1956.1.12, 4288민상126, 대판 1963.12.12, 63다449, 대결 1976.2.11, 75마533).
그러나 소송사건과 비송사건의 구별이 언제나 명확한 것은 아니고, 대부분의 경우에는 당사자의 의사 또한 반드시 소송사건 또는 비송사건만을 고집하는 것이라고 볼 수는 없으므로 당사자에게 석명을 구하여 그 의사를 명확히 한 후에 당사자의 의사가 비송사건으로 신청하는 것으로 밝혀지면 비송사건으로 처리하여 주고 있다는 것이 실무의 입장이다(법원실무제요의 지침).

② 비송사건에는 소송의 변론주의를 배제하고 직권탐지 주의를 채택하고 있다. 따라서 법원이 직권으로 사실의 탐지와 필요하다고 인정하는 증거의 조사를 하도록 되어 있고(비송 제11조), 자백간주도 인정되지 아니하는 것으로 해석된다.

③ 비송사건의 심문은 공개하지 아니하고(비송 제13조 본문), 다만 법원은 심문을 공개함이 적정하다고 인정하는 자에게 방청을 허가할 수 있다(비송 제13조 단서).

④ 비송사건에는 소송능력자이기만 하면 변호사가 아니더라도 다른 제한 없이 대리인이 되는 것을 허용하고 있으므로(비송 제6조 본문), 선정당사자에 관한 민사소송법을 준용하는 규정이 없다. 판례도 선정당사자에 대한 규정을 준용 내지 유추적용하는 것을 부정한다(대결 1990.12.7, 90마674, 90마카11).

⑤ 비송사건에는 사실인정에 관하여 절대적 진실 발견을 추구하므로, 사실인정은 원칙적으로 소명의 정도로는 부족하고 증명의 정도에 이르러야 한다(법원이 증명에 이르는 사실 탐지, 증거조사의 책임을 부담함). 예외적으로 개별 사건 중에 특별히 소명만을 요구하는 규정이 있는데(비송 제82조 등), 이 경우에는 당사자의 소명이 부족하면 신청을 배척하면 되고 법원이 그럼에도 불구하고 직권으로 사실을 탐지할 책임을 지지 않는다.

02 비송사건절차에 관한 다음 설명 중 가장 옳지 않은 것은?　▶ 2023 법무사

① 법원은 비송사건에 관한 재판을 한 후에 그 재판이 위법 또는 부당하다고 인정할 때에는 이를 취소하거나 변경할 수 있다. 그러나 즉시항고로써 불복할 수 있는 재판은 취소하거나 변경할 수 없다.

② 민법상 비영리법인의 청산인을 해임하는 재판에 대하여는 불복신청이 허용되지 않으나, 대법원에 특별항고를 제기할 수는 있다.

③ 비송사건 및 그에 관한 심문의 기일은 검사에게 통지하여야 하고, 검사는 비송사건에 관하여 의견을 진술하고 심문에 참여할 수 있다.

④ 선정당사자에 관한 민사소송법 규정은 비송사건절차법이 적용되는 비송사건에 준용되거나 유추적용될 수 있다.

⑤ 법원은 비송사건절차의 항고심에서 항고이유로 주장된 바 없더라도 마땅히 진실 여부를 직권으로 조사하여 이 사건 항고의 당부를 가릴 수 있다.

해설　① 비송사건의 경우에는 법원은 재판을 한 후에 그 재판이 위법 또는 부당하다고 인정할 때에는 이를 취소하거나 변경할 수 있도록 하여(비송 제19조 제1항) 원칙적으로 기속력을 배제하고 있다. 다만, 신청에 의하여만 재판을 하여야 하는 경우에 신청을 각하한 재판은 신청에 의하지 아니하고는 취소하거나 변경할 수 없으며(비송 제19조 제2항), 즉시항고로써 불복할 수 있는 재판은 취소하거나 변경할 수 없도록 하여(비송 제19조 제3항) 예외적으로 기속력을 인정하고 있다.

② 민법법인의 청산인을 선임 또는 해임하는 재판에 대하여는 불복신청을 할 수 없다(비송 제36조, 제119조). 불복할 수 없는 결정이나 명령에 대하여는 재판에 영향을 미친 헌법위반이 있거나, 재판의 전제가 된 명령·규칙·처분의 헌법 또는 법률의 위반여부에 대한 판단이 부당하다는 것을 이유로 하는 때에만 대법원에 특별항고를 할 수 있다(민소 제449조)는 민사소송법의 규정은 비송사건절차에도 그대로 허용된다.

③ 비송 제15조 제2항

④ 비송사건의 경우 소송능력자이기만 하면 변호사가 아니더라도 다른 제한 없이 대리인이 되는 것을 허용하는 것이 원칙이므로, 선정당사자 제도를 인정할 별다른 실익이 없다. 판례도 선정당사자에 관한 민사소송법 제53조 규정의 준용 내지 유추적용을 부정하고 있다(대결 1990.12.7, 90마674, 90마카11).

⑤ 항고심의 심리에는 1심의 절차가 준용된다(비송 제23조). 비송사건절차법 제11조에 의하면 법원은 직권으로 사실의 탐지와 필요하다고 인정하는 증거의 조사를 하여야 한다고 규정되어 있으므로 항고법원의 조사 범위는 항고이유에 의하여 제한되는 것이 아니고 항고심으로서는 불복의 대상이 된 1심 결정의 당부를 가리기 위하여 항고이유로 주장된 바 없더라도 마땅히 진실 여부를 직권으로 조사하여 항고의 당부를 가려야 한다(대결 2007.3.29, 2006마724; 대결 1982.10.12, 82마523).

정답　**01** ④　**02** ④

제2절 민사비송사건

01 사단법인의 임시총회 소집에 관한 다음 설명 중 가장 옳은 것은?

▸ 2025 법무사

① 사단법인의 총사원의 5분의 1 이상이 이사에게 임시총회 소집을 요구하였으나 이사가 2주간 내에 임시총회를 소집하지 아니하는 때에는 감사가 법원의 허가를 얻어 임시총회를 소집할 수 있다.

② 임시총회소집 허가신청인은 이사가 소집을 게을리한 사실을 소명하여야 한다.

③ 법인 아닌 사단에는 민법 제70조 제3항이 유추적용되지 않으므로, 이사가 임시총회 소집을 거부한 때에도 법원의 허가를 얻어 임시총회를 소집할 수 없다.

④ 법원의 소집허가에 의해 개최된 임시총회에서 결의할 수 있는 사항은 결정문에 기재된 목적사항으로 엄격하게 제한된다.

⑤ 임시총회의 소집을 허가하는 결정문에 기재된 회의 목적사항에 '기타 사항'이 포함되어 있는 경우에도 기본적인 목적사항에 한하여 결의가 가능하다.

해설 ① 사단법인의 감사는 법인의 재산 및 업무를 감사하고 그 결과를 보고하기 위하여 필요한 때에는 총회를 소집할 권한이 있으므로(민법 제67조), 이 경우 스스로 감사의 권한에 의하여 총회를 소집하면 되고 법원에 임시총회소집 허가신청을 할 이익이 없다. 상법상 회사의 감사(감사위원회)의 경우에는 법원의 허가를 얻어 임시총회를 소집할 수 있다는 점과 대비되므로 주의를 요한다.

② 비송 제34조 제2항, 제80조 제1항

③ 종중 등 비법인 사단의 경우에도 사단법인의 임시총회 소집허가 재판에 관한 규정이 유추적용된다(대판 1993.10.12. 92다50799; 대결 1999.6.25. 98마478).

④ 법원이 허가신청을 인용하는 재판을 할 때에는 그 임시총회의 목적사항을 명백히 하여야 하는데, 이와 같이 법원의 소집허가에 의해서 개최되는 임시총회에서는 결정문에 기재된 회의의 목적사항뿐만 아니라 이와 관련된 사항에 관해서도 결의할 수 있다(대판 1993.10.12. 92다50799).

⑤ 회의의 목적사항을 열거한 다음 '기타 사항'이라고 기재한 경우, 그 '기타 사항'은 회의의 기본적인 목적사항과 관계가 되는 사항과 일상적인 운영을 위하여 필요한 사항에 국한된다고 보는데(대판 1996.10.25. 95다56866; 대판 2013.2.14. 2010다102403), 이에 따라 기본적인 목적사항 및 필요한 관련 기타사항까지 결의가 가능한 것으로 본다.

PART · 02

02 민사비송사건에 관한 다음 설명 중 가장 옳은 것은? ▸2024 법무사

① 이해관계인은 임시이사의 선임을 신청할 수 있는데, 여기에 채권자는 포함되지 않는다.
② 법인과 이사의 이익이 상반되고, 그 이사 외에 대표권을 가지는 이사가 없는 경우에는 임시이사를 선임하여야 한다.
③ 권리능력 없는 사단이나 재단의 경우에도 법인의 임시이사 선임에 관한 민법 제63조가 유추적용될 수 있다.
④ 법원의 소집허가로 개최된 임시총회에서는 적법하게 개최된 이상 원칙적으로 소집허가 결정과 소집통지서에 목적사항으로 기재된 사항과 관련 없는 사항에 대하여도 결의할 수 있다.
⑤ 법원의 허가를 받아 임시총회를 소집한 경우에도 대표자는 여전히 대표권을 가지므로, 법원의 허가를 받아 소집한 임시총회의 기일과 같은 기일에 다른 임시총회를 소집할 수 있다.

> **해설** ① 법인의 임시이사 선임 사건의 신청권자는 이해관계인 또는 검사인데(민법 제63조), 이해관계인이라 함은 임시이사가 선임되는 것에 관하여 법률상의 이해관계가 있는 자로서, 사건본인인 해당 법인의 다른 이사, 사원은 물론 채권자도 포함된다(대판 2007.5.10, 2006다85747; 대결 2009.11.19, 2008마699).
> ② 위 사안(법인과 이사의 이해상반)의 경우 임시이사가 아니라 특별대리인을 선임하여야 한다(민법 제64조).
> ③ 대결 2009.11.19, 2008마699
> ④ 허가신청을 인용하는 재판은 그 임시총회의 회의의 목적사항을 명백히 하여야 하고, 그 소집허가에 따라 개최되는 임시총회에서는 결정문에 기재된 회의목적사항 및 관련사항에 관하여 결의할 수 있다(대판 1993.10.12, 92다50799).
> ⑤ 신청인들이 법원의 허가를 받아 임시총회를 소집한 경우에는 사건 본인의 기관으로서 소집하는 것으로 보아야 하므로 사건 본인의 대표자라도 위 신청인들이 법원의 허가를 받아 소집한 임시총회의 기일과 같은 기일에 다른 임시총회를 소집할 권한은 없다(대판 1993.10.12, 92다50799).

03 재판상 대위에 관한 사건에 관한 다음 설명 중 가장 옳은 것은? ▸2024 법무사

① 채권자는 자기 채권의 기한 전에 채무자의 권리를 행사하지 아니하면 그 채권을 보전할 수 없는 경우에만 재판상의 대위를 신청할 수 있다.
② 재판상의 대위는 채무자의 보통재판적이 있는 곳의 지방법원이 관할하고, 대위신청은 서면으로 하여야 한다.
③ 심문은 공개하지 않고, 검사는 사건에 관하여 의견을 진술하거나 심문에 참여할 수 있다.
④ 대위의 신청을 각하한 재판에 대하여는 즉시항고를 할 수 있고, 항고의 기간은 채권자가 재판의 고지를 받은 날로부터 기산한다.
⑤ 대위의 신청을 허가한 재판은 직권으로 채무자에게 고지하여야 하고, 고지를 받은 채무자는 그 권리를 처분할 수 없으나 즉시항고를 할 수 있다.

정답 　01 ②　02 ③　03 ⑤

해설 ① 채권자는 그 채권의 기한이 도래하기 전에는 법원의 허가 없이 채권자대위권을 행사하지 못한다. 그러나 보전행위는 그러하지 아니하다(민법 제404조 제2항). 채권자는 자기 채권의 기한 전에 채무자의 권리를 행사하지 아니하면 그 채권을 보전할 수 없거나 보전하는 데에 곤란이 생길 우려가 있을 때에는 재판상의 대위(代位)를 신청할 수 있다(비송 제45조). '보전하는 데에 곤란이 생길 우려가 있을 때'에도 재판상 대위를 신청할 수 있다.
② 채무자의 보통재판적이 있는 곳의 지방법원의 관할이 맞지만(비송 제46조), 서면으로 하여야 한다는 규정이 없어 서면 또는 구술 신청이 모두 가능하다(비송 제8조).
③ 재판상 대위 사건의 심문은 공개한다(비송 제52조; 비송사건 중 유일한 예외). 또한 검사는 사건의 심문에 참여할 수 없다(비송 제52조).
④ 즉시항고로서 불복하는 것은 맞지만(비송 제50조 제1항, 제2항), 항고의 기간은 '채무자'가 재판의 고지를 받은 날로부터 기산한다(비송 제50조 제3항).
⑤ 대위신청허가재판은 신청인뿐 아니라 직권으로 이를 채무자에게도 고지하여야 한다(비송 제49조 제1항). 위 고지를 받은 채무자는 그 권리를 처분할 수 없다(비송 제49조 제2항). 신청을 허가한 재판에 대하여는 채무자가 즉시항고할 수 있다(비송 제50조 제2항).

04 민법법인의 임시이사에 관한 다음 설명 중 가장 옳지 않은 것은?

▶ 2023 법무사

① 임시이사선임결정에 대하여는 비송사건절차법에 의한 통상항고로써만 불복이 가능하며 일반 민사소송절차에서 이를 무효로 할 수 없다.
② 민법 제63조에 의하여 법원이 선임한 임시이사는 원칙적으로 새로운 정식이사를 선임할 수 있는 등 정식이사와 동일한 권리의무가 있다.
③ 법원은 임시이사선임결정을 한 뒤에 사정변경이 생겨 그 선임결정이 부당하다고 인정될 때에는 이를 취소 또는 변경할 수 있다.
④ 이사가 없거나 결원이 있는 경우에 이로 인하여 손해가 생길 염려가 있는 때에는 법원은 이해관계인의 청구에 의하여 임시이사를 선임할 수 있는데, 이때 이해관계인은 임시이사가 선임되는 것에 관하여 법률상 이해관계가 있는 자로서 그 법인의 다른 이사, 사원 및 채권자를 포함한다.
⑤ 이사의 임기만료·사임으로 인하여 법률 또는 정관에서 정한 이사의 원수를 채우지 못한 결과가 일어나는 경우 임기만료·사임한 이사는 후임자가 선임될 때까지 이사로서의 권리의무가 있으므로, 임시이사가 선임되더라도 그러한 권리의무는 소멸하지 않으나, 이사 전원의 임기만료·사임으로 인하여 법률 또는 정관에서 정한 이사의 원수를 채우지 못한 결과가 일어나는 경우에는 그러하지 아니하다.

해설 ① 임시이사의 선임결정의 집행을 정지하려면 통상항고를 한 후, 항고법원 또는 원심법원으로 하여금 비송사건절차법 제23조와 민사소송법 제448조에 의한 재판의 집행정지 내지 기타 필요한 처분을 하여줄 것을 신청하여야 할 것이지, 임시이사의 선임결정에 대하여 민사소송법상의 가처분 절차로 그 집행을 정지시킬 수는 없다(대판 1963.12.12, 63다321).

② 임시이사의 지위는 정식의 이사와 동일하므로(대판 1963.3.21, 62다800), 이사의 권한에 속하는 한 정식이사의 선임, 정관변경 등도 유효하게 할 수 있다(대판 1963.12.12, 63다449).

③ 비송사건절차에서는 법원은 재판을 한 후라도 그 재판이 위법 또는 부당하다고 인정할 때에는 이를 취소하거나 변경할 수 있다(비송 제19조 제1항). 다만, 신청에 의하여만 재판을 하여야 하는 경우에 신청을 각하한 재판(비송 제19조 제2항)과 즉시항고로써 불복할 수 있는 재판(비송 제19조 제3항)은 1심 법원이 직권으로 취소·변경할 수 없다. 임시이사 선임 재판의 불복에 관하여는 특칙을 두고 있지 않으므로 비송사건재판의 일반원칙에 따라 통상항고가 허용되는 사건이므로 1심 법원이 취소·변경할 수 있다.

④ 대판 2007.5.10, 2006다85747; 대결 2009.11.19, 2008마699

⑤ 민법법인(예 재단법인)에서 어느 이사의 사임으로 인하여 정관에 정한 이사의 원수를 결한 경우 사임한 이사는 후임자가 선임될 때까지 이사로서의 권리의무가 있지만, 임시이사가 선임되면 그러한 권리의무는 소멸한다(상업선례 제2-107호). 다른 제한은 없으므로 어느 경우든 임시이사 선임으로 기존 퇴임이사는 그 권리의무가 소멸한다.

05 다음 설명 중 가장 옳지 않은 것은? (다툼이 있는 경우 판례·예규 및 선례에 따르고 전원합의체 판결의 경우 다수의견에 의함. 이하 같음)

▶ 2022 법무사

① 주식회사의 경우 퇴임 당시 법률 또는 정관에 정한 이사의 원수를 결하지 않음에도 불구하고 퇴임한 이사가 이사로서의 권리의무를 행하고 있다면 그 직무집행의 정지를 구하는 가처분을 신청할 수 있다.

② 상법 제386조 제2항에 따라 일시 이사의 직무를 행할 자를 선임하는 경우에 법원은 이사와 감사에게 진술을 할 기회를 부여하면 족하고, 이해관계를 달리하는 이사나 감사가 있는 경우 각 이해관계별로 빠짐없이 진술의 기회를 주지 않았더라도 그 사정이 재판의 결과에 영향을 주게 되는 것은 아니다.

③ 법원에 의해 선임된 재단법인 또는 사단법인의 임시이사는 적법한 절차에 따라 정관을 변경할 수 있다.

④ 주식회사의 경우 법률 또는 정관에 정한 이사의 원수를 결한 때에는 임기의 만료 또는 사임으로 인하여 퇴임한 이사가 이사의 권리의무를 행하고 있더라도 그 퇴임이사를 상대로 해임사유의 존재 등을 이유로 그 직무집행의 정지를 구하는 가처분을 신청할 수 없다.

⑤ 법원이 민법상 임시이사를 선임하는 경우에 제1심 수소법원은 법인의 주된 사무소 소재지의 등기소에 그 등기를 촉탁하여야 한다.

해설 ①,④ 대결 2009.10.29, 2009마1311

[1] 상법 제386조 제1항은 법률 또는 정관에 정한 이사의 원수를 결한 경우에는 임기의 만료 또는 사임으로 인하여 퇴임한 이사로 하여금 새로 선임된 이사가 취임할 때까지 이사의 권리의무를 행하도록 규정하고 있는바, 위 규정에 따라 이사의 권리의무를 행사하고 있는 퇴임이사로 하여금 이사로서의 권리의무를 가지게 하는 것이 불가능하거나 부적당한 경우 등 필요

정답 ▶ 04 ⑤ 05 ⑤

한 경우에는 상법 제386조 제2항에 정한 일시 이사의 직무를 행할 자의 선임을 법원에 청구할 수 있으므로, 이와는 별도로 상법 제386조 제1항에 정한 바에 따라 이사의 권리의무를 행하고 있는 퇴임이사를 상대로 해임사유의 존재나 임기만료·사임 등을 이유로 그 직무집행의 정지를 구하는 가처분신청은 허용되지 않는다.

[2] 상법 제386조 제1항의 규정에 따라 퇴임이사가 이사의 권리의무를 행할 수 있는 것은 법률 또는 정관에 정한 이사의 원수를 결한 경우에 한정되는 것이므로, 퇴임할 당시에 법률 또는 정관에 정한 이사의 원수가 충족되어 있는 경우라면 퇴임하는 이사는 임기의 만료 또는 사임과 동시에 당연히 이사로서의 권리의무를 상실하는 것이고, 그럼에도 불구하고 그 이사가 여전히 이사로서의 권리의무를 실제로 행사하고 있는 경우에는 그 권리의무의 부존재확인청구권을 피보전권리로 하여 직무집행의 정지를 구하는 가처분신청이 허용된다.

② 일시이사 선임에 관한 재판을 하는 경우에는 이사와 감사의 진술을 들어야 한다(비송 제84조 제1항). 이렇듯 비송사건 중 재판 전에 관계인의 의견 또는 진술을 듣도록 규정하고 있는 사건들이 있는데, 그러한 경우에는 반드시 그 의견이나 진술을 들어야 하나, 법원이 관계인 중 일부에게 진술을 할 기회를 부여한 이상, 이해관계를 달리하는 관계인에게 각 이해관계인별로 빠짐없이 진술의 기회를 주어야 하는 것은 아니다(대결 2001.12.6, 2001그113).

③ 임시이사의 지위는 정식의 이사와 동일하므로(대판 1963.3.31, 62다800), 이사의 권한에 속하는 한 정식이사의 선임, 정관변경 등도 유효하게 할 수 있다(대판 1963.12.12, 63다449).

⑤ 민법법인의 임시이사에 관하여는 등기사항으로 하는 규정이 없으므로, 등기사항 법정주의에 원칙에 따라 등기할 수 없다.

06 상법 제366조 제2항에 따른 법원의 주주총회 소집허가에 관한 다음 설명 중 가장 옳지 않은 것은?

▶ 2022 법무사

① 주식회사의 본점소재지의 지방법원 합의부가 관할한다.

② 소집허가의 신청은 서면 또는 구술로 하며, 이에 대하여 법원은 이유를 붙인 결정으로써 재판을 하여야 한다.

③ 법원이 주주총회 소집을 허가하면서 이해관계인의 청구나 직권으로 총회 의장을 선임할 수 있다.

④ 신청을 인용한 재판에 대하여는 불복신청을 할 수 없다.

⑤ 법원의 허가를 얻어 소집된 총회에서는 회사의 업무와 재산상태를 조사하게 하기 위하여 검사인을 선임할 수 있다.

> **해설** ① 비송 제72조 제1항
> ② 총회소집허가 신청은 서면으로 하여야 한다(비송 제80조 제2항). 이 사건 재판은 이유를 붙인 경정으로 하여야 한다(비송 제81조 제1항).
> ③ 상 제366조 제2항 후문
> ④ 비송 제81조 제2항
> ⑤ 상 제366조 제3항

07 비송사건에 관한 다음 설명 중 가장 옳지 않은 것은? ▸ 2022 법무사

① 민법 제44조에 따른 재단법인의 정관 보충 사건은 법인설립자 사망 시의 주소지의 지방법원이 관할한다.

② 주금납입금의 보관자 또는 납입장소의 변경허가신청은 발기인 전원 또는 이사 전원이 공동으로 하여야 한다.

③ 주식의 액면 미달 발행의 인가신청에 대한 재판에 대하여는 즉시항고를 할 수 있으며, 즉시항고는 집행정지의 효력이 있다.

④ 법원은 상법 제176조에 따른 해산을 명하는 재판을 하기 전에 이해관계인의 진술과 검사의 의견을 들어야 한다.

⑤ 신탁법 제105조 제2항에 따라 검사인을 선임하고 신탁재산에서 검사인의 보수를 지급하는 재판을 하는 경우 법원은 위탁자의 의견을 들어야 한다.

> **해설** ① 비송 제32조 제1항
> ② 비송 제82조
> ③ 비송 제86조 제4항, 제5항
> ④ 비송 제90조 제2항(검사의 의견을 들어야 하는 것은 회사의 해산명령사건이 공익에 관한 것이기 때문이다)
> ⑤ 이 경우 법원은 수탁자의 의견을 들어야 한다(비송 제44조의18 제2항).

08 신탁에 관한 사건에 대한 다음 설명 중 가장 옳지 않은 것은? ▸ 2022 법무사

① 신탁법 제88조 제3항에 따른 신탁변경의 재판에 대하여 위탁자, 수탁자 또는 수익자가 즉시항고를 할 수 있고, 이 경우 즉시항고는 집행정지의 효력이 있다.

② 수탁자의 임무가 종료되어 법원이 신탁재산관리인을 선임한 재판에 대하여는 불복신청을 할 수 없다.

③ 법원은 이해관계인의 청구에 의하여 신탁재산관리인을 해임할 수 있는데, 해임결정과 동시에 새로운 신탁재산관리인을 선임하여야 한다.

④ 위탁자가 집행의 면탈이나 그 밖의 부정한 목적으로 신탁을 설정한 경우에 이해관계인은 신탁재산이 있는 곳의 지방법원에 신탁의 종료를 청구하여야 한다.

⑤ 수탁자는 정당한 이유가 있는 경우 법원의 허가를 받아서 사임할 수 있는데, 수탁자가 사임허가를 신청한 경우 그 신청에 대한 재판에 대하여는 불복신청을 할 수 없다.

> **해설** ① 비송 제44조의14 제5항
> ② 비송 제44조 제2항
> ③ 신탁 제19조 제4항

④ 신탁에 관한 사건의 일반원칙(비송 제39조 제1항)에 따라 수탁자의 보통재판적이 있는 곳의 지방법원이 관할법원이 된다.

⑤ 비송 제41조 제2항

09 신탁에 관한 사건에 대한 다음 설명 중 가장 옳지 않은 것은? ▸ 2021 법무사

① 신탁사건은 특별한 규정이 있는 경우를 제외하고는 수탁자의 보통재판적이 있는 곳의 지방법원이 관할한다.

② 부정한 목적으로 신탁선언에 의하여 설정된 신탁 종료의 청구에 의한 재판을 하는 경우 법원은 수탁자의 의견을 들을 수 있고, 이에 따른 재판을 수탁자와 수익자에게 고지하여야 한다.

③ 수탁자가 그 임무에 위반된 행위를 하거나 그 밖에 중요한 사유가 있는 경우 위탁자나 수익자는 법원에 수탁자의 해임을 청구할 수 있고, 이 경우 법원은 수탁자를 심문하여야 한다.

④ 수탁자와 수익자 간의 이해가 상반되어 수탁자가 신탁사무를 수행하는 것이 적절하지 아니하다는 이유로 신탁법 제17조 제1항에 따라 신탁재산관리인을 선임하는 재판을 하는 경우 법원은 수익자와 수탁자의 의견을 들어야 한다.

⑤ 필수적 신탁재산관리인의 선임의 재판을 하는 경우 법원은 이해관계인의 의견을 들을 수 있다.

> **해설** ① 비송 제39조 제1항
> ② 이 사건 재판에 법원은 반드시 수탁자의 의견을 들어야 하고(비송 제40조 제1항), 재판의 고지는 신청인 뿐 아니라 수탁자와 수익자에게도 고지하여야 한다(비송 제40조 제3항).
> ③ 신탁 제16조 제3항; 비송 제42조 제1항
> ④ 수탁자와 수익자 간의 이해가 상반되어 수탁자가 신탁사무를 수행하는 것이 적절하지 아니하다는 이유로 신탁법 제17조 제1항에 따라 신탁재산관리인을 선임하는 재판을 하는 경우에는, 수익자와 수탁자의 의견을 들어야 한다(비송 제43조 제1항).
> ⑤ 필수적 신탁재산관리인을 선임하는 경우에는 법원은 이해관계인의 의견을 들을 수 있다(비송 제44조 제1항 제1호·제2호).

제3절　상사비송사건

01 **회사의 청산에 관한 다음 설명 중 가장 옳은 것은?**　▶ 2025 법무사

① 청산인 선임신청 기각결정에 대하여는 항고할 수 없다.
② 법원이 청산인을 선임하는 경우에 청산인을 누구로 선임할 것인가는 법원의 자유재량에 속한다.
③ 청산인 선임신청이 각하된 경우에는 이해관계인만 비송사건절차법 제20조 제2항에 따라 항고할 수 있다.
④ 법원이 회사로 하여금 청산인에게 보수를 지급하도록 결정한 경우에는 결정에 불복할 수 없다.
⑤ 청산인의 직무대행자는 법원의 허가를 얻더라도 회사의 상무 외 행위를 할 수 없다.

해설 ① 청산인의 선임, 해임의 재판에 대하여는 불복의 신청을 할 수 없다(비송 제119조). 신청을 기각한 재판에 대하여는 별도의 언급이 없으므로 비송사건절차법 총칙 규정에 따라 항고할 수 있다(비송 제20조 제2항).
② 비송사건은 법원이 후견적 입장에서 관여하는 것이므로, 청산인으로 누구를 선임할 것인가는 법원의 자유재량에 속한다. 다만 미성년자, 피성년후견인, 자격이 정지되거나 상실된 자, 법원에서 해임된 청산인, 파산선고를 받은 자는 청산으로 선임될 수 없다(비송 제121조).
③ 법원의 청산인 선임 재판은 경우에 따라 이해관계인의 신청에 의해 개시되는 경우도 있고, 법원의 해산명령 또는 해산 판결에 의하여 해산된 때의 청산인 선임 재판과 같이 이해관계인의 신청, 검사 청구 또는 법원 직권으로 개시되는 경우도 있다. 신청에 의하여만 재판을 하여야 하는 경우에 신청을 각하한 재판에 대하여는 신청인만 항고할 수 있지만(비송 제20조 제2항), 청산인 선임 재판은 경우에 따라 검사 청구 등으로 개시되는 사건도 있으므로 반드시 신청인인 이해관계인에 한하여 항고권자가 제한된다고 볼 수 없다.
④ 이 보수의 결정에 대하여는 즉시항고할 수 있다(비송 제123조, 제77조, 제78조).
⑤ 상법은 이사선임결의 무효나 취소 또는 이사해임의 소가 제기된 경우에 법원은 당사자의 신청에 의하여 가처분으로써 이사의 직무집행을 정지할 수 있고, 이 때 직무집행이 정지된 이사를 대신할 직무대행자를 선임할 수 있다고 규정한다(상 제407조 제1항). 이처럼 법원의 가처분으로써 선임한 직무대행자는 가처분명령에 달리 정하지 않는 한 회사의 상무에 속하지 아니한 행위를 하지 못하나(상 제408조 제1항 본문), 법원의 허가를 얻은 경우에는 그러하지 아니하며(상 제408조 제1항 단서), 위 규정은 주식회사의 청산인(상 제542조 제2항) 등에도 준용된다.

정답 **09 ② / 01 ②**

02 사채에 관한 사건과 재판상의 대위에 관한 사건의 비송사건절차법에 관한 다음 설명 중 가장 옳지 않은 것은? ▸ 2023 법무사

① 사채권자집회의 소집자는 결의한 날로부터 1주간내에 결의의 인가를 법원에 청구하여야 하는데, 위 결의 인가 사건은 사채를 발행한 회사의 본점 소재지의 지방법원 합의부가 관할한다.

② 사채관리회사의 사임 허가신청을 인용한 법원의 재판에 대하여는 즉시항고를 할 수 있다.

③ 재판상 대위는 채무자의 보통재판적이 있는 곳의 지방법원이 관할한다.

④ 법원은 재판상 대위의 신청이 이유 있다고 인정한 경우에는 담보를 제공하게 하거나 제공하게 하지 아니하고 허가할 수 있다.

⑤ 대위의 신청을 허가한 재판은 직권으로 채무자에게 고지하여야 한다.

> **해설** ① 상 제496조, 비송 제109조
> ② 사채관리회사의 사임 허가신청을 인용한 재판에 대하여는 불복의 신청을 할 수 없다(비송 제110조 제2항).
> ③ 비송 제46조
> ④ 비송 제48조
> ⑤ 비송 제49조 제1항

03 상사비송사건에 관한 다음 설명 중 가장 옳지 않은 것은? ▸ 2022 법무사

① 주식회사설립 및 신주발행에서의 검사인의 선임 신청은 서면으로 하여야 한다.

② 상법 제408조 제1항 단서에 따른 직무대행자의 상무 외 행위의 허가신청을 인용한 재판에 대하여는 즉시항고할 수 없다.

③ 회사의 해산명령 사건은 본점 소재지의 지방법원 합의부가 관할하고, 외국회사의 영업소폐쇄명령 사건은 외국회사 영업소 소재지의 지방법원이 관할한다.

④ 유한회사와 주식회사의 합병 인가신청은 합병을 할 회사의 이사와 감사가 공동으로 신청하여야 한다.

⑤ 청산인의 선임 또는 해임의 재판에 대하여는 불복신청을 할 수 없다.

> **해설** ① 비송 제73조 제1항
> ② 이 사건 신청을 인용한 재판에 대하여는 즉시항고를 할 수 있다(비송 제85조 제2항).
> ③ 비송 제72조 제1항 · 제3항
> ④ 비송 제104조
> ⑤ 비송 제119조

제4절 과태료사건

01 비송사건절차법이 적용되는 과태료사건의 재판에 관한 다음 설명 중 가장 옳지 않은 것은?

▶ 2022 법무사

① 이사가 임기의 만료나 사임에 의하여 퇴임함으로써 법률 또는 정관에서 정한 이사의 인원수를 채우지 못하게 되었음에도 그 선임절차를 게을리한 경우에는 법무부장관이 과태료를 부과·징수하고, 그 과태료재판에는 비송사건절차법이 적용된다.

② 약식절차에 의한 과태료재판에 당사자가 이의신청한 경우에 정식절차에 의한 과태료재판은 당사자가 불복한 한도 안에서 바꿀 수 있다.

③ 정식절차에 의한 과태료재판에 대하여 즉시항고를 하는 경우 집행정지의 효력이 있다.

④ 대표이사가 퇴임함으로써 법률 또는 정관 소정의 대표이사의 수를 채우지 못한 경우 퇴임한 대표이사에게 후임 대표이사가 취임할 때까지 대표이사로서의 권리의무가 있는 기간 동안에 후임 대표이사의 선임절차를 해태했다고 하여 퇴임한 대표이사를 과태료에 처할 수는 없다.

⑤ 확정된 과태료 재판은 검사의 명령으로써 집행하고, 그 명령은 집행력 있는 집행권원과 같은 효력이 있다.

> **해설** ① 상 제637조의2
> ② 약식재판은 당사자 또는 검사의 이의 신청에 의하여 그 효력을 잃으므로(비송 제250조 제3항) 정식절차에서는 약식재판의 내용에 기속되지 아니한다(불이익변경금지 원칙이 적용되지 않음).
> ③ 비송 제248조 제3항
> ④ 이사 등의 권리의무행사 기간 동안은 그 등기기간이 진행되지 않으므로 등기해태는 문제되지 않고, 법무부장관이 부과·징수하는 선임해태에 관한 과태료가 문제된다고 하더라도 퇴임한 대표이사가 그 선임해태에 책임이 있는 자로 보기는 어렵다.
> ⑤ 비송 제249조 제1항

02 등기의무해태와 관련하여 과태사항 통지와 과태료사건의 재판에 관한 다음 설명 중 가장 옳지 않은 것은?

▶ 2021 법무사

① 등기해태에 대하여 신청인의 고의·과실이 있는지 또는 그 위반행위에 정당한 사유가 있는지를 구분하지 않고 등기기간을 도과하였다면 등기관은 과태사항을 통지하여야 한다.

② 이사가 임기의 만료나 사임에 의하여 퇴임함으로써 법률 또는 정관에 정한 이사의 원수를 채우지 못하게 되는 경우 그 이사의 퇴임등기를 하여야 하는 등기기간은 후임이사의 취임일로부터 기산하고, 후임이사의 취임이 없다면 퇴임한 이사의 퇴임등기만을 따로 신청할 수 없다.

③ 당사자와 검사는 과태료의 재판에 대하여는 즉시항고할 수 있고, 이 경우 즉시항고에는 집행정지의 효력이 있다.

④ 회사의 지배인에 관한 등기에 대하여는 과태사항 통지를 하지 않는다.

⑤ 과태료 사건의 관할법원은 다른 법령에 특별한 규정이 있는 경우를 제외하고는 과태료에 처할 회사의 본점 소재지의 지방법원이다.

해설 ① 대판 2000.5.26. 98두5972

② 대결(전) 2005.3.8. 2004마800; 등기예규 제1574호 제2조 제2항(권리의무행사자)

③ 비송 제248조 제3항

④ 지배인의 등기에 대하여는 등기기간의 정함이 없기 때문에 과태사항이 발생하지 않는다(등기예규 제1574호 제2조 제1항).

⑤ 과태료 사건은 다른 법령에 특별한 규정이 있는 경우를 제외하고는 과태료를 부과받을 자의 주소지의 지방법원이 관할한다(비송 제247조). 회사의 등기해태에 관하여 과태료 부과대상자는 회사가 아니라 회사를 대표해서 등기를 신청하였어야 할 자(대표자)이므로, 회사의 영업소 소재지가 아니라 대표자의 주소지 지방법원이 관할한다.

정답 02 ⑤

부동산등기법

총론

서설

제1절 기본개념

01 다음 중 부기로 하는 등기는 모두 몇 개인가? ▶ 2024 법무사

┤ 보기 ├

ㄱ. 소유권 외의 권리를 목적으로 하는 권리에 관한 등기
ㄴ. 소유권에 대한 처분제한 등기
ㄷ. 등기상 이해관계 있는 제3자의 승낙이 없는 경우의 권리의 변경등기
ㄹ. 신탁등기
ㅁ. 가등기에 의한 본등기
ㅂ. 일부 등기사항이 말소된 경우의 말소회복등기

① 1개   ② 2개   ③ 3개
④ 4개   ⑤ 5개

해설 ②

ㄱ. (○) **소유권 외의 권리를 목적으로** 하는 **권리**에 관한 등기는 해당 권리에 관한 등기에 **부기**로 하여야 한다(법 제52조 제3호).

ㄴ. (×) 1. **소유권 외의 권리**에 대한 **처분제한** 등기는 해당 권리에 관한 등기에 **부기**로 하여야 한다(법 제52조 제4호).

　　　2. 이와 달리 **소유권**에 대한 **처분제한** 등기는 **주등기**로 하여야 한다.

ㄷ. (×) **권리의 변경등기**에 **등기상 이해관계인**이 존재하는데도 그의 **승낙**을 증명하는 정보 또는 그에 대항할 수 있는 재판이 있음을 증명하는 정보를 **첨부하지 못한 경우**에는 **주등기**로 변경등기를 한다(법 제52조 제5호).

ㄹ. (×) 1. **신탁등기의 신청**은 해당 부동산에 관한 **권리의 설정등기, 보존등기, 이전등기 또는 변경등기의 신청과 동시에** 하되(법 제82조 제1항), **1건**의 신청정보로 **일괄**하여 하여야 한다(규칙 제139조 제1항). 등기관이 권리의 이전 또는 보존이나 설정등기와 함께 신탁등기를 할 때에는 **하나의 순위번호**를 사용하여야 한다(규칙 제139조 제1항, 제7항).

　　　2. 즉 신탁으로 인한 권리이전등기를 한 다음 **등기목적란에 신탁등기의 등기목적**을 기재하고 **권리자 및 기타사항란**에 신탁원부번호를 기록한다.

　　　3. 따라서 신탁을 원인으로 한 소유권이전등기와 함께 신탁등기를 할 때에는 **주등기**로 하여야 한다.

ㅁ. (×) 가등기에 의한 본등기를 한 경우 그 본등기의 순위는 가등기의 순위에 따른다(법 제91조). 예를 들어 **소유권이전청구권가등기**에 의한 **본등기**의 경우 등기의 형식은 **주등기**에 따른다.

ㅂ. (○) 법 제59조의 말소된 등기에 대한 회복신청을 받아 등기관이 등기를 회복할 때에는 회복의 등기를 한 후 다시 **말소된 등기와 같은 등기를** 하여야 한다(**註 순위번호**도 종전 등기와 **같은 번호**를 기록한다). 다만, 등기전체가 아닌 **일부** 등기사항만 말소된 것일 때에는 **부기에** 의하여 **말소된 등기사항만 다시 등기**한다(규칙 제118조).

02 부기등기에 관한 다음 설명 중 가장 옳지 않은 것은?

▶ 2023 법무사

① 근저당권 이전의 부기등기가 마쳐진 경우 그 이전 원인이 무효이거나 취소 또는 해제된 때에는 부기등기인 이전등기만을 말소하여야 한다.

② 저당권으로 담보한 채권을 질권의 목적으로 한 때에는 그 저당권등기에 질권의 부기등기를 하여야 그 효력이 저당권에 미친다.

③ 가등기상 권리를 제3자에게 양도하는 경우 양도인과 양수인은 공동신청으로 가등기상 권리의 이전등기를 신청할 수 있고, 그 이전등기는 가등기에 대한 부기등기의 형식으로 한다.

④ 매각으로 인한 소유권이전등기 촉탁을 할 때에 매수인이 인수하지 아니하는 전세권등기에 이전등기가 부기되어 있는 경우 집행법원은 주등기인 전세권설정등기와 함께 그 이전의 부기등기도 말소촉탁하여야 한다.

⑤ 부기등기의 순위번호에 가지번호를 붙이는 형식의 부기등기도 가능하다.

해설 ④ 매각으로 인한 소유권이전등기촉탁을 할 때에, 매수인이 인수하지 아니하는 부담의 기입이 부기등기로 되어 있는 경우, ㉠ 저당권, 전세권 등 소유권 이외의 권리의 전부 또는 일부이전으로 인한 부기등기가 마쳐진 경우 또는 ㉡ 저당권부채권가압류등기, 전세권저당권설정등기 등과 같이 매수인이 인수하지 아니하는 등기의 말소에 관하여 이해관계 있는 제3자 명의의 부기등기가 마쳐진 경우에, 집행법원은 **주등기의 말소만 촉탁**하면 되고 **부기등기에 관하여는 별도로 말소촉탁을 할 필요가 없으며** 등록면허세는 주등기의 말소에 대한 것만 납부하면 된다(선례 제7-436호).

① 1. **근저당권이전의 부기등기**가 기존의 주등기인 근저당권설정등기에 종속되어 주등기와 일체를 이룬 경우에는 (**註** 주등기와 별개의 새로운 등기는 아니라 할 것이므로) 부기등기만의 말소를 따로 인정할 아무런 실익이 없지만, **근저당권의 이전원인만이 무효로 되거나 취소 또는 해제**된 경우, 즉 근저당권의 주등기 자체는 유효한 것을 전제로 이와는 별도로 근저당권이전의 부기등기에 한하여 무효사유가 있다는 이유로 부기등기만의 효력을 다투는 경우에는 그 **부기등기의 말소를 소구할 필요가 있으므로** 예외적으로 **소의 이익이 있다**(대판 2005.6.10, 2002다15412·15429).

2. 따라서 **부기등기만의 말소신청을 양도인**과 **양수인**이 **공동신청**하거나 양수인이 **판결**을 받아 **단독**으로 **신청할 수 있다**.

3. 근저당권양도계약의 무효, 취소, 해제를 원인으로 **근저당권이전등기**를 **말소**하는 경우에는 근저당권의 **양수인이 등기의무자**, 근저당권 양도인이 **등기권리자**가 되어 **공동**으로 **신청**한다.

4. 이때 등기관은 이전에 따른 부기등기만을 말소하고 동시에 **종전 권리자**를 직권으로 **회복**하여야 한다.

② **저당권**으로 담보한 채권을 **질권**의 목적으로 한 때에는 그 저당권등기에 **질권**의 **부기등기**를 하여야 그 **효력이 저당권에 미친다**(민법 제348조).

정답 ▶ **01** ② **02** ④

③ **가등기상 권리**를 제3자에게 **양도**한 경우에 **양도인**과 **양수인**은 **공동신청**으로 **그 가등기상 권리의 이전등기**를 신청할 수 있고, 그 이전등기는 가등기에 대한 **부기**등기의 형식으로 한다(예규 제 1632호, 3).

⑤ **환매권의 이전등기, 전세권부저당권의 이전등기, 저당권부권리질권의 이전등기** 등과 같이 **부기등 기에 대한 부기등기도 가능**하다(「부동산등기실무 II」 p.4 참조). 부기등기 "1-1"에 대한 부기등기는 "1-1-1"로 표시된다.

03 등기의 효력에 관한 다음 설명 중 가장 옳지 않은 것은?　▸ 2024 법무사

① 지적공부가 멸실된 토지를 제외하고 지적공부에 등록되어 있지 않은 토지는 존재하지 않거나 특정되지 아니한 것으로서 그 소유권보존등기는 효력이 없다.

② 구분소유권의 객체로서 적합한 물리적 요건을 갖추지 못한 건물 부분이 건축물관리대장상 독립한 별개의 구분건물로 등재되고 등기부상에도 구분소유권의 목적으로 등기되어 있어 이러한 등기에 기초하여 경매절차가 진행되어 매각허가를 받고 매수대금을 납부하였다 하더라도, 그 상태만으로는 그 등기는 효력이 없으므로 매수인이 소유권을 취득할 수 없는 것이 원칙이다.

③ 환지에 대한 등기로서의 효력이 존속하는 것은 환지처분공고 당시 종전 토지 위에 있는 등기에 한하고 그 공고 이후 환지등기 이전에 이루어진 종전 토지에 관한 등기는 환지에 대한 등기로서의 효력이 없다.

④ 채권자가 채무자와 사이에 근저당권설정계약을 체결하였으나 그 계약에 기한 근저당권설정등기가 채권자가 아닌 제3자의 명의로 마쳐지고 그 후 다시 채권자가 위 근저당권설정등기에 대한 부기등기의 방법으로 위 근저당권을 이전받았다고 하더라도 위 근저당권설정등기는 실체관계에 부합하는 유효한 등기로 볼 수 없다.

⑤ 본등기금지가처분등기의 촉탁에 따라 등기관이 가등기에 의한 본등기를 금지한다는 취지의 가처분을 한 경우 이 등기는 아무런 효력이 없다.

해설 ④ 등기가 실체적 권리관계에 부합한다고 하는 것은 그 등기절차에 어떤 하자가 있더라도 진실한 권리관계와 합치되는 것을 의미하는바, 채권자가 채무자와 사이에 근저당권설정계약을 체결하였으나 그 계약에 기한 **근저당권설정등기**가 채권자가 아닌 **제3자의 명의로 경료**되고 그 후 다시 **채권자가** 위 근저당권설정등기에 대한 부기등기의 방법으로 위 **근저당권을 이전**받았다면 특별한 사정이 없는 한 **그때부터** 위 근저당권설정등기는 **실체관계에 부합**하는 **유효한 등기**로 볼 수 있다 (대판 2007.1.11, 2006다50055).

① 1. 어느 토지에 대하여 **소유권보존등기**가 경료되어 있는 경우에 특별한 사정이 없는 한 그 원인과 절차에 있어서 **적법**하게 경료된 것으로 **추정**되므로, 지적공부 소관청에는 이에 대한 **토지대장이 비치되어 있었다고 보아야 할 것**이다.

2. 그러나 국가는 지적법이 정하는 바에 의하여 모든 토지를 필지마다 지번, 지목, 경계 또는 좌표와 면적을 정하여 지적공부에 등록하여야 하는바, 토지는 특별한 사정이 없는 한 위와 같이 지적공부의 등록으로써 특정되므로 **지적공부에 등록되지 않은 토지**(지적공부 멸실로 인한 미복구된 토지는 제외)는 토지로서 **존재하지 않거나 특정되지 않은 것**으로서 그와 같은 토지에

관한 **소유권보존등기**는 등기로써 **아무런 효력이 없는 것**이라고 할 것이므로, **등기명의인은** 어느 토지가 토지조사령에 의한 토지조사부 및 그 이후부터 현재까지의 지적공부에 등록된 사실이 없다는 지적공부 소관청의 확인서면과 등기명의인의 인감증명을 첨부하여 당해 토지에 관한 **멸실등기의 신청을 할 수 있다**(선례 제5-505호).

② **1동의 건물의 일부분**이 **구분소유권의 객체**가 될 수 있으려면 그 부분이 **이용상**은 물론 **구조상**으로도 다른 부분과 구분되는 **독립성**이 있어야 하고, 그 이용 상황 내지 이용 형태에 따라 구조상의 독립성 판단의 엄격성에 차이가 있을 수 있으나, 구조상의 독립성은 주로 소유권의 목적이 되는 객체에 대한 물적 지배의 범위를 명확히 할 필요성 때문에 요구된다고 할 것이므로, 구조상의 구분에 의하여 구분소유권의 객체 범위를 확정할 수 없는 경우에는 구조상의 독립성이 있다고 할 수 없다. 그리고 구분소유권의 객체로서 **적합한 물리적 요건을 갖추지 못한 건물의 일부**는 그에 관한 **구분소유권이 성립할 수 없는 것**이어서, 건축물관리대장상 독립한 별개의 구분건물로 **등재**되고 **등기부상에도 구분소유권의 목적으로 등기**되어 있어 이러한 등기에 기초하여 **경매절차가 진행되어 매각허가**를 받고 **매수대금을 납부**하였다 하더라도, 그 등기는 **그 자체로 무효**이므로 **매수인은 소유권을 취득할 수 없다**(대결 2010.1.14, 2009마1449).

③ **환지에 대한 등기로서의 효력이 존속되는 것**은 **환지처분의 공고 당시 종전 토지 위에 있는 등기에 한하고** 그 **공고 이후에** 종전 토지에 대하여 한 **등기**는 비록 환지등기 이전에 한 것이라 할지라도 환지에 대한 등기로서의 **효력이 없다**(대판 1970.4.28, 69다1688 · 1689).

⑤ 가등기에 터잡아 본등기를 하는 것은 그 가등기에 기하여 순위보전된권리의 취득(권리의 증대 내지 부가)이지 가등기상의 권리 자체의 처분(권리의 감소 내지 소멸)이라고는 볼 수 없으므로 가등기에 기한 **본등기를 금지한다는 취지의 가처분**은 부동산등기법 제2조에 규정된 **등기할 사항에 해당하지 아니**하고, 그러한 본등기금지가처분이 **잘못으로 기입등기**되었다 하더라도 그 기재사항은 **아무런 효력을 발생할 수 없으므로** 가처분권자는 이러한 무효한가처분결정의 기입등기로써 부동산의 적법한 전득자에게 대항할 수 없다(대판 1992.9.25, 92다21258).

04 다음 중 물권변동의 시기와 관련하여 성질이 다른 하나는?

▶ 2023 법무사

① 공유물분할의 소에서 공유부동산의 특정한 일부씩을 각각의 공유자에게 귀속시키는 것으로 현물분할하는 내용의 조정이 성립한 경우의 물권변동
② 공익사업에 필요한 토지를 수용한 경우 사업시행자의 부동산 소유권 취득
③ 경매절차에서 매각대금을 완납한 매수인의 소유권 취득
④ 피상속인의 사망으로 인한 상속인의 상속부동산에 대한 소유권 취득
⑤ 구 농지개혁법에 따라 농지를 분배받은 농가가 농지대가의 상환을 완료하고 분배농지에 대한 소유권을 취득하는 경우

해설 ① **공유물분할**의 소송절차 또는 조정절차에서 공유자 사이에 공유토지에 관한 **현물분할의 협의**가 성립하여 그 합의사항을 조서에 기재함으로써 **조정이 성립**하였다고 하더라도, 그와 같은 사정만으로 재판에 의한 공유물분할의 경우와 마찬가지로 그 즉시 공유관계가 소멸하고 각 공유자에게 그 협의에 따른 새로운 법률관계가 창설되는 것은 아니고, 공유자들이 협의한 바에 따라 토지의 분필절차를 마친 후 각 단독소유로 하기로 한 부분에 관하여 다른 공유자의 공유지분을 이전받아

등기를 마침으로써 비로소 그 부분에 대한 대세적 권리로서의 소유권을 취득하게 된다고 보아야
한다(대판(전) 2013.11.21, 2011두1917).

②.③.④ 상속, 공용징수, 판결, 경매 기타 법률의 규정에 의한 부동산에 관한 물권의 취득은 등기를
요하지 아니한다. 그러나 등기를 하지 아니하면 이를 처분하지 못한다(민법 제187조).

⑤ 1. 상속, 공용징수, 판결, 경매 기타 법률의 규정에 의한 부동산에 관한 물권의 취득은 등기를
요하지 아니한다. 그러나 등기를 하지 아니하면 이를 처분하지 못한다(민법 제187조).

2. 농지대가의 상환을 완료한 수분배자는 구 농지개혁법(1994.12.22. 법률 제4817호 농지법 부
칙 제2조 제1호로 폐지)에 의하여 등기 없이도 완전히 그 분배농지에 관한 소유권을 취득하게
되는 것이다(대판 2007.10.11, 2007다43856).

05 중복등기기록의 정리에 관한 다음 설명 중 가장 옳지 않은 것은? ▶ 2025 법무사

① 이미 등기된 부동산에 관하여 이중으로 소유권보존등기의 신청이 있을 경우 그 신청은
부동산등기법 제29조 제2호의 '사건이 등기할 것이 아닌 경우'에 해당하여 각하된다.

② 중복등기는 같은 부동산에 관하여 2개 이상의 등기기록에 중복하여 마쳐진 소유권보존
등기나 멸실회복등기를 의미하므로 등기기재의 착오, 존재하지 않는 토지에 대한 소유권
보존등기나 멸실회복등기 등으로 인하여 외관상 지번이 동일한 등기기록이 존재하게 되
었더라도 그 등기기록상 등기를 중복등기로 처리하여서는 아니 된다.

③ 부동산등기규칙 및 중복등기의 정리에 관한 사무처리지침에 의한 등기용지 폐쇄는 실체
권리관계에 영향을 미치지 아니하고, 일정한 경우 폐쇄된 등기용지의 부활을 신청할 수
있으므로 판결에 의한 등기 자체의 말소와는 구분된다.

④ 등기된 토지의 대장상 분할된 일부에 관하여 중복하여 소유권보존등기나 멸실회복등기
가 경료된 경우 그 일부토지부분에 관하여는 중복등기로 볼 수 없다.

⑤ X 토지의 선등기기록에는 乙의 소유권보존등기, 丙의 근저당권설정등기, 甲의 소유권이
전등기가 각 순차로 경료되고, 같은 토지에 관해 후등기기록에는 甲 명의의 소유권보존
등기가 경료되어 있는 경우라면, 후등기기록을 폐쇄한다.

해설 ④ 1. 등기된 토지의 대장상 분할된 일부에 관하여 중복하여 소유권보존등기나 멸실회복등기가 경
료된 경우는 그 일부토지부분에 관하여는 중복등기로 보아야 한다.
이 경우 규칙 제40조에 의한 직권분필을 통하여 지번 지적을 일치시킨 후 중복등기를 정리하
여야 한다.

2. 등기된 토지가 대장상 분할되지 않았는데 그 토지와 같은 지번으로 지적은 적게 등기된 토지
가 된 경우는 일부토지부분에 관한 중복등기로 볼 수 없다.
이 경우 뒤의 등기는 존재하지 않는 토지에 대한 등기이므로 외관상 지번이 동일한 등기기록
이 존재하는 경우로 취급하여 직권경정등기가 가능한 것은 즉시 직권경정등기절차를 취하여
외관상의 중복등기를 해소하고, 직권경정이 불가능한 것은 당사자에게 경정등기 신청 등을 하
도록 유도하여야 한다(예규 제1431호).

① **이미 등기된 부동산**에 관하여 **이중**으로 **소유권보존등기의 신청**이 있을 경우 그 신청은 부동산등기법 제**29조 제2호**의 '사건이 등기할 것이 아닌 경우'에 해당하여 **각하**된다(법 제29조 제2호, 규칙 제52조 제9호).

② 1. **중복등기로** 인정되기 위해서는 원칙적으로 **동일한 지번**으로 **여러 개의 등기기록**이 존재하여야 하며, **같은 토지를 표상하는 것**이어야 한다.
예컨대, 중복등기는 **동일한 토지**에 관하여 2개 이상의 등기기록에 **중복**하여 경료된 **소유권보존등기**나 **멸실회복등기**를 의미한다.
이와 달리, **등기기재의 착오**, 환지등기과정에서의 착오, 존재하지 않는 토지에 대한 **소유권보존등기**나 **멸실회복등기** 등으로 인하여 **외관상 지번이 동일한 등기기록이 존재하게 되었더라도 그 등기기록상의 등기를 중복등기로 처리하여서는 아니** 되며 분필, 합필등기 과정의 착오로 인하여 외관상 중복등기로 보이는 경우도 같다(예규 제1431호).
2. **외관상으로는 중복등기**처럼 보이는 경우는 **중복등기 정리방법으로 처리할 수 없다**(예규 제1431호). 예컨대, **같은 지번으로 2개 이상의 등기가 존재하기는 하나** 그 등기기록이 동일한 토지를 표상하는 것이 아니라 **각각 다른 토지를 표상**한다거나, **어느 한 등기기록을 제외**하고 **다른 등기기록은 모두 존재하지 않는 토지**에 관한 등기기록인 경우가 이에 해당한다.

③ 1. **판결(재판)에 의한 중복등기의 해소**는 중복등기라고 인정되는 **어느 한 등기기록의 모든 등기를 말소한 후** 그 등기기록을 폐쇄하므로 **중복등기가 영구적으로 해소**되지만 **법·규칙·예규(중복등기의 정리에 관한 사무처리지침)에 따른 중복등기의 정리(등기용지 폐쇄)는 잠정적 해소에 불과**하여 **실체의 권리관계에 영향을 미치지 아니**한다(규칙 제33조 제2항). 즉, 등기관의 중복등기정리는 판결에 의한 등기 자체의 말소와는 구분된다.
2. 또한, **폐쇄된 등기기록상의 권리자**는 언제든지 **일정한 요건**을 갖추어 **부활신청을 할 수 있다**. **폐쇄된 등기기록의 소유권의 등기명의인** 또는 등기상 이해관계인은 폐쇄되지 아니한 등기기록의 최종 소유권의 등기명의인과 등기상 이해관계인을 상대로 하여 **그 토지가 폐쇄된 등기기록의 소유권의 등기명의인의 소유임을 확정하는 판결**(판결과 동일한 효력이 있는 **조서를 포함**한다)이 있음을 증명하는 정보를 등기소에 제공하여 **폐쇄된 등기기록의 부활을 신청**할 수 있다(규칙 제41조). 중복등기라는 이유로 폐쇄된 등기기록의 등기명의인이 **진정한 소유자임이 확인된 경우**에는 **그 등기기록이 부활**하고 **다른 등기기록이 중복등기로 인정되어 폐쇄**된다.

⑤ **토지** 중복등기기록의 **최종 소유권의 등기명의인이 같은 경우**에는 나중에 개설된 등기기록(이하 **"후등기기록"**이라 한다)을 **폐쇄**한다. 다만, 후등기기록에 소유권 외의 권리 등에 관한 등기가 있고 먼저 개설된 등기기록(이하 **"선등기기록"**이라 한다)에는 **그와 같은 등기(소유권 외의 권리 등에 관한 등기, 예컨대 근저당권설정등기 등)**가 없는 경우에는 선등기기록을 폐쇄한다(규칙 제34조). 따라서 X 토지의 선등기기록에는 乙의 소유권보존등기, 丙의 근저당권설정등기, 甲의 소유권이전등기가 각 순차로 경료되고, 같은 토지에 관해 후등기기록에는 甲 명의의 소유권보존등기가 경료되어 있는 경우라면 선등기기록에 소유권 외의 등기인 丙의 근저당권설정등기가 존재하므로 선등기기록을 폐쇄할 수 없고 후등기기록을 폐쇄하여야 한다.

정답 **05 ④**

06 중복등기기록의 정리에 관한 다음 설명 중 가장 옳지 않은 것은? ▸2023 법무사

① 토지에 대해서는 부동산등기법 및 동 규칙에 규정을 두고 있으나 건물의 경우에는 위 법과 규칙에 따로 규정을 두고 있지 않고 있다.

② 존재하지 않는 토지에 대하여 등기가 됨으로 인하여 외관상 지번이 동일한 중복등기기록이 있는 경우 진정한 등기기록상의 소유권의 등기명의인은 존재하지 않는 토지를 표상하는 등기기록상의 최종 소유권의 등기명의인을 대위하여 토지의 멸실등기에 준하는 등기의 신청을 할 수 있다.

③ 건물의 보존등기명의인이 서로 다른 경우 선행해서 개설된 등기기록상의 등기를 기초로 한 새로운 등기신청은 이를 수리하고, 나중에 개설된 등기기록상의 등기를 기초로 한 새로운 등기신청은 이를 각하한다.

④ 토지의 최종 소유권의 등기명의인이 다른 경우로 어느 한 등기기록에만 분배농지의 상환완료를 등기원인으로 한 등기가 되어 있는 때에는 그 등기기록을 제외한 나머지 등기기록을 폐쇄한다.

⑤ 토지에 있어 최종 소유권의 등기명의인이 동일한 경우의 중복등기기록을 정리할 때에는 사전에 폐쇄될 등기기록의 최종 소유권의 명의인과 등기상의 이해관계인에게 통지할 필요가 없다.

해설 ③ 1. **건물**의 **보존등기명의인**이 **동일한** 경우로서 중복등기의 존속 중에 **새로운 등기신청**이 있는 경우에는 **선행 등기기록상의 등기를 기초로** 한 새로운 등기신청은 이를 **수리**하고, **후행 등기기록상의 등기를 기초로** 한 새로운 등기신청은 이를 **각하**한다(예규 제1374호, 5-가).

  2. **건물**의 **보존등기명의인**이 서로 **다른** 경우 중복등기기록의 존속 중에 **어느 일방**의 등기기록상의 등기를 기초로 하는 **새로운 등기신청**은 이를 **수리**한다(예규 제1374호, 5-나).

① **법**과 **규칙**은 **토지 중복등기의 정리에 관해서만 근거**를 두고 있고, **건물 중복등기**의 정리에 관해서는 따로 **규정을 두고 있지 않다**(법 제21조, 규칙 제33조 이하). 따라서 건물의 경우에는 예규에 의하여 정리한다. 결과적으로 토지는 법과 규칙, 예규에서 그 정리방법을 규율하고 있으나, 건물은 예규에서만 그 정리방법을 규율하고 있다.

② 1. 중복등기는 아니지만 **외관상**으로는 **중복등기**처럼 보이는 경우가 있다. 예를 들어 **같은 지번으로 2개 이상의 등기가 존재**하기는 하나 그 등기기록이 동일한 토지를 표상하는 것이 아니라 **각각 다른 토지를 표상**한다거나, 어느 한 등기기록을 제외하고 다른 등기기록은 모두 존재하지 않는 토지에 관한 등기기록인 경우가 이에 해당한다.

  2. **외관상 지번이 동일한 중복등기용지**가 존재하게 되었더라도 양 등기의 지목과 지적이 전혀 달라서 **동일한 토지에 대한 등기라고 볼 수 없는 경우**에는 등기공무원이 부동산등기법 시행규칙 제4장의 규정에 따라 **직권으로 정리할 중복등기에는 해당하지 아니**하며, 이 경우에 후등기상의 지목 및 면적은 토지대장의 그것과 일치하나 선등기상의 지목 및 면적(대 194평)은 토지대장상의 지목 및 면적(답 1,921㎡)과 현저히 달라 그 토지의 동일성이 인정될 수 없고 또한 폐쇄된 등기용지 등을 보더라도 결국 선등기는 부존재하는 토지에 관한 등기로 볼 수밖에 없다면, **선등기상의 소유권의 등기명의인** 또는 **그 자를 대위**하여 진정한 등기상(후등기)의 소유권의 등기명의인이 **토지의 멸실등기에 준하는 등기의 신청**을 하여 선등기용지를 **폐쇄**시킬 수 있다(선례 제4-561호).

④ **토지**의 중복등기기록의 **최종 소유권의 등기명의인**이 **다른** 경우로서 어느 한 등기기록에만 **원시취득사유** 또는 **분배농지의 상환완료**를 등기원인으로 한 소유권이전등기가 있을 때에는 그 등기기록을 제외한 **나머지 등기기록을 폐쇄**한다(규칙 제36조 제1항).

⑤ 토지에 있어 **최종 소유권의 등기명의인**이 **동일**한 경우(**규칙 제34조**)에 의한 중복등기의 정리에 있어서, 등기관은 사전에 폐쇄될 등기기록의 **최종 소유권의 등기명의인**과 **등기상 이해관계인**에게 **통지를 할 필요가 없으며**, 또한 관할 **지방법원장의 허가를 받을 필요도 없다**(규칙 제37조 제1항, 제38조). 등기관이 **바로 직권**으로 **정리**절차를 밟으면 된다.

07 등기할 수 있는 물건에 관한 다음 설명 중 가장 옳지 않은 것은? ▸2025 법무사

① 도로법상 도로부지나 하천법상 하천은 사권행사의 제한을 받지만 소유권이전과 지상권설정이 가능하므로 그 범위 내에서는 등기능력이 있다.

② 건축법상 건축물에 대하여 소유권보존등기를 신청한 경우 등기관은 그 건축물이 토지에 견고하게 정착되어 있는지, 지붕 및 주벽 또는 그에 유사한 설비를 갖추고 있는지, 일정한 용도로 계속 사용할 수 있는 것인지 여부를 당사자가 제공한 건축물대장정보 등에 의하여 종합적으로 심사하여야 한다.

③ 개방형 축사는 축사의 부동산등기에 관한 특례법상 정하는 ㉠ 토지에 견고하게 정착되어 있을 것, ㉡ 소를 사육할 용도로 계속 사용할 수 있을 것, ㉢ 지붕과 견고한 구조를 갖출 것, ㉣ 건축물대장에 축사로 등록되어 있을 것, ㉤ 연면적이 100제곱미터를 초과할 것의 요건을 모두 갖춘 경우 건물등기부에 등기할 수 있도록 하고 있다.

④ 해수면 위에서 호텔 또는 상가로 사용할 목적으로 선박을 개조하고 해저 지면에 설치한 다수의 'H 빔' 형식의 기둥에 고정시켰더라도 부동산인 토지에 견고하게 정착한 건물로 인정될 수 없으므로 소유권보존등기를 할 수 없다.

⑤ 집합건물의 공용부분 중 구조적·물리적 공용부분(복도, 계단 등)은 전유부분으로 등기할 수 없으나, 공용부분이라 하더라도 아파트 관리사무소, 노인정 등과 같이 독립된 건물로서의 요건을 갖춘 경우에는 독립하여 등기할 수 있다.

> **해설** ① 도로법상 **도로부지**나 **하천**법상 하천은 사권행사의 제한을 받지만 소유권이전과 지상권설정이 가능하므로 그 범위 내에서는 **등기능력이 있다**.
> 그중 하천법상의 **하천**에 대한 등기는 **소유권, 저당권, 권리질권**의 설정, 보존, 이전, 변경, 처분의 제한 또는 소멸에 대하여 이를 할 수 있으며, **가등기**는 위 권리의 설정, 이전, 변경 또는 소멸의 청구권을 보전하려 할 때에 이를 할 수 있다. 또한 **신탁**등기, **부동산 표시변경**등기, **등기명의인의 표시변경**등기, 부동산등기법, 민법 또는 특별법에 따른 특약 또는 제한 사항의 등기는 **할 수 있다**. 그러나 **지상권·지역권·전세권** 또는 **임차권**에 대한 권리의 설정, 이전 또는 변경의 등기는 하천법상의 하천에 대하여는 이를 할 수 **없다**(예규 제1387호).

② 1. 우리 법제상 **건물**은 그 **대지**인 토지와는 **별개의 독립한 부동산**으로 취급하고 있으나(민법 제99조 제1항, 법 제14조 제1항), 구체적으로 **무엇을 등기할 수 있는 건물로 볼 것인가**에 대하여는 **명문의 규정**이 **없다.**

2. 판례는 등기능력 있는 건물에 대하여 "독립된 건물로 보기 위해서는 그 설치된 장소에서 손쉽게 이동시킬 수 있는 구조물이 아니고 그 토지에 견고하게 부착시켜 그 상태로 계속 사용할 목적으로 축조된 것으로 비바람 등 자연력으로부터 보호하기 위하여 벽면과 지붕을 갖추고 있어야 한다."는 기준을 제시하였다(대판 1990.7.27, 90다카6160).

3. 이후 등기예규에서는 보다 구체적으로 "건축법상 건축물에 관하여 건물로서 소유권보존등기를 신청한 경우, 등기관은 그 건축물이 토지에 견고하게 정착되어 있는지(**정착성**), 지붕 및 주벽 또는 그에 유사한 설비를 갖추고 있는지(**외기분단성**), 일정한 용도로 계속 사용할 수 있는 것인지(**용도성**) 여부를 당사자가 신청서에 첨부한 건축물**대장**등본 등에 의하여 **종합적으로 심사**하여야 한다."는 기준을 제시하였다(등기능력 있는 물건 여부의 판단에 관한 업무처리지침 제정 2004.10.1. 등기예규 제1086호).

4. 만약, **건축물대장등본 등에 의하여 건물로서의 요건을 갖추었는지 여부를 알 수 없는 경우**, 등기관은 신청인으로 하여금 소명자료로서 당해 건축물에 대한 **사진**이나 **도면**을 제출하게 하여 **종합적으로 판단**하여야 한다."고 규정하였다.

③ 1. "개방형 축사"란 소(우)의 질병을 예방하고 통기성을 확보할 수 있도록 둘레에 벽을 갖추지 아니하고 소를 사육하는 용도로 사용할 수 있는 건축물을 말한다(축사의 부동산등기에 관한 특례법 제2조).

2. 다음 각 호의 요건을 모두 갖춘 개방형 축사는 건물로 본다(동법 제3조).

> 1. 토지에 견고하게 **정착**되어 있을 것
> 2. **지붕과 견고한 구조**를 갖출 것   (註 벽×)
> 3. **연면적이 100제곱미터를 초과**할 것   (註 부속건물 포함)
> 4. **소를 사육할 용도**로 계속 사용할 수 있을 것   (註 돈사× / 버섯재배사×)
> 5. 건축물**대장에 축사로 등록**되어 있을 것

④ 건물로서 소유권보존등기의 대상이 되기 위해서는 그 건축물이 등기능력이 있는 토지에 견고하게 정착되어 있어야 하고(**정착성**), 지붕 및 주벽 또는 그에 유사한 설비를 갖추고 있고(**외기분단성**), 일정한 용도로 계속 사용(**용도성**)할 수 있어야 한다.

따라서 **해수면 위**에서 호텔 또는 상가로 사용할 목적으로 **선박을 개조**하고 **해저 지면에 설치한 다수의 'H 빔' 형식의 기둥에 고정시켰더라도** 이는 부동산인 **토지에 견고하게 정착한 건물로 인정될 수 없으**므로 소유권보존등기를 할 수 **없다**(선례 제200901-1호).

⑤ 집합건물의 공용부분 중 구조적, 물리적으로 공용부분(**구조상 공용부분**)인 것(**복도, 계단, 집합건물 옥상 등**)은 전유부분으로 **등기할 수 없다.**

그러나 집합건물의 공용부분이라 하더라도 **아파트 관리사무소, 노인정 등**과 같이 (**규약상 공용부분**) 독립된 건물로서의 요건을 갖춘 경우에는 독립하여 건물로서 **등기할 수 있고**, 이 경우 등기관은 공용부분인 취지의 등기를 한다(예규 제1086호).

08 부동산의 등기능력에 관한 다음 설명 중 가장 옳지 않은 것은? ▸ 2023 법무사

① 1동의 건물이 여러 개의 건물부분으로 이용상 구분된 구분점포가 구분소유의 목적이 되기 위해서는 그 용도가 건축법상 판매시설 또는 운수시설이고 경계표지와 건물번호표지가 견고하게 설치되어 있어야 하며, 바닥면적의 합계가 1천제곱미터 이상일 것을 요한다.

② 개방형 축사가 건물로 인정되기 위하여는 토지에 견고하게 정착되어 있고, 소를 사육할 용도로 계속 사용할 수 있어야 하며, 또한 지붕과 견고한 구조를 갖추고, 건축물대장에 축사로 등록되어 있어야 하며, 연면적이 100제곱미터를 초과하는 요건을 갖추어야 한다.

③ 구분소유권의 객체로서 적합한 물리적 요건을 갖추지 못한 건물의 일부는 그에 관한 구분소유권이 성립할 수 없는 것이어서, 건축물관리대장상 독립한 별개의 구분건물로 등재되고 등기기록에도 구분소유권의 목적으로 등기되어 있어 이러한 등기에 기초하여 경매절차가 진행되어 매각허가를 받고 매수대금을 납부하였다 하더라도, 그 등기는 그 자체로 무효이므로 매수인은 소유권을 취득할 수 없다.

④ 부동산이 아닌 공유수면을 구획지어 이에 대한 소유권이전등기를 구하는 것은 부동산등기법상 허용될 수 없다.

⑤ 건물의 구조상 구분소유자의 공용으로 된 건물부분에 대하여는 현행 부동산등기법상 등기능력을 인정할 수 없다.

해설 ① 1. **종래** 상가건물의 **구분점포**는 벽으로 구획되지 않아 **별도로 등기할 수 없었고** 전체 건물에 대한 **지분등기만이 허용**되었다. 그러나 이는 구분점포가 독립하여 거래되는 사회적 현실과 맞지 않고 구분점포 소유자의 권리행사에 제약 요인이 되었다. 이에 **집합건물법**은 특별한 규정을 두어 **구분점포가 일정한 요건**을 갖춘 경우 **구분소유권의 대상**이 되게 하고 이를 통하여 부동산등기법에 의한 **단독소유 형태의 소유권등기가 가능하도록** 하였다.

　　2. 모든 구분점포가 독립한 건물로서 등기능력이 인정되는 것은 아니고 **일정한 요건을 갖추어야** 한다(집합건물법 제1조의2 등). 다만 이러한 요건은 구분점포에 대한 건축물대장 작성의 요건이기도 하고, 등기관은 이에 대하여 심사할 수 없으므로 구분점포의 건축물대장에 따라 등기하면 충분하다. 구분점포의 등기방법은 일반 집합건물의 등기방법과 다르지 않다.

　　3. 1동의 건물이 여러 개의 건물부분으로 이용상 구분된 구분점포가 구분소유의 목적이 되기 위해서는 ㉠ **용도가 건축법상 판매시설 또는 운수시설**이고, ㉡ **경계표지**와 **건물번호표지**가 견고하게 설치되어 있어야 한다.

　　4. **종래 구분점포의 성립에 요구되는 합계 1,000㎡ 이상의 바닥면적 요건은 소규모 집합건물의 이용 편의를 증진**하기 위하여 **삭제**하였다(집합건물법 제1조의2 제1항).

② 1. "개방형 축사"란 소(우)의 질병을 예방하고 통기성을 확보할 수 있도록 둘레에 벽을 갖추지 아니하고 소를 사육하는 용도로 사용할 수 있는 건축물을 말한다(축사의 부동산등기에 관한 특례법 제2조).

정답   08 ①

2. 다음 각 호의 요건을 모두 갖춘 개방형 축사는 건물로 본다(동법 제3조).

> 1. 토지에 견고하게 **정착**되어 있을 것
> 2. **지붕과 견고한 구조**를 갖출 것　　　　　　　　(註 벽×)
> 3. **연면적이 100제곱미터를 초과**할 것　　　　　(註 부속건물 포함)
> 4. **소를 사육할 용도**로 계속 사용할 수 있을 것　(註 돈사× / 버섯재배사×)
> 5. 건축물대장에 **축사로 등록**되어 있을 것

③ **1동의 건물의 일부분**이 **구분소유권의 객체**가 될 수 있으려면 그 부분이 **이용상**은 물론 **구조상**으로도 다른 부분과 구분되는 **독립성**이 있어야 하고, 그 이용 상황 내지 이용 형태에 따라 구조상의 독립성 판단의 엄격성에 차이가 있을 수 있으나, 구조상의 독립성은 주로 소유권의 목적이 되는 객체에 대한 물적 지배의 범위를 명확히 할 필요성 때문에 요구된다고 할 것이므로, 구조상의 구분에 의하여 구분소유권의 객체 범위를 확정할 수 없는 경우에는 구조상의 독립성이 있다고 할 수 없다. 그리고 구분소유권의 객체로서 **적합한 물리적 요건을 갖추지 못한 건물의 일부**는 그에 관한 **구분소유권이 성립할 수 없는 것**이어서, 건축물관리**대장상 독립한 별개의 구분건물로 등재**되고 **등기부상에도 구분소유권의 목적으로 등기**되어 있어 이러한 등기에 기초하여 **경매절차가 진행되어 매각허가**를 받고 매수대금을 **납부**하였다 하더라도, 그 등기는 **그 자체로 무효**이므로 **매수인은 소유권을 취득할 수 없다**(대결 2010.1.14. 2009마1449).

④ **공유수면**을 구획지어 소유권보존등기신청을 하거나 **굴착한 토굴**에 관하여 **소유권보존등기신청**을 할 경우 등기관은 그 등기신청을 **각하**하여야 한다(예규 제1086호, 법 제29조 제2호, 규칙 제52조 제1호).

마찬가지로 소유권보존등기가 될 수 없으므로 **소유권이전등기**를 구하는 것은 부동산등기법상 **허용될 수 없다**(법 제29조 제2호, 규칙 제52조 제1호).

⑤ 집합건물의 공용부분 중 구조적, 물리적으로 공용부분(註 **구조상 공용부분**)인 것(복도, 계단, ⑨ 집합건물 옥상 등)은 전유부분으로 **등기할 수 없다**. 그러나 집합건물의 공용부분이라 하더라도 아파트 관리사무소, 노인정 등과 같이 (註 **규약상 공용부분**) 독립된 건물로서의 요건을 갖춘 경우에는 **독립하여 건물로서 등기할 수 있고**, 이 경우 등기관은 공용부분인 취지의 등기를 한다(예규 제1086호).

09 다음 중 부동산등기법상 등기할 수 있는 권리만을 옳게 열거한 것은?　▸ 2022 법무사

① 채권담보권, 부동산환매권　　　　　② 부동산질권, 채권담보권
③ 분묘기지권, 부동산유치권　　　　　④ 부동산유치권, 부동산환매권
⑤ 부동산질권, 분묘기지권

(해설) ① 채권담보권, 부동산환매권은 모두 등기할 수 있는 권리이다.
② 부동산질권은 등기할 권리가 아니다.
③ 분묘기지권, 부동산유치권은 등기할 권리가 아니다.
④ 부동산유치권은 등기할 권리가 아니다.
⑤ 부동산질권, 분묘기지권은 등기할 권리가 아니다.

> **법 제3조(등기할 수 있는 권리 등)**
> 등기는 **부동산의 표시**와 다음 각 호의 어느 하나에 해당하는 **권리의 보존, 이전, 설정, 변경, 처분의 제한** 또는 **소멸**에 대하여 한다.

1. **소유권**  (점유권× / **민법상 환매권**○ / 특별법상 환매권×)
2. **지상권** (**구분지상권**○ / 법정지상권○ / 분묘기지권×)
3. **지역권** (주위토지통행권×)
4. **전세권** (공동전세권○)
5. **저당권** (공동저당권○ / 근저당권○)
6. **권리질권** ((근)저당권부질권○ / 동산질권× / 유치권×)
7. **채권담보권**
8. **임차권** (**구분임차권×** / 사용대차×)

제2절 등기소

01 상속 · 유증 사건의 관할에 관한 특례에 대한 다음 설명 중 가장 옳지 않은 것은?

▸ 2025 법무사

① 상속 또는 유증으로 인한 등기신청의 경우에는 부동산의 관할 등기소가 아닌 등기소도 그 신청에 따른 등기사무를 담당할 수 있다.

② 관공서가 체납처분으로 인한 압류등기나 수용으로 인한 소유권이전등기에 따른 등기를 촉탁하면서 상속인을 갈음하여 상속등기를 촉탁하는 경우에는 부동산의 관할 등기소가 아닌 등기소는 그 신청에 따른 등기사무를 담당할 수 없다.

③ 유증을 원인으로 한 소유권이전등기는 포괄유증이든 특정유증이든 모두 상속등기를 거치지 않고 유증자로부터 직접 수증자 명의로 등기를 신청하여야 하나, 유증을 원인으로 한 소유권이전등기 전에 상속등기가 이미 마쳐진 경우에는 상속등기를 말소하지 않고 상속인으로부터 수증자에게로 유증을 원인으로 한 소유권이전등기를 신청할 수 있고 이는 부동산의 관할 등기소가 아닌 등기소에도 그 신청을 할 수 있다.

④ 상속재산 협의분할에 따라 상속등기를 마친 후에 그 협의를 해제하고 이를 원인으로 상속등기의 경정등기를 신청하는 경우에는 다시 새로운 협의분할을 한 경우를 제외하고는 부동산의 관할 등기소가 아닌 등기소도 그 신청에 따른 등기사무를 담당할 수 있다.

⑤ 채권자가 민법상 채권자대위권 규정에 따라 상속을 원인으로 한 소유권이전등기를 대위신청하는 경우에는 부동산의 관할 등기소가 아닌 등기소에도 그 신청을 할 수 있다.

해설 ④ 상속재산 협의분할에 따라 상속등기를 마친 후에 그 협의를 해제(다시 **새로운 협의분할을 한 경우를 포함**한다)하고 이를 원인으로 상속등기의 경정등기를 신청하는 경우부동산의 **관할 등기소가 아닌 등기소도** 그 신청에 따른 **등기사무를 담당할 수 있다.**

정답 09 ① / 01 ④

> 상속으로 인한 소유권이전등기가 마쳐진 후 **다음 각 호**에 해당하는 경우에는 **법 제7조의3 제1항**에 따라 부동산의 관할 등기소가 아닌 등기소에도 각 호의 사유를 원인으로 상속등기의 **경정·말소**등기를 신청할 수 있다(예규 제1795호).
> 1. 법정상속분에 따라 상속등기를 마친 후에 상속재산 협의분할(**조정분할·심판분할을 포함한다**) 등이 있어 이를 원인으로 상속등기의 경정등기를 신청하는 경우
> 2. 상속재산 협의분할에 따라 상속등기를 마친 후에 그 **협의를 해제**(다시 **새로운 협의분할을 한 경우를 포함**한다)하고 이를 원인으로 상속등기의 경정등기를 신청하는 경우
> 3. 상속포기신고를 수리하는 심판 또는 상속재산 **협의분할계약을 취소하는 재판** 등이 있어 상속등기의 경정등기를 신청하는 경우
> 4. 상속등기를 마친 후 위 제1호부터 제3호까지의 어느 하나의 원인으로 상속인 전부가 교체될 때에는 상속등기의 경정등기를 신청할 수 없으므로 **해당 부동산을 취득한 상속인이 단독으로 상속등기를 신청하기 위하여 기존 상속등기의 말소등기를 공동**으로 **신청**하는 경우

① **상속** 또는 **유증**으로 인한 등기신청의 경우에는 부동산의 **관할 등기소가 아닌 등기소**도 그 신청에 따른 등기사무를 담당**할 수 있다**(법 제7조의3, 예규 제1795호).

② **관공서가 체납처분으로 인한 압류**등기를 촉탁하거나 **수용으로 인한 소유권이전등기**를 촉탁하면서 상속인을 갈음하여 **상속**으로 인한 **소유권이전등기** 또는 상속재산 협의분할 등을 원인으로 한 **상속등기의 경정·말소**등기를 함께 촉탁하는 경우에는 **법 제7조의3 제1항을 적용하지 아니**한다(예규 제1795호).
따라서 이 경우에는 **부동산의 관할 등기소가 아닌 등기소**는 그 신청에 따른 등기사무를 **담당할 수 없다.**

③ 유증을 원인으로 한 소유권이전등기는 **포괄유증이든 특정유증이든 모두 상속등기를 거치지 않고** 유증자로부터 **직접 수증자 명의로** 등기를 신청하여야 하나, 유증을 원인으로 한 소유권이전등기 전에 **상속등기가 이미 마쳐진 경우**에는 **상속등기를 말소하지 않고** 상속인으로부터 **수증자에게로** 유증을 원인으로 한 소유권이전등기를 신청할 수 있고, **법 제7조의3 제1항**에 따라 부동산의 **관할 등기소가 아닌 등기소에도** 그 신청을 **할 수 있다**(예규 제1795호).

⑤ **채권자**가 **법 제28조**에 따라 **상속을 원인으로 하는 소유권이전등기, 유증을 원인으로 하는 소유권이전등기** 등을 **대위신청**하는 경우에는 **법 제7조의3 제1항**에 따라 부동산의 **관할 등기소가 아닌 등기소에도** 그 신청을 **할 수 있다**(예규 제1795호).

02 등기소의 관할에 관한 다음 설명 중 가장 옳지 않은 것은? ▸ 2024 법무사

① 등기사무는 부동산의 소재지를 관할하는 지방법원, 그 지원 또는 등기소(이하 '등기소'라 한다.)에서 담당하는 것이 원칙이나, 대법원장은 어느 등기소의 관할에 속하는 사무를 다른 등기소에 위임하게 할 수 있다.

② 건물의 소유권보존등기 시에 그 소재 토지가 여러 등기소의 관할에 걸치는 경우나 이미 등기되어 있는 건물이 부속건물의 신축에 의하여 여러 등기소의 관할에 걸치는 경우에는 관할 등기소의 지정을 신청하여야 한다.

③ 관할 등기소의 지정신청서는 해당 부동산의 소재지를 관할하는 등기소 중 어느 등기소에라도 제출할 수 있으며, 각 등기소를 관할하는 상급법원의 장이 관할 등기소를 지정한다.

④ 관할을 위반하여 등기할 경우 부동산등기법 제29조 제1호에 의해 각하하여야 하고, 등기를 마친 후 등기관이 발견하였을 경우에는 부동산등기법 제58조에 의해 직권말소 대상이 된다.

⑤ 관할의 변경은 행정구역의 변경이나 등기소의 신설, 폐지 등으로 인하여 어느 부동산의 소재지가 다른 등기소의 관할로 바뀌었을 때 발생하는 것이므로 상급법원의 장의 결정 없이도 종전의 관할 등기소는 전산정보처리조직을 이용하여 그 부동산에 관한 등기기록의 처리권한을 다른 등기소로 넘겨주는 조치를 하여야 한다.

해설 ② 1. **부동산이 여러 등기소의 관할구역에 걸쳐 있는 경우** 그 부동산에 대한 **최초의 등기신청을 하고자 하는 자**는 각 등기소를 관할하는 상급법원의 장에게 관할등기소의 **지정을 신청**하여야 한다(규칙 제5조 제1항).

2. 다만 **이미 등기되어 있는 건물**이 **증축** 또는 **부속건물의 신축**에 의하여 여러 등기소 관할구역에 걸치게 되는 경우에는 관할의 **지정절차를 거칠 필요 없이 종전 건물의 등기소에 관할권이 있다**고 보는 것이 간명할 것이다.

① 등기사무는 **부동산의 소재지를 관할하는 등기소**가 관할함이 원칙이다(법 제7조 제1항). 다만 **천재지변, 등기업무량, 교통사정 등** 등기사무 처리의 편의를 고려하여 **대법원장**은 어느 등기소의 관할에 속하는 사무를 **다른 등기소에 위임**하게 할 수 있다(법 제8조). 이 경우에는 관할의 **위임을 받은 등기소만이 관할권**을 갖게 된다.

③ 관할지정신청은 해당 부동산의 소재지를 관할하는 등기소 중 **어느 한 등기소에 신청서를 제출**하는 방법으로 하며(규칙 제5조 제2항), **상급법원의 장**은 부동산의 소재지를 관할하는 등기소 중 어느 한 등기소를 관할등기소로 **지정**하여야 한다(규칙 제5조 제3항).

④ 1. **관할위반**의 등기신청이 있는 경우 등기관은 **각하**를 하여야 한다(법 제29조 제1호).

2. 등기관이 등기를 마친 후 그 등기가 **제29조 제1호**(사건이 그 등기소의 관할이 아닌 경우) 또는 **제2호**(사건이 등기할 것이 아닌 경우)에 해당된 것임을 발견하였을 때에는 등기권리자, 등기의무자와 등기상 이해관계 있는 제3자에게 1개월 이내의 기간을 정하여 그 기간에 이의를 진술하지 아니하면 등기를 **말소**한다는 뜻을 **통지(註 사전통지)**하여야 한다. 등기관은 위의 기간 이내에 이의를 진술한 자가 없거나 이의를 각하한 경우에는 제1항의 등기를 **직권**으로 **말소**하여야 한다(법 제58조 제1항, 제2항).

⑤ **관할의 변경**이란 **행정구역의 변경**이나 **등기소의 신설·폐지 등**으로 인하여 어느 **부동산의 소재지가 다른 등기소의 관할로 바뀌는 것**을 말한다. 이렇게 어느 부동산의 소재지가 다른 등기소의 관할로 바뀌었을 때에는 **종전의 관할 등기소**는 **전산정보처리조직**을 이용하여 그 부동산에 관한 등기기록의 **처리권한을 다른 등기소로 넘겨주는 조치**를 하여야 한다(법 제9조).

제3절 등기관

정답 **02 ②**

 **제4절 등기에 관한 장부**

01 등기부와 등기기록에 관한 다음 설명 중 가장 옳지 않은 것은?

▶ 2023 법무사

① 등기부란 1필의 토지 또는 1개의 건물에 관한 등기정보자료를 의미한다.

② 1동의 건물을 구분한 건물에 있어서는 1동의 건물에 속하는 전부에 대하여 1개의 등기기록을 사용한다.

③ 등기기록상 토지의 표시가 지적공부와 일치하지 아니한 경우 지적소관청은 그 사실을 관할 등기관서에 통지하여야 하고, 통지를 받은 등기관은 등기명의인으로부터 일정한 기간 내에 등기신청이 없을 때에는 통지서의 기재내용에 따른 변경등기를 직권으로 하여야 한다.

④ 건물의 등기기록 표제부에는 건물의 종류, 구조와 면적 등을 기록하되, 부속건물이 있는 경우에는 부속건물의 종류, 구조와 면적도 함께 기록한다.

⑤ 등기부가 아닌 신청서나 그 밖의 부속서류는 법원의 명령 또는 촉탁이 있거나 법관이 발부한 영장에 의하여 압수하는 경우에 등기소 밖으로 옮길 수 있다.

해설 ① 1. **"등기기록"**이란 1필의 토지 또는 1개의 건물에 관한 **등기정보자료**를 말한다(법 제2조 제3호).

2. **"등기부"**란 전산정보처리조직에 의하여 입력·처리된 **등기정보자료를 대법원규칙으로 정하는 바에 따라 편성한 것**을 말한다(법 제2조 제1호).

② 등기부를 편성할 때에는 **1필의 토지** 또는 **1개의 건물**에 대하여 1개의 등기기록을 둔다. 다만, **1동의 건물을 구분한 건물**에 있어서는 1동의 건물에 속하는 전부에 대하여 **1개의 등기기록**을 사용한다(법 제15조 제1항).

③ 등기관이 지적소관청으로부터 「공간정보의 구축 및 관리 등에 관한 법률」 제88조 제3항의 통지(등기부의 토지의 표시와 지적공부가 일치하지 아니한다는 통지)를 받은 경우에 제35조의 기간(🏛 1개월) 이내에 등기명의인으로부터 등기신청이 없을 때에는 그 통지서의 기재내용에 따른 변경의 등기를 **직권**으로 하여야 한다(법 제36조).

④ 등기관은 **건물 등기기록**의 표제부에 다음 각 호의 사항을 기록하여야 한다(법 제40조 제1항).

1. 표시번호

2. 접수연월일

3. 소재, 지번, 건물명칭(건축물대장에 건물명칭이 기재되어 있는 경우만 해당한다) 및 번호. 다만, 같은 지번 위에 1개의 건물만 있는 경우에는 건물번호는 기록하지 아니한다.

4. **건물의 종류, 구조와 면적**. 부속건물이 있는 경우에는 **부속건물의 종류, 구조와 면적**도 함께 기록한다.

5. 등기원인

6. 도면의 번호[같은 지번 위에 여러 개의 건물이 있는 경우와 「집합건물의 소유 및 관리에 관한 법률」 제2조 제1호의 구분소유권(구분소유권)의 목적이 되는 건물(이하 "구분건물"이라 한다)인 경우로 한정한다]

⑤ 1. **등기부의 부속서류**는 전쟁·천재지변이나 그 밖에 이에 준하는 사태를 피하기 위한 경우 외에는 **등기소 밖으로 옮기지 못한다**(법 제14조 제4항 본문).

2. 다만, **신청서나 그 밖의 부속서류**에 대하여는 **법원의 명령 또는 촉탁**이 있거나 **법관이 발부한 영장**에 의하여 압수하는 경우에는 **등기소 밖으로 옮길 수 있다**(법 제14조 제4항 단서).

02 등기기록의 폐쇄에 관한 다음 설명 중 옳은 것은 모두 몇 개인가?

▸ 2023 법무사

A. 소유권보존등기를 말소한 경우에는 그 등기기록을 폐쇄한다.
B. 폐쇄한 등기기록은 영구 보존한다.
C. 등기기록을 폐쇄할 때에는 표제부의 등기를 말소하는 표시를 하고, 등기원인 및 기타 사항란에 폐쇄의 뜻과 그 연월일을 기록하여야 한다.
D. 중복등기기록 중 어느 한 등기기록의 최종 소유권의 등기명의인이 다른 등기기록의 최종 소유권의 등기명의인으로부터 직접 또는 전전하여 소유권을 이전받은 경우로서, 다른 등기기록이 후등기기록이거나 소유권 외의 권리 등에 관한 등기가 없는 선등기기록일 때에는 그 다른 등기기록을 폐쇄한다.
E. 등기기록에 기록된 사항이 많아 취급하기에 불편하게 되는 등 합리적 사유로 등기기록을 옮겨 기록할 필요가 있는 경우에 등기관은 현재 효력이 있는 등기만을 새로운 등기기록에 옮겨 기록할 수 있다.

① 5개　　　　　　② 4개　　　　　　③ 3개
④ 2개　　　　　　⑤ 1개

해설 ① A. (○) 우리나라의 부동산등기 제도는 원칙적으로 표제부만을 두는 등기는 허용하지 아니하므로(예외: 구분건물의 표시등기) **소유권보존등기를 말소**한 경우에는 그 등기기록을 **폐쇄**한다(「부동산등기실무Ⅰ」 p.96 참조).

B. (○) **폐쇄한 등기기록**은 영구히 보존하여야 한다(법 제20조 제2항).

C. (○) 등기기록을 폐쇄할 때에는 **표제부**의 등기를 **말소**하는 표시를 하고, 등기원인 및 기타사항란에 폐쇄의 뜻과 그 연월일을 기록하여야 한다(규칙 제55조 제2항).

D. (○) 중복등기기록 중 어느 한 등기기록의 최종 소유권의 **등기명의인**이 **다른** 등기기록의 최종 소유권의 등기명의인으로부터 직접 또는 전전하여 소유권을 이전받은 경우로서, 다른 등기기록이 후등기기록이거나 **소유권 외**의 권리 등에 관한 등기가 **없는 선등기**기록일 때에는 그 다른 **등기기록을 폐쇄**한다(규칙 제35조).

E. (○) 등기기록에 기록된 사항이 많아 취급하기에 불편하게 되는 등 합리적 사유로 **등기기록을 옮겨 기록할 필요가 있는 경우**에 등기관은 현재 효력이 있는 등기만을 새로운 등기기록에 **옮겨 기록할 수 있다**(법 제33조). 등기관이 법 제33조에 따라 등기를 새로운 등기기록에 옮겨 기록한 경우에는 옮겨 기록한 등기의 끝부분에 같은 규정에 따라 등기를 옮겨 기록한 뜻과 그 연월일을 기록하고, **종전 등기기록**을 **폐쇄**하여야 한다. 등기기록을 폐쇄할 때에는 표제부의 등기를 말소하는 표시를 하고, 등기원인 및 기타사항란에 폐쇄의 뜻과 그 연월일을 기록하여야 한다(규칙 제55조 제1항).

정답 　01 ①　02 ①

03 **다음 중 등기소에 갖추어 두어야 할 장부의 보존기간이 다른 경우는?** ▸ 2023 법무사

① 이의신청서류 편철장　　　　　　② 결정원본 편철장
③ 신청서 기타 부속서류 송부부　　④ 사용자등록신청서류 등 편철장
⑤ 기타 문서 접수장

해설 ③ 5년 (규칙 제25조 제1항 제7호)
① 10년 (규칙 제25조 제1항 제4호)
② 10년 (규칙 제25조 제1항 제3호)
④ 10년 (규칙 제25조 제1항 제5호)
⑤ 10년 (규칙 제25조 제1항 제2호)

04 **등기사항증명서의 종류 및 발급에 관한 다음 설명 중 가장 옳지 않은 것은?** ▸ 2021 법무사

① "등기사항전부증명서(현재 유효사항)"는 현재 효력이 있는 등기사항 및 그와 관련된 사항을 증명하는 증명서를 말한다.
② "등기사항일부증명서(현재 소유현황)"는 해당 부동산의 현재 소유자(또는 공유자)만을 밝히고, 공유의 경우에는 공유지분을 증명하는 증명서를 말한다.
③ "말소사항포함 등기부등본"은 말소된 등기사항을 포함하여 전산폐쇄등기부에 기재된 사항의 전부를 증명하는 등본을 말한다.
④ 인터넷에 의하여 발급하는 등기사항증명서의 종류는 등기사항전부증명서(말소사항 포함)·등기사항전부증명서(현재 유효사항)·등기사항일부증명서(특정인 지분)·등기사항일부증명서(현재 소유현황)·등기사항일부증명서(지분취득 이력)로 한다.
⑤ 신탁원부, 공동담보(전세)목록, 도면, 매매목록 또는 공장저당목록은 등기사항증명서의 발급신청 시 그에 관하여 신청이 있는 경우에 한하여 발급한다.

해설 ③ 1. "**말소사항포함 등기부등본**"은 말소된 등기사항을 포함하여 **수작업폐쇄등기부**에 기재된 사항의 전부를 증명하는 등본을 말한다.
　　2. "**등기사항전부증명서(말소사항 포함)**"는 말소된 등기사항을 포함하여 **(전산)등기기록**에 기록된 사항의 전부를 증명하는 증명서를 말한다.
① "**등기사항전부증명서(현재 유효사항)**"는 현재 효력이 있는 등기사항 및 그와 관련된 사항을 증명하는 증명서를 말한다.
② "**등기사항일부증명서(현재 소유현황)**"는 해당 부동산의 현재 소유자(또는 공유자)만을 밝히고, 공유의 경우에는 공유지분을 증명하는 증명서를 말한다.
④ 1. 인터넷에 의하여 발급하는 등기사항증명서의 종류는 등기사항전부증명서(말소사항 포함)·등기사항전부증명서(현재 유효사항)·등기사항일부증명서(특정인 지분)·등기사항일부증명서(현재 소유현황)·등기사항일부증명서(지분취득 이력)로 한다. 다만, 등기기록상 갑구 및 을구의 명의인이 500인 이상인 경우 등과 같이 등기기록의 분량과 내용에 비추어 인터넷에 의한 열람 또는 발급이 적합하지 않다고 인정되는 때에는 이를 제한할 수 있다(예규 제1815호).

2. **모바일 기기에서 사용되는 인터넷등기소 애플리케이션**에 의하여 **발급**할 수 있는 전자등기사항증명서의 종류는 등기사항**전부증명서(말소사항 포함)** · 등기사항**전부증명서(현재 유효사항)**로 한다(예규 제1775호).

⑤ **신탁원부, 공동담보(전세)목록, 도면 또는 매매목록**은 그 사항의 증명도 함께 신청하는 뜻의 표시가 있는 경우에만 등기사항증명서에 이를 포함하여 발급한다(규칙 제30조 제2항).

05 신청서나 그 밖의 부속서류의 열람에 관한 다음 설명 중 가장 옳지 않은 것은? ▸ 2025 법무사

① 해당 등기신청을 대리한 자격자대리인은 인터넷을 이용하여 신청서나 그 밖의 부속서류의 열람을 신청할 수 없다.

② 등기기록에 주민등록번호(또는 부동산등기용등록번호)가 기록되어 있지 않은 해당 등기신청의 당사자(국가기관 및 지방자치단체, 전자증명서를 발급받지 않은 법인과 법인 아닌 사단 · 재단을 제외한다)는 인터넷을 이용하여 신청서나 그 밖의 부속서류의 열람을 신청할 수 없다.

③ 열람신청인은 열람신청을 거부하는 처분에 대하여 이의신청을 할 수 있다. 이의신청은 열람신청을 반려한 등기관이 속한 등기소에 이의신청서를 제출하는 방법 또는 전산정보처리조직을 이용하여 이의신청정보를 보내는 방법으로 한다.

④ 등기신청이 접수된 후 등기가 완료되기 전의 신청정보 및 첨부정보에 대하여는 열람을 신청할 수 없다.

⑤ 수사기관이 수사의 목적을 달성하기 위하여 필요한 경우라도 법관이 발부한 영장을 제시하지 않는 한 신청정보 및 첨부정보를 열람할 수 없다.

해설 ③ 1. 등기관의 결정 또는 처분에 이의가 있는 자는 **그 결정 또는 처분을 한 등기관이 속한 지방법원**(이하 이 장에서 "**관할 지방법원**"이라 한다)**에 이의신청**을 할 수 있다(법 제100조).
이의신청은 대법원규칙으로 정하는 바에 따라 결정 또는 처분을 한 등기관이 속한 **등기소에 이의신청서**를 제출하거나 전산정보처리조직을 이용하여 이의신청정보를 보내는 방법으로 한다(법 제101조).

2. 열람신청인은 「부동산등기법」 제100조에 따라 **열람신청을 거부하는 처분**을 한 등기관이 속한 **지방법원에 이의신청**을 할 수 있다(예규 제1798호).
이의신청은 열람신청을 반려한 등기관이 속한 **등기소에 이의신청서**를 제출하는 방법으로 한다. 다만, **전산정보처리조직**을 이용하여 **이의신청정보를 보내는 방법**은 **적용하지 아니**한다.

① 자격자대리인이 신청정보 및 첨부정보 열람 신청하는 방법은 아래와 같다(예규 제1798호).

> 1. 방문열람신청의 경우
> **자격자대리인**이 **등기신청사건을 위임받아 등기를 마친 후**에 신청정보 및 첨부정보에 대하여 열람을 신청한 경우 **열람에 대한 별도의 위임이 있다면 모든 서류**에 대하여 **열람**을 신청할 수 있으나, **열람에 대한 별도의 위임이 없다면 방문열람신청인 경우에 한하여 신청정보, 위임장, 자필서명정보 및 확인서면**을 **열람**할 수 있다.

정답 ▸ **03** ③ **04** ③ **05** ③

> 만약, **등기신청사건을 위임받지 않은 자격자대리인**이 신청정보 및 첨부정보에 대하여 열
> 람을 신청한 경우에는 **열람에 대한 별도의 위임이 있어야 할 것**이다.
> 2. 인터넷열람신청의 경우
>   **등기신청사건을 위임받아 처리하였는지 불문**하고 등기기록에 **주민등록번호**(또는 부동산등
>   기용등록번호)**가 기록되어 있는 해당 등기신청의 당사자**로부터 **열람을 위임받은 자격자대
>   리인**이 열람할 수 있다.

② 1. 「부동산등기규칙」 제28조의2에 따라 **인터넷등기소를 이용하여** 열람을 신청(이하 '**인터넷열람
   신청**'이라 함)할 수 있는 열람신청인은 다음 각 호와 같다(예규 제1798호).

> 1. 등기기록에 주민등록번호 등이 기록되어 있는 해당 **등기신청의 당사자(국가기관, 지방
>   자치단체, 전자증명서를 발급받지 않은 법인, 법인 아닌 사단·재단은 제외)**
> 2. 제1호의 등기신청의 당사자로부터 **열람을 위임받은 자격자대리인**

   2. 따라서 등기기록에 **주민등록번호**(또는 부동산등기용등록번호)**가 기록되어 있지 않은** 해당 등
      기신청의 당사자는 **인터넷을 이용**하여 신청서나 그 밖의 부속서류의 **열람을 신청할 수 없다**.
④ 등기신청이 접수된 후 **등기가 완료되기 전**의 신청정보 및 첨부정보에 대하여는 열람을 신청할
   수 **없다**(예규 제1798호).
⑤ **수사기관**이 수사의 목적을 달성하기 위하여 필요한 경우라도 법관이 발부한 **영장을 제시**하지 않
   는 한 신청정보 및 첨부정보를 열람할 수 없다(예규 제1798호).

06 등기사항의 공시 및 등기정보자료의 제공에 관한 다음 설명 중 가장 옳지 않은 것은?

▶ 2021 법무사

① 등기기록은 누구나 열람할 수 있지만 등기기록의 부속서류에 대한 열람은 이해관계 있는
   부분으로 한정된다.
② 등기신청이 접수된 부동산에 관하여는 그 부동산에 등기신청사건이 접수되어 처리 중에
   있다는 뜻을 등기사항증명서에 표시하여 발급할 수 있다.
③ 등기사항증명서를 발급할 때 그 등기기록 중 갑구 또는 을구의 기록이 없을 때에는 증명
   문에 그 뜻을 기록하여야 한다.
④ 명의인별 등기정보자료의 제공은 등기명의인의 부동산 소유현황에 관한 사항으로 한정
   한다.
⑤ 명의인별 등기정보자료를 제공받기 위해서는 등기소에 방문 후 신청하여 서면으로만 정
   보제공을 받을 수 있고, 인터넷등기소를 이용하여 이를 신청하거나 송신받는 방법으로
   정보제공을 받을 수는 없다.

해설 ⑤ 명의인별 등기정보자료의 제공(예규 제1719호)
   (1) 신청인이 **등기소에서 직접 수령**하는 경우
       명의인별 등기정보자료의 제공이 승인된 경우, 신청인이 승인 후 1개월 내에 등기소에 방문
       하여 신분증을 제시하고, 수수료를 납부하면 교부업무담당자는 명의인별 등기정보자료를 서
       면으로 출력하여 교부한다.

(2) 신청인이 **인터넷등기소**에서 **제공**받는 경우

명의인별 등기정보자료의 제공이 승인된 경우, 신청인이 승인 후 1개월 내에 인터넷등기소에 접속하여 휴대전화 번호와 전송받은 승인번호를 입력하고, 수수료를 납부하면 명의인별 등기정보자료를 열람·출력할 수 있다. 이 경우 최초 열람·출력 후 24시간 내에는 재열람·출력할 수 있다.

① 누구든지 수수료를 내고 대법원규칙으로 정하는 바에 따라 **등기기록**에 기록되어 있는 사항의 전부 또는 일부의 열람과 이를 증명하는 등기사항증명서의 발급을 청구할 수 있다. 다만, **등기기록의 부속서류**에 대하여는 이해관계 있는 부분만 열람(發 발급×)을 청구할 수 있다(법 제19조 제1항).

② 등기신청이 접수된 부동산에 관하여는 등기관이 그 등기를 마칠 때까지 등기사항증명서를 발급하지 못한다. 다만, 그 부동산에 등기신청사건이 접수되어 처리 중에 있다는 뜻을 등기사항증명서에 표시하여 발급할 수 있다(규칙 제30조 제4항).

③ **등기사항증명서를 발급**할 때에는 등기사항증명서의 종류를 명시하고, 등기기록의 내용과 다름이 없음을 증명하는 내용의 증명문을 기록하며, 발급연월일과 중앙관리소 전산운영책임관의 직명을 적은 후 전자이미지관인을 기록하여야 한다. 이 경우 등기사항증명서가 여러 장으로 이루어진 경우에는 연속성을 확인할 수 있는 조치를 하여 발급하고, 그 등기기록 중 **갑구 또는 을구의 기록이 없을 때**에는 증명문에 그 뜻을 기록하여야 한다(규칙 제30조 제1항).

④ 등기명의인 또는 그 포괄승계인이 제공받을 수 있는 **명의인별 등기정보자료**는 등기명의인의 부동산 소유현황(소유형태가 공유·합유인 경우를 포함한다)에 관한 사항으로 한정한다(예규 제1719호).

 개시모습(태양)

01 다음의 등기신청 중 공동으로 신청할 수 없는 경우는 몇 개인가? ▸ 2024 법무사

> ┤ 보기 ├
>
> ㄱ. 가압류등기의 말소등기
> ㄴ. 공동신청에 의한 등기의 경정등기
> ㄷ. 미등기 건물의 소유자 甲이 건물을 乙에게 매도하였으나 甲이 소유권보존등기신청을 하지 않아 乙이 소유권이전을 받을 수 없는 경우에 그 건물에 대한 소유권보존등기
> ㄹ. 제한물권의 등기가 불법 말소된 후 소유권이전등기가 마쳐진 경우 제한물권의 말소회복등기

① 없음　　　　　② 1개　　　　　③ 2개
④ 3개　　　　　⑤ 4개

해설 ③

ㄱ. (○) **가압류등기의 말소**등기는 원칙적으로 법원의 **촉탁**에 따라 말소되어야 한다.

등기관은 **관공서 또는 법원의 촉탁으로 실행되어야 할 등기를 신청한 경우**에 해당하는 경우에는 이유를 적은 결정으로 신청을 **각하**하여야 한다(법 제29조 제2호, 규칙 제52조 제8호).

(註 **가처분**등기에 대하여 등기의무자와 등기권리자가 공동으로 **말소등기신청**을 한 경우)
(註 **가압류**등기에 대하여 등기명의인인 채권자가 **말소등기**를 **신청**하는 경우)
(註 **가압류**등기에 대하여 채무자인 소유자가 해방공탁서를 첨부하여 **말소등기**를 **신청**하는 경우)
(註 **경매절차**에서 매수인이 된 자가 **소유권이전등기**를 **신청**한 경우)

ㄴ. (×) **공동신청에 의한 등기의 경정등기**도 일반원칙에 따라 **공동**으로 **신청**하여야 한다(법 제23조 제1항).
(註 소유권지분의 경정등기신청)

ㄷ. (○) **소유권보존등기**는 성질상 등기의무자의 존재를 생각할 수 없으므로 등기권리자(**등기명의인으로 될 자**)가 **단독**으로 그 등기를 **신청**하여야 한다(법 제23조 제2항).

ㄹ. (×) 1. 말소회복등기는 말소된 등기, 즉 회복하여야 할 등기의 등기명의인이 **등기권리자**가 되고, 그 회복에 의하여 등기상 직접 불이익을 받는 자가 **등기의무자**가 되어 그 공동신청에 의하여 이루어진다. 즉 말소회복등기의 등기권리자와 등기의무자는 말소등기의 경우와 반대라고 할 수 있다(법 제23조 제1항, 「부동산등기실무 Ⅱ」 p.103).

2. 따라서 **지상권**을 목적으로 하는 저당권의 회복등기의 **등기의무자**는 지상권자가 되고 등기권리자는 저당권자가 되어 **공동**으로 **신청**하여야 한다.

02 공동신청주의의 예외에 관한 다음 설명 중 가장 옳지 않은 것은?　▶ 2021 법무사

① 소유권보존등기 또는 소유권보존등기의 말소등기는 등기명의인으로 될 자 또는 등기명의인이 단독으로 신청한다.

② 가등기권리자는 가등기의무자의 승낙이 있을 때에는 단독으로 가등기를 신청할 수 있고, 가등기명의인은 단독으로 가등기의 말소를 신청할 수 있다.

③ 등기명의인 표시의 변경이나 경정의 등기는 해당 권리의 등기명의인이 단독으로 신청한다.

④ 공유물을 분할하는 판결에 의한 등기는 등기의무자가 단독으로 신청할 수 없다.

⑤ 수용으로 인한 소유권이전등기는 등기권리자가 단독으로 신청할 수 있다.

> **해설**　④ **등기절차의 이행 또는 인수를 명하는 판결**에 의한 등기는 승소한(註 패소×) 등기권리자 또는 등기의무자가 단독으로 신청하고, **공유물을 분할하는 판결**에 의한 등기는 (註 승소·패소·원고·피고 불문)등기권리자 또는 등기의무자가 단독으로 신청한다(법 제23조 제4항). 여기서의 판결은 조정조서 등 판결에 준하는 집행권원을 포함한다.
>
> ① **소유권보존등기** 또는 **소유권보존등기의 말소**등기는 등기명의인으로 될 자 또는 등기명의인이 단독으로 신청한다(법 제23조 제2항).
>
> ② **가등기권리자**는 제23조 제1항(註 원칙적 공동신청)에도 불구하고 가등기의무자의 승낙이 있거나 가등기를 명하는 법원의 가처분명령이 있을 때에는 **단독**으로 **가등기를 신청**할 수 있다(법 제89조). **가등기명의인**은 제23조 제1항(註 원칙적 공동신청)에도 불구하고 단독으로 가등기의 말소를 신청할 수 있으며, **가등기의무자** 또는 가등기에 관하여 **등기상 이해관계 있는 자**도 가등기명의인의 승낙을 받아 **단독**으로 **가등기의 말소를 신청**할 수 있다(법 제93조).
>
> ③ **등기명의인표시의 변경이나 경정**의 등기는 해당 권리의 등기명의인이 **단독**으로 신청한다(법 제23조 제6항).
>
> ⑤ **수용으로 인한 소유권이전등기**는 제23조 제1항에도 불구하고 등기권리자가 단독으로 신청할 수 있다(법 제99조 제1항).

03 판결 등 집행권원에 의한 등기신청 시 신청정보 및 첨부정보에 관한 다음 설명 중 가장 옳지 않은 것은?　▶ 2025 법무사

① 기존 등기의 등기원인이 부존재·무효이거나 취소·해제에 의하여 소멸하였음을 이유로 말소등기를 명하는 판결에 의한 등기신청 시 등기원인은 '확정판결'로, 그 연월일은 '판결선고일'을 기재한다.

② 판결에 의한 등기신청 시 승소한 등기권리자가 신청하는 경우에는 등기필정보를 제공할 필요가 없으나, 승소한 등기의무자가 신청할 때에는 그의 등기필정보를 제공하여야 한다.

③ 판결에 의한 등기신청 시 등기절차의 이행과 반대급부의 이행이 독립적으로 기재되어 있다면 집행문을 제공할 필요가 없다.

④ 원고가 원인무효를 이유로 소유권이전등기의 말소판결을 받은 경우 원고는 그 판결의 변론종결 후에 마쳐진 소유권이전등기의 등기명의인에 대하여 승계집행문을 부여받아 그 소유권이전등기의 말소등기를 신청할 수 있다.

⑤ 현물분할을 내용으로 하는 공유물분할에 관하여 화해권고결정이 확정된 후 그 결정에 따른 등기신청 전에 일부 공유자의 지분이 제3자에게 이전된 경우, 다른 공유자는 자신이 취득하는 것으로 정해진 분할부분에 관하여 위 제3자에 대한 승계집행문을 부여받아 제3자 명의의 지분에 대하여 자신 앞으로의 이전등기를 단독으로 신청할 수 있다.

해설

⑤ 현물분할을 내용으로 하는 **공유물분할에 관한 판결**이 확정된 후 그 판결에 따른 등기신청 전에 일부 공유자의 지분이 제3자에게 이전된 경우, 다른 공유자는 자신이 취득한 분할부분에 관하여 위 제3자에 대한 **승계집행문**을 부여받아 제3자 명의의 지분에 대하여 **자신 앞으로의 이전등기를** 단독으로 신청할 수 **있으나**, 현물분할을 내용으로 하는 **공유물분할에 관하여 화해권고결정**이 확정된 후 그 결정에 따른 등기신청 전에 일부 공유자의 지분이 제3자에게 이전된 경우에는 위와 달리 다른 공유자는 자신이 취득하는 것으로 정해진 분할부분에 관하여 위 제3자에 대한 **승계집행문**을 부여받아 제3자 명의의 지분에 대하여 **자신 앞으로의 이전등기를 단독으로 신청할 수는 없다**(선례 제201906-4호).

① 등기절차의 **이행**을 명하는 **판결**주문에 등기원인과 그 연월일이 명시되어 있지 아니한 경우 등기신청서에는 등기원인은 "**확정판결**"로, 그 연월일은 "**판결선고일**"을 기재하며 예시는 아래와 같다 (예규 제1786호).

> 1. **기존등기의 등기원인**이 **부존재** 내지 **무효**이거나 **취소 · 해제**에 의하여 소멸하였음을 이유로 **말소**등기 또는 **회복**등기를 명하는 판결
> 2. 가등기상 권리가 매매예약에 의한 소유권이전등기청구권으로서 그 **가등기**에 기한 **본등기**를 명한 판결의 **주문에 등기원인과 그 연월일의 기재가 없는 경우**

② **승소한 등기권리자**가 단독으로 판결에 의하여 등기를 신청하는 경우에는 등기의무자의 권리에 관한 등기필정보를 제공할 필요가 없다(예규 제1786호). (**註** **제공×/작성○**)
승소한 등기의무자가 단독으로 등기를 신청할 때에는 그의 권리에 관한 등기필정보를 제공하여야 한다(예규 제1786호) (**註** **제공○/작성×**)

③ 등기절차의 이행을 명하는 판결이 **선이행**판결, **상환이행**판결, **조건부이행**판결인 경우에는 **집행문을 첨부**하여야 한다.
다만 **등기절차의 이행**과 **반대급부의 이행**이 각각 독립적으로 기재되어 있다면 그러하지 아니하다(**註** **집행문 不要**)(예규 제1786호).
원, 피고들 간에, 1. 원고는 피고들에게 ○○까지 **금○○원을 지급한다**. 2. 피고들은 원고에게 이 사건 부동산에 대한 각 **소유권이전등기절차를 이행한다**. 3. 소송비용은 각자 부담한다라는 조정이 성립되었을 경우, 원고의 금원 지급의무와 피고들의 소유권이전등기절차 이행의무는 동시이행관계에 있는 것이 아니므로, 조정조서에 의하여 원고 명의로의 소유권이전등기를 신청함에 있어 **집행문을 부여받지 않아도 된다**(선례 제5-169호).

④ 등기절차의 이행을 명하는 확정판결(**원인무효로 인한 소유권말소등기절차를 이행하라는 확정판결**)의 **변론종결 후** 그 판결에 따른 등기신청 전에 등기의무자인 피고 명의의 등기를 기초로 한 **제3자 명의의 새로운 등기가 경료된 경우**로서 제3자가 「민사소송법」 제218조 제1항의 **변론을 종결한 뒤의 승계인**에 해당하여 위 판결의 기판력이 그에게 미친다는 이유로 원고가 위 **제3자에 대한 승계집행문**을 부여받은 경우에는, 원고는 그 (i) **제3자 명의의 등기의 말소등기**와 (ii) **판**

결에서 명한 **등기(말소등기)를 단독**으로 신청할 수 있으며, 위 각 등기는 **동시에** 신청하여야 한다 (예규 제1786호).

04 판결에 의한 등기신청에 관한 다음 설명 중 가장 옳지 않은 것은?
▶ 2023 법무사

① 승소한 등기의무자가 판결에 의하여 단독으로 등기를 신청할 때에는 그의 권리에 관한 등기필정보를 제공하여야 한다.

② 근저당권설정등기를 명하는 판결주문에 채권최고액이 명시되지 않은 경우에는 이 판결에 의하여 등기권리자는 단독으로 근저당권설정등기를 신청할 수 없다.

③ 판결문상에 기재된 피고의 주민등록번호와 등기부상 기재된 등기의무자의 주민등록번호는 동일하나 주소가 서로 다른 경우에는 피고의 주소에 관한 서면을 제출하여야 한다.

④ 패소한 등기의무자는 승소한 등기권리자를 대위하여 등기신청을 할 수 없다.

⑤ 甲이 승소판결을 받아 확정된 후 10년이 지났고, 그 판결에 의해 등기를 신청하여도 등기관은 이를 수리하여야 한다.

해설 ③ **판결문상의 피고**의 주소가 **등기부상의 등기의무자**의 **주소**와 **다른 경우**(등기부상 주소가 판결에 병기된 경우 포함)에는 **동일인임을 증명**할 수 있는 자료로서 **주소에 관한 서면을 제출**하여야 한다(예규 제1786호).

다만, 다음 각 호의 방법으로 확인된 피고의 주민등록번호와 등기기록상에 기재된 등기의무자의 **주민등록번호가 동일**하여 **동일인임을 인정**할 수 있는 경우에는 **주소증명정보를 제공하지 않는다.**

1. 「민사소송규칙」 제76조의2 제3항에 따른 재판사무시스템을 통하여 확인

2. 판결서상에 기재된 피고의 주민등록번호로 확인(2018.3.26. 이전에 작성된 판결문의 경우)

① 1. **승소한 등기권리자**가 단독으로 판결에 의하여 등기를 신청하는 경우에는 등기의무자의 권리에 관한 등기필정보를 제공할 필요가 없다. **(註** 제공×/작성○)

2. **승소한 등기의무자**가 단독으로 등기를 신청할 때에는 그의 권리에 관한 등기필정보를 제공하여야 한다(예규 제1786호, 5-바). **(註** 제공○/작성×)

② 근저당권설정등기를 명하는 **판결주문**에 필수적 기재사항인 **채권최고액**이나 **채무자가 명시되지 아니**한 경우에는 이에 따른 등기신청을 **할 수 없다**(예규 제1786호, 2-가-3)-다)).

④ **패소**한 등기의무자는 그 판결에 기하여 **직접** 등기권리자 명의의 등기신청을 하거나 승소한 등기권리자를 **대위**하여 등기신청을 할 수 **없다**(예규 제1786호, 3-가-2)).

⑤ 등기절차의 이행을 명하는 확정판결을 받았다면 그 확정시기에 관계없이, 즉 **확정 후 10년이 경과**하였다 하더라도 그 판결에 의한 등기신청을 할 수 **있다**(예규 제1786호, 2-라).

정답 04 ③

05 판결에 의한 등기에 관한 다음 설명 중 가장 옳지 않은 것은?

▶ 2022 법무사

① 피고의 주소를 허위로 기재하여 소송서류 및 판결정본을 그곳으로 송달하게 한 사위판결에 의하여 소유권이전등기가 경료된 후 상소심절차에서 그 사위판결이 취소·기각된 경우 그 취소·기각판결에 의하여 소유권이전등기의 말소등기를 신청할 수 있다.

② 공증인 작성의 공정증서는 설령 부동산에 관한 등기신청의무를 이행하기로 하는 조항이 기재되어 있더라도 등기권리자는 이 공정증서에 의하여 단독으로 등기를 신청할 수 없다.

③ 판결에는 등기권리자와 등기의무자가 나타나야 하며 신청의 대상인 등기의 내용, 즉 등기의 종류, 등기원인과 그 연월일 등 신청서에 기재하여야 할 사항이 명시되어 있어야 한다. 전세권설정등기를 명하는 판결주문에는 신청서에 기재하여야 할 필수적 기재사항인 전세금이나 전세권의 목적인 범위가 명시되어야 한다.

④ 판결에 의한 등기신청이 가능한 승소한 등기권리자에는 적극적인 당사자인 원고뿐만 아니라 피고나 당사자참가인도 포함된다.

⑤ 수익자(甲)를 상대로 사해행위취소판결을 받은 채권자(乙)는 채무자(丙)를 대위하여 단독으로 등기를 신청할 수 있으며, 이 경우 등기신청서의 등기권리자란에는 "丙 대위신청인 乙"과 같이 기재하고 등기의무자란에는 "甲"을 기재한다.

해설 ① 1. 판결에 의하여 등기권리자가 단독으로 등기신청을 하기 위하여는 그 판결주문에 어떠한 등기절차의 이행을 명하는지가 나타나 있어야 하는 바, 원고가 **피고의 주소를 허위로 기재**하여 소송서류 및 판결정본을 그곳으로 송달하게 한 소위 **사위판결**에 의하여 소유권이전등기가 경료된 후 **상소심절차에서 그 사위판결이 취소·기각된 경우**, 그 취소·기각 판결에는 등기절차의 이행을 명하는 취지가 나타나지 아니하므로 **그 취소·기각판결**에 의하여는 위 소유권이전등기의 말소등기를 단독으로 신청할 수 **없다**.

2. 따라서 당사자가 공동으로 신청하거나 등기의무자가 협조하지 아니하는 때에는 다시 소유권이전등기말소등기절차의 이행을 명하는 판결을 받아 단독으로 그 말소등기를 신청할 수 있다(선례 제4-486호, 예규 제1786호).

② **공증인 작성의 공정증서**는 설령 부동산에 관한 등기신청의무를 이행하기로 하는 조항이 기재되어 있더라도 등기권리자는 이 공정증서에 의하여 단독으로 등기를 신청할 수 **없다**(예규 제1786호, 2-다-3)).

③ 1. 판결에는 등기권리자와 등기의무자가 나타나야 하며 신청의 대상인 등기의 내용, 즉 등기의 종류, 등기원인과 그 연월일 등 신청서에 기재하여야 할 사항이 명시되어 있어야 하므로, 전세권설정등기를 명하는 판결주문에는 신청서에 기재하여야 할 **필수적 기재사항**인 **전세금**이나 전세권의 목적인 **범위**가 **명시되어야** 한다.

2. 따라서 전세권설정등기를 명하는 판결주문에 필수적 기재사항인 전세금이나 전세권의 목적인 범위가 **명시되지 아니한 경우**에는 **판결에 따른 등기를 신청할 수 없다**(예규 제1786호).

④ **승소한** 등기권리자 또는 **승소한** 등기의무자는 단독으로 판결에 의한 등기신청을 할 수 **있다**. 승소한 등기권리자에는 **적극적 당사자인 원고**뿐만 아니라 **피고**나 **당사자참가인도 포함**된다(예규 제1786호, 3-가).

⑤ 수익자(갑)를 상대로 **사해행위취소판결**을 받은 **채권자(을)**는 **채무자(병)를 대위**하여 단독으로 등기를 신청할 수 **있다**. 이 경우 등기신청서의 등기권리자란에는 **"병 대위신청인 을"**과 같이 기재하

고, 등기의무자란에는 "**갑**"을 기재한다(예규 제1786호, 3–마).

(註) **채무자는 패소하였으므로** 채권자가 얻은 승소판결에 의해서 단독으로 등기를 신청할 수 **없**다.)

06 집행문 및 공유물분할판결에 따른 등기신청에 관한 다음 설명 중 가장 옳지 않은 것은?

▸ 2021 법무사

① 공유물을 분할하는 판결에 의한 등기는 등기권리자 또는 등기의무자가 단독으로 신청한다.

② 진정명의회복을 원인으로 하는 소유권이전등기절차를 이행하라는 확정판결의 변론종결 후 그 판결에 따른 등기신청 전에 그 권리에 대한 제3자 명의의 이전등기가 경료된 경우, 제3자가 변론 종결 뒤의 승계인에 해당하여 위 판결의 기판력이 그에게 미친다는 이유로 원고가 위 제3자에 대한 승계집행문을 부여받은 경우에는, 원고는 그 제3자를 등기의무자로 하여 곧바로 판결에 따른 권리이전등기를 단독으로 신청할 수 있다.

③ 등기신청서에 기재하는 등기원인과 그 연월일은 공유물분할판결의 경우 등기원인은 "공유물분할"로, 그 연월일은 "판결확정일"을 기재한다.

④ 공유물분할판결의 변론종결 후 그 판결의 확정 전에 일부 공유자의 지분이 제3자에게 이전된 경우, 위 제3자가 변론을 종결한 뒤의 승계인에 해당하여 위 판결의 기판력이 그에게 미친다는 이유로 종전 공유자가 취득한 분할부분에 관하여 자신을 위한 승계집행문을 부여받은 경우에는, 그 제3자는 다른 공유자 명의의 지분에 대하여 곧바로 자신 앞으로 판결에 따른 이전등기를 단독으로 신청할 수 있다.

⑤ 공유물분할판결의 경우와 마찬가지로, 현물분할을 내용으로 하는 공유물분할에 관하여 조정이나 화해권고결정이 확정된 후 그 조정이나 화해권고결정에 따른 등기신청 전에 일부 공유자의 지분이 제3자에게 이전된 경우에 다른 공유자는 자신이 취득하는 것으로 정해진 분할부분에 관하여 위 제3자에 대한 승계집행문을 부여받아 제3자 명의의 지분에 대하여 자신 앞으로의 이전등기를 단독으로 신청할 수 있다.

(해설) ⑤ 1. **공유물분할의 판결이 확정**되면 공유자는 분할 후의 각 토지에 대해서 **지분이전등기를 하지 않아도** 각자 분할된 부분에 대한 **소유권을 취득**한다.

따라서 **공유물분할에 관한 판결**이 확정된 후 그 판결에 따른 등기신청 전에 일부 공유자의 지분이 제3자에게 이전된 경우, 다른 공유자는 자신이 취득한 분할부분에 관하여 위 제3자에 대한 **승계집행문**을 부여받아 제3자 명의의 지분에 대하여 자신 앞으로의 **이전등기를 단독으로 신청할 수 있다**(선례 제201906–4호).

2. 그러나 공유물분할의 **조정이 성립**하였다고 하더라도, 그 즉시 공유관계가 소멸하고 각 공유자에게 그 협의에 따른 새로운 법률관계가 창설되는 것은 아니고, 공유자들이 협의한 바에 따라 토지의 분필절차를 마친 후 **공유지분을 이전**받아 **등기를 마침으로써** 비로소 그 부분에 대한 **대세적 권리로서의 소유권을 취득**하게 된다고 보아야 한다. 이는 **화해권고결정**의 경우에도 **마찬가지**라 할 것이다.

정답 **05** ① **06** ⑤

따라서 현물분할을 내용으로 하는 **공유물분할**에 관하여 **조정**이나 **화해권고결정**이 확정된 후 그 조정이나 화해권고결정에 따른 등기신청 전에 일부 공유자의 지분이 제3자에게 이전된 경우에는 다른 공유자는 자신이 취득하는 것으로 정해진 분할부분에 관하여 위 제3자에 대한 **승계집행문을 부여받아 제3자 명의의 지분에 대하여 자신 앞으로의 이전등기를 단독으로 신청할 수는 없다**(선례 제201906-4호).

등기를 마치기 전까지는 아직 물권을 취득하였다고 볼 수 없으므로, 화해권고결정에 따른 공유지분이전청구권은 채권적 청구권으로 보아야 하며, 제3자는 승계인에 해당하지 않기 때문이다.

① 법 제23조 제4항
② 예규 제1786호, 5-다-1)-나)
③ 예규 제1786호, 4-나-2)
④ 예규 제1786호, 5-다-2)-나)-(2)

07 등기신청에 관한 다음 설명 중 가장 옳지 않은 것은?

▸ 2024 법무사

① 같은 등기소에 동시에 여러 건의 등기신청을 하는 경우에 첨부정보의 내용이 같은 것이 있을 때에는 먼저 접수되는 신청에만 그 첨부정보를 제공하고, 다른 신청에는 먼저 접수된 신청에 그 첨부정보를 제공하였다는 뜻을 신청정보의 내용으로 등기소에 제공하는 것으로 그 첨부정보의 제공을 갈음할 수 있다.

② 甲이 소유하는 X 토지와 乙이 소유하는 Y 토지를 丙에게 매도하고 소유권이전등기를 신청하는 경우 1개의 신청서로 일괄신청할 수 있다.

③ 甲과 乙이 공유하는 부동산 전체를 丙과 丁에게 이전하려고 하는 경우 1개의 신청서로 신청할 수 없다.

④ 신탁등기의 신청은 해당 부동산에 관한 권리의 설정등기, 보존등기, 이전등기 또는 변경등기의 신청과 동시에 하여야 한다.

⑤ 창설적 공동근저당의 경우 각 근저당권설정자가 다른 경우에도 일괄신청이 가능하다.

해설 ② 소유자가 다른 여러 개의 부동산에 대한 **일괄신청은 불가능**하므로, X 토지는 **甲소유**이고 Y 토지는 **乙소유**인 경우에 **丙이 해당 토지를 모두 매수**하였다면 **일괄신청**을 할 수 **없고** 각 부동산별로 등기신청서를 작성하여야 한다.

① 같은 등기소에 동시에 여러 건의 등기신청을 하는 경우에 첨부정보의 내용이 같은 것이 있을 때에는 **먼저 접수되는 신청**에만 그 첨부정보를 제공하고, **다른 신청**에는 먼저 접수된 신청에 그 첨부정보를 제공하였다는 뜻을 신청정보의 내용으로 등기소에 제공하는 것으로 그 첨부정보의 제공을 갈음할 수 있다(규칙 제47조 제2항).

③ **수인**의 공유자가 **수인**에게 지분의 전부 또는 일부를 이전하려고 하는 경우 등기신청인은 등기신청서에 등기의무자들의 각 지분 중 각 ○분의 ○ 지분이 등기권리자 중 1인에게 이전되었는지를 기재하고 신청서는 **등기권리자별로 신청서**를 작성하여 제출하거나 또는 등기의무자 1인의 지분이 등기권리자들에게 각 ○분의 ○ 지분씩 이전되었는지를 기재하고 **등기의무자별로 신청서**를 작성하여 제출하여야 한다. **한 장**의 신청서(▣ **일괄신청**)에 함께 기재한 경우 등기관은 이를 수리해서는 **아니** 된다(예규 제1363호).

④ **신탁등기의 신청**은 해당 부동산에 관한 **권리의 설정등기, 보존등기, 이전등기 또는 변경등기의 신청과 동시에** 하되(법 제82조 제1항), **1건**의 신청정보로 **일괄**하여 하여야 한다(규칙 제139조 제1항).

⑤ **법 제25조 단서**에 따라 같은 채권의 담보를 위하여 **소유자가 다른 여러 개의 부동산**에 대한 ( **공동)저당권설정**등기를 신청하는 경우는 1건의 신청정보로 **일괄**하여 신청할 수 **있다**(규칙 제47조).

08 다음의 등기신청 중 한 개의 신청서(촉탁서)로 신청(촉탁)할 수 있는 경우는? ▸ 2023 법무사

① 甲이 하나의 계약에 의해 관할이 다른 X부동산과 Y부동산을 乙에게 매도하여 X·Y부동산에 대해 乙 앞으로 소유권이전등기를 신청하는 경우

② 甲 소유의 X부동산에 대하여 乙 앞으로 소유권이전등기를 신청하면서 동시에 甲을 근저당권자로 하는 근저당권설정등기를 신청하는 경우

③ 甲과 乙의 공유인 X부동산에 대하여 甲과 乙이 그 지분의 전부를 丙과 丁에게 이전하는 경우

④ 경매절차에서 매각대금이 지급된 후 법원사무관등이 매수인 앞으로 소유권을 이전하는 등기, 매수인이 인수하지 아니한 부동산의 부담에 관한 등기의 말소등기, 경매개시결정등기의 말소등기를 촉탁하는 경우

⑤ 甲과 乙 두 사람이 각각 별도로 피담보채권의 일정 금액씩을 대위변제하고 저당권일부이전등기를 신청하는 경우

해설 ①,④ (복수정답)

① 1. 등기의 신청은 1건당 1개의 부동산에 관한 신청정보를 제공하는 방법으로 하여야 한다(법 제25조 본문).

2. 최근 개정된 부동산등기법에 따르면, **관할 등기소가 다른 여러 개의 부동산**에 관하여 **등기목적과 등기원인이 동일**한 등기신청이 있는 경우 **그중 하나의 관할 등기소**에서 등기사무를 담당할 수 있도록 **법 제7조의2가 신설**됨에 따라, 관할 등기소가 다른 여러 개의 부동산에 관하여도 **일괄**하여 **신청할 수 있도록 법**이 개정되었다(법 제25조 단서).

3. 따라서 **甲이 하나의 계약**에 의해 **관할이 다른 X부동산과 Y부동산**을 乙에게 매도하여 X·Y부동산에 대해 **乙 앞으로 소유권이전등기**를 신청하는 경우 **법 제7조의 2**에 해당하는 것을 전제로 **일괄신청할 수 있다.**

④ 법 제25조 단서에 따라 다음 각 호의 경우에는 1건의 신청정보로 **일괄**하여 **신청**하거나 **촉탁**할 수 있다(규칙 제47조).

> 1. 같은 채권의 담보를 위하여 **소유자가 다른 여러 개의 부동산**에 대한 (**공동)저당권설정**등기를 신청하는 경우
> 2. 법 제97조(**공매**) 각 호의 등기를 촉탁하는 경우
>   ㉠ 공매처분으로 인한 권리이전의 등기
>   ㉡ 공매처분으로 인하여 소멸한 권리등기의 말소

> ⓒ 체납처분에 관한 압류등기 및 공매공고등기의 말소
> 3. 「민사집행법」 제144조 제1항 각 호(🏛 경매)의 등기를 촉탁하는 경우
>   ㉠ **매수인 앞으로 소유권을 이전**하는 등기
>   ㉡ **매수인이 인수하지 아니한 부동산의 부담에 관한 기입을 말소**하는 등기
>   ⓒ 제94조 및 제139조 제1항의 규정에 따른 **경매개시결정등기를 말소**하는 등기

② 1. **등기목적의 동일성**(법 제48조 제1항 제2호)은 **등기할 사항이 동일한 것**(법 제3조)을 말한다. 즉 신청하려는 등기의 내용 또는 종류(소유권보존, 소유권이전, 근저당권설정 등)가 동일하다는 것을 말한다(법 제25조 단서).

   2. 따라서 동일한 부동산에 관하여 **소유권이전등기와 저당권설정등기**의 신청은 1개의 등기신청서로 **일괄신청할 수 없고 별개의 신청서로** 하여야 한다.

③ **수인**의 공유자가 **수인**에게 지분의 전부 또는 일부를 이전하려고 하는 경우 등기신청인은 등기신청서에 등기의무자들의 각 지분 중 각 ○분의 ○ 지분이 등기권리자 중 1인에게 이전되었는지를 기재하고 신청서는 **등기권리자별로 신청서를** 작성하여 제출하거나 또는 등기의무자 1인의 지분이 등기권리자들에게 각 ○분의 ○ 지분씩 이전되었는지를 기재하고 **등기의무자별로 신청서를** 작성하여 제출하여야 한다. **한 장**의 신청서(🏛 일괄신청)에 함께 기재한 경우 등기관은 이를 수리해서는 **아니** 된다(예규 제1363호).

⑤ 1. **등기원인의 동일성**은 물권변동을 일으키는 **법률행위 또는 법률사실의 내용과 그 성립 또는 발생일자가 같다는 것**을 말한다(법 제25조 단서).

   2. 따라서 甲과 乙 두 사람이 **각각 별도로 피담보채권의 일정 금액씩을 대위변제**하고 저당권일부이전등기를 신청하는 경우에는 **일괄신청할 수 없다**.

09 등기신청방법에 관한 다음 설명 중 가장 옳지 않은 것은?   ▸ 2022 법무사 일부변경

① 같은 채권의 담보를 위하여 소유자가 다른 여러 개의 부동산에 대한 저당권설정등기를 신청하는 경우 1건의 신청정보로 일괄하여 신청할 수 있다.

② 같은 채권의 담보를 위하여 소유자가 동일한 여러 개의 부동산에 대한 저당권설정등기를 신청하는 경우 1건의 신청정보로 일괄하여 신청할 수 있는 이유는 등기목적과 등기원인이 동일하기 때문이다.

③ 동일한 부동산에 대하여 순위번호가 다른 수개의 근저당권이 설정되어 있으나 채무자변경계약의 당사자가 동일하다면 하나의 신청서에 변경할 근저당권의 표시를 모두 기재하여 동시에 그 변경등기를 신청할 수 있다.

④ 신탁계약을 원인으로 한 소유권이전등기의 신청과 신탁등기의 신청은 1건의 신청정보로 일괄하여 신청할 수 있다.

⑤ 동일 부동산에 관하여 동일인 명의로 수개의 근저당권설정등기가 되어 있는 경우 근저당권자의 주소변경을 원인으로 한 위 수개의 등기명의인 표시의 변경등기는 1개의 신청서에 일괄하여 신청할 수 있다.

해설 ④ 1. **신탁등기의 신청**은 해당 신탁으로 인한 **권리의 이전 또는 보존이나 설정등기의 신청**과 함께 1건의 신청정보로 **일괄**하여 하여야 한다. 다만 수익자나 위탁자가 수탁자를 대위하여 신탁등 기를 신청하는 경우에는 그러하지 아니하다(예규 제1726호, 1-나-(1)).

2. **신탁행위(註 신탁계약)에 의하여 소유권을 이전하는 경우**에는 신탁등기의 신청은 신탁을 원인 으로 하는 소유권이전등기의 신청과 함께 1건의 신청정보로 **일괄**하여 **하여야 한다**(예규 제 1726호, 1-나-(2)).

3. **등기원인이 신탁임에도 신탁등기만**을 신청하거나 **소유권이전등기만**을 신청하는 경우에는 「부 동산등기법」 제29조 **제5호**에 의하여 신청을 **각하**하여야 한다(법 제29조 제5호).

① **법 제25조 단서**에 따라 다음 각 호의 경우에는 1건의 신청정보로 **일괄**하여 **신청**하거나 **촉탁**할 수 있다(규칙 제47조).

1. **같은 채권의 담보**를 위하여 **소유자가 다른 여러 개의 부동산**에 대한 (註 **공동)저당권설정등기** 를 신청하는 경우

2. 법 제97조 각 호의 등기를 촉탁하는 경우(註 **공매**)

3. 「민사집행법」 제144조 제1항 각 호의 등기를 촉탁하는 경우(註 **경매**)

② 1. 등기의 신청은 1건당 1개의 부동산에 관한 신청정보를 제공하는 방법으로 하여야 한다. 다만, **등기목적과 등기원인이 동일**하거나 그 밖에 **대법원규칙**으로 정하는 경우에는 **여러 개의** 부동 산에 관한 신청정보를 **일괄**하여 제공하는 방법으로 할 수 있다(법 제25조).

2. **등기원인의 동일성**은 물권변동을 일으키는 **법률행위** 또는 법률사실의 내용과 그 성립 또는 발생일자가 같다는 것을 말하며, **당사자가 동일**할 것도 포함한다. 따라서 **같은 채권의 담보**를 위하여 **소유자가 동일**한 **여러 개의 부동산**에 대한 저당권설정등기를 신청하는 경우에는 **등기 원인이 동일**하다고 볼 수 **있다.**

3. **등기목적의 동일성**은 **등기할 사항**(법 제3조)이 **동일**한 것을 말한다. 즉 신청하려는 등기의 내 용 또는 종류(소유권보존, 소유권이전, 근저당권설정 등)가 동일하다는 것을 말한다. 따라서 같 은 채권의 담보를 위하여 소유자가 동일한 **여러 개의 부동산**에 대한 **저당권설정등기**를 신청하 는 경우에는 **등기목적이 동일**하다고 볼 수 **있다.**

③ 근저당권의 기본계약상의 채무자 지위를 채권자 및 신·구채무자 사이의 3면계약에 의하여 교환 적으로 승계하거나 추가적으로 가입하는 경우에는 "채무자 변경계약"을 등기원인으로 하여 근저당 권의 채무자변경등기를 신청할 수 있으며, 그 경우 **동일한 부동산**에 대하여 순위번호가 다른 수개 의 근저당권이 설정되어 있으나 **채무자 변경계약의 당사자가 동일**하다면 **하나의 신청서**에 변경할 근저당권의 표시를 모두 기재하여 동시에 그 변경등기를 신청할 수 있다(선례 제3-591호).

⑤ **동일 부동산**에 관하여 **동일인 명의**로 수개의 근저당권설정등기가 되어 있는 경우 근저당권자의 주소변경을 원인으로 한 위 수개의 등기명의인의 표시 변경등기는 **1개의 신청서**에 일괄하여 신 청할 수 있으며, 위 등기신청을 하지 않더라도 다음 순위의 새로운 근저당권설정등기를 신청할 수 있다(선례 제2-40호).

정답 **09** ④

10 관공서의 촉탁에 관한 다음 설명 중 가장 옳지 않은 것은?

▶ 2024 법무사

① 관공서로서 등기촉탁을 할 수 있는 기관은 국가 또는 지방자치단체를 말하며, 공사 등은 등기촉탁에 관한 특별규정이 있는 경우에 한하여 등기촉탁을 할 수 있다.

② 관공서가 등기를 촉탁하는 경우에는 등기기록과 대장상의 부동산 표시가 부합하지 아니하더라도 그 촉탁을 수리하여야 한다.

③ 관공서가 등기의무자로서 등기를 촉탁하는 경우에는 등기필정보를 제공할 필요가 없지만, 관공서가 등기권리자로서 등기를 촉탁하는 경우에는 등기의무자의 등기필정보를 제공하여야 한다.

④ 매각 또는 공매처분 등을 원인으로 관공서가 소유권이전등기를 촉탁하는 경우에는 등기의무자의 주소를 증명하는 정보를 제공할 필요가 없다.

⑤ 수용에 의한 소유권이전등기의 촉탁, 환지처분에 의하여 지방자치단체에게 귀속된 도로에 대한 소유권이전등기의 촉탁과 같은 관공서의 촉탁에는 인감증명의 제출이 필요하지 않다.

해설 ③ 관공서가 **등기의무자**로서 등기권리자의 청구에 의하여 등기를 촉탁하거나 부동산에 관한 권리를 취득하여 **등기권리자**로서 그 등기를 촉탁하는 경우에는 등기의무자의 권리에 관한 **등기필정보를** 제공할 필요가 **없다**. 이 경우 관공서가 촉탁에 의하지 아니하고 **법무사** 또는 변호사에게 위임하여 등기를 신청하는 경우에도 **같다**(예규 제1759호, 4).

① 국가 또는 지방자치단체가 아닌 **공사 등**은 등기촉탁에 관한 **특별규정이 있는 경우에 한하여** 등기**촉탁**을 할 수 있는데, 이 경우 **우편**에 의해서도 등기촉탁을 할 수 있다(예규 제1759호, 1-나, 2).

② **등기관**은 신청정보 또는 등기기록의 부동산의 표시가 토지대장·임야대장 또는 건축물대장과 일치하지 아니한 경우에 이유를 적은 결정으로 신청을 **각하**하여야 한다(법 제29조 제11호). 「부동산등기법」 **제29조 제11호**는 그 등기명의인이 등기**신청**을 하는 경우에 **적용**되는 규정이므로, **관공서가 등기촉탁을 하는 경우**에는 등기기록과 대장상의 **부동산의 표시가 부합하지 아니하더라도** 그 등기촉탁을 **수리**하여야 한다(예규 제1759호, 5).

④ **매각** 또는 **공매**처분 등을 원인으로 관공서가 소유권이전등기를 촉탁하는 경우에는 등기**의무자의 주소**를 증명하는 정보를 제공할 필요가 **없다**(예규 제1759호, 4-2).

⑤ 1. 인감증명을 제출하여야 하는 자가 **국가** 또는 **지방자치단체**인 경우에는 **인감증명**을 제출할 필요가 **없다**(규칙 제60조 제3항).

　2. **관공서는 인감증명이 없으므로** 관공서가 등기의무자인 경우에는 **인감증명에 관한 규정이 적용되지 않으며**, 관공서가 동의 또는 승낙 권한을 갖는 경우 등에 있어서도 관공서의 인감증명은 제출하지 않는다.

　3. 따라서 **수용에 의한 소유권이전등기의 촉탁, 환지처분에 의하여 지방자치단체에게 귀속된 도로에 대한 소유권이전등기의 촉탁**과 같은 관공서의 촉탁에는 **인감증명**의 제출이 필요하지 **않다**.

11 국유재산의 관리청 명칭 첨기등기에 관한 다음 설명 중 가장 옳지 않은 것은? ▸ 2022 법무사

① "이왕직", "창덕궁", "이왕직장관" 소유명의로 등기된 부동산에 대해서는 관리청지정서를 첨부정보로서 제공하여 "1963.2.9. 승계"를 원인으로 "국, 관리청 ○○부"로의 등기명의인표시변경등기를 촉탁하면 "국" 명의로의 등기명의인표시변경등기와 동시에 관리청 명칭도 첨기등기한다.

② 국유재산법 제22조 제3항에 따라 총괄청이 직권으로 용도폐지하여 총괄청에게 인계되는 재산에 대해서는 총괄청 또는 같은 법 제42조 제1항에 따라 소관 재산의 관리·처분에 관한 사무를 위탁·위임받은 기관이 총괄청의 용도폐지 공문사본을 첨부정보로서 제공하여 관리청 명칭의 변경등기를 촉탁한다.

③ 국유재산법 제40조에 따라 중앙관서의 장이 행정재산을 용도폐지하여 총괄청에게 인계하는 재산에 대해서는 총괄청 또는 같은 법 제42조 제1항에 따라 소관 재산의 관리·처분에 관한 사무를 위탁·위임받은 기관이 등기기록상 관리청의 용도폐지 공문사본과 국유재산대장사본을 첨부정보로서 제공하여 관리청 명칭의 변경등기를 촉탁한다.

④ 등기기록상 소유자가 "조선총독부"로 되어 있는 부동산에 대해서는 관리청 지정서를 첨부정보로서 제공하여 "1948.8.15. 대한민국정부수립"을 원인으로 "국, 관리청 ○○부"로의 등기명의인표시변경등기를 촉탁하면 "국" 명의로의 등기명의인표시변경등기와 동시에 관리청 명칭도 첨기등기한다.

⑤ 등기기록상 관리청과 다른 관리청이 서로 소관을 주장하는 경우에는 총괄청이 이를 결정하는 것으로서, 총괄청이 발급한 관리청 결정서를 첨부정보로서 제공하여 관리청 명칭의 변경등기를 촉탁한다.

> **해설** ① "**이왕직**", "**창덕궁**", "**이왕직장관**" 소유명의로 등기된 부동산의 경우 **관리청지정서**를 첨부하여 "**1963.2.9. 승계**"를 원인으로 "**국, 관리청 부**"로의 **소유권이전등기를 촉탁**하면, "**국**" 명의로의 **소유권이전등기**와 동시에 **관리청 명칭도 첨기등기**한다(예규 제1657호).
>
> ② 「**국유재산법**」 제22조 제3항에 따라 **용도폐지**되어 **총괄청에게 인계되는 재산**에 대해서는 **총괄청 또는** 같은 법 제42조 제1항에 따라 소관 재산의 관리·처분에 관한 **사무를 위탁·위임받은 기관**이 **총괄청의 용도폐지 공문사본**을 첨부정보로서 제공하여 **관리청 명칭의 변경등기를 촉탁**한다(예규 제1657호).
>
> ③ 「**국유재산법**」 제40조에 따라 관리청이 **행정재산을 용도폐지**하여 **총괄청에게 인계하는 재산**에 대해서는 **총괄청** 또는 같은 법 제42조 제1항에 따라 소관 재산의 관리·처분에 관한 **사무를 위탁·위임받은 기관**이 **등기기록상 관리청의 용도폐지 공문사본**과 같은 법 제66조 제1항에 따른 **국유재산대장사본**을 첨부정보로서 제공하여 **관리청 명칭의 변경등기를 촉탁**한다(예규 제1657호).
>
> ④ 1. 등기부상 소유자가 "**조선총독부**"로 되어 있는 부동산은 **대한민국정부 수립(1948.8.15.)과 동시에 당연히 대한민국의 국유**로 되는 것인바,
>
>   2. 위 부동산에 대하여는 등기부상 **소유자 명의를 "조선총독부"로 그대로 둔 채 관리청 첨기등기만을 할 수는 없고**

3. **관리청 지정서**를 첨부하여 "**1948.8.15. 대한민국정부수립**"을 원인으로 "**국, 관리청 부**"로의 **등기명의인표시변경등기를 촉탁**하면 "**국**" 명의로의 **등기명의인표시변경등기**와 동시에 **관리청 명칭도 첨기등기**한다.

4. 다만, "1948.8.15. 명칭변경"을 원인으로 등기명의인표시변경등기가 마쳐진 경우에는 등기관은 직권으로 "명칭변경" 부분을 "대한민국정부수립"으로 경정하여야 한다(예규 제1657호).

⑤ **등기부상 관리청**과 **타 관리청**이 **서로 소관을 주장하는 경우**는 **총괄청이 이를 결정**하는 것으로서, **총괄청이 발급한 관리청 결정서**를 첨부하여 **관리청 명칭의 변경등기**를 한다(예규 제1657호).

12 등기관의 직권에 의한 등기에 관한 다음 설명 중 가장 옳지 않은 것은? ▸ 2021 법무사

① 등기관이 등기의 착오나 빠진 부분이 등기관의 잘못으로 인한 것임을 발견한 경우에는 지체 없이 그 등기를 직권으로 경정하여야 한다. 다만, 등기상 이해관계 있는 제3자가 있는 경우에는 제3자의 승낙이 있어야 한다.

② 이미 건물은 멸실되었으나 아직 건물멸실등기가 이루어지기 전에 가압류등기가 경료된 경우 등기관은 직권으로 그 가압류등기를 말소할 수 있다.

③ 말소에 대하여 등기상 이해관계 있는 제3자의 승낙이 있음을 증명하는 정보를 제공하여 등기의 말소를 신청한 경우 해당 등기를 말소할 때에는 등기상 이해관계 있는 제3자 명의의 등기는 등기관이 직권으로 말소한다.

④ 신탁재산에 속하는 부동산에 관한 권리에 대하여 수탁자의 변경으로 인한 이전등기를 할 경우 등기관은 직권으로 그 부동산에 관한 신탁원부 기록의 변경등기를 하여야 한다.

⑤ 등기관이 수용으로 인한 소유권이전등기를 하는 경우 그 부동산의 등기기록 중 소유권, 소유권 외의 권리, 그 밖의 처분제한에 관한 등기가 있으면 그 등기를 직권으로 말소하여야 한다. 다만, 그 부동산을 위하여 존재하는 지역권의 등기 또는 토지수용위원회의 재결로써 존속이 인정된 권리의 등기는 그러하지 아니하다.

해설 ② **이미 건물은 멸실**되었으나 아직 **건물멸실등기가 이루어지기 전**에 **가압류**등기가 경료된 경우, 부동산등기법 제58조의 규정에 의하여 등기관이 직권으로 그 가압류등기를 말소할 수는 없다(선례 제6–495호). 건물의 소유자가 멸실등기를 신청하면 표제부에 멸실의 뜻을 기재하고 등기부를 폐쇄하는 것이지 가압류등기를 직권으로 말소할 것이 아니다.

① 등기관이 등기의 착오나 빠진 부분이 **등기관의 잘못**으로 인한 것임을 발견한 경우에는 지체 없이 그 등기를 **직권**으로 **경정**하여야 한다. 다만, **등기상 이해관계 있는 제3자가 있는 경우**에는 제3자의 **승낙**이 있어야 한다(법 제32조 제2항).

③ 등기의 말소를 신청하는 경우에 그 말소에 대하여 **등기상 이해관계 있는 제3자**가 있을 때에는 제3자의 **승낙**이 있어야 한다. 등기를 말소할 때에는 등기상 이해관계 있는 **제3자 명의의 등기**는 등기관이 **직권**으로 **말소**한다(법 제57조).

④ **등기관**이 신탁재산에 속하는 부동산에 관한 권리에 대하여 다음 각 호의 어느 하나에 해당하는 등기를 할 경우 **직권**으로 그 부동산에 관한 **신탁원부 기록의 변경등기**를 하여야 한다(법 제85조의2).

  1. **수탁자의 변경으로 인한** (🔘 **권리)이전등기**

  2. **여러 명의 수탁자 중 1인의 임무 종료로 인한** (🔘 **합유명의인)변경등기**

3. **수탁자**인 등기명의인의 **성명** 및 **주소**(법인인 경우에는 그 명칭 및 사무소 소재지를 말한다)에 관한 **변경등기 또는 경정등기**

⑤ 등기관이 제1항과 제3항에 따라 수용으로 인한 소유권이전등기를 하는 경우 그 부동산의 등기기록 중 **소유권, 소유권 외의 권리, 그 밖의 처분제한에 관한 등기**가 있으면 그 등기를 **직권으로 말소**하여야 한다. 다만, 그 부동산을 위하여 존재하는 지역권의 등기(🔢 **요역지 지역권**) 또는 토지수용위원회의 **재결로써 존속이 인정된 권리**의 등기는 그러하지 **아니**하다(법 제99조 제4항).

제2절 전자신청(촉탁)

01 전자신청에 관한 다음 설명 중 가장 옳지 않은 것은? ▸ 2022 법무사 일부변경

① 상업등기법 제17조에 따른 전자증명서를 발급받은 법인은 전자신청을 할 수 있으나, 법인 아닌 사단이나 재단은 전자신청을 할 수 없다.

② 전자신청에 대한 보정 통지는 전자우편의 방법으로만 하여야 하는 것은 아니며, 구두·전화 등의 방법으로도 할 수 있다.

③ 전자신청을 하기 위해서는 최초의 등기신청 전에 사용자등록을 하여야 하는바, 사용자등록의 유효기간은 자격자대리인의 경우 3년, 자격자대리인 이외의 자의 경우 1년이며, 유효기간 만료일 3개월 전부터 만료일까지는 그 유효기간의 연장을 신청할 수 있다.

④ 자격자대리인이 아닌 사람은 다른 사람을 대리하여 전자신청을 할 수 없다.

⑤ 전자신청에 대한 각하 결정의 고지는 전산정보처리조직을 이용하여 전자우편의 방법으로 하여야 한다.

해설 ⑤ 1. 등기관은 법 제29조 각 호에 해당하는 경우에 **이유를 적은 결정**으로 신청을 **각하**하여야 한다(법 제29조).

2. **전자신청**에 대한 **각하 결정의 방식**은 **서면신청과 동일하게** 처리한다.
즉, 등기관은 **등기전산정보시스템**을 이용하여 **각하결정원본**(각하결정에 대한 경정결정 포함)을 **작성·저장**한다(예규 제1836호).

3. **전자신청**에 대한 **각하결정의 고지**는 **등기전산정보시스템**을 이용하여 **각하결정등본**을 신청인 또는 대리인에게 **전송하는 방법**으로 한다(예규 제1809호).

① **법인 아닌 사단이나 재단**(🔢 **종중·교회**)은 전자신청을 할 수 **없다**(예규 제1836호, 규칙 제67조 제1항). 「상업등기법」 제17조에 따른 **전자증명서를 발급**받은 **법인**은 전자신청을 할 수 **있다**(예규 제1836호, 규칙 제68조 제5항).

② **전자신청**에 대하여 **보정사항**이 있는 경우 등기관은 보정사유를 등록한 후 **전자우편, 구두, 전화 기타 모사전송**의 방법에 의하여 그 사유를 신청인에게 **통지**하여야 한다(예규 제1836호).

정답 ▸ 12 ② / 01 ⑤

③ 사용자등록의 **유효기간**은 **자격자대리인**의 경우 **3년**, **자격자대리인 이외의 자**의 경우 **1년**으로 한다. 사용자등록의 **유효기간의 연장신청**은 **유효기간 만료일 3개월 전**부터 **만료일까지** 할 수 있으며, 연장된 유효기간은 자격자대리인의 경우 3년, 자격자대리인 이외의 자의 경우 1년으로 한다(규칙 제69조 제1항, 제3항).

④ **자격자대리인이 아닌 사람**은 다른 사람을 **대리**하여 **전자신청**을 할 수 **없**다(예규 제1836호).
 자격자 : 전자신청대리○ / 상대방대리○
（註）일반인 : 전자신청대리× / 상대방대리○

제3절　신청의무(해태)

신청절차

01 **방문신청에 관한 다음 설명 중 가장 옳지 않은 것은?** ▶ 2021 법무사

① 자연인 또는 법인 아닌 사단이나 재단이 직접 등기신청을 하거나 자격자대리인이 아닌 사람에게 위임하여 등기신청을 하는 경우 외에는 방문신청을 하는 경우에도 도면이나 신탁원부는 이를 전자문서로 작성하여 전산정보처리조직을 이용하여 등기소에 송신하는 방법으로 하여야 한다.

② 신청서에 날인을 할 경우 신청서가 여러 장일 때에는 신청인 또는 그 대리인이 간인을 하여야 하고, 등기권리자 또는 등기의무자가 여러 명일 때에는 그중 1명이 간인하는 방법으로 한다.

③ 주소 변경에 따라 등기명의인표시변경등기를 서면에 의한 방문신청으로 하는 경우에는 등기관이 행정정보 공동이용을 통하여 주소정보를 확인할 방법이 없어 신청인에게 그 제공을 면제할 수 없으므로 주소를 증명하는 정보를 첨부정보로 제공하여야 한다.

④ 방문신청을 하고자 하는 신청인은 신청서를 등기소에 제출하기 전에 전산정보처리조직에 신청정보를 입력하고, 그 입력한 신청정보를 서면으로 출력하여 등기소에 제출하는 방법으로 할 수 있다.

⑤ 신청서에 첨부된 등기원인증서가 매매계약서인 경우에도 소유권이전등기를 마친 때부터 신청인이 3개월 이내에 수령하지 아니할 경우에는 이를 폐기할 수 있다.

해설 ③ 등기소에 제공하여야 하는 첨부정보 중 **법원행정처장이 지정하는 첨부정보**는 「전자정부법」 제36조 제1항에 따른 **행정정보 공동이용**을 통하여 **등기관이 직접 확인**하고 **신청인에게는 해당 첨부정보를 제공한 것으로 본다.** 다만, 그 첨부정보가 **개인정보를 포함**( **주민등록등본 · 초본 등**) 하고 있는 경우에는 그 **정보주체의 동의가 있음을 증명하는 정보**를 등기소에 **제공하여야** 한다(규칙 제46조 제6항).

따라서 **주소 변경**에 따라 **등기명의인표시변경등기**를 서면에 의한 방문신청으로 하면서 **행정정보 공동이용사전동의서**를 **제공**한 경우 등기관은 행정정보 공동이용을 통하여 주소정보를 확인할 수 있으므로 신청인은 **주소를 증명하는 정보를 첨부정보로 제공할 필요가 없다.**

이 경우 등기신청이 접수된 이후에 행정기관의 시스템 장애, 행정정보 공동이용망의 장애 또는 등기소의 **전산정보처리조직의 장애 등**으로 인하여 **등기관이 그 행정정보를 확인할 수 없는 경우**에는 대법원예규로 정하는 방법에 따라 **신청인에게 그 행정정보를 등기소에 제공할 것을 명할 수 있다**(규칙 제46조 제7항).

정답 01 ③

① **방문신청을 하는 경우라도** 등기소에 제공하여야 하는 도면은 전자문서로 작성하여야 하며, 그 제공은 전산정보처리조직을 이용하여 등기소에 송신하는 방법으로 하여야 한다. 다만, 다음 각 호의 어느 하나에 해당하는 경우에는 그 도면을 서면으로 작성하여 등기소에 제출할 수 있다(규칙 제63조).

  1. 자연인 또는 법인 아닌 사단이나 재단이 직접 등기신청을 하는 경우

  2. 자연인 또는 법인 아닌 사단이나 재단이 자격자대리인이 아닌 사람에게 위임하여 등기신청을 하는 경우

② **방문신청**을 하는 경우에는 등기신청서에 제43조 및 그 밖의 법령에 따라 신청정보의 내용으로 등기소에 제공하여야 하는 정보를 적고 신청인 또는 그 대리인이 기명날인하거나 서명하여야 한다. **신청서가 여러 장**일 때에는 신청인 또는 그 대리인이 **간인**을 하여야 하고, 등기권리자 또는 등기의무자가 **여러 명**일 때에는 **그중 1명**(❶ 의무자 및 권리자 각 1인으로 해석)이 간인하는 방법으로 한다. 다만, 신청서에 서명을 하였을 때에는 각 장마다 연결되는 서명을 함으로써 간인을 대신한다(규칙 제56조).

④ 방문신청을 하고자 하는 신청인은 신청서를 등기소에 제출하기 전에 전산정보처리조직에 신청정보를 입력하고, 그 입력한 신청정보를 서면으로 출력하여 등기소에 제출하는 방법으로 할 수 있다(규칙 제64조).

⑤ 신청인이 등기를 마친 때부터 3개월 이내에 제3조의 등기원인증서(매매계약서 등)를 수령하지 아니한 경우에는 이를 폐기할 수 있다(예규 제1514호).

02

외국인이 등기신청을 할 때에 등기소에 제공하여야 하는 주소를 증명하는 정보로서 적절하지 아니한 것은?

▶ 2022 법무사

① 본국에 거주하는 외국인이 부동산을 처분하기 위하여 국내에 입국한 경우에는 국내 공증인이 주소를 공증한 서면

② 재외동포의 출입국과 법적 지위에 관한 법률에 따라 국내거소신고를 한 외국국적동포의 경우에는 국내거소신고 사실증명

③ 본국에 주소증명제도가 있는 외국인의 경우에는 본국 관공서에서 발행한 주소증명정보

④ 본국에 주소증명제도가 없는 외국인의 경우에는 본국 공증인이 주소를 공증한 서면

⑤ 출입국관리법에 따라 외국인등록을 한 경우에는 외국인등록 사실증명

> **해설** ① 외국인의 주소를 증명하는 정보로 제공하는 주소를 공증하는 서면은 원칙적으로 국내 공증인이 주소를 공증할 수 없다.

> 📖 **관련 예규**

> **재외국민 및 외국인의 부동산등기신청절차에 관한 예규[예규 제1778호]**
> **제13조[외국인의 주소증명정보]**
> ① 외국인은 주소를 증명하는 정보로서 다음 각 호의 어느 하나에 해당하는 정보를 제공할 수 있다.
>   1. 「출입국관리법」에 따라 **외국인등록**을 한 경우에는
>   **외국인등록 사실증명**

2. 「재외동포의 출입국과 법적 지위에 관한 법률」에 따라 **국내거소신고를 한 외국국적동포**
   의 경우에는
   국내거소신고 사실증명
3. **본국에 주소증명제도가 있는** 외국인(**예** 일본, 독일, 프랑스, 대만, 스페인)은
   본국 관공서에서 발행한 주소증명정보
4. **본국에 주소증명제도가 없는** 외국인(**예** 미국, 영국)은
   본국 공증인이 주소를 공증한 서면(대한민국 공증인은 외국인의 주소를 공증할 수 없다)
   다만, 다음 각 목의 어느 하나에 해당하는 방법으로써 이를 갈음할 수 있다.
   가. 주소가 기재되어 있는 신분증의 원본과 원본과 동일하다는 뜻을 기재한 사본을 함께
       등기소에 제출하여 사본이 원본과 동일함을 확인받고 원본을 환부받는 방법. 이 경우
       등기관은 사본에 원본 환부의 뜻을 적고 기명날인하여야 한다.
   나. **주소가 기재되어 있는 신분증의 사본**에 원본과 동일함을 확인하였다는 **본국** 또는 **대
       한민국 공증**이나 **본국** 관공서의 증명을 받고 이를 제출하는 방법
   다. 본국의 공공기관 등에서 발행한 증명서 기타 신뢰할 만한 자료를 제출하는 방법(**예**
       주한미군에서 발행한 거주사실증명서, 러시아의 주택협동조합에서 발행한 주소증
       명서)

03 재외국민 또는 외국인의 등기신청에 관한 다음 설명 중 가장 옳지 않은 것은? ▶ 2021 법무사

① 등기명의인인 재외국민이나 외국인이 국내 또는 국외에서 부동산의 처분권한을 대리인에
   게 수여한 경우에는 처분대상 부동산과 처분의 목적이 되는 권리 및 대리인의 인적사항을
   구체적으로 특정하여 작성한 처분위임장을 등기소에 첨부정보로서 제공하여야 한다.

② 본국에 인감증명제도가 없고 또한 인감증명법에 따른 인감증명을 받을 수 없는 외국인의
   경우에는 인감을 날인해야 하는 서면이 본인의 의사에 따라 작성되었음을 확인하는 뜻의
   대한민국 공증인의 인증을 받는 방법으로도 인감증명의 제출에 갈음할 수 있다.

③ 재외국민으로부터 소유권의 처분권한을 수여받은 대리인이 본인을 대리하여 매매를 원
   인으로 하는 소유권이전등기를 신청하는 경우로서 등기신청서에 대리인의 인감을 날인
   한 경우에 대리인의 인감증명은 매도용으로 발급받아 제출하여야 한다.

④ 첨부정보가 외국 공문서이거나 외국 공증인이 공증한 문서인 경우에는 재외공관 공증법
   제30조 제1항에 따라 공증담당영사로부터 문서의 확인을 받거나 외국공문서에 대한 인
   증의 요구를 폐지하는 협약에서 정하는 바에 따른 아포스티유(Apostille)를 붙이는 것이
   원칙이다.

⑤ 재외국민이 등기권리자가 되는 경우로서 주민등록번호를 부여받은 적이 없는 경우에는
   서울중앙지방법원 등기국 등기관이 부여한 부동산등기용등록번호를 증명하는 정보를 첨
   부정보로 제공하여야 한다.

정답 **02** ① **03** ③

해설 ③ 권리의 처분권한을 수여받은 대리인이 본인을 대리하여 등기를 신청할 때에는 **등기신청서**에, 자격자대리인 등에게 등기신청을 위임할 때에는 **등기신청위임장**에 **대리인의 인감을 날인**하고 그 **인감증명**을 제출하여야 한다. 다만, 매매를 원인으로 하는 소유권이전등기를 신청하는 경우에 **대리인의 인감증명**은 **매도용**으로 발급받아 제출할 필요가 **없**다(예규 제1778호, 5—④).

① 예규 제1778호, 5—①

② 예규 제1778호, 12—②

④ 예규 제1778호, 3

⑤ 예규 제1778호, 11—2

04 재외국민 甲이 상속재산분할협의에 관한 권한을 乙에게 위임하여 상속등기를 신청하는 경우에 관한 다음 설명 중 옳은 것을 모두 고른 것은?

▶ 2024 법무사

┤ 보기 ├

ㄱ. 甲은 분할의 대상이 되는 부동산과 乙의 인적사항을 구체적으로 특정하여 작성한 상속재산분할협의 위임장을 첨부정보로서 등기소에 제공하여야 한다.

ㄴ. 甲이 작성한 분할협의 위임장에는 甲의 인감을 날인하고 甲의 인감증명을 제출하여야 하는 것이 원칙이나 그 대신 甲의 체류국을 관할하는 대한민국 재외공관에서 甲이 직접 위임장을 작성했다는 취지의 공증을 받아 제출할 수도 있다.

ㄷ. 甲이 위임장에 인감을 날인하고 인감증명을 제출하는 대신 대한민국 재외공관에서 공증을 받은 위임장을 제출하는 경우에는 甲이 재외국민임을 증명하는 정보로서 재외국민등록부등본을 등기소에 제공하여야 한다.

ㄹ. 乙은 甲의 대리인임을 현명하고 대리인의 자격으로 상속재산분할협의서를 작성하여 이를 원인증서로서 등기소에 제공하여야 한다.

ㅁ. 상속재산분할협의서에는 乙의 인감을 날인하고, 乙의 인감증명을 제출하여야 함이 원칙이나, 이 협의서를 乙이 직접 작성했다는 취지의 공증을 받은 경우에는 인감증명을 제출할 필요가 없다.

① ㄱ, ㄴ 　　② ㄱ, ㄹ 　　③ ㄴ, ㄷ, ㄹ

④ ㄱ, ㄴ, ㄹ, ㅁ 　　⑤ ㄱ, ㄴ, ㄷ, ㄹ, ㅁ

해설 ④

ㄱ. (○) 상속인인 재외국민이나 외국인이 **상속재산분할협의에 관한 권한을 대리인에게 수여**하는 경우에는 분할의 대상이 되는 부동산과 대리인의 인적사항을 구체적으로 특정하여 작성한 **상속재산분할협의 위임장**을 등기소에 첨부정보로서 제공하여야 한다(예규 제1778호 6—①).

ㄴ. (○) **상속재산분할협의 위임장**에는 **상속인 본인의 인감을 날인**하고 그 **인감증명**을 제출하여야 한다(예규 제1778호 6—③). 이 경우 인감증명을 제출하여야 하는 자가 재외국민인 경우에는 **체류국을 관할**하는 **대한민국 재외공관**(「대한민국 재외공관 설치법」 제2조에 따른 대사관, 공사관, 대표부, 총영사관과 영사관을 의미하며, 공관이 설치되지 아니한 지역에서 영사사무를 수행하는 사무소를 포함한다, 이하 같다)에서 인감을 날인해야 하는 서면에 **공증**을 받았다면 **인감증명**을 제출할 필요가 **없**다(예규 제1778호 6—④).

ㄷ. (×) 1. **재외국민**이 체류국을 관할하는 **대한민국 재외공관**에서 인감을 날인해야 하는 서면에 **공증**을 받았다면 **인감증명**을 제출할 필요가 **없다**. 제1항의 경우 중 규칙 제60조 제1항 **제1호**부터 **제3호**(**閨** 제4호 ~ 제7호×, **예** 상속재산분할협의 위임장×, 상속재산분할협의서×, 제3자의 동의서 또는 승낙서×)까지에 해당하는 등기신청을 하는 경우에는 등기의무자가 재외국민임을 증명하는 정보로서 **재외국민등록부등본**을 등기소에 제공하여야 한다.

　　2. (**閨** 일반적인 경우에는 규칙 제60조 제1항 제4호부터 제7호까지 해당하는 경우에 한하여 공정증서 등으로 인감증명 제출에 갈음할 수 있으나(규칙 제60조 제4항), 재외국민의 경우 제60조 제1항 전부에 대해서 재외공관 공증법의 인증을 받아 인감증명 제출에 갈음할 수 있으므로(규칙 제61조), 재외국민인 경우에는 규칙 제60조 제1항 제1호~제3호에 해당하는 경우에도 재외공관공증법의 인증을 받음으로 인감증명의 제출을 갈음할 수 있는 특례규정이라고 볼 수 있으므로 재외국민을 증명하는 재외국민등록부등본을 첨부하여야 한다는 취지임).

　　3. 따라서 재외국민이 **상속재산분할협의 위임장**에 인감을 날인하고 인감증명을 제공하는 대신 **대한민국 재외공관의 공증**을 받았더라도 **재외국민등록부등본**을 등기소에 **제공할 필요는 없다**.

ㄹ. (○) **상속재산분할협의 권한을 수여받은 대리인**은 본인의 대리인임을 현명하고 대리인의 자격으로 작성한 **상속재산분할협의서**를 등기소에 원인증서로서 제공하여야 한다(예규 제1778호 6-②).

ㅁ. (○) **상속재산분할협의서**에는 **대리인의 인감을 날인**하고 그 **인감증명**을 제출하여야 한다(예규 제1778호 6-④, 규칙 제60조 제1항 제6호). 다만, 상속재산분할협의서를 대리인이 작성하였다는 뜻의 **공증**을 받은 경우에는 **인감증명**을 제출할 필요가 **없다**(규칙 제60조 제4항).

05 **법인의 등기신청절차에 관한 다음 설명 중 가장 옳지 않은 것은?**　▶ 2021 법무사 일부변경

① 법인의 대표이사가 등기신청을 자격자대리인에게 위임한 후 그 등기신청 전에 대표이사가 변경된 경우에는 자격자대리인의 등기신청에 관한 대리권한은 소멸한다.

② 해당 법인의 본점 또는 지점 소재지와 부동산 소재지가 동일한 경우에는 그 법인의 대표자의 자격을 증명하는 정보의 제공을 생략할 수 있다.

③ 해산간주등기는 되어 있지만 등기기록이 폐쇄되지 않은 회사가 근저당권이전등기의 등기의무자인 경우에는 청산인 선임등기를 반드시 먼저 하여야 하고, 인감증명이 필요한 경우에는 법인인감인 청산인의 인감을 제출하여야 한다.

④ 청산인 등기가 된 상태에서 청산법인의 등기기록이 폐쇄된 경우에, 청산법인이 등기의무자로서 등기를 신청하기 위해서는 그 폐쇄된 법인 등기기록을 제공할 수 있고, 인감증명의 제출이 필요한 경우에는 인감증명법에 의한 청산인의 개인인감을 제공하면 된다.

⑤ 국내에 영업소나 사무소의 설치 등기를 하지 아니한 외국법인도 등기당사자능력이 있으므로 일반적인 첨부정보 외에 시장·군수 또는 구청장이 부여한 등록번호정보와 외국법인의 존재를 인정할 수 있는 정보를 제공하여 근저당권자로서 등기신청을 할 수 있다.

해설 ① 소유권이전등기의 등기의무자인 회사의 **대표이사 갑**이 그 소유권이전등기신청을 **법무사**에게 **위임**한 후 그 등기신청 전에 **대표이사가** 을로 **변경**된 경우에도 **법무사**의 등기신청에 관한 **대리권한**은 **소멸**하지 **않**는다고 보아야 할 것(**註** 종전 대표이사 갑이 법무사에게 위임한 경우 그 효과는 법인에게 귀속되는 것이고 그 이후 본인이나 대리인이 사망한 것도 아니고, 원인관계가 종료하거나 수권행위를 철회한 것도 아니므로)이므로, 그 등기신청서에 등기신청을 위임한 대표이사 **갑이 위임 당시**에 당해 회사의 대표이사임을 증명하는 **회사등기부등본**(발행일로부터 3월 이내의 것)과 **그(갑)의 인감증명**(발행일로부터 3월 이내의 것)을 첨부하였다면, 위임장을 당해 회사의 새로운 대표이사 을 명의로 다시 작성하거나 그 을 명의로 된 회사등기부등본과 인감증명을 새로 발급받아 등기신청서에 첨부할 필요는 없다(선례 제5-125호).

② 첨부정보가 「상업등기법」 제15조(「비송사건절차법」 제66조 및 제67조에 따라 준용되는 경우를 포함한다)에 따른 등기사항증명정보로서 해당 법인의 본점(또는 주사무소) 또는 지점(또는 분사무소) 소재지와 부동산 소재지가 동일한 경우에는 그 제공을 생략할 수 있다(규칙 제46조 제5항).

③ 1. 회사가 해산한 때에는 합병·분할·분할합병 또는 파산의 경우 외에는 **이사**가 청산인이 된다. 다만, **정관에 다른 정함**이 있거나 **주주총회에서 타인을 선임**한 때에는 그러하지 아니하다. 이에 따른 청산인이 없는 때에는 **법원**은 이해관계인의 청구에 의하여 청산인을 선임한다(상법 제531조).

2. 「상법」 규정에 의하여 해산간주등기는 경료되었지만, 아직 등기기록이 폐쇄되지 아니한 회사가 근저당권이전등기의 등기의무자가 되어 등기를 신청하는 경우, 그 회사의 **해산 당시의 이사**가 **당연히 청산인이 되어 대표권을 행사할 수는 없으**므로 청산인 선임등기를 반드시 먼저 하여야 한다. 위 근저당권이전등기신청 시에는 등기예규에 따라 청산인임을 증명하는 서면으로서 청산인 등기가 되어 있는 법인등기사항증명서를 등기신청서에 첨부하여야 하고, 인감증명이 필요한 경우에는 법인인감인 청산인의 인감을 첨부하여야 한다(선례 제201208-5호).

④ 폐쇄된 법인등기부에 청산인 등기가 되어 있는 경우 청산인은 그 **폐쇄된 법인등기부등본**을 청산인임을 증명하는 서면으로 첨부하여 부동산등기신청을 할 수 있고, 인감증명의 제출이 필요한 경우에는 인감증명법에 의한 **청산인의 개인인감**을 첨부할 수 있다.

⑤ 1. 국내에 영업소나 사무소의 설치 등기를 하지 아니한 외국법인이 근저당권자로서 근저당권설정등기를 신청하는 경우에 「법인 아닌 사단의 등기신청에 관한 업무처리지침」(등기예규 제1435호)은 적용되지 않는다. 따라서 일반적인 첨부정보 외에 부동산등기용 등록번호 증명서(**註** 시장·군수·구청장이 부여함)와 외국법인의 존재를 인정할 수 있는 서면을 첨부정보로 제공하면 될 것이다(선례 제201310-5호).

2. 외국법인의 존재를 인정할 수 있는 서면으로는 법인등기부가 있는 국가인 경우(일본 등)에는 법인격의 존재, 명칭, 본점이나 주사무소 소재지가 표시된 등기사항증명서이고, 법인등기부가 없는 국가인 경우에는 법인의 명칭과 본점이나 주사무소의 존재를 인정할 수 있는 서면, 법인의 정관 또는 법인의 성질을 식별할 수 있는 서면, 대표자의 자격을 증명하는 서면(위 각 서면은 본국 관할 관청이나 대한민국에 있는 그 외국의 영사의 인증 또는 본국 공증인의 공증을 얻은 것이어야 함) 등이 될 것이나 위와 같은 서면으로서의 요건을 갖추었는지 여부는 구체적인 사건에서 등기관이 판단할 사항이다.

3. 또한 등기기록에는 국내법인과 동일하게 법인의 명칭과 주사무소 소재지를 기록하여야 하지만 대표자에 관한 사항은 등기사항이 아니므로 기록하지 않는다(등기선례 제201310-5호)(**註** 설치등기를 하지 않았다고 하여 법인 아닌 사단 또는 재단처럼 대표자 또는 관리인을 등기하는 것이 아님에 주의).

06 청산법인의 등기신청에 관한 다음 설명 중 가장 옳지 않은 것은? ▶ 2023 법무사

① 청산종결등기가 된 경우라 하더라도 청산사무가 아직 종결되지 아니한 때에는 청산법인으로서 등기당사자능력이 있다.

② 청산법인의 등기기록이 폐쇄되지 아니한 경우 청산인이 등기신청을 하기 위해서는 청산인임을 증명하는 서면으로서 청산인 등기가 되어 있는 법인등기사항증명서를 첨부하고, 인감증명의 제출이 필요한 경우에는 법인인감인 청산인의 인감을 첨부하여야 한다.

③ 청산법인의 등기기록이 폐쇄된 경우 청산법인이 등기권리자인 때에는 폐쇄된 청산법인의 등기기록을 부활하여 청산인임을 증명하는 서면으로 청산인 등기가 마쳐진 등기사항증명서를 제출하여야 한다.

④ 청산법인이 등기의무자인 때에 폐쇄된 법인등기기록에 청산인 등기가 되어 있는 경우에도 인감증명의 제출이 필요한 경우에는 청산법인의 등기기록을 부활하고 법인인감인 청산인의 인감을 첨부하여야 한다.

⑤ 청산법인이 등기의무자인 때에 폐쇄된 법인등기기록에 청산인 등기가 되어 있지 아니한 경우에는 폐쇄된 법인등기기록을 부활하여 청산인 등기를 마친 다음 그 등기사항증명서를 청산인임을 증명하는 서면으로 첨부하고, 인감증명의 제출이 필요한 경우에는 법인인감인 청산인의 인감을 첨부하여야 한다.

> **해설** ④ **청산법인**이 등기**의무자**인 때에 **폐쇄**된 법인등기부에 **청산인 등기가 되어 있는 경우** 청산인은 그 **폐쇄된 법인등기부등본**을 청산인임을 증명하는 서면으로 첨부하여 부동산등기신청을 할 수 있고, 인감증명의 제출이 필요한 경우에는 인감증명법에 의한 **청산인의 개인인감**을 첨부할 수 있다(예규 제1087호, 3–나–(1)).
>
> ① 청산법인이란 존립기간의 만료나 기타 사유로 법인이 해산된 후 청산절차가 진행 중인 법인을 말하며, **청산종결등기가 된 경우라 하더라도 청산사무가 아직 종결되지 아니한 경우**에는 **청산법인에 해당**한다(예규 제1087호). 이러한 청산법인은 **등기당사자능력**이 **인정**된다(대판 1997.4.22, 97다3408). 따라서 청산법인도 등기권리자 또는 등기의무자의 지위에서 **등기를 신청할 수 있다.**
>
> ② **청산법인**의 등기기록이 **폐쇄되지 아니**한 경우 청산인이 등기신청을 하기 위해서는 청산인임을 증명하는 서면으로서 청산인 등기가 되어 있는 법인등기사항증명서를 첨부하고, 인감증명의 제출이 필요한 경우에는 **법인인감인 청산인의 인감**을 첨부하여야 한다(예규 제1087호).
>
> ③ **청산법인**의 등기기록이 **폐쇄**된 경우 청산법인이 등기**권리자**인 때에는 폐쇄된 청산법인의 등기기록을 **부활**하여 청산인임을 증명하는 서면으로 **청산인 등기가 마쳐진 등기사항증명서**를 제출하여야 한다(예규 제1087호, 3–가).
>
> ⑤ **청산법인**이 등기**의무자**인 때에 **폐쇄**된 법인등기기록에 **청산인 등기가 되어 있지 아니**한 경우에는 폐쇄된 법인등기기록을 **부활**하여 **청산인 등기를 마친 다음 그 등기사항증명서**를 청산인임을 증명하는 서면으로 첨부하고, 인감증명의 제출이 필요한 경우에는 **법인인감인 청산인의 인감**을 첨부하여야 한다(예규 제1087호, 3–나–(2)).

정답 ▶ **06** ④

07 비법인 사단 또는 재단의 등기신청에 관한 다음 설명 중 가장 옳지 않은 것은? ▶ 2021 법무사

① 법인 아닌 사단이나 재단에 속하는 부동산에 관한 등기는 그 사단이나 재단의 명의로 그 대표자나 관리인이 신청한다.

② 종중 명의로 된 부동산의 등기부상 주소인 종중의 사무소 소재지가 수차 이전되어 그에 따른 등기명의인표시변경등기를 신청할 경우에는, 주소변경을 증명하는 서면으로 주소 변동 경과를 알 수 있는 신·구 종중 규약을 첨부하면 될 것이고, 그 변경등기는 등기부 상의 주소로부터 막바로 최후의 주소로 할 수 있다.

③ 'ㅇㅇ계' 명의의 등기신청이 있는 경우, 같은 계의 규약에 의하여 그 실체가 법인 아닌 사단으로서 성격을 갖춘 경우에는 그 등기신청을 수리하여야 할 것이나, 각 계원의 개성 이 개별적으로 뚜렷하게 계의 운영에 반영되게끔 되어 있고 계원의 지위가 상속되는 것 으로 규정되어 있는 등 단체로서의 성격을 갖는다고 볼 수 없는 경우에는 그 등기신청을 각하하여야 한다.

④ 대표자나 관리인이 있는 법인 아닌 사단이나 재단에 속하는 부동산의 등기에 관하여는 그 사단 또는 재단이 등기권리자 또는 등기의무자로서 등기신청적격이 있으므로 아파트 입주자대표회의의 명의로 그 대표자 또는 관리인이 등기를 신청할 수 있다.

⑤ 대표자 또는 관리인을 증명하는 서면 등이 결의서로써 그 결의서 작성 당시에 인감이 날인되어 있다면, 이와는 별도로 2인 이상의 성년자가 사실과 상위함이 없다는 취지와 성명 기재 및 인감 날인 등을 할 필요가 없다.

해설 ⑤ 법인 아닌 사단이 등기를 신청하는 경우 그 대표자 또는 관리인을 증명하는 서면 등에 **성년자 2인 이상의 인감을 날인하도록 한 취지**는, 그 서면에 기재된 내용이 사실이며 등기신청을 하는 현재 시점에도 여전히 유효하다는 점을 보증하도록 하고자 하는 것인바, **비록 그 서면이 결의서 로써 결의서 작성 당시 인감이 날인되어 있다고 하더라도** 이는 그 결의 당시의 사실을 확인하는 의미만 있을 뿐, 그러한 사실이 현재 등기신청하는 시점까지 유효하다는 의미까지 포함될 수는 없는 것이다. 따라서 비록 대표자 또는 관리인을 증명하는 서면 등이 결의서로써 **그 결의서 작성 당시에 인감이 날인되어 있다고 하더라도**, 이와는 별도로 2인 이상의 성년자(결의서 작성 당시에 날인한 자와 동일인이더라도 무방함)가 사실과 상위함이 없다는 취지와 성명을 기재하고 인감을 날인하여야 할 것이다(선례 제200709–3호).

① 1. 법인의 산하단체로서 법인의 업무상 지도감독을 받는다고 하더라도, 규약에 근거하여 의사결 정기관과 집행기관 등의 **조직**을 갖추고 있고, 기관의 의결이나 업무집행방법이 **다수결의 원칙** 에 의하여 행하여지며, 구성원의 가입·탈퇴 등으로 인한 변경에 관계없이 **단체 그 자체가 존속**된다면, 그 산하단체는 법인과는 별개의 독립된 **비법인 사단**이라고 볼 수 있으며, 사단의 실질을 구비한 이상 그 조직과 활동을 규율하는 규범이 상부 단체인 법인의 것이라 하여 사단 성을 상실하는 것도 아니다(대판 2008.10.23, 2007다7973).

2. 종중, 문중, 그 밖에 대표자나 관리인이 있는 법인 아닌 사단이나 재단에 속하는 부동산의 등 기에 관하여는 **그 사단**이나 **재단을 등기권리자** 또 **등기의무자**로 한다. 이러한 등기는 그 **사단** 이나 **재단**의 명의로 **그 대표자나 관리인**이 신청한다(법 제26조).

3. 법 제26조 제1항은 "종중, 문중, 그 밖에 대표자나 관리인이 있는 법인 아닌 사단이나 재단에 속하는 부동산의 등기에 관하여는 그 사단이나 재단을 등기권리자 또는 등기의무자로 한다."

고 하여 **법인 아닌 사단**이나 **재단**에 대하여 **등기당사자능력을 인정**하고 있다(「부동산등기실
무 I」 p.176).

② 종중 명의로 된 부동산의 등기부상 주소인 종중의 사무소 소재지가 수차 이전되어 그에 따른 **등
기명의인표시 변경등기**를 신청할 경우에는, 주소변경을 증명하는 서면으로 주소변동경과를 알 수
있는 신·구종 중 규약을 첨부하면 될 것이고, 그 변경등기는 등기부상의 주소로부터 막바로 **최
후의 주소로** 할 수 있다(선례 제2-498호).

③ 예규 제1621호, 4-가

④ 대표자나 관리인이 있는 법인 아닌 사단이나 재단에 속하는 부동산의 등기에 관하여는 그 사단
또는 재단이 등기권리자 또는 등기의무자로서 등기신청적격이 있으므로 **아파트입주자대표회의**의
명의로 그 대표자 또는 관리인이 등기를 신청할 수 있다(선례 제4-24호).

08 포괄승계와 관련한 부동산등기에 관한 다음 설명 중 가장 옳지 않은 것은? ▸ 2022 법무사

① 피상속인이 생전에 자기 소유 부동산을 매도하고 매매대금을 모두 지급받기 전에 사망한
경우, 상속인은 당해 부동산에 관하여 상속등기를 거칠 필요 없이 상속을 증명하는 서면을
첨부하여 피상속인으로부터 바로 매수인 앞으로 소유권이전등기를 신청할 수 있다.

② 토지 매매계약 후 매도인 명의의 토지거래계약허가신청서를 제출하였으나 매도인이 사
망한 후에 토지거래계약허가증을 교부받은 경우, 상속인은 상속인을 거래당사자로 한 토
지거래계약허가증을 발급받아야만 피상속인으로부터 매수인 앞으로 소유권이전등기를
신청할 수 있다.

③ 甲 법인과 乙 법인을 합병하여 丙 법인을 신설한 경우 丙이 소멸한 법인 명의로 경료되
어 있는 근저당권등기의 말소신청을 함에 있어, 그 등기원인이 합병등기 전에 이미 발생
한 것인 때에는 합병으로 인한 근저당권이전등기를 거칠 필요 없이 곧바로 합병을 증명
하는 정보를 제공하여 말소등기를 신청하면 된다.

④ 법률에 의하여 법인의 포괄승계가 있고 해당 법률의 본문 또는 부칙에 등기기록상 종전
법인의 명의를 승계법인의 명의로 본다는 취지의 간주 규정이 있는 경우에는 승계법인이
등기명의인 표시변경등기를 하지 않고서도 다른 등기를 신청할 수 있다.

⑤ 신청정보의 등기의무자의 표시가 등기기록과 일치하지 아니한 경우 각하사유에 해당하
나, 부동산등기법 제27조에 따라 포괄승계인이 등기신청을 하는 경우는 각하 예외사유
에 해당한다.

해설 ② 1. **토지거래허가구역 내**의 토지 등의 **거래**를 체결하고자 하는 당사자는 공동으로 토지거래계약
또는 예약을 체결하기 전에 그 **허가신청서를 제출**하여야 하고, 허가받은 **내용을 변경**하고자
하는 경우에도 거래계약 또는 예약을 체결하기 전에 **다시 허가신청서를 제출**하여야 하나,

　　　2. **매도인 명의의 토지거래계약허가신청서**를 제출하여 그 **허가를 받기 전에 매도인이 사망**하여
매도인 명의의 토지거래허가증을 교부받은 경우, 상속인은 매도인을 포괄승계한 것이므로 **실
질적인 계약내용의 변경이 없다면**, 상속인은 **매도인 명의의 토지거래허가증**에 상속사실을 증
명하는 서면을 첨부하여 등기신청을 할 수 **있다**(선례 제5-69호).

정답 07 ⑤ 08 ②

① 1. **등기원인**이 **발생한 후**에 **등기권리자** 또는 **등기의무자**에 대하여 상속이나 그 밖의 **포괄승계**가 있는 경우에는 상속인이나 그 밖의 포괄승계인이 (🔒 상대방과 공동으로)그 등기를 신청할 수 있다(법 제27조)(🔒 **상속등기×, 대위상속등기×**).

2. 피상속인이 생전에 자기 소유 부동산을 **매도**하고 매매대금을 모두 지급받기 전에 **사망**한 경우, 상속인은 당해 부동산에 관하여 **상속등기를 거칠 필요 없이** 상속을 증명하는 서면을 첨부하여 피상속인으로부터 **바로 매수인 앞으로** 소유권이전등기를 신청할 수 있다(선례 제6-216호).

3. 피상속인 **사망 후** 그의 소유로 등기되어 있는 부동산을 그의 **상속인으로부터 매수**(🔒 **법 제27조 적용×**)하였다면 **먼저 상속인 앞으로 상속에 인한 소유권이전등기**를 마친 후 매수인 앞으로 소유권이전등기를 할 수 있다(선례 제1-303호).

③ **합병 후 존속하는 회사** 또는 **합병으로 인하여 설립된 회사**는 합병으로 인하여 소멸된 회사의 권리의무를 **포괄승계**하므로(상법 제530조 제2항, 제235조), **합병으로 인하여 소멸된 회사가 합병 전에 그 회사명의로 설정받은 근저당권**에 관하여는 합병으로 인한 근저당권이전등기를 거치지 아니하고서도 합병 후 존속하는 회사 또는 합병으로 인하여 설립된 회사가 그 권리행사를 할 수 있을 것이다. 다만 그 **근저당권등기의 말소등기**는 그 **등기원인이 합병등기 전**에 발생한 것인 때에는 합병으로 인한 **근저당권이전등기를 거치지 아니**하고서도 합병 후 존속하는 회사 또는 합병으로 인하여 설립된 회사가 합병을 증명하는 서면을 첨부하여 **신청할 수 있을 것**이나, 그 **등기원인이 합병등기 후**에 발생한 것인 때에는 **먼저 합병으로 인한 근저당권이전등기**를 거치지 않고서는 신청할 수 없을 것이다(선례 제2-385호).

④ 1. **특별법**에 의하여 **법인이 해산됨과 동시에 설립되는 법인**이 해산되는 법인의 재산과 권리·의무를 **포괄승계**하는 경우, 그 법에 "**해산법인의 등기명의는 신설법인의 등기명의로 본다.**"는 **특별규정**이 있는 때에는 **동일성이 인정**되므로 **등기명의인표시의 변경등기**를 할 수 있다.

2. 마찬가지로 **수차례의 법률개정으로 특수법인의 변경**이 있는 경우 "**종전 법인의 명의는 이를 새로운 법인의 명의로 본다.**"고 규정한 경우, **새로운 법인**은 이러한 사실을 소명하여 **등기명의인표시변경등기를 신청할 수 있다.**

3. **특별법**에 의하여 **법인이 해산됨과 동시에 설립되는 법인**이 해산되는 법인의 재산과 권리·의무를 **포괄승계**하는 경우, 그 법에 "**해산법인의 등기명의는 신설법인의 등기명의로 본다.**"는 **특별규정**이 있는 때에는 **새로운 법인**은 **자신 명의로의 등기절차를 밟지 않고 직접 제3자 명의로 소유권이전등기를 신청할 수 있으므로** "농어촌진흥공사", "농업기반공사" 또는 "한국농촌공사" 소유명의의 부동산에 대하여 매매를 원인으로 소유권이전등기를 신청할 때에 소유명의인의 명칭을 "한국농어촌공사"로 변경하는 **등기명의인표시변경등기를 선행할 필요는 없다**(선례 제201908-3호).

4. 🔒 법률에 의하여 법인의 포괄승계가 있고 종전 법인의 명의를 승계하는 법인의 명의로 본다는 뜻의 간주규정이 있는 경우에는 **양 법인의 동일성이 인정**되므로 해당 부동산을 등기부상으로 승계되는 법인의 명의로 하기 위해서는 **등기명의인표시변경등기를 할 수 있다.** 그러나 법률에서 **포괄승계의 간주규정**이 있으므로 승계법인은 **등기 없이도 당연히 부동산에 대한 권리를 취득**하므로 이후 **다른 등기신청을 위하여서 반드시 등기명의인표시변경등기를 선행할 필요는 없다**는 취지이다.

⑤ 등기관은 **신청정보**의 **등기의무자의 표시**가 **등기기록**과 **일치하지 아니한 경우**에 이유를 적은 결정으로 신청을 **각하**하여야 한다. 다만, **제27조에 따라 포괄승계**인이 등기신청을 하는 경우와 신청정보와 등기기록의 **등기의무자가 동일인임**을 **대법원규칙**으로 정하는 바에 따라 **확인**할 수 있는 경우에는 **각하하지 아니**한다(법 제29조 제7호).

09 대리인에 의한 등기신청에 관한 다음 설명 중 가장 옳은 것은? ▶ 2024 법무사

① 지배인은 영업주에 갈음하여 그 영업에 관한 재판상 또는 재판 외의 모든 행위를 할 수 있는 자이므로, 금융기관의 지배인이 신청대행수수료를 받지 않고 등기권리자인 법인의 대리인 겸 등기의무자의 대리인으로서 계속 반복적으로 근저당권설정등기 신청업무를 수행하더라도 법무사가 아닌 자는 법무사의 업무에 속하는 사무를 업으로 하지 못한다고 규정하는 법무사법 제3조 제1항에 위반되지 않는다.

② 친권자가 미성년자인 자 소유의 부동산을 채무자인 그 미성년자를 위하여 담보로 제공하거나 제3자에게 처분하는 경우에는 그 미성년자인 자에 관한 특별대리인의 선임이 필요하다.

③ 미성년자인 자 2인의 공유부동산에 관하여 공유물분할계약을 하는 경우에는 미성년자인 자 1인에 관한 특별대리인의 선임만 필요하다.

④ 등기권리자와 등기의무자 쌍방으로부터 등기신청 절차의 위임을 받은 법무사는 그 절차가 끝나기 전에 등기의무자로부터 등기신청을 중지해 달라는 요청을 받았다면 등기의무자에 대한 관계에서 그 요청에 응해야 할 위임계약상의 의무가 있다.

⑤ 교도소에 수감 중인 등기의무자를 대리하여 소유권이전등기를 신청하는 경우 위임장에 등기의무자의 인감을 날인하고 인감증명을 첨부하는 대신 수감자가 위임장을 직접 작성하였다는 취지의 교도소장의 확인을 받아 제출할 수 있다.

> **해설** ③ **미성년자인 자 2인**의 공유부동산에 관하여 **공유물분할계약**을 하는 경우 미성년자인 자 **1인**에 관한 **특별대리인**의 선임이 필요하다(예규 제1837호).
>
> ① 1. (㊟ 등기된) **지배인**은 영업주에 갈음하여 그 영업에 관한 재판상 또는 재판 외(㊟ **등기신청**)의 모든 행위를 할 수 **있다**(상법 제11조 제1항).
>
> 2. **금융기관의 지배인**이 등기권리자인 법인의 대리인 겸 등기의무자의 대리인으로서 계속 반복적으로 근저당권설정등기 신청업무를 수행하는 행위는 법무사가 아니면서 법원에 제출하는 서류의 작성·제출을 업으로 하는 것이라 볼 수 있으므로, 신청대행**수수료를 받지 않는다고 하더라도** 법무사법 제3조 제1항에 **위반될 수 있다**(선례 제201111-2호).
>
> ② 친권자가 미성년자인 자 소유의 부동산을 채무자인 그 **미성년자를 위하여** 담보로 제공하거나 제3자에게 처분하는 경우에는 친권자와 미성년자의 이해관계가 상반되지 않으므로 특별대리인을 선임할 필요가 없다(예규 제1837호).
>
> ④ 1. **위임계약**은 각 당사자가 언제든지 해지할 수 있지만(민법 제689조 제1항), 등기권리자, 등기의무자 **쌍방으로부터 위임을 받는 등기신청절차에 관한 위임계약**은 그 **성질상** 등기권리자의 동의 등 특별한 사정이 없는 한 민법 제689조 제1항의 규정에 관계없이 등기의무자 **일방에 의한 해제는 할 수 없다**고 보아야 할 것이므로(대판 1987.6.23. 85다카2239) 등기권리자와 등기의무자 쌍방으로부터 등기신청절차의 위임을 받은 **법무사는** 그 절차가 끝나기 전에 **등기의무자 일방으로부터 등기신청을 중지해 달라는 요청을 받았다고 할지라도** 그 요청을 **거부해야 할 위임계약상의 의무가 있다**고 할 것이다(선례 제4-30호).
>
> 2. 마찬가지로 등기가 접수된 후 등기관에게 **신청인 중 일방이 등기신청 철회의 의사표시**를 한 경우에도 **등기관은** 이를 고려할 필요가 없다.

정답 **09** ③

⑤ **교도소에 재감 중인** 자라 하여 그의 **인감증명서를 발급받을 수 없는 것은 아니**므로(인감증명법 제7조, 같은 법 시행령 제8조, 제13조 참조) 그가 인감 제출을 요하는 등기신청을 함에 있어서는 인감증명서를 제출하여야 하고 재감자가 무인한 등기신청의 위임장이 틀림없다는 취지를 **교도관이 확인**함으로써 **인감증명서의 제출을 생략할 수는 없을 것**이다(예규 제423호). 따라서 교도소에 재감 중인 자가 **위임장**에 인감인의 날인에 갈음하여 **무인**을 찍고 **교도관이 확인**하는 방법으로 작성된 대리권한증서는 적법한 대리권한을 증명하는 정보로 **인정되지 않는다.**

10 등기신청의 대리에 관한 다음 설명 중 가장 옳지 않은 것은? ▶ 2023 법무사

① 등기신청의 대리인이 될 수 있는 자격에는 제한이 없으므로 당사자 중 일방은 상대방을 대리하여 등기를 신청할 수 있다.

② 미성년자인 자의 부모가 공동친권자인 경우로서 친권자가 미성년자를 대리하여 등기신청을 할 때에는 특별한 사정이 없는 한 부모가 공동으로 하여야 한다.

③ 성년후견인이 선임된 경우 성년후견인과 피성년후견인 사이에 이해가 상반되는 내용의 등기신청의 경우에는 피성년후견인을 위한 특별대리인을 선임하여 그 특별대리인이 피성년후견인을 대리하여 등기를 신청하면 된다(후견감독인은 없는 경우를 전제함).

④ 일반적으로 등기신청의 위임에는 등기신청의 취하, 복대리인의 선임, 처분위임장의 원본환부 등의 권한에 대한 위임이 포함된다.

⑤ 법인의 직원이 법인의 위임을 받아 수회에 걸쳐 반복적으로 등기신청업무를 대리하는 행위는 보수의 유무에 관계없이 '법무사가 아닌 자는 법무사법에서 정한 업무를 업으로 하지 못한다'고 규정하고 있는 법무사법 제3조에 위반된다.

> **해설** ④ 1. 대리권이 법률행위에 의하여 부여(🔹 임의대리)된 경우에는 대리인은 본인의 승낙이 있거나 부득이한 사유있는 때가 아니면 복대리인을 선임하지 못한다(민법 제120조)(🔹 **복대리인선임**과 더불어 등기신청의 **취하**와 같은 **특별수권 사항**은 위임장에 그 권한이 **위임된 경우에 한**하여 대리행위를 할 수 있으므로, **위임장에 복대리인 선임에 관한 기재가 없**는데도 복대리인이 등기를 신청하기 위하여는 **별도의 본인의 승낙이 있음을 증명하는 정보**를 제공하여야 한다).
> 2. 신청인으로부터 등기신청서의 첨부서면 중 **재외국민**이 작성한 **처분위임장**과 처분위임장에 날인된 인영을 확인하기 위해 제출한 등기명의인의 인감증명에 대한 **환부신청이 있다면** 등기관은 제출받은 등본에 환부의 취지를 기재하고 **원본을 환부**하여야 할 것이나, 신청인이 당사자가 아닌 **대리인(법무사 등)이 신청**할 경우에는 당사자로부터 원본환부신청에 대해서 **별도의 수권이 있어야 할 것**이다(선례 제8–108호).
> ① 민법 제124조는 "대리인은 본인의 허락이 없으면 본인을 위하여 자기와 법률행위를 하거나 동일한 법률행위에 관하여 당사자 쌍방을 대리하지 못한다. 그러나 채무의 이행을 할 수 있다."고 규정함으로써 사법상의 법률행위에 관하여는 자기계약이나 쌍방대리를 원칙적으로 제한하고 있다. 그러나 **등기신청행위**는 사법상의 행위 또는 법률행위가 아니라 사법상의 권리변동을 위한 법률행위가 행하여진 다음에 그 권리변동을 위하여 법률이 요구하는 또 하나의 요건인 등기라는 공시방법을 갖추기 위한 행위이므로, 민법 제124조에서 말하는 **"채무의 이행"에 준**하는 것으로 볼 수 있다. 따라서 등기권리자가 등기의무자를 대리하여 자기의 등기를 신청할 수 있고(🔹 **상대방 대리**), 동일한 법무사가 등기권리자와 등기의무자 쌍방을 대리하는 등기신청(🔹 **쌍방대리**)도 가능하다.

주의할 점은 본인이 등기당사자 중 일방인 경우에는 타방을 대리하여 등기신청을 할 수 있지만 어디까지나 서면신청에 한하고 자격자 대리인이 아닌 한 **일반인**은 **상대방을 대리**하여 **전자신청**을 할 수는 **없다**(「부동산등기실무Ⅰ」 p.16 참조).

② 미성년자인 자의 **부모**가 **공동친권자**인 경우로서 친권자가 그 미성년자를 대리하여 등기신청을 할 때에는 부모가 **공동**으로 하여야 한다(예규 제1837호).

③ 1. 법정대리인은 미성년자의 승낙을 받을 필요 없이 법정대리인의 이름으로 법률행위를 한다. 그러나 **친권자**와 그 친권에 따르는 **미성년자인 자** 사이에 이해상반되는 행위 또는 **동일한 친권에 따르는 수인의 미성년자인 자** 사이에 **이해상반**되는 행위를 하는 경우, 그 미성년자 또는 그 미성년자 일방의 대리는 **법원에서 선임**한 **특별대리인**이 하여야 한다(민법 제921조).

   2. 여기서 특별대리인이란 가사비송절차에 따라 당사자의 청구에 의하여 **가정법원이 선임한 자**를 말한다.

   3. 위와 같은 특별대리인 선임에 관한 내용은 **후견인**과 **피후견인**의 이해가 상반되는 경우에도 **적용**된다(민법 제949조의3 본문, 예규 제1837호). 다만, **후견감독인이 있는 경우**에는 **그러하지 아니**한다.

   4. 왜냐하면, 후견인과 피후견인 사이에 이해가 상반되는 행위에 관하여는 **후견감독인이 피후견인을 대리하기 때문**이다(민법 제949조의3 단서).

   5. 즉, **후견인**와 **피후견인** 사이에 **이해가 상반**되는 내용의 등기신청을 할 때에 **후견감독인이 없는 경우**에는 **특별대리인을 선임**하여야 하지만, **후견감독인이 있는 경우**에는 그 **후견감독인이 대리**하므로 **특별대리인을 선임할 필요가 없다**(민법 제949조의3 단서).

⑤ **변호사 또는 법무사가 아닌 자**도 당사자의 위임을 받아 **등기신청을 대리**할 수 있지만, 변호사 또는 법무사가 아닌 자는 등기신청의 대리를 **업으로 할 수 없고**(법무사법 제3조), 이를 위반하는 경우에는 **형사처벌**을 받게 되는바(같은 법 제74조), **법인 직원**이 **법인의 위임**을 받아 **수회에 걸쳐 반복적으로 등기신청업무를 대리하는 행위**는 변호사나 법무사가 아니면서 등기신청의 대리를 **업으로 하는 것이라고 볼 수 있으므로** 보수의 유무에 관계없이 법무사법 제3조에 **위반**된다(선례 제6-15호).

11 **자격자대리인에 관한 다음 설명 중 가장 옳지 않은 것은?** ▶ 2022 법무사

① 법무사법인이 대리인인 경우에 등기신청서에 기재된 담당 법무사가 누구인지 관계없이 그 법무사법인 소속으로 허가받은 사무원은 누구나 등기신청서의 제출·등기신청의 보정 및 등기필정보의 수령을 할 수 있다.

② 자기 소유의 부동산을 매도한 법무사가 매수인으로부터 그 소유권이전등기신청을 위임받았으나 등기필정보가 없는 경우에 등기의무자인 자기에 대한 확인서면을 스스로 작성할 수 없다.

③ 자격자대리인으로부터 등기신청서를 제출받은 접수담당자는 변호사신분증이나 법무사신분증 외에 자격확인증으로도 자격자대리인의 출석여부를 확인할 수 있다.

④ 법무사법인이 당사자로부터 등기신청을 위임받아 甲법무사가 그 업무에 관하여 지정을 받은 경우 A등기신청서에 담당 법무사로 기재되지 않은 乙법무사는 위 법무사법인 소속 법무사임을 소명하여 A등기신청서를 제출할 수 있다.

⑤ 등기신청절차에 관한 위임계약의 성질상 등기권리자와 등기의무자 쌍방으로부터 등기신청절차의 위임을 받은 법무사는 그 절차가 끝나기 전에 등기의무자 일방으로부터 등기신청을 중지해 달라는 요청을 받았다고 할지라도 그 요청을 거부해야 할 위임계약상의 의무가 있다.

해설 ④ 법무사**법인**이 등기신청을 대리할 때에는 그 업무를 담당할 **법무사를 지정**하여야 하며, 이렇게 **지정받은 법무사만**이 그 업무에 관하여 법인을 **대표**하게 되므로(법무사법 제41조), 그 법인 소속 법무사라 하더라도 **지정받은 법무사가 아닌 다른 법무사는** 해당 등기신청에 관한 행위(**신청서 제출, 신청의 보정 및 등기필정보의 수령 등**)를 할 수 **없다**(선례 제202001-6호).

① 법무사**법인**이 대리인인 경우에 등기신청서에 기재된 담당 법무사가 누구인지 관계없이 「부동산등기규칙」 제58조 제1항에 따라 그 법무사**법인 소속**으로 **허가받은 사무원은 누구나** 등기신청서의 제출·등기신청의 보정 및 등기필정보의 수령을 할 수 있다(선례 제202001-6호).

② 「부동산등기법」 제51조에 따라 변호사나 **법무사가 확인서면을 작성**하는 것은 **준공증적 성격의 업무**이므로 공증인의 제척에 관한 사항을 규정하고 있는 「공증인법」 제21조의 취지에 비추어 볼 때, **자기 소유의 부동산을 매도한 법무사가 매수인으로부터 그 소유권이전등기신청을 위임받았으나 등기필정보가 없는 경우**에 등기의무자인 **자기에 대한 확인서면을 스스로 작성**할 수 **없다**(선례 제201112-4호).

③ 1. 등기신청서를 제출받은 접수담당자는 제3조 제1항에 따라 **당사자 본인이나 그 대리인이 출석하였는지를 확인**하여야 하며, **출입사무원이 출석**한 경우에는 등기신청서에 제3조 제2항의 표시인을 찍고 그 **성명을 기재하였는지도 확인**하여야 한다.

2. 접수담당자는 **주민등록증, 운전면허증, 여권이나 그 밖에 이에 준하는 신분증**으로 당사자 본인이나 그 대리인이 출석하였는지를 확인한다.

3. 다만 등기과·소에 출석한 자가 변호사 또는 **법무사**인 경우에는 변호사신분증이나 **법무사신분증**(🏛 실물 신분증) 또는 **자격확인증**(🏛 애플리케이션)으로, **출입사무원**인 경우에는 **전자출입증**(🏛 애플리케이션)으로 이를 확인한다(예규 제1718호).

⑤ 1. **위임계약**은 각 당사자가 언제든지 해지할 수 있지만(민법 제689조 제1항), 등기권리자, 등기의무자 **쌍방으로부터 위임을 받는 등기신청절차에 관한 위임계약은** 그 **성질상** 등기권리자의 동의 등 특별한 사정이 없는 한 민법 제689조 제1항의 규정에 관계없이 등기의무자 **일방에 의한 해제는 할 수 없다**고 보아야 할 것이므로(대판 1987.6.23, 85다카2239) 등기권리자와 등기의무자 쌍방으로부터 등기신청절차의 위임을 받은 **법무사는** 그 절차가 끝나기 전에 **등기의무자 일방으로부터 등기신청을 중지해 달라는 요청을 받았다고 할지라도 그 요청을 거부해야 할 위임계약상의 의무가 있다**고 할 것이다(선례 제4-30호).

2. 마찬가지로 등기가 접수된 후 등기관에게 **신청인 중 일방이 등기신청 철회의 의사표시를 한** 경우에도 **등기관**은 이를 고려할 필요가 없다.

12 대리인에 의한 등기신청에 관한 다음 설명 중 가장 옳지 않은 것은? ▸2021 법무사

① 대리인에 의하여 등기를 신청하는 경우에는 그 권한을 증명하는 정보를 첨부정보로서 등기소에 제공하여야 한다.

② 금융기관의 지배인이 등기권리자인 법인의 대리인 겸 등기의무자의 대리인으로서 계속 반복적으로 근저당권설정등기 신청업무를 수행하였더라도 신청대행수수료를 받지 않았다면 법무사법 제3조 제1항(법무사가 아닌 자는 법무사의 업무에 속하는 사무를 업으로 하지 못한다)에 위반되지 않는다.

③ 등기권리자와 등기의무자 쌍방으로부터 등기신청절차의 위임을 받은 법무사는 그 절차가 끝나기 전에 등기의무자 일방으로부터 등기신청을 중지해 달라는 요청을 받았다고 할지라도 그 요청을 거부해야 할 위임계약상의 의무가 있다.

④ 등기신청은 그 권리자 또는 의무자가 상대방의 대리인이 되거나 쌍방이 동일인에게 위임하여 할 수 있으므로 등기권리자는 등기의무자로부터 등기신청을 위임받아 등기신청을 할 수 있다.

⑤ 등기신청 대리권한에는 등기필정보 수령권한이 포함된다고 볼 것이다.

> **해설** ② **금융기관의 지배인**이 등기권리자인 법인의 대리인 겸 등기의무자의 대리인으로서 계속 반복적으로 근저당권설정등기 신청업무를 수행하는 행위는 법무사가 아니면서 법원에 제출하는 서류의 작성·제출을 업으로 하는 것이라 볼 수 있으므로, 신청대행**수수료를 받지 않는다고 하더라도** 법무사법 제3조 제1항에 위반될 수 있다(선례 제201111-2호).
>
> ① 등기를 신청하는 경우에는 **대리인**에 의하여 등기를 신청하는 경우에는 **그 권한을 증명**하는 정보(㉾ 위임장, 가족관계증명서 등)를 그 신청정보와 함께 첨부정보로서 등기소에 제공하여야 한다(규칙 제46조 제1항 제5호).
>
> ③ **위임계약**은 각 당사자가 언제든지 해지할 수 있지만(민법 제689조 제1항), 등기권리자, 등기의무자 **쌍방으로부터 위임을 받는 등기신청절차에 관한 위임계약**은 그 성질상 등기권리자의 동의 등 특별한 사정이 없는 한 민법 제689조 제1항의 규정에 관계없이 등기의무자 일방에 의한 해제는 할 수 없다고 보아야 할 것이므로(대판 1987.6.23, 85다카2239) 등기권리자와 등기의무자 쌍방으로부터 등기신청절차의 위임을 받은 **법무사는** 그 절차가 끝나기 전에 **등기의무자 일방으로부터 등기신청을 중지해 달라는 요청을 받았다고 할지라도** 그 요청을 거부해야 할 위임계약상의 의무가 있다고 할 것이다(선례 제4-30호). 마찬가지로 등기가 접수된 후 등기관에게 **신청인 중 일방이 등기신청 철회의 의사표시**를 한 경우에도 **등기관**은 이를 고려할 필요가 없다.
>
> ④ 등기의 신청은 등기권리자 또는 의무자가 **상대방의 대리인**이 되거나 **쌍방이 동일인에게 위임**하여 할 수 있지만, 법무사 아닌 자는 타인을 대리하여 등기신청하는 것을 업으로 할 수는 없다(선례 제3-27호).
>
> ⑤ [등기신청 대리인의 대리권한에 등기필정보 수령권한이 포함되는지 여부](선례 제201705-2호) **등기신청 대리권한**에는 등기필정보 수령권한이 포함된다고 볼 것이고, 한편 등기를 신청함에 있어서 임의대리인이 될 수 있는 자격에는 제한이 없으므로 등기의무자라고 하더라도 등기권리자로부터 등기신청에 대한 대리권을 수여받아 등기를 신청한 경우나 등기권리자로부터 **등기필정보 수령행위에 대한 위임**을 받은 경우에는 등기필정보를 교부받을 수 있다. 다만, 등기필정보 수령행위만

정답 ▸ 12 ②

을 위임받은 경우에는 그 위임사실을 증명하기 위하여 위임인의 인감증명 또는 신분증 사본을 첨부한 **위임장**을 제출하여야 하고, **가족관계증명서**는 위임사실을 증명하는 서면이라고 볼 수 **없다**.

[법무사합동사무소 소속 법무사 상호 간에 등기필정보 수령행위에 대한 위임 가부와 그 방법]
(선례 제201808-1호)

1. 등기신청을 위임받은 법무사는 복대리인 선임에 관한 본인의 허락이 있는 경우에 한하여 다른 사람에게 그 등기신청을 다시 위임할 수 있으나, 등기신청 대리 권한에 포함되어 있는 **등기필정보 수령 권한만을 다른 사람에게 위임할 때에는** 복대리인 선임에 관한 **본인의 명시적인 허락이 있어야 할 필요는 없다.** 따라서 등기신청을 위임받은 법무사는 그가 속한 법무사합동사무소의 대표 법무사 또는 **다른 구성원 법무사에게 등기필정보 수령 권한만을 다시 위임할 수 있고** 이렇게 등기필정보 수령 권한만을 위임받은 자가 등기소에 출석하여 등기필정보를 수령할 때에는 그 위임사실을 증명하는 **위임장**과 위임인의 인감증명서 또는 신분증 사본을 제시하여야 하지만, **본인(등기권리자)의 허락이 있음을 증명하는 서면**은 제시할 필요가 **없다**.

2. 법무사 사무원은 법무사의 업무를 보조하는 자에 불과하므로 등기신청을 위임받은 법무사가 **다른 법무사의 사무원에게 직접 등기필정보 수령 권한을 다시 위임**할 수는 **없다**. 한편 **등기필정보 수령 권한을 위임받은 법무사는** 자신이 **직접** 등기소에 출석하여 등기필정보를 수령하거나 **그 소속 사무원**을 등기소에 출석하게 하여 등기필정보를 수령할 수도 있다.

[법무사법인의 업무담당 법무사로 지정받지 아니한 다른 법무사가 등기필정보를 수령할 수 있는지 여부](선례 제202001-6호)

1. **법무사법인**이 등기신청을 대리할 때에는 그 업무를 **담당할 법무사를 지정**하여야 하며, 이렇게 지정받은 법무사만이 그 업무에 관하여 법인을 대표하게 되므로(법무사법 제41조), 그 법인 소속 법무사라 하더라도 지정받은 법무사가 아닌 **다른 법무사는** 해당 **등기신청에 관한 행위(신청서 제출, 신청의 보정 및 등기필정보의 수령 등)**를 할 수 **없다**. 다만, 해당 등기신청 업무에 관하여 지정받은 법무사가 등기신청서를 제출한 후에 등기신청서를 제출하지 아니한 그 법인 소속 **다른 법무사가 등기필정보의 수령 업무만**에 관하여 **별도로 지정**을 받았다면 그 법무사는 이를 소명하는 자료(**지정서**)를 제시하고 등기필정보를 **수령할 수 있다**.

2. 한편 법무사법인이 대리인인 경우에 등기신청서에 기재된 담당 법무사가 누구인지 관계없이 「부동산등기규칙」 제58조 제1항에 따라 그 **법무사법인 소속으로 허가받은 사무원은 누구나** 등기신청서의 제출·등기신청의 보정 및 등기필정보의 수령을 할 수 **있다**.

13 미성년자의 대리인에 의한 등기신청에 관한 다음 설명 중 가장 옳지 않은 것은?

▶ 2025년 법무사

① 미성년자인 자 2인의 공유부동산에 관하여 공유물분할계약을 하는 경우 미성년자인 자 1인에 관한 특별대리인의 선임이 필요하다.

② 친권자가 미성년자인 자와 공유하고 있는 부동산에 대하여 친권자만을 채무자로 하는 담보신탁계약을 체결하고 이에 따라 소유권이전등기를 신청하는 경우, 미성년자인 자에 대하여 특별대리인의 선임이 필요하다.

③ 친권자와 미성년자인 자의 공유부동산에 관하여 친권자와 그 미성년자를 공동채무자로 하거나 그 미성년자만을 채무자로 하여 저당권설정등기를 신청하는 경우, 특별대리인을 선임할 필요가 없다.

④ 미성년후견인과 미성년자 사이에 이해가 상반되는 행위에 관하여 미성년후견감독인이 있으면 그 미성년자 또는 그 미성년자 일방의 대리는 미성년후견감독인이 하여야 한다.

⑤ 민법 제909조 제4항부터 제6항까지의 규정에 따라 단독친권자로 정하여진 부모의 일방이 사망한 경우 생존하는 부 또는 모의 친권은 당연히 부활하므로 생존하는 부 또는 모는 별도의 친권자 지정 절차를 거치지 않더라도 미성년자인 자를 대리하여 등기신청을 할 수 있다.

해설 ⑤ 민법 제909조 제4항부터 제6항까지의 규정에 따라 **단독 친권자로 정하여진 부모의 일방이 사망**한 경우 가정법원은 **생존하는 부 또는 모를 친권자로 지정할 수 있다**(민법 제909조의2 제1항, 제4항). 이 경우 **생존하는 부 또는 모의 친권은 자동으로 부활하지 않는다.**
따라서 생존하는 부 또는 모가 대리행위를 하기 위해서는 **별도의 친권자 지정 절차를 거쳐야 한다.**

① **미성년자인 자 2인**의 공유부동산에 관하여 **공유물분할계약**을 하는 경우 미성년자인 자 **1인**에 관한 **특별대리인**의 선임이 **필요**하다(예규 제1837호).

② 친권자가 미성년자인 자와 공유하고 있는 부동산에 대하여 **친권자만을 채무자**로 하는 **담보신탁계약을 체결**하고 이에 따라 **소유권이전등기**를 신청하는 경우 미성년자인 자에 대하여 **특별대리인**의 선임이 **필요**하다(예규 제1837호).

③ 친권자와 미성년자인 자의 공유부동산에 관하여 친권자와 그 미성년자를 **공동채무자**로 하거나 그 **미성년자만을 채무자**로 하여 **저당권**설정등기를 신청하는 경우 **특별대리인**을 선임할 **필요가 없다**(예규 제1837호).

④ **미성년후견인**과 **미성년자** 사이에 이해가 상반되는 행위에 관하여 **특별대리인을 선임해야 하는 경우 미성년후견감독인이 있으면** 그 미성년자 또는 그 미성년자 일방의 대리는 **미성년후견감독인이 하여야** 한다(예규 제1837호).

---

14 대위등기신청에 관한 다음 설명 중 가장 옳지 않은 것은? ▸ 2024 법무사

① 채권자가 채무자에 대한 소유권이전등기청구권을 보전하기 위하여 채무자를 대위하여 등기를 신청하는 경우에는 채무자의 무자력을 요건으로 하지 아니한다.

② 주택법 제61조 제3항의 규정에 따른 금지사항 부기등기가 마쳐진 주택에 대한 가압류채권자는 당해 주택에 입주예정자가 없다는 사실을 증명하여 부기등기의 말소를 대위신청할 수 있다.

③ 1동의 건물에 속하는 구분건물 중 일부만에 관하여 소유권보존등기를 신청하는 경우에는 구분건물의 소유자는 다른 구분건물의 소유자를 대위하여 1동의 건물에 속하는 구분건물 전부에 대하여 소유권보존등기를 신청할 수 있다.

④ 어느 부동산의 진정한 소유자인 甲이 소유권보존등기 명의인인 乙을 상대로 제기한 소에서 乙 명의의 소유권보존등기를 말소하라는 판결을 받은 경우 甲은 乙을 대위하여 乙 명의의 소유권보존등기의 말소등기를 신청할 수 있다.

⑤ 대위신청에 따른 등기를 한 경우 등기관은 대위신청인인 채권자와 피대위자인 채무자에게 등기완료통지를 하여야 하나, 등기필정보의 작성·통지는 하지 않는다.

정답 ▸ 13 ⑤ 14 ③

해설 ③ 1동의 건물에 속하는 **구분건물** 중 **일부만**에 관하여 소유권**보존**등기를 신청하는 경우에는 **나머지 구분건물**의 표시에 관한 등기를 **동시**에 **신청하여야** 한다. 이 경우에 **구분건물의 소유자**는 **1동에 속하는 다른 구분건물의 소유자**를 **대위**하여 그 건물의 표시에 관한 등기를 신청할 수 있다(법 제46조 제1항, 제2항).

① 피보전채권이 금전채권인 경우에는 채권자대위의 일반원칙에 따라 채무자의 무자력이 요구된다. 그러나 현실적으로 금전채권자에 의한 대위등기를 인정한다고 하여도 채무자에게는 불이익이 없고, 이를 인정하지 않을 경우 오히려 채권자의 권리행사를 사실상 막아버리는 결과가 되어 채권자에게 가혹하다. 이러한 이유로 예규에서는 **피보전채권**이 **금전채권**인 경우에도 당해 금전채권 증서 등 대위원인을 증명하는 서면을 첨부하면, 등기관은 **무자력 여부**를 **심사**하지 **않**고 등기신청을 **수리**하도록 하였다(「부동산등기실무Ⅰ」 p.203). 따라서 신청인으로서는 채무자의 무자력 여부를 **증명**할 필요도 **없다**.

② **주택법**의 규정에 따른 **금지사항의 부기등기**가 경료된 주택이나 **미분양**으로 **입주예정자가 없는 경우**, **사업주체**는 **그 사실을 증명**하는 서면을 첨부하여 당해 주택에 관한 금지사항 부기등기의 **말소**를 신청할 수 있으므로, **가압류채권자**는 당해 주택에 **입주예정자가 없다는 사실을 증명**하는 서면과 **대위원인을 증명하는 서면(가압류결정문 등)**을 첨부하여 **위 부기등기**의 **말소**를 **대위**신청할 수 있다(선례 제200507-8호).

④ 1. **소유권보존등기** 또는 **소유권보존등기의 말소**등기는 등기명의인으로 될 자 또는 **등기명의인이 단독**으로 신청한다(법 제23조 제2항).

2. 당해 부동산이 보존등기 **신청인의 소유**임을 이유로 **소유권보존등기의 말소를 명한 판결**을 얻은 경우 그 판결에 신청인의 소유임을 확인하는 내용이 들어 있다면 그 판결에 의해 **대위**로 **보존**등기를 **말소**한 후 **자기 명의로 새로이 보존**등기를 신청할 수 있으므로(예규 제1483호, 3-다-(1)), **甲이 乙을 상대**로 甲의 소유임을 이유로 **乙명의의 소유권보존등기의 말소를 명한 판결**을 받은 경우에 **甲은 乙을 대위**하여 **乙명의의 소유권보존**등기를 **말소**할 수 있다.

3. 이 경우 甲은 민법 제214조에 따른 실체법상 말소등기청구권을 가지고 있지만 등기절차상 등기권리자(등기신청인)은 乙이다. 이렇게 실체법상 청구권자와 등기절차상 등기권리자가 다른 경우에는 대위등기의 방식으로 등기를 신청하게 된다.

⑤ **등기명의인이 신청하지 않은 채권자대위**에 의한 **등기**를 하는 경우에는 대위신청인인 **채권자**와 **피대위자**인 채무자에게 **등기완료통지**를 하여야 하나, **등기명의인**을 위한 **등기필정보**를 **작성**하지 **아니**한다(예규 제1840호).

15 대위등기에 관한 다음 설명 중 가장 옳지 않은 것은?
▶ 2022 법무사

① 채권자는 채무자가 상속을 포기한 경우에도 채무자를 대위하여 상속을 원인으로 하는 소유권이전등기를 신청할 수 있다.

② 부동산에 대하여 소유권이전등기절차를 명하는 승소의 확정판결을 받은 甲이 그 판결에 따른 소유권이전등기절차를 취하지 않는 경우, 그 甲에 대한 금전채권이 있는 자는 대위원인을 증명하는 서면인 소비대차계약서 등을 첨부하여 위 판결에 의한 甲 명의의 소유권이전등기를 甲을 대위하여 신청을 할 수 있다.

③ 관공서가 체납처분으로 인한 압류등기를 촉탁하는 경우에는 등기명의인 또는 상속인을 갈음하여 부동산의 표시, 등기명의인의 표시의 변경, 경정 또는 상속등기를 함께 촉탁할 수 있다.

④ 수용을 위한 사업시행자라도 대상 토지에 대하여 토지소유자와 그 소유권이전에 대한 협의가 이루어지거나 또는 수용의 효력이 발생하기 전까지는 대위원인이 있다고 볼 수 없으므로 토지소유자를 대위하여 토지표시변경등기를 신청할 권한이 없다.

⑤ 근저당권설정자가 사망한 후 근저당권자가 근저당권을 실행하기 위해서는 근저당권설정자의 상속인을 채무자 겸 소유자로 표시하고 상속을 증명하는 서면을 첨부하여 경매신청을 하거나, 근저당권설정자의 상속인을 대위하여 상속등기를 먼저 한 후 상속인을 소유자로 표시하여 경매신청을 하여야 하는데 어느 경우든 근저당권자는 대위 상속등기를 하여야 한다.

해설 ① 1. 대위등기신청은 채권자가 채무자의 등기신청권을 대위 행사하는 것이므로 그 전제로서 **채무자에게 등기신청권이 있어야 한다.** 채무자에게 등기신청권이 없으면 당연히 대위등기신청도 생각할 수 없다.

2. 예를 들어 **채무자인 상속인**이 **상속포기**를 한 경우에는 채무자에게 **등기신청권**이 **없**으므로 채권자는 상속인을 **대위**하여 상속등기를 신청할 수도 **없다**.

3. 다만, 상속의 **한정승인이나 포기를 할 수 있는 기간 내라고 하더라도 상속인은 상속등기를 신청할 수 있는바**, 마찬가지로 상속인의 채권자도 상속인을 **대위**하여 상속등기를 신청할 수 **있다**(「부동산등기실무 I」 p.201).

② 부동산에 대하여 소유권이전등기절차를 명하는 **승소의 확정판결을 받은 갑**이 그 판결에 따른 소유권이전**등기절차를 취하지 않는 경우**, 그 **갑에 대한 금전채권이 있는 자**는 대위원인을 증명하는 서면인 소비대차계약서 등을 첨부하여 위 판결에 의한 갑명의의 소유권이전등기를 **갑을 대위**하여 **신청**을 할 수 있다(선례 제6-160호).

③ 1. **관공서가 체납처분으로 인한 압류등기를 촉탁**하는 경우에는 등기명의인 또는 상속인 그 밖의 포괄승계인을 갈음(註 대위)하여 부동산의 표시, 등기명의인의 표시의 변경, 경정 또는 상속 그 밖의 포괄승계로 인한 권리이전의 등기를 **함께 촉탁**할 수 있다(법 제96조).

2. **가압류, 가처분, 경매개시결정 등의 처분제한**에 관한 등기를 **촉탁**하는 경우에는 체납처분에 의한 압류등기 촉탁의 경우와는 달리 **집행법원이** 등기명의인 또는 상속인을 갈음하여 부동산 또는 등기명의인의 표시 변경·경정, 상속으로 인한 권리이전의 **등기를 대위촉탁할 수 있는 법적 근거가 없다**.

따라서 현행 실무는 가압류결정상의 부동산 또는 등기명의인의 표시가 등기기록과 다른 경우 **가압류권자 등의 권리자(🔃 채권자)로 하여금** 그것을 일치시키는 등기를 **대위신청하도록 하여 그 등기 후에 처분제한의 등기를 촉탁**하고 있다(「부동산등기실무 I」 p.213).

④ 일반적으로 채무자를 **대위하여 등기신청을 하기 위하여**는 그 **대위원인이 존재하여야** 하는 바, 주택건설촉진법, 택지개발촉진법, 도시계획법상의 **사업시행자라도** 대상 토지에 대하여 **토지소유자와 그 소유권이전에 대한 협의가 이루어지거나 또는 수용의 효력이 발생하기 전까지**는 위 **대위원인이 있다고 볼 수 없을 것**이며 따라서 토지소유자를 **대위**하여 **토지표시변경등기**를 신청할 **권한이 없다**(선례 제4-264호).

⑤ **갑 소유의 부동산**에 대하여 **을을 근저당권자**, 갑을 채무자로 하는 근저당권설정등기를 한 후 경매신청을 하기 전에 **갑이 사망**하였으나 그 상속인 앞으로의 상속등기가 경료되지 아니한 상태에서, 을이 그 부동산에 대한 임의경매신청을 하여 경매개시결정기입등기를 하기 위하여는,

가. 을은 경매신청서에 갑의 상속인을 채무자 겸 소유자로 표시하고 상속을 증명하는 서류를 첨부하여 경매신청을 먼저 하거나, 갑의 상속인을 대위하여 상속등기를 먼저 한 후에 그 상속인을 소유자로 표시하여 경매신청을 할 수 있을 것이다(선례 제5-671호).

나. 경매법원이 갑의 상속인 앞으로 상속등기가 경료되기 전에 갑의 상속인을 소유자 겸 채무자로 표시하여 경매개시결정을 한 경우, 경매법원이 경매개시결정의 기입등기촉탁과 함께 갑의 상속인 앞으로의 상속등기를 촉탁할 수 있다는 민사소송법상의 규정이나 등기관이 직권으로 그 상속등기를 한 후에 경매개시결정 기입등기를 하여야 한다는 부동산등기법상의 근거규정은 없으므로, 경매법원이 상속으로 인한 소유권이전등기를 촉탁하거나, 경매기입등기의 촉탁 시 등기관이 직권으로 상속으로 인한 소유권이전등기를 경료할 수는 없다. 따라서 이러한 경우에는 **을이 갑의 상속인을 대위하여 상속등기를 먼저 한 후**에 **경매기입등기의 촉탁**을 하여야 할 것이다(선례 제5-671호).

> 1. 경매신청 등을 위한 근저당권자의 대위 상속등기(예규 제1432호)
>   ① 근저당권설정자가 사망한 경우에 근저당권자가 임의경매신청을 하기 위하여 근저당권의 목적인 부동산에 대하여 대위에 의한 상속등기를 신청할 수 있다(법 제29조 제7호).
>   ② 대위원인
>   "○년 ○월 ○일 설정된 근저당권의 실행을 위한 경매에 필요함"이라고 기재한다.
>   ③ 대위원인증서
>   당해 부동산의 등기사항증명서를 첨부한다.
>   다만, 등기신청서 첨부서류란에 "대위원인을 증명하는 서면은 ○년 ○월 ○일 접수번호 제○○호로 본 부동산에 근저당권설정등기가 경료되었기에 생략"이라고 기재하고 첨부하지 않아도 된다.

16 **채권자의 대위에 의한 등기에 관한 다음 설명 중 가장 옳지 않은 것은?** ▸ 2025 법무사

① 등기관이 등기를 완료한 때에는 대위신청인과 피대위자에게 등기완료통지를 하고, 등기권리자에게 등기필정보를 작성·통지한다.

② 채권자 대위소송에서 채무자가 채권자대위소송이 제기된 사실을 알았을 경우에는 채무자 또는 제3채권자도 채권자가 얻은 승소판결에 의하여 단독으로 등기를 신청할 수 있다.

③ 채권자가 채무자를 대위하여 등기를 신청하는 경우 채무자로부터 채권자 자신으로의 등기를 동시에 신청하지 않더라도 이를 수리한다.

④ 상속등기를 하지 아니한 부동산에 대하여 가압류결정이 있을 때 가압류채권자는 그 기입등기촉탁 이전에 먼저 대위에 의하여 상속등기를 하여야 한다.

⑤ 채권자가 가처분권리자인 채무자를 대위하여 제기한 소유권이전등기말소청구소송의 판결주문에 대위사실이 나타나지 않은 경우에도 판결에 따른 말소등기와 동시에 가처분등기를 직권으로 말소할 수 있다.

해설 ① **등기명의인이 신청하지 않은 채권자대위**에 의한 **등기**를 하는 경우 **대위신청인**과 **피대위자(등기명의인)**에게 **등기완료통지**를 하여야 하지만, **피대위자(등기명의인)**를 위한 **등기필정보**를 **작성하지 아니**한다(예규 제1840호).

② 1. 다른 사람을 위하여 원고나 피고가 된 사람(🖈 **대위채권자 · 선정당사자**)에 대한 **확정판결**은 그 다른 사람(🖈 **채무자 · 선정자**)에 대하여도 효력(🖈 **기판력**)이 **미친다**(민사소송법 제218조 제3항).

2. **채권자**가 제3채무자를 상대로 채무자를 **대위**하여 등기절차의 이행을 명하는 판결을 얻은 경우 채권자는 법 제28조에 의하여 채무자의 대위 신청인으로서 그 판결에 의하여 단독으로 등기를 신청할 수 있다. 채권자 대위소송에서 **채무자가 채권자대위소송이 제기된 사실을 알았을 경우**에는 **채무자** 또는 **제3채권자**도 채권자가 얻은 승소판결에 의하여 단독으로 등기를 신청할 수 있다(예규 제1786호).

③ 채권자가 채무자를 대위하여 등기를 신청하는 경우 채무자로부터 채권자 자신으로의 **등기를 동시에** 신청하지 **않**더라도 이를 **수리**한다(예규 제1432호).

④ 가압류등기촉탁과 채권자의 대위에 의한 상속등기(예규 제1432호)

1. 상속등기를 하지 아니한 부동산에 대하여 가압류결정이 있을 때 가압류채권자는 그 기입등기촉탁 이전에 먼저 대위에 의하여 상속등기를 함으로써 등기의무자의 표시가 등기기록과 부합하도록 하여야 한다(🖈 법 제29조 제7호).

2. 대위원인 : "○년 ○월 ○일 ○○**지방법원의 가압류 결정**"이라고 기재한다.

3. 대위원인증서 : **가압류결정의 정본** 또는 그 등본을 첨부한다.

⑤ **소유권이전등기말소청구권**을 피보전권리로 한 **가처분권자의 채권자(원고)**가 **채무자인 가처분권자(소외인)**를 대위하여 제3채무자인 **현재의 등기부상 소유자(피고)**를 **상대로** 한 소송에서 채권자인 **원고(가처분채권자의 채권자) 본인에게 직접 이행을 명하는 주문의 판결**을 가지고 소유권이전등기의 **말소신청**을 하는 경우와 같이 **판결주문만으로 대위사실을 알 수 없는 경우에도** 승소판결을 받은 **원고(가처분권자의 채권자)**는 이 판결을 가지고 가처분권자를 **대위하여 가처분에 저촉되는 등기의 말소등기** 및 판결에 의한 **소유권이전등기 말소등기**를 **신청할 수 있으며**, 이 경우에 등기관은 위 등기를 마친 후 **직권**으로 그 **가처분등기**도 **말소**하여야 한다(선례 제201310-4호).

정답 **16** ①

17 등기상 이해관계 있는 제3자에 관한 다음 설명 중 가장 옳지 않은 것은? ▸ 2025 법무사

① 말소대상인 소유권이전등기 전에 설정된 근저당권에 기한 임의경매개시결정등기가 마쳐진 경우 신청채권자는 등기상 이해관계 있는 제3자에 해당하므로 그의 승낙서 등을 첨부하여야 한다.

② 선행 가처분과 후행 가처분의 피보전권리가 모두 소유권이전등기 말소등기청구권 및 근저당권설정등기 말소등기청구권인 경우, 확정판결을 받은 후행 가처분채권자의 말소등기신청은 선행 가처분채권자의 피보전권리를 침해하는 것이 아니라 오히려 그 피보전권리에 부합하는 것이므로 선행 가처분채권자는 권리의 목적인 등기가 말소됨에 따라 손해를 입을 우려가 있는 등기상의 권리자로 볼 수 없다.

③ 을구에 근저당권설정등기, 갑구에 체납처분에 의한 압류등기가 순차로 경료된 후에 근저당권의 채권최고액을 증액하는 경우, 갑구의 체납처분에 의한 압류등기의 권리자(처분청)는 을구의 근저당권변경등기에 대하여 등기상 이해관계 있는 제3자에 해당한다.

④ 전세권설정자가 전세권자를 상대로 하여 존속기간 만료를 원인으로 한 전세권설정등기의 말소등기절차이행을 명하는 확정판결을 받아 판결에 의한 말소등기를 신청하는 경우, 그 판결의 사실심 변론종결 전에 해당 전세권을 목적으로 하는 가압류등기가 이루어졌다면 그 가압류채권자는 등기상 이해관계 있는 제3자에 해당한다.

⑤ 경정등기의 형식으로 이루어지나 그 실질이 말소등기(일부말소 의미의 경정등기)에 해당하는 경우로서 등기상 이해관계 있는 제3자가 있는 때에는 그의 승낙 또는 이에 대항할 수 있는 재판이 있음을 증명하는 정보가 제공되어 있으면 부기등기로 하고, 제공되어 있지 않으면 등기관은 그 등기신청을 수리하여서는 아니된다.

> **해설** ② 1. **선행 가처분**과 **후행 가처분**의 피보전권리가 모두 소유권이전등기 **말소등기청구권** 및 근저당권설정등기 말소등기청구권인 경우, 확정판결을 받은 **후행 가처분채권자**의 **말소등기신청**이 비록 선행 가처분채권자의 피보전권리를 침해하는 것이 아니라 오히려 그 피보전권리에 부합하는 것이라 하더라도 **선행 가처분채권자**는 권리의 목적인 등기가 말소됨에 따라 **손해를 입을 우려가 있는 등기상의 권리자**로서 그 손해를 입을 우려가 있다는 것이 등기부 기재에 의하여 형식적으로 인정되는 자이므로 말소등기신청서에 **선행 가처분채권자**의 **승낙서** 또는 이에 대항할 수 있는 **재판**의 등본을 **첨부하여야** 한다(선례 제201106–2호).
>
> 2. 동일한 근저당권의 **말소등기청구권**을 피보전권리로 한 처분금지**가처분**등기가 **여러 건** 경료된 경우 **선순위 가처분권리자**가 본안사건에서 승소하고 그 확정판결의 정본을 첨부하여 **근저당권말소등기를 신청**하면 등기관은 근저당권설정등기를 말소함과 동시에 당해 가처분등기 및 후순위 가처분등기를 직권으로 말소하는 바, 이때 **후순위 가처분권리자들**의(⊞ 선행가처분채권자에게 대항할 수 없으므로 말소될 운명이지 등기상 이해관계인이 아님) **승낙서**를 **첨부할 필요가 없다**(선례 제200808–1호).
>
> ① 1. 확정판결에 의하여 소유권이전등기의 말소등기를 신청하는 경우에 압류권자 등 그 등기의 말소에 대하여 등기상 이해관계 있는 제3자가 있는 때에는 그 승낙서(인감증명서 첨부) 또는 이에 대항할 수 있는 재판의 등본을 첨부정보로 제공하여야 하고, 그렇지 않을 경우 「부동산등기법」 제29조 제9호의 각하사유에 해당된다.

2. 이해관계 있는 제3자의 승낙서 등이 첨부정보로 제공되면 그 등기는 등기관이 직권말소하고 신청에 따라 소유권이전등기를 말소하게 되며, 승낙서 등이 첨부정보로 제공되지 않으면 소유권이전등기 말소도 할 수 없다.

3. **말소대상인 소유권이전등기** 이전에 설정된 근저당권에 기한 **임의경매개시결정등기**가 마쳐진 경우, 신청채권자는 **등기상 이해관계인**에 해당하므로 그의 **승낙서** 정보를 첨부하여야 하고, 등기관은 소유권이전등기의 말소에 앞서 **경매개시결정등기를** **직권**으로 **말소**한 후(**근저당권은 말소하지 않음을 주의**) 집행법원에 통지하여야 하며, **승낙서가 첨부되지 않으면 소유권이전등기도 말소할 수 없을 것**이다(선례 제201208-4호).

4. **소유권이전등기** 후에 **경매개시결정등기**가 마쳐진 경우, 경매개시결정등기는 소유권이전등기에 기한 새로운 권리에 관한 등기에 해당하므로 **경매신청채권자**는「부동산등기법」제57조 제1항의 '**등기상 이해관계 있는 제3자**'에 해당하고, 따라서 **소유권이전등기를 말소**하기 위해서는 **경매신청채권자의 승낙서** 또는 이에 대항할 수 있는 재판의 등본을 첨부하여야 하는 바, 위 **승낙서**에는 소유권이전등기의 **말소를 승낙한다는 뜻**이 나타나 있으면 족하고 **반드시 먼저 경매가 취하될 필요는 없으며**, 해당 등기관은 **소유권이전등기를 말소**하고 **경매개시결정등기를 직권**으로 **말소**한 후 집행법원에 경매개시결정등기가 **직권 말소**되었음을 **통지**하여야 한다(선례 제202405-5호).

③ 1. 등기관이 **권리의 변경이나 경정의 등기**(🈺 전세권변경, 근저당권변경)를 할 때에는 **부기**로 하여야 한다. 다만, **등기상 이해관계 있는 제3자의 승낙**이 없는 경우에는 그러하지 아니하다 (🈺 주등기)(법 제52조 제5호).

2. 을구에 **근저당권**설정등기, 갑구에 **체납처분**에 의한 **압류**등기(🈺 가압류·가처분·경매개시결정등기도 마찬가지)가 순차로 경료된 후에 근저당권의 **채권최고액을 증액**하는 경우, 그 변경등기를 부기등기로 실행하게 되면 을구의 근저당권변경등기가 갑구의 체납처분에 의한 압류등기보다 권리의 순위에 있어 우선하게 되므로, 갑구의 **체납처분에 의한 압류등기의 권리자(처분청)**는 을구의 근저당권변경등기에 대하여 **등기상 이해관계 있는 제3자에 해당**한다.
이 경우 갑구의 체납처분에 의한 압류등기의 권리자(처분청)의 **승낙서**나 그에게 대항할 수 있는 재판의 등본이 첨부정보로서 **제공된 경우**에는 을구의 근저당권변경등기를 **부기**등기로 실행할 수 있으나, 그와 같은 첨부정보가 제공되지 않은 경우에는 주등기로 실행하여야 한다. 이는 갑구의 주등기가 민사집행법에 따른 가압류·가처분등기나 경매개시결정등기인 경우에도 동일하다(선례 제201408-2호).

④ 전세권설정자가 전세권자를 상대로 하여 존속기간 만료를 원인으로 한 **전세권설정등기의 말소등기절차이행을 명하는 확정판결**을 받아 판결에 의한 말소등기를 신청하는 경우, 그 판결의 **사실심 변론종결 전**에 해당 **전세권을 목적으로 하는 가압류**등기가 이루어졌다면 그 가압류 채권자는 **등기상 이해관계 있는 제3자에 해당**한다. 이때 가압류등기가 마쳐진 시점이 판결에 나타난 전세권의 존속기간 만료 시점 후라 하더라도 상관없다(선례 제5-198호).

⑤ 경정등기의 형식으로 이루어지나 그 실질이 말소등기(**일부말소 의미의 경정등기**)에 해당하는 경우에는 등기상 이해관계 있는 제3자가 있는 때에 그의 승낙서 등을 첨부한 경우에는 부기등기로 하고, 이를 **첨부하지 아니한** 경우 등기관은 그 등기신청을 **수리하여서는 아니 된다**(🈺 **수리요건**)(예규 제1564호).

정답 ▶ **17** ②

01 거래가액에 관한 다음 설명 중 가장 옳은 것은?

▶ 2025 법무사

① 등기원인이 매매인 경우에는 등기원인증서가 판결, 조정조서 등 매매계약서가 아닌 때에도 거래가액을 등기한다.

② 최초의 피분양자로부터 그 지위 일부지분만이 甲에게 증여로 이전되어 최초의 피분양자와 甲이 공동으로 등기권리자가 된 경우에는 거래가액을 등기한다.

③ 등기원인증서에 기재된 사항과 신고필증에 기재된 사항이 서로 다른 경우 신청인이 제출한 자료에 의하여 등기원인증서상 매매와 신고의 대상이 된 매매를 동일한 거래라고 인정할 수 있는 경우에도 등기관은 해당 등기신청을 부동산등기법 제29조 제9호에 의하여 각하하여야 한다.

④ 1개의 계약서에 의해 2개 이상의 부동산을 거래한 경우, 관할 관청이 달라 개개의 부동산에 관하여 각각 거래가액을 신고하였더라도 매매목록을 작성해야 한다.

⑤ 매매예약을 원인으로 한 소유권이전청구권가등기에 의한 본등기를 신청하는 때에는, 매매계약서를 등기원인증서로 제출하지 않는다 하더라도 거래가액을 등기한다.

> **해설** ⑤ **매매예약**을 원인으로 한 소유권이전청구권**가등기**에 의한 **본등기**를 신청하는 때에는, 매매계약서를 등기원인증서로 제출하지 않는다 하더라도 거래가액을 **등기**한다(예규 제1804호).
>
> ① 등기원인이 매매라 하더라도 등기원인증서가 판결, 조정조서 등 **매매계약서가 아닌** 때에는 **거래가액을 등기하지 아니**한다(예규 제1804호).
>
> ② 최초의 피분양자로부터 그 지위 **일부지분만이** 갑에게 **증여**로 이전되어 최초의 피분양자와 갑이 공동으로 등기권리자가 된 경우에는 거래가액을 등기하지 **아니**한다(예규 제1804호).
>
> ③ **등기원인증서**에 **기재된 사항**과 **신고필증**에 기재된 사항이 서로 달라 **동일한 거래**라고 **인정할 수 없는** 경우 등기관은 해당 등기신청을 「부동산등기**법**」 **제29조 제9호**에 의하여 **각하**하여야 한다. 다만, 단순한 오타나 신청인이 제출한 자료에 의하여 등기원인증서상 매매와 신고의 대상이 된 매매를 **동일한 거래**라고 **인정할 수 있는** 경우(매매당사자의 주소가 불일치하나 주민등록번호가 일치하는 경우 등)에는 그러하지 아니하다(➡ **수리**)(예규 제1804호).
>
> ④ 1개의 신고필증에 **2개 이상의 부동산**이 기재되어 있는 경우에는 **매매목록**을 제출하여야 한다. 다만, 1개의 계약서에 의해 2개 이상의 부동산을 거래한 경우라 하더라도, **관할 관청이 달라 개개의 부동산에 관하여 각각 신고**한 경우에는 **매매목록을 작성할 필요가 없다**(예규 제1804호).

02 **토지거래계약 허가에 관한 다음 설명 중 가장 옳지 않은 것은?** ▸ 2022 법무사

① 매매계약의 체결일자는 허가구역으로 지정된 후이나 토지거래계약허가를 받지 못하여 등기신청을 못하고 있던 중 일시 허가구역 지정이 해제되었다가 다시 허가구역으로 지정된 후 소유권이전등기를 신청하는 경우 토지거래계약허가증을 첨부정보로 제공할 필요가 없다.

② 가등기를 신청할 당시 그 등기원인이 된 토지거래계약 또는 예약에 대한 토지거래계약허가증을 제출한 경우, 그 가등기에 의한 본등기를 신청할 때에 별도로 토지거래계약허가증을 첨부정보로 제공할 필요가 없다.

③ 허가대상 토지를 수인에게 공유지분으로 나누어 처분하는 경우에는 그 지분율에 따라 산정한 면적이 허가대상 면적의 미만이더라도 그에 따른 최초의 지분이전등기를 신청하는 때에는 토지의 분할에 준하여 토지거래계약허가증을 첨부정보로 제공하여야 한다.

④ 토지거래허가구역 내의 토지에 대하여 토지거래계약허가를 받아 매매를 원인으로 한 소유권이전등기를 경료한 후 그 매매계약의 일부를 해제하는 것은 당초에 허가받은 토지거래계약을 변경하고자 하는 경우에 해당한다 할 것이므로, 그 해제를 원인으로 한 소유권 일부말소의미의 소유권경정등기를 신청하기 위해서는 토지거래계약허가증을 첨부정보로 제공하여야 한다.

⑤ 가등기가처분명령에 의하여 가등기를 신청하는 경우 가등기의 원인이 토지거래계약허가의 대상이더라도 토지거래계약허가증을 첨부정보로 제공할 필요가 없다.

해설 ⑤ 가처분결정에 의한 가등기신청의 경우에도 일반 가등기와 마찬가지로 등기원인이 존재하여야 하는 것이며 단지 가등기의무자의 협력을 얻을 수가 없을 때 관할법원의 가등기가처분명령에 의하여 가등기권리자가 단독으로 가등기를 신청할 수 있는 특례를 인정한 것에 불과하므로, **가등기가처분의 명령**에 의한 **가등기신청 시** 그 가등기의 원인이 국토이용관리법상 토지거래허가의 대상일 때에는 **토지거래허가서를 첨부하여야** 한다(선례 제4–111호).

① **토지거래허가구역 내의 토지**에 대하여 **매매계약을 체결**하였으나, 당해 토지에 대한 **허가구역의 지정이 해제된 후 소유권이전등기를 신청**하는 경우, 그 등기신청서에는 **토지거래허가서**를 첨부할 필요가 **없다**(선례 제6–45호).

② **가등기**를 신청할 당시 그 등기원인이 된 토지거래계약 또는 예약에 대한 **토지거래계약허가증을 제출**한 경우, 그 가등기에 의한 **본등기**를 신청할 때에 별도로 토지거래계약허가증을 **제출할 필요가 없다**(예규 제1634호, 2–나).

③ **허가대상 토지**를 수인에게 공유**지분으로 나누어 처분**하는 경우에는 그 **지분율에 따라 산정한 면적이 허가대상 면적의 미만이더라도** 그에 따른 **최초의 지분이전등기를 신청하는 때**에는 토지의 **분할에 준하여 토지거래계약허가증**을 신청서에 **첨부하여야** 한다(예규 제1634호, 3).

④ 1. **토지거래허가구역 내의 토지**에 대하여 **토지거래계약허가**를 받아 **매매를 원인으로 한 소유권이전등기를 경료**한 후 그 **매매계약의 일부를 해제**하는 것은 **당초에 허가받은 토지거래계약을 변경하고자 하는 경우**에 해당한다 할 것이므로, **그 해제를 원인으로 한 소유권 일부말소의미의 소유권경정등기**를 신청하기 위해서는 **관할청의 허가서(⊞ 토지거래계약허가)**를 첨부하여야 한다.

정답 **01** ⑤ **02** ⑤

2. 따라서 **관할청의 허가서를 첨부함이 없이 위 소유권경정등기신청을 한다면** 등기관은 부동산등기법 제29조 제9호에 의하여 그 등기신청을 **각하**하여야 할 것이나, 이를 **간과**하여 위 소유권경정등기가 **경료**되었다 하더라도 그 소유권경정등기를 등기관이 **직권**으로 **말소**할 수는 **없다**(선례 제7-47호).

03 농지에 대한 등기신청에 관한 다음 설명 중 가장 옳지 않은 것은? ▶ 2021 법무사

① 농지 소유권이전등기 신청 시 농지취득자격증명의 첨부 여부는 해당 농지면적과는 관계가 없으므로 종전에 소유하고 있던 농지를 타인에게 처분한 후 새로이 농지를 매수하는 경우에도 그 매수 농지에 대한 소유권이전등기신청 시에는 소유농지의 면적에 상관없이 농지취득자격증명을 첨부하여야 한다.

② 국가나 지방자치단체가 농지를 취득하여 소유권이전등기를 신청하는 경우에는 농지취득자격증명을 첨부하지 아니하고 소유권이전등기를 신청할 수 있다.

③ 동일 가구(세대) 내 친족 간의 매매 등을 원인으로 하여 소유권이전등기를 신청하는 경우에도 농지취득자격증명을 첨부하여야 한다.

④ 농지에 대한 소유권이전청구권의 보전을 위한 가등기의 신청서에도 농지취득자격증명을 첨부하여야 한다.

⑤ 공익사업을 위한 토지 등의 취득 및 보상에 관한 법률에 의한 수용 및 협의취득을 원인으로 하여 소유권이전등기를 신청하는 경우에는 농지취득자격증명을 첨부하지 아니하고 소유권이전등기를 신청할 수 있다.

해설 ④ 농지에 대한 소유권이전청구권**가등기**의 신청서에는 **농지취득자격증명**을 첨부할 필요가 **없**으나, 「부동산 거래신고 등에 관한 법률」에 의한 토지거래허가구역 내의 토지에 대한 소유권이전청구권가등기의 신청서에는 **토지거래허가서**를 **첨부**하여야 한다(예규 제1632호, 2-라).

① 농지의 소유권이전등기신청 시에는 해당 **농지면적**과는 **관계없이 농지취득자격증명**을 첨부하여야 하므로 시·구·읍·면장이 "농지법 제8조 및 동법 시행령 제10조 제2항 제2호 가목 규정에 의거 면적 미달" 취지로 반려사유를 기재하여 교부한 농지취득자격증명신청서반려통지서를 첨부한 경우에는 그 농지에 대하여 소유권이전등기를 할 수 없다(선례 제7-44호)(**토지거래계약허가**는 토지**면적요건**이 **있음**에 주의).

② 예규 제1635호, 3-가

③ 예규 제1635호, 2-나

⑤ 예규 제1635호, 3-다

04 등기원인에 대한 제3자의 허가에 관한 다음 설명 중 가장 옳지 않은 것은? ▸2021 법무사

① 사립학교의 기본재산에 편입되어 학교교육에 직접 사용되는 부동산은 그것이 학교법인이 아닌 사립학교 경영자 개인 소유라 하더라도 이를 매도하거나 담보에 제공할 수 없다.

② 토지거래허가구역 내의 토지에 관하여 허가를 받지 아니하고 매매계약을 체결한 경우 그 효력에 대하여, 판례는 허가를 받을 때까지는 법률상 미완성의 법률행위로서 거래의 효력이 전혀 발생하지 않는 확정적 무효의 경우와 다를 바 없지만, 일단 허가를 받으면 그 계약은 소급하여 유효한 계약이 되므로 허가를 받기까지는 유동적 무효의 상태에 있다고 보는 입장이다.

③ 토지거래계약허가를 받아 소유권이전등기가 이루어졌으나 사후에 허가관청이 허가를 취소하고 이를 등기과(소)에 통보하였다고 하더라도 그 등기는 등기관이 이를 직권으로 말소할 수는 없다.

④ 학교법인이 공유자 중 1인인 부동산에 관하여 공유물분할등기를 신청하는 경우에도 관할청의 허가를 증명하는 서면을 첨부하여야 한다.

⑤ 영유아보육시설(어린이집 등)도 교육기관이므로, 영유아보육법에 의하여 민간 보육시설로 인가받아 그 소유건물 전부를 보육시설로 운영 중인 자는 사립학교법 제2조 제3항 소정의 사립학교 경영자에 해당되어 그 소유건물에 대하여는 매매 또는 담보제공 등 처분행위를 할 수 없다.

해설 ⑤ **영유아보육시설**은 교육법 제81조의 교육기관이 아니므로, 유치원 및 영유아보육시설용 건물의 소유자가 영유아보육법에 의하여 민간 보육시설로 인가받아 그 소유건물 전부를 보육시설로 운영 중인 자는 사립학교법 제2조 제3항 소정의 사립학교 경영자에 해당되지 않으므로, 그 소유건물에 대하여는 매매 또는 담보제공 등 처분행위를 할 수 있을 것이다(선례 제5-433호).

① 예규 제1255호, 5-①

② 국토이용관리법상의 규제구역 내의 '토지 등의 거래계약'허가에 관한 관계규정의 내용과 그 입법취지에 비추어 볼 때 토지의 소유권 등 권리를 이전 또는 설정하는 내용의 거래계약은 관할 관청의 허가를 받아야만 그 효력이 발생하고 허가를 받기 전에는 물권적 효력은 물론 채권적 효력도 발생하지 아니하여 무효라고 보아야 할 것인바, 다만 허가를 받기 전의 거래계약이 처음부터 허가를 배제하거나 잠탈하는 내용의 계약일 경우에는 확정적으로 무효로서 유효화될 여지가 없으나 이와 달리 허가받을 것을 전제로 한 거래계약(허가를 배제하거나 잠탈하는 내용의 계약이 아닌 계약은 여기에 해당하는 것으로 본다)일 경우에는 허가를 받을 때까지는 법률상 미완성의 법률행위로서 소유권 등 권리의 이전 또는 설정에 관한 거래의 효력이 전혀 발생하지 않음은 위의 확정적 무효의 경우와 다를 바 없지만, 일단 허가를 받으면 그 계약은 소급하여 유효한 계약이 되고 이와 달리 불허가가 된 때에는 무효로 확정되므로 허가를 받기까지는 **유동적 무효**의 상태에 있다고 보는 것이 타당하다(대판 1991.12.24, 90다12243).

③ 「국토의 계획 및 이용에 관한 법률」 제118조 제1항(삭제 2016.1.19.)의 토지거래계약허가를 받아 소유권이전등기가 이루어졌으나 사후에 그 허가가 사위 또는 부정한 방법으로 받은 사실이 확인되어 허가관청이 허가를 취소하고 이를 등기과(소)에 통보하였다고 하더라도 그 등기는 법

제29조 제9호의 간과등기에 해당하므로 등기관이 이를 **직권으로 말소**할 수는 **없**다(선례 제 201012–6호).

④ **공유물분할**은 공유지분의 교환 또는 매매의 실질을 가지는 것이므로, 학교법인이 공유자 중 1인인 부동산에 관하여 공유물분할을 원인으로 하는 공유지분이전등기를 신청하는 경우에도 관할청의 허가를 증명하는 서면을 첨부하여야 하는바, 이는 학교법인이 공유물분할에 의하여 **종전의 공유지분보다 더 많은 공유지분을 취득하게 되는 경우에도 마찬가지**이다(선례 제6–48호).

05 등기신청에 필요한 첨부정보에 관한 다음 설명 중 가장 옳지 않은 것은? ▸ 2023 법무사

① 계약을 원인으로 소유권이전등기를 신청할 경우 등기원인증명정보가 집행력 있는 판결인 경우에는 판결서 정본에 검인을 받을 필요가 없다.

② 매매로 인한 소유권이전등기청구권을 보전하기 위하여 소유권이전청구권가등기를 마친 상태에서 제3자에 대한 채무를 담보하기 위하여 소유권이전등기청구권을 양도하고 가등기의 이전등기를 신청하는 경우에는 매도인인 소유명의인의 승낙이 있음을 증명하는 정보와 인감증명을 첨부정보로서 제공하여야 한다.

③ 부동산 거래신고 등에 관한 법률에 의한 허가의 대상이 되는 토지에 관하여 소유권·지상권의 이전 또는 설정청구권을 보전하기 위한 가등기를 신청하기 위해서는 원칙적으로 신청서에 시장, 군수 또는 구청장이 발행한 토지거래계약허가증을 첨부하여야 한다.

④ 사립학교법에 의한 학교법인에게 신탁한 부동산에 대하여 그 신탁을 해지하고 해지로 인한 소유권이전등기를 신청하는 경우에는 관할청의 허가를 증명하는 서면을 첨부하여야 한다.

⑤ 전통사찰의 보존 및 지원에 관한 법률에 따라 등록된 전통사찰 소유의 전통사찰보존지에 대하여 민사집행법에 따른 매각을 원인으로 하여 소유권이전등기를 촉탁하는 경우에는 문화체육관광부장관의 허가를 증명하는 정보를 제공할 필요가 없다.

해설 ① 1. **계약**을 등기원인으로 하여 1990.9.2. 이후 **소유권이전등기**를 신청할 때에는 계약의 일자 및 종류를 불문하고 **검인**을 받은 **계약서 원본**(이하 "검인계약서"라 한다) 또는 검인을 받은 **판결서 정본**(화해·인낙·조정조서를 포함한다)을 등기원인증서로 제출하여야 한다(예규 제1727호, 1–가).

2. 따라서 등기원인을 증명하는 서면이 판결서이더라도 계약을 원인으로 소유권이전등기를 신청하는 경우에는 그 **판결서**에 **검인**을 받아 제출하여야 한다(예규 제1727호, 1–가).

② **매매로 인한 소유권이전등기청구권**은 특별한 사정이 없는 이상 그 **권리의 성질상 양도가 제한**되고 그 양도에 (🎓 소유권이전등기청구권의 채무자)**매도인**의 **승낙**이나 **동의**를 요한다고 할 것이므로(대판 2001.10.9, 2000다51216 참조), 위 가등기의 이전등기를 신청하는 경우에는 매도인인 소유명의인의 **승낙이 있음을 증명**하는 정보와 **인감증명**을 첨부정보로서 등기소에 제공하여야 한다(선례 제201803–1호).

③ 「부동산 거래신고 등에 관한 법률」(이하 "법"이라 한다) 제11조 제1항의 규정에 의한 허가의 대상이 되는 토지(이하 '**허가대상 토지**'라 한다)에 관하여 **소유권·지상권**을 **이전** 또는 **설정**하는 **유상계약**(**예약**을 포함한다. 이하 같다)을 체결하고 그에 따른 등기신청을 하기 위해서는 신청서에

시장, 군수 또는 구청장이 발행한 **토지거래계약허가증**을 첨부하여야 한다. 다만, 그 계약이 **증여**와 같이 대가성이 없는 경우에는 **그러하지 아니**하다(예규 제1634호, 1–(1)).

④ **학교법인에게 신탁한 부동산**이라 하더라도 그 **신탁해지**로 인한 소유권이전등기를 신청하는 경우에는 **관할청의 허가를 증명**하는 서면을 **첨부**하여야 한다(예규 제1255호, 3–②).

⑤ 1. 전통사찰 소유의 전통사찰보존지 등을 매매, 증여, 그 밖의 원인으로 양도하여 **소유권이전등기**를 신청하는 경우에는 법 제9조 제1항에 따른 **문화체육관광부장관의 허가**를 증명하는 정보를 제공하여야 한다.

   2. 다만, **시효취득**을 원인으로 한 소유권이전등기를 신청하거나 민사집행법에 따른 **매각**을 원인으로 한 소유권이전등기를 촉탁하는 경우에는 **그러하지 아니**한다(예규 제1484호, 4–1).

06 등기신청 시 신청정보로서 등기필정보에 관한 다음 설명 중 가장 옳지 않은 것은

▸ 2025 법무사

① 관공서가 등기의무자나 등기권리자로서 등기를 촉탁하는 경우 공동신청이 아니므로 등기필정보는 제공할 필요가 없으며, 관공서가 촉탁에 의하지 아니하고 법무사 등에게 위임하여 신청하는 경우에도 마찬가지이다.

② 같은 부동산에 대하여 둘 이상의 권리에 관한 등기를 동시에 신청하는 경우, 먼저 접수된 신청에 의하여 새로 등기명의인이 되는 자가 나중에 접수된 신청에서 등기의무자가 되는 경우에 나중에 접수된 등기신청에는 등기필정보를 제공하지 않아도 되나, 만약 둘 이상의 권리에 관한 등기신청의 대리인이 서로 다른 경우에는 등기필정보를 제공해야 한다.

③ 등기필정보를 제공해야 하는 등기신청에서 등기필정보를 분실하거나 그 밖의 사유로 제공할 수 없는 경우 등기신청서(또는 위임장) 중 등기의무자의 작성부분에 대한 공증을 받는 방법을 활용할 수도 있고, 이 경우의 '공증'이란 등기의무자가 등기명의인임을 확인하는 서면에 대한 공증이 아니고 신청서 또는 위임장에 표시된 등기의무자의 작성 부분 (기명날인 등)이 등기의무자 본인이 작성한 것임을 공증하는 것을 의미한다.

④ 외국인이 처분위임장에 의하여 국내 부동산의 등기를 신청할 경우 등기필정보가 없을 때에는 처분위임장에 "등기필정보가 없다"는 등의 뜻도 기재하여 공증인의 공증을 받아야 한다.

⑤ 공유물분할을 원인으로 소유권을 취득한 자가 등기의무자가 되어 다시 소유권이전등기를 신청할 경우 공유물분할등기에 관한 등기필정보뿐 아니라 공유물분할등기 전에 공유자로서 등기할 당시 통지받은 등기필정보도 함께 제공해야 한다.

해설 ② 1. 같은 부동산에 대하여 둘 이상의 권리에 관한 등기를 동시에 신청하는 경우로서 **먼저 접수된 신청에 의하여 새로 등기명의인이 되는 자(소유권이전등기 : 甲 – 乙)가 나중에 접수된 신청에서 등기의무자(근저당권설정등기 : 乙 – A은행)가 되는 경우에 나중에 접수된 등기신청에는 등기필정보를 제공하지 않아도 된다.**

정답 05 ① 06 ②

이는 **선행하는 등기신청**과 **후행하는 등기신청**의 **대리인이 서로 다른 경우를 포함**한다(예규 제1647호).

2. 그 예시는 아래와 같다.

> 가. 같은 부동산에 대하여 **소유권이전등기신청**과 **근저당권설정등기신청**을 동시에 하는 경우,
> 근저당권설정등기신청에 대하여는 등기필정보를 제공하지 않아도 된다.
> 나. **소유권이전등기신청**과 동시에 **환매특약의 등기를 신청**하는 경우에
> 환매특약의 등기신청에 대하여는 등기필정보를 제공하지 않아도 된다.

① **관공서가 등기의무자**로서 등기권리자의 청구에 의하여 등기를 촉탁하거나 부동산에 관한 권리를 취득하여 **등기권리자**로서 그 등기를 촉탁하는 경우에는 등기의무자의 권리에 관한 **등기필정보**를 제공할 필요가 **없다**. 이 경우 관공서가 촉탁에 의하지 아니하고 **법무사** 또는 변호사에게 **위임**하여 등기를 신청하는 경우에도 **같다**(예규 제1759호).

③ 1. **등기필증**(현행 **등기필정보**)은 특별한 사정이 없는 한 등기의무자가 소지하고 **어떠한 사유로도 재교부하지 않기 때문**(선례 제2-158)에 등기필증(현행 등기필정보)을 **소지하고 있다는 사실**은 등기의무자로서 등기신청을 하는 사람이 등기기록상의 **등기의무자 본인임이 틀림없다는 사실을 증명하는 데 중요한 자료**가 된다(대판 1990.1.12, 89다카14363 참조).

2. 등기의무자가 어떠한 사유로 **등기필정보를 분실 또는 멸실한 경우**에는 **등기의무자 본인 확인의 기능을 대신할 수 있는 제도가 필요**하다.

3. **법 제51조**는 이러한 경우 등기관 등이 등기의무자 본인을 직접 확인하도록 하는 제도로서 ① **등기관**이 직접 등기의무자 또는 그 법정대리인(이하 '등기의무자 등'이라 한다)을 확인하는 방법(**확인조서**), ② 해당 등기신청을 대리하는 **법무사나 변호사**가 등기의무자 등으로부터 직접 위임받았음을 확인하는 방법(**확인서면**), ③ **신청서나 위임장 중 등기의무자의 작성 부분(별도의 문서×)**에 관하여 **공증인**으로부터 **공증**을 받는 방법 등을 규정하고 있으며 이러한 방법에 따른 서면을 제출할 수 있다(법 제51조).

4. 법 제51조 단서의 **공증**은 **등기신청서 등**의 서면에 기재된 내용 중 **등기의무자등의 작성부분**(기명날인 등)에 대해 **공증인**이 **등기의무자 등의 의사에 의해 작성된 것임을 확인**하고 그 증명을 하여 주는 **사서증서의 인증**을 의미한다(예규 제1851호).

④ 1. 법 제51조 단서에 따라 **공증을 받아야 하는 서면**은 아래와 같다(예규 제1851호).

> 가. 등기의무자 등이 등기소에 출석하여 직접 등기를 신청하는 경우에는 **등기신청서**
> 나. 등기의무자 등이 직접 처분행위를 하고 등기신청을 대리인에게 위임한 경우에는 **등기신청 위임장**
> 다. 등기의무자 등이 다른 사람에게 권리의 처분권한을 수여한 경우에는 그 처분권한 일체를 수여하는 내용의 **처분위임장**. 이 경우 처분위임장에는 **"등기필정보가 없다"는 뜻을 기재**하여야 한다.

2. 따라서 **외국인**이 **처분위임장**에 의하여 국내 부동산의 등기를 신청할 경우 **등기필정보가 없을 때**에는 처분위임장에 **"등기필정보가 없다"**는 등의 뜻도 기재하여 **공증인의 공증**을 받아야 한다.

⑤ **공유물분할을 원인으로 소유권을 취득한 자가 등기의무자가 되어 분할된 부동산에 대해 등기신청**을 할 때에는 위 **공유물분할을 원인으로 한 지분이전등기를 마친 후 수령한 등기필정보**뿐만 아니라 **공유물분할 이전에 공유자로서 지분을 취득할 당시 수령한 등기필정보**도 함께 제공하여야 한다(예규 제1647호).

07 등기필정보에 관한 다음 설명 중 가장 옳지 않은 것은?　　　　▸ 2024 법무사

① 등기필정보를 분실하여 재발급받고자 하는 경우에는 등기명의인 본인이 직접 등기소에 출석하여야 한다.
② 하나의 등기에 있어서 등기필증과 등기필정보를 함께 발급하거나 통지하는 경우는 없다.
③ 등기필정보를 구성하는 50개의 비밀번호 중 한 번 사용한 비밀번호는 나머지 비밀번호를 모두 사용한 경우가 아닌 한 다시 사용할 수 없다.
④ 등기권리자가 등기필정보의 통지를 원하지 아니하는 경우에는 등기관이 등기필정보를 작성·통지하지 아니할 수 있다.
⑤ 근저당권의 채권최고액을 증액하거나 전세금, 전세기간 등을 변경하는 등기를 마쳤을 때에는 등기필정보를 작성·통지하지 않기 때문에 근저당권이나 전세권의 말소등기를 신청할 때에는 그 설정 당시의 등기필정보를 제공하면 충분하다.

해설 ① 1. **등기필증**(현행 **등기필정보**)은 특별한 사정이 없는 한 등기의무자가 소지하고 **어떠한 사유로도 재교부하지 않았기 때문**(선례 제2–158)에 등기필증(현행 등기필정보)을 **소지하고 있다는 사실**은 등기의무자로서 등기신청을 하는 사람이 등기기록상의 **등기의무자 본인임이 틀림없다는 사실을 증명하는 데 중요한 자료**가 된다(대판 1990.1.12, 89다카14363 참조).
2. 등기의무자가 어떠한 사유로 **등기필정보를 분실 또는 멸실한 경우**에는 **등기의무자 본인 확인의 기능을 대신할 수 있는 제도가 필요**하다.
3. 법 제51조는 이러한 경우 등기관 등이 등기의무자 본인을 직접 확인하도록 하는 제도로서 ① **등기관**이 직접 등기의무자 또는 그 법정대리인(이하 '등기의무자 등'이라 한다)을 확인하는 방법(**확인조서**), ② 해당 등기신청을 대리하는 **법무사나 변호사**가 등기의무자 등으로부터 직접 위임받았음을 확인하는 방법(**확인서면**), ③ 신청서나 위임장 중 등기의무자의 작성 부분에 관하여 **공증인**으로부터 **공증**을 받는 방법 등을 규정하고 있으며 이러한 방법에 따른 서면을 제출할 수 있다(법 제51조).
② 1. **종전에 등기필증**을 발급받은 자는 등기필정보의 제공을 갈음하여 그 **등기필증을 신청서에 첨부**할 수 있다(개정법 부칙 제2조). 즉 **등기필증을 발급받은 자**는 **등기필증을 제출**하고, **등기필정보를 통지받은 자**는 **등기필정보를 제공**하면 되는 것이다(「부동산등기실무 I」 p.252 참조).
2. 하나의 등기에 있어서 등기필증과 등기필정보를 **함께 발급**하거나 **통지한 경우**는 **없으므로** 두 가지를 **함께 제공할 수도 없고** 그럴 필요도 **없다**(「부동산등기실무 I」 p.253 참조).
③ 1. 등기필정보는 영문 또는 아라비아숫자 12개를 조합한 **일련번호**와 50개의 **비밀번호**로 구성된다(규칙 제106조 제1항, 예규 제1749호).
2. **등기필정보의 제공**은 일련번호와 50개의 비밀번호 중 임의로 선택한 **1개의 비밀번호**를 화면에서 입력(전자신청의 경우)하거나, **신청서에 기재**(서면신청의 경우)하는 방법으로 한다.
3. **한번 사용한 비밀번호**는 다시 사용할 수 **없다**. 다만 **50개의 비밀번호를 모두 사용**한 후에는 **다시 사용**할 수 있다.
④ 등기필정보는 다른 사람에게 노출될 수 있는바, **등기필정보의 관리에 자신이 없는 사람**이 그 통지를 **원하지 않으면 작성하지 않도록** 하였다. 이러한 경우에는 등기신청할 때에 등기필정보의 통지를 원하지 않는다는 뜻을 신청서에 기재하거나 입력하여야 한다(규칙 제109조 제1항).

정답　**07** ①

⑤ 근저당권의 **채권최고액을 증액**하거나 **전세금, 전세기간 등을 변경**하는 등기를 마쳤을 때에는 **등기필정보를 작성·통지하지 않기** 때문에 **근저당권이나 전세권의 말소**등기를 신청할 때에는 그 **설정 당시의 등기필정보를 제공**하면 충분하다(예규 제1749호).

08 등기신청 시 제공하는 등기필정보에 관한 다음 설명 중 가장 옳지 않은 것은? ▸ 2021 법무사

① 甲 토지를 乙 토지에 합병한 경우, 합병 후의 乙 토지에 대하여 등기신청을 할 때에는 乙 토지에 대한 등기필정보만을 제공하면 되고, 등기기록이 폐쇄된 甲 토지의 등기필정보는 제공할 필요가 없다.

② 판결에 의하여 승소한 등기의무자가 등기신청하는 경우나 채권자가 대위에 의하여 등기신청하는 경우에 등기필정보를 작성·통지하지 아니한다.

③ 개정 부동산등기법 시행 전에 권리취득의 등기를 한 후 등기필증을 교부받은 경우, 현재 등기의무자가 되어 등기신청을 할 때 등기필정보의 제공에 갈음하여 당시에 교부받은 등기필증을 첨부할 수 있다.

④ 공유물분할을 원인으로 소유권을 취득한 자가 등기의무자가 되어 분할된 부동산에 대해 등기신청을 할 때에는 위 공유물분할을 원인으로 한 지분이전등기를 마친 후 수령한 등기필정보만 제공하면 되며, 공유물분할 이전에 공유자로서 지분을 취득할 당시 수령한 등기필정보는 제공할 필요 없다.

⑤ 구법의 등기필증 '멸실'의 경우의 의미에 대하여, 판례는 등기필증에 갈음하여 본인이 출석하거나 등기필증에 갈음하는 서면을 제출할 수 있는 제도를 두고 있으나, 이는 등기필증이 멸실된 경우에 인정되는 제도로서 분실의 경우를 포함하지만, 등기필증이 현재 다른 사람의 수중에 있기 때문에 사실상 돌려받기 어려운 경우까지 포함하는 것은 아니라고 본다.

> **해설** ④ **공유물분할을 원인으로 소유권을 취득한 자가 등기의무자가 되어 분할된 부동산에 대해 등기신청**을 할 때에는 위 **공유물분할을 원인으로 한 지분이전등기를 마친 후 수령한 등기필정보**뿐만 아니라 **공유물분할 이전에 공유자로서 지분을 취득할 당시 수령한 등기필정보**도 함께 제공하여야 한다(예규 제1647호, 2-나-4)-다)).
>
> ① **갑 토지를 을 토지에 합병**한 경우, **합병 후의 을 토지에 대하여 등기신청**을 할 때에는 **을 토지에** 대한 등기필정보**만**을 제공하면 되고, 등기기록이 폐쇄된 갑 토지의 등기필정보는 제공할 필요가 없다. 합병 후의 건물에 대해 등기신청을 할 때에도 마찬가지이다(예규 제1647호, 2-나-4)-가)).
>
> ② 판결에 의하여 **승소한 등기의무자**가 등기신청하는 경우나 채권자가 **대위에 의하여 등기신청**하는 경우에 **등기필정보를 작성·통지하지 아니**한다(규칙 제109조 제2항 제3호, 제4호).
> 그러나 **승소한 등기권리자**의 등기신청인 경우에는 등기권리자에게 **등기필정보를 작성·통지**하여야 한다.
>
> ③ 이 법 시행 전에 권리취득의 등기를 한 후 종전의 제67조 제1항에 따라 등기필증을 발급받거나 종전의 제68조 제1항에 따라 등기완료의 통지를 받은 자는 이 법 시행 후 등기의무자가 되어 제24조 제1항 제1호의 개정규정에 따라 등기신청을 할 때에는 제50조 제2항의 개정규정에 따른

등기필정보의 제공을 갈음하여 신청서에 종전의 제67조 제1항에 따른 등기필증 또는 종전의 제68조 제1항에 따른 등기완료통지서를 첨부할 수 있다(법 부칙 제2조).

⑤ 부동산등기법 제51조에서는 등기필증에 갈음하여 본인이 출석하거나 등기필증에 갈음하는 서면을 제출할 수 있는 제도를 두고 있으나, 이는 **등기필증**이 **멸실**된 경우에 인정되는 제도로서 분실의 경우를 포함하지만, 등기필증이 현재 다른 사람의 수중에 있기 때문에 사실상 돌려받기 어려운 경우까지 포함하는 것은 아니다(대판 2007.11.15, 2004다2786).

09 인감증명에 관한 다음 설명 중 가장 옳은 것은?

▶ 2023 법무사

① 소유권 외의 권리의 등기명의인이 등기의무자로서 등기필정보가 없어 등기소에 출석하여 등기관으로부터 등기의무자임을 확인받는 때에는 등기의무자의 인감증명을 제출하지 않아도 된다.

② 등기신청서에 첨부하는 인감증명은 발행일부터 1개월 이내의 것이어야 한다.

③ 부동산매도용 인감증명서를 지상권설정등기신청서에 첨부하여도 등기관은 이를 수리하여야 한다.

④ 등기신청서 등에 인감을 날인하고 본인서명사실 확인 등에 관한 법률에 따라 발급된 본인서명사실확인서를 첨부한 경우에는 인감증명서를 제출한 것으로 본다.

⑤ 인감을 날인하고 인감증명의 제출이 필요한 경우 교도소에 재감 중인 자라면 인감을 날인하여야 하는 서면에 무인하고 교도관의 확인을 받아 인감증명의 제출에 갈음할 수 있다.

해설 ③ 1. **매매**를 원인으로 한 소유권이전등기신청의 경우 위 제4조 제1항 본문과 같이 **반드시** 부동산**매도용 인감**증명서를 첨부하여야 하지만 **매매 이외**의 경우에는 등기신청서에 첨부된 인감증명서상의 **사용용도**와 그 등기의 **목적**이 **다르더라도** 그 등기신청은 이를 **수리**하여야 한다.

2. 따라서 사용용도란에 **가등기용**으로 기재된 **인감증명서**를 **근저당권설정등기신청서**에 첨부하거나 **부동산매도용 인감증명서**를 **지상권설정등기신청서**에 첨부하여도 그 등기신청을 각하하여서는 아니 된다(➋ **수리**한다)(예규 제1308호, 5).

① 소유권 외의 권리의 등기명의인이 등기의무자로서 **법 제51조**(➋ **확인조서·확인서면·공증**)에 따라 등기를 신청하는 경우 **등기의무자**의 **인감증명을** 제출하여야 한다. 이 경우 해당 신청서(위임에 의한 대리인이 신청하는 경우에는 위임장을 말한다)나 첨부서면에는 그 **인감을 날인**하여야 한다(규칙 제60조 제1항 제3호).

② 등기신청서에 첨부하는 **인감증명, 법인등기사항증명서, 주민등록표등본·초본, 가족관계등록사항별증명서** 및 **건축물대장·토지대장·임야대장 등본**은 발행일부터 **3개월** 이내의 것이어야 한다(규칙 제62조).

④ 「부동산등기법」 및 「부동산등기규칙」, 「상업등기법」 및 「상업등기규칙」, 그 밖의 법령, 대법원예규에서 등기소에 제출하는 신청서 등에 「**인감증명법**」에 따라 신고한 인감을 날인하고 인감증명서를 첨부하여야 한다고 정한 경우, 이에 **갈음**하여 **신청서 등에 서명**을 하고 **본인서명사실확인서**를 첨부하거나 발급증을 첨부**할 수 있다**(예규 제1780호, 2).

⑤ **교도소에 재감 중**인 자라 하여 그의 **인감증명서를 발급받을 수 없는 것은 아니**므로(인감증명법 제7조, 같은 법 시행령 제8조, 제13조 참조) 그가 인감 제출을 요하는 등기신청을 함에 있어서는 인감증명서를 제출하여야 하고 재감자가 무인한 등기신청의 위임장이 틀림없다는 취지를 교도관이 확인함으로써 인감증명서의 제출을 생략할 수는 없을 것이다(예규 제423호). 따라서 교도소에 재감 중인 자가 **위임장**에 인감인의 날인에 갈음하여 **무인**을 찍고 교도관이 확인하는 방법으로 작성된 대리권한증서는 적법한 대리권한을 증명하는 정보로 **인정되지 않는다**.

10 등기신청 시 첨부정보로 제공하는 인감증명에 관한 다음 설명 중 가장 옳지 않은 것은?

▸ 2022 법무사

① 인감증명정보를 제공하여야 하는 자가 법인 아닌 사단이나 재단인 경우에는 그 대표자나 관리인의 인감증명을 첨부정보로 제공하여야 한다.
② 인감증명을 제출하여야 하는 등기신청 유형을 열거한 부동산등기규칙 제60조 각 호의 경우에 해당되지 않는 사항에 대하여 등기의무자를 대리하여 등기를 신청하는 경우, 대리권 수여의 소명자료로 위임장 외에 등기의무자의 인감증명을 첨부할 필요는 없다.
③ 1필의 토지의 일부에 지상권등기가 있는 경우에 그 토지의 분필등기를 신청할 때에는 그 권리가 존속할 토지의 표시에 관한 정보를 신청정보의 내용으로 제공하여야 하고 이에 관한 권리자의 확인이 있음을 증명하는 정보를 첨부정보로 제공하여야 하는데 이를 증명하는 지상권자의 확인서와 그 지상권자의 인감증명을 제출하여야 한다.
④ 근저당권이전청구권가등기의 말소등기를 등기의무자와 등기권리자가 공동으로 신청하는 경우에는 등기의무자의 인감증명을 첨부정보로 제공하여야 한다.
⑤ 관공서는 인감증명이 없으므로 관공서가 등기의무자인 경우에는 인감증명에 관한 규정이 적용되지 않으며, 관공서가 동의 또는 승낙 권한을 갖는 경우 등에 있어서도 관공서의 인감증명은 제출하지 않는다.

해설 ④ 1. **소유권의 등기명의인**이 **등기의무자**로서 등기를 신청하는 경우 등기의무자의 인감증명을 제출하여야 한다(규칙 제60조 제1항 제1호).
2. **소유권에 관한 가등기명의인**이 **가등기의 말소**등기를 신청하는 경우 가등기명의인의 인감증명을 제출하여야 한다(규칙 제60조 제1항 제2호).
3. **근저당권이전청구권가등기**의 말소등기의 **등기의무자는 소유권자가 아니**며, **소유권에 관한 가등기의 말소등기도 아니**므로 다른 특별한 사정이 없는 한 등기의무자의 **인감증명**을 첨부정보로 제공할 필요가 **없다**.
① 제60조에 따라 인감증명을 제출하여야 하는 자가 **법인** 또는 국내에 영업소나 사무소의 **설치등기를 한 외국법인**인 경우에는 등기소의 증명을 얻은 그 대표자의 (🏢 법인)인감증명을, **법인 아닌 사단이나 재단**인 경우에는 그 대표자나 관리인의 (🏢 개인)인감증명을 제출하여야 한다(규칙 제61조 제1항).
② 1. 방문신청을 하는 경우에는 **규칙 제60조에 따른 인감증명**을 제출하여야 한다. 이 경우 해당 **신청서**(위임에 의한 대리인이 신청하는 경우에는 **위임장**을 말한다)나 첨부서면에는 그 인감을 날인하여야 한다(규칙 제60조).

2. 따라서 **위에 해당하지 않는 경우**에는 원칙적으로 **인감증명정보**를 제공할 필요가 **없다.**

3. 예컨대 교도소 등 교정시설 수용자의 대리인이 등기신청서의 열람을 신청할 때에 대리권한을 증명하는 서면에는 인감증명서를 제공할 필요가 없다(선례 제201903-1호).

③ 1. **1필의 토지의 일부에 지상권 · 전세권 · 임차권이나 승역지**(承役地 : 편익제공지)의 **일부**에 관하여 하는 지역권의 등기가 있는 경우에 **분필등기**를 신청할 때에는 **권리가 존속할 토지의 표시에 관한 정보**를 신청정보의 내용으로 등기소에 제공하고,

2. 이에 관한 **권리자의 확인이 있음을 증명하는 정보**를 첨부정보로서 등기소에 제공하여야 한다. 이 경우 그 **권리가 토지의 일부에 존속**할 때에는 그 토지부분에 관한 정보도 신청정보의 내용으로 등기소에 제공하고, **그 부분을 표시한 지적도**를 첨부정보로서 등기소에 제공하여야 한다(규칙 제74조).

3. 제74조에 따라 **권리자의 확인서**를 첨부하여 토지분필등기를 신청하는 경우 그 권리자의 **인감증명**을 제공하여야 한다(규칙 제60조 제1항 제5호).

⑤ 인감증명을 제출하여야 하는 자가 **국가** 또는 **지방자치단체**인 경우에는 **인감증명**을 제출할 필요가 **없다**(규칙 제60조 제3항).

---

11 본인서명사실 확인 등에 관한 법률에 따라 발급된 본인서명사실확인서를 첨부하여 등기신청을 할 경우 그 신청서나 첨부서면(이하 '신청서 등'이라 한다.)의 심사에 관한 다음 설명 중 가장 옳지 않은 것은?　　　　　▸ 2024 법무사

① 본인서명사실확인서와 신청서 등의 서명은 본인 고유의 필체로 자신의 성명을 기재하는 방법으로 하여야 하며, 등기관이 알아볼 수 없도록 기재된 경우에는 해당 등기신청을 수리하지 않아야 한다.

② 등기신청서의 성명은 본인서명사실확인서의 서명이 한글로 기재되어 있으면 한글로, 한자로 기재되어 있으면 한자로, 영문으로 기재되어 있으면 영문으로 각각 기재하여야 한다.

③ 등기관은 본인서명사실확인서상의 등기의무자의 주소가 주민등록표초본 또는 등본의 주소이동 내역에서 확인되지 않더라도 성명과 주민등록번호 등에 의하여 같은 사람임이 인정되는 경우에는 해당 등기신청을 각하하여서는 아니 된다.

④ 자격자대리인이 본인서명사실확인서를 첨부하여 등기신청을 대리하는 경우에는 본인서명사실확인서의 "위임받은 사람"란의 "성명"란에 자격자대리인의 자격명과 성명이 기재되어 있으면 자격자대리인의 주소는 기재되어 있지 않아도 된다.

⑤ 본인서명사실확인서의 위임받은 사람란에 기재된 사람과 위임장의 수임인은 같은 사람이어야 하며, 본인서명사실확인서의 "용도"란의 기재와 위임장의 위임취지는 서로 부합하여야 한다.

해설 ② 본인서명사실확인서의 서명이 한글이 아닌 문자로 기재되어 있다 하더라도 **등기신청서의 성명**은 **반드시 한글**로 기재하여야 한다(예규 제1780호, 3-③).

① 1. 본인서명사실확인서와 신청서 등의 **서명**은 본인 고유의 필체로 자신의 **성명**을 기재하는 방법으로 하여야 하며, 등기관이 알아볼 수 있도록 명확히 기재하여야 한다(예규 제1780호, 3-①).

정답　　10 ④　11 ②

2. 등기관은 본인서명사실확인서와 신청서 등에 다음 각 호의 어느 하나에 해당하는 방법으로 서명이 된 경우에는 해당 등기신청을 수리하여서는 아니 된다(예규 제1780호, 3–④).

ㄱ. 제2항에 위반하여 서명 문자가 서로 다른 경우

ㄴ. 본인의 성명을 전부 기재하지 아니하거나 서명이 본인의 성명과 다른 경우

ㄷ. 본인의 성명임을 인식할 수 없을 정도로 흐려 쓰거나 작게 쓰거나 겹쳐 쓴 경우

ㄹ. 성명 외의 글자 또는 문양이 포함된 경우

ㅁ. 그 밖에 등기관이 알아볼 수 없도록 기재된 경우

③ 등기관은 본인서명사실확인서 또는 전자본인서명확인서상의 등기의무자의 주소가 주민등록표초본 또는 등본의 주소이동 내역에서 확인되거나 성명과 주민등록번호 등에 의하여 **같은 사람**임이 **인정**되는 경우에는 해당 등기신청을 각하하여서는 아니 된다(🔁 **수리**하여야 한다)(예규 제1780호, 5).

④ 대리인이 본인서명사실확인서 또는 발급증을 첨부하여 등기신청을 대리하는 경우에는 본인서명사실확인서 또는 전자본인서명확인서의 위임받은 사람란에 대리인의 성명과 주소(🔁 번호×)가 기재되어 있어야 한다. 다만, 대리인이 변호사[법무법인·법무법인(유한) 및 법무조합을 포함한다]나 법무사[법무사법인·법무사법인(유한)을 포함한다]인 자격자대리인인 경우에는 성명란에 "변호사 ○○○" 또는 "법무사○○○"와 같이 자격자대리인의 자격명과 성명이 기재되어 있으면 자격자대리인의 주소는 기재되어 있지 않아도 된다(예규 제1780호, 8–①).

⑤ 본인서명사실확인서 또는 전자본인서명확인서의 위임받은 사람란에 기재된 사람과 위임장의 수임인은 같은 사람이어야 하며, 용도란의 기재와 위임장의 위임취지는 서로 부합하여야 한다(예규 제1780호, 8–②).

12 등기신청수수료에 관한 다음 설명 중 가장 옳은 것은?

▸ 2025 법무사

① 국가가 납세담보를 위하여 저당권설정등기를 경료한 후 납세의무자가 세금을 납부함에 따라 해당 저당권설정등기의 말소등기를 촉탁하는 경우에는 등기신청수수료를 납부할 필요가 없다.

② 부동산표시변경 및 경정등기 신청의 경우 등기신청수수료를 납부하여야 한다.

③ 소유권이전등기와 동시에 신탁등기를 하는 경우 소유권이전등기의 신청수수료 이외에 신탁등기의 신청수수료를 별도로 납부할 필요가 없다.

④ 국가가 국세압류등기의 말소를 촉탁하는 경우 등기신청수수료를 납부하여야 한다.

⑤ 하나의 신청서로 1필지의 토지 및 그 지상의 1개의 건물에 관한 상속을 등기원인으로 하는 소유권이전등기를 전자표준양식에 의하여 신청하는 경우 납부하여야 할 등기신청수수료의 금액은 34,000원이다.

해설 ⑤ 1. **소유권이전등기**의 신청수수료는 매 부동산마다 다음의 금액으로 한다(등기사항증명서 등 수수료규칙 제5조의2 제1항).

가. 서면신청	: 18,000원
나. 전자표준양식에 의한 신청	: 15,000원
다. 전자신청	: 10,000원

2. **상속**(유증, 사인증여를 포함한다)을 등기원인으로 하는 **권리의 이전등기**의 신청수수료는 매 부동산마다 다음의 금액으로 한다(등기사항증명서 등 수수료규칙 제5조의2 제1항).

가. 서면신청	: 20,000원
나. **전자표준양식**에 의한 신청	: **17,000원**
다. 전자신청	: 불가

3. **수개의 부동산**에 관한 등기신청을 **일괄**하여 **하나의 신청서**(촉탁서를 포함한다. 이하 같다)로써 하는 경우에는 **등기의 목적에 따른 소정의 수수료액**에 신청 대상이 되는 **부동산 개수를 곱한 금액**을 등기신청수수료로 납부하여야 한다(예규 제1861호).

> (예시)
> 가. 하나의 신청서로써 1필지의 **토지** 및 그 지상의 1개의 **건물**에 관한 **매매**를 등기원인으로 하는 **소유권이전등기**를 신청하는 경우   : **18,000원 × 2 = 36,000원**
> 나. 하나의 신청서로써 1필지의 **토지** 및 그 지상의 1개의 **건물**에 관한 **상속**을 등기원인으로 하는 **소유권이전등기**(또는 근저당권이전등기 등)를 신청하는 경우
>   : **20,000원 × 2 = 40,000원**
> 다. 하나의 신청서로써 1필지의 **토지** 및 그 지상의 1개의 **건물**에 관한 **상속**을 등기원인으로 하는 **소유권이전등기**(또는 근저당권이전등기 등)를 전자표준양식에 의하여 신청하는 경우   : **17,000원 × 2 = 34,000원**

①,④ 1. 다른 법률에 수수료를 면제하는 규정이 있거나 **국가가 자기를 위하여** 하는 등기의 신청의 경우에는 **등기신청수수료를 면제**하며(등기사항증명서 등 수수료규칙 제7조). "**국가가 자기를 위하여 하는 등기**"라 함은 다음 각 호의 어느 하나에 해당하는 경우를 말한다(예규 제1861호).

> 1. **국가**가 등기권리자로서 신청하는 등기
> 2. 위 1.의 등기 중 국가가 **공권력의 주체로서** 촉탁한 등기의 말소등기
>   (**예** 국세압류등기의 말소, 공매공고등기의 말소)
> 3. 국유재산을 관리, 보존하기 위한 등기

2. **국세압류등기**는 국가가 체납처분이라는 공권력 행사로 설정한 등기이고 그 말소 역시 체납처분의 종료에 따라 국가가 공권력의 주체로서 촉탁하는 말소등기이다. 따라서 국세압류등기의 말소는 국가가 자기를 위하여 하는 등기에 해당하여 등기신청수수료가 면제된다.

3. 반면, **납세담보**나 대부금 담보를 위하여 설정된 저당권설정등기의 말소는 채무 변제로 인해 소유자의 권리를 회복하기 위한 사법상 권리의 정리 절차에 해당한다. 이 경우 국가는 단지 등기권리자의 청구에 의해서 말소를 촉탁할 뿐, 공권력의 주체로서 말소를 촉탁하는 것은 아니다. 따라서 국가(세무서)가 납세담보를 위하여 저당권설정등기를 경료한 후 납세의무자(소유자)가 세금을 납부함에 따라 해당 저당권설정등기의 말소등기를 촉탁하는 경우에는 '국가가 자기를 위하여 하는 등기'에 해당되지 않으므로 등록면허세 및 등기신청수수료를 납부하여야 한다(선례 제9-407호).

② 변경 및 경정등기 중 아래의 경우에는 **등기신청수수료를 받지 아니**한다(등기사항증명서 등 수수료규칙 제5조의2 제4항).

1. **등기관의 과오**로 인한 등기의 착오 또는 유루를 원인으로 하는 경정등기 신청의 경우
2. **부동산표시**변경 및 경정등기 신청의 경우

3. **부동산에 관한 분할·구분·합병 및 멸실**등기 신청의 경우(대지권에 관한 등기 제외)
4. **행정구역·지번의 변경**, 주민등록번호(또는 부동산등기용등록번호)의 정정을 원인으로 한 등기명의인표시변경 또는 경정등기 신청의 경우

③ 부동산신탁 활성화를 위해 신탁등기의 신청수수료를 면제하였던 취지가 어느 정도 달성(2000년 1,123건, 2024년 57,513건)되었다는 점과 다른 등기와의 형평성을 고려하여 **신탁등기의 신청수수료 면제 규정을 삭제**하고 **수수료 규정을 신설**하였으며, **신탁등기의 신청수수료**는 매 부동산마다 **8,000원**으로 한다(예규 제1861호). (시행 : 2025. 08. 01.)
따라서 소유권이전등기와 동시에 신탁등기를 하는 경우 **소유권이전등기의 신청수수료**와 **신탁등기의 신청수수료**를 **함께 납부**하여야 한다.

13 부동산등기신청 시 등기신청수수료에 관한 다음 설명 중 가장 옳지 않은 것은?

▶ 2024 법무사

① 전자신청에 있어 등기신청수수료를 과·오납한 경우 신청인은 등기신청사건 처리완료 전에 기존 결제를 전액 취소한 후 다시 결제를 하여야 한다.
② 부동산에 관한 분할·구분·합병 및 멸실등기 신청의 경우에는 대지권에 관한 등기를 제외하고는 등기신청수수료를 받지 않는다.
③ 어느 권리를 공유하는 수인이 전거를 원인으로 등기명의인표시변경등기를 신청하는 때에는 비록 공유자의 주소가 동일하게 변경되는 경우(공유자가 부부인 경우 등)라도 각 명의인의 수만큼 등기신청수수료를 납부해야 한다.
④ 등기를 신청할 때에 납부하여야 하는 등기신청수수료에 대하여는 신청방식별로 달리 규정하고 있는바, 집행법원이 등기를 전자촉탁하는 경우에는 등기신청수수료가 감액된다.
⑤ 등기신청수수료는 변경되는 등기의 수만큼 납부하여야 하는 것이므로, 1개의 부동산에 관하여 동일한 합유자가 2건의 별도 순위번호로 각 합유등기를 한 후 하나의 등기원인에 의하여 전부에 대한 합유명의인 변경등기를 신청하는 경우에는 2건의 등기신청수수료를 납부하여야 한다.

> **해설** ④ 등기를 신청할 때에 납부하여야 하는 **등기신청수수료**에 대하여는 **신청방식별로 달리 규정**하고 있는바, 이는 **당사자가 직접 등기를 신청**하는 경우에 **적용**되는 것이며(일반적인 소유권이전등기를 예시로, 서면신청의 경우 : 15,000원, 전자표준양식에 의한 신청 : 13,000원, 전자신청 : 10,000원), **집행법원이 등기를 촉탁**하는 경우에까지 **적용되는 것은 아니**다. 따라서 **집행법원이 촉탁**하는 등기에 대하여는 그 **촉탁방식에 관계없이 일률적**으로 「등기사항증명서 등 수수료규칙」 제5조의2에 따른 **등기신청수수료를 납부**하여야 한다(선례 제201907-1호).
> ① **전자신청**에 있어 **등기신청수수료를 과·오납**한 경우 신청인은 등기신청사건 처리완료 전에 **기존 결제를 전액 취소**한 후 **다시 결제**를 하여야 한다(예규 제1836호).
> ② 변경 및 경정등기 중 아래의 경우에는 **등기신청수수료를 받지 아니**한다(등기사항증명서 등 수수료규칙 제5조의2).
>   1. **등기관의 과오**로 인한 등기의 착오 또는 유루를 원인으로 하는 경정등기 신청의 경우
>   2. **부동산표시**변경 및 경정등기 신청의 경우

　　3. **부동산에 관한 분할·구분·합병 및 멸실**등기 신청의 경우(대지권에 관한 등기 제외)

　　4. **행정구역·지번의 변경**, 주민등록번호(또는 부동산등기용등록번호)의 정정을 원인으로 한 등기명의인표시변경 또는 경정등기 신청의 경우

③　1. **일괄신청**의 경우, **접수번호**는 등기신청서(또는 촉탁서)를 기준으로 부여되고 등기 통계에서도 **1건**으로 계산하지만, 이와는 별개로 **등기신청수수료 산정**에 있어서는 **실제 등기관이 처리하는 등기의 건수를 기준**으로 한다. 따라서 일괄신청의 경우에 통계상 신청은 1건이지만 등기관이 처리하는 등기는 여러 건이 되고 그 건수마다 신청수수료가 부과된다.

　　2. 어느 권리를 **공유하는 수인**이 **전거**를 원인으로 **등기명의인표시변경등기**를 신청하는 때에는 비록 공유자의 주소가 동일하게 변경되는 경우(공유자가 부부인 경우 등)라도 **각 명의인의 수만큼 등기수수료를 납부**해야 한다(선례 제200708-2호).

⑤　1. **등기신청수수료**는 '**변경되는 등기의 수**'만큼 **납부**하여야 하는 것이므로, **1개의 부동산**에 관하여 **동일한 합유자**가 '**별도 순위번호**'로 각 합유등기를 한 후 하나의 등기원인에 의하여 전부에 대한 **합유명의인 변경등기**를 신청하는 경우에는 **2건**의 **등기신청수수료**를 납부하여야 한다(선례 제202310-2호).

　　2. 따라서 1개의 부동산에 관하여 **동일한 합유자**가 순위번호 **1-8** 및 순위번호 **2-2**로 각 합유등기를 한 후 합유자 중 **1인의 사망**을 원인으로 하는 '**잔존 합유자의 합유로 하는 합유명의인 변경등기**' 및 **새로운 합유자의 가입**을 원인으로 하는 '**기존 합유자와 새로 가입하는 합유자의 합유로 하는 합유명의인변경등기**'를 신청할 경우에는 **각** 변경등기 별로 **2건**의 **등기신청수수료(총 4건)**를 납부하여야 한다(선례 제202310-2호).

14　등기신청과 관련한 금전납부의무에 관한 다음 설명 중 가장 옳지 않은 것은? ▸ 2023 법무사

① 시가표준액이 일정 금액 이상인 토지의 소유권보존등기를 하는 경우에는 주택도시기금법이 정하는 바에 따라 국민주택채권을 매입할 의무가 있다.

② 소유권이전에 관한 계약서를 작성하는 자는 인지세법에서 정하는 바에 따라 일정한 금액의 인지세를 납부할 의무가 있다.

③ 부동산등기를 신청하려는 자는 대법원규칙으로 정하는 바에 따라 소정의 등기신청수수료를 납부할 의무가 있다.

④ 등기명의인표시변경등기를 신청할 때에는 지방세법 소정의 등록면허세를 납부할 의무가 있다.

⑤ 법원사무관 등이 회생절차, 파산절차, 개인회생절차와 관련하여 보전처분의 등기 등을 촉탁하는 경우에도 등록면허세 및 등기신청수수료를 납부하여야 한다.

(해설) ⑤ 법원사무관 등이 **회생절차, 파산절차, 개인회생절차**, 국제도산절차와 관련하여 법 제24조(**회생절차개시·간이회생절차개시·보전처분의 등기**), 제25조 제2항(**회생계획인가 등기**), 제3항(**회생계획인가취소 등기**) 및 규칙 제10조 제1항에 의한 등기를 촉탁하는 경우 **등록면허세** 및 **등기신청수수료**가 **면제**된다(예규 제1516호, 4-①).

정답 ▸ 13 ④　14 ⑤

① 1. 소유권보존과 관련하여 **건축물**에 대하여는 **건축허가 시**에 주거전용면적 혹은 연면적을 기준으로 제1종국민주택채권을 **매입**하므로 건축허가를 신청할 때에 국민주택채권을 매입한 자가 사용승인을 마친 건축물에 대하여 **소유권보존등기**를 할 때에는 **국민주택채권**을 매입하지 **아니**한다(주택도시기금법 시행령 제8조 제2항).

   2. 그러나 **토지**의 경우 건축허가와 같은 절차가 없으므로, 시가표준액이 **일정 금액 이상인 토지의 소유권보존등기를** 하는 경우에는 국민주택채권을 **매입**하여야 한다.

② 1. 국내에서 **재산에 관한 권리 등**의 **창설·이전** 또는 **변경**에 관한 **계약서**나 이를 증명하는 그 밖의 문서를 작성하는 자는 해당 문서를 작성할 때에 이 법에 따라 그 문서에 대한 **인지세**를 납부할 의무가 있다(「인지세법」 제1조 제1항).

   2. 부동산등기와 관련하여 인지세법이 규정하고 있는 과세문서는 **부동산의 소유권이전** 및 대통령령으로 정하는 금융·보험기관과의 **금전소비대차**에 관한 **증서**이다(「인지세법」 제3조 제1항). 그러한 과세문서에 대하여는 명칭이 무엇이든 그 실질적인 내용에 따라 적용한다(「인지세법」 제3조 제4항).

③ **등기를 하려고 하는 자**는 대법원규칙으로 정하는 바에 따라 **수수료**를 내야 한다(법 제22조 제3항).

④ **등기명의인표시변경등기**를 신청할 때에는 건당 **6,000원**의 지방세법 소정의 **등록면허세**를 납부할 의무가 있다(지방세법 제28조 제1항 제1호 마목).

15 주민등록번호가 없는 재외국민의 부동산등기용등록번호(이하 '등록번호'라 한다.)에 관한 다음 설명 중 가장 옳지 않은 것은?

▶ 2024 법무사

① 등록번호는 대법원 소재지 관할 등기소의 등기관이 부여하며, 관할 외 등기소 등기관이 등록번호 부여신청서 또는 등록번호증명사항 변경신청서를 접수한 경우에는 신청서와 첨부서류의 심사를 한 후 관할 등기소의 등기관에게 모사전송하여야 한다.

② 이미 등록번호를 부여받은 사람이 관할 외 등기소에 다시 등록번호부여 신청을 한 때에는 등록번호증명서의 발급신청으로 간주하여 처리할 수 있다.

③ 재외국민등록번호부와 재외국민부동산등기용등록번호카드는 영구히 보존하여야 한다.

④ 등록번호 부여신청서에는 재외국민등록법 제7조의 재외국민등록부등본 및 가족관계의 등록 등에 관한 법률 제15조 제2항 제1호의 가족관계증명서를 첨부하여야 한다.

⑤ 재외국민의 등록번호에 오류가 있어 등기관이 재외국민등록번호부의 등록번호를 정정한 경우에는 그 재외국민과 행정안전부장관 및 국세청장에게 그 정정의 뜻을 통지하여야 한다.

해설 ④ 재외국민의 **등록번호 부여신청서**에는 「재외국민등록법」 제7조의 **재외국민등록부등본** 및 「가족관계의 등록 등에 관한 법률」 제15조 제2항 제2호의 **기본증명서**를 첨부하여야 한다(법인 및 재외국민의 부동산등기용등록번호 부여에 관한 규칙 제5조).

① 1. **주민등록번호가 없는 재외국민**의 등록번호는 **대법원 소재지 관할 등기소**의 **등기관**이 **부여한**다(법 제49조 제1항 제2호).

   2. 재외국민의 **등록번호의 부여**, 등록번호증명사항의 **변경** 및 등록번호증명서의 **발급 신청**은 관할등기소 이외의 등기소에도 신청할 수 있다(예규 제1389호, 2).

   3. 재외국민의 **등록번호 부여신청서** 또는 등록번호증명사항의 변경신청서를 **접수한 등기소**의 등기관은 그 **신청서**와 **첨부서류**(재외국민등록부등본 및 「가족관계의 등록 등에 관한 법률」 제

15조 제1항 제2호의 **기본증명서**)를 **심사**한 후 이를 **관할등기소의 등기관에게 모사전송**한다 (예규 제1389호, 3-가).

② **이미 등록번호를 부여받은 사람**이 다시 등록번호부여 신청을 한 때에는 등록번호증명서의 **발급 신청으로 간주하여 처리**할 수 있다(예규 제1389호, 4-나).

③ 1. **등록번호부**와 **재외국민부동산등기용등록번호카드**는 **영구히** 이를 **보존**하여야 한다(법인 및 재 외국민의 부동산등기용등록번호 부여에 관한 규칙 제6조 제5항).

   2. **관할등기소**에서는 접수등기소로부터 모사전송된 등록번호 **부여신청서, 등록번호증명사항의 변 경신청서** 및 그 **첨부서류를 원본에 준하여 보존**하고, **접수등기소**에서는 등록번호 부여신청서, 등록번호증명사항의 변경신청서 및 그 첨부서류 원본과 등록번호증명서 발급신청서를 재외국민 등록번호부여신청서편철장에 함께 편철하여 **1년간 보존**한다(예규 제1389호, 5).

⑤ **재외국민**의 **등록번호**에 **오류**가 있는 경우에는 등기관은 재외국민등록번호부의 등록번호를 **정정 하고** 정정일자를 기록하여야 하며, **재외국민**과 **행정안전부장관** 및 **국세청장**에게 그 정정의 뜻을 **통지**하여야 한다(예규 제1698호, 2).

16 자격자대리인의 자필서명 정보 제공에 관한 다음 설명 중 가장 옳지 않은 것은?

▸ 2025 법무사

① 승소한 등기권리자가 권리에 관한 등기를 단독으로 신청하는 경우 자격자대리인의 자필 서명 정보를 제공하여야 한다.

② 등기의무자란에는 등기가 실행되면 등기기록의 기록 형식상 권리를 상실하거나 그 밖의 불이익을 받는 자를 기재하여야 하므로, 법인의 지배인이 등기신청을 위임한 경우에는 등기기록상 명의인인 법인을 기재하여야 한다.

③ 구분건물과 대지권이 함께 등기신청의 목적인 경우에는 그 자필서명 정보에 대지권의 구체적인 표시가 없더라도 대지권이 포함된 취지의 표시는 되어 있어야 한다.

④ 관공서가 등기의무자 또는 등기권리자인 경우에도 자격자대리인의 자필서명 정보의 제 공이 면제되지 않는다.

⑤ 등기권리자가 등기의무자인 자격자대리인에게 등기신청을 위임하는 경우 자격자대리인 은 별도로 자기에 대한 자필서명 정보를 제공할 필요가 없다.

해설 ① 등기를 신청하는 경우에는 다음 각 호의 정보를 그 신청정보와 함께 첨부정보로서 등기소에 제공 하여야 한다(규칙 제46조 제1항).

   8. 자격자대리인이 다음 각 목의 등기를 신청하는 경우, **자격자대리인**(법인의 경우에는 담당 변호 사ㆍ법무사를 의미한다)이 주민등록증ㆍ인감증명서ㆍ본인서명 사실확인서 등 법령에 따라 작 성된 증명서의 제출이나 제시, 그 밖에 이에 준하는 확실한 방법으로 **위임인이 등기의무자인 지 여부를 확인하고 자필서명한 정보**

   가. **공동**으로 신청하는 **권리**에 관한 등기

   나. **승소**한 등기**의무자**가 **단독**으로 신청하는 **권리**에 관한 등기   **(승소한 등기권리자×)**

② **등기의무자란**에는 등기가 실행되면 **등기기록의 기록 형식상 권리를 상실**하거나 **그 밖의 불이익**을 받는 자를 기재하여야 하므로, 법인의 지배인이 등기신청을 위임한 경우에는 **등기기록상 명의인**인 **법인**을 **기재**하여야 한다(예규 제1802호).

③ 구분건물과 대지권이 함께 등기신청의 목적인 경우에는 그 자필서명 정보에 **대지권의 구체적인 표시가 없더라도 대지권이 포함된 취지의 표시**는 되어 있어야 한다(예규 제1802호).

④ **관공서**가 등기의무자 또는 등기권리자인 경우에도 자격자대리인이 「부동산등기규칙」 제46조 제1항 제8호 각 목의 등기를 신청하는 때에는 **자필서명 정보를 제공**하여야 한다(예규 제1802호).

⑤ 등기권리자가 **등기의무자인 자격자대리인**에게 등기신청을 위임하는 경우 자격자대리인은 별도로 자기에 대한 자필서명 정보를 **제공**할 필요가 **없다**(예규 제1802호).

17 자격자대리인의 등기의무자 확인 및 자필서명 정보 제공에 관한 다음 설명 중 가장 옳지 않은 것은?   ▶ 2022 법무사

① 전자신청의 경우에는 자격자대리인의 자필서명정보의 제공이 면제된다.

② 관공서가 등기의무자 또는 등기권리자인 경우에도 자격자대리인의 자필서명 정보의 제공이 면제되지 않는다.

③ 등기권리자가 등기의무자인 자격자대리인에게 등기신청을 위임하는 경우 자격자대리인은 별도로 자기에 대한 자필서명 정보를 제공할 필요가 없다.

④ 같은 등기소에 등기의무자와 등기의 목적이 동일한 여러 건의 등기신청을 동시에 하는 경우에는 먼저 접수되는 신청에만 자필서명 정보(이 경우 자필서명 정보 양식의 등기할 부동산의 표시란에는 신청하는 부동산 전부를 기재하여야 한다)를 첨부정보로 제공하고, 다른 신청에서는 먼저 접수된 신청에 자필서명 정보를 제공하였다는 뜻을 신청정보의 내용으로 등기소에 제공함으로써 자필서명 정보의 제공을 갈음할 수 있다.

⑤ 승소한 등기의무자가 단독으로 신청하는 권리에 관한 등기의 경우에도 자격자대리인은 등기의무자인지 여부를 확인하고 자필서명한 정보를 제공하여야 한다.

해설 ① **전자신청**의 경우 별지 제1호 양식에 따라 작성한 서면(🔵 자격자대리인의 등기의무자 확인 및 자필서명 정보)을 전자적 이미지 정보로 변환(**스캐닝**)하여 원본과 상위 없다는 취지의 부가정보와 「부동산등기규칙」 제67조 제4항 제1호에 따른 자격자대리인의 개인인증서 정보를 덧붙여 등기소에 송신하여야 한다(예규 제1802호, 4-다).

② **관공서**가 등기의무자 또는 등기권리자인 경우에도 자격자대리인이 「부동산등기규칙」 제46조 제1항 제8호 각 목의 등기를 신청하는 때에는 **자필서명 정보를 제공**하여야 한다(예규 제1802호, 5-가).

③ 등기권리자가 **등기의무자인 자격자대리인**에게 등기신청을 위임하는 경우 자격자대리인은 별도로 자기에 대한 자필서명 정보를 **제공**할 필요가 **없다**(예규 제1802호, 5-나).

④ 같은 등기소에 등기의무자와 등기의 목적이 동일한 여러 건의 등기신청을 동시에 하는 경우에는 **먼저 접수되는 신청에만** 자필서명 정보(이 경우 별지 제1호 양식의 등기할 부동산의 표시란에는 신청하는 부동산 전부를 기재하여야 한다)를 첨부정보로 **제공**하고, **다른 신청**에서는 먼저 접수된 신청에 자필서명 정보를 **제공하였다는 뜻**을 신청정보의 내용으로 등기소에 제공함으로써 자필서명 정보의 제공을 갈음할 수 있다(예규 제1802호, 4-나).

⑤ 등기를 신청하는 경우에는 다음 각 호의 정보를 그 신청정보와 함께 **첨부정보로서 등기소에 제공하여야 한다**(규칙 제46조 제1항).

8. 자격자대리인이 다음 각 목의 등기를 신청하는 경우, **자격자대리인**(법인의 경우에는 담당 변호사·법무사를 의미한다)이 주민등록증·인감증명서·본인서명 사실확인서 등 법령에 따라 작성된 증명서의 제출이나 제시, 그 밖에 이에 준하는 확실한 방법으로 **위임인이 등기의무자인지 여부를 확인하고 자필서명한 정보**

　　가. **공동**으로 신청하는 **권리**에 관한 등기

　　나. **승소**한 등기**의무자**가 **단독**으로 신청하는 **권리**에 관한 등기

18 첨부정보에 관한 다음 설명 중 가장 옳지 않은 것은?

▶ 2025 법무사

① 유증한 부동산 중 지분일부를 생전에 처분한 경우 나머지 지분에 대한 유증을 원인으로 하는 소유권이전등기신청 시 원 공정증서를 등기원인을 증명하는 정보로서 등기소에 제공할 수 있다.

② 채무자인 종중 소유의 미등기 건물에 대한 집행법원의 가압류등기촉탁 시 정관이나 규약, 대표자나 관리인임을 증명하는 정보, 사원총회의 결의서 등을 첨부하여야 한다.

③ 농지에 대하여 매매로 인한 소유권이전등기가 마쳐진 후 매매계약의 합의해제를 등기원인으로 하여 소유권이전등기의 말소등기를 신청하는 경우에는 농지취득자격증명을 첨부정보로서 등기소에 제공할 필요가 없다.

④ "위탁자와 수탁자가 신탁계약을 중도 해지할 경우에는 우선수익자의 서면동의가 있어야 한다"는 내용이 신탁원부에 기록되어 있다면 신탁해지를 원인으로 소유권이전등기 및 신탁등기의 말소등기를 신청할 때에는 일반적인 첨부정보 외에 신탁계약의 중도해지에 대한 우선수익자의 동의가 있었음을 증명하는 정보와 그의 인감증명을 첨부정보로서 제공하여야 한다.

⑤ 소유권이전등기청구권을 보전하기 위하여 소유권이전청구권가등기를 마친 상태에서 제3자에 대한 채무를 담보하기 위하여 소유권이전등기청구권을 양도한 경우에는, 양도담보를 원인으로 가등기된 권리의 이전등기를 신청할 수 있고, 이 경우에는 매도인인 소유명의인의 승낙이 있음을 증명하는 정보와 인감증명을 첨부정보로서 등기소에 제공하여야 한다.

> **해설** ② **채무자**인 **종중 소유**의 **미등기 건물**에 대하여 **법원**의 **가압류**등기촉탁이 있는 경우 등기관은 **직권**으로 해당 건물에 대한 소유권**보존**등기를 하여야 하고 이 경우 소유권보존등기의 요건으로 **종중으로서 실체를 갖추었는지 여부**, 그 **대표자에게 적법한 대표권이 있는지 여부** 등에 대해서는 가압류를 명하는 **법원이 판단**하여야 할 사항으로 **법원이 판단한 바에 따라 대표자를 등기하면 족하다.**
> 또한 「부동산등기법」 제66조 제1항에 따라 직권으로 미등기 건물에 대한 **소유권보존등기**를 하는 것이 「민법」 제276조 제1항에 따른 **'총유물의 관리 및 처분'이라 볼 수 없으므로** 종중이 소유권보존등기를 신청하는 경우와 달리 위 **가압류등기의 촉탁** 시 **정관이나 그 밖의 규약, 대표자나 관리인임을 증명하는 정보, 사원총회의 결의서** 등은 **첨부할 필요가 없을 것**이다(선례 제202505-5호).

정답 ▶ 17 ① 18 ②

① 1. **수 개의 부동산을 유증**하기로 하는 **유언증서**를 작성한 후 그 부동산 중 **일부**를 유증자가 **생전에 처분**한 경우라도, 유증하기로 한 재산의 일부를 처분한 사실만으로 다른 재산에 대한 유언을 철회한 것으로 볼 수는 없으므로, **나머지 부동산**에 대하여는 유증을 원인으로 **수증자 앞으로 소유권이전등기**를 신청할 수 **있다**(선례 제8-204호).

   2. 갑이 을에게 **A부동산 전체를 유증**하기로 하는 **공정증서**를 작성한 **후**, 유증한 A부동산의 **지분 2분의 1을 병에게 증여**하고 증여로 인한 소유권이전등기를 마침으로써 **A부동산의 소유권을 갑과 병이 2분의 1씩 공유**하고 있는 경우, A부동산 **전체를 을에게 유증**하기로 한 **공정증서 자체**를 첨부정보로서 등기소에 제공하여 A부동산 **갑 지분 2분의 1에 대하여 을을 등기권리자**로 하는 **소유권이전등기를 신청할 수 있을 것**이다(선례 제202212-2호).

    즉, **유증한 부동산** 중 **지분일부를 생전에 처분**한 경우 **나머지 지분**에 대한 유증을 원인으로 하는 소유권이전등기신청 시 **원 공정증서**를 등기원인을 증명하는 정보로서 **등기소에 제공할 수 있다.**

③ 농지에 대하여 매매로 인한 소유권이전등기가 마쳐진 후 **매매계약의 합의해제**를 등기원인으로 하여 **소유권이전등기의 말소등기**를 신청하는 경우에는 **농지취득자격증명**을 첨부정보로서 등기소에 제공할 필요가 **없다**(선례 제202204-1호).

④ 등기관은 등기기록과 신청정보 및 첨부정보만에 의하여 등기신청의 수리 여부를 결정하여야 하는 바, 신탁원부는 등기기록의 일부로 보게 되므로 **"위탁자와 수탁자가 신탁계약을 중도 해지할 경우에는 우선수익자의 서면동의가 있어야 한다"**는 내용이 신탁원부에 기록되어 있다면 신탁해지를 원인으로 소유권이전등기 및 신탁등기의 말소등기를 신청할 때에는 일반적인 첨부정보 외에 신탁계약의 중도해지에 대한 **우선수익자의 동의가 있었음을 증명하는 정보(동의서)**와 그의 **인감증명**을 첨부정보로서 제공하여야 한다(선례 제201805-3호).

⑤ **매매로 인한 소유권이전등기청구권**은 특별한 사정이 없는 이상 그 **권리의 성질상 양도가 제한**되고 그 양도에 (🅑 소유권이전등기청구권의 채무자)**매도인**의 **승낙**이나 **동의**를 요한다고 할 것이므로(대판 2001.10.9, 2000다51216 참조), 위 가등기의 이전등기를 신청하는 경우에는 매도인인 소유명의인의 **승낙이 있음을 증명**하는 정보와 **인감증명**을 첨부정보로서 등기소에 제공하여야 한다(선례 제201803-1호).

19 등기상 이해관계 있는 제3자에 관한 다음 설명 중 가장 옳지 않은 것은? ▸ 2023 법무사

① 甲 명의에서 乙 명의로 소유권이전등기가 경료된 후 甲의 채권자 丙이 乙 명의의 소유권이전등기에 대하여 사해행위로 인한 소유권이전등기 말소청구권을 피보전권리로 하는 처분금지가처분을 하였을 경우, 乙 명의의 소유권이전등기에 관하여 丙 이외의 자가 말소신청을 하는 때에는 丙은 등기상 이해관계 있는 제3자에 해당한다.

② 甲이 근저당권설정등기를 신청하였으나 등기관의 잘못으로 그 기록을 누락하였고 그 후 乙이 동일 부동산에 대하여 순위 제1번의 근저당권설정등기를 경료하였다면, 직권경정등기절차에 준하여 위 누락된 근저당권설정등기를 순위 제2번으로 기록할 수 있고, 이 경우 乙의 승낙이 있음을 증명하는 정보를 제공하여야 한다.

③ 증여를 원인으로 한 소유권이전등기와 체납처분에 의한 압류등기가 순차 경료된 후 위 증여계약의 해제를 원인으로 한 새로운 소유권이전등기를 신청할 경우에는 체납처분권자의 승낙이 있음을 증명하는 정보는 제공할 필요가 없다.

④ 전세권설정등기 후 그 전세권을 목적으로 하는 근저당권설정등기 또는 그 전세권에 대한 가압류등기 등이 있는 상태에서 전세금을 감액하는 변경등기를 하는 때에 그 근저당권자 또는 가압류권자 등은 등기상 이해관계 있는 제3자에 해당한다.

⑤ 소유권보존등기에 대한 근저당권이 경료된 후 확정판결에 의하여 소유권보존등기를 말소하는 경우에 근저당권자는 그 등기의 말소에 있어서 등기상 이해관계 있는 제3자에 해당한다.

해설 ② 1. 등기관이 등기의 착오나 빠진 부분이 **등기관의 잘못**으로 인한 것임을 발견한 경우에는 지체 없이 그 등기를 **직권으로 경정**하여야 한다. 다만, **등기상 이해관계 있는 제3자가 있는 경우**에는 제3자의 **승낙**이 있어야 한다(법 제32조 제2항).

2. **신청에 의한 등기가 유루(누락)**된 경우에 그 **유루(누락)된 부분도 직권경정**에 의하여 **다시 등기할 수 있다.** 등기상 이해관계 있는 제3자가 있다면 그 **승낙** 또는 이에 대항할 수 있는 재판이 있음을 증명하는 정보가 제공되어야 하지만(법 제32조 제2항 단서), 유루(누락)된 등기를 하여도 **다른 등기와 양립가능한 경우**에는 그 **제공이 없더라도 후순위로 유루(누락)된 등기를 할 수 있다**(「부동산등기실무Ⅱ」 p.55 참조).

3. 예컨대 갑이 **근저당권설정등기를 신청**하였으나 등기공무원의 과오로 그 등기기입을 **유루(누락)**하였고, 그 후 을이 동일 부동산에 대하여 **순위 제1번의 근저당권설정등기를 경료**하였다면, 부동산등기법 제32조 소정의 **경정등기절차에 준**하여 위 **유루(누락)된 근저당권설정등기를 순위 제2번으로 기입할 수 있을 것**이고, 이 경우 **을의 승낙서 등은 첨부할 필요가 없을 것**이다(선례 제2-374호).

① 갑 명의에서 을 명의로 소유권이전등기가 경료된 후 갑의 **채권자 병**이 을 명의의 소유권이전등기에 대하여 사해행위로 인한 **소유권이전등기 말소청구권**을 피보전권리로 하는 처분금지**가처분**을 하였을 경우, 을 명의의 소유권이전등기에 관하여 (**註** **가처분채권자**)병 이외의 자가 **말소신청**을 하는 때(**註** 가처분채권자가 말소신청을 하는 것이 아니라 수익자와 채무자가 공동으로 해당소유권이전등기의 말소신청을 하는 때)에는 (**註** 가처분채권자는 말소에 대하여 등기상 이해관계 있는 제3자이므로 **가처분채권자**)병의 **승낙서** 또는 그에 대항할 수 있는 **재판**의 등본을 첨부하여야 한다. 그러나 위 승낙서 또는 재판의 등본이 첨부되지 아니한 채 등기가 경료되었다면 등기관이 직권으로 이미 말소된 등기의 말소회복등기를 할 수는 없다(법 제29조 제9호)(선례 제6-57호).

③ 증여를 원인으로 한 소유권이전등기와 체납처분에 의한 압류등기가 순차 경료된 후 위 증여계약의 해제를 원인으로 한 위 소유권이전등기의 **말소등기**를 신청하는 경우에는 그 신청서에 체납처분권자의 **승낙서** 또는 이에 대항할 수 있는 재판의 등본을 첨부하여야 하지만(부동산등기법 제171조 참조) 위 증여계약의 해제를 원인으로 새로운 소유권**이전등기**를 신청할 경우에는 위 서면의 첨부는 필요하지 **아니**하다(선례 제2-411호).

④ 전세권설정등기 후 그 **전세권을 목적**으로 하는 **근저당권설정등기** 또는 그 **전세권에 대한 가압류**등기 등이 있는 상태에서 **전세금을 감액**하는 변경등기를 하는 때에 그 근저당권자 또는 가압류권자 등은 **등기상 이해관계 있는 제3자**에 **해당**하므로 그의 승낙이 있으면 그 변경등기를 전세권설정등기에 부기로 하고, 그의 승낙이 없으면 그 변경등기를 할 수 없다(예규 제1671호, 2-나-2)) (**註** **수리요건**).

⑤ 1. **확정판결**에 의하여 **소유권보존등기의 말소**를 신청하는 경우에도 **근저당권자등** 그 등기의 말
소에 대하여 **등기상 이해관계 있는 제3자**가 있는 때에는 그 **승낙서** 또는 이에 대항할 수 있는
재판의 등본을 첨부하여야 한다(선례 제2-401호).

2. 그 확정판결의 **사실심 변론종결** 전에 **근저당설정등기**를 받은 자 등으로서 민사소송법 제204
조 제1항에서 말하는 **변론종결 후의 승계인에 해당하지 않는 자에 한한다**(등기선례요지집 제
1권 제84, 제87, 제89, 제92, 제94, 제95항 참조).

3. 이와 달리, 갑 토지에 관하여 원인무효를 이유로 제기한 **소유권보존등기 말소청구소송**에서 갑
토지의 특정일부에 대하여 **승소판결**(판결 주문에 공유지분의 말소가 아니라 갑 토지의 특정부분
을 말소하라고 표시되어 있는 경우)이 **확정된 후** 갑 토지 전부에 관하여 **근저당권설정등기가 경
료**되었고, 그 후 갑 토지가 위 소송에서 일부 승소한 특정 부분의 을 토지와 나머지 부분의 병
토지로 분할되어 그에 따른 분필등기가 경료되어 있는 경우, 피고로부터 근저당권설정등기를 경료
받은 자는 민사소송법 제218조의 규정에 의한 **변론종결 후의 승계인에 해당**된다 할 것이므로,
원고는 확정된 일부말소판결 및 근저당권자에 대한 승계집행문을 첨부하여 을 토지에 관하여 전
사된 소유권보존등기 및 **근저당권설정등기의 말소등기신청을 할 수 있다**(선례 제5-482호).

20 등기신청 시 제공하여야 할 첨부정보에 관한 다음 설명 중 가장 옳지 않은 것은?

▶ 2022 법무사

① 상속 및 포괄유증, 공유물분할, 진정한 등기명의 회복을 원인으로 하여 소유권이전등기
를 신청하는 경우에는 농지취득자격증명을 제공할 필요가 없다.

② 같은 등기소에 동시에 여러 건의 등기신청을 하는 경우에 첨부정보의 내용이 같은 것이
있을 때에는 먼저 접수되는 신청에만 그 첨부정보를 제공하고, 다른 신청에는 먼저 접수
된 신청에 그 첨부정보를 제공하였다는 뜻을 신청정보의 내용으로 등기소에 제공하는
것으로 그 첨부정보의 제공을 갈음할 수 있으나 여러 신청 사이에는 목적 부동산이 동일
하여야 한다.

③ 판결에 의한 소유권이전등기를 신청할 때에 등기원인에 대하여 행정관청의 허가서의 현
존사실이 그 판결서에 기재되어 있다 하더라도 행정관청의 허가를 증명하는 서면을 반드
시 제공하여야 한다.

④ 학교법인이 그 기본재산을 매도하여 소유권이전등기를 신청하는 경우에는 관할청의 허
가를 증명하는 서면을 첨부하여야 한다.

⑤ 미등기건물에 대한 집행법원의 처분제한등기촉탁에 따른 소유권보존등기를 하는 경우에
제공되어야 할 첨부정보 중 건물의 표시를 증명하는 정보는 명칭에 관계없이 집행법원에
서 인정한 건물의 소재와 지번·구조·면적이 구체적으로 기재된 서면이 될 것이나, 건
축사 또는 측량기술자가 작성한 서면은 이에 해당하지 않는다.

해설 ② 1. 같은 등기소에 동시에 여러 건의 등기신청을 하는 경우에 첨부정보의 내용이 같은 것이 있을
때에는 **먼저 접수되는 신청에만** 그 **첨부정보를 제공**하고, **다른 신청**에는 **먼저 접수된 신청에**
그 첨부정보를 제공하였다는 뜻을 신청정보의 내용으로 등기소에 제공하는 것으로 그 **첨부정**
보의 제공을 갈음할 수 있다(규칙 제47조 제2항).

2. 이 경우 **목적 부동산이 동일할 것을 요하는 것은 아니다.**

① **상속** 및 **포괄유증, 상속인에 대한 특정적 유증, 취득시효완성, 공유물분할, 매각, 진정한 등기명의**
회복, 농업법인의 합병을 원인으로 하여 소유권이전등기를 신청하는 경우에는 **농지취득자격증명**
을 첨부할 필요가 **없다**(예규 제1635호, 3–나).

③ 1. 등기원인에 대하여 **행정관청의 허가, 동의 또는 승낙 등**을 받을 것이 요구되는 때에는 해당
허가서 등의 **현존사실이 그 판결서에 기재되어 있는 경우에 한**하여 허가서 등의 제출의무가
면제된다.

2. 그러나 **소유권이전등기**를 신청할 때에는 해당 **허가서 등의 현존사실이 판결서 등에 기재되어**
있다 하더라도 행정관청의 허가 등을 증명하는 서면을 **반드시 제출**하여야 한다(예규 제1786
호, 5–마).

　　　(🔋 **농지취득자격증명 · 토지거래계약허가서**)
　　　(🔋 **재단법인 주무관청허가서 · 공익법인 소유권이전 주무관청허가서**)

④ **학교법인**이 그 소유 명의의 부동산에 관하여 매매, 증여, 교환, 그 밖의 처분행위를 원인으로 한
소유권이전등기를 신청하는 경우에는 **관할청의 허가**를 증명하는 서면을 첨부정보로 제공하여야
한다. 다만, 신고사항에 해당하는 경우에는 이를 소명할 수 있는 서면을 첨부정보로 제공하여야
한다(예규 제1255호, 3–①).

⑤ 1. 미등기건물에 대하여 집행법원이 처분제한의 등기를 촉탁할 때에는 법원에서 인정한 건물의
소재와 지번 · 구조 · 면적을 증명하는 정보를 첨부정보로서 제공하여야 하는바,

　　㉠ **건축물대장정보**나

　　㉡ 특별자치시장, 특별자치도지사, **시장, 군수 또는 구청장이 발급한 확인서**와

　　㉢ 「민사집행법」 제81조 제4항에 따라 작성된 **집행관의 조사서면**은 이에 해당하지만,

　　　　ⓐ 「건축사법」에 따라 업무를 수행하는 **건축사,**

　　　　ⓑ 「공간정보의 구축 및 관리 등에 관한 법률」에 따라 업무를 수행하는 **측량기술자** 또는

　　　　ⓒ 「감정평가 및 감정평가사에 관한 법률」에 따라 업무를 수행하는 **감정평가사**가 작성한
　　　　서면은 이에 **해당되지 아니**한다.

2. 한편 위의 경우 **건축물대장이 생성되어 있지 아니한 건물도 허용**되지만 모든 미등기 건물이
허용되는 것은 아니며, 적법하게 **건축허가**나 **건축신고**를 마쳤으나 **사용승인이 나지 않은 건물**
로 한정되는바(민사집행법 제81조 제1항 제2호 단서), 촉탁대상 건물이 **이러한 건물에 해당되**
는지 여부 및 **채무자의 소유에 속하는지 여부**는 그 **집행법원에서 판단할 사항**이다. 이에 따라
집행법원이 이러한 건물에 대한 **처분제한의 등기를 촉탁할 때**에 건축허가나 건축신고를 증명
하는 정보 및 채무자의 소유임을 증명하는 정보는 첨부정보로서 **제공할 필요가 없다.**

3. 다만, **채무자의 주소 및 주민등록번호**(부동산등기용등록번호)를 **증명하는 정보**는 **제공**하여야
한다(선례 제202001–3호, 선례 제201207–1호).

실행절차

01 등기신청의 접수에 관한 다음 설명 중 가장 옳지 않은 것은?   ▶ 2024 법무사

① 전자신청의 경우 접수절차가 전산정보처리조직에 의하여 자동으로 처리되므로 접수담당자가 별도로 접수절차를 진행하지 않는다.

② 같은 부동산에 관하여 동시에 여러 개의 등기신청이 있는 경우에는 같은 접수번호를 부여하여야 한다.

③ 등기신청인이 신청서를 접수담당자에게 제출하였다 하더라도 해당 부동산이 다른 부동산과 구별될 수 있게 하는 정보가 전산정보처리조직에 저장되기 전에는 그 신청이 접수된 것이 아니다.

④ 출입사무원이 등기신청서를 제출하는 경우에는 등기신청서 전면 우측 상단 여백에 일정한 양식의 표시인을 찍고 제출자란에 그 사무원의 성명을 기재하여야 하며, 이는 여러 건의 등기신청서를 동시에 제출할 때에도 마찬가지이다.

⑤ 자격자대리인에게 명의대여나 사무원 등에 의한 부당한 사건 유치의 비위사실이 있다고 인정되거나 출입사무원이 등기소에 출석하여 등기신청서를 제출하는 업무를 수행함에 적정하지 않다고 인정되는 행위를 한 경우에는 지방법원장은 출입사무원 허가를 취소할 수 있다.

해설 ④ **출입사무원**이 등기신청서를 제출하는 경우에는 **등기신청서 전면 우측 상단 여백에 표시인**을 찍고 제출자란에 그 **사무원의 성명을 기재**하여야 한다. 다만 **여러 건의 등기신청서를 동시에 제출**할 때에는 **첫 번째 신청서에만 위 표시인**을 찍고 **총 신청건수**를 기재하는 방법으로 **갈음**할 수 있다(예규 제1718호, 3─②).

① 전자신청의 경우 (⊞ 접수절차가 전산정보처리조직에 의해서 자동적으로 처리되므로 접수담당자가 **별도의 접수절차**를 진행하지 **않고**) 접수번호는 전산정보처리조직에 의하여 **자동적**으로 **생성**된 **접수번호를 부여**한다(예규 제1836호).

② 같은 부동산에 관하여 동시에 여러 개의 등기신청이 있는 경우에는 같은 접수번호를 부여하여야 한다(규칙 제65조 제2항).

③ 1. **등기신청의 접수순위**는 신청정보가 **전산정보처리조직에 저장되었을 때**를 기준으로 하며, 등기관이 등기를 마친 경우 그 **등기의 효력**은 교합 시가 아닌 **접수한 때부터 발생**한다(법 제6조 제2항).

   2. 따라서 **등기신청인이 신청서를 접수담당자에게 제출하였다 하더라도** 위와 같이 해당 부동산이 다른 부동산과 구별될 수 있게 하는 정보가 **전산정보처리조직에 저장되기 전**에는 그 신청이 **접수된 것이 아니다.**

⑤ 지방법원장은 **다음 각 호**의 어느 하나에 해당하는 경우에 **출입사무원 허가를 취소**할 수 있다(예 규 제1718호, 13-①).

1. 허가를 받은 자격자대리인에게 **명의대여**나 사무원 등에 의한 **부당한 사건 유치**의 비위사실이 있다고 인정된 경우
2. 출입사무원이 등기소에 출석하여 등기신청서를 제출하는 업무를 **수행함에 적정하지 않다고 인정**되는 행위를 한 경우
3. **그 밖에 허가를 취소할 만한 상당한 이유**가 있는 경우

02 등기신청의 접수에 관한 다음 설명 중 가장 옳지 않은 것은? ▶ 2023 법무사

① 등기신청은 해당 부동산이 다른 부동산과 구별될 수 있게 하는 정보가 전산정보처리조직에 저장된 때 접수된 것으로 본다.
② 같은 토지 위에 있는 여러 개의 구분건물에 대한 등기를 동시에 신청하는 경우에는 그 건물의 소재 및 지번에 관한 정보가 전산정보처리조직에 저장된 때 등기신청이 접수된 것으로 본다.
③ 처분금지가처분 신청이 가압류 신청보다 신청법원에 먼저 접수되었다 하더라도 법원으로부터 처분금지가처분등기촉탁서와 가압류등기촉탁서를 등기관이 동시에 받았다면 양 등기는 이를 동시 접수 처리하여야 하고 그 등기의 순위는 동일순위등기이다.
④ 등기관이 신청서를 접수하였을 때에는 신청인의 청구에 관계없이 그 신청서의 접수증을 발급하여야 한다.
⑤ 같은 부동산에 관하여 동시에 여러 개의 등기신청이 있는 경우에는 같은 접수번호를 부여하여야 한다.

해설 ④ 등기관이 신청서를 접수하였을 때에는 **신청인의 청구**에 따라 그 신청서의 **접수증**을 **발급**하여야 한다(규칙 제65조 제3항).

① 등기신청은 대법원규칙으로 정하는 등기신청정보가 **전산정보처리조직에 저장된 때 접수**된 것으로 **본다. 등기관이 등기를 마친 경우** 그 등기는 접수한 때부터 효력을 발생한다(법 제6조).

② **같은 토지 위에 있는 여러 개의 구분건물**에 대한 등기를 동시에 신청하는 경우에는 **그 건물의 소재 및 지번에 관한 정보가 전산정보처리조직에 저장된 때** 등기신청이 **접수**된 것으로 **본다**(규칙 제3조 제2항).

③ 등기신청의 접수순위는 등기신청정보가 전산정보처리조직에 저장되었을 때를 기준으로 하고 동일 부동산에 관하여 동시에 수개의 등기신청이 있는 때에는 동일 접수번호를 부여하여 동일 순위로 등기하여야 하므로(규칙 제65조 제2항), 처분금지가처분신청이 가압류 신청보다 신청법원에 먼저 접수되었다 하더라도 법원으로부터 동처분금지가처분등기촉탁서와 가압류등기 촉탁서를 **등기관이 동시에 받았다면** 양 등기는 이를 **동시 접수 처리**하여야 하고 그 등기의 순위는 **동일순위등기**이다(예규 제1348호).

⑤ 같은 부동산에 관하여 동시에 여러 개의 등기신청이 있는 경우에는 **같은 접수번호**를 부여하여야 한다(규칙 제65조 제2항).

정답 01 ④ 02 ④

제2절 조사(형식적 심사)

01 등기관의 심사권한에 관한 다음 설명 중 가장 옳지 않은 것은? ▸ 2021 법무사

① 등기관은 등기신청에 대하여 실체법상의 권리관계와 일치하는지 여부를 심사할 실질적 심사권한은 없으나 신청서 및 그 첨부서류와 등기부에 의하여 등기요건에 합당하는지 여부를 심사할 형식적 심사권한과 책무가 있다.

② 등기관으로서는 오직 제출된 서면 자체를 검토하거나 이를 등기부와 대조하는 등의 방법으로 등기신청의 적법 여부를 심사하여야 할 것이고, 이러한 방법에 의한 심사 결과 형식적으로 부진정한, 즉 위조된 서면에 의한 등기신청이라고 인정될 경우 이를 각하하여야 할 직무상의 의무가 있다.

③ 등기관은 부동산등기법 제29조 각 호의 어느 하나에 해당하는 경우에만 이유를 적은 결정으로 신청을 각하하여야 한다. 다만, 신청의 잘못된 부분이 보정될 수 있는 경우로서 신청인이 등기관이 보정을 명한 날의 다음 날까지 그 잘못된 부분을 보정하였을 때에는 그러하지 아니하다.

④ 등기관은 법원의 촉탁에 의한 등기를 실행하는 경우 촉탁서의 기재내용과 촉탁서에 첨부된 판결의 기재내용이 일치하는지 여부를 심사할 수 없다.

⑤ 등기관이 등기신청서류에 대한 심사를 하는 경우의 심사의 기준 시는 바로 등기부에 기록(등기의 실행)하려고 하는 때인 것이지 등기신청서류의 제출 시가 아닌 것이다.

> **해설** ④ **등기관**은 등기신청절차의 형식적 요건만 심사할 수 있는 것이고, 그 등기원인이 되는 법률관계의 유·무효와 같은 실질적인 심사권은 없다고 할 것이나, 법원의 촉탁에 의한 등기를 실행하는 경우 촉탁서의 기재내용과 촉탁서에 첨부된 판결의 기재내용이 일치하는지 여부는 심사할 수 있다(예규 제623호).
>
> ①, ② **등기공무원**은 등기신청에 대하여 실체법상의 권리관계와 일치하는 여부를 심사할 **실질적 심사권한은 없고** 등기신청에 대하여 부동산등기법상 그 등기신청에 필요한 서면이 제출되었는지 여부 및 제출된 서면이 형식적으로 진정한 것인지 여부 등 그 등기신청이 신청서 및 그 첨부서류와 등기부에 의하여 등기요건에 합당한지 여부를 심사할 **형식적 심사권한**을 갖는다(대판 2005.2.25, 2003다13048). 이러한 방법에 의한 심사 결과 형식적으로 부진정한, 즉 위조된 서면에 의한 등기신청이라고 인정될 경우 이를 각하하여야 할 직무상의 의무가 있다고 할 것이다(대판 2005.2.25, 2003다13048).
>
> ③ 법 제29조
>
> ⑤ **등기공무원**이 부동산등기법 제29조에 의하여 등기신청서류에 대한 심사를 하는 경우 **심사의 기준 시**는 바로 등기부에 기재(등기의 실행)하려고 하는 때인 것이지 등기신청서류의 제출 시가 아니다(대결 1989.5.29, 87마820).

제3절 **문제ㅇ**

01 등기소에 출석하여 서면으로 등기를 신청한 경우의 그 취하절차에 관한 다음 설명 중 가장 옳지 않은 것은? ▸ 2022 법무사

① 임의대리인이 등기신청을 취하하는 경우에는 취하에 관하여 특별수권이 있어야 한다.

② 등기권리자와 등기의무자가 공동으로 등기신청을 한 경우라도 등기신청의 취하는 등기 권리자 또는 등기의무자 일방이 할 수 있다.

③ 등기신청의 취하는 등기관이 등기를 마치기 전 또는 등기신청을 각하하기 전까지만 할 수 있다.

④ 여러 개의 부동산에 관한 등기신청을 일괄하여 동일한 신청서에 의하여 한 경우 그중 일부 부동산에 대하여만 등기신청을 취하할 수 있다.

⑤ 등기신청의 취하는 신청인 또는 그 대리인이 등기소에 출석하여 취하서를 제출하는 방법 으로 하여야 한다.

해설 ② **등기신청**이 등기권리자와 등기의무자의 **공동신청**에 의하거나 등기권리자 및 등기의무자 **쌍방으 로부터 위임받은 대리인**에 의한 경우에는, 그 등기신청의 **취하**도 등기권리자와 등기의무자가 **공 동**으로 하거나 등기권리자 및 등기의무자 **쌍방으로부터 취하에 대한 특별수권을 받은 대리인**이 이를 할 수 있고, 등기권리자 또는 등기의무자 **어느 일방만**에 의하여 그 등기신청을 **취하**할 수는 **없**다(예규 제1643호, 1-나).

① 등기신청인 또는 그 대리인은 등기신청을 취하할 수 있다. 다만, 등기신청**대리인**이 등기신청을 취하하는 경우에는 **취하**에 대한 **특별수권**이 있어야 한다(예규 제1643호, 1-가).

③ 등기신청의 취하는 등기관이 **등기를 마치기 전**까지 할 수 있다(**囲 등기완료 前 or 각하결정 前**). 따라서 등기가 완료되면 취하는 할 수 없고 별도의 경정등기 등을 통하여 잘못된 사항을 시정하 여야 한다(예규 제1643호, 2).

④ 「부동산등기법」 제25조의 규정에 의하여 **수개의 부동산**에 관한 등기신청을 **일괄**하여 **동일한 신 청**서에 의하여 한 경우 그중 **일부 부동산**에 대하여만 등기신청을 **취하**하는 것도 **가능**하다(예규 제1643호, 4).

⑤ 1. **방문신청**에 따른 등기신청의 취하는 **신청인 또는 그 대리인**이 등기소에 출석하여 **취하서**를 제출하는 방법으로 하여야 한다(규칙 제51조 제2항 제1호).

2. **전자신청**에 따른 등기신청의 취하는 전산정보처리조직을 이용하여 취하정보를 **전자문서**로 등 기소에 **송신**하는 방법으로 하여야 한다(규칙 제51조 제2항 제2호).

정답 **01 ④ / 01 ②**

02

부동산등기법 제29조 제7호의 각하사유인 '신청정보의 등기의무자의 표시가 등기기록과 일치하지 아니한 경우'에 관한 다음 설명 중 가장 옳지 않은 것은?
▸ 2025 법무사

① 신청정보의 등기의무자의 표시가 등기기록과 일치하지 아니하는 경우에도 부동산등기법 제27조에 따라 포괄승계인이 등기신청을 하는 경우는 부동산등기법 제29조 제7호의 각하사유에서 제외한다.

② 신청정보의 등기의무자의 표시가 등기기록과 일치하지 아니하는 경우에도 신청정보와 등기기록의 등기의무자가 동일인임을 대법원규칙으로 정하는 바에 따라 확인할 수 있는 경우는 부동산등기법 제29조 제7호의 각하사유에서 제외한다.

③ 등기의무자가 외국인인 경우에도 대법원규칙이 정하는 바에 따라 등기의무자의 동일성이 인정되면 부동산등기법 제29조 제7호에 따라 신청을 각하하지 아니한다.

④ 등기의무자의 등기기록상의 주소가 신청에 따른 등기가 마쳐질 당시에 잘못 기록되는 등 등기명의인의 표시에 경정사유가 존재하는 경우에는 대법원규칙이 정하는 바에 따라 등기의무자의 동일성이 인정된다 하더라도 부동산등기법 제29조 제7호에 따라 신청을 각하한다.

⑤ 신청정보의 등기의무자의 표시에 관한 사항 중 주소(또는 사무소 소재지)가 등기기록과 일치하지 않지만 주소를 증명하는 정보에 의해 등기의무자의 등기기록상 주소가 신청정보상의 주소로 변경된 사실이 확인되는 경우라도, 등기기록에 등기의무자의 주민등록번호가 기록되어 있지 않은 경우에는 부동산등기법 제29조 제7호에 따라 신청을 각하한다.

해설 ③ 등기의무자가 **외국인, 국내에 영업소나 사무소의 설치 등기를 하지 아니한 외국법인, 법인 아닌 사단이나 재단**인 경우에는 **규칙 제52조의2를 적용하지 아니**하므로, 등기의무자의 **동일성이 인정되는 경우라도 먼저 등기명의인표시변경등기를 선행**하여야 하며, **그렇지 못한 경우**에는 **법 제29조 제7호**에 따라 등기신청을 **각하**한다(법 제29조 제7호, 제52조의2 제2항).

> **규칙 제52조의2[등기의무자의 동일성 판단 기준]**
> ① **신청정보**의 등기의무자의 표시에 관한 사항 중 **주민등록번호**(또는 부동산등기용등록번호)는 **등기기록과 일치**하고 **주소**(또는 사무소 소재지)가 **일치하지 아니**하는 경우에도 **주소를 증명하는 정보**에 의해 **등기의무자의 등기기록상 주소가 신청정보상의 주소로 변경된 사실이 확인**되어 **등기의무자의 동일성이 인정**되는 경우에는 법 제29조 제7호 나목에 따라 신청을 **각하하지 아니**한다.
> ② 등기의무자가 **외국인, 국내에 영업소나 사무소의 설치 등기를 하지 아니한 외국법인, 법인 아닌 사단이나 재단**인 경우에는 제1항을 **적용하지 아니**한다.
> ③ 등기의무자의 등기기록상의 주소가 신청에 따른 등기가 마쳐질 당시에 잘못 기록되는 등 등기명의인의 표시에 **경정사유가 존재**하는 경우에는 제1항을 **적용하지 아니**한다.

①.② 등기관은 **다음 각 호**의 어느 하나에 해당하는 경우에만 이유를 적은 결정으로 신청을 **각하**(却下)하여야 한다. 다만, 신청의 잘못된 부분이 보정(補正)될 수 있는 경우로서 신청인이 등기관이 보정을 명한 날의 다음 날까지 그 잘못된 부분을 보정하였을 때에는 그러하지 아니하다(법 제29조 제7호).

7. **신청정보**의 **등기의무자**의 표시가 **등기기록**과 **일치하지 아니**한 경우
다만, **다음 각 목**의 어느 하나에 해당하는 경우는 제외한다.
가. **제27조에 따라 포괄승계인**이 등기신청을 하는 경우
나. **등기의무자가 동일인임**을 **대법원규칙(제52조의2)**으로 정하는 바에 따라 **확인**할 수 있는 경우

④ 등기의무자의 등기기록상의 주소가 신청에 따른 등기가 마쳐질 당시에 잘못 기록되는 등 등기명의인의 표시에 **경정사유가 존재**하는 경우에는 제1항을 **적용하지 아니**하므로, 등기의무자의 **동일성이 인정되는 경우라도 먼저 등기명의인표시경정등기를 선행**하여야 하며, **그렇지 못한 경우**에는 **법 제29조 제7호**에 따라 등기신청을 **각하**한다(법 제29조 제7호, 제52조의2 제3항).

⑤ 규칙 제52조의 제1항이 적용되기 위해서는 **신청정보**의 등기의무자의 표시에 관한 사항 중 **주민등록번호**(또는 부동산등기용등록번호)는 **등기기록과 일치**하여야 하므로, 등기기록에 등기의무자의 **주민등록번호가 기록되어 있지 않은 경우**에는 **먼저 주민등록번호**(또는 부동산등기용등록번호)**를 추가하는 등기명의인표시경정등기를 선행**하여야 하며, **그렇지 못한 경우**에는 **법 제29조 제7호**에 따라 등기신청을 **각하**한다(법 제29조 제7호, 제52조의2 제1항).

03

다음 중 부동산등기법 제29조 제2호 소정의 "사건이 등기할 것이 아닌 경우"에 해당하지 않는 것은?
▶ 2023 법무사

① 법령에 근거가 없는 특약사항의 등기를 신청한 경우
② 신청정보상 甲이 등기권리자인데 매매계약서상으로는 乙이 권리자인 경우
③ 관공서 또는 법원의 촉탁으로 실행되어야 할 등기를 신청한 경우
④ 농지를 전세권설정의 목적으로 하는 등기를 신청한 경우
⑤ 일부지분에 대한 소유권보존등기를 신청한 경우

해설 ② 등기관은 **신청정보**와 **등기원인을 증명하는 정보(註 매매계약서)**가 **일치하지 아니**한 경우 이유를 적은 결정으로 신청을 **각하**하여야 한다(법 제29조 제8호).
① 법 제29조 제2호, 규칙 제52조 제2호
③ 법 제29조 제2호, 규칙 제52조 제8호
④ 법 제29조 제2호, 규칙 제52조 제4호
⑤ 법 제29조 제2호, 규칙 제52조 제6호

정답 02 ③ 03 ②

04 부동산등기법 제29조의 각하에 관한 다음 설명 중 가장 옳지 않은 것은? ▸ 2022 법무사

① 근저당권의 말소등기가 신청된 경우에 근저당권자의 표시에 변경의 사유가 있는 때라도 신청서에 그 변경을 증명하는 서면이 첨부된 경우에는 부동산등기법 제29조 제7호의 "신청정보의 등기의무자의 표시가 등기기록과 일치하지 아니한 경우"에 해당됨을 이유로 각하해서는 안 된다.

② 가등기에 의한 본등기를 하고 가등기와 본등기 사이에 이루어진 체납처분으로 인한 압류등기에 대하여 직권말소대상통지를 한 후 이의신청 기간이 지나지 않은 상태에서 본등기에 기초한 등기의 신청이나 촉탁이 있는 경우에는 "사건이 등기할 것이 아닌 때"에 해당한다.

③ 소유권에 대한 가압류등기가 마쳐진 상태에서 채무자인 소유자가 해방공탁서를 첨부하여 가압류등기의 말소를 신청한 경우에는 "사건이 등기할 것이 아닌 때"에 해당한다.

④ 부동산에 대한 가압류가 본압류로 이행되어 강제경매개시결정등기가 마쳐진 경우 가압류등기만에 대한 집행법원의 말소촉탁은 "사건이 등기할 것이 아닌 때"에 해당한다.

⑤ 전세권설정등기 후 그 전세권을 목적으로 하는 근저당권설정등기가 있는 상태에서 전세금을 감액하는 변경등기의 신청이 있는 경우 그 근저당권자의 승낙서가 첨부되지 않은 경우에는 "등기에 필요한 첨부정보를 제공하지 아니한 경우"에 해당한다.

> **해설** ② 가등기에 의한 본등기를 하고 가등기와 본등기 사이에 이루어진 **체납처분에 의한 압류**등기에 관하여 등기관이 **직권말소대상통지**를 한 경우에는 **비록 이의신청기간이 지나지 않았다 하더라도**
> 　　1) **본등기에 기초한 등기의 신청이나 촉탁**은 **수리**하며,
> 　　2) **체납처분에 의한 압류등기에 기초한 등기의 촉탁**은 **각하**한다(예규 제1632호).
>
> ① **소유권 이외의 권리에 관한 등기**(註 근저당권, 전세권, 가등기 등)의 **말소**를 신청하는 경우에 있어서는 그 **등기명의인의 표시에 변경 또는 경정의 사유가 있는 때라도** 신청서에 **그 변경 또는 경정을 증명하는 서면을 첨부**함으로써 **등기명의인의 표시변경 또는 경정**의 등기를 **생략**할 수 있을 것이다(예규 제451호).
>
> ③ 법 제29조 제2호, 규칙 제52조 제8호
> 　　1) 등기관은 "**사건이 등기할 것이 아닌 경우**"에 해당하는 경우에만 이유를 적은 결정으로 신청을 **각하**하여야 한다(법 제29조 제2호).
> 　　2) 법 제29조 제2호에서 "**사건이 등기할 것이 아닌 경우**"란 다음 각 호의 어느 하나에 해당하는 경우를 말한다(규칙 제52조 제8호).
> 　　　8. **관공서 또는 법원의 촉탁으로 실행되어야 할 등기를 신청한 경우**
> 　　　　(註 **가처분**등기에 대하여 등기의무자와 등기권리자가 공동으로 말소등기신청을 한 경우)
> 　　　　(註 **가압류**등기에 대하여 등기명의인인 채권자가 **말소**등기를 신청하는 경우)
> 　　　　(註 **가압류**등기에 대하여 채무자인 소유자가 해방공탁서를 첨부하여 **말소**등기를 신청하는 경우)
> 　　　　(註 **경매절차**에서 매수인이 된 자가 **소유권이전등기를 신청**한 경우)
>
> ④ 법 제29조 제2호, 규칙 제52조 제10호
> 　　1. 부동산에 대한 **가압류가 본압류로 이행**되어 **강제경매개시결정등기**가 마쳐지고 강제집행절차가 진행 중이라면 그 **본집행의 효력이 유효하게 존속하는 한 가압류등기만을 말소할 수 없는 것**이므로, 그 **가압류등기에 대한 집행법원의 말소촉탁은 그 취지 자체로 보아 법률상 허용될**

    수 없음이 **명백한 경우에 해당**하여 등기관은 「부동산등기법」 **제29조 제2호**에 의하여 촉탁을 **각하**하여야 한다.

2. 이 경우 등기관이 **각하사유를 간과**하고 집행법원의 촉탁에 의하여 그 **가압류등기를 말소하였**더라도 본집행이 **취소 · 실효되지 않는 이상, 본집행에 아무런 영향을 미치지 아니**하므로 말소된 해당 **가압류 이후의 가처분, 가압류, 소유권이전등기**에 대하여 **매각을 원인으로 한 말소등기의 촉탁**이 있을 경우 등기관은 이를 **수리**할 수 있다(註 **가압류등기**를 직권으로 **회복하는 절차를 선행할 필요**는 **없**다)(선례 제9–372호).

⑤ 1. 등기관은 각종 등기신청서에 첨부할 서면이 무엇인가를 법령 등에 의하여 확인하여 **첨부할 서면이 누락**된 경우에는 물론이고, 첨부된 서면 등이 적정 · 타당한지를 조사하여 **위조 또는 변조되었거나 효력을 상실한 것으로 인정**되는 경우에도 첨부하지 아니한 것으로 보아 해당 등기신청을 **각하**하여야 한다(註 법 제29조 제9호, 「부동산등기실무Ⅰ」 p.547).

2. 예컨대 ① 등기원인증서, ② **각종 허가서**, ③ 등기필증, ④ 법인 등기사항증명서, ⑤ 위임장, ⑥ 주민등록표 등 · 초본, ⑦ 부동산등기용등록번호증명서, ⑧ 토지(임야)대장 등본, ⑨ 건축물대장등본 ⑩ **제3자의 승낙서** 등의 서류를 **누락**한 경우가 대표적이다.

정답 **04** ②

제4절 등기실행

01 등기필정보에 관한 다음 설명 중 가장 옳지 않은 것은? ▶ 2023 법무사

① 방문신청의 경우 신청인이 등기신청서와 함께 등기필정보통지서 송부용 우편봉투를 제출한 경우에는 등기필정보통지서를 우편으로 송부한다.

② 등기관이 착오로 여러 명의 등기권리자 중 일부를 누락하여 직권으로 등기권리자를 추가하는 경정등기를 하는 경우에는 그 추가되는 등기권리자에 대한 등기필정보를 작성하지 않는다.

③ 등기의무자인 법인이 등기필정보가 없는 경우에 그 지배인이 회사를 대리하여 등기신청을 하는 경우에는 그 지배인이 출석하여 지배인임을 확인받을 수 있다.

④ 등기필정보가 없을 때에는 등기신청을 위임받은 자격자대리인인 법무사가 등기의무자 또는 그 법정대리인 본인으로부터 위임받았음을 확인하고 그 확인한 사실을 증명하는 정보를 작성하여 제공할 수 있다.

⑤ 구분건물을 신축하여 분양한 자가 집합건물의 소유 및 관리에 관한 법률 제2조 제6호의 대지사용권을 가지고 있는 경우에 대지권등기를 하지 아니한 상태에서 수분양자에게 구분건물에 대하여만 소유권이전등기를 마친 경우 현재의 구분건물의 소유명의인과 공동으로 대지사용권에 관한 이전등기를 신청하는 경우에는 등기필정보를 제공하지 않아도 된다.

해설 ② 1. 등기관이 **등기권리자의** 신청에 의하여 권리자를 추가하는 **경정 또는 변경등기**(갑 **단독소유를 갑, 을 공유로 경정**하는 경우나 **합유자가 추가**되는 합유명의인표시변경 등기 등)를 하는 경우에는 **등기필정보를 작성하여야** 한다(예규 제1840호).

2. 마찬가지로, 등기관이 착오로 **여러 명의 등기권리자 중 일부를 누락**하여 직권으로 **등기권리자를 추가**하는 경정등기를 하는 경우에는 그 **추가되는 등기권리자**에 대한 **등기필정보를 작성**하여야 한다.

① 방문신청의 경우 등기필정보를 적은 서면(이하 "**등기필정보통지서**"라 한다)을 **교부**하는 방법으로 등기필정보를 교부한다. 다만 **신청인이** 등기신청서와 함께 대법원예규에 따라 **등기필정보통지서 송부용 우편봉투를 제출**한 경우에는 등기필정보통지서를 **우편으로 송부**한다(규칙 제107조 제1항 제1호).

③ 1. (🔶 **등기된**) **지배인**은 영업주에 갈음하여 그 영업에 관한 재판상 또는 재판 외(🔶 **등기신청**)의 모든 행위를 할 수 **있다**(상법 제11조 제1항).

2. 「부동산등기법」 제51조의 규정에 의하여 **확인조서**나 **확인서면** 또는 **공정증서**를 작성함에 있어서 등기의무자가 법인인 경우에는 그 **지배인을 확인**하거나 지배인의 작성부분에 관한 공증으로 대표권을 가진 임원 또는 사원의 본인확인 또는 그 작성부분에 관한 공증에 갈음할 수 있다(법 제49조, 등기예규 제762호, 예규 제1355호).

3. 소유권 이외의 권리의 등기명의인이 등기의무자로서 신청서에 부동산등기법 법 제51조 단서에 의한 서면을 첨부하여 등기를 신청하는 경우 등기의무자의 인감증명을 제출(규칙 제60조 제1항 제3호)하여야 하고, 위 경우 등기의무자 본인이 아닌 법정대리인이 등기를 신청하는 경우에는 법정대리인임을 증명하는 서류와 아울러 그 법정대리인의 인감증명(규칙 제61조 제

2항)을 제출하여야 하는바, 등기필증을 멸실한 법인의 지배인이 법인 명의의 근저당권에 대한 말소등기를 신청할 경우에는, **지배인의 자격을 증명하는 서류**와 아울러 상업등기법 제16조에 의하여 발급된 **지배인의 (註 법인)인감증명**을 제출하여야 하며, 다른 지배인이나 대표자의 인감증명을 제출할 수는 없다(선례 제7-84호). 또한 지배인의 도장이라도 인감이 신고되지 않은 지배인의 사용인감계와 대표자의 인감증명으로 이를 대신할 수 없다(선례 제200507-5호).

④ 제50조 제2항의 경우에 등기의무자의 **등기필정보가 없을 때**에는 **등기의무자** 또는 그 **법정대리인**(이하 "등기의무자등"이라 한다)이 등기소에 출석하여 **등기관**으로부터 등기의무자등임을 확인받아야 한다. 다만, 등기신청인의 대리인(변호사나 **법무사**만을 말한다)이 등기의무자등으로부터 위임받았음을 **확인**한 경우 또는 신청서(위임에 의한 대리인이 신청하는 경우에는 그 권한을 증명하는 서면을 말한다) 중 등기의무자 등의 작성부분에 관하여 **공증**을 받은 경우에는 그러하지 아니하다(법 제51조).

⑤ 대지사용권은 전유부분에 대한 종된 권리이므로 전유부분의 이전등기가 있게 되면 당연히 이전되는 것으로서, 대지사용권이전등기에 있어서는 건물등기부로 이미 진정성이 담보되므로 등기의무자의 **등기필정보를** 제공할 필요가 **없다.** 그러나 **인감증명은 제공**하여야 하는 데 등기원인이 매매가 아니므로 **매도용** 인감증명을 제공할 필요는 **없다**(예규 제1647호).

02 다음 중 등기필정보를 작성하여 등기권리자에게 통지하여야 하는 등기신청에 해당하는 것은?

▶ 2022 법무사

① 말소된 전세권설정등기에 대한 회복등기를 등기권리자가 판결을 받아 단독으로 신청한 경우

② 甲, 乙 공유를 甲, 乙 합유로 변경하는 등기를 甲과 乙이 공동으로 신청한 경우

③ 합유자 甲, 乙, 丙 중 丙의 사망을 원인으로 잔존 합유자 甲, 乙이 합유명의인 변경등기 신청을 한 경우

④ 소유권이전등기절차의 인수를 명하는 판결에 의하여 승소한 등기의무자가 단독으로 소유권이전등기를 신청한 경우

⑤ 소유권이전청구권 가등기를 등기권리자가 법원의 가등기가처분명령을 받아 단독으로 신청한 경우

해설 ⑤ 등기관이 등기권리자의 신청에 의하여 **다음 각 호 중 어느 하나**의 등기를 하는 때에는 **등기필정보를 작성**하여야 한다. 그 이외의 등기를 하는 때에는 등기필정보를 작성하지 아니한다.

(1) **부동산등기법 제3조** 기타 법령에서 등기할 수 있는 권리로 규정하고 있는 **권리**(註 **소유권, 지상권, 지역권, 전세권, 저당권, 권리질권, 채권담보권, 임차권**)를 **보존, 설정, 이전**하는 등기를 하는 경우

(2) 위 (1)의 권리의 설정 또는 **이전청구권 보전을 위한 가등기**를 하는 경우

(3) **권리자를 추가**하는 경정 또는 변경등기를 하는 경우
   (註 갑 단독소유를 갑, 을 공유로 경정하는 경우)
   (註 합유자가 추가되는 합유명의인변경 등기 등)

정답 01 ② 02 ⑤

① 말소회복등기는 위 보존, 설정, 이전등기에 포함되지 아니하므로 등기필정보를 작성·통지하지 아니한다.

②,③ 권리자가 추가되는 변경등기가 아니므로 등기필정보를 작성·통지하지 아니한다.

④ 1. **승소한 등기권리자**가 단독으로 판결에 의하여 등기를 신청하는 경우에는 등기의무자의 권리에 관한 등기필정보를 제공할 필요가 없지만, 등기가 완료된 경우 등기권리자에게 등기필정보를 작성·통지하여야 한다(註 **등기필정보 : 제공×, 작성○**).

   2. **승소한 등기의무자**가 단독으로 등기를 신청할 때에는 그의 권리에 관한 등기필정보를 제공하여야 하지만, 등기가 완료된 경우 등기권리자에게 등기필정보를 작성·통지하지 않는다(註 **등기필정보 : 제공○, 작성×**)(법 제50조 제2항, 예규 제1786호, 5-바).

Chapter 05

등기관의 결정 · 처분에 대한 이의

01 등기관의 결정 또는 처분에 대한 이의에 관한 다음 설명 중 가장 옳은 것은? ▸2025 법무사

① 등기관의 결정 또는 처분에 이의가 있는 자는 부동산 소재지 지방법원에 이의신청을 할 수 있다.

② 이의의 신청은 구술 또는 등기소에 이의신청서를 제출하거나 인터넷등기소를 통하여 이의신청정보를 보내는 방법으로 할 수 있다.

③ 등기의 말소신청에 있어 부동산등기법 제57조 소정의 이해관계 있는 제3자의 승낙서 등 서면이 첨부되어 있지 아니하였다는 사유는 제3자의 이해에 관련된 것이므로, 말소등기의무자는 말소처분에 대하여 이의신청을 할 수 있는 등기상 이해관계인에 해당되지 아니하여 이의신청을 할 수 없다.

④ 등기신청의 각하결정에 대하여는 등기신청인인 등기권리자, 등기의무자 및 제3자가 이의신청을 할 수 있다.

⑤ 이미 마쳐진 등기에 대하여 부동산등기법 제29조 각호의 사유로 이의한 경우 등기관은 그 이의가 이유 있다고 인정하면 부동산등기법 제58조의 절차를 거쳐 그 등기를 직권으로 말소한다.

> **해설** ③ 등기의 **말소신청**에 있어 「**부동산등기법**」 제57조 소정의 **이해관계 있는 제3자의 승낙서** 등 서면이 **첨부되어 있지 아니하였다는** 사유는 **제3자의 이해에 관련된 것**이므로, **말소등기의무자**는 말소처분에 대하여 이의신청을 할 수 있는 등기상 이해관계인에 해당되지 아니하여 **이의신청을 할 수 없다**(예규 제1812호).
>
> ① 등기관의 결정 또는 처분에 이의가 있는 자는 **그 결정 또는 처분을 한 등기관이 속한 지방법원**(이하 이 장에서 "**관할 지방법원**"이라 한다)**에 이의신청**을 할 수 있다(법 제100조).
> 즉, **부동산 소재지 지방법원에 하는 것은 아니다.**
> 예컨대, **부산 소재 부동산**에 대한 **상속등기신청**을 법 제7조의3(관할 특례)에 따라 **서울 소재 등기소에 신청**하였는데 **등기관이 각하**한 경우 등기신청인은 각하결정을 한 등기관이 속한 **서울 소재 지방법원에 이의신청**을 하는 것이지 **부산 소재 지방법원에 이의신청을 하는 것은 아니다.**
>
> ② 이의신청은 대법원규칙으로 정하는 바에 따라 결정 또는 처분을 한 등기관이 속한 **등기소에 이의신청서를** 제출하거나 **전산정보처리조직을 이용하여 이의신청정보를** 보내는 방법으로 한다(법 제101조).
> 즉, 종이문서나 전자문서로 가능한 것이지 **구술로 할 수 있는 것은 아니다.**
>
> ④ 등기신청의 **각하결정**에 대하여는 **등기신청인**인 등기권리자 및 등기의무자에 **한하여** 이의신청을 할 수 있고, **제3자는 이의신청을 할 수 없다**(예규 제1812호).
>
> ⑤ 등기신청이 「부동산등기법」 제29조 각 호에 해당되어 이를 각하하여야 함에도 등기관이 각하하지 아니하고 등기를 실행한 경우에는 그 등기가 「부동산등기법」 **제29조 제1호, 제2호**에 해당하

정답 01 ③

는 경우에 한하여 이의신청을 할 수 **있고**, 동법 제29조 **제3호 이하**의 사유로는 **이의신청**의 방법으로 그 등기의 말소를 구할 수 **없다**(예규 제1812호).

예컨대, **신청할 권한이 없는 자가 신청한 등기가 마쳐진 경우**에는 **법 제29조 제3호**의 사유이므로 **이의신청을 할 수 없다**.

02 등기관의 처분에 대한 이의에 관한 다음 설명 중 가장 옳지 않은 것은? ▸ 2023 법무사 일부변경

① 채권자가 채무자를 대위하여 경료한 등기가 채무자의 신청에 의하여 말소된 경우에는 그 말소처분에 대하여 채권자는 등기상 이해관계인으로서 이의신청을 할 수 있다.

② 등기신청의 각하결정에 대하여는 등기신청인과 각하되지 않았다면 실행될 등기에 대한 이해관계 있는 제3자가 이의신청할 수 있다.

③ 등기를 마친 후에 이의신청이 있는 경우에는 3일 이내에 의견을 붙여 이의신청서 또는 이의신청정보를 관할 지방법원에 보내고 등기상 이해관계 있는 자에게 이의신청 사실을 알려야 한다.

④ 저당권설정자는 저당권의 양수인과 양도인 사이의 저당권이전의 부기등기에 대하여 이의신청을 할 수 없다.

⑤ 등기의 말소신청에 있어 부동산등기법 제57조 소정의 이해관계 있는 제3자의 승낙서 등 서면이 첨부되어 있지 아니하였다는 사유는 제3자의 이해에 관련된 것이므로, 말소등기의무자는 말소처분에 대하여 이의신청을 할 수 있는 등기상 이해관계인에 해당되지 아니하여 이의신청을 할 수 없다.

해설 ② 등기신청의 **각하결정**에 대하여는 **등기신청인**인 등기권리자 및 등기의무자에 **한하여** 이의신청을 할 수 있고, **제3자**는 **이의신청을 할 수 없다**(예규 제1812호, 2-①).

① **채권자가 채무자를 대위하여 경료한 등기**가 **채무자의 신청에 의하여 말소**된 경우에는 그 말소처분에 대하여 채권자는 등기상 이해관계인으로서 이의신청을 할 수 **있다**(예규 제1812호, 2-②-1).

③ **등기를 마친 후**에 **이의신청**이 있는 경우에는 **3일** 이내에 의견을 붙여 **이의신청서** 또는 **이의신청정보**를 관할 **지방법원에 보내고** 등기상 이해관계 있는 자에게 **이의신청 사실을 알려야** 한다(법 제103조 제3항).

④ **저당권설정자**는 저당권의 양수인과 양도인 사이의 **저당권이전의 부기등기**에 대하여 이의신청을 할 수 **없다**(예규 제1812호, 2-②-3).

⑤ 등기의 말소신청에 있어 「부동산등기법」 제57조 소정의 **이해관계 있는 제3자의 승낙서** 등 서면이 첨부되어 있지 아니하였다는 사유는 **제3자의 이해에 관련된 것**이므로, **말소등기의무자**는 말소처분에 대하여 이의신청을 할 수 있는 등기상 이해관계인에 해당되지 아니하여 이의신청을 할 수 **없다**(예규 제1812호, 2-②-4).

03 등기신청의 각하결정에 대한 이의신청에 기하여 관할 지방법원의 기록명령이 있을 때에 다음의 사유 중 그 기록명령에 따른 등기를 할 수 있는 경우는? ▸2022 법무사

① 전세권이전등기의 기록명령이 있었으나, 그 기록명령에 따른 등기 전에 그 전세권에 대한 제3자 명의의 이전등기가 되어 있는 경우

② 임차권설정등기의 기록명령이 있었으나, 그 기록명령에 따른 등기 전에 동일한 부분에 임차권설정등기가 되어 있는 경우

③ 지상권설정등기말소등기의 기록명령이 있었으나 그 기록명령에 따른 등기 전에 그 지상권을 목적으로 하는 근저당권설정등기가 되어 있는 경우

④ 소유권이전등기의 기록명령이 있었으나, 그 기록명령에 따른 등기 전에 제3자 명의의 근저당권설정등기가 되어 있는 경우

⑤ 등기관이 기록명령에 따른 등기를 하기 위하여 신청인에게 환부된 첨부정보를 다시 등기소에 제공할 것을 명령하였으나 신청인이 이에 응하지 아니한 경우

해설 ④ 기록명령에 따른 등기를 하여야 한다.
①,②,③,④,⑤

1. 관할지방법원의 기록명령 등기절차

등기관의 처분에 대한 이의신청에 대하여 관할지방법원이 결정 전에 가등기 또는 이의가 있다는 취지의 부기등기를 명하거나 이의신청을 인용하여 일정한 등기를 명한 경우 등기관은 그 명령에 따른 등기를 하여야 한다(예규 제1812호, 6).

2. 기록명령에 따른 등기를 할 수 없는 경우

등기신청의 각하결정에 대한 이의신청에 따라 관할 지방법원이 그 등기의 기록명령을 하였더라도 다음 각 호의 어느 하나에 해당하는 경우에는 그 기록명령에 따른 등기를 할 수 없다.

가. **권리이전등기의 기록명령**이 있었으나, 그 기록명령에 따른 등기 전에 **제3자 명의로 권리이전등기**가 되어 있는 경우(①)

나. **지상권 · 지역권 · 전세권 · 임차권설정등기**의 기록명령이 있었으나, 그 기록명령에 따른 등기 전에 **동일한 부분**에 **지상권 · 전세권 · 임차권설정등기**가 되어 있는 경우(②)

다. **말소등기**의 기록명령이 있었으나 그 기록명령에 따른 등기 전에 **등기상 이해관계인이 발생**한 경우(③)

라. 등기관이 기록명령에 따른 등기를 하기 위하여 신청인에게 **첨부정보를 다시 등기소에 제공할 것을 명령**하였으나 신청인이 이에 **응하지 아니**한 경우(⑤)

3. 기재명령에 따른 등기를 함에 장애가 되지 아니하는 경우

소유권이전등기신청의 각하결정에 대한 이의신청에 기하여 관할지방법원의 **소유권이전등기 기록명령**이 있기 전에 **제3자 명의의 근저당권설정등기**가 경료된 때와 같은 경우에는 **기록명령에 따른 등기를 함에 장애가 되지 아니**하므로, 기록명령에 따른 등기를 **하여야 한다**(④).

정답 **02 ② 03 ④**

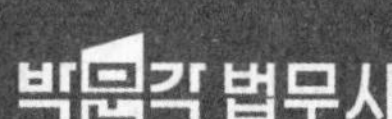

박문각 법무사

각론

등기의 종류

 변경(등기명의인 표시변경)

01 등기명의인표시 변경등기에 관한 다음 설명 중 가장 옳지 않은 것은? ▸ 2022 법무사

① 근저당권자인 법인의 취급지점이 변경된 때에는 등기명의인표시 변경(취급지점 변경)등기를 먼저 하여야만 채무자변경으로 인한 근저당권변경등기를 신청할 수 있다.

② 소유권이전등기를 신청하는 경우, 주소변경이 아닌 개명 등의 변경사유가 있는 때에는 등기관은 직권으로 변경등기를 할 수 없다.

③ 현재 효력이 있는 권리에 관한 등기기록상 등기명의인의 주민등록번호가 등기기록에 기록되어 있지 않은 경우, 그 등기명의인은 주민등록번호를 추가로 기록하는 내용의 등기명의인표시 변경등기를 신청할 수 있다.

④ 등기관이 소유권이전등기를 할 때에 등기명의인의 주소변경으로 신청정보상의 등기의무자의 표시가 등기기록과 일치하지 아니하는 경우라도 첨부정보로서 제공된 주소를 증명하는 정보에 등기의무자의 등기기록상의 주소가 신청정보상의 주소로 변경된 사실이 명백히 나타나면 직권으로 등기명의인표시의 변경등기를 하여야 하나, 이는 자연인의 경우에 해당되며 법인의 본점소재지가 변경된 경우에는 적용되지 않는다.

⑤ 등기명의인의 국적이 변경되어 국적을 변경하는 내용의 등기명의인표시 변경등기를 신청하는 경우에는 시민권증서 등 국적변경을 증명하는 정보를 첨부정보로서 제공하고, 신청정보의 내용 중 등기원인은 "국적변경"으로, 그 연월일은 "새로운 국적을 취득한 날"로 제공하여야 한다.

해설 ④ 1. 등기관이 **소유권이전등기**를 할 때에 **등기명의인의 주소변경**(註 도로명주소×)으로 신청정보상의 등기의무자의 표시가 등기기록과 **일치하지 아니**하는 경우라도 첨부정보로서 제공된 **주소를 증명하는 정보**(註 주민등록등·초본)에 등기의무자의 등기기록상의 주소가 신청정보상의 주소로 **변경된 사실**이 **명백**히 나타나면 직권으로 **등기명의인표시의 변경등기**를 하여야 한다. 다만, **제52조의2 제1항**에 해당하여 **주소**를 증명하는 정보에 의하여 **동일성이 인정**되는 경우에는 **직권**으로 **등기명의인표시의 변경등기**를 하지 **아니**하고 **수리**한다(규칙 제122조).

2. 이는 **자연인**의 주소지가 변경된 경우뿐만 아니라, **법인**의 본점소재지가 변경된 경우에도 **마찬가지**로 **적용**된다.

① 1. 등기관은 **신청정보의 등기의무자의 표시**가 **등기기록**과 **일치하지 아니한 경우**에 이유를 적은 결정으로 신청을 **각하**하여야 한다(법 제29조 제7호).

2. 이러한 때에는 **과연 진정한 등기의무자의 신청이 있는 것인지 분명하지 않기 때문이다.** 등기의무자의 표시가 등기기록과 일치하지 않는 경우란 **신청서**에 기재된 **등기의무자의 성명·명칭, 주소·사무소소재지, 주민등록번호 등**(註 **법인의 취급지점, 법인 아닌 사단의 대표자 등**)

이 **등기기록**과 **일치하지 않는 것**을 말한다. 따라서 종전의 등기 후에 등기의무자의 표시가 변경되었거나 기존 등기에 착오 또는 누락이 있는 경우에는 **등기명의인표시 변경등기 또는 경정등기를 하여 등기기록의 표시를 변경·경정한 후에 새로운 등기를 하여야** 한다(「부동산 등기실무Ⅰ」 p.541).

3. **상사법인**이 근저당권자인 경우 **근저당권설정등기신청서에 취급지점의 표시가 있는 때**에는 등기부에 그 **취급지점을 기재**하게 되므로 **근저당권자인 상사법인의 취급지점이 변경된 때**에는 **등기명의인표시변경(취급지점변경)등기를 한 후**에야 **채무자변경으로 인한 근저당권변경등기 신청**을 할 수 있는 것이다(선례 제4–468호)(**註 근저당권이전등기신청** 시에도 **마찬가지**이다).

② 위 ④ 해설 참조

③ 1. **현재 효력 있는 권리(註 소유권·근저당권 등)**에 관한 등기의 **등기명의인(註 외국인 포함○)**의 주민등록번호 등이 등기기록에 기록되어 있지 않는 경우, 그 등기명의인은 주민등록**번호** 등을 **추가**로 기록하는 내용의 **등기명의인표시변경등기**를 신청할 수 있다(예규 제1672호).

2. **법인 아닌 사단이나 재단**이 **현재 효력 있는 권리**에 관한 등기의 **등기명의인**이나 그 대표자 또는 관리인의 성명, 주소 및 주민등록번호가 등기기록에 기록되어 있지 않은 경우, 그 대표자 또는 관리인은 **대표자** 또는 관리인의 성명, 주소 및 주민등록번호를 **추가**로 기록하는 내용의 **등기명의인표시변경등기**를 신청할 수 있다(예규 제1621호).

⑤ 등기명의인의 **국적이 변경**되어 국적을 변경하는 내용의 **등기명의인표시변경등기**를 신청하는 경우에는 국적변경을 증명하는 정보(예 **시민권증서, 귀화증서, 국적취득사실증명서, 폐쇄된 기본증명서 등**)를 첨부정보로서 제공하고, 신청정보의 내용 중 등기원인은 **"국적변경"**으로, 그 연월일은 **"새로운 국적을 취득한 날"**로 제공하여야 한다(예규 제1778호, 8–①).

제2절 경정

01 경정등기에 관한 다음 설명 중 가장 옳지 않은 것은? ▸2022 법무사

① 甲과 乙의 공동소유에서 丙과 丁의 공동소유로 경정하는 소유권경정등기신청은 수리할 수 없다.

② 등기기록상 권리를 이전하여 현재 등기명의인이 아닌 종전 등기명의인 또는 이미 사망한 등기명의인에 대한 등기명의인표시경정등기신청은 수리할 수 없다.

③ 동일성을 해하는 등기명의인표시경정등기의 신청임에도 등기관이 이를 간과하여 수리한 경우, 종전 등기명의인으로의 회복등기 신청은 종전의 등기명의인이나 현재의 등기명의인이 단독으로 할 수 있다.

④ 법인 아닌 사단을 법인으로 경정하는 등기명의인표시경정등기신청은 인격의 동일성을 해하는 경우이므로 이를 수리할 수 없다.

⑤ 저당권설정등기를 전세권설정등기로 경정하는 경우와 같이 권리 자체를 경정하는 등기신청은 수리할 수 없다.

> **해설** ③ 1. **경정등기는** 등기의 **일부가 원시적 사유로 실체관계와 불일치**하는 경우이므로 변경등기와 마찬가지로 경정 전과 경정 후의 등기에는 **동일성이 인정**되어야 한다.
> 2. **등기명의인표시경정**이라 함은 등기명의인의 **성명, 주소** 또는 주민등록**번호 등**을 경정하는 것을 말한다(예규 제1564호, 2–다–(1)–(가)).
> 3. 등기명의인표시경정등기는 경전 전후의 등기가 표창하고 있는 등기명의인이 **인격의 동일성을 유지**하는 경우에만 신청할 수 있다(예규 제1564호, 2–다–(1)–(나)).
> 4. **동일성을 해하는 등기명의인표시경정등기의 신청**임에도 등기관이 이를 **간과하여 수리**한 경우, **종전 등기명의인으로의 회복등기 신청**은
>   1) **현재의 등기명의인**이 단독으로 하거나
>   2) **현재의 등기명의인**이 **종전 등기명의인**과 **공동**으로 하여야 하고,
>   3) **종전 등기명의인**이 **단독**으로 한 등기신청은 수리할 수 **없다**(예규 제1564호, 2–다–(1)–(다)).
>
> ①,⑤ 1. **경정등기는** 등기의 **일부가 원시적 사유로 실체관계와 불일치**하는 경우이므로 변경등기와 마찬가지로 경정 전과 경정 후의 등기에는 **동일성이 인정**되어야 한다.
> 2. **권리 자체를 경정**
>   1) **소유권이전**등기를 **저당권설정**등기로 경정하는 경우
>   2) **저당권설정**등기를 **전세권설정**등기로 경정하는 경우
>   등의 등기신청은 수리할 수 없다(예규 제1564호, 2–나–(1)).
> 3. **권리자 전체를 경정**
>   1) 권리자를 **갑**에서 **을**로 경정하는 경우
>   2) **갑과 을**의 공동소유에서 **병과 정**의 공동소유로 경정하는 경우
>   등의 등기신청은 수리할 수 없다(예규 제1564호, 2–나–(1)).
>
> ② 등기기록상 권리를 이전하여 현재 등기명의인이 아닌 **종전 등기명의인** 또는 **이미 사망한 등기명의인**에 대한 **등기명의인표시경정등기신청**은 수리할 수 **없다**(예규 제1564호, 2–다–(2)).

④ 1. 등기명의인표시경정등기는 경전 전후의 등기가 표창하고 있는 등기명의인이 인격의 동일성을 유지하는 경우에만 신청할 수 있다. 그러므로 **법인 아닌 사단**을 **법인**으로 경정하는 등기를 신청하는 등 동일성을 해하는 **등기명의인표시경정등기신청**은 수리할 수 **없다**(예규 제1564호, 2-다-(1)-(나)).

2. **법인 아닌 사단**을 **법인**으로 변경하는 **등기명의인표시변경등기신청**은 변경 전후의 동일성이 인정되지 않으므로 수리할 수 **없다**(선례 제201202-4호).

제3절 말소

01 허무인 명의의 등기의 말소에 관한 다음 설명 중 가장 옳지 않은 것은? ▶ 2023 법무사

① 소유권이전등기의 말소소송에서 등기명의인인 종중 등 법인 아닌 사단이 그 실체가 인정되지 아니하여 당사자능력이 없음을 이유로 소각하판결이 확정되고, 위 각하판결본 등이 등기관에게 제출된 경우 등기관은 당사자능력이 없는 위 종중 등 명의의 등기를 직권으로 말소할 수 있다.

② 판결에 의하여 허무인 명의의 등기의 말소를 신청하는 경우 허무인명의표시의 경정등기를 경유할 필요는 없으며, 말소등기의 등기원인은 확정판결로, 그 연월일은 판결선고일을 각 기재한다.

③ 사망자 명의의 등기를 말소하기 위해서는 그 상속인 전원을 등기의무자로 하여 공동신청하거나 상속인 전원을 상대로 한 말소판결을 얻어야 한다.

④ 귀속재산으로서 국가의 소유가 된 부동산에 대하여, 甲이 가공인 乙 명의로 소유권이전등기를 신청하여 소유권이전등기가 마쳐진 경우, 국가는 甲을 상대로 하여 乙 명의의 소유권이전등기의 말소등기 절차이행을 명하는 확정판결을 받아야만 乙 명의의 소유권이전등기에 대한 말소등기를 신청할 수 있다.

⑤ 사망자 명의의 소유권이전등기에 대하여 상속인을 상대로 한 말소소송에서 사망자 명의의 등기가 상속인을 표상하는 등기로서 원인무효의 등기임을 이유로 말소절차의 이행을 명한 판결이 확정된 경우에는 위 판결에 의하여 사망자 명의 등기의 말소를 신청할 수 있다.

해설 ① 1. **실체가 없는 종중 등** 법인 아닌 사단·재단 명의의 소유권이전등기 등에 대하여 **실제 등기행위자**(대표자나 그 구성원 등)**를 상대로 한 말소소송**에서 위 종중등 명의의 등기가 원인무효의 등기임을 이유로 실제 등기행위자에게 **말소절차를 명한 판결이 확정**된 경우에는 위 판결에 의하여 **말소등기를 신청할 수 있다**(예규 제1380호, 4).

정답 **01** ③ / **01** ①

2. 소유권이전등기 등의 말소소송에서 등기명의인인 법인 아닌 사단·재단이 그 실체가 인정되지 아니하여 당사자능력이 없음을 이유로 **소각하판결이 확정**되고, 위 각하판결정본 등이 등기관에게 제출된 경우 등기관은「부동산등기법」제58조에 따라 당사자능력이 없는 위 종중 등 명의의 등기를 **직권으로 말소할 수 없으며**, 이해관계인도 위 판결정본 등을 첨부하여 **등기관의 처분에 대한 이의의 방법으로 위 종중 등 명의 등기의 말소를 구할 수 없다.**

② 판결에 의하여 **허무인 명의의 등기의 말소를 신청**하는 경우 **허무인명의표시의 경정등기를 경유할 필요는 없으며**, 말소등기의 등기원인은 **확정판결**로, 그 연월일은 **판결선고일**을 각 기재한다(예규 제1380호, 5).

③ 1. **사망자 명의의 등기를 말소**하기 위해서는 그 **상속인 전원을 등기의무자**로 하여 **공동신청**하거나 상속인 전원을 상대로 한 **말소판결**을 얻어야 한다(「부동산등기실무Ⅱ」 p.77 참조).

   2. 그러나 **갑**에서 **을**로의 **소유권이전등기**가 마쳐진 후 **을이 사망**(법정**상속인 병, 정**)하여 병 명의로 협의분할에 의한 상속을 원인으로 하는 소유권이전등기가 마쳐졌으나, 그 후 위 갑에서 **을**로의 소유권이전등기가 **원인무효**임을 이유로 **말소**하려는 경우, 협의분할에 의하여 이를 **단독 상속한 상속인 병만이 이를 전부 말소할 의무가 있고 다른 공동상속인 정은 이를 말소할 의무가 없으므로**(대판 2009.4.9, 2008다87723), 을 명의의 소유권이전등기의 말소의무자는 을의 원래의 상속인 전원이 아니라 **병이라 할 것**이다(선례 제202304-02호).

④ 1. **가공인 명의의 소유권이전등기 등**에 대하여 **실제 등기행위자를 상대로 한 말소소송**에서 **말소 절차의 이행을 명한 판결**(가공인 명의의 등기가 실제 등기행위자를 표상하는 등기로서 원인무효의 등기임을 이유로 한 판결)**이 확정**된 경우에는 위 판결에 의하여 **가공인 명의 등기의 말소를 신청할 수 있다.**

   2. 예컨대, **귀속재산으로서 국가의 소유가 된 부동산**에 대하여 갑이 **가공인을 명의로 소유권이전 등기를 신청**하여 그 등기가 마쳐진 경우, 국가는 갑을 상대로 하여 **을 명의의 소유권이전등기의 말소등기 절차이행을 명하는 확정판결**을 받아야만 **을 명의**의 소유권이전등기에 대한 **말소 등기를 신청할 수 있다**(대판 1990.5.8, 90다684, 90다카3307, 선례 제5-473호).

⑤ **사망자 명의의 소유권이전등기 등**에 대하여 **상속인을 상대로 한 말소소송**에서 사망자 명의의 등기가 상속인을 표상하는 등기로서 **원인무효의 등기**임을 이유로 말소절차의 이행을 명한 판결이 확정된 경우에는 위 판결에 의하여 **사망자명의 등기의 말소를 신청할 수 있다**(예규 제1380호, 3).

제4절 회복

01 **말소회복등기에 관한 다음 설명 중 가장 옳지 않은 것은?** ▶ 2025 법무사

① 甲 소유명의의 부동산에 설정된 乙 명의의 근저당권설정등기가 부적법 말소된 후에 丙 명의의 소유권이전등기가 마쳐진 경우, 乙의 근저당권설정등기회복등기를 함에 있어 현재 소유명의인인 丙은 등기상 이해관계 있는 제3자이다.

② 회복할 근저당권설정등기가 말소되기 전에 마쳐진 후순위 근저당권의 명의인은 회복등기에 있어 등기상 이해관계 있는 제3자에 해당하지 않는다.

③ 소유권보존등기나 가등기를 그 등기명의인이 단독신청하여 말소한 경우에는 그 자의 단독신청에 의하여 회복등기를 할 수 있다.

④ 말소등기가 위조된 위임장에 의하여 부적법하게 행하여진 경우라도 그것이 실체관계에 부합하는 때에는 말소회복등기를 청구할 수 없다.

⑤ 甲 지분에 대한 가압류등기 말소촉탁이 있었는데 등기관이 착오로 乙 지분의 가압류등기를 말소한 경우 그 회복등기도 등기관의 직권에 의하여 행해져야 하며, 이 경우 이해관계인은 등기관이 직권으로 가압류등기의 말소회복등기를 하도록 직권발동을 촉구하는 의미에서 회복등기를 신청할 수 있다.

해설 ② 1. **회복**등기에 있어서 **등기상 이해관계가 있는 제3자**란 말소회복등기가 된다고 하면 **손해를 입을 우려**가 있는 사람으로서 그 손해를 입을 우려가 있다는 것이 기존의 **등기부 기재**에 의하여 **형식적으로 인정**되는 자를 의미하고, 여기에서 말하는 **"손해를 입을 우려"**가 있는지의 여부는 제3자의 권리취득등기 시(말소등기 시)를 기준으로 할 것이 아니라 **회복등기 시를 기준**으로 **판별**하여야 한다(대판 1990.6.26, 89다카5673 참조).

2. **근저당권설정등기가 불법하게 말소**된 경우 **말소대상(회복대상)**인 **근저당권설정등기의 후순위 권리자**는 전부 **이해관계 있는 제3자**에 해당된다.

   즉, **근저당권설정등기의 말소등기** 후에 등기부상 권리를 취득한 자는 물론 **말소등기 전에 등기부상 권리를 취득한 자**도 기상 이해관계가 있는 제3자에 **해당된다**고 할 것이다(선례 제4–599호).

① 저당권이나 지상권 등의 **제한물권**이 **부적법하게 말소**된 후 **제3자에게 소유권이전등기**가 경료된 경우 제한물권의 등기와 소유권이전등기는 양립 가능하므로 현 **소유명의인은 등기상 이해관계 있는 제3자로 보게 된다**(「부동산등기실무 II」 p.100).

   갑 소유 부동산에 관하여 을 명의로 **근저당권설정등기가 경료되었으나**, 을 명의의 근저당권설정등기가 **부적법하게 말소**되고 같은 날 매매를 원인으로 병 명의의 소유권이전등기가 경료된 후, 을이 당해 부동산에 대하여 처분금지가처분신청을 하여 그 부동산의 등기부에 을을 채권자로 하는 가처분등기가 경료된 다음, 을이 갑을 상대로 근저당권설정등기회복등기청구의 소를 제기하여 갑이 을의 청구를 모두 인낙하였고, 다시 을은 병을 상대로 위 근저당권설정등기의 말소회복등기에 대하여 승낙의 의사표시를 명하는 확정판결을 받았지만, 소송 중에 정 명의의 소유권이전

등기, 무 명의의 근저당권설정등기가 순차 경료된 경우, 을이 위 인낙조서에 의하여 **근저당권설정등기의 회복등기를 신청**하려면 **병의 승낙의 의사표시를 명하는 재판의 등본를 제출**하여야 한다(선례 제7-423호).

따라서 **甲 소유**명의의 부동산에 설정된 **乙 명의의 근저당권설정등기**가 **부적법 말소**된 후에 **丙 명의의 소유권이전등기**가 마쳐진 경우, **乙의 근저당권설정등기회복등기**를 함에 있어 **현재 소유명의인인 丙은 등기상 이해관계 있는 제3자이다.**

③ 1. **말소회복**등기도 일반적인 경우와 마찬가지로 법률에 다른 규정이 없는 경우에는 등기권리자와 등기의무자가 **공동**으로 **신청**하여야 한다(법 제23조 제1항).

   그러나 등기의무자가 말소회복등기의 신청에 협력하지 않으면 등기권리자는 등기의무자의 의사진술을 명하는 **판결**을 받아 **단독**으로 신청할 수 있다(법 제23조 제4항).

2. **말소등기 자체**가 **단독**으로 마쳐진 경우에는 **말소회복**도 **단독**으로 신청할 수 있다.

   예컨대 **소유권보존등기**(법 제23조 제2항)나 **가등기**(법 제93조 제1항)를 그 등기명의인이 단독신청하여 말소한 경우에는 그 자의 **단독신청**에 의하여 **회복**등기를 할 수 있다.

④ **말소회복**등기는 **부적법하게 말소**된 등기의 회복을 목적으로 한다.

그러나 **말소등기가 부적법하게 행하여진 경우라도** 그것이 **실체관계에 부합**하는 때에는 **말소회복등기를 청구할 수 없다**는 것이 판례의 입장이다(대판 1987.5.26, 85다카2203).

예컨대, **저당권설정등기**가 **위조된 위임장**에 의하여 **말소**되었으나 그것이 **기본계약의 해지 등으로 실체관계에 부합**하는 때에는 말소회복등기를 **청구할 수 없다.**

⑤ 갑 **지분**에 대한 **가압류**등기 **말소촉탁**이 있었는데 **등기관이 착오로 을 지분**의 **가압류**등기를 **말소**한 경우 그 **회복**등기도 등기관의 **직권**에 의하여 행하여져야 한다. 이 경우 이해관계인은 등기관이 직권으로 가압류등기의 말소회복등기를 하도록 **직권발동을 촉구하는 의미에서 회복등기를 신청할 수 있으며,** 등기관이 이에 응하지 아니하는 경우에는 법 100조의 **이의신청을 할 수 있다**(대판 1996.5.31, 94다27205).

부동산표시에 관한 등기(표제부)

01 부동산 표시에 관한 등기에 대한 다음 설명 중 가장 옳은 것은?   ▸ 2025 법무사

① 토지대장에는 분할된 적이 없는데도 등기기록상 분필등기가 마쳐진 경우에는 토지분할의 효과가 발생할 수는 없으므로 결국 그러한 분필등기는 무효이며, 이 경우 토지 소유자는 신청착오를 원인으로 분필등기의 말소를 신청할 수 있다.

② X 토지의 분할로 인하여 분할 전 설정되어 있던 지상권이 분할 후 Y 토지에 전사된 후 Y 토지의 지상권을 구분지상권으로 변경하기 위해서는 지상권자가 작성한 지상권설정의 목적과 범위를 기재한 서면을 첨부정보로 제공하면 되고, 지상권자와 지상권설정자가 공동으로 변경등기를 신청할 필요는 없다.

③ 합필 대상 토지 중 일부 토지 등기기록에 요역지지역권의 등기가 있다면 그 토지에 대한 합필등기를 할 수 없으나 모든 토지의 등기기록에 동일한 내용의 요역지지역권의 등기가 있는 경우에는 합필등기를 할 수 있다.

④ 甲 소유의 X, Y 토지 중 X 토지의 저당권은 토지 전부를 목적으로 하고 있고 Y 토지의 저당권은 일부 지분만을 목적으로 하고 있는 경우 그 저당권의 등기원인 및 그 연월일과 접수번호가 동일하다면 X 토지를 Y 토지에 합병하는 합필등기를 할 수 있다.

⑤ 합필의 특례규정(부동산등기법 제38조)에 따른 합필등기 시 토지의 일부에 요역지지역권의 등기가 있는 경우라도 합필 후의 토지 전체를 위한 지역권으로 하는 합필등기를 신청할 필요는 없다.

해설 ① 토지등기부에는 분필등기가 되어 있더라도 **지적법상의 토지분할절차를 거치지 아니**하여 토지대장에는 **분할등록이 되어 있지 않은 경우**에는 **토지분할의 효과가 발생할 수는 없는 것**이므로 결국 그러한 **분필등기**는 **무효**라고 할 것인바, 그러한 **분필등기 후**에 **소유권**이전등기가 되어 있는 경우에 토지등기부를 토지대장과 일치시키기 위해서는 위 **소유권이전등기 및 토지분필등기를 차례로 말소**하여야 할 것이다(선례 제6-397호).

② 송전철탑과 송전선의 소유를 목적으로 하는 **지상권**이 **토지의 일부**에 설정되어 있는데, 위 토지가 **분할**되어 **갑 토지 일부**에는 종전과 같이 **송전철탑과 송전선의 소유를 목적**으로 하는 **지상권**이, **을 토지 일부**에는 **송전선의 소유만을 목적**으로 하는 **지상권**이 각 존속하게 되는 경우, 지상권과 구분지상권은 그 권리의 내용을 달리하므로 **을 토지에 전사된 지상권을 구분지상권으로 변경하기 위해서는 지상권자**와 **지상권설정자**가 그 **변경내용을 기재한 계약서**를 등기원인을 증명하는 서면으로 첨부하여 **(공동으로) 변경등기를 신청**하여야 하고, **지상권자가 작성**한 지상권설정의 목적과 범위를 기재한 **서면만을 첨부해서는** 변경등기를 **신청할 수 없다**(선례 제201505-1호).

정답 ▸ **01** ①

③ 토지 등기기록에 **요역지지역권**의 등기가 있다면 그 토지에 대한 **합필**의 등기를 신청할 수 **없는바**, 이는 요역지지역권의 등기가 **모든 토지의 등기기록에 있고 그 등기사항이 모두 동일하더라도** 마 **찬가지**이다(선례 제201907-4호).

④ **소유권의 등기명의인이 동일**한 갑 토지와 을 토지의 등기기록 모두에 소유권의 등기 외에 등기원인 및 그 연월일과 접수번호가 **동일한 저당권**에 관한 등기만 있는 경우라도 **갑 토지의 저당권은 토지 전부를 목적**으로 하고 있으나, **을 토지의 저당권은 소유권의 일부 지분만을 목적**으로 하고 있다면 갑 토지를 을 토지에 합병하는 **합필등기를 신청할 수는 없다**(선례 제201904-1호).

⑤ 「공간정보의 구축 및 관리 등에 관한 법률」에 따른 토지**합병절차를 마친 후 합필등기를 하기 전** 에 합병된 토지 중 **어느 토지**에 관하여 제37조 제1항에서 정한 합필등기의 제한 사유에 해당하 **는 권리에 관한 등기**가 된 경우라 하더라도 **이해관계인의 승낙**이 있으면 해당 토지의 소유권의 등기명의인은 그 권리의 목적물을 합필 후의 토지에 관한 **지분**으로 하는 합필등기를 신청할 수 있다. 다만, **요역지**(要役地: 편익필요지)에 하는 **지역권**의 등기가 있는 경우에는 합필 후의 **토지 전체를 위한 지역권으로** 하는 합필등기를 **신청하여야** 한다(법 제38조 제2항).

02 부동산 표시등기에 관한 다음 설명 중 가장 옳지 않은 것은? ▶ 2021 법무사

① 집합건물의 어느 한 층을 세로로 구획하여 북쪽의 전유부분을 201호로, 남쪽의 전유부분 을 202호로 등기하였으나 그 후 가로로 구획하여 동쪽의 전유부분을 201호로, 서쪽의 전유부분을 202호로 변경한 경우 변경 전후의 각 전유부분의 면적이 동일하더라도 양 건 물 모두 종전 건물과의 동일성을 인정할 수 없으므로 부동산표시변경등기를 할 수 없다.

② 행정구역 또는 그 명칭이 변경된 경우에 등기관은 직권으로 그 변경에 따른 부동산의 표시변경등기를 하여야 한다.

③ 토지의 분할, 합병이 있는 경우에는 그 토지 소유권의 등기명의인은 그 사실이 있는 때 부터 1개월 이내에 그 등기를 신청하여야 한다.

④ 건물이 멸실된 경우에는 그 건물 소유권의 등기명의인은 그 사실이 있는 때부터 1개월 이내 에 그 등기를 신청하여야 하며, 1개월 이내에 멸실등기를 신청하지 아니하여도 그 건물대 지의 소유자가 건물 소유권의 등기명의인을 대위하여 그 등기를 신청할 수는 없다.

⑤ 1동의 건물에 속하는 구분건물 중 일부만에 관하여 소유권보존등기를 신청하는 경우에 는 나머지 구분건물의 표시에 관한 등기를 동시에 신청하여야 한다.

해설 ④ 건물이 **멸실**된 경우에는 **그 건물 소유권의 등기명의인**은 그 사실이 있는 때부터 1개월 이내에 그 등기를 **신청하여야** 한다. 이 경우 제41조 제2항을 준용한다. 그 소유권의 등기명의인이 1개월 이내에 **멸실등기를 신청하지 아니하면 그 건물대지의 소유자**가 건물 소유권의 등기명의인을 **대 위**하여 그 등기를 신청할 수 있다(법 제43조 제1항, 제2항).

① 집합건물의 어느 한 층을 **세로로 구획**하여 북쪽의 전유부분을 201호로, 남쪽의 전유부분을 202 호로 등기하였으나 그 후 **가로로 구획**하여 동쪽의 전유부분을 201호로, 서쪽의 전유부분을 202 호로 변경한 경우 변경 전후의 각 전유부분의 면적이 동일하더라도 양 건물 모두 종전 건물과의 **동일성**을 인정할 수 **없으므로** 부동산표시변경등기를 할 수 없다(선례 제200904-2호).

② 1. **행정구역 또는 그 명칭이 변경**되었을 때에는 등기기록에 기록된 행정구역 또는 그 명칭에 대하여 **변경등기가 있는 것으로 본다**(법 제31조). 위 법 규정에 따르면 행정구역 등의 변경이 있는 경우 변경등기를 할 필요가 없는 것처럼 보이지만 공시의 명확을 기하기 위하여 규칙에서는 **등기관이 직권**으로 부동산의 표시변경등기 또는 등기명의인의 주소변경등기를 **할 수 있다**고 하였고(규칙 제54조), 나아가 등기예규에서는 등기관은 직권으로 그 변경에 따른 부동산의 표시변경등기를 **하여야 한다**고 규정하고 있다.

2. 다만 등기소의 업무사정을 고려하여 해당 부동산에 대하여 그 표시변경등기가 완료되기 전에 다른 등기의 신청이 있는 때에는 즉시 그 등기에 부수하여 표시변경등기를 하여야 한다(예규 제1433호). 행정구역 등의 변경으로 인하여 부동산의 표시 또는 등기명의인의 주소의 표시에 변경이 있는 경우 **등기관이 직권**으로 변경등기를 할 수 있을 뿐만 아니라 **등기명의인도** 변경등기를 **신청**할 수 있는데, 이때에 **등록면허세와 등기신청수수료는 면제된다.**

③ **토지의 분할, 합병**이 있는 경우와 **제34조의 등기사항에 변경**이 있는 경우에는 **그 토지 소유권의 등기명의인**은 그 사실이 있는 때부터 1개월 이내에 그 등기를 **신청하여야** 한다(법 제34조). **건물의 분할, 구분, 합병**이 있는 경우와 **제40조의 등기사항에 변경**이 있는 경우에는 **그 건물 소유권의 등기명의인**은 그 사실이 있는 때부터 1개월 이내에 그 등기를 **신청하여야** 한다(법 제41조).

⑤ 1동의 건물에 속하는 **구분건물 중 일부만**에 관하여 소유권**보존등기**를 신청하는 경우에는 **나머지 구분건물의 표시에 관한 등기를 동시에 신청하여야** 한다. 이 경우에 **구분건물의 소유자는 1동에 속하는 다른 구분건물의 소유자를 대위**하여 그 건물의 표시에 관한 등기를 신청할 수 있다(법 제46조 제1항, 제2항).

제2절　토지

01 토지의 표시변경등기에 관한 다음 설명 중 가장 옳지 않은 것은?　▶ 2021 법무사

① 등기관이 지적소관청으로부터 공간정보의 구축 및 관리 등에 관한 법률 제88조 제3항에 따라 등기기록의 토지의 표시와 지적공부가 일치하지 않는다는 통지를 받은 경우에 1개월의 기간 이내에 등기명의인으로부터 등기신청이 없을 때에는 그 통지서의 기재내용에 따른 변경의 등기를 직권으로 하여야 한다.

② 甲 토지와 乙 토지에 등기원인 및 그 연월일과 접수번호가 동일하나 甲 토지의 저당권은 토지 전부를 목적으로 하고 있고 乙 토지의 저당권은 소유의 일부 지분만을 목적으로 하고 있는 경우 甲 토지를 乙 토지에 합병하는 합필등기를 할 수 없다.

③ 甲 토지에 전세권설정등기가 마쳐져 있고 乙 토지에는 임차권설정등기가 마쳐져 있는 경우 甲 토지를 乙 토지에 합병하는 합필등기를 할 수 없다.

④ 甲 토지를 乙 토지에 합병한 경우에 등기관이 합필등기를 할 때에는 乙 토지의 등기기록 중 표제부에 합병 후의 토지의 표시와 합병으로 인하여 甲 토지의 등기기록에서 옮겨 기록한 뜻을 기록하고 종전의 표시에 관한 등기를 말소하는 표시를 하여야 한다.

⑤ 토지 표시에 관한 사항을 변경하는 등기는 주등기로 하고, 종전의 표시에 관한 사항을 말소하는 표시를 한다.

해설　③ 1) **합필**하려는 토지에 다음 각 호의 등기 외의 권리에 관한 등기가 있는 경우에는 합필의 등기를 할 수 없다(법 제37조). 즉 **아래의 각 호**에 해당하는 등기가 있는 경우에는 **합필등기를 할 수 있다.**
　　1. **소유권ㆍ지상권ㆍ전세권ㆍ임차권** 및 **승역지에 하는 지역권**의 등기

　2) 용익권의 등기는 물리적 일부에도 성립할 수 있으므로 합필 전의 각 토지에 각각 전세권설정등기와 임차권설정등기가 마쳐진 경우라 하더라도 합필등기를 할 수 있다(법 제37조 제1항 제1호).

① 등기관이 지적소관청으로부터 「공간정보의 구축 및 관리 등에 관한 법률」 제88조 제3항의 통지(등기부의 토지의 표시와 지적공부가 일치하지 아니한다는 통지)를 받은 경우에 제35조의 기간(🚩 1개월) 이내에 등기명의인으로부터 등기신청이 없을 때에는 그 통지서의 기재내용에 따른 변경의 등기를 **직권**으로 하여야 한다(법 제36조).

② 소유권의 등기명의인이 동일한 갑 토지와 을 토지의 등기기록 모두에 소유권의 등기 외에 등기원인 및 그 연월일과 접수번호가 **동일한 저당권**에 관한 등기만 있는 경우라도 **갑 토지의 저당권**은 토지 **전부를 목적**으로 하고 있으나, **을 토지의 저당권**은 소유권의 일부 **지분만을 목적**으로 하고 있다면 갑 토지를 을 토지에 합병하는 합필등기를 신청할 수는 **없**다(선례 제201904-1호).

④ 갑 토지를 을 토지에 (🚩 대장상) 합병한 경우에 등기관이 합필등기를 할 때에는 을 토지의 등기기록 중 **표제부**에 합병 후의 토지의 표시와 합병으로 인하여 갑 토지의 등기기록에서 옮겨 기록한 뜻을 기록하고 종전의 표시에 관한 등기를 말소하는 표시를 하여야 한다. 위의 절차를 마치면 **갑 토지**의 등기기록 중 **표제부**에 합병으로 인하여 을 토지의 등기기록에 옮겨 기록한 뜻을 기록하고, 갑 토지의 등기기록 중 표제부의 등기를 말소하는 표시를 한 후 그 등기기록을 **폐쇄**하여야 한다(규칙 제79조).

⑤ 1. 법 제34조의 **토지표시**(註 소재·지번·지목·면적)에 관한 사항을 **변경**하는 등기를 할 때에는 **종전의 표시에 관한 등기를 말소하는 표시**를 하여야 한다(규칙 제73조).
2. 법 제40조의 **건물표시**(註 소재·지번·건물의 종류·구조·면적 등)에 관한 사항을 **변경**하는 등기를 할 때에는 **종전의 표시에 관한 등기를 말소하는 표시**를 하여야 한다(규칙 제87조).
3. 법 제52조 및 기타법령에서 부기등기로 한다는 규정이 없는 경우는 원칙적으로 주등기로 하여야 한다(법 제52조). 따라서 위와 같은 **부동산표시변경등기**를 하는 경우에는 법 제52조의 각 호에 해당하지 않으므로 **주등기**로 하여야 한다.

02

토지개발사업의 시행지역에서 환지를 수반하지 아니하는 토지의 이동으로 인하여 지적공부가 정리된 경우의 부동산등기에 관한 특례를 정한 토지개발 등기규칙에 관한 다음 설명 중 가장 옳지 않은 것은?　▶ 2021 법무사

① 토지개발사업의 완료에 따른 지적확정측량에 의하여 지적공부가 정리되고 이에 대한 확정시행 공고가 있는 경우 해당 토지의 등기명의인은 종전 토지에 대한 말소등기와 새로 조성된 토지에 대한 소유권보존등기는 동시에 신청하여야 한다.

② 종전 토지에 관한 말소등기는 모든 토지에 대하여 1건의 신청정보로 일괄하여 신청하여야 하는데, 새로 조성된 토지에 관한 소유권보존등기도 모든 토지에 대하여 1건의 신청정보로 일괄하여 신청하여야 한다.

③ 종전 모든 토지의 등기기록에 등기사항이 동일한 신탁등기 또는 주택법 제61조 제3항의 금지사항 부기등기가 있는 경우에 그 등기는 새로 조성된 토지에 관한 소유권보존등기와 함께 1건의 신청정보로 일괄하여 신청하여야 한다.

④ 종전 모든 토지의 등기기록에 등기원인 및 그 연월일과 접수번호가 같은 저당권 또는 근저당권의 등기가 있는 경우에 그 등기는 새로 조성된 토지에 관한 소유권보존등기와 함께 1건의 신청정보로 일괄하여 신청하여야 한다.

⑤ 종전 토지의 등기기록에 지상권, 전세권, 임차권의 등기가 있는 경우에 그 등기는 토지의 소유명의인과 해당 권리의 등기명의인이 공동으로 신청하여야 한다.

해설　④ 제2조 제2항 제3호 또는 제4호(註 **용익권·(근)저당권**)에 해당하는 등기는 제2항의 등기신청(註 새로 조성된 토지에 관한 **소유권보존**) 다음에 **별개의 신청정보**로 신청하여야 하며, 그 등기가 여러 개 존재하는 경우에는 각각 별개의 신청정보로 종전 토지의 등기기록에 등기된 순서에 따라 신청하여야 한다. 이 경우 **등기의무자의 등기필정보**는 신청정보의 내용으로 등기소에 제공할 필요가 **없다**(토지개발 등기규칙, 4-④).
① 토지개발 등기규칙, 3-①
② 토지개발 등기규칙, 4-①②
③ 토지개발 등기규칙, 4-③
⑤ 토지개발 등기규칙, 3-③

정답　01 ③　02 ④

제3절 　건물

01 건물의 표시변경등기에 관한 다음 설명 중 가장 옳지 않은 것은?　▶ 2024 법무사

① 합병하려는 모든 건물에 등기원인 및 그 연월일과 접수번호가 동일한 저당권에 관한 등기가 있는 경우에는 공시의 혼란을 초래할 우려가 없으므로 합병이 가능하고, 이 경우 저당권자의 승낙을 증명하는 정보는 제공할 필요가 없다.

② 건축물대장상 합병이 이루어지고 합병등기를 하기 전에 합병된 건물의 소유자가 달라지거나 건물합병의 제한사유가 있는 경우에는 합병 후의 건물을 공유로 하고 합병제한사유에 해당하는 권리에 관한 등기의 목적을 합병 후의 공유지분으로 변경하는 등기를 할 수 있다.

③ 멸실한 건물의 소유권의 등기명의인이 1개월 이내에 멸실등기를 신청하지 않는 때에는 그 멸실건물의 대지 소유자가 건물 소유자를 대위하여 멸실등기를 신청할 수 있다.

④ 멸실된 건물이 근저당권 등 제3자의 권리의 목적이 된 경우라도 멸실된 사실이 건축물대장에 기록되어 있다면 멸실등기를 신청할 때에 근저당권자 등의 승낙이 있음을 증명하는 정보를 제공할 필요가 없다.

⑤ 집합건축물대장상 구분건물인 201호와 202호가 분할·구분·합병으로 각 201호와 202호 및 203호로 되었으나 부동산표시변경등기가 마쳐지지 아니한 채 소유권이전등기가 마쳐진 경우, 위 각 건물의 소유자가 동일하고 건물의 합병 제한사유에 해당되지 않으면 위 구분건물의 소유자는 등기기록상 건물표시가 집합건축물대장과 일치되도록 건물의 표시변경등기를 신청할 수 있다.

해설　② 1. 「공간정보의 구축 및 관리 등에 관한 법률」에 따른 토지**합병절차를 마친 후 합필등기를 하기 전**에 합병된 토지 중 **어느 토지에 관하여 소유권이전등기**가 된 경우라 하더라도 **이해관계인의 승낙**이 있으면 해당 토지의 소유권의 등기명의인들은 합필 후의 토지를 **공유**로 하는 합필등기를 신청할 수 있다(법 제38조 제1항).

　　2. 「공간정보의 구축 및 관리 등에 관한 법률」에 따른 토지**합병절차를 마친 후 합필등기를 하기 전**에 합병된 토지 중 **어느 토지**에 관하여 제37조 제1항에서 정한 합필등기의 제한 사유에 해당하는 권리에 관한 등기가 된 경우라 하더라도 **이해관계인의 승낙**이 있으면 해당 토지의 소유권의 등기명의인은 그 권리의 목적물을 합필 후의 토지에 관한 **지분**으로 하는 합필등기를 신청할 수 있다. 다만, 요역지(要役地 : 편익필요지)에 하는 지역권의 등기가 있는 경우에는 합필 후의 토지 전체를 위한 지역권으로 하는 합필등기를 신청하여야 한다(법 제38조 제2항).

　　3. **토지합필의 특례**(법 제38조)는 **건물의 합병등**기에는 **적용되지 않는다.**

　① **모든 건물**에 대하여 **등기원인과 그 연월일 및 접수번호가 동일한 저당권**에 관한 등기가 있는 경우에는 공시의 혼란을 초래할 우려가 없으므로 **합병**이 **가능하다**(법 제42조 제1항, 제37조 제1항). 이 경우 **근저당권자의 승낙서는** 첨부정보로 제공할 필요가 **없다**(선례 제201311-1호).

　③ 건물이 **멸실**된 경우에는 **그 건물 소유권의 등기명의인**은 그 사실이 있는 때부터 **1개월 이내**에 그 등기를 **신청하여야** 한다. 그 소유권의 등기명의인이 1개월 이내에 **멸실등기를 신청하지 아니**

하면 그 건물**대지의 소유자**가 건물 소유권의 등기명의인을 **대위**하여 그 등기를 신청할 수 있다
(법 제43조 제1항, 제2항).

④ **멸실된 건물**이 **근저당권 등 제3자의 권리의 목적이 된 경우**라도 건축물대장에 **건물멸실의 뜻이
기록**되어 있으면 그 멸실등기 신청서에 **제3자의 승낙서**를 첨부할 필요는 **없고**, 멸실등기로 인하
여 폐쇄된 등기부에 기재된 **저당권의 말소는 등기할 사항이 아니다**(제정 1984.10.29. 선례 제
1-532호). 또한 **저당권으로서의 효력이 존속하는 것은 아님에 주의**한다.

⑤ 집합건축물대장상 구분건물인 **201호**와 **202호**가 분할·구분·합병으로 각 **201호**와 **202호** 및
203호로 되었으나 **부동산표시변경등기가 마쳐지지 아니**한 채 **소유권이전등기**가 마쳐진 경우, 위
각 건물의 **소유자가 동일**하고 건물의 합병 제한사유에 해당되지 않으면 위 구분건물의 소유자는
등기기록상 건물표시가 집합건축물대장과 일치되도록 **건물의 표시변경등기를 신청**할 수 있다(선
례 202009-1).

02 건물멸실등기에 관한 다음 설명 중 가장 옳지 않은 것은? ▶ 2022 법무사

① 등기관이 건물멸실등기를 할 때에는 등기기록 중 표제부에 멸실의 뜻과 그 원인 또는 부
존재의 뜻을 기록하고 표제부의 등기를 말소하는 표시를 한 후 그 등기기록을 폐쇄하여야
하는바, 다만 멸실한 건물이 구분건물인 경우에는 그 등기기록을 폐쇄하지 아니한다.

② 멸실된 건물이 근저당권 등 제3자의 권리의 목적이 된 경우에는 멸실된 사실이 건축물대
장에 기록되어 있더라도 멸실등기를 신청할 때에 근저당권자 등의 승낙이 있음을 증명하
는 정보를 첨부정보로서 제공하여야 한다.

③ 건물이 멸실한 경우에 등기기록상 소유명의인의 채권자는 대위원인을 증명하는 정보와
건축물대장정보 등 멸실을 증명할 수 있는 정보를 첨부정보로서 제공하여 건물멸실등기
를 대위신청할 수 있다.

④ 구분건물로서 그 건물이 속하는 1동 전부가 멸실된 경우에는 그 구분건물의 소유권의
등기명의인은 1동의 건물에 속하는 다른 구분건물의 소유권의 등기명의인을 대위하여
1동 전부에 대한 멸실등기를 신청할 수 있다.

⑤ 건물소유권의 등기명의인이 존재하지 아니하는 건물에 대하여 멸실등기를 신청하지 아
니하면 건물대지의 소유자가 건물부존재증명서를 발급받아 건물소유권의 등기명의인을
대위하여 멸실등기를 신청할 수 있고, 이 경우에는 건물이 멸실된 경우와 달리 건물부존
재증명서를 발급받은 지 1개월이 경과하지 않았더라도 건물대지의 소유자는 건물멸실등
기를 대위신청할 수 있다.

> **해설** ② 부동산이 저당권 등 제3자의 권리의 목적이 된 경우라도 그 **멸실등기신청서**에 **제3자의 승낙서**를
> 첨부할 필요는 **없고**, 멸실등기로 인하여 폐쇄된 등기부에 기재된 **저당권의 말소는 등기할 사항이
> 아니다**(선례 제1-532호). 또한 저당권으로서의 효력이 존속하는 것은 아님에 주의한다.

정답 **01** ② **02** ②

① 등기관이 **건물의 멸실**등기를 할 때에는 등기기록 중 **표제부에 멸실의 뜻과 그 원인 또는 부존재의 뜻**을 기록하고 **표제부의 등기를 말소하는 표시**를 한 후 그 등기기록을 **폐쇄**하여야 한다. 다만, **멸실한 건물이 구분건물**인 경우(🔢 **일부 구분건물의 멸실등기를 하는 경우**)에는 그 등기기록을 **폐쇄하지 아니한다**(규칙 제103조 제1항).

③ **건물이 멸실**한 경우에 등기부상 소유명의인의 **채권자**는 대위원인을 증명하는 서면과 건축물대장 등본 기타 멸실을 증명할 수 있는 서면을 첨부하여 **건물 멸실등기를 대위신청**할 수 있다(선례 제200603-3호).

④ **구분건물**로서 그 건물이 속하는 **1동 전부가 멸실**된 경우에는 그 구분건물의 소유권의 등기명의인은 1동의 건물에 속하는 다른 구분건물의 소유권의 등기명의인을 **대위**하여 **1동 전부에 대한 멸실등기를 신청**할 수 있다(법 제43조 제3항).

⑤ **건물소유권**의 등기명의인이 **존재하지 아니하는 건물**에 대하여 **멸실등기를 신청하지 아니**하면 건물대지의 소유자가 건물부존재증명서를 발급받아 건물소유권의 등기명의인을 **대위**하여 **멸실등기를 신청**할 수 있고, 이 경우에는 건물이 멸실된 경우와 달리 건물부존재증명서를 발급받은 지 1개월이 경과하지 않았더라도 건물의 대지소유자는 건물 멸실등기를 대위하여 신청할 수 있다(선례 제201511-1호).

권리에 관한 등기(갑구·을구)

01 소유권에 관한 등기에 관한 다음 설명 중 가장 옳지 않은 것은?   ▸ 2024 법무사

① 1필지의 토지의 특정된 일부에 대하여 소유권이전등기의 말소등기절차의 이행을 명하는 판결을 받은 자는 그 판결에 따로 토지의 분할을 명하는 주문기재가 없더라도 그 판결에 기하여 그 특정된 일부에 대한 분필등기절차를 마친 후 소유권이전등기를 말소할 수 있다.

② A 부동산에 대하여 피상속인 甲의 생전에 증여를 원인으로 소유권이전등기를 마친 甲의 공동상속인 중 1인인 乙이 甲 사망 이후에 다른 공동상속인 丙과 "유류분반환"을 원인으로 A 부동산 전부에 대하여 乙에서 丙 앞으로의 소유권이전등기를 신청한 경우, 유류분액의 초과 여부를 확인할 수 있는 정보를 반드시 제공하여야 하는 것은 아니다.

③ 공유자 중 1인이 단독으로 공유자 전원을 위하여 그 전원 명의로 소유권보존등기는 신청할 수 있으나, 그중 1인 또는 수인이 각자의 지분만에 관한 소유권보존등기는 신청할 수 없다.

④ 부동산의 소유권을 포기한 경우 그 소유권을 포기한 자는 그에 따른 등기를 단독으로 신청할 수 있으며, 등기상 이해관계 있는 제3자가 있는 때에도 그 자의 승낙이 있음을 증명하는 정보를 제공할 필요는 없다.

⑤ 피상속인의 사망으로 그 소유 부동산에 관하여 법정상속등기가 마쳐진 후 공동상속인 중 1인이 사망하였다면 그 상속등기에 대해서는 상속재산협의분할에 의한 소유권경정등기는 할 수 없다.

> **해설** ④ 1. 건물 또는 토지의 **소유권을 포기**한 경우 그 소유권을 포기한 자는 **단독으로 그에 따른 등기를 신청**할 수 없으며, 민법 제252조 제2항에 의하여 그 소유권을 취득하는 국가와 공동으로 소유권 포기를 원인으로 한 소유권이전등기를 신청하여야 한다. 다만 위 등기를 신청하는 경우에 **등기상 이해관계가 있는 제3자**가 있는 때에는 제한물권자의 손해가 없도록 하기 위하여 신청서에 그 자의 **승낙서** 또는 이에 대항할 수 있는 재판의 등본을 첨부하여야 한다(예규 제816호).
>
> 2. 위 등기의 신청이 있는 경우에 등기관은 **직권으로 소유권 이외의 권리**에 관한 등기를 **말소**하여야 한다(예규 제816호).
>
> ① 1필지의 토지의 특정된 일부에 대하여 소유권이전등기의 말소를 명하는 판결을 받은 등기권리자는 그 판결에 **따로 토지의 분할을 명하는 주문기재가 없더라도** 그 판결에 기하여 등기의무자를 **대위**하여 그 특정된 일부에 대한 **분필등기절차를 마친 후 소유권이전등기를 말소할 수 있으므로** 토지의 분할을 명함이 없이 1필지의 토지의 일부에 관하여 소유권이전등기의 말소를 명한 판결을 집행불능의 판결이라 할 수 없다(예규 제639호).

정답 ▸ **01** ④

② 피상속인 갑 소유명의의 A 부동산에 대하여 갑 **생전**에 **증여**를 원인으로 소유권이전등기를 마친 갑의 공동**상속인 중 1인인 을**이 갑 사망 이후에 **다른 공동상속인 병**과 "**유류분반환**"을 원인으로 A 부동산 전부에 대하여 **을에서 병 앞으로의 소유권이전등기**를 신청한 경우, **형식적 심사권**밖에 없는 등기관으로서는 **유류분액의 초과 여부를 확인할 수 있는 것은 아니**므로 위 등기신청을 **수리**할 수 밖에 없다. 다만, 이 경우 등기권리자인 병**이 갑의 상속인임을 소명하는 정보**를 첨부정보로서 제공하여야 한다(선례 제201812-3호).

③ **소유권보존**등기는 성질상 등기의무자의 존재를 생각할 수 없으므로 등기권리자가 **단독**으로 그 등기를 신청하며(법 제23조 제2항), 그 부동산이 공유물인 경우 등기권리자인 **공유자 전원**이 공동으로 소유권보존등기를 신청하여야 하고, **공유자 중 1인이 자기 지분만**의 보존등기를 신청할 수는 **없으나**(법 제29조 제2호, 규칙 제52조 제6호), 민법 제265조 단서의 **공유물 보존행위**로서 **공유자 전원을 위하여** 보존등기를 **신청**하는 경우에는 공유자 중 1인이라도 단독으로 등기신청을 할 수 **있는** 바, 이 경우에는 다른 공유자들의 동의나 위임 없이 법무사에게 이러한 소유권보존등기신청을 위임할 수가 있다(선례 제4-288호).

⑤ 1. 피상속인(X)의 사망으로 상속이 개시된 후 **상속등기를 경료하지 아니한 상태**에서 공동상속인 중 1인(A)이 사망한 경우, 나머지 상속인들과 사망한 공동상속인(A)의 상속인들이 피상속인(X)의 재산에 대한 **협의분할을** 할 수 **있다**(선례 제7-178호).

  2. 피상속인의 사망으로 그 소유 부동산에 관하여 **재산상속(법정상속분) 등기가 경료된 후** 공동상속인(갑, 을, 병) 중 어느 1인(갑)이 사망하였다면 그 공동상속등기에 대해서는 **상속재산분할협의서**에 의한 소유권경정등기를 할 수 **없는바**, 이는 위 을, 병과 갑의 상속인 사이에 상속재산협의분할을 원인으로 한 지분이전등기절차의 이행을 명하는 조정에 갈음하는 결정이 확정된 경우에도 마찬가지이다(선례 제8-197호).

02 건물의 소유권보존등기에 관한 다음 설명 중 가장 옳지 않은 것은? ▶ 2023 법무사

① 건축물대장에 소유자로 등록되어 있는 회사가 분할된 경우, 분할 후 회사는 분할계획서 등에 의하여 미등기 건물을 승계하였음을 증명하여 바로 자기 명의로 보존등기를 신청할 수 있다.

② 건축물대장이 생성되지 않은 건물에 대하여도 소유권확인판결에 의하여 자기의 소유권을 증명하여 소유권보존등기를 신청할 수 있다.

③ 건물에 대하여 국가를 상대로 한 소유권확인판결이나 건축허가명의인을 상대로 한 소유권확인판결은 부동산등기법 제65조 제2호의 소유권을 증명하는 판결의 범위에 포함되지 않는다.

④ 지상권이 설정되어 있는 토지 위에 지상권자 아닌 제3자가 건물을 신축한 후 동건물에 대한 소유권보존등기를 신청함에 있어서, 사전에 그 지상권을 말소하여야 하거나 지상권자의 승낙이 있음을 증명하는 정보를 첨부정보로 제공할 필요는 없다.

⑤ 건물의 보존등기신청을 할 때에는 등기원인과 그 연월일은 신청정보의 내용으로 등기소에 제공할 필요가 없다.

해설 ② 1. 구 부동산등기법(2011.4.12. 법률 제10580호로 전부 개정되기 전의 것, 이하 '구법'이라 한다) 제131조 제2호에서 **판결** 또는 그 밖의 **시·구·읍·면의 장의 서면**에 의하여 자기의 소유권을 증명하는 자가 소유권보존등기를 신청할 수 있다고 규정한 것은 건축물**대장이 생성되어 있으나** 다른 사람이 소유자로 등록되어 있는 경우 또는 건축물대장의 소유자 표시란이 공란으로 되어 있거나 소유자표시에 일부 누락이 있어 **소유자를 확정할 수 없는 등의 경우**에 건물 소유자임을 주장하는 자가 판결이나 위 서면에 의하여 **소유권을 증명**하여 소유권**보존등기를 신청할 수 있다는 취지**이지, 아예 **건축물대장이 생성되어 있지 않은 건물**에 대하여 **처음부터 판결** 내지 위 서면에 의하여 소유권을 증명하여 소유권보존등기를 신청할 수 있다는 의미는 **아니**라고 해석하는 것이 타당하다. 위와 같이 제한적으로 해석하지 않는다면, 사용승인을 받지 못한 건물에 대하여 구법 제134조에서 정한 처분제한의 등기를 하는 경우에는 사용승인을 받지 않은 사실이 등기부에 기재되어 공시되는 반면, 구법 제131조에 의한 소유권보존등기를 하는 경우에는 사용승인을 받지 않은 사실을 등기부에 적을 수 없어 등기부상으로는 적법한 건물과 동일한 외관을 가지게 되어 건축법상 규제에 대한 탈법행위를 방조하는 결과가 된다. 결국 **건축물대장이 생성되지 않은 건물**에 대해서는 **소유권확인판결을 받는다고 하더라도** 그 판결은 구법 제131조 제2호에 해당하는 판결이라고 볼 수 없어 이를 근거로 건물의 소유권**보존등기를 신청할 수 없다.** 따라서 건축물대장이 생성되지 않은 건물에 대하여 구법 제131조 제2호에 따라 소유권보존등기를 마칠 목적으로 제기한 소유권확인청구의 소는 당사자의 법률상 지위의 불안 제거에 별다른 실효성이 없는 것으로서 확인의 이익이 없어 부적법하다(대판 2011.11.10, 2009다93428).

2. 미등기 건물에 대하여 「부동산등기법」 제65조 **제1호**에 따라 건축물대장에 최초의 소유자로 등록되어 있는 자 또는 그 상속인, 그 밖의 포괄승계인이 소유권보존등기를 신청하는 경우뿐만 아니라 같은 조 **제2호** 또는 **제4호**에 따라 확정판결 또는 특별자치도지사·시장·군수·구청장(자치구의 구청장을 말함)의 확인에 의하여 자기의 소유권을 증명하는 자가 소유권보존등기를 신청하는 경우에도 해당 건물에 대한 건축물**대장은 생성되어 있어야 한다**(선례 제201904-2호).

① 1. 토지의 경우와 마찬가지로 **대장상 최초 소유자**로 등록된 자의 **포괄승계인(상속인 포괄적 수증자** 또는 **합병·분할** 이후의 **법인)**은 **자기 명의**로 바로 소유권**보존**등기를 할 수 있다(「부동산등기실무Ⅱ」 p.201 참조).

2. 따라서 건축물**대장에 소유자로 등록되어 있는 회사**가 **분할**된 경우, 분할 후 회사는 분할계획서 등에 의하여 미등기 건물을 승계하였음을 증명하여 바로 **자기 명의**로 **보존**등기를 신청할 수 있다.

③ 1. **건축물대장**의 소유자표시란이 공란이거나 소유자표시에 일부 누락이 있어 대장상의 **소유자를 확정할 수 없는** 미등기 건물에 관하여 갑이 **시장·군수·구청장을 상대로** 하여 당해 건물이 그의 소유임을 확인하는 내용의 **확정판결**을 받았다면, 갑은 그 판결정본을 첨부하여 그 명의의 소유권**보존등기를 신청**할 수 있다(선례 제6-122호).

2. 그러나 **건물**에 대하여 **국가를 상대**로 한 소유권확인판결 또는 **건축허가명의인(또는 건축주)**을 **상대로** 한 소유권확인판결을 받은 자는 직접 소유권보존등기를 신청할 수 **없다**(예규 제1483호, 3-라).

④ 지상권이 설정되어 있는 토지 위에 지상권자 아닌 제3자가 건물을 신축한 후 동건물에 대한 소유권보존등기를 신청함에 있어서, 사전에 그 **지상권을 말소**하여야 하거나 소유권보존등기신청서에 **지상권자의 승낙서를** 첨부할 필요는 **없다**(선례 제2-238).

⑤ 1. 법 제65조에 따라 소유권보존등기를 신청하는 경우에는 **법 제65조 각 호의 어느 하나에 따라 등기를 신청한다는 뜻**을 신청정보의 내용으로 등기소에 **제공하여야 한다.**

정답 ▶ **02 ②**

2. 이 경우 제43조 제1항 제5호에도 불구하고 **등기원인**과 그 **연월일**은 신청정보의 내용으로 등기소에 **제공할 필요가 없다**(규칙 제121조 제1항).

03 소유권보존등기에 관한 다음 설명 중 가장 옳지 않은 것은? ▸ 2021 법무사

① 건축물대장의 소유자표시란이 공란이거나 소유자표시에 일부 누락이 있어 대장상의 소유자를 확정할 수 없는 미등기 건물에 관하여 국가를 상대방으로 하여 소유권확인의 판결을 받은 경우 부동산등기법 제65조 제2호의 소유권을 증명하는 판결에 해당한다.

② 가설건축물대장에 등록된 "농업용 고정식 비닐온실"이 철근콘크리트 기초 위에 설치됨으로써 토지에 견고하게 정착되어 있고, 경량철골구조 및 내구성 10년 이상의 내재해형 장기성 필름(비닐)에 의하여 벽면과 지붕을 구성하고 있다면 이 건축물에 대하여 소유권보존등기를 신청할 수 있다.

③ 미등기부동산에 관하여 법원으로부터 소유권에 대한 가압류등기 촉탁이 있는 경우 등기관은 그 등기를 위하여 전제되는 소유권보존등기를 직권으로 실행하여야 한다.

④ 구분건물이 아닌 건물로 등기된 건물에 접속하여 구분건물을 신축한 경우에 그 신축건물의 소유권보존등기를 신청할 때에는 구분건물이 아닌 건물을 구분건물로 변경하는 건물의 표시변경등기를 동시에 신청하여야 한다.

⑤ 1동의 건물에 속하는 구분건물 중 일부만에 관하여 소유권보존등기를 신청하는 경우에는 나머지 구분건물의 표시에 관한 등기를 동시에 신청하여야 하며, 구분건물의 소유자는 1동에 속하는 다른 구분건물의 소유자를 대위하여 그 건물의 표시에 관한 등기를 신청할 수 있다.

해설 ① **건축물대장**의 소유자표시란이 공란이거나 소유자표시에 일부 누락이 있어 대장상의 **소유자를 확정할 수 없는** 미등기 건물에 관하여 갑이 **시장·군수·구청장**을 상대로 하여 당해 건물이 그의 소유임을 확인하는 내용의 **확정판결**을 받았다면, 갑은 그 판결정본을 첨부하여 그 명의의 소유권보존등기를 신청할 수 있다(선례 제6–122호).

② 가설건축물대장에 등록된 **"농업용 고정식 비닐온실"**이 철근콘크리트 기초 위에 설치됨으로써 토지에 견고하게 정착되어 있고, 경량철골구조 및 내구성 10년 이상의 내재해형 장기성 필름(비닐)에 의하여 벽면과 지붕을 구성하고 있다면 독립된 건물로 볼 수 있으므로 이 건축물에 대하여 소유권보존등기를 신청할 수 있을 것이나, 구체적인 사건에서 등기할 수 있는 건물인지 여부는 담당 등기관이 판단할 사항이다(선례 제201903–8호).

③ 법 제65조

④ **구분건물이 아닌 건물로** 등기된 건물에 **접속하여 구분건물을 신축**한 경우에 그 신축건물의 소유권보존등기를 신청할 때에는 구분건물이 아닌 건물을 **구분건물로 변경**하는 건물의 표시변경등기를 **동시에** 신청하여야 한다. 이 경우 제2항을 준용한다(법 제46조 제3항).

⑤ 1동의 건물에 속하는 **구분건물 중 일부만**에 관하여 소유권**보존등기**를 신청하는 경우에는 **나머지 구분건물의 표시에 관한 등기를 동시에 신청하여야** 한다. 이 경우에 **구분건물의 소유자는 1동에 속하는 다른 구분건물의 소유자를 대위**하여 그 건물의 표시에 관한 등기를 신청할 수 있다(법 제46조 제1항, 제2항).

04 구분건물의 등기에 관한 다음 설명 중 가장 옳지 않은 것은? ▶ 2025 법무사

① 1동의 건물에 속하는 구분건물 중 일부만에 관하여 소유권보존등기를 신청하는 경우에는 나머지 구분건물의 표시에 관한 등기를 동시에 신청하여야 하며, 구분건물의 소유자는 1동에 속하는 다른 구분건물의 소유자를 대위하여 그 건물의 표시에 관한 등기를 신청할 수 있다.

② 구분건물로서 그 대지권의 변경이나 소멸이 있는 경우에는 구분건물의 소유권의 등기명의인은 1동의 건물에 속하는 다른 구분건물의 소유권의 등기명의인을 대위하여 그 등기를 신청할 수 있다.

③ 소유권이 대지권인 경우에 대지권이 등기된 구분건물 또는 대지권이라는 뜻의 등기가 되어 있는 토지의 등기기록에는 소유권이전등기청구권 또는 저당권설정등기청구권을 보전하기 위한 가등기는 할 수 없으나, 가압류의 등기는 가능하다.

④ 등기관이 건물의 등기기록에 대지권등기를 하였을 때에는 직권으로 대지권의 목적인 토지의 등기기록 중 해당구에 대지권이라는 뜻을 기록하여야 하며, 그 등기에 경정의 사유가 있는 때에도 그 경정등기는 직권으로 한다.

⑤ 구분건물이 아닌 건물로 등기된 건물에 접속하여 구분건물을 신축한 경우에 그 신축건물의 소유권보존등기를 신청할 때에는 구분건물이 아닌 건물을 구분건물로 변경하는 건물의 표시변경등기를 동시에 신청하여야 한다.

> **해설** ③ 토지의 **소유권**이 **대지권**인 경우에 대지권이라는 뜻의 등기가 되어 있는 토지의 등기기록에는 **소유권이전등기, 저당권설정등기, 그 밖에 이와 관련이 있는 등기**를 할 수 **없다**(법 제61조 제4항). "그 밖에 이와 관련이 있는 등기"는 아래와 같다.
>
> > 가. 토지만을 목적으로 하는 **소유권이전청구권을 보전하기 위한 가등기**
> > 나. 토지만을 목적으로 하는 **저당권설정청구권을 보전하기 위한 가등기**
> > 다. 토지만을 목적으로 하는 **가압류, 가처분, 경매개시결정등기** 등
>
> ① 1. 1동의 건물에 속하는 **구분건물 중 일부만에** 관하여 소유권**보존**등기를 신청하는 경우에는 **나머지 구분건물의 표시에** 관한 등기를 **동시에 신청하여야** 한다. 이 경우에 **구분건물의 소유자는 1동에 속하는 다른 구분건물의 소유자를 대위**하여 그 건물의 표시에 관한 등기를 신청할 수 있다(법 제46조 제1항, 제2항).
>
> > 2. 「부동산등기법」 제46조 제1항에서 '1동의 건물에 속하는 구분건물 중 **일부만에** 관하여 소유권**보존**등기를 신청하는 경우에는 **나머지** 구분건물의 **표시에** 관한 등기를 **동시에 신청**하여야 한다.'고 규정하고 있는바, 이 규정의 취지는 1동 건물과 그에 속하는 전체 구분건물과의 관계 등을 정확히 공시하기 위한 것이므로 '**동시에 신청하여야 한다.**'의 의미는 '동시에 신청하되 **하나의 신청정보로 일괄**하여 신청하여야 한다.'라고 보는 것이 합리적이다. 나아가 같은 법 제46조 제2항에 따라 구분건물의 소유자가 1동에 속하는 다른 구분건물의 소유자를 **대위**하여 그 건물의 표시에 관한 등기를 신청하는 경우에도 **마찬가지**이다(선례 제202008-1호).
>
> ② **구분건물로서** 그 **대지권의 변경이나 소멸**이 있는 경우에는 **구분건물의 소유권의 등기명의인**은 1동의 건물에 속하는 다른 구분건물의 소유권의 등기명의인을 **대위**하여 **그 등기를 신청할 수** 있다(법 제41조 제3항).

> **정답** · **03** ① **04** ③

④ 대지권등기를 하였을 때에는 **직권**으로 대지권의 목적인 토지의 등기기록에 소유권, 지상권, 전세권 또는 임차권이 **대지권이라는 뜻을 기록**하여야 하며(법 제40조 제4항), **그 등기에 경정의 사유가 있는 때에도** 그 경정등기는 **직권**으로 한다.

⑤ **구분건물이 아닌 건물**로 등기된 건물에 **접속하여 구분건물을 신축**한 경우에 그 신축건물의 소유권보존등기를 신청할 때에는 구분건물이 아닌 건물을 **구분건물로 변경**하는 건물의 표시변경등기를 **동시에** 신청하여야 한다(법 제46조 제3항).

05 대지권에 관한 등기와 관련한 다음 설명 중 가장 옳지 않은 것은?
▸ 2025 법무사

① 전유부분 101호 소유자가 그의 전유부분에 따른 대지권의 일부를 전유부분 102호의 소유자에게 양도하기 위하여는, 규약을 설정하여 그 일부를 대지권이 아닌 권리로 하고 이 규약을 첨부하여 대지권변경 등기신청을 한 후 대지권에서 제외된 권리를 전유부분 102호 소유자에게 공유지분이전등기를 하면 된다.

② 甲, 乙, 丙이 대지를 각 4/8, 3/8, 1/8의 지분으로 공유하면서 그 지상에 총 3개 호수의 집합건물을 신축하여 구분건물을 각 단독소유하는 경우에 대지권등기를 할 때, 위 공유지분과 달리 각 구분건물의 전유면적 비율에 따라 대지권 비율을 정하거나 규약을 첨부하여 대지권 비율을 정하여 대지권등기를 할 수 있다.

③ 공용부분의 일부가 전유부분에 편입되어 전유부분의 면적이 늘어난 경우에도 대지권비율은 변동이 없으므로 전유부분의 면적이 늘어난 구분소유자가 대지권비율을 그대로 유지한다는 취지가 기재된 규약 등을 첨부정보로 제공할 필요 없이 집합건축물대장을 첨부정보로 제공하여 전유부분 면적의 표시변경등기를 신청할 수 있다.

④ 1동의 건물이 소재하는 토지를 수필지로 분할하여 그중 1동의 건물이 소재하는 토지가 아닌 것으로 분할된 토지를 사업시행자가 토지수용을 한 경우에는 간주규약이 폐지되거나 새로 분리처분가능규약이 제정되었음을 증명하는 정보를 제공하지 않고 그에 따른 대지권표시변경등기를 신청할 수 있다.

⑤ 임차권이 대지권인 경우 건물소유권과 대지권을 공동저당의 목적으로 할 수 없으므로 대지권을 제외한 건물만에 관하여 저당권이 설정되어야 하며, 이 경우 건물만에 관한 것이라는 뜻의 부기등기를 하여야 한다.

> **해설** ② **대지권의 비율**이란 **전유부분과 분리하여 처분할 수 없는 대지사용권의 지분비율**을 말한다.
>
> 각 전유부분 표제부의 대지권의 표시란에 기록하는 **대지권 비율**은 전유부분의 소유자가 **대지권의 목적인 토지에 대하여 갖는 대지사용권의 지분비율**을 의미한다(「부동산등기실무 II」 p.194). 따라서 **전유부분을 각 단독소유**하는 경우 **자신이 토지에 대해 가지는 토지의 공유지분**이 대지권(대지사용권)의 비율이 되므로 각 호수별 대지권의 비율은 4/8, 3/8, 1/8이 된다.
>
> ① 1. **대지권등기**는 그 자체가 물권변동을 공시하는 권리등기가 아니고, 구분건물과 일체화된 대지사용권이 있음을 건물 등기기록의 표제부에 공시하는 것에 불과하므로 **구분건물의 표시에 관한 등기로서의 성질**을 갖는다.

대지권등기가 마쳐진 집합건물의 구분소유자들이 **대지권의 일부를 다른 구분소유자들에게 양도**하여 대지권의 비율을 변경하기 위해서는 대지권등기를 말소하지 않고 곧바로 대지권의 비율을 변경하는 대지권변경등기를 할 수는 없다. 왜냐하면 대지권등기는 전유부분의 소유자가 이미 취득한 대지사용권에 대하여 전유부분과의 처분의 일체성을 명시하는 구분건물의 표시에 관한 등기에 불과한 것이고, 대지사용권을 법률행위에 의하여 취득하기 위해서는 권리취득의 등기를 하여야 하기 때문이다.

그러므로 우선 구분소유자들이 **대지사용권을 전유부분과 분리하여 처분할 수 있다는 규약**을 첨부하여 **대지권등기를 말소**하고, **대지사용권의 일부지분을 특정한 양수인에게 이전하는 등기**를 한 후 **대지권등기를 새로이 신청**하여야 한다(선례 제8–319호).

2. 따라서 전유부분 **101호 소유자**가 그의 전유부분에 따른 **대지권의 일부**를 전유부분 **102호의 소유자**에게 **양도**하기 위하여는, **분리처분 가능규약**을 설정하여 그 일부를 대지권이 아닌 권리로 하고 이 규약을 첨부하여 **대지권변경 등기신청(대지권말소)**을 한 후 대지권에서 **제외된 권리**를 전유부분 **102호 소유자에게 공유지분이전등기**를 하면 된다.

   이후 **102호의 소유자**는 늘어난 부분에 대하여 **다시 대지권등기**를 하면 된다.

③ **공용부분의 일부**가 **전유부분에 편입**되어 **전유부분의 면적이 늘어난 경우**에도 **대지권 비율은 변동이 없으**므로 전유부분의 **면적이 늘어난** 구분소유자가 대지권 비율을 그대로 유지한다는 취지가 기재된 서면이나 규약을 첨부할 필요 없이 집합건축물대장만을 **첨부정보**로 제공하여 **전유부분 면적의 표시변경등기**를 신청할 수 있다.

④ 1동의 건물이 소재하는 토지**(법정대지)**를 수필지로 **분할**하여 그중 1동의 **건물이 소재하는 토지가 아닌 것으로 분할된 토지(간주규약대지)**를 사업시행자가 공공용지의 취득 및 손실보상에 관한 특례법에 의한 **협의취득**을 한 경우에는 먼저 위 간주규약대지에 관하여 간주규약이 폐지되거나 **새로 분리처분가능규약이 제정**되고 그에 따른 대지권표시변경등기가 경료되어 위 간주규약대지에 대한 **대지권등기가 말소**된 연후에 **사업시행자 명의로의 소유권이전등기**를 할 수 있고, 토지수용법에 의한 **수용**을 한 경우에는 구분건물과 그 대지사용권의 **처분의 일체성이 적용되지 아니**하므로, 위 폐지규약 등의 **첨부 없이** 위와 같은 대지권표시변경등기**(대지권말소등기)**를 한 다음 **사업시행자 명의로 수용을 원인으로 한 소유권이전등기**를 할 수 있으며, 위 협의취득이나 수용의 경우 대지권표시변경등기에 대하여는 사업시행자의 대위신청도 가능하다(선례 제5–337호).

⑤ 임차권이 대지권인 경우에 **임차권**은 저당권의 목적으로 할 수 없는 권리이므로 **건물 소유권과 대지권(토지임차권)을 공동저당**의 목적으로 할 수 **없고**, 대지권을 제외한 **건물만에** 관하여 **저당권**이 설정되어야 하며, 이 경우 건물만의 취지의 부기등기를 (🔒 직권으로)하여야 한다(선례 제201604–1호).

06 대지권등기에 관한 다음 설명 중 가장 옳지 않은 것은? ▶ 2022 법무사 일부변경

① 등기관이 대지권등기를 하였을 때에는 직권으로 대지권의 목적인 토지의 등기기록에 소유권, 지상권, 전세권 또는 임차권이 대지권이라는 뜻을 기록하여야 한다.

② 구분건물로서 그 대지권의 변경이나 소멸이 있는 경우에는 구분건물의 소유권의 등기명의인은 1동의 건물에 속하는 다른 구분건물의 소유권의 등기명의인을 대위하여 그 등기를 신청할 수 있다.

③ 대지권의 목적인 토지의 등기기록에 대지권이라는 뜻의 등기를 한 경우로서 그 토지 등기기록에 소유권보존등기나 소유권이전등기 외의 소유권에 관한 등기 또는 소유권 외의 권리에 관한 등기가 있을 때에는 등기관은 그 건물의 등기기록 중 전유부분 표제부에 토지 등기기록에 별도의 등기가 있다는 뜻을 기록하여야 한다.

④ 구분건물 소유권의 등기명의인이 부동산등기법 제60조에 의하여 대지사용권에 관한 이전등기를 신청할 때에는 대지권에 관한 등기와 동시에 신청하여야 한다.

⑤ 등기기록에 대지권이라는 뜻의 등기를 할 때에 대지권의 목적인 토지의 관할이 다른 등기소에 속할 경우에도 대지권등기를 접수한 등기소의 등기관이 대지권이라는 뜻의 등기를 함께 실행할 수 없다.

> **해설** ⑤ 1. 제7조에도 불구하고 제11조 제1항에 따른 **등기관이** 당사자의 신청이나 직권에 의한 **등기를 하고 제71조, 제78조 제4항(제72조 제2항에서 준용하는 경우를 포함한다)** 또는 **대법원규칙**으로 정하는 바에 따라 **다른 부동산에 대하여 등기를 하여야 하는 경우**에는 그 부동산의 **관할 등기소가 다른 때에도** 해당 등기를 **할 수 있다**(법 제7조의2).
>
> 2. **대지권의 목적인 토지**가 **다른 등기소의 관할에 속하는 경우**로서 **규칙 제89조 및 제93조에 따른 등기**는 등기관이 다른 부동산에 대하여 처리하여야 한다(규칙 제163조의3).
>
> 3. 대지권의 목적인 토지의 등기기록에 법 제40조 제4항의 **대지권이라는 뜻의 등기**를 할 때에는 해당 구에 어느 권리가 **대지권이라는 뜻**과 그 대지권을 등기한 1동의 건물을 표시할 수 있는 사항 및 그 등기연월일을 **기록하여야 한다(규칙 제89조 제1항).**
> 이 경우 **대지권의 목적인 토지의 관할**이 **다른 등기소에 속할 경우에도** 대지권등기를 **접수한 등기소의 등기관**이 대지권이라는 뜻의 등기를 함께 실행할 수 있다.
>
> ① 등기관이 **대지권등기를 하였을 때**에는 **직권**으로 대지권의 목적인 토지의 등기기록에 소유권, 지상권, 전세권 또는 임차권이 **대지권이라는 뜻을 기록하**여야 한다(법 제40조 제4항).
>
> ② **구분건물**로서 그 **대지권의 변경이나 소멸**이 있는 경우에는 **구분건물의 소유권의 등기명의인은** 1동의 건물에 속하는 다른 구분건물의 소유권의 등기명의인을 **대위**하여 **그 등기를 신청할 수** 있다(법 제41조 제3항).
>
> ③ 1. 제89조에 따라 대지권의 목적인 토지의 등기기록에 **대지권이라는 뜻의 등기를 한 경우로서** 그 토지 등기기록에 소유권보존등기나 소유권이전등기 외의 소유권에 관한 등기 또는 소유권 외의 권리에 관한 등기가 있을 때에는 등기관은 그 **건물의 등기기록 중 전유부분 표제부에** 토지 등기기록에 **별도의 등기가 있다는 뜻**을 (登 직권으로) 기록하여야 한다(규칙 제90조 제1항).
> 2. 토지 등기기록에 **대지권이라는 뜻의 등기를 한 후**에 그 토지 등기기록에 관하여만 새로운 등기를 한 경우 등기관은 그 건물의 등기기록 중 **전유부분 표제부에** 토지 등기기록에 **별도의 등기가 있다는 뜻**을 (登 직권으로) 기록하여야 한다(규칙 제90조 제1항, 제2항).

④ 1. **구분건물을 신축한 자**가 「집합건물의 소유 및 관리에 관한 법률」 제2조 제6호의 대지사용권을 가지고 있는 경우에 대지권에 관한 등기를 하지 아니하고 구분건물에 관하여만 소유권이전등기를 마쳤을 때에는 **현재의 구분건물의 소유명의인**과 공동으로 **대지사용권에 관한 이전등기**를 신청할 수 있다(법 제60조 제1항).
2. **대지사용권에 관한 이전등기**는 대지권에 관한 등기와 **동시에** 신청하여야 한다(법 제60조 제3항).

07

집합건물의 소유 및 관리에 관한 법률에 따른 규약상 공용부분이라는 뜻의 등기에 관한 다음 설명 중 가장 옳지 않은 것은? ▸ 2023 법무사

① 공용부분이라는 뜻의 등기는 규약에서 공용부분으로 정한 구분건물 또는 부속건물의 소유자가 신청하여야 하며, 미등기인 건물에 대하여는 소유권보존등기를 하지 않고 곧바로 공용부분이라는 뜻의 등기를 할 수 있다.

② 등기관이 공용부분이라는 뜻의 등기를 할 때에는 그 등기기록 중 표제부에 공용부분이라는 뜻을 기록하고 각 구의 소유권과 그 밖의 권리에 관한 등기를 말소하는 표시를 하여야 한다.

③ 공용부분이라는 뜻의 등기를 신청하는 경우 공용부분인 건물에 소유권 외의 권리에 관한 등기가 있을 때에는 그 권리의 등기명의인의 승낙이 있음을 증명하는 정보 또는 이에 대항할 수 있는 재판이 있음을 증명하는 정보를 첨부정보로서 제공하여야 한다.

④ 공용부분에 대한 공유자의 지분은 그가 가지는 전유부분과 분리하여 처분할 수 없고, 공용부분에 관한 물권의 득실변경은 등기가 필요하지 아니하다.

⑤ 공용부분이라는 뜻을 정한 규약을 폐지한 경우에 공용부분의 취득자는 지체 없이 소유권보존등기를 신청하여야 한다.

해설 ① **규약상 공용부분이라는 뜻의 등기**는 규약에서 공용부분으로 정한 구분건물 또는 **부속건물 소유권의 등기명의인**이 **신청**하여야 한다(법 제47조 제1항). 따라서 **미등기인 건물**에 대하여 **곧바로 공용부분이라는 뜻의 등기를 할 수 없고 먼저** 소유권**보존**등기를 하여야 한다(선례 제2-657호).

② 등기관이 공용부분이라는 뜻의 등기를 할 때에는 그 등기기록 중 표제부에 **공용부분이라는 뜻을 기록**하고 각 구의 **소유권**과 **그 밖의 권리**에 관한 등기를 **말소하는 표시**를 하여야 한다(규칙 제104조 제3항).

③ 소유권의 등기명의인이 공용부분이라는 뜻의 등기를 신청하는 경우에는 그 뜻을 정한 **규약이나 공정증서**를 첨부정보로서 등기소에 제공하여야 한다. 이 경우 그 건물에 **소유권의 등기 외의 권리**에 관한 등기가 있을 때에는 그 등기명의인의 **승낙**이 있음을 증명하는 정보 또는 이에 대항할 수 있는 **재판**이 있음을 증명하는 정보를 **첨부정보**로서 등기소에 제공하여야 한다(법 제47조 제1항, 규칙 제104조 제1항).

④ **공용부분에 대한 공유자의 지분**은 그가 가지는 **전유부분의 처분에 따른다.** 공유자는 그가 가지는 **전유부분과 분리하여 공용부분에 대한 지분을 처분할 수 없다. 공용부분에 관한 물권의 득실변경**은 **등기가 필요하지 아니**하다(집합건물의 소유 및 관리에 관한 법률 제13조).

정답 ▸ **06 ⑤ 07 ①**

⑤ **공용부분이라는 뜻을 정한 규약을 폐지**한 경우에 **공용부분의 취득자**는 지체 없이 소유권**보존**(🚫 이전×)등기를 **신청하여야** 한다(법 제47조 제2항).

08 소유권이전등기에 관한 다음 설명 중 가장 옳지 않은 것은?

▶ 2025 법무사

① 사인증여를 원인으로 한 소유권이전등기신청은 등기의무자인 유언집행자(유언집행자가 수인인 경우에는 그 과반수 이상)와 등기권리자인 수증자가 공동으로 신청하여야 한다.

② 민법 제839조의2 제3항에 따르면 "재산분할청구권은 이혼한 날부터 2년을 경과한 때에는 소멸한다."고 규정하고 있으므로 협의이혼 당시 재산분할약정을 한 후 15년이 지나 재산분할을 원인으로 소유권이전등기신청을 한 경우 등기관은 각하하여야 한다.

③ 양도담보계약을 원인으로 한 소유권이전등기를 신청하는 경우 부동산등기 특별조치법상의 검인을 받아야 하며 토지거래허가구역 내의 토지인 경우에는 토지거래허가를 받아야 한다.

④ 현물출자를 원인으로 한 소유권이전등기를 신청하는 경우 현물출자에 관한 사항을 정한 정관이나 이사회의사록은 첨부정보로 제공할 필요가 없다.

⑤ 매매 또는 증여로 인한 소유권이전등기가 마쳐진 후 그 계약의 해제가 있을 때 원상회복의 방법으로 소유권이전등기의 말소가 아닌 계약해제를 원인으로 한 소유권이전등기신청을 할 수 있다.

해설 ② 1. 혼인 중 부부의 협의이혼을 전제로 한 **재산분할협의**는 협의상 이혼을 정지조건으로 하는 **조건부 의사표시**로서, 동 협의의 효력은 당사자가 약정한 대로 협의상 이혼이 이루어진 경우에 발생하는 것이므로, 재산분할을 원인으로 한 소유권이전등기신청서에는 **이혼하였음을 소명하는 서면**(호적등본 등)을 첨부하여야 한다(선례 제8-170호).

2. 「민법」 제839조의2의 규정에 의한 **재산분할의 판결**에 의하여 이혼당사자 중 일방이 그의 지분에 대한 농지의 소유권이전등기를 신청할 경우 그 절차는 판결에 의한 소유권이전등기신청 절차와 동일하며 부동산등기 특별조치법 소정의 **검인**을 **받아야** 하나 **농지취득자격증명, 토지거래계약허가서** 등은 첨부할 필요가 **없다**(선례 제4-261호).

3. 「민법」 제839조의2에서 "**재산분할청구권**은 **이혼한 날**로부터 **2년**을 경과한 때에는 소멸한다." 라고 규정하고 있으나 재산분할협의결과 발생한 **소유권이전등기를 반드시 위 기간 내에 신청하도록 제한하는 것은 아니**므로 협의이혼 당시 **재산분할약정을 한 후 15년이 경과**하더라도 재산분할협의서에 **검인**을 받고 **혼인관계증명서**와 **일반적인 소유권이전등기신청에 필요한 서면** 등을 첨부하여 재산분할을 원인으로 소유권이전등기신청을 할 수 **있다**(선례 제200901-2호).

① 증여자의 사망으로 인하여 효력이 생길 (🚫 **사인**)증여에는 **유증**에 관한 규정을 **준용**한다(민법 제562조). 증여자의 사망으로 인하여 효력이 생길 증여(**사인증여**)를 원인으로 한 **소유권이전등기신청**은 등기의무자인 **유언집행자**(지정되지 않은 경우에는 상속인이 유언집행자)와 등기권리자인 **수증자가 공동**으로 신청하게 되는바, **유언집행자가 수인**인 경우에는 그 **과반수 이상**으로 등기신청을 할 수 있다(선례 제200907-1호).

③ **양도담보계약**에 의하여 **소유권이전등기신청**을 할 때에도 부동산등기 특별조치법상의 **검인**을 받아야 하며 당해 부동산이 토지거래허가구역 내의 허가대상토지인 경우에는 국토이용관리법상의 **토지거래허가**를 받아야 한다(선례 제4-399호).

④ 현물출자를 원인으로 한 소유권이전등기를 신청하는 경우에 등기원인을 증명하는 정보를 적은 서면은 **"현물출자계약서"**이며, 원인일자는 **"그 계약의 성립일"**이 된다. 현물출자자가 납입기일에 출자의 목적인 재산을 인도하고 소유권이전등기에 필요한 서류를 교부한 뒤에 받은, 이른바 **"인도증서"**(상법 제295조 제2항 참조)는 등기원인을 증명하는 서면이 아니므로 첨부정보로 제공할 필요가 없으며, 현물출자에 관한 사항을 정한 **정관**(상법 제290조 제2호)이나 **이사회의사록**(상법 제416조 제4호) 역시 **첨부할 필요가 없다**(선례 제201211-5호).

⑤ 매매를 원인으로 한 이전등기를 경료한 뒤에 그 **매매계약을 해제**(합의해제 포함)하였다면 이해관계 있는 제3자가 없는 한 계약해제의 효과인 **원상회복의 방법**으로 그 등기의 말소를 구할 수 **있다**(예규 제331호). 만약 등기상 이해관계 있는 제3자가 있어 그 자의 승낙을 받을 수 없는 경우에는 원상회복의 원상회복 방법으로 당사자가 계약해제를 원인으로 한 소유권이전등기신청을 하여도 등기관은 이를 **수리**하여야 한다(예규 제1343호).

09 소유권이전등기에 관한 다음 설명 중 가장 옳지 않은 것은? ▶ 2022 법무사

① 피상속인의 처와 그 친권에 따르는 미성년자 및 다른 상속인을 포함한 수인의 상속인이 협의분할에 의한 상속등기를 신청하는 경우에는 그 처(친권자)는 상속포기를 하지 아니한 이상 상속재산을 전혀 취득하지 않더라도 미성년자인 자를 대리하여 다른 상속인과 상속재산분할의 협의를 할 수 없고 미성년자를 위한 특별대리인이 선임되어야 한다.

② 甲의 증조부가 사정받은 토지를 망조부를 거쳐 망부로 순차 단독 상속된 후 망부의 공동상속인들 사이에 상속재산 협의분할을 통하여 甲이 망부의 토지를 단독으로 상속받은 사실이 인정되어, 甲이 소유권보존등기명의인을 상대로 진정명의회복을 원인으로 한 소유권이전등기절차이행을 명하는 승소확정판결을 받은 경우와 같이, 등기권리자의 상속인이 등기기록상 최종 소유자를 상대로 하여 진정명의회복을 원인으로 하는 승소판결을 받은 경우에는 상속을 증명하는 서면을 제출할 필요가 없다.

③ 취득시효완성을 원인으로 한 소유권이전등기 소송에서 원고들에게 일정지분대로 이행을 명한 승소확정판결을 받았고, 그 판결이유 중에 원고들의 피상속인이 부동산을 시효취득한 사실 및 원고들이 소유권이전등기청구권을 공동상속한 사실이 기재되어 있는 경우에는 판결정본과 상속재산협의분할서(상속인 전원의 인감증명서 첨부) 및 가족관계증명서 등 상속을 증명하는 서면을 첨부하여 원고들 중 1인의 단독소유로 하는 소유권이전등기를 신청할 수 있다.

④ 협의에 의하여 상속재산을 분할하는 경우 그 상속인 중에 재외국민이 있는 때에는 그 재외국민을 포함한 공동상속인 전원이 협의에 참가하여야 하며, 이때 재외국민이 입국할 수 없는 경우에는 국내에 거주하는 공동상속인 이외의 자에게 이를 위임하여 상속재산의 분할협의를 할 수 있으나 공동상속인에게는 이를 위임할 수는 없다.

⑤ 소유권이전청구권보전가등기를 마친 후에 가등기권자가 사망한 경우, 가등기권자의 상속인은 상속등기를 할 필요 없이 상속을 증명하는 서면을 첨부하여 가등기의무자와 공동으로 본등기를 신청할 수 있다.

정답 ▶ 08 ② 09 ④

해설 ④ 피상속인의 사망으로 그 공동상속인들이 **협의에 의하여 상속재산을 분할하는 경우**에 공동상속인 중 **1인이 외국에 거주**하고 있어 **직접 분할협의에 참가할 수 없다면** 이러한 **분할협의를 대리인에게 위임**하여 할 수 있는 바, 이 경우 본인이 미성년자가 아닌 한 그 **공동상속인 중 한 사람**을 위 분할협의에 관한 **대리인으로 선임하여도 무방**하다(선례 제201805–9호, 제4–26호).

① **피상속인의 처**와 그 친권에 복종하는 **미성년자 2인을 포함**한 수인의 상속인이 **협의분할에 의한 상속등기**를 신청하는 경우 재산협의분할행위 자체는 언제나 이해상반 행위이므로 친권자인 모가 재산분할의 당사자인 한(즉 **상속포기를 하지 않아 상속인인 한**) 분할계약서상 상속재산을 전혀 **취득하지 아니하더라도** 미성년자를 대리할 수 없으므로 **미성년자마다 특별대리인을 선임**하여야 할 것이다(선례 제3–416호).

② 갑의 증조부가 사정받은 토지를 망조부를 거쳐 망부로 순차 단독상속된 후 망부의 공동상속인들 사이에 **상속재산협의분할**을 통하여 **갑이 망부의 토지를 단독으로 상속받은 사실**이 인정되어, **갑이 소유권보존등기명의인인 국가**를 상대로 진정명의회복을 원인으로 한 소유권이전등기절차이행을 명하는 **승소확정판결**을 받은 경우와 같이 **상속인이** 등기권리자로서 **승소판결**을 받은 경우, 위 판결에 의하여 소유권이전등기를 신청함에 있어서는 호적등본, 제적등본, 망부의 상속인들 사이의 상속재산협의분할서 등 「부동산등기법」 제46조 소정의 **상속을 증명하는 서면**을 첨부할 필요가 **없다**(선례 제7–179호).

③ **취득시효완성을 원인으로 한 소유권이전등기 소송**에서 **원고들에게 일정지분대로 이행을 명한 승소확정판결**을 받았고, 그 판결이유 중에 원고들의 피상속인이 부동산을 **시효취득한 사실** 및 **원고들이 소유권이전등기청구권을 공동상속한 사실**이 기재되어 있는 경우에는 **판결정본**과 **상속재산협의분할서**(상속인 전원의 인감증명서 첨부) 및 **가족관계증명서, 기본증명서, 친양자입양관계증명서, 제적등본 등** 부동산등기법 제46조 소정의 상속을 증명하는 서면을 첨부하여 **원고들 중 1인의 단독소유**로 하는 소유권이전등기를 신청할 수 있다(선례 제8–190호).

⑤ 1. 가등기를 마친 후에 **가등기권자가 사망**한 경우, 가등기권자의 상속인은 **상속등기를 할 필요 없이** 상속을 증명하는 서면을 첨부하여 가등기의무자와 공동으로 **본등기**를 신청할 수 있다.

2. 가등기를 마친 후에 **가등기의무자가 사망**한 경우, 가등기의무자의 상속인은 **상속등기를 할 필요 없이** 상속을 증명하는 서면과 인감증명 등을 첨부하여 가등기권자와 공동으로 **본등기**를 신청할 수 있다(예규 제1632호, 4–가).

10 진정명의회복을 원인으로 한 소유권이전등기에 관한 다음 설명 중 가장 옳지 않은 것은?

▸ 2025 법무사

① 지적공부상 소유자로 등록되어 있던 자로서 소유권보존등기를 신청할 수 있는 자는 현재의 등기명의인과 공동으로 진정명의회복을 등기원인으로 하여 소유권이전등기신청을 할 수 있다.

② 원고가 진정명의회복을 원인으로 하는 지분이전등기절차의 이행을 명하는 소송을 제기하여 승소확정판결을 받았으나 그 변론종결 후에 제3자가 피고로부터 소유권지분이전등기를 마친 경우, 원고는 승계집행문을 부여받아 제3자를 등기의무자로 하여 진정명의회복을 위한 지분이전등기를 신청할 수 있다.

③ 공동신청에 의하여 소유권이전등기 신청을 하거나 판결을 받아 소유권이전등기를 신청하는 경우에도 등기원인일자는 신청정보로 제공할 필요는 없다.

④ 공동신청에 의하여 소유권이전등기를 신청하는 경우에는 등기의무자의 인감증명서를 첨부정보로 제공하여야 한다.

⑤ 부동산의 공유자 중 한 사람은 공유물에 대한 보존행위로서 그 공유물에 관한 원인무효의 등기 전부의 말소를 구할 수 있으나 공유물에 마쳐진 원인무효의 등기에 관하여 각 공유자에게 해당 지분별로 진정명의회복을 원인으로 한 소유권이전등기를 이행할 것을 단독으로 청구할 수는 없다.

해설 ⑤ 부동산의 **공유자 중 한 사람**은 **공유물에 대한 보존행위**로서 그 공유물에 관한 **원인무효의 등기 전부의 말소를 구할 수 있고**, **진정명의회복**을 원인으로 한 **소유권이전등기청구권**과 무효등기의 **말소청구권**은 어느 것이나 진정한 소유자의 등기명의를 회복하기 위한 것으로서 **실질적으로 그 목적이 동일**하고 두 청구권 모두 소유권에 기한 방해배제청구권으로서 **법적 근거와 성질이 동일**하므로, **공유자 중 한 사람**은 공유물에 경료된 원인무효의 등기에 관하여 **각 공유자에게 해당 지분별로 진정명의회복을 원인으로 한 소유권이전등기**를 이행할 것을 **단독으로 청구할 수 있다**(대판 2005.9.29, 2003다40651).

① 1. **이미 자기 앞으로 소유권을 표상하는 등기**(**註** 민법 제186조)가 되어 있었거나 **법률의 규정에 의하여 소유권을 취득한 자**(**註** 민법 제187조)가 **현재의 등기명의인**을 상대로 "진정명의회복"을 등기원인으로 한 소유권이전등기절차의 이행을 명하는 **판결**을 받아 소유권이전등기(**註** **단독**)신청을 한 경우 그 등기신청은 수리하여야 한다(대판(전) 1990.11.27, 89다카12398 참조).

2. **이미 자기 앞으로 소유권을 표상하는 등기가 되어 있었던 자** 또는 **지적공부상 소유자로 등록되어있던 자로서 소유권보존등기를 신청할 수 있는** 자(등기예규「미등기부동산의 소유권보존등기 신청인에 관한 업무처리지침」참조)가 **현재의 등기명의인**과 **공동**으로 "진정명의회복"을 등기원인으로 하여 소유권이전등기신청을 한 경우에도 수리하여야 한다.

3. **등기권리자**의 상속인이나 그 밖의 **포괄승계인**은「**부동산등기법**」**제27조**의 규정에 의하여 제1항 및 제2항의 등기를 신청할 수 있다(예규 제1631호).

② 1. **진정명의회복을 원인으로 하는 소유권이전등기**절차를 이행하라는 확정판결의 변론종결 후 그 판결에 따른 등기신청 전에 그 권리에 대한 제3자 명의의 이전등기가 경료된 경우로서 제3자가「민사소송법」제218조 제1항의 **변론을 종결한 뒤의 승계인**에 해당하여 위 판결의 **기판력**이 그에게 미친다는 이유로 원고가 위 **제3자에 대한 승계집행문**을 부여받은 경우에는, 원고는 **그 제3자를 등기의무자로** 하여 곧바로(별도로 제3자 등기 말소 不要) 판결에 따른 **권리이전등기를 단독**으로 신청할 수 있다(예규 제1786호).

2. 이는 **진정명의회복**을 원인으로 하는 **지분이전등기절차**의 이행을 명하는 소송을 제기하여 승소확정판결을 받은 경우에도 **마찬가지**이다.
예컨대, **원고 갑**이 합동환지처분으로 인하여 성립된 종전 토지 소유자들의 환지에 대한 공유관계의 지분비율이 **환지등기의 촉탁착오로 잘못 등기**됨을 이유로 **다른 공유자인 을 · 병**을 상대로 **진정명의회복**을 원인으로 하는 **지분이전등기절차의 이행을 하라는 소송**을 제기하여 **승소확정판결**을 받았으나 그 변론종결 후에 **정이** 피고 병으로부터 **소유권지분이전등기를 경료**받은 경우, **원고 갑은 승계집행문**을 부여받아 **정을 등기의무자로** 하여 진정명의회복을 위한 **지분이전등기를 신청할 수 있다**(선례 제7-228호).

③ **진정명의 회복**을 등기원인으로 하는 소유권이전등기를 신청하는 경우 **공동신청**에 의하여 소유권이전등기 신청을 하거나 **판결**을 받아 **단독신청**에 의하여 소유권이전등기를 신청하는 경우에도

등기원인일자는 신청정보로 **제공할 필요는 없다**(예규 제1631호).

④ **소유권의 등기명의인**이 등기**의무자**로서 등기를 신청하는 경우 등기의무자의 **인감증명**을 제출한다(규칙 제60조 제1항 제1호).

따라서 **진정명의회복**을 원인으로 한 **소유권이전등기**신청을 **공동**으로 신청하는 경우에는 **현재의 등기명의인**의 **인감증명**을 첨부정보로 제공하여야 하며, 이 경우 **매도용**인감일 필요는 **없다**.

11 시효취득으로 인한 소유권이전등기에 관한 다음 설명 중 가장 옳지 않은 것은? ▸ 2024 법무사

① 시효취득은 법률에 의한 물권변동이나 민법 제187조의 예외로서 등기하여야 소유권을 취득하며, 현재 등기기록상 소유자를 등기의무자로 하고 시효취득한 자를 등기권리자로 하여 공동신청하여야 한다.

② 당사자 간에 작성된 시효취득 확인서를 등기원인을 증명하는 정보로 제공하여 등기를 신청하는 경우에는 신청정보의 내용 중 등기원인은 "시효취득"으로, 그 연월일은 "점유 개시일"로 하여 제공하여야 한다.

③ 시효취득한 부동산이 농지법상 농지에 해당하는 경우에는 농지취득자격증명을 첨부정보로 제공할 필요는 없다.

④ 대장상 소유자미복구인 미등기토지에 대하여 국가를 상대로 한 소송에서 시효취득을 원인으로 한 소유권이전등기절차 이행의 판결을 얻은 경우에는 그 판결이유에서 원고의 소유임이 설시되어 있어도 원고는 위 판결에 의하여 국가를 대위하여 소유권보존등기를 한 다음 자기 명의로 이전등기를 하여야 하고, 직접 자기명의로 소유권보존등기를 신청할 수는 없다.

⑤ 취득시효 완성 후 이를 원인으로 한 소유권이전등기가 마쳐지기 전에 종전 소유자에 의하여 저당권 및 지상권설정등기가 마쳐진 경우, 이러한 저당권 등의 등기는 일반의 말소등기절차에 따라 저당권 등의 등기명의인을 등기의무자로, 시효취득으로 인한 소유권의 등기명의인을 등기권리자로 하는 공동신청에 의하거나, 등기의무자를 상대로 말소등기절차 이행을 명하는 판결을 얻은 등기권리자의 단독신청에 의하여서만 말소될 수 있다.

해설 ④ 1. **토지대장상 이전등록**을 받은 경우 원칙적으로 **직접 자기명의**로 소유권**보존**등기를 할 수 **없으므로**, 미등기 토지의 양수인은 최초의 소유자 명의로 소유권보존등기를 한 다음 자기 명의로 소유권이전등기를 하여야 한다.

2. 그러나 **미등기 토지**의 지적공부상 **국(國)으로부터 소유권이전등록**을 받은 경우에는 **직접 자기명의**로 소유권**보존**등기를 할 수 **있다**. 이러한 특례는 건물의 경우에는 인정되지 아니한다.

3. 대장상 소유자미복구인 **미등**기토지에 대하여 **국가**를 상대로 한 소송에서 시효취득을 원인으로 한 소유권**이전등기절차 이행의 판결**이 확정된 경우 원고는 위 판결에 의하여 국가를 대위할 필요 없이 **직접** 자기명의로 소유권**보존**등기를 신청할 수 있다(선례 4–220).

① 1. 타인 소유의 부동산을 20년간 소유의사를 가지고 평온·공연하게 점유한 자는 등기함으로써 그 소유권을 취득하게 되는데 (민법 제245조 제1항), 이를 **부동산의 시효취득**이라고 한다. 이러한 시효취득은 법률에 의한 물권변동이나 **민법 제187조의 예외**로서 **등기**하여야 **소유권을 취득**한다(민법 제245조 제1항).

2. 시효취득으로 인한 소유권이전등기는 **현재 등기기록상 소유자**를 등기의무자로 하고 시효취득한 자를 등기권리자로 하여 공동으로 **신청**하여야 한다(법 제23조 제1항).

② 1. 등기권리자와 등기의무자가 시효취득을 증명하는 정보(당사자 간에 작성된 시효취득 확인서)를 등기원인을 증명하는 정보로서 제공하여 **공동**으로 소유권이전등기를 신청하는 경우에는 신청정보의 내용 중 등기원인은 '**시효취득**'으로, 그 연월일은 '**시효기간의 기산일**' 즉 '**점유개시일**'로 하여 이를 제공하여야 한다.

2. 그런데 등기권리자가 "○년 ○월 ○일 취득시효 완성을 원인으로 한 소유권이전등기절차를 이행하라"는 주문이 기재된 **판결정본**을 등기원인을 증명하는 정보로서 제공하여 단독으로 소유권이전등기를 신청하는 경우에는 등기원인과 그 연월일은 판결주문에 기재된 대로 제공하여야 하므로, 신청정보의 내용 중 등기원인은 "취득시효 완성"으로, 그 연월일은 주문에 기재된 "**취득시효완성일**"로 하여 이를 제공하면 된다(선례 제201807-6호).

③ 상속 및 포괄유증, **시효취득**, 공유물분할을 원인으로 소유권이전등기를 신청하는 경우에는 **농지취득자격증명**을 첨부할 필요가 **없다**(예규 제1635호, 3-나).

⑤ **취득시효완성 후** 이를 원인으로 한 소유권이전**등기가 경료되기 전**에 **종전 소유자에 의하여 저당권** 및 지상권설정등기가 경료된 경우, 이러한 저당권 등의 등기는 **일반의 말소등기절차**에 따라 **저당권 등의 등기 명의인**을 등기의무자, **시효취득에 의한 소유권의 등기명의인**을 등기권리자로 하는 **공동신청**에 의하거나, 등기의무자를 상대로 말소등기절차 이행을 명하는 **판결**을 얻은 등기권리자의 **단독신청**에 의하여서만 말소될 수 있다(제정 1989.4.19. 선례 제2-435호).

---

12 **상속으로 인한 등기신청에 관한 다음 설명 중 가장 옳지 않은 것은?**　　▶ 2023 법무사

① 처가 부모보다 먼저 사망한 경우 남편이 재혼하지 아니하면 처의 직계존속이 피상속인인 경우 남편은 처의 대습상속인이 된다.

② 상속개시 후 그 상속등기를 하기 전에 상속인 중 한 사람이 사망하여 또다시 상속이 개시된 경우에는 상속개시일자를 순차로 모두 신청정보로 하여 1건으로 상속등기를 신청할 수 있다.

③ 상속재산 협의분할에 따라 甲과 乙을 등기명의인으로 하는 상속등기가 마쳐진 후에 공동상속인들이 그 협의를 전원의 합의에 의하여 해제하고 丙을 상속인으로 하는 새로운 협의분할을 한 경우와 같이 재협의분할로 인하여 상속인 전부가 교체될 때에는 상속등기의 경정등기를 신청할 수 없다.

④ 상속재산분할협의서를 작성하는데 있어서 친권자와 미성년자인 자 1인이 공동상속인인 경우 친권자가 상속재산을 전혀 취득하지 아니하는 경우에는 미성년자를 위한 특별대리인을 선임할 필요는 없다.

⑤ 공동상속등기가 경료된 후 공동상속인 중 1인에 대하여 실종선고심판이 확정되었는데 그 실종기간이 상속개시 전에 만료된 경우, 실종선고심판이 확정된 자에 대한 상속인이 없고, 등기상의 이해관계인도 없다면 신청착오를 원인으로 하여 나머지 공동상속인들이 경정등기를 신청할 수 있다.

정답　　**11** ④　**12** ④

해설 ④ 상속재산협의분할서를 작성하는 데 있어서 **친권자와 미성년자인 자 1인이 공동상속인**인 경우(친권자가 당해 부동산에 관하여 **권리를 취득하지 않는 경우를 포함**한다)에는 친권자와 미성년자의 이해가 상반되므로 **특별대리인을 선임**하여야 한다(예규 제1837호).

① 1. **피상속인의 배우자**는 제1000조 제1항 제1호와 제2호의 규정에 의한 상속인이 있는 경우에는 그 상속인과 동순위로 **공동상속인**이 되고 그 상속인이 없는 때에는 **단독상속인**이 된다. 제1001조의 경우에 **상속개시 전에 사망** 또는 결격된 **자의 배우자**는 동조의 규정에 의한 상속인과 동순위로 **공동상속인**이 되고 그 상속인이 없는 때에는 **단독상속인**이 된다(민법 제1003조).

2. 민법 제1003조 제2항의 '**사망** 또는 결격된 **자의 배우자**'라 함은 부의 사망 후에도 **계속 혼가와의 인척관계가 유지되는 배우자**를 의미하므로, 부의 사망 후 **재혼한 배우자**는 전부의 순위에 갈음하는 **대습상속인으로 될 수 없다**(예규 제694호).

3. **대습상속**이라 함은 **피상속인의 사망 이전**에 그의 **상속인으로 될 자**가 **사망**하거나 또는 상속인으로 될 자가 **상속결격사유**가 있어서 상속권을 상실한 경우에, 그 자의 **직계비속이나 배우자가 그 자에 갈음하여 그 자가 받았을 상속분을 상속하는 것**인바, 피상속인 갑남이 1993.5.17. **사망**하였으나, 그 상속인 중 1인인 **장녀 을**은 직계비속이 없이 1975.8.14. 사**망**하였고 **을의 배우자 병남**은 1978.8.25. **재혼**하였으며, 을의 생모 정은 갑의 사망 전인 1972.5.19. 갑과 이혼한 경우, 갑의 사망 당시 시행 중인 민법(1990.1.13. 법률 제4199호로 개정된 것)의 규정(동법 제775조 제2항)에 의하면, **병남은 재혼으로 인하여 갑과 인척관계가 소멸된 것**으로 보여지므로 병은 갑의 사망으로 개시된 상속에 있어서 을의 순위에 갈음하는 **대습상속인이 될 수 없을 것**이다(선례 제6-224호).

4. 사안의 경우, 먼저 사망한 처의 **남편이 재혼하지 아니한 경우**이므로, 남편은 처의 **대습상속인이 된다**.

② 하나의 상속등기사건에 2개의 등기원인이 있는 경우에 등기원인란에는 먼저 개시된 원인과 연월일을 기재하고, 후에 개시된 상속원인은 신청인 표시란에 "공동상속인 중 ○○○는 ○년 ○월 ○일 사망하였으므로 상속"이라고 기재하고 그 상속인을 표시한다(「부동산등기실무 II」 p.257 참조)(**主** 즉, 상속개시 후 그 상속등기를 하기 전에 상속인 중 한 사람이 사망하여 또다시 상속이 개시된 경우에는 상속개시일자를 순차로 모두 신청정보로 하여 1건으로 상속등기를 신청할 수 있다).

③ 1. 상속재산**협의**분할에 따라 상속등기를 마친 후에 그 협의를 해제하고 다시 새로운 협의분할(**재협의분할**)을 하여 상속인 **일부만이 교체**되는 경우에는 이를 원인으로 상속등기의 **경정등기를 신청할 수 있으며** 등기원인을 '**재협의분할**'로, 그 연월일을 **재협의가 성립한 날**로 한다(예규 제1675호, 3-다-1)).

2-1. 상속재산**협의**분할에 따라 상속등기를 마친 후에 그 협의를 해제하고 다시 새로운 협의분할(**재협의분할**)을 하여 상속인 **전부가 교체**되는 경우(상속재산협의분할에 따라 갑과 을을 등기명의인으로 하는 상속등기가 마쳐진 후에 공동상속인들이 그 협의를 전원의 합의에 의하여 해제하고 병을 상속인으로 하는 새로운 협의분할을 한 경우)에는 상속등기의 **경정등기를 신청할 수 없다**(예규 제1675호, 3-다-2)).

2-2. 이 경우에는 기존 상속등기의 명의인을 등기의무자로, 재협의분할에 따라 해당 부동산을 취득한 상속인을 등기권리자로 하여 **기존 상속등기의 말소등기를 공동**으로 신청하고, 재협의분할에 따라 해당 부동산을 취득한 상속인이 **상속등기를 단독**으로 신청한다(예규 제1675호, 3-다-2)).

⑤ **공동상속등기가 경료**된 후 공동상속인 중 **1인에** 대하여 **실종선고심판이 확정**되었는데 그 **실종기간이 상속개시 전에 만료**된 경우, 실종선고심판이 확정된 자에 대한 **상속인(대습상속인)이 없고 등기상의 이해관계인도 없다면** 신청착오를 원인으로 하여 **나머지 공동상속인들이 경정등기를 신청할 수 있다**(선례 제6-414호).

13 협의분할에 의한 상속등기에 관한 다음 설명 중 가장 옳지 않은 것은? ▸ 2022 법무사

① 공동상속인(甲, 乙, 丙, 丁, 戊)의 명의로 법정상속등기가 마쳐진 이후 경매절차에 의하여 공동상속인 중 1인(甲)의 지분이 나머지 공동상속인 중 1인(乙)에게 이전되었더라도 종전 공동상속인 전원은 이 재산에 대한 협의분할을 하고 이를 등기원인으로 하여 소유권경정등기를 신청할 수 있다.

② 한정승인을 하였다 하더라도 그 한정승인 전에 이미 이루어진 특정 부동산에 대한 상속인들의 협의분할 및 이를 원인으로 한 상속등기의 효력이 상실되는 것이 아니므로 한정승인을 원인으로 이 상속등기를 말소 또는 경정할 수 없다.

③ 피상속인의 사망으로 상속이 개시된 후 상속등기를 하지 아니한 상태에서 공동상속인 중 1인이 사망한 경우, 나머지 상속인들과 사망한 공동상속인의 상속인들이 피상속인의 재산에 대한 협의분할을 할 수 있다.

④ 협의분할에 의한 상속을 원인으로 소유권이전등기를 신청할 때에 공동상속인 중 상속을 포기한 자가 있는 경우, 그 자의 인감증명을 첨부정보로서 제공할 필요는 없지만 그가 법원으로부터 교부받은 상속포기신고를 수리하는 뜻의 심판정본을 대신 제공하여야 한다.

⑤ 상속재산 협의분할에 따라 상속등기를 마친 후에 공동상속인들이 그 협의를 전원의 합의에 의하여 해제한 후 다시 새로운 협의분할을 하고 이를 원인으로 상속등기의 경정등기를 신청할 때에는 등기원인을 '재협의분할'로, 그 연월일을 재협의가 성립한 날로 한다.

해설 ① 공동상속인(A, B, C, D, E)의 명의로 **법정상속등기**가 마쳐진 이후 **경매**절차에 의하여 공동상속인 중 1인(A)의 **지분이** 나머지 공동상속인 중 1인(B)에게 **이전**되었다면, 종전 공동상속인 전원(또는 A를 제외한 상속인들 전원)이 **협의분할**을 등기원인으로 하여 **소유권경정**등기를 신청하더라도 등기관은 이를 수리할 수 **없다**(선례 제202108-2호).

② **한정승인은** 상속으로 인하여 **취득할** 재산의 한도에서 피상속인의 채무를 변제할 것을 조건으로 상속을 승인하는 제도로서 **한정승인을 하였다 하더라도** 그 한정승인 전에 이미 이루어진 특정 부동산에 대한 상속인들의 협의분할 및 이를 원인으로 한 상속등기의 효력이 상실되는 것이 아니므로 **한정승인을 원인**으로 위 **상속등기를 말소** 또는 **경정**할 수 **없다**(선례 제200901-3호).

③ 1. 피상속인(X)의 사망으로 상속이 개시된 후 **상속등기를 경료하지 아니한 상태**에서 공동상속인 중 1인(A)이 사망한 경우, 나머지 상속인들과 사망한 공동상속인(A)의 상속인들이 피상속인(X)의 재산에 대한 **협의분할을** 할 수 **있다**(선례 제7-178호).

　　2. 피상속인의 사망으로 그 소유 부동산에 관하여 **재산상속(법정상속분) 등기가 경료된 후** 공동상속인(갑, 을, 병) 중 어느 1인(갑)이 사망하였다면 그 공동상속등기에 대해서는 **상속재산분할 협의서**에 의한 소유권경정등기를 할 수 **없는바**, 이는 위 을, 병과 갑의 상속인 사이에 상속재산협의분할을 원인으로 한 지분이전등기절차의 이행을 명하는 조정에 갈음하는 결정이 확정된 경우에도 마찬가지이다(선례 제8-197호).

④ 협의분할에 의한 상속을 등기원인으로 하여 소유권이전등기를 신청할 때에는 상속을 증명하는 정보(註 피상속인의 사망사실과 상속인 전원을 확인할 수 있는 정보) 외에 그 협의가 성립하였음을 증명하는 정보로서 **상속재산 협의분할서** 및 협의분할서에 날인한 **상속인 전원의 인감증명**을 제출하여야 하는바(부동산등기규칙 제60조 제1항 제6호), 공동상속인 중 상속을 포기한 자가 있

정답 13 ①

는 경우 그러한 자는 상속포기의 소급효로 처음부터 상속인이 아니었던 것으로 되므로 **상속을 포기한 자까지 참여**한 상속재산분할협의서 및 상속을 포기한 자의 인감증명을 첨부정보로서 등기소에 제공할 필요는 **없으나**, 상속을 포기한 자에 대하여는 법원으로부터 교부받은 **상속포기신고를 수리하는 뜻의 심판정본**(🏛 접수증명×)을 제출하여야 한다(선례 제202006–1호).

⑤ 1. 상속재산**협의**분할에 따라 상속등기를 마친 후에 그 협의를 해제하고 다시 새로운 협의분할(**재협의분할**)을 하여 상속인 **일부만이 교체**되는 경우에는 이를 원인으로 상속등기의 **경정등기를 신청할 수 있으며** 등기원인을 '**재협의분할**'로, 그 연월일을 **재협의가 성립한 날**로 한다(예규 제1675호, 3–다–1)).

2–1. 상속재산**협의**분할에 따라 상속등기를 마친 후에 그 협의를 해제하고 다시 새로운 협의분할(**재협의분할**)을 하여 상속인 **전부가 교체**되는 경우(상속재산협의분할에 따라 **갑과 을을 등기명의인으로 하는 상속등기가 마쳐진 후**에 공동상속인들이 그 협의를 전원의 합의에 의하여 해제하고 **병을 상속인으로 하는 새로운 협의분할**을 한 경우)에는 상속등기의 **경정등기를 신청할 수 없다**(예규 제1675호, 3–다–2)).

2–2. 이 경우에는 **기존 상속등기의 명의인**을 등기의무자로, **재협의분할에 따라 해당 부동산을 취득한 상속인**을 등기권리자로 하여 **기존 상속등기의 말소등기를 공동**으로 신청하고, **재협의분할에 따라 해당 부동산을 취득한 상속인**이 **상속등기를 단독**으로 신청한다(예규 제1675호, 3–다–2)).

14 다음 중 피상속인 사망에 따른 상속등기가 마쳐지기 전에 다른 등기원인이 발생한 경우 상속등기가 선행되어야 하는 경우에 해당하는 것을 모두 고른 것은? ▸ 2025 법무사

| 보기 |

ㄱ. 저당권 설정등기 후 경매신청 전에 채무자인 목적물 소유자가 사망한 경우의 경매기입등기촉탁의 경우

ㄴ. 가등기를 마친 후에 가등기권자(또는 가등기의무자)가 사망한 경우 가등기에 의한 본등기 시, 가등기명의인이 사망한 후에 상속인이 가등기의 말소를 신청하는 경우

ㄷ. 피상속인 소유 명의의 부동산에 대하여 상속인을 등기의무자로 한 처분금지가처분등기의 촉탁에 기한 가처분기입등기의 경우

ㄹ. 사망한 공유자의 상속인들에 대하여 공유물분할판결이 확정된 경우

ㅁ. 사망한 자의 상속재산에 대한 파산선고결정 및 그에 따른 파산선고등기가 마쳐진 후 파산관재인이 형식적 경매를 신청하거나 법원의 허가를 얻어 임의매각에 따른 소유권이전등기를 신청한 경우

① ㄱ, ㄹ   ② ㄱ, ㄴ, ㅁ   ③ ㄴ, ㄷ, ㄹ

④ ㄴ, ㄹ, ㅁ   ⑤ ㄱ, ㄴ, ㄷ, ㄹ, ㅁ

[해설] ①

ㄱ. (○) ㄴ. (×) ㄷ. (×) ㄹ. (○) ㅁ. (×)

상속등기에 관한 업무처리지침(예규 제1835호)
제32조(상속등기와 다른 등기 등과의 관계)

① 피상속인 사망에 따른 상속등기가 마쳐지기 전에 다른 등기원인이 발생한 경우 **상속등기가 선행되어야** 하는 경우의 예시는 다음 각 호와 같다.

　1. **저당권 설정**등기 후 **경매신청 전**에 채무자인 목적물 소유자가 **사망**한 경우의 **경매기입등기촉탁**의 경우　　　　　　　　　　　　　　　　　　　　　　　　　　　**(ㄱ)**

　2. **명의수탁자**가 **사망**한 후에 신탁해지로 인한 소유권이전등기절차 이행**판결**을 받은 경우

　3. **피상속인 소유명의의 부동산**에 대하여 **원인무효를** 청구원인으로 한 소유권이전등기말소 소송에서 "**상속인들은 원고에게 화해권고를 원인으로 한 소유권이전등기절차를 이행한다**"라는 **화해권고결정**이 확정된 경우

　4. 상속인 간에 상속재산협의분할이 이루어지지 않아 법원이 **상속재산의 경매분할**을 명하여 동 심판에 따른 **경매신청**을 하는 경우

　5. 사망한 공유자의 상속인들에 대하여 **공유물분할판결**이 확정된 경우　　　　　　**(ㄹ)**

　6. 민법 제245조의 규정에 의한 **취득시효 완성일**이 **등기부상 소유명의인의 사망일 이후**이고 **상속인들을 상대로 취득시효 완성을 원인으로 한 소유권이전등기절차 이행의 승소판결**을 받은 경우.
　　다만, **취득시효 완성일 이후**에 부동산 소유자가 **사망**한 경우에는 **그러하지 아니**하다.

② 피상속인 사망에 따른 상속등기가 마쳐지기 전에 다른 등기원인이 발생한 경우 **상속등기절차의 선행이 필요 없는 경우**의 예시는 다음 각 호와 같다.

　1. **부동산등기법 제27조**(포괄승계인에 의한 등기신청)에 따라 상속인이 등기를 신청하는 경우
　　[예] **임대차 계약 체결 후 임대인이 사망**한 경우에 집행법원이 망 임대인 소유 명의의 부동산에 관하여 상속관계를 표시하여 「주택임대차보호법」 제3조의3에 따른 **임차권등기의 기입**을 촉탁한 경우]

　2. **가등기를 마친 후**에 가등기권자(또는 가등기의무자)가 **사망**한 경우 가등기에 의한 **본등기** 시, 가등기명의인이 사망한 후에 상속인이 **가등기의 말소**를 신청하는 경우　　　　**(ㄴ)**

　3. **사망한 자**의 상속재산에 대한 **파산선고**결정 및 그에 따른 파산선고등기가 마쳐진 후 파산관재인이 형식적 경매를 신청하거나 **법원의 허가**를 얻어 **임의매각**에 따른 소유권이전등기를 신청한 경우　　　　　　　　　　　　　　　　　　　　　　　　　　　　　**(ㅁ)**

　4. **피상속인 소유 명의의 부동산**에 대하여 상속인을 등기의무자로 한 **처분금지가처분**등기의 촉탁에 기한 가처분기입등기의 경우　　　　　　　　　　　　　　　　　　**(ㄷ)**

15 유증으로 인한 등기에 관한 다음 설명 중 가장 옳지 않은 것은?

▶ 2021 법무사

① 피상속인 '甲'이 사망하고 상속등기를 경료하지 아니한 상태에서 공동상속인 중 '乙'이 다른 공동상속인 '丙'에게 상속받은 지분을 유증한 후 사망한 경우에는, 먼저 사망한 '乙'을 제외한 '甲'의 상속인과 '乙'의 상속인 명의로 상속등기를 경료한 후 '乙'의 상속인 또는 유언집행자와 수증자가 공동으로 유증으로 인한 소유권이전등기를 신청할 수 있다.

② 수증자가 여럿인 포괄유증의 경우에는 수증자 전원이 공동으로 신청하거나 각자가 자기 지분만에 대하여 소유권이전등기를 신청할 수 있다. 그러나 포괄적 수증자 이외에 유언자의 다른 상속인이 있는 경우에는 유증을 원인으로 한 소유권이전등기와 상속을 원인으로 한 소유권이전등기를 각각 신청하여야 한다.

③ 특정유증의 수증자가 유증자의 사망 후에 1필의 토지의 특정 일부에 대하여 유증의 일부포기를 한 경우에, 유언집행자는 포기한 부분에 대하여 분할등기를 한 다음 포기하지 아니한 부분에 대하여 유증을 원인으로 한 소유권이전등기를 신청하여야 한다.

④ 유증을 등기원인으로 하는 소유권이전등기는 수증자를 등기권리자, 유언집행자를 등기의무자로 하여 공동으로 신청하는 것이 원칙이나, 공정증서에 의한 유언인 경우에는 등기의무자인 유언집행자가 유증을 등기원인으로 하는 소유권이전등기를 단독으로 신청할 수 있다.

⑤ 유증의 목적 부동산이 미등기인 경우에는 토지대장, 임야대장 또는 건축물대장에 최초의 소유자로 등록되어 있는 자 또는 그 상속인의 포괄적 수증자가 단독으로 소유권보존등기를 신청할 수 있다.

> **해설** ④ **유증을 등기원인으로 하는 소유권이전등기**는 수증자를 등기권리자, 유언집행자를 등기의무자로 하여 **공동**으로 신청하여야 하므로(법 제28조 참조), **비록 공정증서에 의한 유언인 경우에도** 등기의무자인 유언집행자가 유증을 등기원인으로 하는 소유권이전등기를 **단독으로 신청할 수는 없다**(선례 제6−249호).
>
> ① 피상속인 '갑'이 사망하고 상속등기를 경료하지 아니한 상태에서 공동상속인 중 '을'이 다른 공동상속인 '병'에게 상속받은 지분을 유증한 후 사망한 경우에는, 먼저 사망한 '을'을 제외한 '갑'의 상속인과 '을'의 상속인 명의로 상속등기를 경료한 후 '을'의 상속인 또는 유언집행자와 수증자가 공동으로 유증으로 인한 소유권이전등기를 신청할 수 있다(선례 제8−210호).
>
> ② **수증자가 여럿**인 포괄유증의 경우에는 수증자 **전원**이 공동으로 신청하거나 각자가 **자기 지분만**에 대하여 소유권이전등기를 신청할 수 있다. 그러나 포괄적 수증자 이외에 유언자의 다른 상속인이 있는 경우에는 **유증**을 원인으로 한 소유권이전등기와 **상속**을 원인으로 한 소유권이전등기를 **각각 신청**하여야 한다(예규 제1512호).
>
> ③ 특정유증의 수증자가 유증자의 사망 후에 1필의 토지(또는 1개의 건물)의 **특정 일부에 대하여 유증의 일부포기를 한 경우**에도 유언집행자는 포기한 부분에 대하여 **분할(또는 구분)등기를 한 다음** 포기하지 아니한 부분에 대하여 유증을 원인으로 한 소유권이전등기를 신청하여야 한다(예규 제1512호).
>
> ⑤ 유증의 목적 부동산이 **미등기**인 경우에는 토지대장, 임야대장 또는 건축물**대장에 최초의 소유자**로 등록되어 있는 자 또는 그 상속인의 **포괄적 수증자**가 단독으로 소유권**보존**등기를 신청할 수 **있다**. 그러나 유증의 목적 부동산이 미등기인 경우라도 **특정유증**을 받은 자는 소유권보존등기를 신청할 수 없고, 유언집행자가 **상속인 명의**로 소유권**보존**등기를 마친 후에 아래 나.의 절차에 따라 **유증을 원인**으로 한 소유권이전등기를 신청하여야 한다(예규 제1512호).

16 법인의 합병·분할을 원인으로 한 소유권이전등기에 관한 다음 설명 중 가장 옳지 않은 것은?

▶ 2024 법무사

① 합병으로 인하여 소멸한 회사명의로 되어 있는 부동산을 합병 후 존속 또는 신설된 회사명의로 하기 위하여는 등기명의인표시변경등기를 할 것이 아니라 소유권이전등기를 하여야 한다.

② 乙 회사가 甲 회사를 흡수합병한 후 丙 회사가 乙 회사를 다시 흡수합병한 경우에는 甲 회사로부터 丙 회사 앞으로 바로 소유권이전등기를 할 수 있다.

③ 甲 회사가 乙 회사로 흡수합병된 후 乙 회사가 乙 회사의 일부를 분할하여 丙 회사를 설립한 경우, 분할계획서에 분할로 인하여 丙 회사로 이전될 재산으로 기재된 甲 회사 명의의 소유권이전등기는 丙 회사가 단독으로 신청할 수 있다.

④ 甲 회사가 상호를 乙 회사로 변경하였으나 등기명의인표시를 변경하기 전에 丙 회사에 흡수합병된 경우 합병 후 존속하는 丙 회사는 甲 회사의 등기명의인표시를 乙 회사로 변경할 수 없으므로 합병으로 인하여 소멸하는 회사의 명칭이 변경된 사실이 나타나는 법인등기사항증명서를 첨부정보로 제공하여 바로 합병을 원인으로 하는 소유권이전등기를 신청할 수 있다.

⑤ 회사분할을 원인으로 하는 소유권이전등기 신청의 경우에는 토지거래허가증을 첨부정보로 제공할 필요가 없다.

해설 ③ 1. **甲 회사**가 **乙 회사로 흡수합병**된 후 乙 회사가 乙 회사의 일부를 분할하여 丙 회사를 설립한 경우, 분할 전 **乙 회사는 존속**하므로 「부동산등기규칙」 제42조 제1호의 '법인의 분할로 인하여 분할 전 법인이 소멸하는 경우'에 해당하지 않는다. 따라서 분할계획서에 분할로 인하여 丙 회사로 이전될 재산으로 기재된 甲 회사 명의의 **소유권 또는 근저당권의 이전등기**는 丙 **회사**가 등기권리자로서, 분할 전 乙 **회사**가 등기의무자로서 공동으로 신청하여야 한다.
이 경우 甲 회사, 乙 회사, 丙 회사로의 합병·분할을 증명하는 서면(법인등기사항증명서 등), 분할계획서 및 등기의무자 乙 회사의 인감증명서(소유권이전등기의 경우)가 첨부정보로 제출되어야 하고, 등기필정보는 제출될 필요가 없다.
또한 甲 회사와 乙 회사 사이의 합병으로 인한 소유권이전등기 또는 근저당권이전등기도 선행될 필요가 없다.
2. 분할로 인하여 분할 전 乙 회사가 소멸하는 경우에는 丙 **회사**가 회사분할을 원인으로 하여 단독으로 신청할 수 있다(선례 제202102-1호).

① 회사의 **합병** 후 존속한 회사 또는 합병으로 인하여 설립된 회사는 합병으로 인하여 소멸된 회사의 **권리의무를 승계**하므로(상법 제530조 제2항, 제235조), 합병으로 인하여 소멸된 회사의 명의로 등기되어 있는 부동산에 대하여 합병 후 존속한 회사 또는 합병으로 인하여 설립된 회사의 명의로 등기하기 위해서는, **등기명의인표시변경등기**를 할 것이 **아니라**, 회사합병을 등기원인으로 하는 **소유권이전등기절차를 거쳐야** 한다(선례 제6-235호).

② 1. 합병 후 존속하는 회사 또는 합병으로 인하여 설립된 회사는 합병으로 인하여 소멸한 회사의 권리의무를 포괄승계하므로, **乙 회사**가 **甲 회사를 흡수합병**한 후 **丙 회사가 乙 회사를 다시**

흡수합병한 경우에는 **甲 회사**로부터 **丙 회사** 앞으로 **바로 근저당권이전등기**를 할 수 있다(선
례 제1-439호).
2. 이는 **소유권이전등기도 마찬가지**이다.
④ 1. **등기명의인표시변경의** 대상이 되는 등기는 **현재 유효하게 효력이 있어야** 하므로 **이미 사망한
등기명의인**, **합병으로 소멸한 등기명의인(법인)**에 대한 **등기명의인표시변경등기신청은 허용
되지 않는다.**
2. **甲 회사**가 **상호**를 **乙 회사**로 **변경**하였으나 등기명의인표시를 변경하기 전에 **丙회사**에 **흡수합병**
된 경우 합병 후 존속하는 丙 회사는 甲 회사의 등기명의인표시를 乙 회사로 변경할 수 없으므
로 합병으로 인하여 **소멸하는 회사의 명칭이 변경된 사실이 나타나는 법인등기사항증명서**를
첨부하여 **바로** 합병을 원인으로 하는 **소유권이전등기를 신청**할 수 있다(선례 제201107-1호).
⑤ 상법의 규정에 의한 **회사**의 **분할**을 원인으로 하는 소유권이전등기 신청의 경우에는 **토지거래허
가서**를 첨부할 필요가 **없다**(선례 제200412-15호).

17 공익사업을 위한 토지 등의 취득 및 보상에 관한 법률에 따른 등기절차에 관한 다음 설명 중 가장 옳지 않은 것은?

▸ 2024 법무사

① 사업인정 전에 공공용지 협의취득을 원인으로 하는 소유권이전등기신청은 일반원칙에
따라 사업시행자와 등기의무자의 공동신청에 의하여야 한다.
② 토지 등 수용으로 인한 소유권이전등기신청은 사업시행자가 관공서인 경우에는 그 등기
를 촉탁하여야 하나, 사업시행자와 등기의무자가 공동신청을 할 경우 이를 수리하여도
무방하다.
③ 토지 수용으로 인한 소유권취득은 법률의 규정에 따른 원시취득으로 사업시행자는 수용
의 개시일에 토지의 소유권을 취득함과 동시에 그 토지에 관한 다른 권리(단, 토지수용위
원회의 재결로 인정된 권리는 제외)는 소멸하므로, 환매특약등기 또한 토지수용위원회의
재결로 존속이 인정된 권리에 해당하지 않는다면 등기관이 토지 등 수용으로 인한 소유권
이전등기를 할 때에 이를 직권으로 말소하여야 한다.
④ 토지 등 수용으로 인한 소유권이전등기신청 시 사업시행자와 토지소유자의 협의서를 첨
부정보로 제공한 경우에는 협의성립확인서를 제공하지 않은 경우라도 등기신청을 수리
하여야 한다.
⑤ 관공서가 등기권리자로서 수용을 원인으로 한 소유권이전등기를 촉탁하는 경우에도 자
격자대리인에게 이를 위임하여 신청할 수 있다.

해설 ④ 토지 등 수용으로 인한 소유권이전등기신청서에 **협의서만 첨부한 경우**에는 **협의성립확인서를 첨
부하도록 보정**을 명하고, 이를 **제출하지 않는 경우**에는 등기신청을 **수리하여서는 아니** 된다(예규
제1782호, 3-다-(1)).
① **사업인정 전**에 **공공용지 협의취득**을 원인으로 하는 소유권이전등기신청은 일반원칙에 따라 사업
시행자와 등기의무자의 **공동신청**에 의하여야 한다(법 제23조 제1항).

②,⑤ 1. **관공서**가 사업시행자인 경우에는 그 관공서가 소유권이전등기를 **촉탁하여야** 한다(법 제99
조 제3항). 그러나 수용을 원인으로 하는 소유권이전등기는 신청과 실질적으로 아무런 차이가
없으므로, 관공서는 등기의무자와 **공동**으로 **신청**할 수도 **있다.**

2. 왜냐하면 부동산등기법에서 관공서가 등기를 촉탁할 수 있는 경우를 2개의 범주로 나눌 수
있는데 그 1은 관공서가 **부동산에 관한 거래관계의 주체**로서 등기를 요구하는 때이고 그 2는
관공서가 당사자의 권리관계에 끼어들어가거나 참견하는 **공권력의 주체**로서 등기를 요구하는
때라고 하겠는데, **전자의 경우인 촉탁은 신청과 실질적으로 아무런 차이가 없으므로** 이 경우
에 촉탁등기를 하라는 명문에도 불구하고 권리자와 의무자가 **공동으로 등기를 신청함을 거부
할 이유가 없다**고 할 것이기 때문이다(대판 1977.5.24, 77다206).

3. **관공서**가 **권리관계의 당사자**로서 등기를 촉탁하는 경우에는 **사인이 등기를 신청하는 경우와
실질적으로 아무런 차이가 없으므로,** 관공서가 등기권리자로서 촉탁하는 **수용을 원인으로 한
소유권이전등기**에 대하여는 변호사나 **법무사**가 이를 **대리**하여 신청할 수 있다(선례 제
201908-5호).

③ **토지 수용**으로 인한 소유권취득은 법률의 규정에 따른 원시취득으로 사업시행자는 수용의 개시
일에 토지의 소유권을 취득함과 동시에 그 토지에 관한 다른 권리는 소멸(단, 토지수용위원회의
재결로 인정된 권리는 제외)하므로, **환매특약등기** 또한 토지수용위원회의 재결로 존속이 인정된
권리에 해당하지 않는다면 등기관이 토지 등 수용으로 인한 소유권이전등기를 할 때에 이를 **직권**
으로 **말소**하여야 한다(선례 제201912-7호).

---

18 공익사업을 위한 토지 등의 취득 및 보상에 관한 법률에 따른 등기절차에 관한 다음 설명
중 가장 옳지 않은 것은? ▶ 2021 법무사

① 사업인정고시 전에 등기기록상 소유명의인과 협의가 성립된 경우에는 사업시행자 명의
로 소유권이전등기를 하는데, 그 등기신청서에는 공공용지의 취득협의서와 등기의무자
의 인감증명서를 제공하여야 한다.

② 사업인정고시 전에 미등기토지의 대장상 최초의 소유명의인과 협의가 성립된 경우에는
먼저 그 대장상 소유명의인 앞으로 소유권보존등기를 한 후 사업시행자 명의로 이전등기
를 하여야 한다.

③ 사업인정고시 후 협의가 성립된 경우에는 토지수용위원회의 협의성립확인서와 보상금수
령증 원본을 첨부하여 사업시행자가 단독으로 소유권이전등기를 신청할 수 있는데, 그
등기신청서에 수령인의 인감증명은 첨부할 필요가 없다.

④ 피상속인의 소유명의로 등기가 되어 있는 부동산에 대하여 상속인 또는 피상속인을 피수
용자로 하여 재결을 하고 상속인에게 보상금을 지급하였다면 피상속인 명의에서 사업시
행자 명의로 바로 소유권이전등기를 신청할 수 있다.

⑤ 토지 등 수용 재결의 실효를 원인으로 토지 등 수용으로 인한 소유권이전등기의 말소등기의 신청은 등기의무자와 등기권리자가 공동으로 하여야 하며, 토지 등 수용으로 인한 소유권이전등기를 말소한 때에는 등기관은 토지 등 수용으로 말소한 등기를 직권으로 회복하여야 한다.

> **해설** ④ 토지보상법상의 기업자가 토지를 수용함에 있어 상속인 또는 피상속인을 피수용자로 하여 재결하고 보상금을 공탁하였으나 등기부상 피상속인이 소유명의인으로 되어 있는 경우에는 **대위에 의한 상속등기를 먼저 한 후** 토지 등 수용으로 인한 소유권이전등기를 신청하여야 하며, 이 경우에는 상속인들이 직접 신청하는 경우와 동일하게 등록세를 납부하고 국민주택채권을 매입하여야 한다(선례 제6-261호).
> ① 예규 제1782호, 2-나, 다
> ② 예규 제1782호, 2-가
> ③ 예규 제1782호, 3-가-(3)
> ⑤ 예규 제1782호, 3-마

19 공유물분할을 원인으로 하는 소유권이전등기에 관한 다음 설명 중 가장 옳지 않은 것은?

▶ 2025 법무사

① 甲, 乙, 丙, 丁이 공유하고 있던 X 토지가 X, Y, Z 토지로 분할된 후 X 토지는 甲의 소유, Y 토지는 乙의 소유, Z 토지는 丙과 丁의 공유로 하는 내용의 공유물분할계약을 맺었다면 그 계약서를 첨부정보로 제공하여 공유물분할을 원인으로 하는 등기를 신청할 수 있다.

② 협의에 의한 공유물분할은 언제나 공유자 전원이 분할절차에 참여하여 합의하여야 하지만 반드시 원래의 지분비율에 따라서 분할하여야 하는 것은 아니므로 당초의 자기지분비율을 초과하여 이루어진 공유물 분할을 원인으로 한 이전등기의 신청도 가능하다.

③ 甲이 乙을 상대로 공유물분할의 확정판결을 받은 후 그 등기를 하기 전에 乙 지분에 대하여 丙 명의의 가압류등기가 마쳐진 경우, 甲은 丙에 대한 승계집행문을 부여받은 후 위 가압류등기의 말소와 판결에 따른 지분이전등기를 단독으로 신청할 수 있으며, 위 각 등기는 동시에 신청하여야 한다.

④ 수인이 공유하던 토지에 대한 공유물분할등기를 하기 위하여는 먼저 토지의 분할절차를 밟은 후 그 토지대장에 의하여 분필등기를 하여야 하고, 이때 공유물분할을 원인으로 한 소유권이전등기는 동시에 하지 않고 각 분필등기 된 부동산별로 각각 독립하여 신청할 수 있다.

⑤ 甲, 乙, 丙, 丁이 공유하는 토지에 대하여 乙, 丙, 丁이 甲을 상대로 "피고는 원고들에게 위 토지의 특정부분에 대하여 각 지분에 관하여 공유물분할약정을 원인으로 한 이전등기절차를 이행하라"는 확정판결을 받은 경우, 乙, 丙, 丁은 분필등기를 마친 이후 위 판결문을 첨부하여 단독으로 지분이전등기를 신청할 수 있고, 甲도 위 판결문을 첨부하여 단독으로 위 토지의 나머지 부분에 대한 지분이전등기를 신청할 수 있다.

PART · 02

해설 ⑤ 1. **등기절차의 이행 또는 인수를 명하는 판결**에 의한 등기는 **승소한**(ⓘ 패소×) 등기권리자 또는 등기의무자가 단독으로 신청하고, **공유물을 분할하는 판결**에 의한 등기는 (ⓘ **승소 · 패소 · 원고 · 피고 불문**)등기권리자 또는 등기의무자가 단독으로 신청한다(법 제23조 제4항).

2. 갑, 을, 병, 정이 공유하는 토지에 대하여 **을, 병, 정**이 **갑**을 상대로 "피고는 원고들에게 위 토지의 특정부분에 대하여 각 ○○지분에 관하여 ○○년 ○○월 ○○일 **공유물분할약정을 원인으로 한 이전등기절차를 이행하라**"는 확정판결을 받은 경우, **을, 병, 정**은 분필등기를 경료한 이후 위 판결문을 첨부하여 **단독**으로 **지분이전등기**를 **신청**할 수 있으나, 위 판결은 형성판결인 **공유물분할판결이 아닌 이행판결**에 해당하므로 갑은 위 판결문을 첨부하여 단독으로 위 토지의 나머지 부분에 대한 지분이전등기를 신청할 수 없고, 을, 병, 정을 상대로 **별도의 지분이전을 명하는 확정판결**을 받아 단독으로 **지분이전등기를 신청할 수 있다**(선례 제9−53호).

① **공유물분할협의**는 공유자 **전원**이 **참여**하여 합의하는 이상 **반드시 원래의 지분비율**에 따라서 분할해야 하는 것은 **아니고** 공유자의 **지분비율에 구애됨이 없이** 공유물분할을 하고 이에 따른 등기신청을 할 수 있다(선례 제2−344호).

따라서 **갑과 을**이 **공유**하는 2필의 부동산을 갑과 을이 1필씩 **각각 단독**으로 소유하기로 하는 공유물분할뿐만 아니라(예규 461호) **일부 토지**는 **일부 공유자의 단독소유로 나머지**는 **공유**로 할 수도 **있다**(예규 제346호).

예컨대 **갑 · 을 · 병 · 정**이 공유하고 있던 **A토지**가 A, B, C 토지로 **분할**된 후 **A토지**는 **갑**의 소유, **B토지**는 **을**의 소유, **C토지**는 **병**과 **정**의 공유로 하는 내용의 공유물분할계약을 맺었다면 그 계약서를 원인서면으로 첨부하여 공유물분할을 원인으로 하는 **등기를 신청할 수 있다**(선례 제5−392호, 제6−284호).

② **공유물분할협의**는 공유자 **전원**이 **참여**하여 합의하는 이상 **반드시 원래의 지분비율**에 따라서 분할해야 하는 것은 **아니고** 공유자의 **지분비율에 구애됨이 없이** 공유물분할을 하고 이에 따른 등기신청을 할 수 있다(선례 제2−344호).

따라서 **당초의 자기지분비율을 초과**하여 이루어진 공유물 분할을 원인으로 한 이전등기의 신청도 가능하다.

③ **공유물분할판결**의 **변론종결 후** 그 판결에 따른 등기신청 전에 **일부 공유자의 지분을 기초로 한 제3자 명의의 새로운 등기(가압류등기, 근저당권설정등기 등)**가 경료된 경우로서 제3자가 「**민사소송법**」 제218조 제1항의 **변론을 종결한 뒤의 승계인**에 해당하여 위 판결의 **기판력이 그에게 미친다**는 이유로 다른 공유자가 자신이 취득한 분할부분에 관하여 위 **제3자에 대한 승계집행문**을 부여받은 경우에는, 그 공유자는 **제3자 명의의 등기의 말소등기**와 판결에 따른 지분이전등기를 **단독**으로 **신청**할 수 있으며, 위 각 등기는 **동시에** 신청하여야 한다.

따라서 **甲**이 **乙**을 상대로 **공유물분할의 확정판결**을 받은 후 그 등기를 하기 전에 **乙 지분**에 대하여 **丙 명의의 가압류등기**가 마쳐진 경우, 甲은 **丙에 대한 승계집행문**을 부여받은 후 **위 가압류등기의 말소**와 판결에 따른 **지분이전등기**를 **단독**으로 신청할 수 있으며, 위 각 등기는 **동시에** 신청하여야 한다.

④ **1필의 공유지**를 공유물분할등기하기 위하여는 **먼저 토지의 분할절차**를 밟은 후 그 토지대장에 의하여 분필등기를 하여야 하고, 공유물분할을 원인으로 소유권이전등기는 **동시에 하지 않고도** 각 분필등기 된 부동산별로 각각 독립하여 공동(등기권리자와 등기의무자)신청할 수 있다(예규 제514호).

정답 **19** ⑤

20 공유물분할을 원인으로 한 소유권이전등기에 관한 다음 설명 중 가장 옳지 않은 것은?

▸ 2024 법무사

① 甲과 乙이 공유하고 있는 토지에 대하여 甲의 지분에 근저당권등기 등이 마쳐진 상태에서 그 토지를 2필지로 분할하여 이를 각각 甲과 乙의 단독소유로 하는 공유물분할등기가 마쳐진 경우, 乙이 단독으로 소유하게 된 토지의 등기기록에도 위 근저당권등기 등이 전사되어 그 효력이 인정되는 것이므로 그 근저당권등기 등을 말소하기 위하여는 통상의 말소절차에 의하여야 한다.

② 수인 공유의 1필지 부동산에 대한 공유물분할소송에서 변론종결 전에 일부공유자의 지분이 제3자에게 이전되었으나 당사자가 소송승계절차를 취하지 아니하여 판결이 종전의 공유자를 포함하여 선고된 경우에는 위 판결에 기하여는 공유물분할에 의한 소유권이전등기신청을 할 수 없다.

③ 1필의 공유지를 공유물분할등기하기 위하여는 먼저 토지의 분할절차를 밟은 후 그 토지대장에 의하여 분필등기를 하여야 하고, 공유물분할을 원인으로 한 소유권이전등기는 동시에 하지 않고 각 분필등기 된 부동산별로 각각 독립하여 신청할 수 있다.

④ 공유물분할을 원인으로 소유권을 취득한 자가 등기의무자가 되어 그 부동산에 대하여 다시 소유권이전등기를 신청할 경우에 제공하는 등기필정보는 위 공유물분할등기에 관한 등기필정보뿐만 아니라, 종전 공유자로서 등기할 때에 통지받은 등기필정보도 함께 제공하여야 한다.

⑤ A, B, C 3필지의 부동산 중 A, B는 甲·乙·丙 3인의 공유로 되어 있고 C는 甲·乙·丙·丁의 4인의 공유로 되어 있는 경우, 4인의 합의에 의하여 A는 甲의 단독소유로, B는 丁의 단독소유로, C는 乙의 단독소유로 하기로 하는 소유권이전등기신청을 할 수 있다.

> **해설** ⑤ 3필지의 부동산 중 **A, B필지**는 **갑, 을, 병 3인의 공유**로 되어 있고 **C필지**는 **갑, 을, 병, 정의 4인의 공유**로 되어 있는 경우, 공유물분할은 각 공유자들이 공유관계를 종료시키려는 것이므로 (민법 제268조, 제269조) A, B필지의 공유자가 아닌 정을 포함한 **4인의 합의**에 의하여 A필지는 갑의 단독소유로, B필지는 정의 단독소유로, C필지는 을의 단독소유로 하기로 하는 **공유물분할**을 등기원인으로 한 등기신청은 할 수 **없다**(선례 제6-285호).
> ① **공유물분할**로 인하여 **다른 토지의 등기부에 전사**된 **근저당권설정등기**는 통상의 말소절차에 따라 **근저당권자**가 등기의무자, **근저당권설정자 또는 현재의 등기부상 소유자**가 등기권리자로서 **공동**으로 **말소신청**을 하거나 근저당권설정등기의 말소를 명하는 확정**판결**에 의하여 등기권리자가 **단독**으로 **말소신청**을 함으로써 이를 말소할 수 있다(제정 1985.4.10. 선례 제1-504호).
> ② 수인 공유의 1필지 부동산에 대한 **공유물분할소송** 중 **변론종결 전**에 공유자 **갑의 지분이 매매를 원인으로 하여 제3자인 을에게 이전**되었으나 **판결**은 종전의 공유자인 **갑을 당사자로 하여 선고**되어 그 **판결에 의한 공유물분할등기**가 **허용되지 않는** 경우 갑과 을이 위 매매계약을 해제하여 등기명의인을 판결문상의 공유자인 갑으로 원상회복하였다 하더라도 위 판결에 기한 공유물분할등기는 할 수 없다(선례 제200512-12호).

③ 1필의 **공유지**를 공유물분할등기하기 위하여는 **먼저 토지의 분할절차**를 밟은 후 그 토지대장에 의하여 분필등기를 하여야 하고, 공유물분할을 원인으로 소유권이전등기는 **동시에 하지 않고도** 각 분필등기 된 부동산별로 각각 독립하여 공동(등기권리자와 등기의무자)신청할 수 있다(예규 제514호).

④ **공유물분할을 원인으로 소유권을 취득한 자가 등기의무자가 되어 분할된 부동산에 대해 등기신청**을 할 때에는 위 **공유물분할을 원인으로 한 지분이전등기를 마친 후 수령한 등기필정보**뿐만 아니라 **공유물분할 이전에 공유자로서 지분을 취득할 당시 수령한 등기필정보**도 함께 제공하여야 한다(예규 제1647호, 2–나–4)–다)).

21

공유지분의 포기 또는 소유권포기에 따른 등기에 관한 다음 설명 중 옳지 않은 것을 모두 고르시오. ▸ 2025 법무사

① 공유지분의 포기로 인한 지분의 귀속은 원시취득이고 법률의 규정에 의한 물권의 취득이므로 등기를 요하지 않으나, 이를 처분하려면 등기를 해야 한다.

② 공유자 중 1인의 지분포기로 인한 등기는 포기한 자를 등기의무자로 다른 공유자를 등기권리자로 하여 공동신청에 의한 공유지분이전등기로 실행한다.

③ 공유지분의 포기로 인한 등기신청 시 등기원인은 '지분포기'로, 그 연월일은 '공유지분의 포기의 의사표시를 한 날'을 신청정보의 내용으로 제공하여야 한다.

④ 공유지분의 포기로 인한 등기신청 시 해당 부동산이 농지인 경우에는 농지취득자격증명을 첨부정보로 제공할 필요는 없으나, 토지거래허가구역 내인 경우에는 토지거래허가서를 첨부정보로 제공하여야 한다.

⑤ 건물 또는 토지의 소유권을 포기한 경우 그 소유권을 포기한 자는 단독으로 그에 따른 등기를 신청할 수 없으며, 민법 제252조 제2항에 의하여 그 소유권을 취득하는 국가와 공동으로 소유권 포기를 원인으로 한 소유권이전등기를 신청하여야 한다.

해설 ①,④ (복수정답)

① **민법 제267조**는 "공유자가 그 지분을 포기하거나 상속인 없이 사망한 때에는 그 지분은 다른 공유자에게 각 지분의 비율로 귀속한다."라고 규정하고 있다. 여기서 공유지분의 포기는 **법률행위**로서 **상대방 있는 단독행위**에 해당하므로, 부동산 공유자의 공유지분 포기의 의사표시가 다른 공유자에게 도달하더라도 이로써 곧바로 공유지분 포기에 따른 물권변동의 효력이 발생하는 것은 아니고, 다른 공유자는 자신에게 귀속될 공유지분에 관하여 소유권이전등기청구권을 취득하며, 이후 **민법 제186조**에 의하여 **등기를 하여야** 공유지분 포기에 따른 **물권변동의 효력이 발생한다**. 그리고 부동산 공유자의 공유지분 포기에 따른 등기는 해당 지분에 관하여 다른 공유자 앞으로 **소유권이전등기를 하는 형태**가 되어야 한다(대판 2016.10.27, 2015다52978).

④ 1. 지분포기를 원인으로 한 등기신청 시 **지분포기의 의사표시가 기재된 서면**은 첨부하여야 하며, 일반적 공유지분이전등기와 같이 등기의무자의 **인감증명**, 등기의무자 및 등기권리자의 **주소**증명서면 **등**을 제공하여야 한다.

정답 20 ⑤ 21 ①,④

2. 계약을 원인으로 소유권이전등기를 신청하는 경우가 아니므로 그 서면에 **검인**(「부동산등기
특별조치법」 제3조)을 **받을 필요는 없다**.

3. 농지의 경우 **지분포기를 통한 편법취득을 방지하기 위해 농지취득자격증명**을 **첨부**해야 하나
(선례 제4-715호), **토지거래계약허가서는 제출할 필요는 없다**고 본다(선례 제3-167호).

② **공유지분의 포기**는 민법 제267조의 법률규정에 의한 물권변동이나 부동산등기법에 단독신청 규
정이 없으므로 **공동신청**에 의할 수밖에 없다.

따라서 공유자 중 1인의 지분포기로 인한 등기는 **포기하는 공유자**를 등기의무자로 **다른 공유자**
를 등기권리자로 하여 **공동**신청에 의한 **공유지분이전등기의 방식**에 의하는 것이 타당하다.

③ **"지분포기"**를 등기원인으로 하고, 그 일자는 그 자가 **공유지분의 포기의 의사표시를 한 날**을 기재
하여야 한다. 또한 일반적인 공유지분이전등기와 같이 등기필정보를 제공하여야 한다.

⑤ 1. 건물 또는 토지의 **소유권을 포기**한 경우 그 소유권을 포기한 자는 단독으로 **그에 따른 등기를
신청**할 수 없으며, 민법 제252조 제2항에 의하여 그 소유권을 취득하는 **국가**와 **공동**으로 소유
권 포기를 원인으로 한 **소유권이전등기**를 신청하여야 한다.

다만 위 등기를 신청하는 경우에 **등기상 이해관계가 있는 제3자**가 있는 때에는 제한물권자의
손해가 없도록 하기 위하여 신청서에 그 자의 **승낙서** 또는 이에 대항할 수 있는 재판의 등본을
첨부하여야 한다(예규 제816호).

2. 위 등기의 신청이 있는 경우에 등기관은 **직권**으로 **소유권이외의 권리**에 관한 등기를 **말소**하여야
한다(예규 제816호).

22 합유등기에 관한 다음 설명 중 가장 옳지 않은 것은? ▸ 2025 법무사

① 합유자가 2인인 경우에 그중 1인이 사망한 때에는 해당 부동산은 잔존 합유자의 단독소
유로 귀속되는 것이므로, 잔존 합유자는 사망한 합유자의 사망사실을 증명하는 정보를
제공하여 해당 부동산을 잔존 합유자의 단독소유로 하는 합유명의인 변경등기신청을 할
수 있고, 이 경우 잔존 합유자는 등기기록에 '소유자'로 기록된다.

② 수인이 전세권을 준합유하는 경우에는 다른 공동전세권자 전원의 동의를 얻지 아니하면
그의 지분을 제3자에게 처분할 수 없다.

③ 농지를 합유로 취득하고자 하는 자 모두가 관할 관청으로부터 농지취득자격증명서를 발급
받았다면 해당 농지에 대하여 여러 명의 합유로 하는 소유권이전등기를 신청할 수 있다.

④ 합유자 중 일부가 나머지 합유자들 전원의 동의를 얻어 그의 합유지분을 다른 자에게 매도
하거나 그 밖의 처분을 하여 종전의 합유자 중 일부가 교체되는 경우에는 합유지분을 처분
한 합유자와 취득한 합유자의 공동신청으로 합유명의인 변경등기신청을 하여야 한다.

⑤ 공유자 전원의 지분 전부에 대하여 처분금지가처분등기가 마쳐진 경우 가처분권자의 승
낙 없이 공유자 전부가 그 소유관계를 공유에서 합유로 하는 변경등기는 허용된다.

[해설] ④ 합유자 중 일부가 나머지 합유자들 전원의 동의를 얻어 그의 합유지분을 타에 매도 기타 처분하여 종전의 합유자 중 일부가 교체되는 경우에는 합유지분을 **처분**한 합유자와 합유지분을 **취득**한 합유자 및 **잔존** 합유자의 **공동**신청으로 「○년 ○월 ○일 합유자 변경」을 원인으로 한 잔존 합유자 및 합유지분을 취득한 합유자의 합유로 하는 **합유명의인 변경등기**신청을 하여야 하고, 이 경우 합유지분을 **처분**한 합유자의 **인감증명**을 첨부하여야 한다(예규 제911호).

① **합유자가 2인**인 경우에 그중 **1인이 사망**한 때에는 해당 부동산은 잔존 합유자의 단독소유로 귀속되는 것이므로, **잔존** 합유자는 **사망한 합유자의 사망사실을 증명**하는 서면을 첨부하여 해당 부동산을 잔존 합유자의 단독소유로 하는 **합유명의인 변경등기**신청을 할 수 있다(예규 제911호). 이 경우 잔존 합유자는 등기기록에 '**소유자**'로 **기록**된다.

② 1. **공유자**는 그 **지분**을 (**註** 자유로이)**처분**할 수 있고 공유물 전부를 지분의 비율로 사용, 수익할 수 있다(민법 제263조).
　　합유자는 **전원의 동의** 없이 합유물에 대한 지분을 처분하지 못한다(민법 제273조 제1항).
　2. 수인이 **전세권을 준공동소유**하는 경우, 그들 사이의 법률관계의 성질이 준공유인 경우에는 공동전세권자 중 **1인**이 **다른 공동전세권자 동의를 얻지 아니**하고도 그의 **지분**을 제3자에게 **양도**할 수 있지만, 그들 사이의 법률관계의 성질이 준합유인 경우(예컨대, **민법상의 조합관계**인 경우)에는 다른 공동전세권자 **전원의 동의를 얻지 아니**하면 그의 **지분을 제3자에게 처분할 수 없다**(선례 제6-313호).

③ **합유**는 여러 명이 **조합체**를 이루어 물건을 소유하는 **공동소유**의 한 형태인 바, 조합체는 그 자체로 법인격이 없어 권리자가 될 수 없고 **각 합유자가 권리자가 되는 것**이므로, 농지를 합유로 취득하고자 하는 자 **모두**가 관할 관청으로부터 **농지취득자격증명서를 발급**받았다면 해당 농지에 대하여 **여러 명의 합유로 하는 소유권이전등기를 신청할 수 있다**(선례 제201805-2호).

⑤ 1. **공유자** 전부가 그 소유관계를 합유로 변경하는 경우에는 공유자들의 공동신청으로 「○년 ○월 ○일 변경계약」을 원인으로 한 **합유로의 변경등기**를 신청할 수 있는바, 공유자 전원의 **지분 전부**에 대하여 처분금지**가처분**등기가 경료된 경우에도 **마찬가지**이다(선례 제7-244호). 이 경우 **가처분권자**는 등기상 이해관계 있는 제3자가 아니므로 **가처분권자의 승낙서를 첨부할 것은 아니다.**
　2. 이와 달리 **공유를 합유로 경정**하는 등기에 있어서 공유**지분**을 **목적**으로 한 처분금지**가처분등기**, **가압류**등기, **가등기**, 등기된 지분이전청구권가처분 및 **체납처분에 의한 압류**등기가 각 경료된 경우에는 그 등기부상 권리자 전원의 **승낙서** 또는 이에 대항할 수 있는 **재판**의 등본을 신청서에 첨부한 때에 **한**하여 부기에 의한 경정등기를 하는 것이며, 이런 방식으로 부기에 의한 경정등기가 이루어지면 위 **가처분등기 등**은 등기공무원에 의하여 **직권**으로 **말소**된다(선례 제4-571호). 공유에서 합유로 경정하게 되면 **합유지분에 대하여 가처분등기 등은 존재할 수 없게 되므로** 이들은 **등기상 이해관계 있는 제3자에 해당**하고 **승낙서를 첨부한 경우에만 수리**할 수 있다.

[정답] 22 ④

23 공동소유에 관한 등기의 다음 설명 중 가장 옳지 않은 것은?

▶ 2021 법무사

① 합유자 중 일부가 탈퇴하고 잔존 합유자가 1인만 남은 경우에는 탈퇴한 합유자와 잔존 합유자의 공동신청으로 잔존 합유자의 단독소유로 하는 합유명의인 변경등기신청을 하여야 하고, 이 경우 탈퇴한 합유자의 인감증명을 첨부하여야 한다.

② 협의에 의한 공유물분할은 언제나 공유자 전원이 분할절차에 참여하여 합의하여야 하지만, 반드시 원래의 지분비율에 따라서 분할하여야 하는 것은 아니므로, 당초의 자기지분비율을 초과하여 이루어진 공유물분할을 원인으로 한 이전등기의 신청도 가능하다.

③ 권리능력 없는 사단의 소유명의로 된 부동산을 그 구성원들의 합유로 등기하기 위하여는 권리변경등기를 할 수 있으며, 권리능력 없는 사단으로부터 그 구성원 전원의 합유로의 소유권이전등기를 신청할 필요 없다.

④ 공유토지 중 어느 공유자의 지분 일부에 대하여 가등기가 마쳐진 후 그 공유자가 나머지 지분에 대하여 소유권이전등기를 신청하는 경우에는 그 지분이 가등기가 된 지분인지 아닌지를 특정하여 신청하여야 한다.

⑤ 단독소유를 수인의 합유로 이전하는 경우, 단독소유자와 합유자들의 공동신청으로 소유권이전등기신청을 하여야 한다.

해설 ③ 1. 부동산 소유권의 등기가 **합유**자 공동명의로 된 것을 **종중(註 총유)** 명의로 변경하기 위하여는 소유권**이전**등기의 방식에 의하여야 한다(선례 제2–351호).

2. 권리능력 없는 사단의 소유명의(註 **총유**)로 된 부동산을 그 구성원들의 **합유**로 등기하기 위하여는 부동산등기법 제63조의 규정에 의한 권리변경등기를 할 수는 없고, 권리능력 없는 사단으로부터 그 구성원 전원의 합유로의 소유권**이전**등기를 신청하여야 한다(선례 제4–539호).

① 예규 제911호, 2–나

② **협의에 의한 공유물분할**은 언제나 공유자 전원이 분할절차에 참여하여 합의하여야 하지만, 반드시 원래의 지분비율에 따라서 분할하여야 하는 것은 아니므로, 당초의 자기지분비율을 초과하여 이루어진 공유물 분할을 원인으로 한 이전등기의 신청도 가능하다(선례 제2–344호).

④ 공유자인 **갑의 지분을 일부 이전하는 경우** 이전하는 갑의 지분이 별도로 취득한 지분 중 특정순위로 취득한 지분 전부 또는 일부인 경우, 소유권 이외의 권리가 설정된 지분인 경우 **가등기 또는 가압류 등 처분제한의 등기 등이 된 경우**로서 이전되지 않는 지분과 구분하여 이를 특정할 필요가 있을 경우에는 이를 특정하여 괄호 안에 기재하여야 한다(예규 제1313호).

⑤ 예규 제911호, 4

24 환매에 관한 등기에 대한 다음 설명 중 가장 옳지 않은 것은? ▶ 2025 법무사

① 환매특약의 등기를 신청할 때에 환매기간은 그 약정이 없는 경우에는 이를 신청정보의 내용으로 제공할 필요가 없다.

② 환매특약의 등기는 매수인의 권리취득의 등기에 부기등기의 형식으로 기록하여야 하며, 환매특약부매매를 원인으로 한 소유권이전등기와 동일한 접수번호를 부여한다.

③ 환매기간의 연장을 목적으로 하는 환매권 변경등기신청도 당사자 간의 약정이 있는 경우에는 가능하다.

④ 환매특약등기에 부동산처분금지의 효력은 인정되지 않으므로 환매특약등기가 마쳐진 후에도 소유자는 제3자에게 부동산을 전매하고 그에 따른 소유권이전등기를 신청할 수 있다.

⑤ 한 필지 전부를 매매의 목적물로 하여 매매계약을 체결함과 동시에 그 목적물 소유권의 일부 지분에 대한 환매권을 보류하는 약정은 민법상 환매특약에 해당하지 않으므로 이러한 환매특약등기신청은 할 수 없다.

해설 ③ **환매기간**은 **5년을 넘지 못**하며 만약 이 기간을 **넘는 약정**이 있더라도 **5년으로 단축**된다. 또한 당사자가 **환매기간을 정하지 아니**한 때에는 그 기간은 **5년**으로 하고 환매기간을 정한 경우에도 이를 **연장하지 못한다**(「민법」 제591조).
따라서 **환매기간의 연장**을 목적으로 하는 **환매권 변경등기신청**이 있게 되면 등기관은 **각하**한다.

① **매수인이 지급한 대금, 매매비용**은 필요적 등기사항으로 **반드시 기록**하여야 하나, **환매기간**은 임의적 등기사항으로 **등기원인에 내용이 있는 경우에만 기록**한다(법 제53조).

② 환매특약등기는 전술한 바와 같이 매매로 인한 **소유권이전등기**와 **동시에** 신청하여야 하나, 환매특약등기신청서는 소유권이전등기신청서와는 **별개의 신청서**로 작성하여야 하며, 접수번호는 **동일한 접수번호**를 부여한다(「부동산등기실무Ⅱ」 p.368).
등기관이 **환매특약**등기를 할 때에는 **부기**로 하여야 한다(법 제52조 제6호).

④ **환매특약의 등기**에 **부동산처분금지의 효력이 인정되어 있는 것은 아니**므로, 환매특약의 등기가 경료된 이후에도 **소유자**는 제3자에게 동 부동산을 **전매**하고 그에 따른 **소유권이전등기**를 신청할 수 **있다**(선례 제5-396호).

⑤ **한 필지 전부를 매매의 목적물**로 하여 매매계약을 체결함과 동시에 그 목적물소유권의 **일부 지분**에 대한 **환매권을 보류하는 약정**은 **민법상 환매특약에 해당하지 않으므로** 이러한 환매특약등기신청은 할 수 **없다**(선례 제9-265호).

25 환매특약등기에 관한 다음 설명 중 가장 옳지 않은 것은? ▸ 2024 법무사

① 매매계약 시 환매권 유보의 특약이 있을 경우 소유권이전등기신청과 동시에 신청하되 소유권 이전등기와는 별개의 신청서로 작성하여야 한다.

② 환매특약등기신청은 매도인이 등기권리자, 매수인이 등기의무자로 하여 공동신청하여야 하며, 제3자를 환매권리자로 하는 환매특약등기신청은 할 수 없다.

③ 환매권 행사로 인한 소유권이전등기는 환매권부매매의 매도인이 등기권리자, 환매권부 매매의 매수인이 등기의무자가 되어 공동으로 신청한다. 다만 환매권부매매의 매도인으로부터 환매권을 양수받은 자가 있는 경우에는 그 양수인이 등기권리자가 되고, 환매권부매매의 목적 부동산이 환매특약의 등기 후 양도된 경우에는 현재 등기기록상 소유명의인이 등기의무자가 된다.

④ 환매권행사로 인한 소유권이전등기 시 환매권에 가압류, 가처분, 가등기 등의 부기등기가 경료되어 있고 이 등기들이 말소되지 않아 환매특약의 등기를 말소할 수 없는 경우에는 환매권행사로 인한 소유권이전등기를 할 수 없다.

⑤ 환매권행사로 인한 소유권이전등기를 할 때 등기관은 환매권특약등기와 환매권특약의 등기 이후 환매권 행사 전에 경료된 제3자 명의의 소유권 이외의 권리에 관하여 "환매권 행사로 인한 실효"를 원인으로 직권말소한다.

해설 ⑤ 환매특약의 등기 이후 환매권 행사 전에 경료된 **제3자 명의의 소유권 이외의 권리에 관한 등기의 말소**등기는 일반원칙에 따라 **공동신청**에 의하고, 그 말소등기의 원인은 "**환매권 행사로 인한 실효**"로 기록한다(예규 제1359호, 3).

① 환매특약등기는 매매로 인한 소유권이전등기와 **동시에** 신청하여야 하나, (⊕ 환매특약)등기신청서는 소유권이전등기신청서와는 **별개**의 **신청서**로 작성하여야 하며, 접수번호는 동일한 접수번호를 부여한다(「부동산등기실무Ⅱ」 p.368). 등기관이 제53조의 **환매특약**등기를 할 때에는 **부기**로 하여야 한다(법 제52조 제6호).

② 환매등기의 경우 **환매권리자**는 매도인에 **국한**되는 것이므로 **제3자를 환매권리자**로 하는 환매등기는 이를 할 수 **없다**(선례 제3-566호). 다만 환매권은 재산권이므로 환매특약등기 후 환매권이전의 부기등기의 부기등기형식으로 환매권을 양도할 수는 있다.

③ 환매권부매매의 **매도인**이 등기권리자, 환매권부매매의 **매수인**이 등기의무자가 되어 환매권 행사로 인한 소유권**이전**(⊕ 말소×)등기를 공동으로 신청한다. 다만 환매권부매매의 매도인으로부터 **환매권을 양수**받은 자가 있는 경우에는 **그 양수인**이 등기권리자가 되고, 환매권부매매의 **목적 부동산이 환매특약의 등기 후 양도**된 경우에는 그 **전득자**(현재 등기기록상 소유명의인)가 등기의무자가 된다(예규 제1359호, 1-가).

④ 1. 환매권의 행사로 인한 소유권이전등기를 할 때에는 **직권**으로 **환매특약의 등기를 말소**하여야 한다.

  2. 다만 환매권에 **가압류, 가처분, 가등기 등의 부기등기**(⊕ 부기등기의 부기등기)가 경료되어 있는 경우에는 **그 등기명의인의 승낙서** 또는 이에 대항할 수 있는 **재판서**의 등본이 **첨부되어 있지 아니**하면 **환매특약의 등기를 말소할 수 없다**(예규 제1359호, 2).

  3. **환매특약의 등기를 말소할 수 없는 경우**에는 **환매권 행사로 인한 권리이전등기**를 할 수 **없다.**

PART · 02

제2절 | 용익권

01 지상권에 관한 등기에 대한 다음 설명 중 가장 옳지 않은 것은? ▶ 2022 법무사

① 토지 위에 등기된 건물이 있다 하더라도 당해 토지의 등기기록상 지상권과 양립할 수 없는 용익물권이 존재하지 않는다면 그 토지에 대하여 지상권설정등기를 신청할 수 있다.

② 지상권의 최단기간의 보장에도 불구하고 등기신청 시 그 존속기간을 민법 제280조 제1항 각 호의 최단기간보다 단축한 기간을 기재한 경우라도 그 기간은 같은 조 제2항에 의하여 법정기간까지 연장되므로 등기관은 신청서 기재대로 수리해야 한다.

③ 통상의 지상권등기를 구분지상권 등기로 변경하는 등기신청이 있는 경우에는 등기상의 이해관계인이 없거나, 이해관계인이 있더라도 그의 승낙서 또는 이에 대항할 수 있는 재판의 등본을 제출한 때에 한하여 부기등기에 의하여 그 변경등기를 할 수 있다.

④ 구분지상권은 그 권리가 미치는 지하 또는 지상공간을 상하로 범위를 정하여 등기하는 것으로서 계층적 구분건물의 특정계층의 구분소유를 목적으로 하는 구분지상권의 설정등기는 할 수 없다.

⑤ 지상권은 타인의 토지를 배타적으로 사용하는 용익물권으로 동일한 토지에 대한 이중의 지상권설정등기는 허용되지 않으므로 이미 지상권설정등기가 경료되어 있는 상태에서 기존 지상권설정등기의 말소를 조건으로 하는 정지조건부 지상권설정등기청구권을 보존하기 위한 조건부지상권설정청구권가등기는 신청할 수 없다.

해설 ⑤ **지상권은 타인의 토지를 배타적으로 사용하는 용익물권**이므로 동일한 토지에 대한 **이중의 지상권설정등기**는 허용되지 **않**지만, 이미 지상권설정등기가 경료되어 있는 상태에서 **기존 지상권설정등기의 말소를 조건으로 하는 정지조건부 지상권설정등기청구권**을 보존하기 위한 **조건부지상권설정청구권가등기**는 신청할 수 **있다**. 다만 위 가등기에 기한 지상권설정의 **본등기**는 **기존의 지상권설정등기가 말소**되기 전에는 신청할 수 없다(선례 제6-439호).

① **토지 위에 등기된 건물이 있다 하더라도**, 당해 토지의 등기부상 지상권과 양립할 수 없는 용익물권이 존재하지 않는다면, 그 토지에 대하여 **지상권설정**등기를 신청할 수 **있다**(선례 제6-311호).

② 1. 계약으로 지상권의 **존속기간**을 정하는 경우에는 그 기간은 다음 연한(30년, 15년, 5년)보다 단축하지 못한다(➕ **최단기간 제한**). 위의 기간보다 단축한 기간을 정한 때에는 전항의 기간까지 연장한다(➕ **법정연장**)(민법 제280조).

2. 민법 제280조는 지상권의 존속기간에 대하여 그 **최단기간만을 제한**하고 있으므로 존속기간을 **100년, 120년** 또는 **그보다 장기**(특정된 기간임)로 하는 지상권설정등기도 경료받을 수 있다(**선례 제5-412호**). 마찬가지로 존속기간을 **영구무한**으로 정하는 것도 가능하다.

3. 지상권의 존속기간을 「민법」 제280조 제1항 각 호의 기간보다 **긴 기간**으로 하는 약정은 **유효**하므로, 그 기간을 위 기간보다 장기로 하거나 **불확정기간**(예 **철탑존속기간으로 한다**)으로 정할 수도 있다(예규 제1425호).

정답 **25 ⑤ / 01 ⑤**

4. 「민법」 제280조 제1항 제1호의 30년은 수목의 소유를 목적으로 하는 때에는 그 원인(**예** 수목의 육림, 벌채 등)에 관계없이 일률적으로 최단기인 30년보다 단축하지 못한다는 것이나, 등기신청서에 지상권의 존속기간을 같은 조 **제1항 각 호의 기간보다 단축한 기간으로 기재한 경우라도** 그 기간은 같은 조 제2항에 의하여 **법정기간까지 연장**되므로, 신청서 기재대로 **수리**하여야 한다(예규 제1425호).

③ **통상의 지상권**등기를 **구분지상권** 등기로 변경하거나, **구분지상권** 등기를 통상의 지상권 등기로 **변경**하는 등기신청이 있는 경우에는 **등기상의 이해관계인**이 **없**거나, 이해관계인이 **있**더라도 그의 **승낙서** 또는 이에 대항할 수 있는 재판의 등본을 제출한 때에 한하여 **부기**등기에 의하여 그 변경등기를 할 수 있다(예규 제1040호, 5).

④ 구분지상권은 그 권리가 미치는 지하 또는 지상 공간을 상하로 범위를 정하여 등기하는 것으로서 (**註** 1동의 건물을 **횡단적으로 구분한**) 계층적 구분건물의 **특정계층의 구분소유를 목적**으로 하는 구분지상권의 설정등기는 할 수 없다(「부동산등기실무Ⅱ」 p. 406).

02 지상권설정등기에 관한 다음 설명 중 가장 옳지 않은 것은?
▶ 2021 법무사

① 지상권설정등기를 신청하는 경우 존속기간, 지료 및 지급시기는 필요적 기재사항이므로 이를 반드시 신청정보로 제공하여야 한다.

② 지상권은 1필의 토지 전부뿐만 아니라 그 일부에 대하여도 설정등기를 할 수 있는데, 지상권설정의 범위가 토지의 일부인 경우에는 그 부분을 표시한 지적도면을 첨부정보로 제공하여야 한다.

③ 지상권의 존속기간에 대하여 그 최단기간만을 제한하고 있으므로 존속기간을 100년, 120년 또는 그보다 장기(특정된 기간임)로 하는 지상권설정등기도 경료받을 수 있다.

④ 건물 또는 공작물 등을 소유하기 위하여 타인 소유 토지의 일정범위의 지하 또는 공간을 사용하는 권리로서의 지상권, 이른바 구분지상권은 그 권리가 미치는 지하 또는 공간의 상하의 범위를 정하여 등기할 수 있다.

⑤ 토지거래허가구역 안의 토지에 대하여 지상권의 등기 시 대가를 받고 설정하는 경우에는 토지거래허가서를 첨부하여야 한다.

해설 ① **존속기간, 지료 및 지급시기**는 임의적 기재사항에 해당하므로, 등기원인에 그 약정이 있는 경우에만 신청정보로 제공하여야 하며 등기원인에 그 약정이 없는 경우에는 신청정보로 제공할 필요가 없다(법 제69조, 규칙 제126조 제1항).

② 규칙 제126조 제2항

③ 1. 계약으로 지상권의 **존속기간**을 정하는 경우에는 그 기간은 다음 연한(30년, 15년, 5년)보다 단축하지 못한다(**註** **최단기간 제한**). 위의 기간보다 단축한 기간을 정한 때에는 전항의 기간까지 연장한다(**註** **법정연장**)(민법 제280조).

   2. 민법 제280조는 지상권의 존속기간에 대하여 그 **최단기간만을 제한**하고 있으므로 존속기간을 **100년, 120년** 또는 **그보다 장기**(특정된 기간임)로 하는 지상권설정등기도 경료받을 수 있다(선례 제5-412호). 마찬가지로 존속기간을 **영구무한**으로 정하는 것도 가능하다.

3. 지상권의 존속기간을 「민법」 제280조 제1항 각 호의 기간보다 **긴 기간으로** 하는 약정은 **유효**하므로, 그 기간을 위 기간보다 장기로 하거나 **불확정기간(예 철탑존속기간으로 한다)**으로 정할 수도 있다(예규 제1425호).

4. 「민법」 제280조 제1항 제1호의 30년은 수목의 소유를 목적으로 하는 때에는 그 원인(예 수목의 육림, 벌채 등)에 관계없이 일률적으로 최단기인 30년보다 단축하지 못한다는 것이나, 등기신청서에 지상권의 존속기간을 같은 조 **제1항 각 호의 기간보다 단축한 기간으로 기재한 경우라도** 그 기간은 같은 조 제2항에 의하여 **법정기간까지 연장**되므로, 신청서 기재대로 **수리**하여야 한다(예규 제1425호).

④ 지하 또는 지상의 공간은 **상하의 범위(註 민법 제212조 토지소유권 : 상하○)**를 정하여 **건물 기타 공작물을 소유(註 수목×)**하기 위한 지상권의 목적으로 할 수 있다. 이 경우 설정행위로써 지상권의 행사를 위하여 **토지의 사용을 제한(註 임의적 기재사항)**할 수 있다(민법 제289조의2).

⑤ 「부동산 거래신고 등에 관한 법률」(이하 "법"이라 한다) 제11조 제1항의 규정에 의한 허가의 대상이 되는 토지(이하 '허가대상 토지'라 한다)에 관하여 **소유권·지상권을 이전** 또는 **설정**하는 (註 **유상)계약(예약**을 포함한다. 이하 같다)을 체결하고 그에 따른 등기신청을 하기 위해서는 신청서에 시장, 군수 또는 구청장이 발행한 **토지거래계약허가증**을 첨부하여야 한다. 다만, 그 계약이 **증여**와 같이 대가성이 없는 경우에는 **그러하지 아니**하다(예규 제1634호, 1–(1)).

따라서 **토지거래허가구역** 안의 토지에 대하여 **지상권**의 등기 시 **대가(지료)를 받고** 설정하는 경우에 **토지거래계약허가증을 첨부**하여야 하며, **대가(지료)가 없는 지상권**의 경우에는 **토지거래허가서를 첨부할 필요가 없다.**

03 도시철도법 등에 의한 구분지상권등기에 관한 다음 설명 중 가장 옳지 않은 것은?

▸2025 법무사

① 도시철도건설자 등이 공익사업을 위한 토지 등의 취득 및 보상에 관한 법률(이하 '토지보상법'이라 한다)에 따라 구분지상권의 설정을 내용으로 하는 수용·사용의 재결을 받은 경우, 그 재결서와 보상 또는 공탁을 증명하는 정보를 첨부정보로서 제공하여 단독으로 권리수용이나 토지사용을 원인으로 하는 구분지상권설정등기를 신청할 수 있다.

② 등기원인을 증명하는 정보로 제공하는 재결서에 송전선로의 설치 및 유지를 위하여 공중공간에 대한 재결이 있는 경우에는 구분지상권의 설정을 내용으로 하는 수용 재결이 아닌 경우라도 구분지상권 설정등기를 신청할 수 있다.

③ 도시철도건설자 등이 토지보상법에 의하여 구분지상권의 설정을 내용으로 하는 사용재결을 받은 경우에는 단독으로 당해 구분지상권설정등기를 신청할 수 있으나, 통상의 지상권설정등기를 신청할 수는 없다.

④ 도시철도건설자 등이 토지보상법에 의하여 이미 등기되어 있는 구분지상권을 수용하는 내용의 재결을 받은 경우 그 재결서와 보상 또는 공탁을 증명하는 정보를 첨부정보로서 제공하여 단독으로 권리수용을 원인으로 하는 구분지상권이전등기를 신청할 수 있다.

정답 02 ① 03 ②

⑤ 수용·사용의 재결에 의하여 취득한 구분지상권설정등기는 그보다 먼저 등기된 강제경매개시결정의 등기에 기하여 경매로 인한 소유권이전등기의 촉탁이 있는 경우에도 이를 말소하여서는 안된다.

해설 ② 「공익사업을 위한 토지 등의 취득 및 보상에 관한 법률」에 의하여 송전선로의 설치 및 유지를 위하여 **공중공간**에 대한 **재결이 있는 경우에도 구분지상권 설정을 내용으로 하는 수용 재결이 아닌 이상** 위 재결서에 의하여서는 **구분지상권 설정등기를 신청할 수 없다**(선례 제7-260호).

① 「도시철도법」, 「도로법」, 「전기사업법」, 「전원개발촉진법」, 「하수도법」, 「수도법」, 「농어촌정비법」, 「철도의 건설 및 철도시설 유지관리에 관한 법률」에 따라 구분지상권의 설정을 내용으로 하는 수용·사용의 **재결**을 받은 경우 그 재결서와 보상 또는 공탁을 증명하는 정보를 첨부정보로서 제공하여 **단독**으로 권리수용이나 토지사용을 원인으로 하는 **구분지상권설정등기**를 신청할 수 **있다**(도시철도법 등에 의한 구분지상권 등기규칙 제2조).

③ **전기사업자**가 토지의 지상 또는 지하 공간의 사용에 관한 구분지상권의 설정을 내용으로 하는 **사용재결**을 받은 경우 「전기사업법」 제89조의2 제2항에 따라 **단독**으로 토지사용을 원인으로 한 **구분지상권설정등기**를 신청할 수 **있으나**, 전기사업자가 토지의 사용에 관한 **지상권의 설정을 내용으로 하는 사용재결을 받은 경우에는 이에 관한 법령상의 근거규정이 없으므로**, 토지사용을 원인으로 한 **지상권설정등기**를 **단독**으로는 물론 소유명의인(등기의무자)과 **공동**으로도 신청할 수 **없다**. 다만 전기사업자와 소유명의인(등기의무자)은 **지상권설정계약서**를 등기원인을 증명하는 정보로서 제공하여 공동으로 **지상권**설정등기를 신청할 수 **있다**(선례 제202104-3호).

④ **도시철도건설자, 도로관리청, 전기사업자, 농업생산기반 정비사업 시행자, 철도건설사업 시행자, 지역개발사업 시행자, 수도사업자, 전원개발사업자** 및 **공공하수도를 설치하려는 자**가 「공익사업을 위한 토지 등의 취득 및 보상에 관한 법률」에 따라 **이미 등기되어 있는 구분지상권을 수용**하는 내용의 재결을 받은 경우 그 **재결서와 보상 또는 공탁을 증명하는 정보**를 첨부정보로서 제공하여 **단독**으로 권리수용을 원인으로 하는 **구분지상권이전등기**를 신청**할 수 있다**(도시철도법 등에 의한 구분지상권 등기규칙 제3조).

⑤ **수용·사용의 재결에 의한 구분지상권설정등기**는 다음 각 호의 경우에도 말소할 수 없다(도시철도법 등에 의한 구분지상권 등기규칙 제4조 제1호).

　1. **구분지상권설정등기보다 먼저** 마친 **강제경매**개시결정의 등기, **근저당권** 등 담보물권의 설정등기, 압류등기 또는 가압류등기 등에 기하여 **경매** 또는 공매로 인한 **소유권이전등기를** 촉탁한 경우

　2. **구분지상권설정등기보다 먼저 가처분**등기를 마친 가처분채권자가 가처분채무자를 등기의무자로 하여 소유권이전등기, 소유권이전등기말소등기, 소유권보존등기말소등기 또는 지상권·전세권·임차권설정등기를 신청한 경우

　3. **구분지상권설정등기보다 먼저** 마친 **가등기**에 의하여 소유권 이전의 본등기 또는 지상권·전세권·임차권설정의 본등기를 신청한 경우

04 **구분지상권등기에 관한 다음 설명 중 옳지 않은 것을 모두 고르시오.** ▶2024 법무사

① 구분지상권등기신청 시 토지의 등기기록에 그 토지를 사용하는 권리에 관한 등기와 그 권리를 목적으로 하는 권리에 관한 등기가 있는 때에는 이들 전원의 승낙서가 첨부정보로 제공되어야 하며, 구분지상권등기 시 등기관은 이들의 권리를 직권말소한다.

② 동일토지에 관하여 지상권이 미치는 범위가 각각 다른 2개 이상의 구분지상권은 그 토지의 등기기록에 각기 따로 기록할 수 있으므로, 이러한 경우에는 다른 구분지상권자의 승낙서가 첨부정보로 제공되지 않아도 된다.

③ 도시철도법상 도시철도건설자가 공익사업을 위한 토지 등의 취득 및 보상에 관한 법률에 따라 수용·사용의 재결을 받아 구분지상권설정등기를 등기한 경우에는 향후 구분지상권설정등기보다 먼저 마친 가등기에 의하여 지상권설정의 본등기 신청이 있더라도 그 구분지상권을 말소할 수 없다.

④ 한국전력공사가 전기사업법이 아니라 전원개발사업자로서 전원개발사업의 시행을 위하여 전원개발촉진법을 근거로 하여 토지의 사용에 관한 재결을 받은 경우에는 같은 법에 "전원개발사업자가 사용재결을 받으면 단독으로 구분지상권설정등기를 신청할 수 있다." 는 취지의 규정이 없는 이상 단독으로 구분지상권설정등기를 신청할 수 없다.

⑤ 설정행위로써 구분지상권의 행사를 위하여 토지의 사용을 제한할 수 있는데, 특약을 한 때에는 이를 신청정보로 제공하여야 한다. 한편, 특약에 의하여 제한되는 것은 사용에 관한 사실행위이다.

> **해설** ①,④ (복수정답)
>
> ① 1. **구분지상권이 설정되어 있는 토지**에 대하여도 기존 **구분지상권자의 승낙**을 증명하는 정보(인감증명 포함)를 첨부정보로서 제공하여 통상의 지상권설정등기를 신청할 수 있다(선례 제201407-2호).
>
> 2. **구분지상권 등기를 하고자 하는 토지**의 등기용지에 **그 토지를 사용하는 권리에 관한 등기**와 그 권리를 목적으로 하는 권리에 관한 등기가 있는 때(예컨대, 통상의 지상권, 전세권, 임차권 등의 등기와 이를 목적으로 하는 저당권 또는 처분 제한의 등기 등)에는 신청서에 **이들의 승낙서**를 첨부케 하여야 한다(예규 제1040호). 즉 이들의 승낙서를 첨부하여 구분지상권설정등기를 신청할 수 있다.
>
> 3. **제3자의 승낙의 효과**는 제3자의 권리가 구분지상권의 목적인 부분에 관하여 **소멸하는 것은 아니**고 단지 구분지상권이 존재하는 한도에서 **권리행사가 제한될 뿐**이다. 즉 **제3자의 등기를 직권말소하는 것은 아니**다.
>
> ④ 1. 종래 선례
>
> > **[선례 제201905-4호]**
> > **전원개발사업자**가 전원개발사업의 시행을 위하여 「전원개발촉진법」 및 「공익사업을 위한 토지 등의 취득 및 보상에 관한 법률」에 따라 **중앙토지수용위원회에 토지 사용재결**을 신청하여 이를 받았다고 하더라도, 「전원개발촉진법」에 "전원개발사업자가 사용재결을 받으면 단독으로

구분지상권설정등기를 신청할 수 있다"는 취지의 규정이 없는 이상, 그 사용재결에 의해서는 **단독**으로 **구분지상권**설정등기를 신청할 수 **없다**.

[선례 제202002-1호]

1. **한국전력공사**가 전기사업자로서 전기사업의 시행을 위하여 「**전기사업법**」을 근거로 하여 구분지상권의 설정을 내용으로 하는 사용재결을 받은 경우에는 같은 법 제89조의2 제2항에 따라 **단독**으로 **구분지상권**설정등기를 신청할 수 있다.

2. 반면 **한국전력공사**가 전원개발사업자로서 전원개발사업의 시행을 위하여 「**전원개발촉진법**」을 근거로 하여 토지의 사용에 관한 재결을 받은 경우에는 같은 법에 "전원개발사업자가 사용재결을 받으면 단독으로 구분지상권설정등기를 신청할 수 있다."는 취지의 규정이 없는 이상 **단독**으로 **구분지상권**설정등기를 신청할 수 **없다**.

2. 개정 법률 전원개발촉진법 일부개정 2021.6.15.[법률 제18281호, 시행 2021.12.16.]

[개정이유]

1. 현재 **전선로 및 전력시설물, 철로 등 철도시설물, 수도관 등 중요 사회기반 시설**을 타인의 토지 등에 설치할 때에는 소유권 또는 지상권·**구분지상권**으로 그 권리를 취득하되, 토지소유주 등과의 협의가 이루어지지 않을 경우에는 기반시설을 설치·운영하고자 하는 **사업자가 중앙토지수용위원회의 수용·사용재결을** 받아 그 **권리를 등기신청**할 수 있도록 하고 있으며, 「**전기사업법**」, 「**도시철도법**」, 「**수도법**」 등 관련 법률에 이에 대한 구체적인 근거규정이 마련되어 있음.

2. 한편 전원개발사업자는 「전원개발촉진법」에 따라 전원개발사업으로서 승인을 받아 송전철탑 및 송전선로를 설치·운영하고 있음에도, 「전원개발촉진법」에는 전원 개발사업자가 중앙토지수용위원회로부터 **수용·사용재결**을 받은 경우 등기를 신청할 수 있는 **근거 규정이 미비한 실정**임.

3. 이에, 「전원개발촉진법」에 전원개발사업자가 중앙토지수용위원회의 수용·사용재결을 받은 경우에는 토지의 지상 또는 지하 공간의 사용에 관한 **구분지상권의 설정 또는 이전 등기를 단독**으로 **신청**할 수 있도록 함으로써 **입법미비를 보완**하고 토지소유주 등과의 불필요한 분쟁 소지를 예방하려는 것임.

[신설규정]

제6조의4[구분지상권의 설정등기 등]

② **전원개발사업자**는 이 법 및 「공익사업을 위한 토지 등의 취득 및 보상에 관한 법률」에 따라 토지의 지상 또는 지하 공간의 사용에 관한 **구분지상권의 설정** 또는 이전을 내용으로 하는 **수용·사용의 재결**을 받은 경우에는 「부동산등기법」 제99조를 준용하여 **단독**으로 해당 **구분지상권의 설정** 또는 이전 등기를 신청**할 수 있다**.

[본조신설 2021.6.15.]

3. 개정 법률 도시철도법 등에 의한 구분지상권 등기규칙 개정 2021.10.29.[규칙 제3005호, 시행 2021.12.16.]

> **[개정이유]**
> 「**전원개발촉진법**」, 「**하수도법**」이 개정되어 **구분지상권의 설정등기 등**에 관한 규정이 **신설**되고 그 등기절차에 관하여 필요한 사항을 대법원규칙으로 정하도록 하였으므로 그 위임의 취지에 따라 **구체적인 등기절차를 규정**하기 위함
>
> **[신설규정]**
> 제2조[수용·사용의 재결에 의한 구분지상권설정등기]
> 「**도시철도법**」, 「**도로법**」, 「**전기사업법**」, 「**전원개발촉진법**」, 「**하수도법**」, 「**수도법**」, 「**농어촌정비법**」, 「**철도의 건설 및 철도시설 유지관리에 관한 법률**」에 따라 구분지상권의 설정을 내용으로 하는 수용·사용의 **재결**을 받은 경우 그 재결서와 보상 또는 공탁을 증명하는 정보를 첨부정보로서 제공하여 **단독**으로 권리수용이나 토지사용을 원인으로 하는 **구분지상권설정등기**를 신청할 수 **있다.**

② 동일토지에 관하여 지상권이 미치는 **범위가** 각각 **다른** 2개 이상의 **구분지상권**은 그 토지의 등기용지에 각기 따로 등기할 수 **있다**(예규 제1040호, 4). 이러한 경우에는 **다른 구분지상권자의 승낙서**가 첨부정보로 **제공되지 않아도 된다.**

③ 1. 「**도시철도법**」 제2조 제7호의 도시철도건설자가 「공익사업을 위한 토지 등의 취득 및 보상에 관한 법률」에 따라 구분지상권의 설정을 내용으로 하는 **수용·사용의 재결**을 받은 경우 그 **재결서와 보상 또는 공탁을 증명하는 정보**를 첨부정보로서 제공하여 **단독**으로 권리수용이나 토지사용을 원인으로 하는 **구분지상권설정등기**를 신청할 수 있다(도시철도법 등에 의한 구분지상권 등기규칙 제2조).

  2. 위 규정에 따라 마친 구분지상권설정등기 또는 제3조의 수용의 대상이 된 구분지상권설정등기는 **다음 각 호**의 경우에도 **말소할 수 없다**(도시철도법 등에 의한 구분지상권 등기규칙 제4조).

> 1. **구분지상권설정등기보다 먼저 마친** 강제경매개시결정의 등기, 근저당권 등 담보물권의 설정등기, 압류등기 또는 가압류등기 등에 기하여 **경매** 또는 공매로 인한 **소유권이전등기를 촉탁**한 경우
> 2. **구분지상권설정등기보다 먼저 가처분등기**를 마친 가처분채권자가 가처분채무자를 등기의무자로 하여 소유권이전등기, 소유권이전등기말소등기, 소유권보존등기말소등기 또는 **지상권·전세권·임차권설정등기를 신청**한 경우
> 3. **구분지상권설정등기보다 먼저 마친 가등기**에 의하여 소유권 이전의 본등기 또는 **지상권·전세권·임차권설정의 본등기를 신청**한 경우

⑤ 1. 설정행위에서 구분지상권의 행사를 위하여 **토지의 사용을 제한하는 특약**을 할 수도 있고(민법 제289조의2 제1항 후단), 이러한 특약을 한 때에는 **신청서**에 **기재**하여야 한다(법 제69조 제5호, 규칙 제126조 제1항).

  2. 한편 특약에 의하여 **제한되는 것**은 사용에 관한 **사실행위**이다. 예를 들면 "지상에 10톤 이상의 공작물을 설치하여서는 아니 된다", "고가철도의 운행에 장해가 되는 공작물을 설치하여서는 아니 된다" 등과 같은 것이다.

05 지역권등기에 관한 다음 설명 중 가장 옳지 않은 것은?

▶ 2024 법무사

① 승역지와 요역지의 관할등기소가 다를 경우 지역권설정등기신청은 승역지를 관할하는 등기소에 하여야 한다.

② 요역지의 소유자가 아닌 지상권자도 지역권설정등기에 있어 등기권리자가 될 수 있다.

③ 요역지에 지상권, 전세권 등의 소유권 외의 권리가 있는 경우 지상권자 등은 지역권을 행사할 수 있기 때문에 지역권을 말소하기 위해서는 지상권자 등의 동의가 있음을 증명하는 정보를 제공하여야 한다.

④ 지역권설정등기를 하는 경우 등록면허세는 요역지의 시가표준액이 과세표준액이 된다.

⑤ 지역권이 설정되어 있는 토지를 대지권의 목적으로 하는 대지권등기는 할 수 있으나, 대지권이라는 뜻의 등기가 마쳐진 토지에 대해서는 지역권설정등기를 할 수 없다.

> **해설** ⑤ 대지권등기에 의하여 금지되는 것은 대지사용권과 건물소유권의 귀속주체가 달라지는 등기이므로 그러한 우려가 없는 등기는 대지권등기가 있어도 할 수 있다. 예컨대 **대지권이 소유권**인 경우 대지권등기는 토지와 건물의 소유권이 분리처분되는 것을 막는 것이므로, **토지만**을 목적으로 하는 **지상권·지역권**·임차권의 설정등기, **전유부분만**에 대한 **임차권·전세권**의 설정등기는 대지권등기를 둔 채로 할 수 **있다**(「부동산등기실무Ⅱ」 p.181).
>
> ① 지역권설정등기신청은 **승역지를 관할**하는 **등기소**에 하여야 한다(🏛 다만 **신청서**는 **1장**으로 작성하며 요역지와 함께 승역지를 기재하고 기타 정보를 신청정보의 내용으로 제공한다)(「부동산등기실무Ⅱ」 p.419).
>
> ② 지역권설정등기는 지역권설정자(🏛 **소유권자·지상권자·전세권자**·등기된 임차권자)가 등기의 무자, 지역권자(🏛 **소유권자·지상권자·전세권자**·등기된 임차권자는 의견대립 있음)가 등기권리자로서 공동신청하여야 한다(「부동산등기실무Ⅱ」 p.419).
>
> ③ **요역지**에 **지상권, 전세권 또는 임차권 등**의 소유권 외의 권리가 있는 경우 지역권의 부종성에 의하여 지상권자 등은 당연히 지역권을 행사할 수 있기 때문에 **지역권을 말소**하기 위해서는 **지상권자 등의 동의서**를 **첨부**하여야 한다(「부동산등기실무Ⅱ」 p.425).
>
> ④ 지역권설정등기를 신청할 때에는 **요역지 부동산가액**(🏛 **과세표준액**)의 1,000분의 2에 해당하는 등록면허세 및 그 등록면허세액의 100분의 20에 해당하는 지방교육세를 납부하고, 등록면허세 영수필확인서를 첨부정보로서 제공한다.

06 **지역권의 등기에 관한 다음 설명 중 가장 옳지 않은 것은?** ▶ 2021 법무사 일부변경

① 지역권설정의 목적, 범위, 요역지 등은 승역지의 등기기록에 지역권설정의 등기를 할 때에 그 등기사항에 포함된다.

② 토지 등기기록에 요역지지역권의 등기가 있는 경우 그 토지에 대한 합필의 등기를 할 수 있다.

③ 지역권 설정의 범위가 승역지의 일부인 경우에는 그 부분을 표시한 지적도를 첨부정보로서 등기소에 제공하여야 한다.

④ 승역지와 요역지가 같은 관할에 속하는 경우 등기관이 승역지에 지역권설정의 등기를 하였을 때에는 직권으로 요역지의 등기기록에 승역지, 지역권설정의 목적, 범위 등을 기록하여야 한다.

⑤ 승역지와 요역지가 다른 관할에 속하는 경우 등기관이 승역지에 지역권설정의 등기를 하였을 때에는 직권으로 요역지의 등기기록에 승역지, 지역권설정의 목적, 범위 등을 기록하여야 한다.

> **해설** ② 토지 등기기록에 **요역지지역권**의 등기가 있다면 그 토지에 대한 **합필**의 등기를 신청할 수 **없**는 바, 이는 요역지지역권의 등기가 모든 토지의 등기기록에 있고 그 등기사항이 모두 동일하더라도 마찬가지이다(선례 제201907-4호).
> ① 법 제70조
> ③ 규칙 제127조 제2항
> ④ 법 제71조 제1항
> ⑤ 법 제71조 제1항

07 **전세권등기에 관한 다음 설명 중 가장 옳지 않은 것은?** ▶ 2023 법무사

① 토지와 건물은 별개의 부동산으로 건물의 일부 또는 전부에 전세권설정등기가 경료되어 있는 경우에도 그 대지의 전부에 대하여 전세권설정등기를 신청할 수 있다.

② 전세권설정등기를 신청할 때에 존속기간은 설정계약서에 따라야 할 것이므로 존속기간의 시작일이 등기신청접수일자 이전인 경우라도 등기관은 해당 등기신청을 수리하여야 한다.

③ 건물 중 1층 전부 및 2층 일부에 대하여 甲 명의의 전세권설정등기가 경료되고 이어 4층 전부에 대하여 乙 명의의 전세권설정등기가 경료된 상태에서, 甲 명의의 전세권설정등기의 존속기간 연장을 위한 변경등기를 할 경우 乙은 등기상 이해관계 있는 제3자에 해당하지 않는다.

④ 전세권자는 설정행위에서 전전세가 금지되어 있지 않는 한 전세권설정자의 동의 없이 전세권의 존속기간 내에서 전세권의 목적물의 전부 또는 일부를 전전세할 수 있다.

⑤ 전세권의 존속기간이 만료되고 전세금의 반환시기가 경과된 전세권의 경우에도 설정행위로 금지하지 않는 한 전세권의 이전등기는 가능하다.

> **정답** **05** ⑤ **06** ② **07** ③

해설 ③ 1. 전세권자는 **전세금을 지급**(➡ **요물계약**)하고 타인의 부동산을 점유하여 그 부동산의 용도에 좇아 **사용·수익**(➡ **용익물권적 권능**)하며, 그 **부동산 전부**에 대하여 후순위권리자 기타 채권자보다 전세금의 **우선변제**(➡ **담보물권적 권능**)를 받을 권리가 있다(민법 제303조 제1항).

2. 등기관이 **권리의 변경이나 경정의 등기**(➡ 전세권변경, 근저당권변경)를 할 때에는 **부기**로 하여야 한다. 다만, **등기상 이해관계 있는 제3자의 승낙**이 없는 경우에는 그러하지 아니하다(➡ **주등기**)(법 제52조 제5호).

3. 4층 근린생활시설 건물 중 **1층 전부 및 2층 일부**에 대하여 갑 명의의 **전세권**설정등기가 경료되고, 이어 **4층 전부**에 대하여 을 명의의 전세권설정등기가 경료된 상태에서, **갑 명의의 전세권설정등기의 존속기간 연장을 위한 변경등기**를 할 경우 **을**은 부동산등기법 제52조의 **등기상 이해관계 있는 제3자**라 할 것이므로, 위 변경등기를 **부기등기**의 방식으로 하기 위해서는 신청서에 을의 **승낙서** 또는 이에 대항할 수 있는 재판의 등본을 반드시 첨부하여야 하며, **승낙서 등을 첨부할 수 없는 경우**에는 **주등기**(독립등기)의 방식으로 그 등기를 할 수 있을 것이다(선례 제7-264호).

① 1. 토지와 건물은 별개의 부동산이므로 **건물의 일부** 또는 **전부**에 대한 **전세권**설정등기가 경료된 경우에도 **토지**에 대하여 별도의 **전세권**설정등기를 신청할 수 **있다**.

2. 이미 **건물의 일부에 전세권**이 설정된 경우에도 위 건물부분과 **중복되지 않는 다른 건물부분에** 대하여 **전세권**설정등기를 신청할 수 있**다**.

3. 마찬가지로 **토지의 일부에 이미 전세권**이 설정된 경우에도 그 토지부분과 **중복되지 않는 다른 토지부**분에 대하여 **전세권**설정등기를 할 수 **있다**(선례 제6-318호).

② 부동산 전세권등기를 신청할 때에 **존속기간**은 전세권설정**계약서에 따라야 하는 것**이므로, **존속기간의 시작일이 등기신청접수일자 (**➡ **이전이나) 이후라도** 등기관으로서는 당해 전세권설정등기신청을 **수리**하여야 한다(선례 제200304-19호).

④ 1. **전전세**란 전세권자의 **전세권은 그대로 존속·유지**하면서 그 전세권자가 전세 목적물에 대하여 전세권을 **다시 설정**하는 것을 말한다.

2. 전세권자는 설정행위에서 **전전세가 금지되어 있지 않는 한 전세권설정자의 동의 없이** 전세권의 **존속기간 내**에서 전세권 목적물의 전부 또는 일부를 **전전세할 수 있다**(선례 제5-415호, 「부동산등기실무 II」 p.435 참조).

⑤ **전세금의 반환**과 전세권설정등기의 말소 및 전세권목적물의 인도와는 동시이행의 관계에 있으므로 전세권이 존속기간의 만료로 인하여 소멸된 경우에도 당해 전세권설정등기는 전세금반환채권을 담보하는 범위 내에서는 유효한 것이라 할 것이어서, 전세권의 존속기간이 만료되고 **전세금의 반환시기가 경과된 전세권의 경우에도** 설정행위로 금지하지 않는 한 **전세권의 이전**등기는 **가능**하며, 이 경우 전세권설정등기 후에 경료된 소유권가압류 등기권자는 위 전세권이전등기에 관하여 이해관계 있는 제3자에 해당하지 않는다(선례 제7-263호).

08 임차권에 관한 등기에 대한 다음 설명 중 가장 옳지 않은 것은? ▶ 2022 법무사

① 임대차의 존속기간이 만료된 경우와 주택임차권등기 및 상가건물임차권등기가 경료된 경우에는, 그 등기에 기초한 임차권이전등기나 임차물전대등기를 할 수 없다.

② 건물의 일부에 대해서 임차권설정등기를 할 수 있는 것이므로, 건물의 일부에 해당하는 지붕이나 옥상에 대하여도 임차권설정등기를 신청할 수 있고 이 경우 지붕이나 옥상의 일부에 대해서만 임차권설정등기를 신청할 때에는 그 부분을 표시한 도면을 첨부정보로 서 제공하여야 한다.

③ 이미 전세권설정등기가 경료된 주택에 대하여 동일인을 권리자로 하는 법원의 주택임차 권등기명령에 따른 촉탁등기는 이를 수리할 수 없다.

④ 불확정기간을 존속기간으로 하는 임대차계약도 허용되므로 송전선이 통과하는 선하부지 에 대한 임대차의 존속기간을 "송전선이 존속하는 기간"으로 하는 임차권설정등기도 가 능하다.

⑤ 학교법인이 그 소유 명의의 부동산에 관하여 임차권설정등기를 신청하는 경우에는 관할 청의 허가를 증명하는 서면을 첨부정보로 제공하여야 한다.

해설 ③ **민법 제621조**에 의한 **등기된 임차권**은 **용익권적 권능** 외에 임대차보증금반환채권에 대한 **담보권 적 권능**을 가진다고 할 것이고, 임대차가 끝난 후 보증금이 반환되지 아니한 상태에서 마쳐진 **주택임대차보호법(이하 '주임법') 제3조의3**에 의한 **임차권등기명령**에 따른 **임차권등기**는 임차인 이 이미 취득한 **대항력**과 **우선변제권**을 유지하도록 해 주는 **담보적 기능만**을 주목적으로 한다고 볼 것이다.

한편 **부동산등기규칙 제161조 제1항 제2호**는 **용익물권의 중복등기를 금지**하는 규정으로 여기에 서의 "**임차권의 설정등기**"라 함은 **용익권적 권능**을 가진 **민법 제621조** 및 **주임법 제3조의4 제2 항**에 의한 **임차권설정등기를 말하고**, 임대차가 끝난 후 임차인이 이미 취득한 대항력과 우선변제 권을 유지시켜주기 위한 **주임법 제3조의3**에 의한 **임차권등기명령에 따른 임차권등기**를 의미하는 것은 **아니라고 할 것**이다.

또한 주임법상 임차권의 대항력과 우선변제권에 관한 규정에는 임차인이 주택의 인도와 주민등 록을 마친 때에는 대항력이 생기고 임대차계약증서에 확정일자를 갖추면 우선변제권까지 생긴다 고 정하고 있을 뿐, 선순위 임차권 내지 임차권등기의 존재를 소극적 요건으로 정하고 있지 않으 므로, 임차권등기가 마쳐진 주택을 임차한 임차인에게도 소액보증금에 관한 최우선변제권을 제외 한 대항력과 우선변제권을 인정할 수 있다.

따라서 이미 **전세권설정등기**나 **민법 제621조** 및 **주임법 제3조의4 제2항**에 의한 **임차권설정등기** 가 마쳐진 주택 또는 **주임법 제3조의3**에 의한 **임차권등기명령에 따른 임차권등기**가 마쳐진 주택 에 대하여 **주임법 제3조의3**에 의한 **임차권등기명령에 따른 임차권등기의 촉탁**이 있는 경우 등기 관은 이를 양립할 수 없는 등기로서 부동산등기법 제29조 제2호에 의하여 각하할 것이 아니라, 그 외의 다른 각하사유가 없는 한 그 촉탁에 따른 등기를 **수리**하여야 한다(선례 제202509-7호). 따라서 이미 **전세권설정**등기가 경료된 주택에 대하여 동일인을 권리자로 하는 법원의 **주택임차 권등기명령**에 따른 촉탁등기는 이를 **수리**할 수 있다.

정답 **08** ③

① **임대차의 존속기간이 만료**된 경우와 **주택임차권등기 및 상가건물임차권등기가 경료된 경우**에는, 그 등기에 기초한 **임차권이전**등기나 **임차물전대**등기를 할 수 **없**다(예규 제1688호, 4).

② 1. 건축물대장에 등재된 건축물에 대하여 건물로서 **등기능력**이 인정되어 **소유권보존등기를 마친 경우**라면 그 (🏢 일반)건물의 일부인 옥상에 대하여 그 전부 또는 일부를 사용하기 위한 **전세권**설정등기를 신청할 수 **있**다. 마찬가지로 건물의 일부에 해당하는 지붕이나 옥상에 대하여도 **임차권설정**등기를 신청할 수 **있**다. 이 경우 **지붕이나 옥상의 일부**라면 그 부분을 표시한 **도면**을 첨부정보로서 제공하여야 한다(선례 제201812-8호).

   2. 다만, **집합건물의 옥상**은 구조상 공용부분으로서 **등기능력이 없어** 이에 대한 **등기기록이 개설될 수는 없으므로** 이를 사용하기 위한 **전세권설정등기**는 신청할 수 **없다**.

   3. **기존 건물의 옥상에 건물이나 기타 공작물을 소유하기 위한 경우** 그 **대지**에 대하여 **통상의 지상권**설정등기를 신청할 수 **있지만**, **구분지상권설정**등기는 신청할 수 **없다**(선례 제201812-1호).

④ **불확정기간**을 존속기간으로 하는 임대차계약도 허용된다. 예컨대 송전선이 통과하는 선하부지에 대한 임대차의 존소기간을 "**송전선이 존속하는 기간**"으로 하는 임차권설정등기도 **가능**하다(선례 제5-457호).

⑤ **학교법**인이 그 소유 명의의 부동산에 관하여 매매, 증여, 교환, 그 밖의 처분행위를 원인으로 한 **소유권이전등기**를 신청하거나 근저당권 등의 **제한물권** 또는 **임차권**의 설정등기를 신청하는 경우에는 그 등기신청서에 **관할청의 허가**를 증명하는 서면을 첨부하여야 한다(예규 제1255호, 3-①).

09 법원의 임차권등기명령에 따른 임차권등기에 관한 다음 설명 중 가장 옳지 않은 것은?

▶ 2021 법무사

① 미등기 건물에 대하여 임차권등기명령에 따른 임차권등기의 촉탁이 있는 경우에는 등기관은 직권으로 소유권보존등기를 할 수 없다.

② 법원사무관등은 임차권등기명령의 효력이 발생하면 지체 없이 촉탁서에 재판서 등본을 첨부하여 등기관에게 임차권등기의 기입을 촉탁하여야 한다.

③ 주택임차권등기명령의 결정 후 주택의 소유권이 이전된 경우 등기촉탁서에 전 소유자를 등기의무자로 기재하여 임차권등기의 기입을 촉탁한 때에는 등기관은 그 등기촉탁을 각하하여야 한다.

④ 임차권등기명령에 의한 주택임차권등기를 하는 경우 등기의 목적을 "주택임차권"이라고 하여야 한다.

⑤ 등기관은 법원의 임차권등기명령에 따른 임차권등기를 마친 후에 등기완료통지서를 작성하여 촉탁법원에 송부하여야 한다.

> **해설** ① **미등기 주택**이나 상가건물에 대하여 임차권등기명령에 의한 등기촉탁이 있는 경우에는 등기관은 「부동산등기법」 제66조의 규정에 의하여 **직권**으로 소유권**보존**등기를 한 후 주택임차권등기나 상가건물임차권등기를 하여야 한다(예규 제1688호, 3-다). 즉 미등기 주택에 대하여 임차권등기명령에 따른 등기는 할 수 있다.
>
> ② 임차권등기명령 절차에 관한 규칙 제5조

③ 주택임차권등기명령의 결정 후 주택의 소유권이 이전된 경우, **등기촉탁서**에 **전소유자**를 등기의
무자로 **기재**하여 임차권등기의 기입을 촉탁한 때에는 촉탁서에 기재된 등기의무자의 표시가 등
기부와 부합하지 아니하므로 등기관은 그 등기촉탁을 **각하**하여야 한다(법 제29조 제7호, 선례
제7-285호).
④ 예규 제1688호, 3-가
⑤ 임차권등기명령 절차에 관한 규칙 제7조

제3절　담보권

01　(근)저당권에 관한 등기에 대한 다음 설명 중 가장 옳지 않은 것은?　▸ 2022 법무사

① "어음할인, 대부, 보증 기타의 원인에 의하여 부담되는 일체의 채무"를 피담보채무로 하
는 내용의 근저당권설정계약을 원인으로 한 근저당권설정등기도 신청할 수 있다.

② 하나의 근저당권을 여럿이 준공유하는 경우에 근저당권자 중 1인이 확정채권의 전부 또
는 일부 양도를 원인으로 근저당권이전등기를 하는 경우에는 근저당권의 피담보채권이
확정되었음을 증명하는 서면 또는 나머지 근저당권자 전원의 동의가 있음을 증명하는
서면(동의서와 인감증명서)을 첨부하여야 한다.

③ 근저당권의 확정 후에 피담보채권과 함께 복수의 양수인에게 근저당권을 이전하는 경우
에는 각 양수인 별로 양도액을 특정하여 신청하여야 한다.

④ 채권최고액을 감액하는 경우에는 근저당권설정자가 등기권리자가 되고 근저당권자가 등
기의무자가 되어 공동으로 근저당권변경등기를 신청하여야 한다.

⑤ 동일 부동산에 대한 소유권이전청구권 보전의 가등기상의 권리자와 근저당권자가 동일
인이었다가 그 가등기에 기한 소유권이전의 본등기가 경료됨으로써 소유권과 근저당권
이 동일인에게 귀속된 경우와 같이 근저당권이 혼동으로 소멸한 경우에는 그 근저당권설
정등기가 말소되지 아니한 채 제3자 앞으로 다시 소유권이전등기가 경료된 경우라도 현
소유자가 단독으로 말소등기를 신청할 수 있다.

> **해설**　⑤ 동일 부동산에 대한 소유권이전청구권 보전의 가등기상의 권리자와 근저당권자가 동일인이었다가
> 그 가등기에 기한 소유권이전의 본등기가 경료됨으로써 **소유권과 근저당권**이 **동일인**에게 귀속된
> 경우와 같이 **혼동**으로 **근저당권이 소멸**(그 근저당권이 제3자의 권리의 목적이 된 경우 제외)하는
> 경우에는 등기명의인이 **근저당권말소등기**를 **단독**으로 **신청**한다(**⚖** 등기관의 **직권말소✕**).
> 다만, 그 **근저당권설정등기가 말소되지 아니한 채 제3자 앞으로 다시 소유권이전등기**가 경료된
> 경우에는 현 소유자와 근저당권자가 **공동**으로 **말소**등기를 **신청**하여야 한다(예규 제1816호, 6-③).
> ① '어음할인, 대부, 보증 기타의 원인에 의하여 부담되는 일체의 채무'를 피담보채무로 하는 내용의
> 근저당권설정계약을 원인으로 한 근저당권설정등기도 신청할 수 있다(예규 제1816호, 2-④).

> **정답**　09 ①　/　01 ⑤

②,③ 1. 근저당권의 **피담보채권이 확정된 후**에 그 **피담보채권**이 **양도** 또는 **대위변제**된 경우에는 근저당권자 및 그 채권양수인 또는 대위변제자는 **근저당권이전등기**를 신청할 수 있으며, 이 경우 등기원인은 "확정채권 양도" 또는 "확정채권 대위변제" 등으로 기록하게 되고, **채권의 일부**에 대한 양도 또는 대위변제로 인한 근저당권 일부이전 등기를 할 때에는 **양도액** 또는 **변제액**을 기록하여야 한다(선례 제201211-3호).
　　　　2. **하나의 근저당권을 여럿이 준공유**하는 경우에 **근저당권자 중 1인**이 확정**채권**의 전부 또는 일부 **양도**를 원인으로 근저당권이전등기를 하는 경우에는 **근저당권의 피담보채권이 확정되었음을 증명하는 서면** 또는 **나머지 근저당권자 전원의 동의가 있음을 증명하는 서면**(동의서와 **인감증명서**)을 첨부하여야 한다.
　　　　3. 또한 근저당권의 확정 후에 피담보채권과 함께 복수의 양수인에게 이전하는 경우에는 각 양수인 별로 양도액을 특정하여 신청하여야 한다(선례 제201211-3호).
④ **근저당권의 변경**등기도 일반적인 경우와 같이 근저당권자와 근저당권설정자가 공동으로 신청하여야 한다. 근저당권자가 여러 명인 경우에는 전원이 신청하여야 한다. **채권최고액을 변경**하는 근저당권변경등기는 **증액**의 경우에는 **근저당권설정자가 등기의무자, 근저당권자가 등기권리자**가 된다. **감액**의 경우에는 **반대**이다(「부동산등기실무Ⅱ」 p.479).

02　근저당권등기에 관한 다음 설명 중 가장 옳지 않은 것은?　▶ 2021 법무사

① 공동근저당권이 설정된 후에 비록 등기상 이해관계인이 없다고 하더라도 위 공동근저당권의 채권최고액을 각 부동산별로 분할하여 각 별개의 근저당권등기가 되도록 하는 내용의 근저당권변경등기를 신청할 수는 없다.

② 근저당설정등기를 함에 있어 그 근저당권의 채권자 또는 채무자가 수인인 경우, 각 채권자 또는 채무자별로 채권최고액을 구분하여(예 채권최고액 채무자 甲에 대하여 1억원, 채무자 乙에 대하여 2억원) 기록할 수 있다.

③ 채무자가 수인인 경우 그 수인의 채무자가 연대채무자라 하더라도 등기기록에는 단순히 "채무자"로 기록한다.

④ 동일 부동산에 대하여 甲과 乙을 공동채권자로 하는 하나의 근저당권설정계약을 체결한 경우, 각 채권자별로 채권최고액을 구분하여 등기하거나 甲과 乙을 각각 근저당권자로 하는 2개의 동순위의 근저당권설정등기를 신청할 수 없다.

⑤ 근저당권의 피담보채권이 확정된 후에 그 피담보채권이 양도 또는 대위변제된 경우에는 근저당권자 및 그 채권양수인 또는 대위변제자는 채권양도에 의한 저당권이전등기에 준하여 근저당권이전등기를 신청할 수 있다. 이 경우 등기원인은 "확정채권 양도" 또는 "확정채권 대위변제" 등으로 기록한다.

해설 ② 근저당설정등기를 함에 있어 그 근저당권의 채권자 또는 채무자가 수인일지라도 **단일한 채권최고 액만을 기록**하여야 하고, 각 채권자 또는 채무자별로 채권최고액을 **구분**하여(**예** '채권최고액 채무 자 갑에 대하여 1억원, 채무자 을에 대하여 2억원', 또는 '채권최고액 3억원 최고액의 내역 채무자 갑에 대하여 1억원, 채무자 을에 대하여 2억원' 등) 기록할 수 **없다**(예규 제1816호, 2-①).

① 현행 등기법제하에서는 공동근저당권의 채권최고액을 각 부동산별로 분할하여 각 별개의 근저당권등기 가 되도록 하는 내용으로 근저당권을 변경하는 제도가 없으므로, 공동근저당권이 설정된 후에 비록 등기 상 이해관계인이 없다고 하더라도 위 **공동근저당권의 채권최고액**을 각 부동산별로 분할하여 각 별개 의 근저당권등기가 되도록 하는 내용의 **근저당권변경**등기를 신청할 수는 **없다**(선례 제6-342호).

③ **채무자가 근저당권설정자**와 **동일인**인 경우에도 등기기록에 **채무자를 기록**하여야 하고, 채무자가 수인인 경우 그 수인의 채무자가 **연대채무자라 하더라도** 등기기록에는 **단순히 "채무자"로 기록**한 다(예규 제1816호, 2-③).

④ 동일 부동산에 대하여 갑과 을을 공동채권자로 하는 **하나의 근저당권설정계약**을 체결한 경우, 각 채권자별로 채권최고액을 구분하여 등기하거나 갑과 을을 각각 근저당권자로 하는 2개의 동 순위의 근저당권설정등기를 신청할 수 없다(선례 제7-274호).

⑤ 예규 제1816호, 3-②

03 근저당권이전등기에 관한 다음 설명 중 가장 옳은 것은? ▸ 2024 법무사

① 피담보채권이 확정되기 전에 근저당권의 기초가 되는 기본계약상의 채권자지위의 양도 를 원인으로 근저당권이전등기를 신청하는 경우 근저당권설정자가 물상보증인이면 그의 승낙을 증명하는 정보를 첨부정보로 제공하여야 한다.

② 피담보채권이 확정되기 전에 계약양도 등을 원인으로 근저당권이전등기를 신청하는 경 우 등기원인을 증명하는 정보인 근저당권이전계약서에 채무자의 표시와 날인이 반드시 있어야만 하는 것은 아니다.

③ 확정채권의 대위변제를 원인으로 하는 근저당권이전등기의 경우에는 근저당권이전계약 서와 대위변제증서를 첨부정보로 제공하여야 한다.

④ 근저당권이전등기를 신청할 때 채무자에 대한 피담보채권 양도의 통지나 채무자의 승낙 을 증명하는 정보는 제공할 필요가 없으며, 대위변제에 의한 경우에도 채무자의 변제 동 의서를 제공할 필요가 없다.

⑤ 근저당권의 피담보채권이 확정되기 전에 그 피담보채권이 양도 또는 대위변제된 경우에 이를 원인으로 하여 근저당권이전등기를 신청할 수 있다.

해설 ④ 1. 지명채권의 양도는 양도인이 채무자에게 통지하거나 채무자가 승낙하지 아니하면 채무자 기타 제3자에게 대항하지 못하는 것이나, **근저당권이전등기**를 신청함에 있어 **피담보채권 양도의 통 지서**나 **승낙서**를 신청서에 첨부할 필요는 **없다**(선례 제5-104호).

2. 채권양도와 동일한 효력이 발생하는 대위변제에 의한 근저당권이전등기신청의 경우에도 **채무 자의 변제 동의서** 내지 **승낙서**를 첨부할 필요가 **없다**(선례 제5-448호).

정답. **02** ② **03** ④

① 피담보채권이 확정되기 전 또는 확정된 후에 **근저당권 이전등기**를 신청하는 경우 근저당권설정 자가 **물상보증인**이거나 소유자가 **제3취득자**인 경우에도 그의 **승낙**을 증명하는 정보를 등기소에 제공할 필요가 **없다**(예규 제1816호, 3-①②).

② 1. 근저당권의 **피담보채권이 확정되기 전**에 "**계약양도**" 등을 원인으로 근저당권이전등기를 신청 하는 경우 위 계약은 양도인, 양수인, 채무자의 3면 계약에 의하여야 하므로, 원인서면인 **근저 당권이전계약서**에 **양도인**, **양수인**은 물론 **채무자**의 **표시**와 **날인**이 있어야 한다(선례 제 201011-3호).

   2. **피담보채권이 확정된 후**에 "**확정채권 양도**"를 원인으로 근저당권이전등기를 신청하는 경우 위 채권양도는 양도인과 양수인의 계약에 의하여야 하므로, 원인서면인 근저당권이전계약서에 **채 무자의 표시와 날인**이 **반드시 있어야만 하는 것은 아니다**(선례 제201011-3호).

③ **변제할 정당한 이익이 있는 자**가 채무자를 위하여 근저당권부 채권의 일부를 **대위변제**한 경우, 일부 대위변제자의 대위의 부기등기인 **근저당권이전등기 신청 시** 근저당권일부**이전계약서는 첨 부할 필요가 없으나** 대위변제를 증명하는 서면인 **대위변제증서는 첨부**하여야 한다(선례 제 5-441호). 왜냐하면, 대위변제에 따른 등기는 법률행위(계약)이 아니라 법률규정에 의한 물권변 동(민법 제480조, 제481조, 제482조 제1항)이기 때문이다.

⑤ 근저당권의 **피담보채권이 확정되기 전**에 그 피담보**채권**이 양도 또는 대위변제된 경우에는 이를 원인으로 하여 근저당권이전등기를 신청할 수는 **없다**(예규 제1816호, 3-①-3).

04 공동(근)저당의 등기에 관한 다음 설명 중 가장 옳지 않은 것은?

▶ 2023 법무사

① 임차권이 대지권인 경우에 임차권은 저당권의 목적으로 할 수 없는 권리이므로 건물소유 권과 대지권(토지임차권)을 공동저당의 목적으로 할 수 없다.

② 채권자는 동일한 채권의 담보로 甲 부동산에 관한 소유권과 乙 부동산에 관한 지상권에 대하여 공동근저당권설정등기를 신청할 수 있으며, 이때 甲 부동산의 소유자와 乙 부동 산의 지상권자는 동일인이어야 한다.

③ 공동저당권이 설정된 후에 그 담보 부동산의 일부를 취득한 제3자가 그 취득한 일부 부 동산에 대한 피담보채무만을 인수하고 그 채무인수를 원인으로 하여 채무자를 변경하기 위한 저당권변경등기는 공동저당관계가 존속되는 한 이를 할 수 없다.

④ 집합건물의 대지에 관하여 이미 저당권이 설정되어 있는 상태에서 대지권의 등기를 하 고, 그와 아울러 또는 그 후에 구분건물에 관하여 동일채권의 담보를 위한 저당권을 추 가설정하려는 경우에는, 구분건물과 대지권을 일체로 하여 그에 관한 추가저당권설정등 기의 신청을 할 수 있다.

⑤ 공동저당 대위등기는 선순위저당권자가 등기의무자로 되고 대위자(차순위저당권자)가 등기권리자로 되어 공동으로 신청하여야 하며, 이 경우 일반적인 첨부정보 외에 집행법 원에서 작성한 배당표 정보를 첨부정보로 제공하여야 한다.

해설 ② 채권자는 동일한 채권의 담보로 갑 부동산에 관한 **소유권**과 을 부동산에 관한 **지상권**에 대하여 **공동근저당권설정등기**를 신청할 수 있으며, 이때 갑 부동산의 **소유자**와 을 부동산의 **지상권자가 반드시 동일할 필요는 없다**(선례 제201009-4호).

① 임차권이 대지권인 경우에 **임차권**은 저당권의 목적으로 할 수 없는 권리이므로 **건물 소유권과 대지권(토지임차권)을 공동저당**의 목적으로 할 수 **없고**, 대지권을 제외한 **건물만**에 관하여 **저당권**이 설정되어야 하며, 이 경우 건물만의 취지의 부기등기를 (🈯 직권으로)하여야 한다(선례 제201604-1호).

③ 공동저당은 수개의 부동산 위에 동일한 채권을 담보하기 위한 저당권을 설정한 경우에 성립하게 되는데, 동일한 채권을 담보한다는 의미는 **채권자와 채무자**, 채권의 발생원인, **채권액 등**이 **동일**한 것을 의미하고, 또한 공동저당을 이루는 각 부동산에 대한 복수의 저당권은 그 **불가분성**에 의하여 서로 **연대관계**를 형성하고 있기 때문에, 공동저당권이 설정된 후에 그 담보 부동산의 일부를 취득한 제3자가 그 **취득한 일부 부동산에 대한 피담보채무만을 인수**하고 그 채무인수를 원인으로 하여 **채무자를 변경**하기 위한 저당권변경등기는 **공동저당관계가 존속되는 한** 이를 할 수 **없다**(선례 제5-450호).

④ 대지에 관하여 **이미 저당권이 설정**되어 있는 상태에서 **대지권의 등기**를 하고, 그와 아울러 또는 그 후에 구분건물에 관하여 동일채권의 담보를 위한 저당권을 추가설정하려는 경우에는, **구분건물과 대지권을 일체로** 하여 그에 관한 **추가저당권설정등기의 신청**을 할 수 있다(예규 제1470호, 4-나-(1)).

⑤ 1. 공동저당 대위등기는 **선순위저당권자**가 등기의무자로 되고 **대위자(차순위저당권자)**가 등기권리자로 되어 **공동**으로 신청하여야 한다(예규 제1407호, 2).

　　2. 공동저당의 대위등기를 신청하는 경우에는 규칙 제46조에서 정한 일반적인 첨부정보 외에 집행법원에서 작성한 **배당표 정보**를 첨부정보로서 등기소에 제공하여야 한다(예규 제1407호, 4).

---

05 다음은 공동저당의 대위등기에 관한 등기기록례이다. 등기기록 및 그 신청절차에 관한 설명으로 가장 옳지 않은 것은?　　▸ 2024 법무사

을구(소유권 이외의 권리에 관한 사항)

순위번호	등기목적	접수	등기원인	권리자 및 기타사항
1	근저당권설정	2023년 7월 3일 제1900호	2023년 7월 3일 설정계약	채권최고액 금 300,000,000원 채무자 김서초 　서울특별시 서초구 서초로1(서초동) 근저당권자 박강남 800123-1234567 　서울특별시 서초구 서초로2(서초동) 공동저당 토지 서울특별시 서초구 서초동 1
(1)	1번 근저당권 대위	2024년 7월 3일 제1800호	(2) 2024년 6월 26일 (　　　)	매각부동산 (3) 매각대금 금 700,000,000원 변제액　금 250,000,000원 채권최고액 금 200,000,000원 채무자　(4) 대위자 김강남 810123-1234567 　서울특별시 서초구 서초로3(서초동)

① (1)의 순위번호는 후순위 이해관계인의 유무나 그 이해관계인의 동의 유무와 관련 없이 부기등기 형식으로 기록하여야 한다.

② (2)의 등기연월일 "2024년 6월 26일"은 선순위저당권자에 대한 경매대가의 배당기일을 뜻하며, 등기원인은 공동저당부동산 중 일부의 경매대가를 먼저 배당하는 경우에 발생하므로 "민법 제368조 제2항에 의한 대위"로 하여야 한다.

③ (3)에는 "토지 서울특별시 서초구 서초동 1"을 기록하며, 부동산등기법은 소유권 외의 권리가 저당권의 목적일 때에는 그 권리를 기록하도록 하고 있다.

④ 공동저당 대위등기는 법률규정에 의한 이전으로 선순위저당권자가 등기의무자로 되고 차순위저당권자를 등기권리자로 하여 공동으로 신청하므로 (4)에는 등기의무자인 "박강남 서울특별시 서초구 서초로2(서초동)"을 기록한다.

⑤ 공동저당 대위등기 신청 시 부동산규칙에서 정한 일반적인 첨부정보 외에 집행법원에서 작성한 배당표 정보를 첨부정보로서 등기소에 제공하여야 하며, 국민주택채권은 채권최고액에 관계없이 매입하지 않으며, 배당이의 소송이 확정되지 않았더라도 신청이 가능하다.

해설 ④ 공동저당 대위등기는 **선순위저당권자**가 등기의무자로 되고 **대위자(차순위저당권자)**가 등기권리자로 되어 **공동**으로 **신청**하여야 한다(예규 제1407호, 6). 그러나 **채무자는 변동이 없으므로,** **기존의 채무자인 김서초**의 **성명**과 **주소**를 기재한다.

① 공동저당 대위등기는 대위등기의 목적이 된 저당권등기에 **부기**등기로 한다(예규 제1407호, 6).

② 등기의 목적은 "○번 **저당권 대위**"로, 등기원인은 "**「민법」 제368조 제2항에 의한 대위**"로, 그 연월일은 "**선순위저당권자에 대한 경매대가의 배당기일**"로 표시한다(예규 제1407호, 3-②).

③ 1. 공동저당의 대위등기를 신청할 때에는 규칙 제43조에서 정한 일반적인 신청정보 외에 **매각부동산, 매각대금, 선순위저당권자가 변제받은 금액** 및 매각 부동산 위에 존재하는 **차순위저당권자의 피담보채권에 관한 사항**을 신청정보의 내용으로 등기소에 제공하여야 한다(예규 제1407호, 3-①).

2. 만약, 부동산등기법은 **소유권 외의 권리가 저당권의 목적**일 때에는 **그 권리를 기록**하도록 하고 있다.

⑤ 공동저당의 대위등기를 신청하는 경우에는 규칙 제46조에서 정한 일반적인 첨부정보 외에 집행법원에서 작성한 **배당표 정보**를 첨부정보로서 등기소에 제공하여야 한다(예규 제1407호, 4). 공동저당의 대위등기를 신청하는 경우에는 **국민주택채권**을 매입하지 **아니**한다(예규 제1407호, 5). 또한, **배당이의 소송이 확정되지 않았더라도** 신청이 **가능**하다.

06 공장저당의 등기에 관한 다음 설명 중 가장 옳지 않은 것은?

▶ 2023 법무사

① 토지 또는 건물과 기계·기구의 소유자가 동일하지 않은 경우에 공장 및 광업재단 저당법에 따른 공장저당의 목적으로 하기 위해서는 그 목적물인 그 기계·기구의 소유자의 동의서를 첨부하여야 한다.

② 기계·기구의 목록은 등기부의 일부로 보고 그 기록된 내용은 등기된 것으로 본다.

③ 공장저당의 등기를 신청할 때에는 토지 또는 건물이 공장 및 광업재단 저당법의 공장에 속하는 것임을 증명하는 채권자 명의의 정보를 첨부정보로 제공하여야 한다.

④ 기계·기구의 일부 멸실 또는 분리에 의한 변경신청의 경우에는 저당권자의 동의가 있음을 증명하는 정보 또는 이에 대항할 수 있는 재판이 있음을 증명하는 정보를 제공하여야 한다.

⑤ 공장저당권의 목적으로 제공된 기계·기구를 전부 새로운 기계·기구로 교체하는 경우에는 목록폐지로 인한 저당권변경등기를 신청하여 공장저당권을 보통저당권으로 변경하고, 새로운 기계·기구에 관해 목록 제출로 인한 저당권변경등기신청을 하여 다시 보통저당권을 공장저당권으로 변경하는 절차를 거쳐야 한다.

해설 ① 공장저당법에 의하여 공장에 속하는 토지나 건물에 대한 저당권설정등기를 할 경우 그 토지나 건물에 설치한 **기계, 기구 기타의 공장 공용물의 소유자**는 그것이 설치된 **토지 또는 건물의 소유자와 동일**하여야 한다(註 **소유자가 다른 경우**에는 **소유자의 동의서를 첨부하였다 하더라도** 공장저당권설정등기를 할 수 **없다**)(선례 제2–376호).

② **기계·기구의 목록**은 **등기부의 일부**로 보고 그 **기록된 내용**은 **등기된 것**으로 본다(「공장 및 광업재단 저당법」 제6조 제1항, 제36조).

③ 공장저당등기의 신청에는 **토지**나 **건물**이 공장저당법 제2조의 **공장에 속한 것임을 증명하는 정보**를 제공하여야 한다. 실무상 **채권자인 저당권자가 작성**한 **공장증명서**를 제출한다(예규 제1475호, 2).

④ (註 **기계·기구**의 **일부멸실·분리**)변경등기를 신청하는 경우에는 **저당권자의 동의**가 있어야 한다. 따라서 기계·기구의 **일부멸실 또는 분리**에 의한 변경등기신청의 경우에는 **저당권자의 동의가 있음을 증명**하는 정보(인감증명정보 첨부) 또는 이에 대항할 수 있는 재판이 있음을 증명하는 정보를 제공하여야 한다(예규 제1475호, 3–③).

⑤ 공장저당법 제7조의 규정에 의한 목록에 기재된 **기계·기구 전부**를 새로이 다른 기계·기구로 **교체**한 경우에는, 종전 목록에 관하여는 공장저당법 제7조 목록폐지로 인한 저당권변경등기를 신청하여 공장저당법에 의한 저당권을 **보통저당권으로 변경**하고, 새로운 기계·기구에 관하여는 공장저당법 제7조 목록 제출로 인한 저당권변경등기신청을 하여 다시 그 보통저당권을 **공장저당법에 의한 저당권으로 변경**하여야 할 것이다(선례 제5–430호).

정답 ▸ **06** ①

07 근저당권부 채권에 대한 질권의 등기에 관한 다음 설명 중 가장 옳지 않은 것은?

▶ 2021 법무사

① 근저당권부 채권에 대한 질권의 등기는 근저당권등기에 부기등기로 한다.

② 근저당권부 채권에 대한 질권의 등기는 근저당권자가 등기의무자가 되고 질권자가 등기권리자가 되어 공동으로 신청함이 원칙이다.

③ 근저당권부 채권에 대한 질권의 등기를 신청하는 경우 국민주택채권을 매입하여야 한다.

④ 채권액 또는 채권최고액은 근저당권부 채권에 대한 질권의 등기사항 중 하나이다.

⑤ 근저당권부 채권의 질권자가 해당 질권을 제3자에게 전질한 경우 질권의 이전등기를 할 수 있다.

해설 ③ **근저당권부질권의 부기등기**에 대해서는 매 1건당 6,000원의 **등록면허세를 납부**하여야 하지만, 국민주택채권은 부동산등기 중 소유권의 보존 및 이전·저당권의 설정 및 이전의 경우에만 매입하도록 규정하고 있으므로, 근저당권부질권의 부기등기를 신청하는 경우에는 **국민주택채권매입의무가 없**다(선례 제6-348호).

① 등기관이 **소유권 외**의 권리를 목적으로 하는 권리(註 전세권부 근저당권, **(근)저당권부 (근)질권**)에 관한 등기를 할 때에는 **부기**로 하여야 한다(법 제52조 제3호).

② 근저당권부 질권의 부기등기는 근저당권자가 등기의무자가 되고 질권자가 등기권리자가 되어 공동으로 신청한다(「부동산등기실무Ⅱ」 p.527).

④ 법 제76조 제1항

⑤ 근저당권부 채권의 질권자가 해당 질권을 제3자에게 전질한 경우 「부동산등기법」 제2조에 의하여 **질권의 이전**등기를 할 수 **있**다(선례 제201105-1호).

08 저당권부채권에 대한 채권담보권의 부기등기에 관한 다음 설명 중 가장 옳지 않은 것은?

▸ 2025 법무사

① 등기목적은 '저당권부 채권담보권의 설정'이라 하고, 채권담보권의 목적이 되는 저당권의 표시는 '접수 ○○년 ○○월 ○○일 제○○○호 순위 제○번의 저당권'과 같이 기재하여 신청정보의 내용으로 제공하여야 한다.

② 일반적인 신청정보 외에 담보권의 목적인 채권을 담보하는 저당권의 표시, 채권액 또는 채권최고액, 채무자의 표시 및 변제기와 이자의 약정이 있는 경우에는 그 내용을 신청정보의 내용으로 제공하여야 한다.

③ 일반적인 첨부정보 외에 등기원인을 증명하는 정보로 채권담보권설정계약서와 동산·채권 등의 담보에 관한 법률에 따라 채권담보권등기가 되었음을 증명하는 등기사항증명서를 첨부정보로서 제공하여야 한다.

④ 채권담보권의 부기등기를 신청하는 경우에는 국민주택채권은 매입하지 아니한다.

⑤ 채권담보권의 부기등기는 저당권자가 등기의무자가 되고 채권담보권자가 등기권리자가 되어 공동으로 신청하며, 이 경우 저당권자는 법인 또는 부가가치세법에 따라 사업자등록을 한 사람일 필요는 없다.

해설 ⑤ 채권담보권의 부기등기는 **저당권자**가 등기의무자가 되고 **채권담보권자**가 등기권리자가 되어 **공동**으로 **신청**한다. 이 경우 **저당권자**는 **법인** 또는 「부가가치세법」에 따라 **사업자등록을 한 사람**이어야 한다(예규 제1858호).

① 채권담보권의 부기등기를 신청하는 경우 등기의 목적은 "저당권부 채권담보권의 설정"이라 하고, 채권담보권의 목적이 되는 저당권의 표시는 "접수 ○○년 ○○월 ○○일 제○○○호 순위 제○번의 저당권"과 같이 한다(예규 제1858호).

② 채권담보권의 부기등기를 신청하는 경우에는 규칙 제43조에서 정한 일반적인 신청정보 외에 **담보권의 목적인 채권을 담보하는 저당권의 표시**, 채권액 또는 **채권최고액, 채무자의 표시** 및 **변제기와 이자의 약정이 있는 경우에는 그 내용**을 신청정보의 내용으로 등기소에 제공하여야 한다(예규 제1858호).

③ 채권담보권의 부기등기를 신청하는 경우에는 규칙 제46조에서 정한 일반적인 첨부정보 외에 등기원인을 증명하는 정보로 **채권담보권설정계약서**와 「동산·채권 등의 담보에 관한 법률」에 따라 **채권담보권등기가 되었음을 증명하는 등기사항증명서**를 첨부정보로서 등기소에 제공하여야 한다(예규 제1858호).

④ 채권담보권의 부기등기를 신청하는 경우에 **국민주택채권**은 매입하지 **아니**한다(예규 제1858호).

기타등기

제1절 가등기 및 본등기

01 가등기에 관한 다음 설명 중 가장 옳지 않은 것은? ▸ 2024 법무사

① 가등기는 권리의 이전청구권이 시기부 또는 정지조건부인 때에도 할 수 있으므로 사인증여로 인하여 발생한 소유권이전등기청구권을 보전하기 위하여 가등기를 할 수 있다.

② 가등기의 신청은 가등기권리자와 가등기의무자의 공동신청이 원칙이나, 가등기의무자의 승낙이 있을 때에는 가등기권리자가 단독으로 신청할 수 있다.

③ 가등기를 명하는 법원의 가처분명령에 대해서 법원이 가등기촉탁을 하는 때에는 이를 각하하여야 한다.

④ 배우자 명의로 명의신탁한 부동산에 대하여 명의신탁계약의 해지약정에 대한 예약을 하고 장차 명의신탁해지약정의 효력이 발생한 경우 생기는 소유권이전청구권을 보전하기 위한 가등기는 할 수 없다.

⑤ 형식상 매매예약을 등기원인으로 하여 가등기가 되어 있으나, 실제로는 매매예약완결권을 행사할 필요 없이 가등기권리자가 요구하면 언제든지 본등기를 하여 주기로 약정한 경우에는 매매예약완결권을 행사하지 않고서도 본등기를 신청할 수 있으며, 이때에는 별도로 매매계약서를 첨부정보로 제공할 필요가 없다.

해설 ④ **배우자** 명의로 **명의신탁**한 부동산에 대하여 명의신탁 해지 **후의 소유권이전청구권을** 보전하기 위한 가등기를 할 수 있으며, 이 경우 등기원인은 '**명의신탁해지**'가 된다. 나아가 당사자는 명의신탁계약의 해지약정에 대한 예약을 하고 **장차 명의신탁해지약정의 효력이 발생한 경우 생기는 소유권이전청구권을** 보전하기 위한 **가등기를** 할 수도 있는데, 이 경우 등기원인은 '**명의신탁해지약정 예약**'이 될 것이다(선례 제201211-6호).

① **가등기**는 권리의 이전청구권이 **시기부** 또는 **정지조건부**인 때에도 할 수 있으므로, **사인증여로** 인하여 발생한 **소유권이전등기청구권을** 보전하기 위하여 **가등기를** 할 수 **있다**(선례 제6-437호).

② 1. **가등기권리자**는 제23조 제1항(🈴 원칙적 공동신청)에도 불구하고 **가등기의무자의 승낙**이 있거나 **가등기를 명하는 법원의 가처분명령**이 있을 때에는 **단독**으로 **가등기를 신청**할 수 있다(법 제89조).

2. **가등기명의인**은 제23조 제1항(🈴 원칙적 공동신청)에도 불구하고 단독으로 가등기의 말소를 신청할 수 있으며, **가등기의무자** 또는 가등기에 관하여 **등기상 이해관계 있는 자도 가등기명의인의 승낙**을 받아 **단독**으로 **가등기의 말소를 신청**할 수 있다(법 제93조).

③ 1. **가등기를 명하는 가처분명령**은 부동산의 소재지를 관할하는 지방법원이 가등기권리자의 신청으로 가등기 원인사실의 소명이 있는 경우에 할 수 있다(법 제90조 제1항).

2. 「부동산등기법」 제89조의 가등기가처분에 관해서는 「**민사집행법**」**의 가처분**에 관한 규정은 **준용**되지 **않는다**. 따라서 가등기가처분명령을 등기원인으로 하여 **법원**이 **가등기촉탁**을 하는 때에는 이를 **각하**한다(예규 제1632호, 2-나).

⑤ 형식상 매매예약을 등기원인으로 하여 가등기가 되어 있으나, 실제로는 매매예약완결권을 행사할 필요 없이 **가등기권리자가 요구**하면 **언제든지 본등기를 하여 주기로 약정**한 경우에는, **매매예약완결권을 행사하지 않고서도 본등기**를 신청할 수 있으며, 이때에는 **별도로 매매계약서**를 제출할 필요가 **없다**(예규 제1632호, 4-나-(2)).

02 가등기에 관한 다음 설명 중 가장 옳지 않은 것은?

▶ 2023 법무사

① 가등기는 권리의 설정이나 이전 등을 위한 청구권 보전을 위해서 하기 때문에 부동산표시 또는 등기명의인표시의 변경등기를 위해서는 할 수 없다.

② 소유권이전등기청구권보전 가등기에 의하여 본등기를 한 경우 가등기 후 본등기 전에 마쳐진 등기 중 가등기 전에 마쳐진 가압류에 의한 강제경매개시결정등기는 직권말소 대상이 아니다.

③ 甲 명의 부동산에 대하여 乙 명의의 소유권이전청구권보전을 위한 가등기와 丙 명의의 가압류등기가 순차 경료된 후, 乙이 위 가등기에 기한 본등기절차에 의하지 아니하고 甲으로부터 별도의 소유권이전등기를 경료받은 경우 乙의 가등기는 혼동으로 소멸하기 때문에 가등기에 기한 본등기를 할 수 없다.

④ 가등기의 말소를 신청하는 경우에는 가등기명의인의 표시에 변경 또는 경정의 사유가 있는 때라도 변경 또는 경정을 증명하는 정보를 제공한 경우에는 가등기명의인표시의 변경등기 또는 경정등기를 생략할 수 있다.

⑤ 지상권설정등기청구권보전 가등기에 의하여 지상권설정의 본등기를 한 경우 가등기 후 본등기 전에 마쳐진 저당권설정등기는 직권말소의 대상이 되지 아니한다.

해설 ③ 1. **가등기**와 별도의 원인으로 이루어진 **소유권이전등기 사이에 제3자 명의의 처분제한 등기 등 중간등기**가 있는 경우에는 그 **가등기는 혼동으로 소멸하지 않고 유효하게 존속**하게 되므로 이때 가등기권리자는 **다시** 가등기에 의한 **본등기를 할 수 있다**(대판 1988.9.27, 87다카1637).

2. 이 경우 등기관은 가등기 후 본등기 전에 이루어진 **제3자의 처분제한 등기 등**과 함께 가등기권리자 앞으로 마쳐진 **종전 소유권이전등기**도 **직권말소**하여야 할 것이다(「부동산등기실무Ⅲ」 p.76 참조).

3. 소유권이전청구권보전의 **가등기권자가** 가등기에 기한 본등기가 아닌 **별도의 소유권이전등기**를 경료하였다 하더라도 가등기 후 그 소유권이전등기 전에 **중간처분에 따른 등기가 있다면**, 그 **가등기는 여전히 유효하게 존속**된다 할 것이므로, 갑 명의 부동산에 대하여 을 명의의 소유권이전청구권보전을 위한 가등기와 병 명의의 전세권설정등기, 무 명의의 근저당권설정등기가 순차 경료된 후, 을이 위 가등기에 기한 본등기절차에 의하지 아니하고 갑으로부터 별도의 소유권이전등기를 경료받은 다음에 **다시 그 가등기에 기한 본등기를 경료받는 경우**에는, 을의 가등기 후 본등기 전에 경료된 **제3자 명의의 각 등기**는 등기관이 **직권**으로 **말소**하여야 할 것이다(선례 제5-581호).

정답 **01** ④ **02** ③

① 1. 가등기는 **제3조 각 호**의 어느 하나에 해당하는 **권리(⬤ 표시×)**의 (⬤ **보존×**) 설정, 이전, 변경 또는 소멸의 **청구권**을 보전하려는 때에 한다. 그 청구권이 시기부 또는 정지조건부일 경우나 그 밖에 장래에 확정될 것인 경우에도 같다(법 제88조).

    2. 그러나 **부동산표시** 또는 **등기명의인표시**의 **변경등기 등**은 권리의 변경을 가져오는 것이 아니고 등기명의인의 **단독신청으로 행해지는 것으로서 청구권의 개념이 있을 수 없**으므로 **가등기를 할 수 없다**(「부동산등기실무Ⅲ」 p.47 참조).

② 소유권이전등기청구권보전 가등기에 의하여 소유권이전의 본등기를 한 경우 **가등기 전**에 마쳐진 **가압류에 의한 강제경매개시결정등기는 직권**으로 **말소하지 않는다**(법 제147조 제1항, 예규 제1632호, 5-가-(1)).

④ **가등기의 말소**를 신청하는 경우에는 가등기명의인의 표시에 변경 또는 경정의 사유가 있는 때라도 신청서에 그 변경 또는 경정을 증명하는 서면을 첨부함으로써 **가등기명의인표시의 변경등기** 또는 **경정등기를 생략**할 수 있다(예규 제1632호, 6-나-1)).

⑤ **지상권, 전세권** 또는 **임차권**설정청구권 보전을 위한 **가등기**에 의하여 본등기를 한 경우에 본등기 전에 마쳐진 **다음의 등기**는 위 본등기와 **양립할 수 있**으므로 **직권말소**할 수 **없다**(법 제148조 제2항, 예규 제1632호, 5-나-2)).

1. **소유권에 관한 등기**
   (1) 소유권이전등기
   (2) 소유권이전청구권가등기
   (3) 가압류 및 가처분 등 처분제한의 등기
   (4) 체납처분으로 인한 압류등기
2. **저당권**설정등기
3. **가등기가 되어 있지 않은 부분**에 대한 지상권, 지역권, 전세권 또는 임차권의 설정등기와 주택임차권등기 등

03 가등기에 관한 다음 설명 중 가장 옳지 않은 것은?

▸ 2021 법무사

① 소유권이전등기청구권의 효력이 시기부 또는 정지조건부일 경우나 그 밖에 장래에 확정될 것인 경우에도 가등기를 설정할 수 있다.

② 소유권이전등기청구권보전 가등기에 의하여 소유권이전의 본등기를 한 경우 가등기 후 본등기 전에 마쳐진 해당 가등기상 권리를 목적으로 하는 가압류등기는 등기관이 직권으로 말소하여야 한다.

③ 담보가등기에 기한 본등기를 신청할 때에는 통상적인 첨부정보 외에 청산금평가통지서 또는 청산금이 없다는 뜻의 통지서가 도달하였음을 증명하는 정보와 청산금이 있는 경우에는 청산기간경과 후에 청산금을 채무자에게 지급 또는 공탁하였음을 증명하는 정보를 제공하여야 한다.

④ 가등기 후 본등기 전에 제3자에게 소유권이 이전된 경우 본등기 신청의 등기의무자는 가등기를 할 때의 소유자이다.

⑤ 대법원 판례에 따르면 당해 가등기가 담보 가등기인지 여부는 당해 가등기가 실제상 채권담보를 목적으로 한 것인지 여부에 의하여 결정되는 것이지 당해 가등기의 등기부상 원인이 매매예약으로 기재되어 있는지 아니면 대물변제예약으로 기재되어 있는가 하는 형식적 기재에 의하여 결정되는 것은 아니라고 한다.

(해설) ② 소유권이전등기청구권보전 가등기에 의하여 소유권이전의 본등기를 한 경우 가등기 후 본등기 전에 마쳐진 **해당 가등기상 권리를 목적**으로 하는 가압류등기나 가처분등기 등은 등기관이 직권으로 말소하지 않는다(법 제147조 제1항, 예규 제1632호, 5-가-1)).

① 법 제88조

③ **담보가등기에 의한 본등기**를 신청할 경우에는 판결에 의하여 본등기를 신청하는 경우를 제외하고는 **청산절차를 거쳤음을 증명**하기 위하여 청산금 평가통지서 또는 청산금이 없다는 통지서가 도달하였음을 증명하는 정보와 「가등기담보 등에 관한 법률」 제3조에서 정하고 있는 청산기간이 경과한 후에 청산금을 채무자에게 지급(공탁)하였음을 증명하는 정보(청산금이 없는 경우는 제외한다)를 첨부서면으로서 등기소에 제공하여야 한다(선례 제201405-1호).

④ 예규 제1632호, 4-가-(1)

⑤ **당해 가등기가 담보 가등기인지 여부**는 당해 가등기가 실제상 채권담보를 목적으로 한 것인지 여부에 의하여 결정되는 것이지 당해 가등기의 등기부상 원인이 매매예약으로 기재되어 있는지 아니면 대물변제예약으로 기재되어 있는가 하는 형식적 기재에 의하여 결정되는 것이 아니다(대결 1998.10.7, 98마1333).

---

04 가등기를 명하는 법원의 가처분명령(이 문제에서 "가등기가처분명령"이라 한다)에 따른 가등기에 관한 다음 설명 중 가장 옳지 않은 것은? ▶ 2021 법무사

① 가등기가처분명령을 등기원인으로 하여 법원이 가등기촉탁을 한 경우 등기관은 다른 각하사유가 없는 한 이를 수리하여야 한다.

② 가등기가처분명령에 의하여 마쳐진 가등기의 효력은 일반적인 가등기의 효력과 아무런 차이가 없으므로, 이러한 명령에 의하여 마쳐진 근저당권설정등기청구권 보전 가등기의 경우에도 그 이전등기를 할 수 있다.

③ 가등기가처분명령에 의하여 이루어진 가등기는 통상의 가등기 말소절차에 따라야 하며, 민사집행법에서 정한 가처분 이의의 방법으로 가등기의 말소를 구할 수 없다.

④ 가등기가처분명령은 부동산의 소재지를 관할하는 지방법원이 가등기권리자의 신청으로 가등기 원인사실의 소명이 있는 경우에 할 수 있다.

⑤ 가등기가처분명령에 의한 가등기 후에 마쳐진 제3자 명의의 소유권이전등기는 위 가등기에 기한 본등기가 이루어지면 가등기의 순위보전의 효력과 물권의 배타성에 의하여 등기관이 직권으로 말소하여야 한다.

정답 ▶ **03** ② **04** ①

해설 ① 「부동산등기법」 제89조의 가등기가처분에 관해서는 **「민사집행법」의 가처분**에 관한 규정은 준용되지 **않**는다. 따라서 가등기가처분명령을 등기원인으로 하여 법원이 가등기**촉탁**을 하는 때에는 이를 **각하**한다(예규 제1632호, 2-나-(1)).
② 법원의 **가등기가처분결정**에 의하여 경료된 가등기의 효력은 일반적인 가등기의 효력과 아무런 차이가 없으므로, 법원의 가등기가처분결정에 의하여 경료된 **근저당권설정**등기청구권 가등기의 경우에도 부기등기의 형식으로 **이전등기**를 할 수 **있**으며, 그 가등기에 의하여 보전된 근저당권설정등기청구권의 일부 이전의 부기등기도 할 수 있을 것이다(선례 제5-574호).
③ 예규 제1632호, 6-라
④ 법 제90조 제1항
⑤ 법 제92조

05 가등기에 의한 본등기에 관한 다음 설명 중 가장 옳지 않은 것은?

▸ 2025 법무사

① 공유토지의 일부 공유자 지분에 관하여 그 지분이전청구권 보전의 가등기가 마쳐지고 이어서 토지 전부에 관하여 지상권설정등기가 마쳐진 후 가등기에 의한 지분이전의 본등기를 하는 경우에는 지상권설정등기는 그 전부를 직권말소하여야 한다.
② 토지 전부에 대한 지상권설정등기청구권보전 가등기에 의하여 본등기를 한 경우 가등기 후 본등기 전에 마쳐진 전세권설정등기는 직권말소 대상이다.
③ 임차권설정등기청구권보전 가등기에 의하여 본등기를 한 경우 가등기 후 본등기 전에 마쳐진 근저당권설정등기는 직권말소 대상이 아니다.
④ 근저당권설정등기청구권보전 가등기에 의하여 본등기를 한 경우 가등기 후 본등기 전에 마쳐진 제3자 명의의 등기는 직권말소 대상이 아니다.
⑤ 소유권이전등기청구권보전 가등기에 의하여 본등기를 한 경우 가등기 후 본등기 전에 마쳐진 임의경매개시결정등기가 가등기 전에 마쳐진 전세권에 의한 등기인 경우에는 직권말소 대상이다.

해설 ⑤ **소유권이전등기청구권보전 가등기**에 의하여 소유권이전의 **본등기**를 한 경우에는 법 제92조 제1항에 따라 **가등기 후 본등기 전에 마쳐진 등기** 중 **다음 각 호의 등기를 제외**하고는 **모두 직권**으로 **말소**한다(규칙 제147조 제1항).

> 1. **해당 가등기상 권리를 목적**으로 하는 **가압류**등기나 **가처분**등기
> 2. **가등기 전**에 마쳐진 **가압류**에 의한 **강제경매개시결정등기**
> 3. **가등기 전** 마쳐진 **담보가등기, 전세권** 및 **저당권**에 의한 **임의경매개시결정등기**
> 4. **가등기권자에게 대항할 수 있는 주택임차권**등기, 주택임차권설정등기, 상가건물임차권등기, 상가건물임차권설정등기(이하 "주택임차권등기 등"이라 한다)

① **소유권이전등기청구권 보전 가등기**에 의하여 소유권이전의 **본등기**를 한 경우 가등기 후 본등기 전에 이루어진 (ⅰ) **소유권이전등기** (ⅱ) **근저당권 등 제한물권**의 설정등기는 등기관이 **직권**으로 모두 **말소**하여야 한다.
다만 공유토지의 일부 공유자 **지분**에 관하여 **그 지분이전청구권 보전의 가등기**가 마쳐진 후 본등

기 전에 **제한물권**이 설정된 경우에는 그 중간등기가 (i) 지상권 등 용익물권인 경우 (ii) 근저당권인 경우에 따라 다음과 같은 차이가 있다(「부동산등기실무Ⅲ」 p.79).

> 1. **용익물권** : 토지 전부에 관하여 지상권 등 용익물권의 설정등기가 마쳐진 후 가등기에 의한 지분이전의 본등기를 하는 경우에는, **용익물권은 지분에 대하여는 존속할 수 없는 권리**이므로 그 **전부**를 **직권말소**하여야 한다(선례 제2-551호).
> 2. **담보물권** : 근저당권은 **지분 위에 존속할 수 있으므로** 근저당권이 담보하는 범위를 **일부말소 의미의 경정등기**로 **축소**하여야 한다.

② **지상권, 전세권** 또는 **임차권**설정청구권 보전을 위한 **가등기**에 의하여 본등기를 한 경우에 본등기 전에 마쳐진 **다음 각 호의 등기(동일한 부분**에 마쳐진 등기로 **한정**한다)는 **직권**으로 **말소**한다(법 제148조 제1항, 예규 제1632호).

> 1. **지상권**설정등기
> 2. **지역권**설정등기
> 3. **전세권**설정등기
> 4. **임차권**설정등기
> 5. **주택임차권**등기 등
> 다만, 가등기권자에게 대항할 수 있는 임차인 명의의 등기는 그러하지 아니하다. 이 경우 가등기에 의한 본등기의 신청을 하려면 먼저 대항력 있는 주택임차권등기등을 말소하여야 한다.

③ **지상권, 전세권** 또는 **임차권**설정청구권 보전을 위한 **가등기**에 의하여 본등기를 한 경우에 본등기 전에 마쳐진 **다음의 등기**는 위 본등기와 **양립할 수 있으므로 직권말소**할 수 **없다**(법 제148조 제2항, 예규 제1632호).

> 1. **소유권에 관한 등기**
>   (1) 소유권이전등기
>   (2) 소유권이전청구권가등기
>   (3) 가압류 및 가처분 등 처분제한의 등기
>   (4) 체납처분으로 인한 압류등기
> 2. **저당권**설정등기
> 3. **가등기가 되어 있지 않은 부분**에 대한 지상권, 지역권, 전세권 또는 임차권의 설정등기와 주택임차권등기 등

④ **(근)저당권설정등기청구권보전가등기에 기하여 (근)저당권설정의 본등기를 한 경우**에는 가등기에 후에 경료된 제3자명의의 등기는 저당권설정의 본등기와 양립할 수 있으므로 **직권말소**할 수 **없다**(법 제148조 제3항, 예규 제1632호).

정답 **05 ⑤**

제2절 처분제한

01 **처분제한 등기에 관한 다음 설명 중 가장 옳지 않은 것은?** ▶ 2022 법무사

① 건물을 증축하거나 부속건물을 신축하고 아직 그 표시변경등기를 하지 아니한 건물에 대하여 집행법원에서 처분제한의 등기를 촉탁하면서 건축물대장과 도면(증축 또는 신축된 것)을 첨부하여 표시변경등기 촉탁을 하였더라도 등기관은 이를 수리할 수 없다.

② 가처분의 피보전권리가 지상권설정등기청구권으로 소유명의인을 가처분채무자로 하는 경우에는 그 가처분등기를 등기기록 중 을구에 한다.

③ 미등기부동산에 대한 처분제한 등기의 촉탁에 의하여 등기관이 직권으로 소유권보존등기를 하는 경우에는 국민주택채권을 매입하지 않았다고 하여 그 촉탁을 각하할 수 없다.

④ 국세징수법에 따른 공매공고 등기는 공매를 집행하는 압류등기의 부기등기로 하고, 납세담보로 제공된 부동산에 대한 공매공고 등기는 갑구에 주등기로 실행한다.

⑤ 가처분권리자가 피상속인과의 원인행위에 의한 권리의 이전·설정의 등기청구권을 보전하기 위해 상속인들을 상대로 처분금지가처분신청을 하여 집행법원이 인용하고 피상속인 명의의 부동산에 대해 상속관계를 표시하여(등기의무자를 "망 ○○○의 상속인 ○○○" 등) 가처분등기 촉탁을 한 경우 상속등기를 거침이 없이 가처분등기를 할 수 있다.

> **해설** ② 등기관이 **가처분**등기를 할 때에는 가처분의 **피보전권리**와 **금지사항**을 **기록**하여야 한다. 가처분의 **피보전권리가 소유권 이외의 권리설정등기청구권**으로서 **소유명의인을 가처분채무**자로 하는 경우에는 그 가처분등기를 **등기기록 중 갑구**에 한다(규칙 제151조).
>
> ① 건물의 증축 또는 부속건물을 신축하고 아직 그 표시변경등기를 하지 아니한 건물에 대하여 집행법원에서 처분제한의 등기를 촉탁하면서 가옥대장과 도면(증축 또는 신축된 것)을 첨부하여 표시변경등기 촉탁을 하였더라도 건물표시변경은 촉탁으로 할 수 있는 것이 아니기 때문에 채권자가 미리 대위로 표시 변경을 아니하는 한 이를 수리할 수 없다 할 것이다(예규 제441호).
>
> ③ 1. 미등기부동산에 대한 처분제한 등기의 촉탁에 의하여 등기관이 **직권**으로 소유권**보존**등기를 완료한 때에는 납세지를 관할하는 지방자치단체장에게 「지방세법」 제22조 제1항에 따른 **취득세 미납 통지** 또는 「지방세법」 제33조에 따른 **등록면허세 미납 통지**(「지방세법」 제23조 제1호 다목, 라목에 해당하는 등록에 대한 등록면허세를 말한다. 이하 6.에서 같다)**를 하여야** 하고, 이 경우 소유자가 보존등기를 신청하는 것이 아니므로(「주택도시기금법」 제8조 참조) **국민주택채권**도 매입할 필요가 **없다**(예규 제1744호, 6-가).
>
> 2. 채권자가 채무자를 **대위**하여 소유권보존등기를 **신청**하는 경우에는 본래의 신청인인 채무자가 신청하는 경우와 다르지 않으므로 **채권자가 등록면허세를 납부**하여야 하고, 등기하고자 하는 부동산이 토지인 경우에는 **국민주택채권**도 **매입**하여야 한다(예규 제1744호, 6-나).
>
> ④ **공매공고 등기는 공매를 집행하는 압류등기의 부기등기로** 한다. **납세담보로 제공된 부동산에 대한 공매공고 등기는 갑구에 주등기로** 실행한다(예규 제1500호, 제5조).
>
> ⑤ 가처분권리자가 **피상속인과의 원인행위**에 의한 **권리의 이전·설정의 등기청구권을 보전**하기 위하여 **상속인들을 상대**로 처분금지**가처분**신청을 하여 집행법원이 이를 인용하고, 피상속인 소유 명의의 부동산에 관하여 상속관계를 표시하여(등기의무자를 '망 ○○○의 상속인 ○○○' 등으로

표시함) **가처분기입등기를 촉탁**한 경우에는 **상속등기를 거침이 없**이 **가처분**기입등기를 할 수 있다(예규 제881호)(🔢 **법 제27조 적용**○).

02 가처분등기에 관한 다음 설명 중 가장 옳지 않은 것은?

▶ 2023 법무사

① 사해행위취소로 인한 원상회복청구권을 피보전권리로 하여 처분금지가처분등기가 되고 그 후 근저당권설정등기가 경료된 상태에서 가처분채권자가 본안사건에서 소유권이전등기나 소유권이전등기의 말소를 명하는 판결이 아닌 가액배상을 명하는 판결을 받았다면 그 판결로는 소유권이전등기나 소유권이전등기의 말소를 신청할 수 없으므로 가처분등기 이후에 경료된 근저당권설정등기의 말소도 신청할 수 없다.

② "피고가 원고를 상대로 한 가처분집행은 해제키로 한다."는 내용의 조정이 성립된 경우에는 가처분채무자인 원고는 위 조정조서에 의하여 직접 등기소에 가처분등기의 말소등기를 신청할 수는 없고 집행법원의 촉탁에 의하여 말소하여야 한다.

③ 1필지 토지의 특정된 일부분에 대한 가처분등기는 할 수 없으므로 바로 분할등기가 될 수 있다는 등 특별한 사정이 없으면 1필지 토지 전부에 대한 가처분등기를 할 수 밖에 없다.

④ 처분금지가처분에 기하여 전세권설정등기를 하는 경우 그 가처분등기 이후에 마쳐진 제3자 명의의 저당권등기는 말소하지 아니한다.

⑤ 선행 가처분과 후행 가처분의 피보전권리가 모두 소유권이전등기 말소등기청구권 및 근저당권설정등기 말소등기청구권인 경우, 확정판결을 받은 후행 가처분채권자가 말소등기신청을 할 때에 선행 가처분채권자의 승낙 또는 이에 대항할 수 있는 재판의 등본을 첨부정보로 제공할 필요는 없다.

> 해설 ⑤ 1. **선행 가처분**과 **후행 가처분**의 피보전권리가 모두 소유권이전등기 **말소등기청구권** 및 근저당권설정등기 말소등기청구권인 경우, 확정판결을 받은 **후행 가처분채권자의 말소등기신청**이 비록 선행 가처분채권자의 피보전권리를 침해하는 것이 아니라 오히려 그 피보전권리에 부합하는 것이라 하더라도 **선행 가처분채권자**는 권리의 목적인 등기가 말소됨에 따라 **손해를 입을 우려가 있는 등기상의 권리자**로서 그 손해를 입을 우려가 있다는 것이 등기부 기재에 의하여 형식적으로 인정되는 자이므로 말소등기신청서에 **선행 가처분채권자의 승낙서** 또는 이에 대항할 수 있는 **재판**의 등본을 **첨부하여야** 한다(선례 제201106-2호).
>
> 2. 동일한 근저당권의 **말소등기청구권**을 피보전권리로 한 처분금지**가처분**등기가 **여러 건** 경료된 경우 **선순위 가처분권리자**가 본안사건에서 승소하고 그 확정판결의 정본을 첨부하여 **근저당권말소등기를 신청**하면 등기관은 근저당권설정등기를 말소함과 동시에 당해 가처분등기 및 후순위 가처분등기를 직권으로 말소하는 바, 이때 **후순위 가처분권리자들**의(🔢 선행가처분채권자에게 대항할 수 없으므로 말소될 운명이지 등기상 이해관계인이 아님) **승낙서를 첨부할 필요가 없다**(선례 제200808-1호).

정답 ▶ **01 ②   02 ⑤**

① 1. 처분금지가처분등기가 경료된 후 가처분채권자가 본안사건에서 승소한 경우 그 승소판결에 의한 소유권이전등기(말소)신청과 동시에 가처분채권자에게 대항할 수 없는 등기의 말소도 단독으로 신청할 수 있으나, 이 경우의 **본안사건은 소유권이전등기**나 그 등기의 **말소를 명**하는 **판결**이어야 한다.

2. 따라서 사해행위취소로 인한 원상회복청구권을 피보전권리로 하여 처분금지가처분등기가 되고 그 후 근저당권설정등기가 경료된 상태에서 가처분채권자가 본안사건에서 소유권이전등기나 소유권이전등기의 말소를 명하는 판결이 아닌 **가액배상을 명하는 판결**을 받았다면 그 판결로는 소유권이전등기나 소유권이전등기의 말소를 신청할 수 없으므로 **가처분등기 이후**에 경료된 근저당권설정등기의 **말소**도 신청할 수 **없다**(선례 제201112-1호).

② '피고가 원고를 상대로 한 **가처분집행은 해제**키로 한다'는 내용의 **조정이 성립**되었으나 가처분채권자인 피고가 가처분집행을 해제하지 않는 경우에, 가처분채무자인 원고가 그 조정조서에 의하여 가처분등기 말소신청을 할 수는 없고, 집행법원에 가처분집행의 취소를 구하는 신청을 하여 집행법원의 **촉탁**에 의하여 가처분등기를 **말소**할 수 있을 것이다(선례 제6-491호).

③ 등기부상 1필지 토지의 **특정된 일부분**에 대한 처분금지가처분등기는 할 수 없으므로, 1필지 토지의 특정 일부분에 관한 소유권이전등기청구권을 보전하기 위하여는 바로 분할등기가 될 수 있다는 등 특별한 사정이 없으면 그 1필지 토지 **전부**에 대한 처분금지가처분결정에 기한 등기촉탁에 의하여 그 1필지 토지 전부에 대한 처분금지**가처분**등기를 **할 수 밖에** 없다(예규 제881호, 4, 대판 1975.5.27, 75다190).

④ 처분금지**가처분**에 의하여 부동산의 **사용·수익을 목적으로 하는 소유권 외의 권리(지상권, 전세권, 임차권**, 주택임차권, 상가건물임차권, 다만 지역권은 제외)의 설정등기를 하는 경우 **다음의 등기**는 위 가처분권자의 등기와 **양립할 수 있으므로 신청말소**할 수 **없다**(규칙 제153조 제1항, 예규 제1691호, 3-나-(1)).

1. **소유권에 관한 등기**
   (1) 소유권이전등기
   (2) 소유권이전청구권가등기
   (3) 가압류 및 가처분 등 처분제한의 등기
   (4) 체납처분으로 인한 압류등기
2. **저당권**설정등기
3. **가처분등기가 되어 있지 않은 부분**에 대한 지상권, 지역권, 전세권 또는 임차권의 설정등기와 주택임차권등기 등

03 A 부동산에 관하여 처분금지 가처분채권자 甲이 본안사건에서 승소하여 그 확정판결의 정본을 첨부하여 소유권이전등기신청을 하고자 한다. A 부동산 등기기록에는 가처분등기 이후에 제3자인 乙명의의 소유권이전등기와 가압류권자 丙에 의한 강제경매개시결정등기(이하 '경매개시결정등기'라 한다)가 기록되어 있다. 등기신청에 관한 다음 설명 중 가장 옳은 것은?
▸ 2024 법무사

① 甲이 소유권이전등기를 신청할 때에는 반드시 乙명의의 소유권이전등기의 말소신청을 단독으로 동시에 하여야 하며, 등기관은 A 부동산 등기기록이 이기된 것이라 하더라도 현재 유효한 등기기록만을 근거로 소유권이전등기의 말소 가능 여부(가처분등기에 우선하는 권리에 기한 것인지 여부)를 조사하면 된다.

② 丙의 경매개시결정등기도 甲의 소유권이전등기신청 시 단독으로 말소신청을 동시에 하여야 하나, 그 경매개시결정등기가 가처분등기 이전에 마쳐진 가압류에 의한 경우에는 소유권이전등기신청만 수리하고 경매개시결정등기 말소는 신청이 있더라도 수리하지 않는다.

③ 丙의 경매개시결정등기가 가처분등기보다 이후의 원인으로 마쳐진 경우에, 甲이 가처분에 기한 소유권이전등기만 신청하고 경매개시결정등기에 대한 말소신청을 동시에 하지 않았다면 추후에 말소등기신청은 할 수 없다.

④ 등기관이 가처분채권자 甲의 단독신청에 의하여 가처분등기 이후의 등기를 말소하였을 때에는 직권으로 당해 가처분등기를 말소하여야 하나, 가처분등기 이후의 등기가 없는 경우로서 甲이 가처분채무자를 상대로 소유권이전등기만 하였다면 당해 가처분등기는 법원의 촉탁에 의하여 말소한다.

⑤ 가처분채권자 甲이 가처분에 기한 것이라는 소명자료를 첨부하여 가처분채무자와 공동으로 소유권이전등기를 신청한 경우에도 가처분등기에 대항할 수 없는 권리에 관한 말소신청을 할 수 있으나, 말소된 권리의 등기명의인에게 말소등기통지를 생략할 수 있다.

해설 ② **가처분등기 전**에 마쳐진 **가압류에 의한 강제경매개시결정등기**와 가처분등기 전에 마쳐진 담보가등기, 전세권 및 저당권에 의한 임의경매개시결정등기 및 가처분채권자에 대항할 수 있는 임차인 명의의 주택임차권등기, 주택임차권설정등기, 상가건물임차권등기 및 상가건물임차권설정등기 등이 있는 경우에는 이를 **말소하지 아니하고 가처분채권자의 소유권이전등기**를 하여야 한다(🔘 소유권 외의 권리는 소유권과 양립할 수 있으므로 가처분 후의 말소할 수 없는 소유권 이외의 권리의 등기가 있다면 이를 인수하여 말소하지 않고 가처분에 기한 소유권이전등기신청을 수리할 수 있다)(예규 제1690호, 1-나-(2)).

① 처분등기 이후에 **경료된 제3자 명의의 소유권이전등기가 가처분등기에 우선**하는 저당권 또는 압류에 기한 경매절차에 따른 **매각을 원인으로 하여 이루어진 것인 때**에는 가처분채권자의 말소신청이 있다 하더라도 이를 **말소할 수 없는 것**이므로, 그러한 말소신청이 있으면 **경매개시결정의 원인이 가처분등기에 우선하는 권리에 기한 것인지 여부를 조사**(새로운 등기기록에 **이기된 경우**에는 **폐쇄등기기록 및 수작업 폐쇄등기부까지 조사**)하여, 그 소유권이전등기가 가처분채권자에 **우선하는 경우**에는 가처분채권자의 등기신청(🔘 **제3자 명의의 소유권이전등기의 말소신청과 가처분**

정답 **03** ②

에 기한 소유권이전등기신청)을 **전부 수리**하여서는 **아니** 된다(웹 소유권은 양립할 수 없으므로 가처분 후의 소유권이전등기를 말소할 수 없다면 가처분에 기한 소유권이전등기신청도 수리할 수 없다)(예규 제1690호, 1-가-(2)).

③ 1. **가처분채권자가** 그 가처분에 기한 **소유권이전등기만 하고** 가처분등기 이후에 경료된 **제3자 명의의 소유권 이외의 등기의 말소를 동시에 신청하지 아니**하였다면 그 소유권이전등기가 가처분에 기한 소유권이전등기였다는 **소명자료를 첨부**하여 **다시** 가처분등기 이후에 경료된 **제3자 명의의 등기의 말소를 신청**하여야 한다.

2. 따라서 부동산처분금지**가처분**등기 후 **제3자가 근저당권설정등기를** 하고 **가처분권리자가** 그 부동산의 **소유권이전등기를 구하는 본안소송에서 승소**하여 그 확정판결에 기한 **소유권이전등기를 신청**할 때에는 위 **제3자명의의 근저당권설정등기의 말소신청도 동시에** 하여 그 근저당권설정등기를 말소하고 소유권이전등기를 **하여야 하나**, 가처분에 기한 **소유권이전등기만** 하고 **근저당권설정등기는 말소되지 않은 상태**에서 가처분등기가 법원의 촉탁에 의하여 말소된 경우에도, **가처분채권자는** 그 소유권이전등기가 **가처분에 기한 소유권이전등기였다는 소명자료를 첨부**하여 **다시 제3자 명의의 근저당권설정등기를 말소신청할 수 있다**(선례 제3-771호).

④ 1. 「민사집행법」 제305조 제3항에 따라 권리의 이전, 말소 또는 설정등기청구권을 보전하기 위한 처분금지가처분등기가 된 후 **가처분채권자가** 가처분채무자를 등기의무자로 하여 권리의 이전, 말소 또는 설정의 **등기를 신청**하는 경우에는, 대법원규칙으로 정하는 바에 따라 **그 가처분등기 이후에 된 등기로서 가처분채권자의 권리를 침해하는 등기의 말소를 단독으로 신청**할 수 있다(법 제94조 제1항).

2. 등기관이 제1항의 신청에 따라 **가처분등기 이후의 등기를 말소할 때에는 직권**으로 그 **가처분등기도 말소**하여야 한다. **가처분등기 이후의 등기가 없는 경우**로서 가처분채무자를 등기의무자로 하는 권리의 이전, 말소 또는 설정의 등기만을 할 때에도 또한 같다(웹 가처분등기 직권말소)(법 제94조 제2항).

⑤ **가처분채권자가 가처분에 기한 것이라는 소명**자료를 첨부하여 **가처분채무자와 공동**으로 (웹 가처분에 기한) 소유권이전등기 또는 소유권말소등기를 신청하는 경우의 당해 가처분등기 및 그 가처분등기 이후에 경료된 제3자 명의의 등기의 말소에 관하여도 **제1항 및 제2항의 절차**(웹 **가처분에 저촉되는 등기의 말소도 함께 신청할 수 있음**)에 의한다(예규 제1690호, 3). 이러한 경우에도 **말소된 권리의 등기명의인**에게 **말소등기통지를 하여야** 한다.

04 **가압류 등기에 관한 다음 설명 중 가장 옳지 않은 것은?** ▸2022 법무사

① 합유자 중 1인의 지분에 대한 가압류등기는 할 수 없으므로 위 촉탁이 있는 경우 이를 각하하여야 하나 합유지분에 대하여 가압류등기가 이미 마쳐져 있다면 등기관은 위 등기를 직권말소할 수 없다.

② 등기관은 촉탁에 의하여 가압류등기를 하는 경우 다수의 채권자 전부를 등기기록에 채권자로 기록하여야 하며, 채권자 ○○○ 외 ○○인과 같이 채권자 일부만을 기록하여서는 아니 되며, 채권자가 선정당사자인 경우에도 선정자 목록에 의하여 채권자 전부를 등기기록에 채권자로 기록하여야 한다.

③ 다수의 채권자 중 일부 채권자의 해제신청에 의한 변경등기 촉탁이 있는 경우에는 ○번 ○○변경, 접수 ○○○○년 ○월 ○일 제○○○호, 원인 ○○○○년 ○월 ○일 일부채권자 해제로 한 변경등기를 하고, 이 경우 등기촉탁서에 가압류의 청구금액의 변경이 포함되어 있을 때에는 청구금액의 변경등기도 하여야 한다.

④ 가압류등기가 가압류법원의 말소촉탁 외의 사유로 말소된 경우 등기관은 지체 없이 그 뜻을 집행법원에 통지하여야 한다.

⑤ 소유권이전등기청구권에 대한 가압류등기는 그 청구권이 가등기된 때에 한하여 부기등기의 방법으로 할 수 있다.

해설 ① 1. **합유지분의 처분**은 등기기록상으로 **지분의 이전등기하는 모습으로 구현되는 것이 아니라** 합유**명의인변경등기의 형식**으로 구현된다.

2. 따라서 합유관계가 존속하는 한 **합유지분의 이전등기**는 **허용되지 않는다**.

3. 마찬가지로 합유**지분의 이전을 초래**하는 소유권이전청구권**가등기**, **가압류**등기, **압류**등기, **경매개시결정등기**, **근저당권설정** 등은 할 수 **없다**(법 제29조 제2호, 규칙 제52조 제10호, 선례 제6-436호, 제7-243호, 제3-560호, 제6-497호, 제6-498호). 이는 다른 합유자의 동의를 받은 경우에도 마찬가지이다.

4. 따라서 **합유자 중 1인의 지분**에 대한 **가압류**등기는 **사건이 등기할 것이 아닌 경우**에 해당하므로 법 **제29조 제2호**에 따라 **각하**하여야 한다.

5. 만약 합유지분에 대하여 가압류등기가 **이미 마쳐져 있다면** 등기관은 법 **제58조**에 따라 **직권말소**한다.

② **가압류·가처분**등기 또는 **경매개시결정등기의** 촉탁이 있는 경우 등기관은 촉탁에 의하여 위 가압류등기 등을 하는 경우 **다수의 채권자 전부**를 등기기록에 채권자로 **기록**하여야 하며, 채권자 ○○○ 외 ○○인과 같이 채권자 **일부만을 기록**하여서는 **아니** 된다. **채권자가 선정당사자인 경우에도** 선정자 목록에 의하여 **채권자 전부**를 등기기록에 채권자로 **기록**하여야 한다(예규 제1358호, 2).

③ 다수의 채권자 중 **일부 채권자의 해제신청**에 의한 변경등기 촉탁이 있는 경우에는 ○번 ○○변경, 접수 ○○○○년 ○월 ○일 제○○○호, 원인 ○○○○년 ○월 ○일 **일부채권자 해제로 한 변경등기**를 하고, 이 경우 등기촉탁서에 가압류의 청구금액이나 가처분할 지분의 변경이 포함되어 있을 때에는 청구금액 또는 가처분할 지분의 변경등기도 하여야 한다(예규 제1358호, 4-가).

④ **가압류등기, 가처분등기, 경매개시결정등기, 주택임차권등기 및 상가건물임차권등기**가 **집행법원의 말소촉탁 이외의 사유(본등기, 매각, 공매 등)로 말소**된 경우 등기관은 지체 없이 그 뜻을 아래 양식에 의하여 **집행법원에 통지**하여야 한다(예규 제1368호).

정답  **04** ①

⑤ **등기이전청구권**은 등기된 때(부동산등기법 제3조의 규정에 의하여 그 청구권이 **가등기된 때)에 한하여 부기**등기의 방법에 의하여 **가압류**의 등기를 할 수 **있으므로**, 가처분등기의 피보전권리가 소유권이전등기청구권이라고 하더라도 '**가처분소유권이전등기청구권가압류등기**'는 등기할 것이 **아니**다(선례 제200610-10호).

05 경매에 관한 등기에 대한 다음 설명 중 가장 옳지 않은 것은?

▶ 2025 법무사

① 경매개시결정등기 전에 마쳐진 제3자 명의의 가등기의 경우 그보다 앞선 선순위로서 매각에 의하여 소멸되는 담보권에 관한 등기가 존재하는 경우에는 말소대상이 된다.

② 가압류등기 후에 제3자에게 소유권이 이전된 후 가압류채권자가 집행권원을 얻어 경매신청을 하여 그 등기의 촉탁을 하는 경우 촉탁서에 가압류 당시의 소유명의인을 등기의무자로 표시하였더라도 그 촉탁을 수리하여야 한다.

③ 대지권등기가 마쳐진 구분건물에 대한 매각허가 결정에 대지에 대한 표시가 없고 전유부분만 기재된 경우 전유부분만에 대한 소유권이전등기 촉탁은 할 수 없으므로 전유부분만에 대한 소유권이전등기를 실행하기 위하여는 대지권변경(대지권말소)등기가 선행되어야 한다.

④ 공유부동산에 대한 경매개시결정등기가 마쳐지고, 경매절차에서 일부 공유자가 매수인이 된 경우에는 경매개시결정등기의 말소촉탁 및 매수인이 인수하지 않는 부담기입의 말소촉탁을 하되 소유권이전등기촉탁은 위 매수인의 지분을 제외한 나머지 지분에 대한 공유지분이전등기 촉탁을 한다.

⑤ 매각대금이 완납된 경우에도 경매개시결정등기의 말소등기는 집행법원의 촉탁에 따르나, 매각을 원인으로 한 소유권이전등기와 함께 이루어질 필요는 없으므로 이전등기를 하지 않고서도 경매개시결정등기만을 말소할 수 있다.

> **해설** ⑤ 경매절차에서 경락대금이 완납된 경우 경매신청기입등기의 말소등기는 집행법원의 촉탁에 의하여 경락을 원인으로 한 소유권이전등기와 함께 이루어져야 하는 것이므로, 임의경매절차에서 경락대금이 납부된 후 경료된 소유권이전등기를 말소함과 동시에 **경락이전등기를 하지 아니**하고서는 **임의경매신청기입등기만을 말소**할 방법은 **없**다(선례 제3-637호).
>
> ① 1. 매각부동산 위의 **모든 저당권(註 담보가등기 포함)**은 **매각**으로 **소멸**된다.
>   지상권·지역권·전세권 및 등기된 임차권은 저당권·압류채권·가압류채권에 대항할 수 없는 경우에는 매각으로 소멸된다(민사집행법 제91조 제1항, 제2항).
>   2. **소유권이전등기청구권보전의 가등기가 있는 부동산**에 대하여 그 가등기 후에 등기된 강제경매신청에 의하여 강제경매가 실시된 경우에도 그 **가등기보다 선순위**로서, 강제경매에 의한 경락 당시 유효히 존재하고 그 **경락에 의하여 소멸되는 저당권설정등기가 존재하는 경우**에는 그 가등기는 저당권에 대항할 수 없고 또 그 저당권이 강제경매에 의하여 소멸하는 한 그보다 후순위로 가등기된 권리도 소멸하는 것이므로 이 가등기는 "경락인이 인수하지 아니한 부동산상 부담의 기입"으로서 **말소촉탁의 대상**이 된다 할 것이고(대결 1980.12.30, 80마491) 이는 강제경매개시 후 **가등기에 우선하는 저당권자가 임의경매신청**을 하여 기록 첨부된 경우뿐만 아니라 선순위저당권자가 임의경매신청을 하지 아니한 경우에도 **마찬가지**로 모두 **말소대상이 된다**.
>   3. 따라서, **근저당권**설정등기 **후** 임의경매개시결정등기 전에 등기된 소유권이전청구권**가등기**는

매각으로 인하여 **말소**해야 할 등기이다.

② **강제경매**에서 등기의무자는 **부동산소유자**, 즉 **채무자를 기재**한다.

가압류등기 후에 **제3자에게 소유권이 이전**된 후 가압류채권자가 집행권원을 얻어 경매신청을 하여 그 등기의 촉탁을 하는 경우에는, **가압류 당시의 소유권의 등기명의인**이 등기의무자가 된다(예규 제1352호). 이는 가압류된 부동산을 취득한 제3자는 가압류채권자에게 대항할 수 없기 때문이다(「부동산등기실무 Ⅲ」 p.121). 가압류집행이 있은 후 그 가압류가 강제경매개시결정으로 인하여 본압류로 이행된 경우에 가압류집행이 본 집행에 포섭됨으로써 가압류 당초부터 본집행이 있었던 것과 같은 효력이 있어 가압류 당시부터 처분을 금지하는 효력이 생기므로, 가압류 후에 소유권을 취득한 자는 가압류권자에게 대항할 수 없으므로 말소촉탁의 대상이 된다.

③ **대지권등기**가 마쳐진 구분건물에 대한 **매각허가 결정**에 **대지에 대한 표시가 없고** 전유부분만 기재된 경우 **전유부분만**에 대한 소유권이전등기 촉탁은 **할 수 없**으므로 전유부분만에 대한 소유권이전등기를 실행하기 위하여는 대지권변경**(대지권말소)등기가 선행되어야** 한다(예규 제1367호).

④ **공유부동산**에 대한 경매개시결정등기가 경료되고, 경매절차에서 **일부 공유자가 매수인**이 된 경우

1. 경매개시결정등기의 말소촉탁 및
2. 매수인이 인수하지 않는 부담기입의 말소촉탁을 하되
3. 소유권이전등기촉탁은 **위 매수인의 지분을 제외한 나머지 지분**에 대한 **공유지분이전등기 촉탁**을 한다(예규 제1378호).

06 경매에 관한 등기에 대한 다음 설명 중 가장 옳지 않은 것은? ▶ 2021 법무사

① 매각으로 인한 소유권이전등기 촉탁과 관련하여, 매수인이 여러 사람인 경우 등기필정보통지서의 우편송부 또는 교부는 등기필정보통지서를 송부 또는 교부받을 자로 촉탁서에 지정되어 있는 자에게 하여야 한다.

② 농지에 대하여는 농지취득자격증명에 관한 사항을 집행법원이 매각허부 재판 시에 조사하므로 농지에 대한 매각으로 인한 소유권이전등기를 촉탁할 때에는 농지취득자격증명을 첨부할 필요가 없다.

③ 공유부동산에 대한 경매개시결정등기가 경료되고, 경매절차에서 일부 공유자가 매수인이 된 경우에는, 경매개시결정등기의 말소촉탁 및 매수인이 인수하지 않는 부담기입의 말소촉탁을 하되 소유권이전등기촉탁은 위 매수인의 지분을 제외한 나머지 지분에 대한 공유지분이전등기 촉탁을 한다.

④ 토지거래허가구역 내의 민사집행법에 따른 경매의 경우에도 토지거래허가에 관한 규정이 적용되므로 토지거래허가증명을 첨부하여야 한다.

⑤ 매각으로 인한 소유권이전등기촉탁을 할 때에, 매수인이 인수하지 아니하는 부담의 기입이 부기등기로 되어 있는 경우 집행법원은 주등기의 말소만 촉탁하면 되고 부기등기에 관하여는 별도로 말소촉탁을 할 필요가 없다.

해설 ④ 「민사집행법」에 따른 **경매**의 경우에는 토지거래허가에 관한 규정이 적용되지 않는다(부동산 거래신고 등에 관한 법률 제14조 제2항). 따라서 **토지거래허가증명**을 제공할 필요가 없다.

① 매수인이 여러 사람인 경우 등기필정보통지서의 우편송부 또는 교부는 등기필정보통지서를 송부 또는 는 교부받을 자로 촉탁서에 지정되어 있는 자(이하에서 '지정매수인'이라 칭함)에게 하여야 한다. 다만, 다른 매수인이 등기소에 출석하여 지정매수인의 인감이 첨부된 위임장을 제출하며 교부를 청구한 경우에는 그 매수인에게 교부한다. 등기소는 위 영수증과 위임장을 집행법원에 송부하여야 한다(예규 제1625호, 7–다).

② 민사소송법에 의한 **경매절차**(폐지된 경매법에 의한 경매절차포함)에서 농지에 대하여는 농지매매의 증명에 관한 사항을 집행법원이 **경락허부재판 시**에 **직권**으로 **조사**하게 되어 있으므로, 농지에 대하여 경락에 인한 **소유권이전등기를 촉탁**함에 있어서는 농지매매증명을 첨부할 필요가 **없**다(선례 제3–865호).

③ 예규 제1378호, 2

⑤ 매각으로 인한 소유권이전등기촉탁을 할 때에, 매수인이 인수하지 아니하는 부담의 기입이 부기등기로 되어 있는 경우, ① 저당권, 전세권 등 소유권 이외의 권리의 전부 또는 일부이전으로 인한 부기등기가 마쳐진 경우 또는 ② 저당권부채권가압류등기, 전세권저당권설정등기 등과 같이 매수인이 인수하지 아니하는 등기의 말소에 관하여 이해관계 있는 제3자 명의의 부기등기가 마쳐진 경우에, 집행법원은 **주등기의 말소만 촉탁**하면 되고 부기등기에 관하여는 별도로 말소촉탁을 할 필요가 없으며 등록세는 주등기의 말소에 대한 것만 납부하면 된다(선례 제7–436호).

PART · 02

제3절 신탁등기

01 신탁등기에 관한 다음 설명 중 가장 옳지 않은 것은? ▸ 2022 법무사

① 신탁가등기는 소유권이전청구권보전을 위한 가등기와 동일한 방식으로 신청하되, 신탁원부 작성을 위한 정보도 첨부정보로서 제공하여야 한다.

② 여러 명의 수탁자 중 1인이 신탁행위로 정한 임무종료사유, 사임, 자격상실의 사유로 임무가 종료된 경우에는 나머지 수탁자가 합유명의인 변경등기를 신청하는바, 나머지 수탁자가 1인이면 단독으로, 나머지 수탁자가 여러 명이면 그 전원이 공동으로 합유명의인 변경등기를 신청한다.

③ 위탁자가 여러 명이라 하더라도 수탁자와 신탁재산인 부동산 및 신탁목적이 동일한 경우에는 1건의 신청정보로 일괄하여 신탁등기를 신청할 수 있다.

④ 신탁원부상 신탁조항에 수익자변경권이 위탁자 및 수탁자에게 유보되어 있다는 취지가 기록되어 있다면 수탁자가 수익자의 변경으로 신탁원부 기록의 변경등기를 신청하는 경우, 수익자변경을 증명하는 정보 이외에 종전 수익자의 승낙을 증명하는 정보를 첨부할 필요는 없다.

⑤ 공익신탁법에 따른 공익신탁의 경우 수탁자가 변경된 경우에는 법무부장관의 인가를 증명하는 정보를 첨부정보로 제공하여야 한다.

> **해설** ② 1. **수탁자가 여러 명**인 경우 등기관은 신탁재산이 **합유인 뜻**을 기록하여야 한다(법 제84조).
> 2. **합유자 중 일부**가 **탈퇴**한 경우 **잔존 합유자가 수인**인 때에는 **탈퇴**한 합유자와 **잔존** 합유자의 **공동**신청으로 「○년 ○월 ○일 합유자 ○○○ 탈퇴」를 원인으로 한 잔존 합유자의 합유로 하는 **합유명의인 변경등기**신청을 하여야 한다(예규 제911호, 2-나).
> 3. **합유자 중 일부**가 탈퇴하고 **잔존 합유자가 1인**만 남은 경우에는 **탈퇴**한 합유자와 **잔존** 합유자의 **공동**신청으로 「○년 ○월 ○일 합유자 ○○○ 탈퇴」를 원인으로 한 잔존 합유자의 단독소유로 하는 **합유명의인 변경등기**신청을 하여야 한다(예규 제911호, 2-나).
> 4. **여러 명의 수탁자 중 1인**이 신탁행위로 정한 임무종료사유, 사임, 자격상실의 사유로 임무가 종료된 경우에는 **임무가 종료된 수탁자(= 탈퇴한 합유자)**와 **나머지 수탁자(= 잔존 합유자)**가 **공동**으로 **합유명의인 변경등기**를 신청한다(예규 제1726호, 3-나).
> 이는 **나머지 수탁자(= 잔존 합유자)**가 **수인**인 경우이거나 **1인**인 경우도 **마찬가지**이다.
>
> ① **신탁가등기**는 소유권이전청구권보전을 위한 가등기와 동일한 방식으로 신청하되, **신탁원부 작성을 위한 정보**도 첨부정보로서 제공하여야 한다(예규 제1726호, 1-마).
>
> ③ 1. **수탁자가 여러 명**인 경우에는 그 공동수탁자가 **합유(⊕ 공유✕)**관계라는 뜻을 신청정보의 내용으로 제공하여야 한다.
> 2. **위탁자가 여러 명**이라 하더라도 **수탁자와 신탁재산인 부동산 및 신탁목적이 동일**한 경우에는 1건의 신청정보로 **일괄**하여 신탁등기를 신청할 수 있다(예규 제1799호).

> **정답** **01** ②

④ 1. **신탁원부**상 신탁조항에 **수익자변경권**이 **위탁자 및 수탁자에게 유보**되어 있다는 취지가 기재 되어 있다면 **수탁자가** 수익자의 변경으로 **신탁원부기재변경등기**를 신청하는 경우 수익자변경 을 증명하는 서면 이외에 **종전 수익자의 승낙서**를 첨부할 필요는 **없다**.

2. 수탁자 경질로 인하여 구 수탁자가 등기의무자, 신 수탁자가 등기권리자로서 소유권이전등기 를 공동신청할 때 구 수탁자의 인감증명 · 등기필증 · 신 수탁자의 주소증명서면 · 수탁자 경질 을 증명하는 서면 등을 첨부하여야 하는바, 이 경우 수탁자의 임무종료원인이 신탁행위에서 특별히 정한 사유가 아니라 구 수탁자가 위탁자 및 수익자의 승낙을 얻어 사임한 것이라면 수익자 및 위탁자의 승낙서(인감증명 포함)도 첨부하여야 한다(선례 제7-401호).

⑤ 1. **공익신탁법**에 따른 공익신탁에 대하여 **신탁등기**를 신청하는 경우에는 **법무부장관의 인가**를 증 명하는 정보를 첨부정보로서 제공하여야 한다(예규 제1799호).

2. **공익신탁법**에 따른 공익신탁의 경우 **수탁자가 변경**된 경우에는 **법무부장관의 인가**를 증명하는 정보를 첨부정보로 제공하여야 한다(예규 제1799호).

---

02 신탁원부 기록의 변경등기에 관한 다음 설명 중 가장 옳지 않은 것은? ▸ 2024 법무사

① 수익자 또는 신탁관리인이 변경된 경우나 위탁자, 수익자 및 신탁관리인의 성명, 주소가 변경된 경우에는 수탁자는 지체 없이 신탁원부 기록의 변경등기를 신청하여야 한다.

② 위탁자 지위의 이전이 신탁행위로 그 방법이 정하여지지 아니한 경우에는 수탁자와 수익 자의 동의가 있음을 증명하는 정보를 첨부정보로서 제공하여야 하며, 이 경우 위탁자가 여러 명일 때에는 다른 위탁자의 동의를 증명하는 정보도 함께 제공하여야 한다.

③ 법원이 수탁자를 해임하는 재판을 한 경우 또는 신탁관리인을 선임하거나 해임하는 재판 을 한 경우에는 등기관은 법원의 촉탁에 의하여 신탁원부 기록을 변경하여야 한다.

④ 수탁자의 경질로 인한 권리이전등기 또는 여러 명의 수탁자 중 1인의 임무종료로 인한 합 유명의인 변경등기를 한 경우에는 등기관은 직권으로 신탁원부 기록을 변경하여야 한다.

⑤ 신탁원부상 신탁조항에 수익자변경권이 위탁자 및 수탁자에게 유보되어 있다는 취지가 기재되어 있더라도 수탁자가 수익자의 변경으로 신탁원부 기록의 변경등기를 신청하는 경우 수익자변경을 증명하는 정보 이외에 종전 수익자의 승낙이 있음을 증명하는 정보를 제공하여야 한다.

해설 ⑤ 1. **신탁원부**상 신탁조항에 **수익자변경권**이 **위탁자 및 수탁자에게 유보**되어 있다는 취지가 기재 되어 있다면 **수탁자가** 수익자의 변경으로 **신탁원부기재변경등기**를 신청하는 경우 수익자변경 을 증명하는 서면 이외에 **종전 수익자의 승낙서**를 첨부할 필요는 **없다**.

2. 수탁자 경질로 인하여 구 수탁자가 등기의무자, 신 수탁자가 등기권리자로서 소유권이전등기를 공동신청할 때 구 수탁자의 인감증명 · 등기필증 · 신 수탁자의 주소증명서면 · 수탁자 경질을 증명하는 서면 등을 첨부하여야 하는바, 이 경우 수탁자의 임무종료원인이 신탁행위에서 특별 히 정한 사유가 아니라 구 수탁자가 위탁자 및 수익자의 승낙을 얻어 사임한 것이라면 수익자 및 위탁자의 승낙서(인감증명 포함)도 첨부하여야 한다(선례 제7-401호).

① **수익자 또는 신탁관리인이 변경(🈯 주체)**된 경우나 위탁자, 수익자 및 신탁관리인의 성명(명칭), 주소(사무소 소재지)가 **변경(🈯 표시사항)**된 경우에는 **수탁자**는 지체 없이 **신탁원부 기록의 변경등기를 신청**하여야 핸(예규 제1726호, 4-가-(1)).

② **위탁자 지위의 이전**이 **신탁행위로 정한 방법에 의한 경우**에는 **이를 증명**하는 정보를 첨부정보로서 제공하여야 하고, **신탁행위로 그 방법이 정하여지지 아니한 경우**에는 **수탁자와 수익자의 동의가 있음을 증명하는 정보(인감증명 포함)**를 첨부정보로서 제공하여야 한다. 이 경우 **위탁자가 여러 명**일 때에는 **다른 위탁자의 동의를 증명하는 정보(인감증명 포함)**도 함께 제공하여야 한다(예규 제1726호, 4-가-(3)-(다)).

③ 법원이 **수탁자를 해임하는 재판**을 한 경우, 신탁관리인을 선임하거나 해임하는 재판을 한 경우, **신탁 변경의 재판**을 한 경우에는 등기관은 **법원의 촉탁에 의하여 신탁원부 기록을 변경**하여야 한다(예규 제1726호, 4-나-(1)-(가)).

④ **수탁자의 경질로 인한 권리이전등기 또는 여러 명의 수탁자 중 1인의 임무종료로 인한 합유명의인 변경등기**를 한 경우에는 등기관은 **직권으로 신탁원부 기록을 변경**하여야 한다(예규 제1726호, 4-다).

특별법에 의한 등기

제1절 환지 및 도정법

01 농어촌정비법에 따른 환지등기에 관한 다음 설명 중 가장 옳지 않은 것은? ▸2023 법무사

① 사업시행자는 사업시행인가 후에 사업시행을 위하여 환지계획인가의 고시 전이라도 종전 토지에 관한 토지 표시나 등기명의인 표시의 변경 및 경정등기를 대위하여 촉탁할 수 있으나, 대위등기를 촉탁하는 경우 등기원인 또는 등기목적이 동일하지 아니한 경우에는 하나의 촉탁정보로 일괄하여 촉탁할 수 없다.

② 환지계획인가의 고시가 있은 후에는 종전 토지에 대한 소유권이전등기를 할 수 없으며 등기가 마쳐진 경우에는 등기관은 그 등기를 부동산등기법 제58조를 적용하여 직권으로 말소한다.

③ 사업시행자가 환지등기를 촉탁할 때에는 일반적인 촉탁정보 외에도 종전 토지 수개에 대하여 1개 또는 수개의 환지를 교부한 경우 그 수개의 종전 토지 중 미등기인 것이 있는 때에는 그 취지를 촉탁정보로 제공하여야 한다.

④ 환지등기를 촉탁할 때에 필요한 첨부정보가 아닌 토지대장만을 제공한 경우, 등기관은 그 토지대장에 '환지' 또는 '구획정리 완료' 등의 사실이 기재되어 있다 하더라도 그 등기 촉탁을 수리하여서는 안 된다.

⑤ 환지에 대하여 권리의 설정 또는 이전 등의 등기를 하여야 하는 때 기타 특별한 사유가 있는 때를 제외하고는 환지등기 촉탁은 사업지역 내의 토지 전부에 관하여 동시에 하여야 한다.

해설 ① 1. 「농어촌정비법」 제25조 제1항의 사업시행자나 「도시개발법」 제28조 제1항의 도시개발사업의 시행자(이하 모두 "시행자"라 한다)는 **사업시행인가 후**에 사업시행을 위하여 「농어촌정비법」 제37조의 환지계획인가의 고시 또는 「도시개발법」 제42조의 환지처분의 공고(이하 모두 "**환지계획인가의 고시 등**"이라 한다) **전**이라도 종전 토지에 관한 아래의 등기를 각 해당등기의 신청권자를 **대위**하여 촉탁할 수 있다(예규 제1588호, 2)(❶ 법 제29조 제6호, 제7호로 각하되지 않도록).

> (1) **토지 표시**의 변경 및 경정 등기
> (2) **등기명의인 표시**의 변경 및 경정 등기
> (3) **상속**을 원인으로 한 소유권이전등기

2. **위의 대위등기를 촉탁**하는 경우에는 **등기원인 또는 등기의 목적이 동일하지 아니한 경우라도** 하나의 촉탁서로 **일괄**하여 **촉탁**할 수 있다.

3. 시행자가 위의 대위등기를 촉탁할 때에는 등기촉탁서, 등기원인을 증명하는 서면, **사업시행인가가 있었음을 증명**하는 서면을 제출하여야 한다.

② 1. **환지계획인가의 고시 등**이 있은 후에는 종전 토지에 관하여 **소유권**이전등기, **근저당권설정등기, 가압류**등기, **경매개시결정등기**(정지되는 시점 이전에 설정된 근저당권에 기한 경우도 마찬가지임) 등 **권리**에 관한 등기뿐만 아니라 **표시**에 관한 등기도 할 수 **없다**(예규 제1588호, 3-다-(1),(2)).

2. **다른 등기가 마쳐진 경우**환지계획인가의 **고시 등**이 있었음에도 불구하고, 종전 토지에 관한 **등기가 마쳐진 경우** 등기관은 그 등기를 「부동산등기법」 제58조를 적용하여 **직권**으로 **말소**한다(예규 제1588호, 3-다-(3)).

③ 사업시행자가 환지등기를 촉탁할 때에는 일반적인 촉탁정보 외에도 종전 토지 수개에 대하여 1개 또는 수개의 환지를 교부한 경우 그 수개의 종전 토지 중 **미등기인 것이 있는 때**에는 그 **취지를 촉탁정보로 제공하여야** 한다(예규 제1588호, 4-가-(2)-(가)).

④ 1. **환지등기를 촉탁**하는 경우에는 **환지계획서 및 환지계획서 인가서 등본, 환지계획인가의 고시가 있었음을 증명하는 서면, 농업기반등정비확정도**를 첨부정보로 제공하여야 한다(예규 제1588호, 4-나-(1)).

2. 환지등기 촉탁서에 토지대장만을 첨부하여 환지등기 촉탁을 한 경우, 등기관은 그 토지대장에 '환지' 또는 '구획정리 완료' 등의 사실이 기재되어 있다 하더라도 그 등기촉탁을 **수리하여서는 안 된다**(예규 제1588호, 4-나-(2)).

⑤ 환지에 대하여 권리의 설정 또는 이전 등의 등기를 하여야 하는 때 기타 특별한 사유가 있는 때를 제외하고는 환지등기 촉탁은 **사업지역 내의 토지 전부**에 관하여 **동시에** 하여야 한다. 단, **사업지역을 수 개의 구로** 나눈 경우에는 **각 구마다 등기촉탁**을 할 수 있다(예규 제1588호, 4-다-(1)).

 **제2절** **도시 및 주거환경정비법**

01 다음은 도시 및 주거환경정비법상 이전고시와 이에 따른 등기에 관한 설명이다. 가장 옳은
것은?
▶ 2024 법무사

① 정비사업시행자(이하 "시행자"라 한다)는 그 사업시행을 위하여 신청권자를 대위하여 부
동산의 표시변경(경정)등기와 등기명의인의 표시변경(경정)등기를 신청할 수 있으며, 등
기원인 또는 등기의 목적이 동일한 경우에만 일괄 신청할 수 있다.

② 시행자로부터 이전고시를 통지받은 등기관은 대지 및 건축물에 관한 등기가 있을 때까지
는 표시에 관한 등기를 제외하고는 권리에 관한 등기를 하여서는 아니 되며, 이에 위반
한 등기는 부동산등기법 제58조를 적용하여 직권으로 말소한다.

③ 시행자는 정비사업의 효율적인 추진을 위하여 필요한 경우에는 해당 정비사업에 관한
공사가 전부 완료되기 전이라도 완공된 부분에 대하여 준공인가를 받아 이전고시를 한
때에는 그 부분만에 관하여 등기신청을 할 수 있다.

④ 등기관은 신청정보의 내용으로 제공된 사항이 첨부정보로 제공된 관리처분계획 및 그
인가를 증명하는 서면, 이전고시를 증명하는 서면의 내용과 일치하는지 여부와 함께 종
전 토지 및 건물의 등기기록상 등기사항과 일치하는지 여부를 심사한다.

⑤ 담보권등에 관한 권리의 등기를 신청하는 경우에는 신청서에 '등기원인'으로 정비사업으
로 인한 이전고시가 있었다는 취지를 기재하고, '그 연월일'은 이전고시가 있은 다음 날
짜를 기재한다. 이때 접수번호는 소유권보존등기와 동시에 신청하므로 동일한 접수번호
를 부여한다.

> **해설** ③ 「도시 및 주거환경정비법」에 따라 주택재건축사업을 시행하면서 **재건축정비사업**에 관한 **공사가
> 전부 완료되기 전**이라도 완공된 건축물에 대하여 **시장 · 군수의 준공인가**를 받은 경우, 사업시행자
> 는 **공사의 완공 부분만에 관하여 이전고시**를 하고 그에 따른 정비사업시행으로 축조된 건물에 대
> 하여 소유권**보존등기를 신청**할 수 있고, 이 경우 관리처분계획에서 분양받을 건축시설에 존속하게
> 되는 것으로 정해진 **담보권 등에 관한 권리**의 등기를 **함께 신청**하여야 한다(선례 제201410-1호).
>
> ① 1. 정비사업시행자(이하 "시행자"라 한다)는 그 사업시행을 위하여 필요한 때에는(🏢 **사업시행인
> 가 후 이전고시가 있기 전이라도**) 다음의 각 호에 규정한 등기를 각 해당 등기의 신청권자를
> 대위하여 신청할 수 있다. 이 경우에는 신청서에 **사업시행인가가 있었음을 증명하는 서면**을
> 첨부하여야 한다(도시 및 주거환경정비 등기규칙 제2조).
> ㄱ. **부동산의 표시변경** 및 경정등기
> ㄴ. **등기명의인의 표시변경** 및 경정등기
> ㄷ. **소유권보존**등기
> ㄹ. **상속**에 의한 소유권**이전**등기
> 2. 한편 시행자가 위의 등기를 신청하는 경우에는 **등기원인, 등기의 목적 등이 상이**한 수건의 등
> 기를 하나의 신청서로 **일괄**하여 **신청**할 수 있다(도시 및 주거환경정비 등기규칙 제3조).

② 1. 이전고시가 있은 후에는 종전 토지에 관한 **등기**를 할 수 **없다**(註 법 제29조 제2호).

　　2. 따라서 **소유권이전등기, 근저당권설정등기, 가압류등기, 경매개시결정등기(정지되는 시점 이전에 설정된 근저당권에 기한 경우도 마찬가지임)** 등 권리에 관한 등기뿐만 아니라 표시에 관한 등기도 할 수 없다(예규 제1590호, 다─(2)).

　　3. **이전고시**가 있었음에도 불구하고 **종전 토지에 관한 등기**가 마쳐진 경우 등기관은 그 등기를 법 제58조에 따라 직권으로 말소한다(예규 제1590호, 다─(3)).

④ 1. 「도시 및 주거환경정비법」에 따른 정비사업시행자는 같은 법 제86조 제2항에 따른 이전고시가 있은 후 **종전** 토지에 관한 **말소등기, 새로** 조성된 대지 및 축조된 건축물에 관한 **소유권보존등기,** 새로 조성된 대지 및 축조된 건축물에 **존속하게 되는 담보권 등에 관한 권리**의 등기를 신청하여야 하는 바, 이때 첨부정보로서 **관리처분계획 및 그 인가를 증명하는 서면과 이전고시를 증명하는 서면**을 제공하여야 한다(도시 및 주거환경정비 등기규칙 제5조 제3항).

　　2. 위의 신청에 따라 등기관이 새로 조성된 대지와 축조된 건축물에 대하여 소유권보존등기 및 담보권 등에 관한 권리의 등기를 실행할 때에 **신청정보**의 내용으로 제공된 사항(예 등기명의인)이 **첨부정보**로 제공된 관리처분계획 및 그 인가를 증명하는 서면, 이전고시를 증명하는 서면의 내용(예 등기권리자)과 일치하는지 여부를 **심사**하는 것으로 충분하고, (註 **폐쇄된**) 종전 토지 및 건물의 **등기기록**상 등기사항(예 등기명의인)과 일치하는지 여부는 **심사**하지 **아니**한다(선례 제202001─4호).

⑤ 1. **담보권 등에 관한 권리의 등기를 신청하는 경우**에는 신청서에 등기원인 및 그 연월일로서 **이전고시 전의 그 담보권 등에 관한 권리의 등기원인 및 그 연월일**을 **기재**하여야 한다. 이 경우 정비사업으로 인한 이전고시가 있었다는 취지 및 그 연월일을 함께 기재하여야 한다(도시 및 주거환경정비 등기규칙 제16조).

　　2. 건축시설에 관한 소유권보존등기 및 담보권 등에 관한 권리의 등기의 신청서에 접수번호를 부여함에 있어서는 등기사항마다 **신청서에 기재한 순서**에 따라 **별개의 번호**를 부여하여야 한다. 그러나 구분건물의 소유권보존등기신청의 경우에는 모든 구분건물에 대하여 1개의 번호를 부여하여야 한다(도시 및 주거환경정비 등기규칙 제17조).

정답 　01 ③

 **제3절** **채무자 회생파산**

01

채무자 회생 및 파산에 관한 법률에 따라 회생절차개시를 신청한 채무자 소유 부동산의 등기에 관한 다음 설명 중 가장 옳지 않은 것은? ▶ 2024 법무사

① 보전처분등기는 법원사무관등의 촉탁에 의하며, 보전처분등기가 경료된 채무자의 부동산 등에 대하여 가압류, 가처분 등 보전처분, 강제집행 또는 담보권실행을 위한 경매, 체납처분에 의한 압류 등의 등기촉탁이 있는 경우에도 이를 수리한다.

② 부인등기는 부인권자가 단독으로 신청하며, 부인등기가 마쳐진 이후에는 부인된 등기의 명의인을 등기의무자로 하는 등기신청이 있는 경우, 등기관은 이를 각하하여야 한다.

③ 관리인이 회생계획에 따라 채무자 명의의 부동산 등을 처분하고 그에 따른 등기를 신청하는 경우에는 법원의 허가서 또는 법원의 허가를 요하지 아니한다는 뜻의 증명서를 그 신청서에 첨부하여야 한다.

④ 회생법원이 채무자회생 및 파산에 관한 법률 제58조 제5항의 규정에 의하여 회생채권 또는 회생담보권에 기한 강제집행 등의 취소를 명한 경우, 그에 기한 말소등기를 회생법원이 아닌 집행법원이 촉탁한 경우에도 등기관은 이를 수리하여 그 등기를 말소하여야 한다.

⑤ 회생절차개시 및 회생계획인가의 각 등기가 되어 있지 아니한 부동산 등의 권리에 대한 회생절차종결등기의 촉탁은, 부인의 등기가 된 경우를 제외하고는 등기관은 이를 각하하여야 한다.

해설 ③ 관리인이 회생계획에 따라 채무자 명의의 부동산 등을 처분하고 그에 따른 등기를 신청하는 경우에는 회생계획인가결정의 등본 또는 초본을, **회생계획에 의하지 아니하고 처분**한 경우에는 **법원의 허가서 또는 법원의 허가를 요하지 아니한다는 뜻의 증명서**를 그 신청서에 첨부하여야 한다. 이 경우 **관리인**은 당해 부동산 등의 권리에 관한 **보전처분**의 등기 이후에 그 보전처분에 **저촉되는 등기**가 경료된 경우에는 그 등기의 **말소**등기도 동시에 **신청**하여야 한다(예규 제1516호, 14–⑥).

① 보전처분은 채무자 등에 대하여 일정한 행위의 제한을 가하는 것이고 제3자의 권리행사를 금지하는 것은 아니므로, **보전처분등기가 경료된 채무자의 부동산 등**에 대하여 가압류, 가처분 등 보전처분, 강제집행 또는 담보권실행을 위한 경매, 체납처분에 의한 압류 등(🈁 **가압류 등**)의 등기촉탁이 있는 경우에도 이를 **수리**하여야 한다(예규 제1516호, 9–②).

② 1. **부인의 등기의 신청은 부인권자**가 **단독**으로 행하는 것이므로, 신청인이 관리인, 파산관재인, 개인회생절차에서의 부인권자라는 사실을 소명하는 자료를 함께 제출하여야 한다(예규 제1516호, 11–③).

  2. **부인등기**가 마쳐진 **이후**에는 당해 부동산 또는 당해 부동산 위의 권리는 채무자의 재산, 개인회생재단 또는 파산재단에 속하고, 이 그 부동산 또는 그 부동산 위의 권리를 관리, 처분할 수 있는 권리를 상실하였다는 사실이 공시되었으므로, **부인된 등기의 명의인을 등기의무자로** 하는 등기신청이 있는 경우, 등기관은 이를 **각하**하여야 한다(예규 제1516호, 12–②).

④ 1. **회생법원이** 법 제58조 제5항의 규정에 의하여 회생채권 또는 회생담보권에 기한 **강제집행 등의 취소** 또는 체납처분의 취소를 명하고, 그에 기한 말소등기를 **촉탁**한 경우에는 등기관은 이를 **수리**하여 그 등기를 **말소**하여야 한다(예규 제1516호, 6–②).

2. 이와 같은 등길를 **집행법원**이 **말소촉탁**한 경우에 등기관은 이를 **수리**하여 그 등기를 말소하여야 한다(예규 제1516호, 6-④).

⑤ 1. **회생절차개시결정**의 등기가 **되어 있지 아니한 부동산**에 관하여 **회생계획인가의 등기촉탁**이 있는 경우, 부인의 등기가 된 경우를 제외하고는 등기관은 이를 **각하**하여야 한다(예규 제1516호, 15-②).

2. **회생절차개시** 및 **회생계획인가**의 각 등기가 **되어 있지 아니한 부동산** 등의 권리에 대한 **회생절차종결등기의 촉탁**은, 부인의 등기가 된 경우를 제외하고는 등기관은 이를 **각하**하여야 한다(예규 제1516호, 18-②).

02 **채무자회생 및 파산에 관한 법률에 따른 부동산등기절차에 관한 다음 설명 중 가장 옳지 않은 것은?**
▶ 2022 법무사

① 개인회생절차에서는 회생절차개시결정, 변제계획인가결정은 등기할 사항이 아니나 보전처분등기와 부인등기는 할 수 있다.

② 파산선고를 받은 채무자가 법인이 아닌 개인인 경우 파산관재인이 파산재단에 속한 부동산을 임의매각하여 매수인과 공동으로 소유권이전등기신청을 하는 경우에 파산법원으로부터 발급받은 파산관재인의 사용인감으로 인감증명법에 따른 인감증명을 대신할 수는 없다.

③ 회생절차개시결정의 등기가 된 채무자의 부동산 등의 권리에 관하여 파산선고의 등기촉탁이 있는 경우 등기관은 이를 수리하여야 한다.

④ 회생절차개시결정의 등기는 그 등기 이전에 가압류, 가처분, 강제집행 또는 담보권실행을 위한 경매, 체납처분에 의한 압류등기, 가등기, 파산선고의 등기 등이 되어 있는 경우에도 할 수 있다.

⑤ 회생절차개시결정의 등기가 된 채무자의 부동산 등의 권리에 관하여 강제집행, 가압류, 가처분 또는 담보권실행을 위한 경매에 관한 등기촉탁이 있는 경우에 등기관은 이를 수리하여야 한다

해설 ③ **회생절차개시결정의 등기가 된 채무자의 부동산 등의 권리**에 관하여 **파산선고의 등기,** (**註** 또 다른) **회생절차개시의 등기**의 촉탁이 있는 경우 등기관은 이를 **각하**하여야 한다(예규 제1516호, 14-③).

① **개인회생절차**에서 (**註** 절차의 간이화를 위해) **개인회생절차개시** 결정, **변제계획의 인가결정, 개인회생절차폐지결정 등은 등기할 사항이 아니**므로, 법원사무관 등으로부터 이러한 등기촉탁이 있는 경우, 등기관은 「**부동산등기법**」 **제29조 제2호**에 의하여 이를 **각하**하여야 **한다**(예규 제1516호, 30) (**註** **보전처분 · 부인등기**는 등기사항이다).

정답 **01** ③ **02** ③

② 1. **파산관재인**이 파산재단에 속한 **부동산을 제3자에게 임의매각**하고 이를 원인으로 파산관재인과 매수인이 공동으로 **소유권이전등기를 신청**할 때에

   1) 파산선고를 받은 **채무자가 법인**인 경우에는 **등기소로부터 발급**받은 **파산관재인의 (🏢 법인) 인감증명**을 제공하여야 하고,

   2) 파산선고를 받은 **채무자가 개인**인 경우에는 「**인감증명법**」에 따라 발급받은 **파산관재인 개인 인감증명**을 제공하여야 하는바,

   3) 파산법원으로부터 발급받은 **파산관재인의 사용인감**에 대한 인감증명**으로 이를 대신할 수는 없다.**

  2. 이 경우 **등기원인이 "매매"**이므로 파산관재인의 인감증명은 **매도용 인감증명**이어야 한다(선례 제201812–6호).

④ **회생절차개시결정의 등기**는 그 등기 이전에 가압류, 가처분, 강제집행 또는 담보권실행을 위한 경매, 체납처분에 의한 압류등기, 가등기, 파산선고의 등기 등이 되어 있는 경우에도 할 수 있다(예규 제1516호, 14–②).

⑤ **회생절차개시결정의 등기가 된 채무자의 부동산 등의 권리**에 관하여 강제집행, 가압류, 가처분 또는 담보권실행을 위한 경매에 관한 등기촉탁이 있는 경우에 등기관은 이를 수리하여야 한다(예규 제1516호, 14–④).

제4절 **공무원범죄 몰수 특례법**

01 공무원범죄에 관한 몰수 특례법에 따른 등기에 관한 다음 설명 중 가장 옳지 않은 것은?

▶ 2023 법무사

① 부동산에 대한 몰수보전등기는 검사가 등기목적을 "몰수보전", 등기권리자를 "국"으로 하여 촉탁한다.

② 추징보전등기는 "가압류"를 등기목적으로, "○○년 ○월 ○일 ○○지방법원의 추징보전 명령에 기한 검사의 명령"을 등기원인으로 하여 검사의 집행명령 등본을 첨부하여 검사의 신청으로 법원이 촉탁한다.

③ 저당권부 채권에 대한 몰수보전명령이 있으면 검사의 신청에 의하여 그 명령을 발한 법원이 저당권부채권의 압류등기 촉탁의 예에 의하여 촉탁한다.

④ 처분금지가처분등기 후에 몰수보전등기가 이루어지고 가처분권리자가 본안에서 승소한 경우 가처분권리자는 그 승소판결에 의한 등기를 신청할 수 있으나, 몰수보전등기는 가처분권리자의 신청에 의하여 말소할 수 없다.

⑤ 부동산에 대한 몰수보전등기가 마쳐진 후에 그 대상이 된 권리에 대한 이전등기 등의 신청이 있는 경우에는 등기관은 이를 각하하여야 한다.

해설 ⑤ 몰수보전등기가 경료된 후에 **몰수보전의 대상이 된 권리**에 대한 **이전등기 등의 신청**이 있는 경우 등기관은 이를 **수리**하여야 한다(예규 제1375호, 1-가-(4)).

① 부동산에 관한 **몰수보전등기**는 **검사**가 몰수보전명령의 등본을 첨부하여 이를 **촉탁**한다. 촉탁서에는 등기목적으로서 "**몰수보전**"을, 등기원인으로서 몰수보전명령을 발한 법원, 사건번호 및 그 연월일을, 등기권리자로서 "**국**"을 각 기재하여야 한다(예규 제1375호, 1-가-(1),(2)).

② **추징보전등기**는 법원이 검사의 신청에 의하여 등기목적을 "**가압류**"로 하여 촉탁하되, 검사의 집행명령등본을 첨부하여야 하며, 등기원인으로서는 "○년 ○월 ○일 ○○지방법원의 추징보전명령에 기한 검사의 명령"으로 한다(예규 제1375호, 3).

③ 저당권부채권에 대한 몰수보전명령이 있으면 검사는 몰수보전명령을 발한 법원에 그 등기를 신청할 수 있고, 법원은 저당권부채권의 압류등기촉탁의 예에 의하여 그 등기를 촉탁한다. 가등기에 의하여 담보되는 채권에 대하여 몰수보전명령이 발하여진 경우도 이와 같다(예규 제1375호, 1-나-(1)).

④ 처분금지가처분등기 후에 몰수보전등기가 경료되고 가처분권리자가 본안에서 승소하여 그 승소판결에 의한 등기를 신청하는 경우 몰수보전등기는 등기관이 직권으로 또는 가처분권리자의 신청에 의하여 말소하여서는 아니 된다(예규 제1375호, 1-바).

정답 01 ⑤

공탁법

PART
01
총론

제1절 공탁의 의의, 종류, 공탁소

01 다음 중 시·군법원에 신청할 수 있는 공탁사건을 모두 고른 것은? ▸ 2021 법무사

┤ 보기 ├

ㄱ. 소액사건심판법의 적용을 받지만 시·군법원에서 이미 처리한 민사사건에 대한 채무
 의 이행으로서 하는 민법 제487조 변제공탁
ㄴ. 압류의 경합을 이유로 하는 민사집행법 제248조 집행공탁
ㄷ. 가압류를 이유로 하는 민사집행법 제291조 및 제248조 제1항 공탁
ㄹ. 민사집행법 제282조에 따른 가압류해방금액의 공탁
ㅁ. 민사소송법 제299조 제2항에 따른 소명에 갈음하는 보증금의 공탁

① ㄱ, ㄴ, ㄷ　　　② ㄴ, ㄷ, ㄹ　　　③ ㄱ, ㄷ, ㄹ
④ ㄴ, ㄷ, ㅁ　　　⑤ ㄱ, ㄹ, ㅁ

해설 ㄴ. ㄷ. 시·군법원에서는 압류를 원인으로 하는 민사집행법 제248조 제1항의 집행공탁이나 가압류를 원인으로 하는 민사집행법 제291조 및 제248조 제1항의 집행공탁은 인정되지 않는다.

제2절 공탁의 당사자

01 공탁당사자에 관한 다음 설명 중 가장 옳지 않은 것은? ▸ 2022 법무사

① 특별한 사정이 없는 한 피공탁자가 아닌 제3자는 피공탁자를 상대로 하여 공탁물 출급청
 구권의 확인을 구할 이익이 없다.
② 상대적 불확지 변제공탁의 피공탁자 중 1인을 채무자로 하여 그의 공탁물출급청구권에
 대하여 채권압류 및 추심명령을 받은 추심채권자는 공탁물을 출급하기 위하여 자기의
 이름으로 다른 피공탁자를 상대로 공탁물출급청구권이 추심채권자의 채무자에게 있음을
 확인한다는 확인의 소를 제기할 수 있다.
③ 자연인이 사망하면 공탁당사자능력이 당연히 소멸하므로 등기기록상 소유자를 피공탁자
 로 하여 토지수용보상금을 공탁한 경우 피공탁자가 이미 사망하였다면 그 공탁을 상속인
 들에 대한 공탁으로서 유효하다고 볼 수 없다.

④ 주택임대차보호법상 대항력을 갖춘 임차인의 임대차보증금반환채권이 가압류된 상태에서 임대주택이 양도되면 임대주택의 양수인이 해당 주택에 관한 등기사항증명서를 첨부하여 집행공탁할 수 있다.

⑤ 가압류채권자의 가압류채무자에 대한 집행권원으로는 제3자가 한 해방공탁금에 대한 집행을 할 수 없다.

> **해설** ③ 등기부상 소유자를 피공탁자로 하여 보상금을 공탁하였는데 피공탁자가 이미 사망하였다면 그 공탁은 상속인들에 대한 공탁으로서 유효하다.

제3절 공탁물

01 공탁물(공탁의 목적물)에 관한 다음 설명 중 가장 옳지 않은 것은? ▶ 2023 법무사

① 가압류해방공탁의 목적물은 금전에 의한 공탁만 가능하다.

② 변제의 목적물이 공탁에 적당하지 않거나, 멸실 또는 훼손될 염려가 있거나 공탁에 과다한 비용을 요하는 경우에는 변제자는 법원의 허가를 얻어 그 물건을 경매하거나 시가로 방매하여 대금을 공탁할 수 있다.

③ 상호가등기를 위한 공탁의 경우 금전 또는 법원이 인정한 유가증권으로 공탁할 수 있다.

④ 기명식 유가증권을 공탁하는 경우에는 공탁물을 수령하는 자가 즉시 권리를 취득할 수 있도록 유가증권에 배서를 하거나 양도증서를 첨부하여야 한다.

⑤ 사업시행자가 공익사업을 위한 토지 등의 취득 및 보상에 관한 법률이 규정하고 있는 절차에 따라 공공용지를 수용 또는 취득하고 그에 따른 손실보상금을 피수용자에게 지급하는 것에 갈음하여 공탁하는 경우 공탁물은 당해 법령에 규정되어 있는 대로 금전 또는 채권으로 할 수 있을 것이나, 그 경우에 있어서도 현금으로 보상금을 지급하도록 되어 있을 때에는 현금으로 지급하거나 공탁을 하여야지 현금 대신 채권으로 지급하거나 공탁을 할 수는 없다.

> **해설** ③ 상호가등기를 위한 몰취공탁은 일정한 금액을 공탁하도록 하고 있으므로, 그 공탁물은 금전만이 허용될 뿐 지급보증위탁계약체결문서(보증보험증권)를 제출할 수는 없다.

공탁신청절차

제1절 방문공탁과 전자공탁

01 공탁의 신청에 관한 다음 설명 중 가장 옳지 않은 것은?
▸2021 법무사

① 수인의 공탁자가 공탁하면서 각자의 공탁금액을 나누어 기재하지 않고 공동으로 하나의 공탁금액을 기재한 경우에 공탁자들은 균등한 비율로 공탁한 것으로 보아야 한다.
② 변제공탁에서 피공탁자의 지정은 전적으로 공탁자의 행위에 의한다.
③ 복수의 채권자들에 대한 개별 채권액을 산정하기 어려운 경우에도 복수의 채권자들을 일괄하여 피공탁자로 표시하여 공탁할 수는 없다.
④ 공탁자를 대리하여 공탁할 수도 있다.
⑤ 부동산 자체는 변제공탁의 목적물이 될 수 없다.

해설 ③ 공탁자가 지급하여야 할 보상금의 총액은 확정되어 있으나 보상금 수령권자가 불분명할 뿐만 아니라 그 배분 금액도 다투는 경우에는 다투는 자 전원을 피공탁자로 지정하여 채권자 불확지공탁을 할 수 있다.

02 전자공탁에 관한 다음 설명 중 가장 옳지 않은 것은?
▸2021 법무사

① 변호사 또는 법무사회원이 전자문서에 의하여 지급청구를 하는 경우에는 변호사회원 또는 법무사회원의 전자서명과 청구인 본인의 전자서명을 함께 제출하여야 한다.
② 법인 전자증명서를 이용하는 법인회원은 공탁소를 방문하지 않고도 사용자등록을 할 수 있다.
③ 1억원의 금전담보공탁은 전자공탁으로 할 수 없다.
④ 공동의 이해관계를 가진 여러 당사자나 대리인이 공동으로 출급을 신청하는 경우에는 해당 전자문서에 공동명의자 전원이 전자서명을 하여 제출하는 방법에 따라 공동명의로 된 하나의 전자문서를 제출할 수 있다.
⑤ 공탁관은 공탁을 수리하는 경우 납입기한을 정하여 공탁자로 하여금 가상계좌로 공탁금 (공탁통지를 하는 경우 우편료 포함)을 납입하게 하여야 한다.

해설 ③ 변제공탁의 전자 신청은 액수의 제한이 없다. 그러나 공탁금 출급·회수청구는 공탁액이 금 5천만원 이하인 경우에만 가능하다.

03 전자공탁시스템을 이용한 공탁절차에 관한 다음 설명 중 옳은 것을 모두 고른 것은?

▸ 2023 법무사

> ㄱ. 공탁규칙 제70조 제1항 제1호 '개인회원'은 공탁소를 방문하지 않고도 공탁규칙 제70조 '사용자등록'을 할 수 있다.
> ㄴ. 민법 제487조 변제공탁(공탁액 6천만원)사건의 피공탁자인 丙은 전자공탁시스템을 이용하여 공탁금 출급청구를 할 수 있다.
> ㄷ. 甲은 전자공탁시스템을 이용하여 乙에 대한 채무 1억원을 민법 제487조 변제공탁을 할 수 있다.
> ㄹ. 전자공탁시스템에 사용자등록을 한 법무사회원이 전자공탁시스템을 이용하여 공탁금 출급청구서를 제출하는 경우 법무사회원이 전자서명을 하였다면 청구인 본인의 전자서명은 요하지 않는다.
> ㅁ. 전자공탁시스템을 이용하여 공탁금 출급청구를 하는 경우에 청구인은 공탁금 출급청구서를 출력하여 공탁금 보관은행에 제출하는 방법으로 공탁금을 수령할 수도 있다.

① ㄱ, ㄴ, ㄷ   ② ㄴ, ㄷ, ㄹ   ③ ㄷ, ㄹ, ㅁ
④ ㄴ, ㄹ, ㅁ   ⑤ ㄱ, ㄷ, ㅁ

해설 ㄴ. 공탁액이 금 5천만원 이하인 금전공탁사건에 대한 공탁금 출급·회수청구만 가능하다.
ㄹ. 변호사 또는 법무사회원이 전자문서에 의하여 지급청구하는 경우에는 변호사회원 또는 법무사회원의 전자서명과 청구인 본인의 전자서명을 함께 제출하여야 한다.

정답   01 ③   02 ③   03 ⑤

제2절 공탁서 작성방법

01 **재외국민 등의 공탁에 관한 다음 설명 중 가장 옳지 않은 것은?** ▶ 2025 법무사

① 공탁당사자가 재외국민일 경우 공탁서의 주민등록번호는 여권번호를 기재할 수 있다.

② 공탁당사자가 외국인일 경우 공탁서의 주민등록번호는 여권번호, 외국인등록번호 또는 국내거소신고번호를 기재할 수 있다.

③ 피공탁자가 재외국민 또는 외국인일 경우 여권번호, 외국인등록번호 또는 국내거소신고 번호의 확인을 위하여 외국인등록 사실증명서, 국내거소신고 사실증명서 등 소명자료를 첨부할 수 있다.

④ 피공탁자가 재외국민 또는 외국인으로서 주소가 분명하지 아니한 경우 공탁의 직접 원인 이 되는 서면(계약서, 재판서, 재결서, 등기사항증명서, 토지대장, 말소된 주민등록표 등 · 초본 등)에 나타난 주소지를 최종 주소지로 기재하고, 그 최종 주소지에 피공탁자가 거주하지 않는다는 것을 소명하는 서면(발송된 우편물이 이사불명 등으로 반송되었다는 취지가 기재된 최근의 배달증명서 등)을 제출하여야 한다.

⑤ 제출문서가 외국 공문서이거나 외국 공증인이 공증한 문서인 경우(이하 '외국 공문서 등' 이라 한다)에는 재외공관 공증법 제30조 제1항에 따라 공증담당영사의 확인을 받거나 외국공문서에 대한 인증의 요구를 폐지하는 협약에서 정하는 바에 따른 아포스티유 (Apostille)를 붙여야 한다. 다만, 외국 공문서 등의 발행국이 대한민국과 수교하지 아니 한 국가이면서 위 협약의 가입국이 아닌 경우와 같이 부득이한 사유로 문서의 확인을 받거나 아포스티유를 붙이는 것이 곤란한 경우에는 그러하지 아니하다.

> **해설** ①,②,③ 재외국민등의 공탁에 관한 업무처리지침(2025.4.29. 제정 2025.6.1. 시행) 제5조(재외국민 등의 주민등록번호)
> ① 공탁당사자가 재외국민일 경우 공탁서의 주민등록번호는 여권번호를 기재할 수 있다.
> ② 공탁당사자가 외국인일 경우 공탁서의 주민등록번호는 여권번호, 외국인등록번호 또는 국내거소 신고번호를 기재할 수 있다.
> ③ 피공탁자가 재외국민 또는 외국인일 경우 위 제1항 또는 제2항의 확인을 위하여 외국인등록 사 실증명서, 국내거소신고사실증명서 등 **소명자료를 첨부하여야 한다.**
> ④ 재외국민등의 공탁에 관한 업무처리지침 제7조
> ⑤ 재외국민등의 공탁에 관한 업무처리지침 제2조

제3절 공탁서의 첨부서면

01 채무자가 변제공탁을 하는 경우 공탁서의 첨부서면에 관한 다음 설명 중 가장 옳은 것은?

▶ 2022 법무사

① 공탁자가 법인 아닌 사단인 경우 정관 기타 규약과 대표자나 관리인의 자격을 증명하는 서면을 공탁서에 첨부하여야 하는데, 법인 아닌 사단이 판결에 기하여 공탁을 하는 경우 판결문상에 사단의 실체 및 대표자가 표시되어 있다면 그 판결문만을 첨부하여 공탁할 수 있다.

② 공탁자가 법인 아닌 사단인 종중인 경우 부동산등기용 등록번호를 증명하는 서면인 종중등록증명서는 대표자의 자격을 증명하는 서면이 될 수 있다.

③ 피공탁자의 주소를 소명하는 서면으로서 주민등록표 등·초본 등 관공서에서 발급받은 서면은 발급일로부터 6개월 이내의 것이어야 한다.

④ 재결서나 판결문에 피공탁자의 주소가 표시되어 있고 표시된 주소가 주민등록표 등·초본상의 주소와 일치하는 경우 재결서나 판결문은 직접 주소를 소명하는 서면으로 볼 수 있다.

⑤ 피공탁자의 주소가 불명인 경우에는 그 사유를 소명하는 서면으로서 피공탁자의 최종주소를 소명하는 서면과 그 주소지에 피공탁자가 거주하지 않는다는 것을 소명하는 자료 등을 첨부하여야 하는데, 변제공탁의 직접 원인이 되는 계약서는 피공탁자의 최종주소를 소명하는 서면이 될 수 있다.

해설 ① 공탁자가 법인 아닌 사단인 경우 정관 기타 규약과 대표자나 관리인의 자격을 증명하는 서면을 공탁서에 첨부하여야 하며, 법인 아닌 사단이 판결에 기하여 공탁을 하는 경우 판결문상에 사단의 실체 및 대표자가 표시되어 있다 하여도 그 판결문만을 첨부하여 공탁할 수 없다.

② 공탁자가 법인 아닌 사단인 종중인 경우 부동산등기용 등록번호를 증명하는 서면인 종중등록증명서는 대표자의 자격을 증명하는 서면이 될 수 없다.

③ 피공탁자의 주소를 소명하는 서면으로서 주민등록표 등·초본 등 관공서에서 발급받은 서면은 발급일로부터 3개월 이내의 것이어야 한다.

④ 재결서나 판결문에 피공탁자의 주소가 표시되어 있고 표시된 주소가 주민등록표 등·초본상의 주소와 일치하여도 재결서나 판결문은 주소가 불명인 경우에 그 사유를 소명하는 서면으로 볼 수는 있어도 직접 주소를 소명하는 서면으로 볼 수 없다.

정답 01 ③ / 01 ⑤

02 공탁서의 첨부서면에 관한 다음 설명 중 가장 옳은 것은?

▸ 2021 법무사

① 공탁자가 법인 아닌 사단일 경우 판결문에 그 대표자가 표시되어 있다면 공탁서에 판결문만 첨부하면 되고 정관이나 규약과 대표자 또는 관리인의 자격을 증명하는 서면을 첨부할 필요가 없다.

② 공탁자가 종중인 경우 그 대표자의 자격을 증명하는 서면으로 부동산등기용등록번호를 증명하는 서면을 첨부할 수 있다.

③ 변제공탁을 하는 경우 피공탁자의 주소를 소명하는 서면을 첨부해야 하나 피공탁자의 주소가 불명이라면 이를 소명하는 서면을 첨부할 필요는 없다.

④ 공탁자가 피공탁자에게 공탁통지를 하여야 할 경우에는 피공탁자의 수만큼 공탁통지서를 첨부하여야 한다.

⑤ 같은 사람이 동시에 같은 공탁법원에 여러 건의 공탁을 하는 경우 첨부서면의 내용이 같더라도 항상 공탁서마다 첨부서면을 모두 첨부하여야 한다.

해설
① 01번 해설 참조
② 비법인 사단의 대표적인 예가 될 수 있는 종중의 경우에도 대표자 또는 관리인의 자격을 증명하는 서면은 종중규약에 따라 대표자로 선출된 회의록 등이고, 부동산등기용 등록번호를 증명하는 서면인 종중등록증명서는 대표자의 자격을 증명하는 서면에 해당하지 않는다(공탁선례 제2-136호).
③ 변제공탁하는 경우에 피공탁자의 주소를 표시하는 때에는 그 주소를 소명하는 서면을, 피공탁자의 주소가 불명인 경우에는 이를 소명하는 서면을 첨부해야 한다.
⑤ 같은 사람이 동시에 같은 공탁법원에 대하여 여러 건의 공탁을 하는 경우에 첨부서면의 내용이 같을 때에는 1건의 공탁서에 1통만을 첨부하면 된다. 이 경우 다른 공탁서에는 그 뜻을 적어야 한다.

정답 ▸ **02** ④

공탁관의 심사 및 납입

제1절 공탁관의 심사

01 다음 설명 중 가장 옳지 않은 것은? ▶ 2021 법무사

① 저당채무의 변제와 근저당권설정등기의 말소를 동시이행하기로 하는 특약을 한 사실이 없음에도 특약이 있는 것으로 공탁신청을 한 경우에는 무효이므로 공탁관은 수리할 수 없다.

② 대법원장이 지정한 공탁물 보관자가 목적물의 보관능력이 없는 특수한 경우에는, 공탁자는 채무이행지 관할 지방법원에 공탁물보관자 선임 신청을 할 수 있다.

③ 피공탁자가 법인일 경우에는 대표자의 성명, 주소는 공탁서 기재사항이 아니다.

④ 불수리결정을 한 경우 공탁관은 신청인에게 불수리결정등본을 교부하거나 배달증명우편으로 송달하여야 한다.

⑤ 불수리결정원본과 공탁서, 그 밖의 첨부서류는 원칙적으로 공탁기록에 철하여 보관한다.

해설 ① 저당채무의 변제는 원칙적으로 근저당권설정등기의 말소에 앞서 이행되어야 하므로 저당채무의 변제와 근저당권설정등기의 말소를 동시이행하기로 하는 특약을 한 사실이 없음에도, 특약이 있는 것으로 하는 공탁신청이 있으면, 그러한 특약의 유무에 대하여 심사할 권한이 없으므로 이를 수리할 수밖에 없다.

02 공탁관의 심사권에 관한 다음 설명 중 가장 옳지 않은 것은? ▶ 2023 법무사

① 공탁자가 조건부 공탁을 한 경우에 피공탁자가 조건을 이행할 의무가 있는지 여부에 대하여 공탁관은 실질적으로 심사할 권한이 없다.

② 형식적 심사권밖에 없는 공탁관으로서는 전부명령의 유·무효를 심사할 수는 없는 것이므로 공탁물회수청구채권이 미리 압류 및 전부되었다는 이유로 공탁금회수청구를 불수리한 공탁관의 처분은 정당하다.

③ 저당채무의 변제는 원칙적으로 근저당권설정등기의 말소에 앞서 이행되어야 하므로 저당채무의 변제와 근저당권설정등기의 말소를 동시이행하기로 하는 특약을 한 사실이 없음에도, 채무자 또는 소유자가 근저당권으로 담보된 채무를 변제공탁함에 있어 근저당권설정등기의 말소에 소요될 서류 일체의 교부를 반대급부로 한 경우에는 위 공탁은 변제의 효력이 없다. 다만, 공탁관은 그러한 특약을 한 사실이 없음에도 특약이 있는 것으로 하는 공탁신청이 있으면, 그러한 특약의 유무에 대하여 심사할 권한이 없으므로 이를 수리할 수밖에 없다.

정답 **01** ① **02** ⑤

④ 공탁신청 시 공탁서 및 첨부서면의 기재 자체로 보아 공탁사유가 존재하지 않는 것이 분명한 경우나 해당 계약이 무효라서 공탁에 의하여 면책을 얻고자 하는 채무의 부존재가 일견 명백한 경우에는 공탁신청을 불수리할 수 있다.

⑤ 공탁관은 조사단계에서 서류에 불비한 점이 있거나 공탁사유 또는 지급사유가 없으면 보정이나 취하를 권유할 수 있고, 신청인이 이에 응하지 않은 경우 접수를 거절할 수 있다.

> **해설** ⑤ 공탁관은 조사단계에서 서류에 불비한 점이 있거나 공탁사유 또는 지급사유가 없으면 보정이나 취하를 권유할 수는 있을 것이나, 신청인이 이에 응하지 않을 경우에도 접수 자체를 거절할 수는 없다.

제2절 공탁물의 납입

01 가상계좌에 의한 공탁금 납입절차에 관한 다음 설명 중 가장 옳지 않은 것은?

▶ 2021 법무사

① 공탁자는 가상계좌로 공탁금이 납입되기 전까지는 가상계좌납입 신청을 철회하고 관할 공탁소 공탁금보관자에게 직접 납입할 수 있다.

② 공탁자가 계좌번호 오류, 은행의 전산다운 등의 사유로 납입마감일의 통상 업무시간까지 공탁금을 납입하지 못한 경우 당해 공탁사건은 실효처리되는 것이 원칙이다.

③ 부동산경매에 있어서 매각허가결정에 대한 항고보증공탁(민사집행법 제130조 제3항)을 하는 경우 공탁자는 우선 공탁소에 가상계좌납입신청을 하여 공탁금 납입안내문을 교부받은 후 공탁금 보관은행에 이자소득세 원천징수에 필요한 사항을 등록하고 공탁금을 납입하여야 한다.

④ 공탁관은 공탁금보관자로부터 납입전송을 받은 후 지체 없이 보관 중인 공탁서를 공탁자 또는 정당한 대리인에게 교부하여야 한다.

⑤ 공탁자가 착오납입을 한 경우 납입당일에 한해 통상 업무시간 전까지 납입취소 신청서에 공탁관의 확인을 받아 공탁금보관자에게 납입취소를 요청할 수 있다.

> **해설** ③ 공탁자가 가상계좌납입신청을 하는 경우에는 공탁서 비고 가상계좌납입신청란에 그 취지를 표시하여야 한다. 다만, 부동산 경매에 있어서 매각허가결정에 대한 항고보증공탁을 하는 경우(민사집행법 제130조 제3항 및 제268조)에는, 공탁금 보관은행을 경유하여 이자소득세 원천징수에 필요한 사항을 등록한 후 "계좌납입신청"을 하여야 한다.

02 공탁물 납입에 관한 다음 설명 중 가장 옳지 않은 것은?

▶ 2023 법무사

① 전자공탁시스템을 이용하여 공탁을 하는 경우 공탁관은 공탁물보관자에게 가상계좌번호를 요청하여 그 계좌로 공탁금을 납입하게 하여야 한다.

② 공탁이 유효하게 성립하는 시기는 공탁관의 수리처분이 있을 때가 아니라 공탁자가 공탁물을 공탁물보관자에게 납입한 때이다.

③ 공탁자가 가상계좌에 의한 공탁금 납입을 신청하였는데, 착오납입한 경우 공탁물보관자의 확인이 있으면 언제라도 납입취소를 요청할 수 있다.

④ 공탁자가 가상계좌에 의한 공탁금 납입 시 공탁관은 공탁금보관자로부터 납입전송을 받은 후 지체 없이 보관 중인 공탁서에 납입증명을 하여 공탁자 또는 정당한 대리인에게 교부하여야 한다.

⑤ 공탁자가 계좌번호 오류, 은행의 전산다운 등의 사유로 납입마감일의 통상 업무시간까지 공탁금을 납입하지 못한 경우 당해 공탁사건은 실효처리되는 것이 원칙이다.

> **해설** ③ 공탁자가 착오납입 등을 한 경우 납입당일에 한해 통상 업무시간 전까지 공탁관의 확인을 받아 공탁금보관자에게 납입취소를 요청할 수 있다. 공탁소(시·군법원 포함)에는 납입취소 신청서를 비치하여 민원인의 편의를 도모하여야 한다.

정답 ▶ 01 ③ 02 ③

Chapter 04

공탁서 정정

01 공탁서 정정에 관한 다음 설명 중 가장 옳지 않은 것은?　▸ 2021 법무사

① 민법 제487조 변제공탁이 성립한 후 피공탁자가 개명한 경우 기본증명서 등을 첨부하여 공탁서 정정신청을 하여야 한다.

② 甲이 乙을 피공탁자로 하여 민법 제487조 변제공탁을 한 후 공탁자를 甲에서 丙으로 변경하는 공탁서 정정신청은 허용되지 않는다.

③ 사업시행자가 수용보상금을 유가증권으로 공탁한 후 동일한 금액의 현금으로 변경하는 공탁서 정정신청은 허용되지 않는다.

④ 공탁서 정정이 적법하게 수리된 경우에 공탁서 정정의 효력은 최초 공탁 시로 소급하여 발생하는 것이 원칙이다.

⑤ 사업시행자가 수용보상금을 공탁하면서 소유권이전에 필요한 일체의 서류를 반대급부로 제공할 것을 조건으로 보상금을 공탁한 경우 반대급부 조건을 철회하는 공탁서 정정은 허용된다.

> **해설** ① 공탁서 정정은 공탁서 기재와 공탁자 의사와의 불일치를 시정하고자 하는 것이므로 기재의 착오가 공탁수리 전에 존재해야 한다. 따라서 공탁수리 후의 사정변경으로 공탁서의 기재와 객관적인 사실이 일치하지 않게 된 경우, 예컨대 공탁 후 피공탁자가 개명을 한 경우에는 공탁물 출급청구서에 개명사실이 등재된 기본증명서를 첨부하면 되고 공탁서 정정의 문제가 발생할 여지는 없다.

02 공탁서 정정에 관한 다음 설명 중 가장 옳지 않은 것은?　▸ 2022 법무사

① 甲은 乙에 대한 대여금 채무 1백만원을 부담하고 있는데, 착오로 1천만원을 공탁한 경우 공탁금액을 정정할 수는 없고, 착오를 증명하는 서면을 첨부하여 공탁물을 회수한 후 다시 공탁을 하여야 한다.

② 용인시가 토지수용보상금을 절대적 불확지공탁한 경우 토지소유자는 공탁관을 상대로 공탁서 정정을 신청할 수 있고, 공탁관이 이에 응하지 않으면 국가(소관 공탁관)를 상대로 공탁물출급청구권 확인의 확정판결을 첨부하여 공탁금 출급청구를 할 수 있다.

③ 공탁서의 공탁원인사실란에 기재되어 있는 공탁근거 법령조항의 정정은 허용된다.

④ 변제공탁에 부당한 반대급부 조건을 붙임으로써 부적법한 공탁이 된 경우에 공탁자는 그 반대급부 조건을 철회하는 공탁서 정정신청을 할 수 있다.

⑤ 공탁자의 이름과 주민등록번호가 주민등록초본과 일치하나 주소가 다른 경우 사실상 동일인으로서 주소의 표시를 착오 기재한 것이라면 공탁자는 주민등록초본을 첨부하여 공탁자의 주소를 정정하는 공탁서 정정신청을 할 수 있다.

해설 ② 용인시가 토지수용보상금을 절대적 불확지공탁한 경우 토지소유자는 공탁자(용인시)를 상대로 공탁서 정정을 신청할 수 있고, 공탁자(용인시)가 이에 응하지 않으면 공탁자(용인시)를 상대로 공탁물출급청구권 확인의 확정판결을 첨부하여 공탁금 출급청구를 할 수 있다.

03 공탁서 정정에 관한 다음 설명 중 가장 옳지 않은 것은? ▶ 2024 법무사

① 공탁서의 정정은 공탁신청이 수리된 후 공탁서의 착오 기재가 발견된 때에 공탁의 동일성을 해하지 않는 범위 내에서만 허용되는 것이다.

② 집행공탁을 혼합공탁으로 정정하는 것은 단순한 착오 기재의 정정에 그치지 아니하고 공탁의 동일성을 해하는 내용의 정정이므로 허용될 수 없다.

③ 공탁이 수리된 후 공탁물수령자에 대한 사항에 착오가 있음을 발견한 경우라 할지라도 공탁물수령자에 관한 사항은 공탁의 요건에 관한 것이므로, 공탁물수령자를 추가하는 공탁서 정정은 공탁의 동일성을 해하므로 수리할 수 없다.

④ 선행채무있는 자가 반대급부를 조건으로 하여 변제공탁을 하였다 하더라도 그 후에 반대급부내용이 없는 것으로 정정하여 달라는 취지의 공탁서 정정신청을 하고 공탁관이 이를 인정하였다면 위의 변제공탁은 다른 유효요건을 갖추고 있는 한 그때부터 반대급부조건이 없는 변제공탁으로서의 효력을 갖게 된다.

⑤ 민법 제487조 후단 소정의 '과실 없이 채권자를 알 수 없는 경우'라고 하여 변제공탁을 하였다가 공탁원인사실에 같은 조 전단 소정의 '채권자의 수령불능'을 추가하는 것은 같은 민법 제487조를 공탁의 근거로 하는 것으로서 공탁의 동일성을 해하는 내용의 정정이라고 볼 수 없으므로 허용된다.

해설 ⑤ 민법 제487조 후문 소정의 '과실 없이 채권자를 알 수 없는 경우'라고 하여 변제공탁을 하였다가 공탁원인사실에 같은 조 전단 소정의 '채권자의 수령불능'을 추가하는 것은 단순한 착오 기재의 정정에 그치지 않고 공탁의 동일성을 해하는 내용의 정정이므로 허용될 수 없다. 따라서 공탁의 동일성을 해하는 내용으로 정정되었다 하더라도 정정된 내용에 따라 공탁의 효력이 생기지 않는다.

정답 01 ① 02 ② 03 ⑤

04 **공탁서 정정에 관한 다음 설명 중 가장 옳지 않은 것은?** ▸ 2025 법무사

① 수용보상금을 유가증권으로 공탁한 후 동일한 금액으로 유가증권과 현금으로 공탁물을 변경하는 것은 유가증권 일부를 회수하고 회수한 부분만큼 현금으로 새로운 공탁을 하는 것이므로 공탁의 동일성이 유지되지 않아 허용될 수 없다.

② 수용대상토지에 대하여 가처분등기가 경료되어 있으나, 그 가처분의 피보전권리가 공시되어 있지 않아 사업시행자가 토지소유자 또는 가처분권리자를 피공탁자로 하는 상대적 불확지공탁을 한 이후에 그 가처분의 피보전권리가 소유권이전등기청구권임이 확인된 경우라 하더라도 기존의 불확지공탁에서 토지소유자를 피공탁자로 하는 확지공탁으로 바꾸는 공탁서 정정은 공탁의 동일성을 해하므로 허용될 수 없다.

③ 공탁서 정정사유가 있더라도 이미 공탁금이 지급된 후에는 공탁서 정정신청을 할 수 없다.

④ 공탁서 정정신청이 적법하게 수리된 경우에는 그 정정의 효력은 당초 공탁 시로 소급하여 발생하는 것이 원칙이나, 반대급부 조건을 철회하는 공탁서 정정신청을 수리한 때에는 그때부터 반대급부 조건이 없는 변제공탁으로서의 효력을 갖는 것으로써 그 정정의 효력이 당초의 공탁 시로 소급하는 것은 아니다.

⑤ 제3채무자가 압류경합을 사유로 하여 집행공탁을 하였으나, 이미 제3채무자가 집행공탁을 하기 이전에 이루어진 채권압류 및 추심명령 또는 채권가압류결정 송달 사실을 공탁원인사실에 착오로 누락하였다는 이유로 이를 추가하는 공탁서 정정신청서를 제출한 경우, 공탁관은 이를 공탁의 동일성을 해하지 않는 것으로 보아 수리할 수 있다.

> **해설** ③ 공탁금 지급이 완료된 후에도 공탁서 정정이 가능한지 여부 : 공탁서 정정이란 공탁서에 공탁수리 전부터 존재하는 명백한 표현상의 착오 기재가 있음을 공탁수리 후에 발견한 경우에 정정 전·후의 공탁의 동일성을 해하지 아니하는 범위 내에서 공탁자의 신청에 의하여 그 오류를 시정하는 것을 말하는데, 공탁서 정정에 관한 공탁규칙 제30조에는 정정신청의 종기에 관한 규정이 없고, 특히 토지수용절차에서는 공탁금이 지급되었다고 하더라도 토지수용을 원인으로 한 이전등기를 위해서 공탁서의 명백한 표현상의 착오 기재를 정정할 실익이 있으므로, 공탁자는 공탁금이 지급된 후에도 공탁서 정정신청을 할 수 있다.

정답 ▸ 04 ③

공탁사항의 변경

01 공탁사항의 변경(대공탁 · 부속공탁 · 담보물공탁)에 관한 다음 설명 중 가장 옳지 않은 것은?

▸ 2022 법무사

① 대공탁의 경우에는 유가증권공탁이 상환금에 의한 금전공탁으로 변경되는 경우에 한하지만 담보물변경의 경우에는 유가증권공탁이 금전공탁으로 변경되는 경우 외에 금전공탁이 유가증권공탁으로, 유가증권공탁이 다른 유가증권공탁으로 변경되는 경우도 포함된다.

② 담보공탁에 대하여 대공탁을 청구하는 경우에, 본래의 유가증권공탁과의 사이에 공탁의 동일성이 유지되므로 담보를 명한 관청의 승인을 요하지 않는다.

③ 대공탁청구인이 공탁관으로부터 교부받은 '대공탁청구서' 및 '유가증권출급의뢰서' 등을 공탁물보관자에게 제출한 경우, 공탁물보관자는 그 대공탁청구서 말미에 영수인을 찍어 청구인에게 반환하고, 공탁유가증권을 출급하여 그 유가증권 채무자로부터 상환금을 추심하여 공탁관의 계좌에 대공탁금으로 입금하여야 한다.

④ 같은 사람이 동시에 같은 공탁법원에 여러 건의 부속공탁을 청구하는 경우에 첨부서면의 내용이 같을 때에는 그중 1건의 부속공탁청구서에 1통만을 첨부하면 되고, 다른 부속공탁청구서에는 그 뜻을 적어야 한다.

⑤ 법원이 담보물변경을 허가할 때에는 담보권리자의 이익을 해하여서는 안 되므로, 신 · 구담보물의 액면가액은 동일하거나 그 이상이어야 하며, 신담보물을 어떠한 종류와 수량의 유가증권으로 할 것인가는 법원의 재량에 의하여 정하여진다.

해설 ⑤ 법원은 담보제공자의 신청에 의하여 상당하다고 인정할 때에는 공탁한 담보물의 변환을 명할 수가 있고 이때에는 물론 담보권리자의 이익을 해하여서는 안 될 것이나, 본래의 공탁물에 갈음하여 유가증권이나 채권을 공탁하게 할 때에 신구담보물의 액면가액이 절대적으로 동일하거나 그 이상이어야만 하는 것은 아니며 신담보물을 어떠한 종류와 수량의 유가증권이나 채권으로 할 것인가는 법원의 재량에 의하여 정하여진다(대결 1988.8.11, 88그25).

정답 ▸ **01** ⑤

02 공탁사항의 변경(대공탁, 부속공탁, 담보물변경)에 관한 다음 설명 중 가장 옳지 않은 것은?

▸ 2025 법무사

① 대공탁을 하게 되면 공탁의 목적물은 유가증권에서 금전으로 변경되나 공탁의 동일성은 유지된다.

② 유가증권공탁에 관하여 대공탁과 부속공탁을 동시에 청구하는 경우에는 하나의 청구서로 할 수 있는데, 이 경우 공탁관은 대공탁과 부속공탁을 별건으로 접수 및 등록하고 2개의 기록을 만들어야 한다.

③ 담보제공명령을 한 법원은 담보제공자의 신청에 의하여 결정으로 공탁한 담보물을 바꾸도록 명할 수 있고, 다만 당사자가 계약에 의하여 공탁한 담보물을 다른 담보로 바꾸겠다고 신청한 때에는 그에 따른다.

④ 담보물변경 신청사건은 담보제공결정을 한 법원 또는 그 기록을 보관하고 있는 법원이 관할한다.

⑤ 공탁한 담보물이 금전인 경우에 유가증권으로 담보물을 변경하는 것은 법원의 재량에 속한다.

> **해설** ② 동일한 유가증권공탁에 관하여 대공탁과 부속공탁을 동시에 청구하는 경우에는 하나의 청구서 (대공탁·부속공탁)로 청구할 수 있다. 이 경우 공탁관은 대공탁과 부속공탁을 별건으로 접수·등록하되 1개의 기록을 만든다.

정답 02 ②

공탁물 지급절차

01 민법 제487조 변제공탁절차에서 공탁물 출급·회수청구 시 인감증명서 제출이 면제되는 경우를 모두 고른 것은?
▸ 2022 법무사

┤ 보기 ├

ㄱ. 피공탁자 甲의 위임을 받은 친구 乙이 공탁금 500만원을 출급청구하는 경우
ㄴ. 공탁서상 공탁금액이 990만원이지만 출급청구하는 금액이 이자를 포함하여 1,050만원인 경우
ㄷ. 공탁서상 피공탁자가 '甲과 乙', 공탁서상 전체 공탁금액이 1,500만원이고 乙이 자신의 지분에 해당하는 750만원을 출급청구하는 경우
ㄹ. 공탁서상 피공탁자 '甲', 공탁금액이 2,000만원이지만 甲이 임의로 500만원만 출급청구하는 경우
ㅁ. 공탁서상 공탁금액이 2,000만원이고, 출급청구하는 유가증권의 총 액면금액이 2,000만원인 경우

① ㄱ, ㄴ　　　　② ㄱ, ㄹ　　　　③ ㄱ, ㅁ
④ ㄴ, ㄷ　　　　⑤ ㄴ, ㅁ

해설　④ ㄱ. 피공탁자 甲 본인이 직접 출급청구를 하는 경우가 아니므로 인감이 면제되지 않는다.
　　　　ㄹ. 1,000만원을 초과하는 공탁금액을 1,000만원 이하로 임의로 분할하여 출금 또는 회수청구하는 경우에는 적용되지 않는다.
　　　　ㅁ. 1,000만원 이하가 아니므로 인감제출이 면제되지 않는다.

02 공탁금 회수청구 시의 첨부서면에 관한 다음 설명 중 가장 옳은 것은?
▸ 2024 법무사

① 공탁물을 회수하려는 사람은 공탁물 회수청구서에 공탁서를 첨부하여야 하나, 이해관계인의 승낙서를 첨부한 경우에는 공탁서를 첨부하지 않을 수 있다.
② 공탁물 회수청구를 하는 사람이 비법인재단인 경우 공탁금액이 5,000만원 이하이면 공탁서를 첨부하지 않을 수 있다.
③ 회수청구권에 대한 강제집행에 의하여 추심명령 또는 전부명령을 얻은 추심채권자 또는 전부채권자가 공탁물 회수청구를 하는 경우에도 공탁물 회수청구서에 공탁서를 첨부하여야 한다.

정답 ▷ 01 ④　02 ①

④ 공탁물회수청구권에 대한 압류 및 전부명령을 받은 자는 원래의 공탁물회수청구권자의 지위를 넘어서 공탁물을 회수할 수 있으므로, 공탁물 회수청구 시 회수청구권을 갖는 것을 증명하는 서면을 첨부하지 않을 수 있다.

⑤ 집행법원이 집행공탁금의 배당을 실시하기 전에 공탁자가 집행공탁의 원인이 없음에도 착오로 집행공탁을 한 것임을 이유로 공탁사유신고를 철회한 경우, 그 집행공탁이 원인이 없는 것으로서 무효임이 명백하여 집행법원이 공탁사유신고를 불수리하는 결정을 하였다고 하더라도, 공탁자가 공탁관에게 집행법원의 위 결정을 제출하여 공탁금을 회수할 수 없다.

해설 ② 공탁물 회수청구를 하는 사람이 비법인재단인 경우 공탁금액이 1,000만원 이하이면 공탁서를 첨부하지 않을 수 있다.

③ 회수청구권에 대한 강제집행에 의하여 추심명령 또는 전부명령을 얻은 추심채권자 또는 전부채권자가 공탁물 회수청구를 하는 경우 공탁물 회수청구서에 공탁서 첨부가 면제된다.

④ 공탁물회수청구권에 대한 압류 및 전부명령을 받은 자는 원래의 공탁물회수청구권자의 지위를 넘어서 공탁물을 회수할 수 없으므로, 공탁물 회수청구 시 회수청구권을 갖는 것을 증명하는 서면을 첨부하여야 한다.

⑤ 집행법원이 집행공탁금의 배당을 실시하기 전에 공탁자가 집행공탁의 원인이 없음에도 착오로 집행공탁을 한 것임을 이유로 공탁사유신고를 철회한 경우, 그 집행공탁이 원인이 없는 것으로서 무효임이 명백하여 집행법원이 공탁사유신고를 불수리하는 결정을 하였다면, 공탁자가 공탁관에게 집행법원의 위 결정을 제출하여 공탁금을 회수할 수 있다.

03 다음 중 공탁금 회수청구 시 공탁서 제출이 면제되는 경우를 모두 고른 것은? ▸ 2022 법무사

┤ 보기 ├

ㄱ. 회수청구하는 공탁금액이 6,000만원인 경우
ㄴ. 총 액면금액이 4,000만원인 유가증권을 회수하는 경우
ㄷ. 비법인사단이 회수청구하는 공탁금액이 4,000만원인 경우
ㄹ. 용인시가 회수청구하는 공탁금액이 4,000만원인 경우
ㅁ. 공탁금회수청구권에 대하여 채권압류 및 추심명령을 얻은 채권자가 회수청구하는 공탁금액이 4,000만원인 경우

① ㄴ, ㅁ　　　　② ㄱ, ㅁ　　　　③ ㄷ, ㅁ
④ ㄷ, ㄹ　　　　⑤ ㄹ, ㅁ

해설 ㄱ. 회수청구하는 공탁금액이 5,000만원 이하인 경우에만 면제
ㄷ, ㄹ. 비법인사단과 관공서는 1,000만원 이하인 경우에 면제

정답 03 ①

특수 지급절차

01 **공탁금 지급에 관한 다음 설명 중 가장 옳지 않은 것은?** ▸ 2025 법무사

① 공탁관은 원칙적으로 '장기미제 공탁사건 중 공탁 당시 공탁금이 1천만 원 이상인 공탁사건' 또는 '고액공탁사건(지급청구금액이 10억 원 이상)'에 대하여 출급·회수청구서를 접수한 경우 이를 인가하기 전에 전자결재의 방식에 의하여 소속과장의 결재를 받아야 한다.

② 공탁관의 공탁금 출급인가처분이 있고 그에 따라 공탁금이 출급되었다면 설사 이를 출급받은 자가 진정한 출급청구권자가 아니라 하더라도 진정한 공탁금 출급권자는 공탁사무를 관장하는 국가를 상대로 하여 민사소송으로 그 공탁금의 지급을 구할 수는 없다.

③ 공탁관은 조사단계에서 지급사유가 없으면 보정이나 취하를 권유할 수는 있으나, 신청인이 이에 응하지 않을 경우에는 불수리결정을 하여야 하며 접수 자체를 거부할 수는 없다.

④ 보증지급은 공탁통지서나 공탁서를 제출할 수 없는 경우에 하는 것이므로 공탁서상의 피공탁자 주소가 주소증명서면상의 주소와 불일치하는 경우 동일인임을 증명하는 데까지 확대하여 적용할 수는 없다.

⑤ 공탁금 출급청구권을 갖는 것을 증명하는 서면인 소유권 증명서류를 보증지급의 보증서로 갈음할 수 있다.

(해설) ⑤ 보증지급은 공탁통지서나 공탁서를 제출할 수 없는 경우에 하는 것이므로 공탁서상의 피공탁자의 주소가 주소증명서면(또는 인감증명서)상의 주소와 불일치하는 경우 동일인임을 입증하는 데까지 확대하여 적용할 수는 없으며(공탁선례 제2–50호), 수용보상공탁금 출급청구권을 갖는 것을 증명하는 서면인 소유권 입증서류를 보증서로 갈음할 수도 없다.

정답 ▸ **01 ⑤**

공탁관의 처분에 대한 불복

01 공탁금 지급절차에 관한 다음 설명 중 가장 옳은 것은? ▸ 2021 법무사

① 같은 사람이 여러 건의 공탁에 관하여 전자공탁시스템을 이용하여 출급청구를 하는 경우
에 그 사유가 같은 때에는 공탁종류에 따라 하나의 청구서로 일괄청구할 수 있다.

② 공탁관은 토지수용보상금을 절대적 불확지공탁한 사건 중 그 공탁의 공탁 당시 공탁금이
1천만원 이상이고 공탁일로부터 만 3년이 경과한 사건에 대하여 출급청구서를 접수한
경우 공탁관은 이를 인가하기 전에 소속과장의 결재를 받아야 한다.

③ 공탁관의 불수리결정에 대하여 불복하는 자는 항고법원에 즉시항고를 할 수 있으며, 이
경우 즉시항고장은 항고법원에 제출하여야 한다.

④ 변제공탁금 출급청구에 대하여 공탁관의 인가를 받은 공탁금출급청구서를 공탁금보관자
에게 제출하기 전에 피공탁자가 분실한 경우 공탁관은 공탁금이 남아 있더라도 이미 한
출급청구에 대한 인가를 반드시 취소하여야 한다.

⑤ 피공탁자가 공탁물 출급청구서에 공탁통지서를 첨부할 수 없는 경우 공탁물 출급청구에
대하여 이해관계를 가지고 있는 자의 승낙서를 첨부하여 출급청구를 할 수 있는데, 이때
위 이해관계인의 인감증명서 제출은 요하지 않는다.

> **해설** ① 전자공탁은 일괄신청이 인정되지 않는다.
>
> ③ 이의신청에 대한 재판에 대하여는 비송사건절차법에 의하여 항고할 수 있다(공탁법 제14조 제2
> 항). 비송사건절차법에 의한 항고에 관한 규정은 특별한 규정이 있는 것을 제외하고는 민사소송법
> 에 의한 항고에 관한 규정을 준용하므로(비송사건절차법 제23조) 항고의 제기는 항고장을 원심법
> 원에 제출함으로써 하고(민사소송법 제445조), 원심법원이 항고에 정당한 이유가 있다고 인정하
> 는 때에는 그 재판을 경정하여야 한다(민사소송법 제446조). 항고법원의 재판에는 이유를 붙여야
> 한다(비송사건절차법 제22조). 항고법원의 결정에 대하여는 재판에 영향을 미친 헌법, 법률, 명령
> 또는 규칙의 위반을 이유로 드는 때에만 대법원에 재항고할 수 있다.
>
> ④ 인가받은 공탁물출급·회수청구서를 분실한 청구인이 공탁물을 지급받고자 하는 경우 청구인은 사
> 실증명신청서 2통을 공탁관에게 제출하여야 하고, 청구인이 발급받은 사실증명서를 제출하여 공탁
> 물의 출급 또는 회수를 청구하는 경우 공탁물보관자는 분실한 공탁물 지급청구서에 의하여 이미
> 공탁물을 지급한 때 등과 같은 특별한 사정이 없는 한 그 청구에 따라 공탁물을 지급하여야 한다.
>
> ⑤ 승낙서에는 작성자인 이해관계인의 인감을 날인하고 인감증명서를 첨부하여야 한다.

02 공탁관의 처분에 대한 불복 등에 관한 다음 설명 중 가장 옳지 않은 것은? ▸2023 법무사

① 집행법원이 공탁관에게 지급위탁서를 송부하고 채권자에게 자격증명서를 교부하는 사무는 공탁관의 공탁사무가 아니므로 그 사무에 관한 집행법원의 처분에 대하여 불복하려면 공탁관의 처분에 대한 이의신청을 할 것이 아니라 집행에 관한 이의신청을 하여야 한다.

② 공탁신청이 불수리된 후 신청인이 이의신청을 하지 않은 때에는 불수리결정연도 다음 해부터, 관할 지방법원이 이의신청을 기각하거나 각하한 때에는 기각 또는 각하결정이 있는 다음해부터 5년간 공탁기록을 보존한다.

③ 공탁금회수청구권에 대한 압류·전부채권자가 전부금액에 해당하는 공탁금 회수청구를 하였으나 공탁관이 선행하는 가압류가 존재한다는 이유로 이를 불수리하고 압류의 경합을 이유로 사유신고하여 배당절차가 개시된 경우, 공탁관은 여전히 해당 공탁사건에 관하여 일정한 처분을 할 지위에 있으므로, 위 공탁관의 불수리처분에 대한 이의신청은 그 이익이 있어 적법하다.

④ 공탁관의 처분에 대하여 불복이 있는 자는 관할 지방법원 공탁소에 이의신청서를 제출하는 방법으로 이의신청을 하여야 한다.

⑤ 법원은 공탁관의 처분에 대한 이의신청을 심리할 경우 공탁관의 형식적 심사권을 전제로 처분 당시 제출된 신청서류 등에 의하여 그 처분의 당부를 판단하여야 한다.

> **해설** ③ 공탁금회수청구권에 대한 압류·전부채권자가 공탁공무원에게 전부금액에 해당하는 공탁금 회수청구를 하였으나 공탁공무원이 선행하는 가압류가 존재한다는 이유로 이를 불수리하고 구 민사소송법 제581조, 공탁규칙 제58조에 따라 압류의 경합을 이유로 사유신고를 한 경우, 특단의 사정이 없는 한 집행법원은 배당절차를 개시하게 되고, 그 이후에는 공탁공무원으로서는 집행법원의 배당절차에 따라 공탁금을 각 채권자들에게 분할 지급할 수 있을 뿐 해당 공탁사건에 관하여 더 이상 어떠한 처분을 할 지위에 있지 않게 되는 것이므로 이 경우 공탁공무원의 처분에 대한 이의신청은 그 이익이 없어 부적법하게 된다.

정답 ▸ 01 ② 02 ③

03 이의신청에 관한 다음 설명 중 가장 옳지 않은 것은?

▸ 2025 법무사

① 공탁관의 처분에 불복하는 자는 관할 지방법원에 이의신청을 할 수 있다.

② 공탁관은 이의신청이 이유 있다고 인정하면 신청의 취지에 따르는 처분을 하고 그 내용을 이의신청인에게 알려야 하고, 이의신청이 이유 없다고 인정하면 이의신청서를 받은 날부터 5일 이내에 이의신청서에 의견을 첨부하여 관할 지방법원에 송부하여야 한다.

③ 관할 지방법원은 이의신청에 대하여 이유를 붙인 결정으로써 하며 공탁관과 이의신청인에게 결정문을 송부하여야 한다.

④ 관할 지방법원은 이의가 이유 있다고 인정하더라도 공탁관에게 상당한 처분을 할 것을 명할 필요는 없다.

⑤ 이의신청인은 관할 지방법원의 이의신청에 대한 결정에 대하여 비송사건절차법에 따라 항고할 수 있다.

해설 ④ 관할 지방법원의 재판은 이의신청에 대하여 이유를 붙인 결정으로써 하며, 공탁관과 이의신청인에게 결정문을 송부하여야 한다. 이 경우 이의가 이유 있다고 인정하면 공탁관에게 상당한 처분을 할 것을 명하여야 한다.

정답 03 ④

Chapter 09

공탁관계 법령

01 **공탁관계서류의 열람에 관한 다음 설명 중 가장 옳지 않은 것은?** ▸ 2023 법무사

① 피공탁자의 채권자가 공탁금출급청구권을 압류할 목적으로 하는 공탁관계 서류에 대한 열람 신청은 허용되지 않는다.

② 공탁자 甲이 친구 乙에게 공탁관계서류의 열람을 위임한 경우 대리인의 권한을 증명하는 서면에 甲의 인감도장을 찍고 인감증명서를 첨부하여야 한다.

③ 지급이 완료되지 않은 공탁사건에 관하여 공탁의 확인을 목적으로 공탁관계서류를 열람시킨 경우 소멸시효가 중단된다.

④ 공탁당사자는 전자공탁시스템을 이용하여 전자문서로 제출된 공탁관계서류에 대한 열람을 청구할 수 있는데, 열람을 신청한 자는 공탁관이 열람을 승인한 날부터 2주일 이내에 공탁관계서류를 열람할 수 있다.

⑤ 변제공탁의 공탁자는 전자공탁시스템을 이용하여 전자문서로 제출된 공탁관계서류에 대한 열람뿐만 아니라 전자공탁시스템으로 처리한 공탁사무에 대한 사실증명을 청구할 수 있다.

해설 ④ 전자공탁시스템을 이용한 전자기록의 열람은 공탁관이 열람을 승인한 날부터 1주일 이내에 할 수 있다.

PART
02
각론

변제공탁

제1절 변제공탁의 신청

01 공탁소의 관할에 관한 설명 중 가장 옳지 않은 것은? ▸ 2022 법무사

① 변제공탁은 채무이행지의 공탁소에 하여야 한다. 공탁소에 관하여 법률에 특별한 규정이 없으면 법원은 변제자의 청구에 의하여 공탁소를 지정하고 공탁물보관자를 선임하여야 한다.

② 공탁당사자가 관할공탁소와 멀리 떨어져 있는 경우 공탁당사자는 관할공탁소 이외의 공탁소에서 금전변제공탁신청을 할 수 있다.

③ 국내에 주소나 거소가 없는 외국인이나 재외국민을 위한 변제공탁은 지참채무의 경우라도 다른 법령의 규정이나 당사자의 특약이 없는 한 변제자의 주소지나 거소지의 관할 공탁소에 공탁할 수 있다.

④ 여신전문금융업법상의 보증공탁은 선불카드를 발행한 신용카드업자의 본점 또는 주된 사무소 소재지의 공탁소에 공탁하여야 한다.

⑤ 해당 시·군법원에 계속 중이거나 시·군법원에서 처리한 소액사건심판법의 적용을 받는 민사사건과 화해·독촉·조정사건에 대한 채무의 이행으로서 하는 변제공탁은 시·군법원의 공탁관에게 할 수 있다.

해설 ③ 국내에 주소나 거소가 없는 외국인이나 재외국민을 위한 변제공탁은 지참채무의 경우에 다른 법령의 규정이나 당사자의 특약이 없는 한 서울중앙지방법원(또는 대법원 소재지)의 공탁관에게 할 수 있다.

02 관할공탁소 이외의 공탁소에서의 공탁사건처리 지침(행정예규 제1167호)에 관한 다음 설명 중 가장 옳은 것은?
▶ 2023 법무사

① 위 지침은 공탁금지급청구의 경우에는 공탁의 종류를 불문하고 모든 공탁(금전·유가증권·물품)에 적용한다.

② 위 지침은 접수공탁소 및 관할공탁소 모두가 지방법원 본원인 경우에 한하여 적용한다.

③ 공탁자는 공탁서 등(공탁서 1부와 첨부서류)을, 공탁금지급청구인은 청구서 등(공탁금출급·회수청구서 1부와 첨부서류)을 접수공탁소에 제출하면서 우표를 붙인 봉투(원본서류를 관할공탁소에 국내특급우편으로 송부하기 위함)를 함께 제출하여야 한다.

④ 甲이 乙에 대한 물품대금채무(5백만원)를 서울중앙지방법원(관할공탁소)에 금전변제공탁한 경우, 피공탁자 乙은 서울북부지방법원(접수공탁소)에 공탁금 출급청구서를 제출할 수 있다.

⑤ 위 지침은 민사집행법 제248조 제1항에 따라 제3채무자가 금전채권에 대한 압류가 경합되어 있음을 이유로 집행공탁을 신청하는 경우에 적용된다.

> **해설** ① 유가증권과 물품공탁은 제외
> ② 지방법원 본원 또는 지원인 경우에 적용(시·군법원 제외)
> ④ 같은 특별시라 안 됨
> ⑤ 공탁 신청의 경우는 변제공탁의 경우에만 적용(집행공탁 신청은 관할 제한이 없음)

03 민법 제487조 변제공탁이 성립된 후 공탁소의 공탁통지서 발송에 관한 다음 설명 중 가장 옳지 않은 것은?
▶ 2021 법무사

① 공탁소에서 공탁통지서를 발송하기 전이라도 피공탁자는 공탁소에 출석하여 공탁통지서의 교부를 청구할 수 있다.

② 공탁통지서의 송달은 민사소송법 제190조 제1항에 따른 집행관에 의한 휴일 특별송달방법에 의할 수 있다.

③ 공탁통지서가 공탁소로 반송된 후 피공탁자가 대리인을 통하여 공탁통지서를 교부청구하는 경우 피공탁자 본인의 인감도장이 찍힌 위임장과 그 인감증명서를 공탁관에게 제출하여야 한다.

④ 공탁통지서가 피공탁자의 주소불명으로 공탁소로 반송된 경우에 공탁자는 피공탁자의 주소에 대한 공탁서 정정을 신청할 수 있다.

⑤ 전자공탁시스템에 의하여 공탁이 이루어져 전자공탁시스템으로 제출된 공탁통지서를 발송한 후 공탁통지서가 반송된 경우 공탁관은 이를 폐기할 수 있다.

> **정답** ▶ 01 ③ 02 ③ 03 ②

해설 ② 공탁통지서의 발송은 배달증명에 의한 우편발송의 방법에 의하여야 하므로, 법원이 직권으로 소송상의 서류를 소송당사자 기타 이해관계인에게 송달하는 경우에 적용되는 민사소송법상의 송달에 관한 규정은 적용될 수 없다. 따라서 민사소송법 제190조에 규정되어 있는 공휴일 또는 해뜨기 전이나 해진 뒤의 집행관 등에 의한 송달방법이나 공시송달의 방법에 의해서 공탁통지서를 발송할 수는 없다.

04 공탁관의 공탁통지서 내지 공탁사실통지서 발송 등에 관한 다음 설명 중 가장 옳지 않은 것은? (다툼이 있는 경우 대법원 판례·예규 및 선례에 따르고 전원합의체 판결의 경우 다수의견에 의함)
▶ 2024 법무사

① 제3채무자가 금전채권의 일부에 대한 민사집행법에 따른 압류를 원인으로 압류에 관련된 금전채권액 전액을 집행공탁(민사집행법 제248조 제1항)하는 경우 공탁관은 피공탁자(압류채무자)에게 공탁통지서를 발송하고, 압류채권자에게는 공탁사실을 통지하여야 한다.

② 제3채무자가 금전채권에 대한 가압류를 원인으로 집행공탁(민사집행법 제291조, 제248조 제1항)을 하는 경우 공탁관은 피공탁자에게 공탁통지서를 발송하고, 가압류채권자에게는 공탁사실을 통지하여야 한다.

③ 형사사건의 피고인이 법령 등에 따라 피해자의 인적사항을 알 수 없는 경우에 그 피해자를 위하여 변제공탁(공탁법 제5조의2)을 하는 경우 공탁관은 해당 형사사건이 계속 중인 법원과 검찰에 형사공탁사실통지서를 송부하여야 한다.

④ 제3채무자가 금전채권에 대하여 가압류명령을 송달받은 이후에 채권양도통지를 받아 혼합공탁(민법 제487조 후단, 민사집행법 제291조 및 제248조 제1항)을 하는 경우 공탁관은 피공탁자에게 공탁통지서를 발송하고, 가압류채권자에게는 공탁사실을 통지하여야 한다.

⑤ 제3채무자가 금전채권에 대하여 가압류와 체납처분에 의한 압류의 경합을 원인으로 집행공탁(민사집행법 제291조, 제248조 제1항)을 하는 경우 공탁관은 피공탁자에게 공탁통지서를 발송하고, 가압류채권자 및 체납처분권자에게는 공탁사실을 통지하여야 한다.

해설 ① 공탁사실 통지는 가압류권자에게 해야 하며, 압류채권자에게는 해당하지 않는다(압류권자는 사유신고로 배당이 진행되므로 후일 집행법원에서 배당기일 통지서를 받고 배당에 참가하게 된다).

제2절 변제공탁의 요건

01 변제공탁의 원인 중 채권자의 수령거절에 관한 다음 설명 중 가장 옳지 않은 것은?

▶ 2024 법무사

① 수령거절의 전제가 되는 변제제공에 있어 상대방이 사망한 경우 상속인에게 변제의 제공을 하여야 한다.

② 매수인이, 매도인을 대리하여 매매잔대금을 수령할 권한을 가지고 있는 사람에게 잔대금의 수령을 최고하고, 그를 공탁물 수령자로 지정하여 한 잔대금 변제공탁은 매도인에 대한 잔대금 지급의 효력이 있다.

③ 위 ②항의 변제공탁에서, 매수인이 소유권이전등기절차에 필요한 서류 등의 교부를 요구한 경우, 그 반대급부의 이행을 요구받은 상대방은 매도인이라고 할 것이므로, 반대급부조건을 붙여서 한 공탁은 적법하다.

④ 채권자로부터 미리 수령을 거절할 의사가 표명된 경우에는 채무자는 변제의 제공을 하지 않고 곧 유효하게 공탁을 할 수 있다.

⑤ 채권자의 태도로 보아 채무자가 채무의 이행제공을 하였을 때 채권자가 그 수령을 거절할 것이 명백히 예상되는 경우에도, 채무자는 이행의 제공을 하고 채권자가 그에 대한 수령을 거절한 이후 변제공탁할 수 있다.

> **해설** ⑤ 채권자의 태도로 보아 채무자가 설사 채무의 이행제공을 하였더라도 그 수령을 거절하였을 것이 명백한 경우에는 채무자는 이행의 제공을 하지 않고 바로 변제공탁할 수 있다(대판 1994.8.26, 93다42276).

02 채권자 불확지공탁에 관한 다음 설명 중 가장 옳지 않은 것은?

▶ 2024 법무사

① 수용대상 토지에 가처분등기가 경료되어 있는 경우에는 그 가처분의 피보전권리가 소유권말소등기청구권인지 아니면 소유권이전등기청구권인지가 등기부상 공시되어 있지 않다면, 일단은 그 토지의 소유권 귀속에 관하여 다툼이 있는 것으로 보아 피공탁자의 상대적 불확지를 이유로 공탁을 할 수 있다.

② 양도금지의 특약이 있는 채권에 대한 전부명령이 확정된 경우 전부채권자가 양도금지의 특약이 있는 사실을 알았다면 채무자는 채권자 불확지공탁을 할 수 있다.

③ 특정채권에 대하여 채권양도의 통지가 있었으나 그 후 통지가 철회되는 등으로 채권이 적법하게 양도되었는지 여부에 관하여 의문이 있는 경우 채권자 불확지공탁을 할 수 있다.

정답 04 ① / 01 ⑤ 02 ②

④ 공탁자가 지급하여야 할 보상금의 총액은 확정되어 있으나 보상금 수령권자가 불분명할 뿐만 아니라 그 배분 금액도 다투는 경우에는 다투는 자 전원을 피공탁자로 지정하여 채권자 불확지공탁을 할 수 있다.

⑤ 채권자인 예금주가 사망한 후 상속인 중의 일부가 은행을 상대로 자신의 상속지분에 상당하는 돈의 지급을 구하는 소를 제기한 데 대하여 다른 상속인이 '자신에게 기여분이 있고, 망인이 상속인 중 망인의 처와 자신에게 대부분의 재산을 상속시킨다는 취지의 유언공정증서를 남겼다'는 등의 이유로 위 돈의 지급을 하지 말 것을 은행에 요구하고 있는 경우, 채무자인 은행은 상속인들을 피공탁자로 지정하고 그 상속지분을 알 수 없는 이유를 공탁원인사실에 구체적으로 기재하여 채권자 불확지공탁을 할 수 있다.

해설 ② 채권양도금지의 특약 있는 채권에 대한 전부명령이 확정된 경우에는 양도금지의 특약이 있는 채권이라도 전부채권자의 선의 여부를 불문하고 전부채권자에게 이전되므로 채무자는 채권자 불확지 변제공탁을 할 수 없다.

03 반대급부 조건부 공탁절차에 관한 다음 설명 중 가장 옳지 않은 것은? ▶ 2023 법무사

① 임대인이 임차보증금을 변제공탁하면서 주택임대차보호법 제3조의3에 의한 임차권등기말소를 반대급부 조건으로 공탁할 수 없다.

② 전세권설정자가 전세금을 공탁하면서 전세권말소를 반대급부 조건으로 한 것은 유효하다.

③ 피공탁자가 공탁자에게 공탁서에 기재된 반대급부의 이행을 제공하였으나 공탁자가 그 수령을 거절하는 때에는 그 반대급부를 변제공탁하고, 그 공탁서를 첨부하여 공탁물 출급청구를 할 수 있다.

④ 부당한 반대급부 조건을 붙인 변제공탁에 대하여 피공탁자가 이를 수락하여 공탁물을 출급하기 위해서는 반대급부 조건을 이행하고 반대급부이행 증명서면을 첨부하여야 한다.

⑤ 공탁자가 공탁물수령자로부터 공탁자 앞으로의 소유권이전등기에 필요한 일체의 서류를 공탁자에게 교부하라는 반대급부 조건을 붙여 변제공탁한 후 이와는 별도로 같은 부동산에 관한 소유권이전등기절차이행의 소를 제기하여 승소확정판결을 받은 경우 위 판결은 반대급부이행 증명서면에 해당한다.

해설 ⑤ 공탁자가 공탁물수령자로부터 공탁자 앞으로의 소유권이전등기에 필요한 서류인 등기필증, 매매계약서, 인감증명서 등의 서류를 공탁자에게 교부하라는 반대급부조건을 붙여 변제공탁한 후, 이와는 별도로 같은 부동산에 관한 소유권이전등기절차이행의 소를 제기하여 승소확정판결을 받은 경우 비록 위 판결에 기하여 앞서 반대급부조건으로 요구한 각 서류 없이 강제집행의 방법으로 그 부동산에 관한 공탁자 명의의 소유권이전등기를 필할 수 있게 되었다 하더라도 위 판결을 반대급부이행 증명서면으로 볼 수는 없다. 그러나 공탁자가 위 판결에 기하여 그 부동산에 대하여 이미 소유권이전등기를 마친 경우에는 그 소유권이전등기가 경료된 부동산 등기사항증명서는 반대급부이행 증명서면으로 볼 수 있을 것이다.

04 변제공탁의 요건, 내용 등에 관한 다음 설명 중 가장 옳지 않은 것은? ▸ 2022 법무사

① 변제공탁의 목적인 채무는 현존하는 확정채무임을 요하므로, 채권자와 채무자 사이에 손해배상채무액에 대해 다툼이 있어 소송이 진행되는 경우, 그 판결이 확정되기 전에 채무자가 가집행선고부 판결의 주문에 표시된 금액에 대하여는 채권자의 수령거절 등의 변제공탁사유가 있더라도 변제공탁을 할 수 없다.

② 매수인 甲이 매도인 乙을 대리하여 매매잔대금 수령 권한을 가지고 있는 丙에게 잔대금 수령을 최고하고, 丙을 피공탁자로 지정하여 한 잔대금 변제공탁은 乙에 대한 잔대금 지급의 효력이 있고, 또 甲이 반대급부로서 소유권이전등기절차에 필요한 서류 등의 교부를 요구하였다고 하여도 반대급부의 이행을 요구받은 상대방은 乙이다.

③ 채권자가 사망하고 과실 없이 상속인을 알 수 없는 경우 채무자는 채권자 불확지 변제공탁을 할 수 있는데, 위 공탁 이후 공탁관이 제적등본 등의 첨부서류만으로는 출급청구인이 진정한 상속인인지 심사할 수 없다는 이유로 공탁물 출급청구를 불수리한 경우, 정당한 공탁물수령권자는 공탁자를 상대방으로 하여 공탁물출급청구권의 확인을 구하는 소송을 제기할 이익이 있다.

④ 임대차관계가 종료되는 경우에 그 임대차보증금 중에서 목적물을 반환받을 때까지 생긴 연체차임 등 임대차관계에서 당연히 발생하는 모든 채무를 공제한 나머지 금액에 대한 변제공탁은 유효하다.

⑤ 건물인도와 동시이행관계에 있는 임차보증금의 변제공탁을 하면서 '건물을 인도하였다는 확인서를 첨부할 것'을 반대급부 조건으로 붙인 경우 그 변제공탁은 인도의 선이행을 조건으로 한 것이라고 볼 수밖에 없으므로 변제의 효력이 없다.

> **해설** ① 채권자와 채무자 사이에 손해배상채무액에 대해 다툼이 있어 소송이 진행되는 경우, 그 판결이 확정되기 전이라도 채무자가 가집행선고부 판결의 주문에 표시된 금액을 변제제공하였으나 채권자가 수령거절하는 등의 변제공탁사유가 있으면 채무자는 변제공탁할 수 있다.

05 일부공탁 및 반대급부 조건부 공탁에 관한 다음 설명 중 가장 옳지 않은 것은? ▸2025 법무사

① 채무의 이행확보를 위하여 어음을 발행한 경우 그 채무의 이행과 어음의 반환은 동시이행관계가 아니므로 그 채무를 변제공탁하면서 어음의 반환을 반대급부 조건으로 붙일 수 없다.

② 채무금액에 다툼이 있는 채권에 관하여 채무자가 채무 전액의 변제임을 공탁원인 중에 밝히고 공탁한 경우에 채권자가 그 공탁금을 수령할 때 채권의 일부로써 수령한다는 등 별단의 이의유보 의사표시를 하지 않은 이상 채권 전액에 대한 변제공탁의 효력이 인정된다.

③ 채무의 담보를 위하여 가등기 및 그 가등기에 기한 본등기가 경료된 경우에 채무자가 변제공탁을 하면서 가등기 및 본등기의 말소를 반대급부 조건으로 하였다면 그 공탁은 무효이다.

④ 건물명도와 동시이행관계에 있는 임차보증금의 변제공탁을 함에 있어서 건물을 명도하였다는 확인서를 첨부할 것을 반대급부조건으로 붙였다면 위 변제공탁은 명도의 선이행을 조건으로 한 것이라고 볼 수밖에 없으므로 변제의 효력이 없다.

⑤ 채무자가 공탁에 의하여 그 채무를 면하려면 채무액 전부를 공탁하여야 하고 일부의 공탁은 그 채무를 변제함에 있어 일부의 제공이 유효한 제공이라고 인정될 수 있는 특별한 사정이 있는 경우를 제외하고는 채권자가 이를 수락하지 않은 한 그에 상응하는 효력을 발생할 수 없다.

> **해설** ① 채무의 이행확보를 위하여 어음을 발행한 경우 그 채무의 이행과 어음의 반환은 동시이행관계에 있으므로 그 채무를 변제공탁하면서 어음의 반환을 반대급부 조건으로 한 것은 유효하다.

01

변제공탁의 공탁물 수령에 관한 이의유보의 의사표시 등에 관한 다음 설명 중 가장 옳지 않은 것은?

▶ 2023 법무사

① 매도인이 매수인의 채무불이행을 이유로 매매계약을 해제하면서 그가 받은 중도금을 변제공탁하였고 매수인이 이를 아무 이의 없이 수령하였다면 실제로 매수인의 채무불이행이 있었는지 여부를 불문하고 매수인의 잔대금 채무불이행으로 인한 매도인의 해제의 법률효과가 발생한다.

② 채무의 변제로써 공탁한 공탁물이 채권액에 미치지 못한 경우, 피공탁자가 공탁자에 대하여 채권의 일부에 충당한다는 뜻을 통지하거나 공탁물 출급청구서의 '청구 및 이의유보 사유'란에 같은 내용의 유보의사를 기재하고 공탁물을 출급한 경우에는 채권액 전액에 대한 변제의 효과가 발생하지 않는다.

③ 사업시행자가 토지수용위원회가 재결한 수용보상금을 토지소유자의 수령거절을 이유로 변제공탁한 경우에, 피공탁자인 토지소유자가 위 재결에 대하여 이의신청을 제기하거나 소송을 제기하고 있는 중이라고 할지라도 그 쟁송 중에 보상금 일부의 수령이라는 등 이의유보의 의사표시를 함이 없이 공탁금을 수령하였다면, 이는 종전의 수령거절 의사를 철회하고 재결에 승복하여 공탁한 취지대로 보상금 전액을 수령한 것이라고 볼 수밖에 없다.

④ 채권자가 채무액에 대해서만 이의를 유보한 것이 아니라 공탁원인인 부당이득반환채무금과 다른 손해배상채무금으로서 공탁금을 수령한다는 이의를 유보하고 수령한 경우, 공탁원인인 부당이득반환채무의 일부소멸의 효과는 발생하지 않지만, 이의유보 취지대로 손해배상채무의 일부변제로서의 효과는 발생한다.

⑤ 이의유보의 의사표시를 할 수 있는 자는 원칙적으로 변제공탁의 피공탁자이나, 공탁물 출급청구권에 대한 양수인, 전부채권자, 추심채권자도 이의유보의 의사표시를 할 수 있다.

해설 ④ 이의유보의 의사표시는 채권의 성질에 다툼이 있는 경우에는 할 수 없으므로, 차임으로 변제공탁한 것을 손해배상금으로 출급한다는 이의를 유보하고 공탁물을 출급하는 것은 허용되지 않는다. 예컨대, 채권자가 채무액뿐만 아니라 공탁원인인 부당이득반환채무금과 다른 손해배상채무금으로서 공탁금을 수령한다는 이의를 유보하고 공탁물을 수령한 경우에는 채무자의 공탁원인인 부당이득반환채무의 일부소멸의 효과는 발생하지 않고, 또한 이의유보의 취지대로 손해배상채무의 일부변제로서 유효하다고 할 수도 없다. 따라서 채권자의 공탁금 수령은 법률상 원인 없는 것이 되고 이로 인하여 채무자는 위 공탁금을 회수할 수도 없게 됨으로써 동액상당의 손해를 입었다 할 것이므로 채권자는 채무자에게 출급한 공탁금을 반환하여야 한다.

02 상대적 불확지 변제공탁에서의 출급청구에 관한 다음 설명 중 가장 옳지 않은 것은?

▶ 2025 법무사

① 채무자가 누가 진정한 채권자인지를 알 수 없어 상대적 불확지의 변제공탁을 하여 피공탁자 중 1인이 다른 피공탁자들을 상대로 자기에게 공탁금출급청구권이 있다는 확인을 구한 경우, 피공탁자들 사이에서 누가 진정한 채권자로서 공탁금출급청구권을 가지는지는 피공탁자들과 공탁자인 채무자 사이의 법률관계에서 누가 본래의 채권을 행사할 수 있는 진정한 채권자인지를 기준으로 판단하여야 한다.

② 상대적 불확지 변제공탁의 피공탁자 중 1인을 채무자로 하여 그의 공탁물출급청구권에 대하여 채권압류 및 추심명령을 받은 추심채권자는 공탁물을 출급하기 위하여 자기의 이름으로 다른 피공탁자를 상대로 공탁물출급청구권이 추심채권자의 채무자에게 있음을 확인한다는 확인의 소를 제기할 수 없다.

③ 피공탁자 중 1인을 채무자로 하여 그의 공탁물출급청구권에 대하여 채권압류 및 추심명령을 받은 추심채권자라는 등의 특별한 사정이 없는 한 피공탁자가 아닌 제3자는 피공탁자를 상대로 하여 공탁물출급청구권의 확인을 구할 이익이 없다.

④ 피공탁자 전원이 공동으로 출급청구하는 경우에는 출급청구서의 기재에 의하여 상호 승낙이 있는 것으로 볼 수 있으므로 별도의 출급청구권 증명서면을 제출할 필요가 없다.

⑤ 공탁자의 승낙서나 공탁자 또는 국가를 상대로 한 공탁물출급청구권 확인판결 등은 출급청구권 증명서면으로 볼 수 없다.

> **해설** ② 상대적 불확지 변제공탁의 피공탁자 중 1인을 채무자로 하여 그의 공탁물출급청구권에 대하여 채권압류 및 추심명령을 받은 추심채권자는 공탁물을 출급하기 위하여 자기의 이름으로 다른 피공탁자를 상대로 공탁물출급청구권이 추심채권자의 채무자에게 있음을 확인한다는 확인의 소를 제기할 수 있다.

03 이의유보부 출급에 관한 다음 설명 중 가장 옳지 않은 것은?

▶ 2025 법무사

① 채권자가 아무런 이의없이 공탁금을 수령하였다면 이는 공탁의 취지에 따라 수령한 것이 되어 그에 따른 법률효과가 발생하는 것이므로, 채무자가 변제충당할 채무를 지정하여 공탁한 것을 채권자가 아무런 이의없이 수령하였다면 그 공탁의 취지에 따라 변제충당된다.

② 이의유보 의사표시의 상대방은 공탁관이어야 하고 공탁자에게는 이의유보의 의사표시를 할 수 없다.

③ 공탁자가 공탁원인으로 들고 있는 사유가 법률상 효력이 없는 것이어서 공탁이 부적법하다고 하더라도 피공탁자가 그 공탁물을 수령하면서 아무런 이의도 유보하지 아니하였다면, 특별한 사정이 없는 한 공탁자가 주장한 공탁원인을 수락한 것으로 보아 공탁자가 공탁원인으로 주장한 대로 법률효과가 발생한다.

④ 토지소유자가 수용재결에서 정한 손실보상금을 수령할 당시 이의유보의 뜻을 표시하였다 하더라도 이의재결에서 증액된 손실보상금을 수령하면서 이의유보의 뜻을 표시하지 아니한 이상 이의재결의 결과에 승복하여 수령한 것으로 보아야 하고, 추가보상금을 수령할 당시 이의재결을 다투는 행정소송이 계속 중이라는 사실만으로는 추가보상금의 수령에 관하여 이의유보의 의사표시가 있는 것과 같이 볼 수 없다.

⑤ 금전채권 전부에 대한 압류 또는 압류경합을 원인으로 제3채무자가 집행공탁을 한 후 실시된 배당절차에서 채무자에 대한 배당금(잉여금)이 확정된 경우, 공탁원인사실에 다툼이 있는 채무자는 이의유보의 의사표시를 하고 공탁금을 출급할 수 있다.

[해설] ② 이의유보 의사표시의 상대방은 반드시 공탁관에 국한할 필요가 없고 공탁자에 대하여도 할 수 있다.

04 불법행위로 인한 손해배상의 채무자가 변제공탁을 하면서 공탁소에 '피공탁자의 동의가 없으면 특정 형사사건에 대하여 불기소결정이 있거나 무죄판결이 확정될 때까지 공탁금 회수청구권을 행사하지 않겠다'는 취지의 공탁금 회수제한신고를 한 경우에 관한 다음 설명 중 가장 옳지 않은 것은? ▸ 2021 법무사 수정

① 공탁원인소멸에 따른 회수를 할 수 있다.

② 공탁물의 수령인으로 지정된 자가 공탁물의 회수에 동의하거나 공탁물의 수령을 거절하는 의사를 공탁소에 통고한 경우에는 그 사실을 증명하여 공탁물을 회수할 수 있다. 이때 공탁물 회수동의 또는 수령거절의사통고는 해당 공탁소에 서면으로 하여야 한다.

③ 변제공탁 후 공탁서 및 공탁금회수제한신고서를 형사재판부에 제출하지 못한 경우라고 하더라도 가해자는 형사재판에서 유죄판결을 받아 확정되었다면 피공탁자의 동의서를 첨부하지 않는 한 공탁금 회수청구를 할 수 없다.

④ 피공탁자의 동의가 있다면 형사사건의 종결이나 결과 여부와 관계없이 공탁금의 회수가 가능하다.

⑤ 공탁자는 유죄판결이 확정되더라도 착오로 공탁한 사실을 증명하면 공탁금 회수청구를 할 수 있다.

[해설] 공탁법 제9조의2(공탁물 회수의 제한) 규정 신설 : 2024.10.16. 신설된 공탁법 제9조의2(2025.1.17. 시행)에서는 공탁자가 형사사건 피해자를 위하여 변제공탁을 한 경우에는 민법 제489조에 의한 회수 및 공탁원인소멸에 따른 회수를 하지 못하고, 다만 ① 공탁물의 수령인으로 지정된 자가 공탁물의 회수에 동의하거나 공탁물의 수령을 거절하는 의사를 공탁소에 통고한 경우, ② 공탁의 원인이 된 해당 형사사건에서 무죄판결이 확정되거나 불기소 결정(기소유예는 제외한다)이 있는 경우에는 그 사실을 증명하여 공탁물을 회수할 수 있다고 규정하고 있다. 이때 공탁물 회수동의 또는 수령거절의 사통고는 해당 공탁소에 서면으로 하여야 한다(공탁규칙 제49조의2). 공탁법 제9조의2에서는 회수를

정답 02 ② 03 ② 04 ①

하지 못하는 경우로 "착오로 공탁한 경우"를 제외하고 있어 착오공탁의 경우에는 공탁자의 회수가 가능하다. 위 규정의 신설로 이제 형사변제공탁 및 형사특례공탁에서 회수제한신고서를 제출할 필요가 없게 되었고, 이에 따라 해당 공탁서 양식에서도 회수제한신고 내용이 삭제되는 대신 하단에 회수제한에 대한 안내문구가 추가되었다(이에 따라 기출문제 지문 및 해설도 일부 수정하였음).

05 **변제공탁물의 지급에 관한 다음 설명 중 가장 옳지 않은 것은?** ▶ 2023 법무사

① 사업시행자가 수용보상금을 그 토지의 공유자 전원을 피공탁자로 하여 공탁한 경우에는 공유토지에 대한 수용보상 공탁금을 가분채권으로 보아 공유자 각자가 자기의 등기부상 지분에 해당하는 공탁금을 출급청구할 수 있다.

② 추심채권자가 집행채권을 제3자에게 양도한 경우 해당 추심채권자로서의 지위도 집행채권의 양도에 수반하여 양수인에게 이전되므로, 집행채권의 양수인은 다시 국가를 제3채무자로 하여 압류 및 추심명령을 받을 필요는 없다.

③ 사해행위취소 및 가액배상을 구하는 소송을 제기한 수인의 취소채권자들 전부를 피공탁자로 하여 상대적불확지공탁을 한 경우 피공탁자 각자는 공탁서의 기재에 따라 각자의 소송에서 확정된 판결 등에서 인정된 가액배상금의 비율에 따라 공탁금을 출급청구할 수 있다.

④ 공탁자 및 공탁소에 대한 공탁수락의 의사표시는 구두나 서면으로 할 수 있다.

⑤ 공탁자가 착오로 공탁한 후 공탁물을 회수하기 전에 공탁물출급청구권에 대한 전부명령을 받아 공탁물을 수령한 자는 공탁자에 대하여 부당이득반환의무를 부담한다.

> **해설** ④ 공탁자에 대한 공탁수락의 의사표시는 제한 규정이 없으므로 구두나 서면으로 할 수 있으나, 공탁소에 대한 공탁수락의 의사표시는 공탁을 수락한다는 뜻을 적은 서면을 공탁관에게 제출하는 방법으로 하여야 한다(공탁규칙 제49조 제1항).

06 **공탁물의 출급에 관한 다음 설명 중 가장 옳지 않은 것은?** ▶ 2021 법무사

① 변제공탁의 공탁물출급청구권자는 피공탁자 또는 그 승계인이다.

② 피공탁자는 공탁서의 기재에 의하여 형식적으로 결정된다.

③ 실체법상의 채권자라고 하더라도 피공탁자로 지정되어 있지 않으면 공탁물출급청구권을 행사할 수 없다.

④ 공탁자가 착오로 공탁한 때 또는 공탁의 원인이 소멸한 때에는 공탁자가 공탁물을 회수할 수 있을 뿐 피공탁자의 공탁물출급청구권은 존재하지 않는다.

⑤ 피공탁자 아닌 제3자가 피공탁자를 상대로 하여 공탁물출급청구권 확인판결을 받으면 직접 공탁물출급청구를 할 수 있다.

해설 ⑤ 변제공탁의 공탁물출급청구권자는 피공탁자 또는 그 승계인이고 피공탁자는 공탁서의 기재에 의하여 형식적으로 결정되므로, 실체법상의 채권자라고 하더라도 피공탁자로 지정되어 있지 않으면 공탁물출급청구권을 행사할 수 없다. 따라서 피공탁자 아닌 제3자가 피공탁자를 상대로 하여 공탁물출급청구권 확인판결을 받았더라도 그 확인판결을 받은 제3자가 직접 공탁물출급청구를 할 수는 없다(대판 2006.8.25, 2005다67476).

07 공탁물의 회수청구권 및 출급청구권 행사 등에 관한 다음 설명 중 가장 옳지 않은 것은?

▶ 2024 법무사

① 적법한 변제공탁이 있으면 피공탁자의 공탁금 출급청구권이 발생하고, 이러한 피공탁자의 공탁금 출급청구권은 피공탁자가 공탁불수락의 의사표시를 하더라도 그 존부에는 영향을 미친다고 볼 수 없으므로, 피공탁자의 채권자가 피공탁자의 공탁금 출급청구권에 대하여 강제집행을 함에 있어 아무런 지장이 없다.

② 부당한 반대급부 조건을 붙인 변제공탁은 채권자가 이를 수락하지 않는 한 무효의 공탁이지만, 피공탁자가 위 조건을 수락하여 공탁물의 출급을 받으려 한다면 먼저 반대급부조건을 이행하고 반대급부조건을 이행하였음을 증명하는 서면을 첨부하여야 한다.

③ 변제공탁으로 인한 채권소멸의 효력을 소급적으로 소멸시키는 공탁물의 회수에는 공탁자에 의하여 이루어진 회수의 경우만 포함되고, 제3자가 공탁자에 대하여 가지는 별도 채권의 집행권원으로써 공탁자의 회수청구권에 대하여 압류 및 추심명령을 받아 그 집행으로 공탁물을 회수한 경우는 포함되지 않는다.

④ 관할 토지수용위원회가 재결한 보상금에 대하여 사업시행자가 불복하는 경우, 사업시행자는 보상금을 받을 자에게 자기가 산정한 보상금을 지급하고 그 금액과 토지수용위원회가 재결한 보상금과의 차액을 공탁하여야 하며, 이 경우 보상금을 받을 자는 그 불복의 절차가 종결될 때까지 공탁된 보상금을 수령할 수 없다.

⑤ 공탁자가 토지를 수용하면서 가처분권자가 있어서 그 토지의 합유자들과 위 가처분권자를 피공탁자로 한 상대적 불확지공탁을 한 경우에 합유자들이 공탁금을 출급하기 위하여는 공탁 이후에 가처분권자의 가처분취하로 인한 가처분취하증명원은 공탁금 출급청구권이 있음을 증명하는 서면이 될 수 없고, 가처분권자의 승낙서(인감증명서 첨부) 등이 필요하다.

해설 ③ 변제공탁으로 인한 채권소멸의 효력을 소급적으로 소멸시키는 공탁물의 회수에는 공탁자에 의하여 이루어진 회수의 경우뿐만 아니라, 제3자가 공탁자에 대하여 가지는 별도 채권의 집행권원으로써 공탁자의 회수청구권에 대하여 압류 및 추심명령을 받아 그 집행으로 공탁물을 회수한 경우도 포함된다.

정답 **05 ④ 06 ⑤ 07 ③**

08 변제공탁물의 회수에 관한 다음 설명 중 가장 옳지 않은 것은?

▸ 2025 법무사

① 공탁자는 ㉠ 민법 제489조에 따르는 경우, ㉡ 착오로 공탁을 한 경우, ㉢ 공탁원인이 소멸한 경우 중 어느 하나에 해당하면 그 사실을 증명하여 공탁물을 회수할 수 있다.

② 채권자가 공탁을 승인하거나 공탁소에 대하여 공탁물을 받기를 통고하거나 공탁유효의 판결이 확정되기까지는 변제자는 공탁물을 회수할 수 있다. 다만 이 경우에도 공탁 자체는 한 것으로 본다.

③ 공탁자가 착오로 공탁한 때 또는 공탁의 원인이 소멸한 때에는 공탁자가 공탁물을 회수할 수 있을 뿐 피공탁자의 공탁물출급청구권은 존재하지 않는다.

④ '공탁원인의 소멸'이라 함은 공탁이 유효하게 성립된 이후의 사정변경으로 더 이상 공탁을 지속시킬 필요가 없게 된 경우를 의미한다.

⑤ 공탁자가 형사사건 피해자를 위하여 변제공탁을 한 경우에는 공탁법 제9조 제2항 제1호(민법 제489조에 따르는 경우) 및 제3호의 사유(공탁의 원인이 소멸한 경우)로는 원칙적으로 공탁물을 회수하지 못한다.

해설 ② 변제자가 공탁물을 회수한 때에는 공탁하지 아니한 것으로 본다. 공탁물의 회수에 의하여 공탁은 소급적으로 효력을 상실하고 채권은 소멸하지 아니한 것으로 된다.

제4절 특수한 성질의 변제공탁

제5절 형사공탁

01 공탁법 제5조의2 형사공탁의 특례에 관한 다음 설명 중 가장 옳은 것은?

▸ 2023 법무사

① 공탁자는 피공탁자의 인적사항을 모르는 경우 공탁서의 피공탁자란에 해당 형사사건의 사건번호 등을 기재할 수 있지만, 인적사항을 아는 경우에는 피공탁자의 성명, 주민등록번호, 주소를 기재하여야 한다.

② 형사공탁은 반드시 피공탁자의 주소지 관할법원 소재 공탁소에 신청하여야 한다.

③ 기소되지 않은 형사사건의 피의자도 법령 등에 따라 피해자의 인적사항을 알 수 없는 경우에 형사공탁을 할 수 있다.

④ 군사법원에 계속 중인 형사사건의 피고인도 법령 등에 따라 피해자의 인적사항을 알 수 없는 경우에 형사공탁을 할 수 있다.

⑤ 공탁관은 공탁물보관자로부터 공탁물 납입사실의 전송을 받은 때 전자공탁 홈페이지에 형사공탁의 공고를 함과 동시에 피공탁자의 주소지로 공탁통지서를 발송하여야 한다.

해설 ① 피고인은 "공소장 등에 기재된 피해자를 특정할 수 있는 명칭"을 기재하여야 한다. 따라서 피고인이 피해자의 실명(홍길동)을 알고 있더라도 공소장 등에 피해자를 특정할 수 있는 명칭(홍길○)인 "홍길○"으로 기재하여야 한다. 또한 피공탁자의 주민등록번호와 주소도 기재하지 않는데(공탁규칙 제82조), 형사공탁서에는 피공탁자 주민등록번호와 주소를 기재하는 란 자체가 없다.

② 공탁법 제5조의2 제1항에서 형사공탁은 해당 형사사건이 계속 중인 법원 소재지 공탁소에 할 수 있다고 규정함으로써 "형사법원이 계속 중인 법원 소재지공탁소"에 토지관할을 인정하고 있다. 형사공탁 특례의 요건이 피해자의 주소 등 인적사항을 알 수 없는 경우라는 점과 피공탁자의 주소지를 관할하는 공탁소에 해당하는지 그 주소를 소명하는 서면을 첨부하여야 하는데, 주소소명서면이 첨부된 경우 민법 제487조 형사변제공탁절차에 의한다는 점에서 피공탁자 주소지 관할공탁소에 대한 형사공탁신청은 어려울 것으로 보인다.

③ 공탁법 제5조의2(형사공탁의 특례)에서는 "형사사건의 피고인"이 형사공탁을 할 수 있다고 규정하고 있기 때문에 공소가 제기되기 전 단계인 형사피의자나 피내사자는 공탁법 제5조의2(형사공탁의 특례)에 근거한 형사공탁신청을 할 수 없고, 민법 제487조에 따른 형사변제공탁절차에 의하여야 한다.

⑤ 형사공탁은 민법 제487조 변제공탁의 특칙으로서 피공탁자에게 공탁통지서를 발송하지 않고, 공고로 갈음하기 때문에 공탁통지서를 첨부할 필요가 없고, 그에 따른 우편료도 납입하지 않는다.

02 **공탁법 제5조의2 형사공탁의 특례에 관한 다음 설명 중 가장 옳지 않은 것은?** ▶ 2024 법무사

① 형사사건의 피고인이 법령 등에 따라 피해자의 인적사항을 알 수 없는 경우에 그 피해자를 위하여 하는 변제공탁(이하 "형사공탁"이라 한다)은 해당 형사사건이 계속 중인 법원 소재지의 공탁소에 할 수 있다.

② 공탁관은 공탁물납입사실의 전송이나 공탁물품납입통지서를 받은 때에는 지체 없이 형사공탁사실통지서를 피공탁자별로 작성하여 해당 형사사건이 계속 중인 법원 및 검찰에 통지서 원본을 우편 또는 사송의 방법으로 송부한 후 통지서 사본은 공탁기록에 편철한다.

③ 공탁물 수령을 위한 피공탁자 동일인 확인은 형사공탁에 관한 내용을 통지받은 법원 또는 검찰이 특별한 사정이 없는 한 지체 없이 피공탁자 동일인 확인 증명서를 발급하여 공탁소에 송부하는 방식으로 한다.

④ 사망한 피해자를 피공탁자로 한 형사공탁의 경우 법원 또는 검찰에서 발급한 피공탁자 동일인 확인 증명서에는 사망한 피해자의 인적사항과 그 상속인의 인적사항이 함께 기재되어 있어야 한다.

⑤ 형사공탁의 공탁서에는 피공탁자의 인적사항을 대신하여 해당 형사사건의 재판이 계속 중인 법원과 사건번호, 사건명, 조서, 진술서, 공소장 등에 기재된 피해자를 특정할 수 있는 명칭을 기재하고, 공탁원인사실을 피해 발생시점과 채무의 성질을 특정하는 방식으로 기재할 수 있다.

해설 ④ 동일인증명서의 발급은 법원 또는 검찰이 발급하는데, 피해자가 사망한 경우에는 피해자의 상속인을 알 수 없으므로 법원 또는 검찰은 사망한 피해자의 명의를 그대로 기재한 동일인 증명서를 발급하여 관할 공탁소에 송부하고, 상속인이 공탁금을 출급청구하는 경우에 상속인은 상속관계 서류를 공탁관에게 제출하여 공탁금을 출급할 수 있다. 법원 또는 검찰에서 발급한 동일인 증명서에는 사망한 피해자의 인적사항이 기재되어 있으면 충분하고 그 상속인의 인적사항까지 기재되어 있을 필요는 없다. 이는 형사공탁 후 피공탁자가 사망한 경우에도 같다. 공탁관은 출급청구인이 사망한 피해자의 상속인에 해당하는지, 상속지분이 어떻게 되는지 등을 심사하기 위하여 상속관계서류의 제출을 보정권고할 수 있다(공탁선례 제202307-2호).

✔ 참고 형사변제공탁 회수

형사변제공탁 회수공탁자가 형사사건 피해자를 위하여 변제공탁을 한 경우에는 **민법 제489조에 의한 회수 및 공탁원인소멸에 따른 회수를 하지 못한다.** 다만, ① **공탁물의 수령인으로 지정된 자가 공탁물의 회수에 동의하거나 공탁물의 수령을 거절하는 의사를 공탁소에 통고한 경우,** ② **공탁의 원인이 된 해당 형사사건에서 무죄판결이 확정되거나 불기소 결정(기소유예는 제외한다)이 있는 경우에는 그 사실을 증명하여 공탁물을 회수할 수 있다**(공탁법 제9조의2). 이때 공탁물 회수동의 또는 수령거절의사 통고는 해당 공탁소에 서면으로 하여야 한다(공탁규칙 제49조의2).

03

형사공탁의 특례에 관한 다음 설명 중 가장 옳지 않은 것은? (다툼이 있는 경우 판례·예규 및 선례에 따르고 전원합의체 판결의 경우 다수의견에 의함) ▶ 2025 법무사

① 형사공탁의 공탁서에는 공소장, 조서, 진술서, 판결서에 기재된 피해자의 성명(성·가명을 포함한다)과 해당 형사사건이 계속 중인 법원과 사건번호 및 사건명, 공소장에 기재된 검찰청과 사건번호를 기재하여야 한다. 다만, 피공탁자의 주소와 주민등록번호는 기재하지 아니한다.

② 공탁서에는 해당 형사사건이 계속 중인 법원을 확인할 수 있는 서면을 첨부하여야 한다.

③ 피공탁자에 대한 공탁통지는 공탁관이 전자공탁홈페이지에 공고하는 방법으로 할 수 있다.

④ 군사법원에 계속 중인 형사사건에 관하여는 공탁규칙 중 형사공탁의 특례 규정을 적용하지 않는다.

⑤ 피공탁자나 그 포괄승계인 또는 법정대리인의 인적사항이 기재되어 있는 공탁관계 서류 및 전자기록에 대하여 열람 및 사실증명의 청구가 있는 경우 공탁관은 그 인적사항이 공개되지 않도록 개인정보 보호를 위한 비실명 처리 후 이를 열람하게 하거나 증명서를 발급하여야 한다.

해설 ④ 군사법원에 계속 중인 사건의 형사공탁은 별표 2 기재 군사법원 소재지의 지방법원 본원 공탁소에 할 수 있다(형사공탁에 관한 업무처리지침 제2조).

정답 03 ④

수용보상공탁

제1절 신청절차

01 수용보상금 공탁절차에 관한 다음 설명 중 가장 옳지 않은 것은? ▸ 2022 법무사

① 수용대상토지에 대하여 경매개시결정의 기입등기가 마쳐져 있더라도 '토지소유자'를 피공탁자로 기재하여야 한다.

② 보상금지급청구권에 대하여 민사집행법에 따른 압류가 있는 경우 공탁근거법령은 '공익사업을 위한 토지 등의 취득 및 보상에 관한 법률 제40조 제2항 제4호 및 민사집행법 제248조 제1항'으로 기재한다.

③ 수용대상토지에 저당권이 등기된 경우 '공탁으로 인하여 소멸하는 질권, 전세권, 저당권란'에 그 취지의 기재를 하여야 한다.

④ 수용보상금의 공탁서에 '소유권이전등기 서류의 교부'를 반대급부로 기재하여서는 아니된다.

⑤ 수용보상금 공탁신청을 시·군법원 공탁관에게 하는 것은 인정되지 않는다.

> **해설** ③ 수용보상금의 공탁으로 인하여 수용대상토지에 설정된 저당권 등이 소멸된다 하더라도 이는 수용의 효과로 인하여 소멸하는 것이지 피담보채무의 변제로 인한 소멸이 아니므로, 수용대상토지에 등기된 전세권, (근)저당권, 임차권 등을 공탁서상의 '공탁으로 인하여 소멸하는 질권, 전세권, 저당권란'에 기재하여서는 아니 되며, 그 (근)저당권자 등을 공탁서상의 '피공탁자란'에 기재하여서도 아니 된다.

02 수용보상금 공탁에 관한 다음 설명 중 가장 옳지 않은 것은? ▸ 2022 법무사

① 소유권이전등기청구권을 피보전권리로 하는 처분금지가처분등기가 경료되어 있는 수용대상토지에 대한 소유권의 귀속에 관하여 다툼이 있는 경우에는 피공탁자의 상대적 불확지를 이유로 공탁할 수 있다.

② 분할 전과 후의 토지대장의 소유명의인이 다른 경우 상대적 불확지공탁을 할 수 있다.

③ 등기사항증명서상 공유지분의 합계가 1을 초과하거나 미달되어 피수용자들의 정당한 공유지분을 알 수 없는 경우 피보상자 불확지를 사유로 공탁할 수 있다.

④ 수용대상토지가 일반채권자에 의하여 압류 또는 가압류가 되어 있는 경우에는 상대적 불확지공탁 사유에 해당하지 않는다.

⑤ 미등기인 수용대상토지가 토지대장에 주소는 기재됨이 없이 소유자의 성명만 기재되어 있는 경우에는 절대적 불확지공탁을 할 수 있다.

> **정답** 01 ③ 02 ①

해설 ① 수용대상토지에 소유권이전등기청구권을 피보전권리로 하는 처분금지가처분등기가 경료되어 있는 경우에는 상대적 불확지공탁사유에 해당하지 않는다.

03 다음 중 채무액의 일부 공탁으로 공탁이 무효인 경우는?
▶ 2022 법무사

① 경매부동산을 매수한 제3취득자가 그 부동산으로 담보하는 채권최고액과 경매비용을 변제공탁한 경우
② 채무자가 채무액의 일부만을 변제공탁하였으나 그 후 부족분을 추가로 공탁한 경우
③ 임대인이 임대차관계가 종료된 후 그 임대차보증금 중에서 목적물을 반환받을 때까지 생긴 연체차임 등 임대차관계에서 발생하는 모든 채무를 공제한 나머지 금액만을 변제공탁한 경우
④ 채권자에 대한 변제자의 공탁금액이 채무의 총액에 비하여 아주 근소하게 부족한 경우
⑤ 사업시행자가 토지수용보상금을 공탁하면서 수용대상토지에 대한 상속등기를 대위신청할 때 소요된 등록세액 그 밖의 비용을 공제한 나머지 금액만을 공탁한 경우

해설 ⑤ 수용대상토지에 대한 상속등기를 대위신청할 때 소요된 등록세액 기타 비용을 공제한 나머지 금액만을 공탁한다면 이는 유효한 공탁이 될 수 없다.

04 수용보상금 공탁절차에 관한 다음 설명 중 가장 옳지 않은 것은
▶ 2023 법무사

① 토지소유자의 채권자가 손실보상이 현금으로 지급될 것을 예상하여 수용보상금에 대하여 압류를 한 경우에도 토지수용보상금을 채권으로 지급하는 것이 토지수용의 채권보상 요건을 충족하고 공탁사유가 있으면 채권으로 공탁할 수 있다.
② 압류나 가압류가 있는 수용보상금을 사업시행자가 채권과 현금으로 지급하고자 할 경우에는 피압류채권이 금전채권인 수용보상금채권이라면 현금으로 지급하는 수용보상금 부분은 공익사업을 위한 토지 등의 취득 및 보상에 관한 법률 제40조 제2항 제4호 및 민사집행법 제248조 제1항에 의하여 집행공탁할 수 있고, 채권으로 지급하는 수용보상금 부분은 공익사업을 위한 토지 등의 취득 및 보상에 관한 법률 제40조 제2항 각 호의 공탁사유가 있다면 유가증권공탁의 절차에 따라 공탁할 수 있다.
③ 공익사업을 위한 토지 등의 취득 및 보상에 관한 법률에 의하여 사업시행자가 토지소유자에게 지급할 보상금이 소득세법 제156조 또는 법인세법 제98조에 의하여 원천징수의 대상이 되는 경우에는 사업시행자는 토지소유자에게 지급할 보상금에서 그 원천징수세액을 공제한 나머지 금액을 공탁할 수 있다.
④ 수용보상금 공탁은 시·군법원 공탁관의 직무범위에 포함되지 않는다.
⑤ 이행의무가 없는 반대조건을 붙여 무효가 된 공탁을 수용개시일 이후에 반대급부가 없는 공탁으로 정정하면 그 공탁이 유효하게 되므로 재결의 효력이 유지된다.

해설 ⑤ 이행의무가 없는 반대조건을 붙여 무효가 된 공탁을 수용개시일 이후에 반대급부가 없는 공탁으로 정정하여도 소급하지 않으므로 결국 수용개시일까지 유효한 공탁을 한 것이 아니므로 재결의 효력이 유지되지 못한다.

관/련/선/례

> 사업시행자가 수용보상금을 공탁하면서 납세증명서 제출을 반대급부 조건으로 한 경우 위 수용보상금 공탁의 효력 유무(공탁선례 제202410-1호)
>
> 「공익사업을 위한 토지 등의 취득 및 보상에 관한 법률」에 따른 손실보상금의 지급은 토지수용위원회의 수용재결이라는 행정처분에 따라 이루어지는 것일 뿐 사업시행자와 피수용자(손실보상금 청구권자) 사이의 계약에 의한 것이 아니고, 국세징수법 제107조 제1항의 납세증명서 제출 대상이 되는 '대금을 지급받을 경우'는 국가, 지방자치단체 또는 정부 관리기관과의 계약에 따른 대금 수령의 경우만을 의미하는 것으로 보이므로, 이와 같은 경우에까지 납세증명서의 제출을 요구한다면 이는 피수용자의 재산권에 대한 과도한 제한 내지 침해가 될 우려가 있으므로, 사업시행자가 피수용자에게 손실보상금을 지급함에 있어 납세증명서의 제출을 요구하거나 그 미제출을 이유로 손실보상금의 지급을 거절할 수는 없다. 따라서 납세증명서의 제출을 조건으로 하는 손실보상금의 공탁은 효력이 인정되지 않는다.

05 수용보상금 공탁에 관한 다음 설명 중 가장 옳지 않은 것은? ▶ 2025 법무사

① 수용의 효과를 발생시키는 보상금의 공탁은 특별한 사정이 없는 한 보상금 전액을 공탁하여야 하므로 사업시행자가 피수용자의 전기요금 등을 대납하였다 하더라도 그만큼을 공제한 차액만을 공탁할 수는 없다.

② 수용의 효과를 발생시키는 보상금의 공탁은 재결에서 정해진 보상금 전액의 공탁을 의미하므로, 수용대상토지에 대한 상속등기를 대위신청할 때 소요될 등록면허세액(지방교육세 포함) 그 밖의 비용을 공제한 나머지 금액만을 공탁한다면 이는 유효한 공탁이 될 수 없다.

③ 사업시행자는 피수용자에게 손실보상금을 지급함에 있어 국세징수법 제107조 제1항에 따라 납세증명서의 제출을 요구할 수 있으므로 납세증명서의 제출을 조건으로 하는 손실보상금의 공탁은 유효하다.

④ 피수용자가 반대급부 또는 그 밖의 조건의 이행을 할 의무가 없음에도 불구하고 사업시행자가 이를 조건으로 공탁을 한 때에는 피수용자가 그 조건을 수락하지 아니하는 한 공탁은 효력이 없다.

⑤ 이행의무가 없는 반대조건을 붙여 무효가 된 공탁을 수용의 개시일 이전에 반대급부가 없는 공탁으로 정정하면 그 공탁이 유효하게 되나, 수용의 개시일이 지난 후에는 반대급부 없는 공탁으로 정정하였다 하더라도 그 효력이 수용의 개시일까지 소급되지 아니하므로 재결의 효력이 상실된다.

정답 ▶ 03 ⑤ 04 ⑤ 05 ③

해설 ③ 사업시행자가 수용보상금을 공탁하면서 납세증명서 제출을 반대급부 조건으로 한 경우 위 수용 보상금 공탁의 효력 유무(공탁선례 제202410-1호): 「공익사업을 위한 토지 등의 취득 및 보상에 관한 법률」에 따른 손실보상금의 지급은 토지수용위원회의 수용재결이라는 행정처분에 따라 이루어지는 것일 뿐 사업시행자와 피수용자(손실보상금 청구권자) 사이의 계약에 의한 것이 아니고, 국세징수법 제107조 제1항의 납세증명서 제출 대상이 되는 '대금을 지급받을 경우'는 국가, 지방자치단체 또는 정부 관리기관과의 계약에 따른 대금 수령의 경우만을 의미하는 것으로 보이므로, 이와 같은 경우에까지 납세증명서의 제출을 요구한다면 이는 피수용자의 재산권에 대한 과도한 제한 내지 침해가 될 우려가 있으므로, 사업시행자가 피수용자에게 손실보상금을 지급함에 있어 납세증명서의 제출을 요구하거나 그 미제출을 이유로 손실보상금의 지급을 거절할 수는 없다. 따라서 납세증명서의 제출을 조건으로 하는 손실보상금의 공탁은 효력이 인정되지 않는다.

제2절 출급절차

01 공탁금 출급청구권자에 관한 다음 설명 중 가장 옳지 않은 것은?
▶ 2024 법무사

① 가분채권은 원칙적으로 각 채권자별로 그 채무이행지 공탁소에 공탁하여야 하나 공탁원인과 공탁소가 동일한 경우에는 1건의 공탁을 할 수 있고, 이 경우에는 각 채권자가 자기 지분만을 출급청구할 수 있다.

② 채무자가 확정판결에 따라 甲과 乙을 피공탁자(지분 각 1/2)로 하여 판결에서 지급을 명한 금액을 변제공탁한 경우, 甲과 乙은 각자 위 공탁금의 1/2 지분에 해당하는 공탁금을 출급청구할 수 있을 뿐만 아니라 각자의 지분을 초과하는 지분에 대하여도 상대방을 상대로 공탁금출급청구권의 확인을 청구할 수 있다.

③ 공탁물 출급청구권에 대한 압류 및 전부명령이 국가에 송달된 후 그 전부명령이 확정되기 전에 다른 압류명령 등이 국가에 송달되었더라도 선행의 전부명령이 실효되지 않는 한 압류의 경합이 생기지 아니하므로, 차후에 그 전부명령이 확정되면 전부채권자는 피공탁자의 특정승계인으로서 출급청구할 수 있다.

④ 조합재산을 수용하고 그 보상금을 공탁하면서 합유자인 조합원 전체를 피공탁자로 한 경우에는 조합원의 지분을 특정하였더라도 그 보상금은 조합원 전체의 합유이므로 위 공탁금을 출급청구함에 있어서는 조합원 전원의 청구에 의하여야 한다.

⑤ 수용대상 토지에 소유권등기말소청구권을 피보전권리로 한 처분금지가처분등기가 되어 있어 사업시행자가 피공탁자를 '가처분채권자 또는 토지소유자'로 하는 상대적 불확지공탁을 한 경우 가처분채권자가 토지소유자를 상대로 제기한 소유권이전등기말소청구의 소에서 패소확정의 본안판결을 받았다면 토지소유자는 그 확정판결을 출급청구권 증명서면으로 하여 공탁금 출급청구를 할 수 있다.

해설 ② 채무자가 확정판결에 따라 갑과 을을 피공탁재(지분 각 1/2)로 하여 판결에서 명한 금액을 변제공탁한 경우 갑과 을은 각자의 위 공탁금 1/2 지분에 해당하는 공탁금을 출급청구할 수 있을 뿐이고, 각자의 지분을 초과하는 지분에 대하여는 갑과 을이 피공탁자로 지정되어 있지 않으므로 초과지분에 대하여는 상대방을 상대로 공탁금 출급청구권의 확인을 구할 수 없다. 이 경우 실체법상의 채권자는 피공탁자로부터 공탁물 출급청구권을 양도받아야 공탁물을 출급청구할 수 있다.

02 공탁금 출급절차에 관한 다음 설명 중 가장 옳지 않은 것은?   ▸ 2022 법무사

① 실체법상 채권자라고 하더라도 공탁서에 피공탁자로 기재되어 있지 않다면 공탁물출급청구권을 행사할 수 없다.

② '수령거절'을 이유로 사업시행자가 수용보상금을 공탁하면서 수용대상토지의 공유자 전원을 피공탁자로 한 경우 공유자 각자는 자기의 등기기록상 지분에 해당하는 공탁금을 출급청구할 수 있다.

③ 채무자인 공탁자가 변제공탁을 하면서 공탁서에 불가분채권자 2인을 피공탁자로 기재한 경우 피공탁자 중 1인이 공탁자의 출급동의서를 첨부한 경우에는 단독으로 공탁금 출급청구를 할 수 있다.

④ 토지수용보상금이 상대적 불확지공탁된 경우 공탁자를 상대로 한 공탁물출급청구권 확인의 확정판결은 출급청구권 증명서면이 될 수 없다.

⑤ 토지수용보상금이 상대적 불확지공탁된 경우 피공탁자 전원이 공동으로 출급청구하는 경우에는 별도의 출급청구권 증명서면을 제출할 필요가 없다.

해설 ③ 실체법상 불가분채권자 1인이 모든 채권자를 위하여 단독으로 이행을 청구할 수 있더라도 채무자인 공탁자가 변제공탁을 하면서 공탁서에 불가분채권자 2인을 피공탁자로 기재하였다면 비록 피공탁자 중 1인이 공탁자의 출급동의서를 첨부하였더라도 단독으로 공탁금출급청구를 할 수 없고, 피공탁자 전원이 함께 청구하거나 피공탁자 1인이 나머지 피공탁자의 위임을 받아 청구해야 한다(공탁선례 제2–133호).

정답 01 ② 02 ③

03 수용보상 공탁금의 출급에 관한 다음 설명 중 가장 옳은 것은?　▸ 2021 법무사

① 수용보상금을 받을 자가 주소불명으로 인하여 그 보상금을 수령할 수 없는 때에 해당함을 이유로 하여 보상금이 공탁된 경우 정당한 공탁금수령권자이면서도 공탁공무원으로부터 공탁금의 출급을 거부당한 자는 공탁자인 사업시행자를 상대방으로 하여 그 공탁금출급권의 확인을 구하는 소송을 제기할 이익이 있다.

② 수용보상금의 공탁서에 공탁물을 수령할 자로 甲, 乙로 기재되어 있더라도, 甲은 수용대상토지가 자신의 단독 소유임을 증명하는 서류를 첨부하여 단독으로 공탁관에게 공탁금출급청구를 할 수 있다.

③ 사업시행자가 이미 사망한 사람을 피공탁자로 하여 공탁하였다면 이는 무효이므로, 그 피공탁자의 상속인들이 직접 공탁금을 출급청구할 수 없다.

④ 매수인이 매도인을 상대로 매매를 원인으로 한 토지소유권이전등기 절차 이행의 승소판결을 받았으나 그에 따른 소유권이전등기를 마치지 않고 있던 중 사업시행자가 해당 토지를 수용하고 매도인 앞으로 수용보상금을 공탁함으로써 수용의 효력이 발생한 경우 그 수용을 원인으로 한 소유권이전등기가 마쳐지기 전에 매수인이 자기 명의로 소유권이전등기를 마쳤다면 그 매수인은 직접 공탁금의 출급청구를 할 수 있다.

⑤ 종중이 수용대상 토지에 관한 명의신탁을 해지하였으나 수용시기 전에 소유권등기를 회복하지 못하였다 해도, 종중이 명의수탁자를 상대로 명의신탁의 해지를 이유로 공탁금출급청구권 확인판결을 받았다면 종중은 위 확인판결에 기하여 직접 공탁금 출급청구를 할 수 있다.

> **해설**　② 공탁물을 수령할 자가 수용대상토지의 소유자로 표시된 "갑과 을"의 2인으로 기재되어 있다면 수용대상토지가 갑의 단독 소유임을 증명하는 서류를 첨부하였다 하더라도 "갑"이 단독으로 공탁금출급청구를 할 수는 없다.
>
> ③ 자연인이 사망하면 공탁당사자능력도 당연히 소멸하지만, 등기기록상 소유자를 피공탁자로 하여 보상금을 공탁한 경우 피공탁자가 이미 사망하였다면 그 공탁은 상속인들에 대한 공탁으로서 유효하다.
>
> ④ 매수인이 매도인(등기기록상 소유명의인)을 상대로 매매를 원인으로 한 토지소유권이전등기절차 이행의 승소판결을 받았으나 그에 따른 소유권이전등기를 수용의 개시일 이후에 경료한 경우 그 매수인은 피공탁자인 매도인으로부터 공탁물출급청구권을 양도받지 않는 한 직접 공탁물의 출급청구를 할 수 없다.
>
> ⑤ 종중이 수용대상토지에 대한 명의신탁을 해지하였다고 하더라도 수용의 개시일 전에 소유권등기를 회복하지 못하였다면 수용보상금의 출급청구권은 수용 당시의 소유자인 명의수탁자가 취득하는 것이고 종중은 명의수탁자로부터 공탁금출급청구권을 양도받지 않는 한 공탁금출급청구권을 취득할 수는 없으므로, 비록 종중이 명의수탁자를 피고로 하여 명의신탁의 해지를 이유로 공탁금출급청구권 확인판결(공탁금출급청구권을 증명하는 서면이 될 수는 없음)을 받았다고 하더라도 종중은 그 판결에 기하여 직접 공탁금출급청구를 할 수는 없다.

제3절　물상대위

01　수용공탁에 관한 다음 설명 중 가장 옳지 않은 것은?　　　▶2024 법무사

① 공탁자를 상대로 한 전부금소송에서 공탁유가증권을 직접 출급할 수 있다는 조정결정을 받았다 하더라도 위 조정조서를 가지고는 공탁된 수용보상금채권(債券)을 전부채권자가 직접 출급할 수는 없다.

② 수용보상금 공탁의 경우 수용보상금의 지급과 수용으로 인한 소유권이전등기는 동시이행관계에 있는 것이 아니므로 수용보상금의 공탁서에 소유권이전등기 서류의 교부를 반대급부로 기재할 수 없고, 수용대상토지에 대하여 제한물권이나 처분제한의 등기가 있는 경우에도 그러한 등기의 말소를 반대급부로 기재할 수는 없다.

③ 근저당권 등기가 되어 있는 토지에 대한 수용재결이 있은 후 제3자가 보상금채권을 압류하였으나 근저당권자가 물상대위권을 행사하지 아니한 경우에 사업시행자는 압류에 의하여 보상금의 지급이 금지되었음을 이유로 보상금을 공탁하여야 하고, 압류하지 않은 근저당권자도 압류한 것으로 취급하여 공탁할 것은 아니다.

④ 사업시행자가 일단 수용보상금을 공탁하였다 하더라도 그 공탁이 무효라면 사업시행자가 수용개시일까지 보상금을 지급 또는 공탁하지 아니하였을 때에 해당하므로 그 수용재결은 효력을 상실하게 된다.

⑤ 수용 전 토지에 대하여 체납처분에 의하여 압류한 체납처분청이 다시 수용보상금에 대하여 체납처분에 의한 압류를 하였다면 물상대위의 법리에 의하여 수용 전 토지에 대한 체납처분에 의한 우선권이 수용금채권에 대한 배당절차에서 종전 순위대로 유지된다.

해설　⑤ 수용 전 토지에 대하여 체납처분으로 압류를 한 체납처분청이 다시 수용보상금에 대하여 체납처분에 의한 압류를 하였다고 하여 물상대위의 법리에 의하여 수용 전 토지에 대한 체납처분에 의한 우선권이 수용보상금 채권에 대한 배당절차에서 종전 순위대로 유지된다고 볼 수 없고, 압류선착주의는 조세가 체납처분절차를 통하여 징수되는 경우뿐만 아니라 강제집행절차를 통하여 징수되는 경우에도 적용되어야 한다.

정답　**03 ①　/　01 ⑤**

제4절 회수절차

01 공탁금 회수에 관한 다음 설명 중 가장 옳지 않은 것은? ▸ 2024 법무사

① 변제공탁의 조건으로 한 반대급부는 피공탁자의 공탁물 출급청구권 행사에 제한사유가 될 뿐이지, 공탁자가 공탁금을 회수하는 경우에는 공탁관의 지급제한사유가 될 수 없다.

② 재판상담보공탁에서 법원의 담보제공명령도 없이 임의로 담보공탁한 경우 착오를 원인으로 공탁금을 회수할 수 있다.

③ 선행 채권양도의 효력에 대하여 다툼이 없어 채권자 불확지 변제공탁을 할 만한 사정이 없음에도 후행 채권가압류가 있어 혼합공탁을 한 경우 착오를 원인으로 공탁금을 회수할 수 있다.

④ 토지수용보상금 공탁이 부적법하여 토지수용재결의 효력이 상실되었다는 판결이 확정된 경우 사업시행자(공탁자)는 확정판결을 첨부하여 공탁금 회수청구를 할 수 있는데, 이 때 사업시행자 명의의 소유권이전등기가 말소된 수용대상토지의 등기사항증명서를 첨부해야 한다.

⑤ 토지수용보상금 공탁의 경우 민법 제489조에 따른 공탁금 회수청구는 인정되지 않는다.

> **해설** ④ 수용보상금 공탁이 부적법하여 토지수용재결의 효력이 상실되었다는 확정판결에 의하여 공탁자인 사업시행자가 공탁금의 회수를 청구하는 때에는 회수청구서에 위 확정판결을 첨부하는 것으로 충분하고, 수용된 토지의 등기부상 사업시행자 명의의 소유권이전등기가 말소된 등기사항증명서를 첨부할 필요는 없다.

> **정답** 01 ④

담보공탁

01 재판상 담보공탁의 담보권이 미치는 범위에 관한 다음 설명 중 가장 옳지 않은 것은?

▶ 2024 법무사

① 근저당권에 기한 경매절차의 정지를 위한 담보공탁의 경우 근저당권설정등기말소소송의 소송비용에도 담보권의 효력이 미친다.

② 본안소송에서 패소 확정된 보전처분 채권자에 대하여 손해배상을 청구하는 경우, 가압류채무자가 가압류 청구금액을 공탁하고 그 집행취소결정을 받았다면 가압류채무자는 적어도 그 가압류 집행으로 인하여 가압류해방공탁금에 대한 민사 법정이율인 연 5% 상당의 이자와 공탁금 이율 상당의 이자의 차액 상당의 손해를 입었다고 보아야 한다.

③ 근저당권설정등기의 채무자로서 부동산임의경매절차 진행 중 근저당권설정등기말소등기청구소송을 제기하면서 보증공탁을 하고 제1심 판결선고시까지 경매절차정지결정을 받았으나 패소한 후, 항소하면서 다시 보증공탁을 하고 항소심 판결선고시까지 경매절차정지결정을 받아 현재 항소심 계속 중인 경우, 2차에 걸친 공탁은 각기 당해 심급에 관한 채권자의 손해를 담보하는 것이므로, 1심에서 제공한 담보에 관하여는 항소심에서 다시 담보가 제공되었다는 이유로 담보사유가 소멸되었다고 할 수 없다.

④ 금전 및 이에 대한 지연손해금의 지급을 명한 판결이나 건물명도 및 그 명도시까지의 차임 상당액의 지급을 명한 가집행선고부 판결에 대한 강제집행정지를 위하여 담보공탁을 한 경우 그 가집행이 지연됨으로 인한 손해에는 반대의 사정이 없는 한 집행의 정지가 효력이 있는 기간 내에 발생된 지연손해금이나 차임 상당의 손해가 포함된다.

⑤ 강제집행정지를 위하여 법원의 명령으로 제공된 공탁금은 채권자가 강제집행정지 자체로 인하여 입은 손해배상금채권을 담보하는 것이다.

해설 ① 근저당권에 기한 경매절차의 정지를 위한 담보공탁은 그 경매절차의 정지 때문에 채권자에게 손해가 발생할 경우에 그 손해배상의 확보를 위하여 하는 것이므로 그 담보권의 효력이 미치는 범위는 위 손해배상청구권에 한하고, 근저당권의 피담보채권이나 근저당권설정등기말소소송의 소송비용에까지 미치는 것은 아니다.

정답 ▶ **01** ①

02 재판상 담보공탁의 담보권이 미치는 범위 등에 관한 다음 설명 중 가장 옳지 않은 것은?

▸ 2023 법무사

① 보전명령이 부집행·집행불능인 경우라도 그 명령의 존재만으로 피공탁자는 명예훼손 또는 신용저하, 불안 등 정신상의 손해를 입을 수 있으므로 이 정신적 손해배상청구권도 피담보채권의 범위에 든다 할 것이며, 위 보전명령 그 자체를 다투는 데 필요한 소송의 비용도 위 피담보채권의 범위에 포함된다.

② 강제집행정지를 위하여 법원의 명령으로 제공된 공탁금은 채권자가 강제집행정지 자체로 인하여 입은 손해배상금채권을 담보하는 것이므로, 담보제공자의 권리행사최고에 따라 담보권리자가 권리행사를 위하여 제기한 소송의 소송비용은 강제집행정지로 인하여 입은 통상손해에 해당한다고 볼 수 없으므로 위 소송비용은 강제집행정지를 위하여 법원의 명령으로 제공된 담보공탁금의 피담보채권에 해당하지 않는다.

③ 피담보채권에 관한 확정판결(이행판결과 확인판결을 모두 포함), 이에 준하는 서면(화해조서, 조정조서, 공정증서 등) 또는 공탁자의 동의서(인감증명서 첨부)는 특별한 사정이 없는 한 피담보채권이 발생하였음을 증명하는 서면으로 본다.

④ 가압류를 위하여 법원의 명령으로 제공된 공탁금은 부당한 가압류로 인하여 채무자가 입은 손해를 담보하는 것인바, 채권자가 본안의 소를 제기함에 따라 그 응소를 위하여 채무자가 지출한 소송비용은 가압류로 인하여 입은 손해라고 할 수 없으므로, 가압류의 본안소송에 관한 소송비용은 가압류를 위하여 제공된 공탁금이 담보하는 손해의 범위에 포함되지 않는다.

⑤ 특별사정으로 인한 가처분취소(민사집행법 제307조)의 경우, 가처분채무자가 제공하는 담보는 가처분채권자가 본안소송에서 승소하였음에도 가처분의 취소로 말미암아 가처분 목적물이 존재하지 않게 됨으로써 입는 손해를 담보하기 위한 것이므로, 가처분채권자는 가처분취소로 인하여 입은 손해배상 청구소송의 승소판결을 얻은 후에 그 담보에 대하여 질권자와 동일한 권리를 가지고 우선변제를 받을 수 있다.

> **해설** ② 강제집행정지를 위하여 법원의 명령으로 제공된 공탁금은 채권자가 강제집행정지 자체로 인하여 입은 손해배상채권을 담보한다. 그 손해의 범위는 민법 제393조에 따라 정해진다. 담보제공자의 권리행사최고에 따라 담보권리자가 권리행사를 위하여 제기한 소송의 소송비용은 강제집행정지로 인하여 입은 통상손해에 해당한다고 할 것이므로 위 소송비용은 강제집행정지를 위하여 법원의 명령으로 제공된 담보공탁금의 피담보채권이 된다.

03 재판상 담보공탁에 관한 다음 설명 중 가장 옳은 것은?

▶ 2021 법무사

① 담보제공명령의 당사자가 아닌 제3자도 담보제공의무자를 대신하여 공탁할 수 있지만 법원의 허가 또는 담보권리자의 동의를 요한다.

② 금전 및 이에 대한 지연손해금의 지급을 명한 가집행선고부 판결에 대한 강제집행정지를 위하여 담보공탁을 한 경우 집행의 정지가 효력이 있는 기간 내에 발생한 지연손해금뿐만 아니라 원금에 대하여도 담보권의 효력이 미친다.

③ 피담보채권에 관한 확정판결 이외에도 공탁자의 동의서(인감증명서 첨부)도 공탁원인사실란에 기재된 피담보채권이 발생하였음을 증명하는 서면이 된다.

④ 피공탁자가 피담보채권에 기하여 민사집행법 제273조에서 정한 채권에 대한 강제집행 절차에 따라 공탁자의 공탁금회수청구권을 압류 및 추심명령을 얻어 공탁금 출급청구를 하는 경우에도 담보취소결정을 받아야 한다.

⑤ 제1심에서 가집행의 정지를 위하여 제공된 담보의 경우 항소심에서 제1심 판결이 취소되었다면 그 항소심판결이 미확정인 상태일지라도 담보사유는 소멸한다.

해설 ① 재판상 담보공탁의 공탁자는 법령상 담보제공의 의무를 지는 자이나, 제3자도 담보제공의무자를 위하여 자기명의로 공탁할 수 있다. 즉 당사자 본인에게 공탁명령이 나간 경우에도 제3자는 당사자를 대신하여 공탁할 수 있고, 이 경우 법원의 허가나 담보권리자의 동의는 필요 없으나 제3자가 당사자를 대신하여 공탁함을 공탁서의 비고란에 기재하여야 한다.

② 가집행선고부 판결에 대한 강제집행정지를 위하여 한 담보공탁은 강제집행 정지로 인하여 채권자에게 생길 손해를 담보하기 위한 것이고 정지의 대상인 기본채권 자체를 담보하는 것은 아니므로, 채권자는 강제집행정지로 인한 손해배상청구권에 한해서만 질권자와 동일한 권리가 있을 뿐 기본채권에까지 담보적 효력이 미치는 것은 아니다.

④ 공탁관은 담보공탁의 피공탁자가 피담보채권에 터 잡아 민사집행법 제273조에서 정한 채권에 대한 강제집행절차에 따라 공탁자의 공탁금회수청구권을 압류하고 추심명령이나 확정된 전부명령을 얻어 공탁금을 출급청구(청구서의 표시를 회수청구라고 기재한 때에도 같다)를 한 경우에도 공탁물을 피공탁자에게 교부한다. 이 경우에, 피공탁자는 공탁금출급청구서와 함께 질권(담보권) 실행을 위한 압류명령정본, 추심명령 또는 전부명령 정본, 위 명령의 송달증명, 전부명령에 관한 확정증명을 제출하여야 한다(담보권실행의 신청을 할 때 담보권의 존재를 증명하는 서류를 제출하므로 따로 담보취소결정을 받을 필요는 없다).

⑤ 가집행의 정지를 위해 제공된 담보는 상소심의 소송절차에서 담보제공자의 승소판결이 확정된 경우 또는 이와 같이 볼 수 있는 경우에 담보의 사유가 소멸된다고 보므로, 제1심에서 가집행의 정지를 위해 제공된 담보는 항소심에서 그 가집행선고부 제1심 판결이 취소된 경우에도 담보사유가 소멸되지 않고, 그 항소심 판결이 확정되어야 담보의 사유가 소멸된다.

정답 02 ② 03 ③

04 가처분채권자가 담보공탁한 후 파산선고를 받았고, 담보공탁금의 피담보채권인 가처분채무자의 손해배상청구권이 파산채권인 경우에 관한 다음 설명 중 가장 옳은 것은? ▸ 2021 법무사

① 가처분채무자는 파산절차에 의하지 아니하고 질권을 실행할 수 있다.
② 가처분채무자로서는 가처분채권자를 상대로 담보공탁금의 피담보채권인 손해배상청구권의 존부에 관한 확인의 소를 제기하여 확인판결을 받는 등의 방법에 의하여 피담보채권이 발생하였음을 증명하는 서면을 확보할 수 있다.
③ 가처분채무자는 이행의 소를 제기할 수도 있다.
④ 가처분채권자는 담보공탁금에 대하여 질권자와 동일한 권리가 있다.
⑤ 가처분채권자가 제공한 담보공탁금에 대한 회수청구권에 관한 권리는 파산재단에 속하지 않는다.

해설 ① 가처분채권자가 파산선고를 받게 되면 가처분채권자가 제공한 담보공탁금에 대한 공탁금회수청구권에 관한 권리는 파산재단에 속하므로, 가처분채무자가 공탁금회수청구권에 관하여 질권자로서 권리를 행사한다면 이는 별제권을 행사하는 것으로서 파산절차에 의하지 아니하고 담보권을 실행할 수 있다.

② 가처분채권자가 가처분으로 인하여 가처분채무자가 받게 될 손해를 담보하기 위하여 법원의 담보제공명령으로 일정한 금전을 공탁한 후 파산선고를 받은 경우, 가처분채무자로서는 가처분채권자의 파산관재인을 상대로 그 담보공탁금의 피담보채권인 손해배상청구권이 발생하였음을 증명하는 서면을 확보한 후, 민법 제354조에 의하여 민사집행법 제273조에서 정한 담보권 존재 증명 서류로서 위 서면을 제출하여 채권에 대한 질권 실행방법으로 공탁금회수청구권을 압류하고 추심명령이나 확정된 전부명령을 받아 담보공탁금 출급청구를 함으로써 담보권을 실행할 수 있다.

③ 가처분채무자가 가처분채권자의 파산관재인을 상대로 파산채권에 해당하는 위 손해배상청구권에 관하여 이행소송을 제기하는 것은 파산재단에 속하는 특정재산에 대한 담보권의 실행이라고 볼 수 없으므로 이를 별제권의 행사라고 할 수 없고, 결국 이는 파산절차 외에서 파산채권을 행사하는 것이어서 허용되지 아니한다.

④ 가처분채권자가 가처분으로 인하여 가처분채무자가 받게 될 손해를 담보하기 위하여 법원의 담보제공명령으로 일정한 금전을 공탁한 경우에, 피공탁자로서 담보권리자인 가처분채무자는 담보공탁금에 대하여 질권자와 동일한 권리가 있다(민사집행법 제19조 제3항, 민사소송법 제123조).

⑤ 가처분채권자가 파산선고를 받게 되면 가처분채권자가 제공한 담보공탁금에 대한 공탁금회수청구권에 관한 권리는 파산재단에 속한다.

05 재판상 담보공탁의 담보취소에 관한 다음 설명 중 가장 옳지 않은 것은? ▸ 2024 법무사

① 권리행사 최고기간의 만료에 따른 담보취소결정이 있은 후, 위 담보취소결정이 확정되기 전에 담보권리자가 권리행사를 하고 이를 증명하더라도 위 담보취소결정을 취소할 수 없다.

② 담보제공자는 담보취소에 관한 담보권리자의 동의를 얻은 것을 증명하여 담보취소 신청을 할 수 있다.

③ 법원이 가처분채무자의 이의신청에 따라 결정으로 가처분을 취소하면서 적당한 담보를 제공할 것을 명한 경우, 제공된 담보는 가처분의 취소 자체로 인하여 가처분채권자가 입은 손해를 담보하기 위한 것으로 봄이 상당하다.

④ 가집행선고가 붙은 항소심판결이 상고심에서 파기되어 항소심에 환송된 경우에는 비록 본안판결이 확정되지 아니하였다 하여도 위의 가집행선고가 붙은 판결의 집행을 정지하기 위하여 제공된 담보는 그 담보원인이 소멸되었다고 할 것이다.

⑤ 담보취소 신청사건은 담보제공을 명한 법원 또는 그 기록을 보관하고 있는 법원이 관할한다.

> **해설** ① 최고에서 정한 권리행사기간 안에 권리를 행사하지 않았더라도 담보취소결정을 하기 전에 권리행사를 한 사실을 증명하면 담보취소결정을 할 수 없다. 또 담보취소결정이 있었더라도 그 결정이 확정되기 전에 권리행사가 있으면 담보취소결정은 유지될 수 없다.

정답 ▸ **04 ① 05 ①**

06 담보공탁에 관한 다음 설명 중 옳은 것을 모두 고른 것은?

▸ 2025 법무사

ㄱ. 금전과 이에 대한 다 갚는 날까지의 지연손해금의 지급을 명한 가집행선고부 판결에 대한 강제집행정지를 위하여 담보공탁을 한 경우, 위 금전의 가집행이 지연됨으로 인한 손해에는 집행의 정지가 효력을 갖는 기간 내에 발생한 지연손해금 상당의 손해가 원칙적으로 포함되지 않는다. 따라서 지연손해금 상당의 그 손해배상청구권은 강제집행정지를 위한 담보공탁의 피담보채권이 될 수 없다.

ㄴ. 재판상 담보공탁의 담보권리자가 공탁금회수청구권을 압류하고 추심명령이나 확정된 전부명령을 받은 후 담보취소결정을 받아 공탁금회수청구를 하는 경우, 그 담보공탁금의 피담보채권을 집행채권으로 하는 것인 이상, 담보권리자의 위와 같은 담보취소신청은 어디까지나 담보권을 포기하고 일반 채권자로서 강제집행을 하는 것이 아니라 오히려 적극적인 담보권실행에 의하여 그 공탁물회수청구권을 행사하기 위한 방법으로 보는 것이 타당하다.

ㄷ. 담보제공자가 담보권리자의 동의 없이 담보취소신청을 한 경우에 담보권리자가 권리행사의 최고를 받고도 권리를 행사하지 아니하면 담보취소에 동의한 것으로 본다. 최고를 받은 담보권리자가 소의 제기, 지급명령의 신청 등 소송의 방법으로 권리행사를 한 경우에도 권리 주장의 범위가 담보공탁금액 중 일부에 한정되어 있을 때에는 초과부분에 대해서는 담보취소에 대한 동의가 있다고 보아야 하므로, 법원은 그 부분 일부 담보를 취소하여야 한다.

ㄹ. 부동산에 대한 강제집행정지 신청사건에서 담보제공명령을 받은 당사자가 아닌 제3자는 당사자를 대신하여 담보를 공탁한다는 취지를 공탁서에 기재하더라도 유효하게 당사자를 위한 담보를 제공할 수는 없다.

① ㄱ, ㄴ   ② ㄴ, ㄷ   ③ ㄷ, ㄹ
④ ㄴ, ㄹ   ⑤ ㄱ, ㄷ

해설 ㄱ. 가집행선고부 판결에 대한 강제집행정지를 위하여 공탁한 담보는 강제집행정지로 인하여 채권자에게 생길 손해를 담보하기 위한 것이고 정지의 대상인 기본채권 자체를 담보하는 것은 아니므로 채권자는 그 손해배상청구권에 한해서만 질권자와 동일한 권리가 있을 뿐 기본채권에까지 담보적 효력이 미치는 것은 아니다. 금전 및 이에 대한 지연손해금의 지급을 명한 판결이나 건물 명도 및 그 명도 시까지의 차임 상당액의 지급을 명한 가집행선고부 판결에 대한 강제집행정지를 위하여 담보공탁을 한 경우, 그 가집행이 지연됨으로 인한 손해에는 반대의 사정이 없는 한 집행의 정지가 효력이 있는 기간 내에 발생된 지연손해금이나 차임 상당의 손해가 포함된다. 이 경우 지연손해금이나 차임 상당의 그 손해배상청구권은 기본채권 자체라 할 것은 아니므로 강제집행정지를 위한 담보공탁의 피담보채무가 된다.

    ㄹ. 담보제공 의무자를 위하여 제3자가 자신소유의 금전 또는 유가증권을 자기 명의로 공탁할 수 있다. 따라서 당사자 본인에게 담보제공명령이 나간 경우에도 제3자는 당사자를 대신하여 공탁할 수 있고, 이 경우 법원의 허가나 담보권리자의 동의는 필요 없으나, 제3자가 당사자를 대신하여 공탁함을 공탁서 비고란에 기재하여야 한다.

정답 ▸ **06 ②**

집행공탁

01 집행공탁에 관한 다음 설명 중 가장 옳지 않은 것은? ▸ 2023 법무사

① 제3채무자가 민사집행법 제248조 제1항에 따라 금전채권의 일부가 압류되어 압류와 관련된 금전채권의 전액을 공탁하는 경우, 공탁금 중에서 압류의 효력이 미치지 않는 부분에 대하여는 변제공탁의 예에 따라 피공탁자(압류채무자)가 출급을 청구할 수 있으며, 공탁자도 민법 제489조 제1항에 의하여 회수청구할 수 있다.

② 제3채무자가 민사집행법 제248조 제1항에 따라 압류가 경합되어 있음을 이유로 한 집행공탁이 유효하려면 피압류채무에 해당하는 채무 전액을 공탁하여야 하므로, 제3채무자가 채무 전액을 공탁하지 않아 집행공탁의 효력이 인정되지 않는 경우에는 그 공탁이 수리된 후 공탁된 금원에 대한 배당절차가 종결되었더라도 그 공탁되어 배당된 금원에 대하여는 변제의 효력이 생기지 않는다.

③ 대여금 채권(100만원)에 대하여 甲의 가압류결정(100만원)이 제3채무자에게 송달된 후 甲이 가압류신청 취하서를 가압류발령 법원에 제출했지만 법원사무관등의 취하통지서가 제3채무자에게 도달하기 전에 동일한 권리에 대하여 압류 및 전부명령(100만원)이 제3채무자에게 도달한 경우 제3채무자는 민사집행법 제248조 제1항에 따라 압류경합을 이유로 집행공탁을 할 수 있다.

④ 금전채권에 대하여 민사집행법에 따른 압류와 체납처분에 의한 압류가 있고(선후 불문) 그 압류금액의 총액이 피압류채권액을 초과하는 경우에, 민사집행절차에서 압류 및 추심명령을 받은 채권자가 제3채무자로부터 압류채권을 추심하면 민사집행법 제236조 제2항에 따라 추심한 금액을 바로 공탁하고 그 사유를 신고하여야 한다.

⑤ 민사집행법 제248조 제1항에 따른 제3채무자의 집행공탁 전에 동일한 피압류채권에 대하여 다른 채권자의 신청에 따라 압류·가압류명령이 발령되었더라도, 제3채무자의 집행공탁 후에야 그에게 송달된 경우 그 압류·가압류의 효력이 생기지 아니한다.

해설 ② 제3채무자가 민사집행법 제248조 제1항에 따라 압류가 경합되어 있음을 이유로 한 공탁이 유효하려면 피압류채무에 해당하는 채무 전액을 공탁하여야 하지만 압류 및 추심명령의 제3채무자가 채무 전액을 공탁하지 않아 집행공탁의 효력이 인정되지 않는다고 하여도 그 공탁이 수리된 후 공탁된 금원에 대하여 배당이 실시되어 배당절차가 종결되었다면 그 공탁되어 배당된 금원에 대하여는 변제의 효력이 있다고 할 것이다.

정답 01 ②

02

甲은 乙에 대하여 물품대금채무 2천만원을 부담하고 있는데, 丙의 채권압류 및 추심명령(집행채권액 1천만원) 및 丁의 채권압류 및 추심명령(집행채권액 500만원)을 순차적으로 각 송달받고, 물품대금채무 2천만원을 민사집행법 제248조 제1항 집행공탁을 하려고 한다. 다음 설명 중 옳은 것을 모두 고른 것은? (다툼이 있는 경우 판례·예규 및 선례에 따르고 전원합의체 판결의 경우 다수의견에 의함. 이하 같음)

▶ 2021 법무사

> ┤ 보기 ├
>
> ㄱ. 공탁서의 피공탁자란에 피공탁자를 기재하지 않는다.
> ㄴ. 공탁사유신고는 丙의 채권압류명령을 발령한 집행법원에 하여야 한다.
> ㄷ. 甲은 위 공탁금 중 500만원 부분에 대하여 민법 제489조 제1항에 근거하여 공탁금 회수청구를 할 수 있다.
> ㄹ. 위 공탁이 성립한 후 丙과 丁의 압류가 모두 실효된 경우 乙은 집행법원의 지급위탁절차에 의하지 아니하고 공탁금 전액(2천만원)에 대하여 출급청구할 수 있다.
> ㅁ. 위 공탁이 성립한 후 공탁금출급청구권에 대하여 戊의 채권압류 및 추심명령(집행채권액 300만원)이 공탁소에 도달한 경우 공탁관은 지체 없이 집행법원에 사유신고를 하여야 한다.

① ㄱ, ㄴ, ㄷ   ② ㄴ, ㄷ   ③ ㄷ, ㄹ, ㅁ

④ ㄴ, ㄹ   ⑤ ㄴ, ㅁ

해설 ㄱ. 압류채권액 합계(1,500만원)보다 피압류채권액 합계(2,000만원)가 크고 전액을 공탁하므로 압류되지 않은 부분에 관련된 피공탁자를 기재하여야 한다.

ㄴ. 먼저 송달된 압류법원인의 채권압류명령을 발령한 법원에 공탁사유를 신고한다.

ㄷ. 압류되지 않은 500만원 부분은 변제공탁 회수를 할 수 있다.

ㄹ. 집행법원의 지급위탁으로만 지급이 가능하다.

ㅁ. 아직 압류경합이 아니므로 사유신고를 하지 않는다. 즉, 사례의 경우 2,000만원 중 병의 압류추심과 정의 압류추심 500만원 합계 1,500만원은 집행공탁이고 따라서 집행공탁과 사유신고로 인해 배당가입이 차단된다. 그러나 2,000만원 중 나머지 500만원(압류되지 않는 부분)은 변제공탁이므로 을의 출급청구권만 있는데 여기에 무의 압류추심명령 1개만 존재하고 아직 다른 압류경합이 없으므로 바로 무에게 지급을 하면 되고 아직 사유신고를 하지 않는다. 설사 무의 압류 및 추심명령금액이 500만원을 초과한 600만원이라 하여도 마친가지이다. 그 후 또다른 채권자 "기"의 압류 및 추심명령 등이 들어오고 기의 압류 및 추심명령 금액과 무의 압류금액 300만원과 합계가 500만원을 초과해야만 사유신고를 한다.

03 甲이 乙에 대하여 1,000만원의 대여금채권을 가지고 있고, 甲의 채권자인 丙이 甲에 대한 600만원의 채권으로 위 대여금채권을 압류한 상황에서 다음 설명 중 옳은 것을 모두 고른 것은(설명된 것 이외에 다른 사실관계는 아무 것도 없는 것으로 가정한다)? ▶ 2024 법무사

> ㄱ. 乙은 甲의 다른 채권자인 丁이 甲에 대한 500만원 채권을 가지고 있음을 알게 된 경우, 대여금채권 전액인 1,000만원을 공탁하여야 한다.
> ㄴ. 丙의 압류가 그 범위를 600만원으로 제한하고 있는 경우, 甲의 다른 채권자인 丁이 甲에 대한 500만원의 채권을 가지고 배당요구를 하였다면, 제3채무자인 乙이 민사소송법 제248조 제2항에 따라 공탁하여야 하는 금액은 600만원이다.
> ㄷ. 丙의 압류가 그 범위를 제한하지 않은 것일 경우, 甲의 다른 채권자인 丁이 甲에 대한 500만원의 채권을 가지고 배당요구를 하였다면, 제3채무자인 乙이 민사소송법 제248조 제2항에 따라 공탁하여야 하는 금액은 600만원이다.
> ㄹ. 甲에 대하여 500만원의 채권을 가지고 있는 丁이 甲의 乙에 대한 대여금채권에 압류명령을 받은 후 공탁을 청구하였다면, 乙은 민사소송법 제248조 제3항에 따라 1,000만원을 공탁하여야 한다.

① ㄱ, ㄴ ② ㄴ, ㄷ ③ ㄴ, ㄹ
④ ㄷ, ㄹ ⑤ ㄱ, ㄹ

해설 ㄱ. 채권자가 경합하는 경우에 제3채무자는 채권자가 경합하는 사정만으로는 공탁의무가 생기는 것이 아니고 공탁요청이 있는 때에만 공탁의무가 생긴다.
ㄷ. 丙의 압류가 그 범위를 제한하지 않은 것일 경우, 甲의 다른 채권자인 丁이 甲에 대한 500만원의 채권을 가지고 배당요구를 하였다면, 제3채무자인 乙이 민사소송법 제248조 제2항에 따라 공탁하여야 하는 금액은 1,000만원이다.

04 권리공탁(민사집행법 제248조 제1항)에 관한 다음 설명 중 가장 옳지 않은 것은? ▶ 2025 법무사

① 금전채권의 일부에 대하여 압류가 있는 경우 제3채무자는 압류된 채권액 또는 압류와 관련된 금전채권액 전액을 공탁할 수 있다.
② 제3채무자에 대하여 대위채권자에게 직접 이행하도록 하는 채권자대위판결이 확정된 후 피대위권리를 피압류채권으로 하는 다수의 채권압류 및 추심명령이 제3채무자에게 순차적으로 송달된 경우, 제3채무자는 민사집행법 제248조 제1항에 따른 권리공탁을 할 수 있다.
③ 압류금지채권에 해당하는 부분에 대한 압류는 무효임에도 이를 간과한 채 공탁금 전액을 배당재단으로 하여 추심권자들에게 배당된 경우, 압류채무자는 배당표에서 배당을 받을 것으로 기재된 다른 채권자들을 상대로 배당이의의 소를 제기할 수 있다.

정답 02 ② 03 ③ 04 ⑤

④ 제3채무자는 공탁신청 시 압류결정문 사본을 첨부하여야 한다.

⑤ 민사집행법 제248조 제1항에 의하여 공탁한 후에 압류명령이 취소되거나 신청의 취하 등으로 인하여 압류가 실효된 경우, 채무자는 압류된 채권액에 대하여 집행법원의 지급위탁에 의하지 아니한 채 직접 공탁금을 출급할 수 있다.

> **해설** ⑤ 민사집행법 제248조 제1항에 의하여 채권압류를 원인으로 한 공탁이 성립되면 공탁이 무효인 경우가 아닌 한 제3채무자는 바로 채무를 면하게 되고, 공탁금은 이후 배당재단에 포함되어 집행법원의 관리하에 놓이게 되므로 공탁이 성립된 후에 그 공탁원인이 된 압류명령의 효력이 실효되었다고 하더라도 압류채무자는 집행법원의 배당절차에 의한 지급위탁으로 증명서를 교부받아 공탁금을 출급해 갈 수 있을 뿐 집행법원의 지급위탁에 의하지 아니한 채 공탁자(제3채무자)가 공탁원인 소멸을 이유로 회수청구권을 행사하거나 압류채무자가 압류명령의 실효를 이유로 직접 공탁금을 출급할 수가 없다.

05 의무공탁(민사집행법 제248조 제2항, 제3항)에 관한 다음 설명 중 가장 옳지 않은 것은?

▶ 2025 법무사

① 금전채권에 관하여 배당요구서를 송달받은 제3채무자는 배당에 참가한 채권자의 청구가 있으면 압류된 부분에 해당하는 금액을 공탁하여야 한다.

② 금전채권 중 압류되지 아니한 부분을 초과하여 거듭 압류명령 또는 가압류명령이 내려진 경우에 그 명령을 송달받은 제3채무자는 압류 또는 가압류채권자의 청구가 있으면 그 채권의 전액에 해당하는 금액을 공탁하여야 한다.

③ 제3채무자가 채무액을 공탁한 때에는 그 사유를 법원에 신고하여야 한다.

④ 공탁의무가 발생한 경우라도 제3채무자는 집행공탁이 아닌 정당한 추심권자 1인에게 직접 변제하는 등의 방법으로도 공탁청구한 채권자에게 채무의 소멸을 주장할 수 있다.

⑤ 제3채무자가 배당요구채권자(추심권자)의 공탁청구에도 불구하고 공탁의무를 이행하지 않을 때에는 민사집행법 제249조 제1항에 따라 소로써 공탁을 명하는 추심소송을 제기할 수 있다.

> **해설** ④ 공탁의무가 발생하지 않은 경우에는 제3채무자가 집행공탁이 아닌 정당한 추심권자 1인에게 직접 변제하는 등의 방법으로도 그 채무의 소멸을 다른 채권자 및 채무자에게 주장할 수 있는 반면, 공탁의무가 발생한 경우에는 제3채무자가 공탁의 방법에 의하지 않고는 면책을 받을 수 없다. 따라서 공탁의무가 있는데도 불구하고 제3채무자가 추심채권자 중 한 사람에게 임의로 변제하거나 일부 채권자가 강제집행절차 등에 의하여 추심한 경우 제3채무자는 이로써 '공탁청구한 채권자'에 대한 관계에서 채무의 소멸을 주장할 수 없고 이중지급의 위험을 부담한다. 다만 그러한 경우에도 제3채무자는 '공탁청구한 채권자 외의 다른 채권자'에게는 여전히 채무의 소멸을 주장할 수 있다.

제2절　채권가압류를 원인으로 하는 공탁

01 甲은 乙에 대하여 물품대금 채무 1백만원을 부담하고 있는데, 丙의 채권가압류결정(집행채권액 : 2백만원)을 송달받고, 위 채무 1백만원 전액을 민사집행법 제291조 및 제248조 제1항 가압류 집행공탁을 하였다. 다음 중 옳은 것을 모두 고른 것은?　▶ 2023 법무사

> ㄱ. 乙은 피공탁자로서 공탁금을 출급할 수 있다.
> ㄴ. 甲은 민법 제489조에 기하여 공탁금을 회수할 수 있다.
> ㄷ. 위 공탁이 성립한 후 丁의 채권압류 및 추심명령(집행채권액 : 2백만원)이 공탁소에 도달한 경우 공탁관은 집행법원에 사유신고를 하여야 한다.
> ㄹ. 위 공탁이 성립한 후 고양시의 체납처분에 의한 압류통지(집행채권액 : 2백만원)가 공탁소에 도달한 경우 고양시는 직접 공탁금을 출급할 수 있다.
> ㅁ. 위 공탁이 성립한 후 丙의 가압류로부터 본압류로 이전하는 채권압류 및 추심명령(집행채권액 : 1백만원)이 공탁소에 도달한 경우 丙은 공탁금을 직접 출급할 수 있다.

① ㄱ, ㄴ　　　　　② ㄱ, ㄷ　　　　　③ ㄱ, ㄹ
④ ㄷ, ㄹ　　　　　⑤ ㄹ, ㅁ

해설　ㄱ. 피공탁자(가압류채무자)는 가압류가 실효되지 않는 한 공탁금의 출급을 청구할 수 없다.
　　　ㄴ. 민법 제489조에 기하여 공탁금을 회수는 변제공탁에서만 가능하다.
　　　ㅁ. 공탁관이 사유신고를 하여야 하고 그 후 집행법원의 배당절차에 따른 지급위탁에 위해 출급이 이루어진다.

02 금전채권의 일부에 대하여 가압류가 있는 경우 제3채무자가 가압류와 관련된 금전채권액 전액을 집행공탁하는 경우에 관한 다음 설명 중 가장 옳지 않은 것은?　▶ 2024 법무사

① 공탁근거 법령조항은 민사집행법 제291조 및 제248조 제1항으로 하고, 피공탁자란에는 가압류채무자를 기재하고, 제3채무자는 공탁 후 즉시 공탁서를 첨부하여 그 내용을 서면으로 가압류발령법원에 신고하여야 한다.
② 제3채무자가 가압류 집행된 금전채권액을 공탁한 경우에는 그 가압류의 효력은 그 청구채권액에 해당하는 공탁금액에 대한 가압류채무자의 출급청구권에 대하여 존속한다.
③ 공탁금 중에서 가압류의 효력이 미치지 않는 부분에 대하여는, 변제공탁의 예에 따라 피공탁자는 출급청구를 할 수 있으나, 공탁자는 회수청구할 수 없다.

④ 공탁금 중에서 가압류의 효력이 미치는 부분에 대하여는, 가압류채권자가 가압류를 본압류로 이전하는 압류명령을 얻은 후 집행법원의 지급위탁에 의하여 공탁금의 출급을 청구할 수 있다.

⑤ 공탁금 중에서 가압류의 효력이 미치는 부분에 대하여는, 공탁한 후에 가압류명령이 취소되거나 신청의 취하 등으로 인하여 가압류가 실효된 경우, 피공탁자는 가압류가 실효되었음을 증명하는 서면 등을 첨부하여 공탁관에게 출급청구할 수 있다.

해설 ③ 가압류의 효력이 미치지 않는 부분에 대하여는, 변제공탁의 예에 따라 피공탁자는 출급청구를 할 수 있고, 공탁자는 회수청구할 수 있다.

03

甲은 乙에 대하여 대여금 채무 1천만원을 부담하고 있는데, 丙의 가압류결정(집행채권액 : 2천만원)을 송달받고, 위 채무 1천만원 전액을 민사집행법 제291조 및 제248조 제1항에 의하여 가압류 집행공탁을 하였다. 다음 설명 중 가장 옳은 것은? ▸ 2022 법무사

① 위 공탁이 성립한 후 甲은 민법 제489조에 근거하여 공탁금을 직접 회수할 수 있다.

② 위 공탁이 성립한 후 乙의 공탁금출급청구권에 대하여 용인시의 체납처분에 의한 압류(집행채권액 : 1천만원)통지가 공탁소에 송달되어 용인시가 추심청구를 하는 경우 공탁관은 이에 응해야 한다.

③ 위 공탁이 성립한 후 공탁금출급청구권에 대하여 丙의 가압류로부터 본압류로 이전하는 채권압류·추심명령(집행채권액 : 1천만원)이 송달되어 丙이 추심청구를 하는 경우 공탁관은 이에 응해야 한다.

④ 위 공탁이 성립한 후 공탁금출급청구권에 대하여 丁의 채권압류·추심명령(집행채권액 : 1천만원)이 송달되어 丁이 추심청구를 하는 경우 공탁관은 이에 응해야 한다.

⑤ 위 공탁이 성립한 후 乙은 공탁통지서를 첨부하여 공탁금 전액을 출급할 수 있다.

해설 ① 집행공탁이므로 민법 제489조에 근거한 공탁금 회수를 할 수 없다.
③ 위 공탁이 성립한 후 공탁금출급청구권에 대하여 丙의 가압류로부터 본압류로 이전하는 채권압류·추심명령(집행채권액 : 1천만원)이 송달되는 경우 공탁관은 사유신고를 하여야 하며, 丙이 추심청구에 공탁관은 응할 수 없다.
④ 위 공탁이 성립한 후 공탁금출급청구권에 대하여 丁의 채권압류·추심명령(집행채권액 : 1천만원)이 송달되는 경우 공탁관은 사유신고를 하여야 하며 丁의 추심청구에 응할 수 없다.
⑤ 위 공탁이 성립한 후 가압류가 실효되지 않는 한 乙은 공탁금을 출급할 수 없다.

04 금전채권에 대한 가압류를 이유로 제3채무자가 민사집행법 제291조 및 제248조 제1항에 의하여 공탁을 하는 경우에 관한 다음 설명 중 가장 옳은 것은?

▶ 2021 법무사

① 제3채무자가 가압류된 채권액에 대하여만 공탁하는 경우에도 공탁서의 피공탁자란에 가압류채무자를 기재한다.

② 둘 이상의 가압류가 있는 경우 제3채무자는 민사집행법 제291조 및 제248조 제1항 공탁을 한 후 즉시 공탁서를 첨부하여 먼저 송달된 가압류명령의 발령법원에 공탁사유신고를 하여야 하고 그로 인하여 배당절차가 개시되고 배당요구종기가 도래하게 된다.

③ 금전채권에 대한 가압류를 이유로 제3채무자가 민사집행법 제291조 및 제248조 제1항에 의하여 공탁한 후에, 가압류명령이 취소되거나 신청의 취하 등으로 인하여 가압류가 실효되더라도 가압류채무자는 가압류된 채권액에 대하여 집행법원의 지급위탁에 의하여 공탁금의 출급을 청구할 수 있다.

④ 가압류채권자가 가압류를 본압류로 이전하는 압류명령을 얻은 경우 집행법원의 지급위탁에 의하지 않고 공탁소로부터 직접 공탁금을 출급할 수 있다.

⑤ 제3채무자가 가압류와 관련된 금전채권 전액을 공탁을 한 경우 가압류의 효력이 미치지 않는 부분에 대하여도 변제공탁의 예에 따른 피공탁자(가압류채무자)의 공탁금 출급청구는 인정되지 않는다.

해설 ② 금전채권에 대한 가압류를 원인으로 제3채무자가 공탁한 때에도 그 사유를 서면으로 법원에 신고하여야 하는데, 본압류를 위한 보전처분에 불과한 채권가압류를 원인으로 한 공탁 및 사유신고만으로는 그 공탁금으로부터 배당 등을 받을 수 있는 채권자의 범위를 확정하는 배당가입 차단효과도 없고, 배당절차를 개시하는 사유도 되지 아니하며, 단순히 가압류 발령법원에 공탁사실을 알려 주는 의미밖에 없다 할 것이므로, 그 신고는 집행법원이 아닌 가압류발령법원에 하여야 하며, 복수의 가압류명령이 있는 경우에는 제3채무자에게 먼저 송달된 가압류명령을 발령한 법원에 신고를 하여야 한다.

③ 금전채권의 일부 또는 전부에 대하여 가압류가 있는 경우에 제3채무자는 가압류된 채권액 또는 가압류와 관련된 금전채권액 전액을 공탁할 수 있고, 공탁 이후 그 가압류의 효력은 그 청구채권액에 해당하는 공탁금액에 대한 가압류채무자의 출급청구권에 대하여 존속하게 된다. 금전채권에 대한 가압류를 이유로 제3채무자가 민사집행법 제291조 및 제248조 제1항에 따라 공탁한 후에 그 가압류명령이 취소되거나 신청 취하 등으로 가압류가 실효된 경우에는 가압류채무자(피공탁자)는 공탁통지서와 가압류가 실효되었음을 증명하는 서면을 첨부하여 공탁관에게 공탁금의 출급을 청구할 수 있다.

④ 피공탁자(가압류채무자)는 가압류가 실효되지 않는 한 공탁금의 출급을 청구할 수 없고, 가압류채권자가 가압류를 본압류로 이전하는 압류명령이 국가(공탁관)에 송달되면 공탁관은 즉시 압류명령의 발령법원에 그 사유를 신고하여야 하며, 가압류채권자는 집행법원의 지급위탁에 의하여 집행법원으로부터 발급받은 지급증명서를 첨부하여 공탁금을 출급청구할 수 있다.

⑤ 공탁금 중에서 가압류의 효력이 미치지 않는 부분에 대하여는 가압류의 효력이 존속하지 않게 되므로(민사집행법 제297조), 피공탁자(가압류채무자)는 변제공탁의 예에 따라 공탁통지서를 첨부하여 그 부분에 해당하는 공탁금을 출급청구할 수 있으며, 공탁자는 가압류발령 법원으로부터 공탁서를 보관하고 있다는 사실을 증명하는 서면을 교부받아 공탁금을 회수청구할 수 있다.

정답 ▶ 03 ② 04 ①

05 공탁서의 피공탁자란 기재에 관한 다음 설명 중 가장 옳지 않은 것은?　　▶ 2023 법무사

① 사해행위취소에 따른 원상회복청구권을 피보전권리로 한 채권처분금지가처분결정이 제3채무자에게 송달된 경우, 제3채무자는 민법 제487조에 따라 수령불능을 공탁원인으로 하여 피공탁자를 가처분채무자로 하는 확지공탁을 한다.

② 질권의 목적물이 된 채권의 변제기가 질권자의 채권의 변제기보다 먼저 도래한 때에는 민법 제353조 제3항에 따라 질권자는 제3채무자에 대하여 그 변제금액의 공탁을 청구할 수 있는데, 이 경우 제3채무자는 질권설정자를 피공탁자로 기재하여 공탁한다.

③ 가압류채무자의 민사집행법 제282조에 의한 가압류해방공탁의 경우 공탁서에 피공탁자를 기재하지 않는다.

④ 금전채권의 일부에 대하여 가압류가 있음을 원인으로 제3채무자가 민사집행법 제291조 및 제248조 제1항에 따라 가압류된 금액만을 공탁하는 경우 피공탁자를 기재하지 않는다.

⑤ 금전채권에 대하여 민사집행법에 따른 압류와 체납처분에 의한 압류가 있고, 민사집행법에 따른 압류와 체납처분에 의한 압류금액의 총액이 피압류채권액을 초과하지 않는 경우, 제3채무자는 민사집행법 제248조 제1항에 따라 압류와 관련된 금전채권액 전액을 공탁할 수 있는데, 이 경우 압류명령의 채무자를 피공탁자로 기재한다.

> **해설** ④ 공탁 이후에는 가압류의 효력이 그 청구채권액에 해당하는 공탁금액에 대한 가압류채무자의 출급청구권에 미치므로 채권압류를 원인으로 하는 집행공탁과는 달리 가압류된 금액만을 공탁하거나 가압류와 관련된 채권 전액을 공탁하는 경우에 가압류의 효력이 미치는 부분이나 미치지 않는 부분이나 모두 공탁신청 시에 피공탁자가 존재한다.

06 금전채권에 대한 가압류를 원인으로 하는 공탁(민사집행법 제248조 제1항, 제291조)에 관한 다음 설명 중 가장 옳지 않은 것은?　　▶ 2025 법무사

① 공탁을 수리한 공탁관은 가압류채권자에게 공탁사실을 통지하여야 한다.

② 제3채무자가 공탁 후 그 내용을 서면으로 가압류발령법원에 신고하더라도 배당가입 차단효과는 없다.

③ 가압류채무자가 가압류이의를 신청하여 가압류를 취소하는 결정을 받았다면 가압류채무자는 공탁통지서와 가압류취소결정정본 및 그 송달증명뿐만 아니라 가압류취소결정의 확정증명도 별도로 첨부하여야 한다.

④ 공탁신청 시 공탁통지서를 첨부하여야 한다.

⑤ 2개 이상의 가압류가 경합되었음을 이유로 제3채무자가 공탁한 후 가압류채무자가 그중 1개의 가압류에 대하여 해방공탁을 하여 그 가압류집행이 취소되었다면 가압류채무자는 집행공탁금 중 집행취소되지 않은 나머지 가압류사건의 가압류청구금액을 초과하는 공탁금에 대하여 출급청구할 수 있다.

[해설] ③ 금전채권에 대한 가압류를 이유로 제3채무자가 민사집행법 제291조 및 제248조 제1항에 따라 공탁한 후에 가압류명령이 취소되거나 신청의 취하 등으로 인하여 가압류가 실효된 경우 가압류채무자(피공탁자)는 공탁통지서와 가압류가 실효되었음을 증명하는 서면을 첨부하여 공탁관에게 출급청구할 수 있다. 보전처분의 이의신청에 대한 재판은 결정으로 하여야 하고, 위 결정은 상당한 방법으로 고지하면 그 효력이 발생하므로 가압류채무자가 가압류이의를 신청하여 가압류를 취소하는 결정을 받았다면 가압류채무자는 공탁통지서와 가압류취소결정정본 및 그 송달증명을 첨부하여 공탁금의 출급을 청구할 수 있을 것이고, 이때 가압류취소결정의 확정증명을 별도로 첨부할 필요는 없다.

제3절 **관련문제**

01 甲은 乙에 대하여 대여금채무 100만원을 부담하고 있는데, 자동차세미납을 이유로 한 용인시의 체납처분에 의한 압류통지(집행채권액 : 10만원)와 丙의 채권압류 및 추심명령(집행채권액 : 30만원)을 순차적으로 각 송달받고, 대여금채무 100만원을 민사집행법 제248조 제1항에 의하여 집행공탁하려고 한다. 다음 설명 중 옳은 것을 모두 고른 것은? ▶ 2022 법무사

┤ 보기 ├

ㄱ. 甲은 공탁서의 공탁원인사실란에 민사집행법에 따른 압류사실 및 체납처분에 의한 압류사실을 모두 기재하여야 한다.
ㄴ. 甲은 위 공탁이 성립된 후 丙의 압류명령을 발령한 집행법원에 사유신고를 하여야 한다.
ㄷ. 용인시는 공탁금 중 10만원에 대하여 공탁관에게 공탁금의 출급을 청구할 수 있다.
ㄹ. 丙은 공탁금 중 30만원에 대하여 집행법원의 지급위탁에 의하지 아니하고 공탁관에게 공탁금의 출급을 청구할 수 있다.
ㅁ. 乙은 공탁금 중 60만원에 대하여 집행법원의 지급위탁에 의하지 아니하고 공탁관에게 공탁금의 출급을 청구할 수 있다.

① ㄱ, ㄴ, ㄷ, ㄹ 　② ㄱ, ㄴ, ㄷ, ㅁ 　③ ㄱ, ㄷ, ㄹ, ㅁ
④ ㄱ, ㄴ, ㄹ, ㅁ 　⑤ ㄴ, ㄷ, ㄹ, ㅁ

[해설] ㄹ. 丙은 공탁금 중 30만원에 대하여 집행법원의 지급위탁에 의하여만 지급받을 수 있다.

정답 05 ④ 06 ③ / 01 ②

02 체납처분에 의한 압류가 있는 경우의 공탁에 관한 다음 설명 중 가장 옳지 않은 것은?

▸ 2025 법무사

① 체납처분에 따라 압류된 채권에 대하여도 민사집행법에 따라 압류 및 추심명령을 할 수 있고, 민사집행절차에서 압류 및 추심명령을 받은 채권자는 제3채무자를 상대로 추심의 소를 제기할 수 있다.

② 금전채권에 대한 체납처분에 의한 압류와 민사집행법에 의한 압류가 경합하는 경우 체납처분에 의한 압류와 민사집행법에 의한 압류의 선후를 불문하고 제3채무자는 민사집행법 제248조에 의한 집행공탁이 허용된다.

③ 체납처분에 의한 압류는 그 자체만을 이유로 집행공탁을 할 수 있는 민사집행법 제248조 제1항의 '압류'에는 포함되지 않는다.

④ 채권가압류를 원인으로 민사집행법 제291조 및 제248조 제1항에 따라 집행공탁한 후 피공탁자에 대한 체납처분에 의한 압류통지가 이루어진 경우, 체납처분에 의한 압류채권자는 위 채권가압류가 근로기준법에 의한 우선변제권을 가지는 임금 등의 채권에 기한 것이라면 공탁금을 추심할 수 없다.

⑤ 가압류와 체납처분압류가 경합하는 경우 그 선후를 불문하고 제3채무자는 민사집행법 제291조, 제248조 제1항의 공탁을 할 수 있다.

> **해설** ④ 체납처분권자는 배당절차가 개시[공탁금출급청구권에 대한 압류가 이루어져 (가)압류금액 및 체납처분압류금액의 총액이 공탁금을 초과하거나 가압류를 본압류로 이전하는 압류명령이 국가(공탁관)에 송달된 경우]되기 전에는 공탁관에게 체납처분압류의 효력이 미치는 부분에 대한 공탁금의 출급을 청구할 수 있다.

👤 **관/련/선/례**

금전채권에 대하여 민사집행법에 따른 가압류와 체납처분에 의한 압류가 경합하는 경우 제3채무자가 민사집행법 제291조, 제248조 제1항의 공탁을 할 수 있는지 여부 등

1. 가압류를 원인으로 한 민사집행법 제291조, 제248조 제1항에 따른 공탁은 (가)압류의 경합 없이 단일의 가압류로도 가능하므로 민사집행법에 따른 가압류(이하 '가압류'라 한다)와 체납처분에 의한 압류(이하 '체납처분압류'라 한다)가 경합하는 경우에 가압류의 존재만으로 공탁의 요건을 충족한다는 점, 민사집행법에 따른 압류(이하 '압류'라 한다)와 체납처분압류가 경합하는 경우와 마찬가지로 가압류와 체납처분압류가 경합하는 경우에 사인(私人)인 제3채무자는 위 각 (가)압류와 체납처분압류의 법률상 차이점, 우선순위 등을 잘 알지 못한다고 할 것이므로 공탁을 통하여 제3채무자를 면책시킬 필요성이 있다는 점, 이후의 배당절차에 체납처분권자가 참여하는 문제도 압류와 체납처분압류가 경합하는 경우와 동일하다는 점 등을 종합적으로 고려할 때 금전채권에 대하여 압류와 체납처분압류가 경합하는 경우에 그 선후를 불문하고 민사집행법 제248조 제1항에 따른 집행공탁이 허용되는 이상 가압류와 체납처분압류가 경합하는 경우에도 그 선후를 불문하고 제3채무자는 민사집행법 제291조, 제248조 제1항의 공탁(이하 '가압류 집행공탁'이라 한다)을 함으로써 강제집행(징수)과 이중지급의 위험으로부터 벗어날 수 있다. 이는 가압류와 관련된 금전채권 전액을 공탁하는 경우에도 같다.

2. 제3채무자는 가압류와 체납처분압류를 원인으로 공탁을 신청할 때, 공탁서의 피공탁자란에 가압류채무자를 기재하고 공탁원인사실란에는 가압류 및 체납처분압류 사실을 모두 기재하여야 하며 공탁규칙 제23조 제1항에서 정한 공탁통지서를 첨부하여야 하고, 위 공탁통지서의 발송과 가압류채권자 및 체납처분권자에 대한 공탁사실 통지를 위하여 같은 조 제2항에 따른 우편료를 납입하여야 한다.

3. 공탁신청을 수리한 공탁관은 피공탁자(가압류채무자)에게 공탁통지서를 발송하고, 가압류채권자 및 체납처분권자에게는 공탁사실을 통지하여야 한다. 또한 공탁금출급청구권에 대한 압류가 이루어져 (가)압류금액 및 체납처분압류금액의 총액이 공탁금을 초과하거나 가압류를 본압류로 이전하는 압류명령이 국가(공탁관)에 송달된 경우 공탁관은 집행법원에 사유신고를 하여야 한다.

4. 한편 변제공탁에서 피공탁자의 공탁금출급청구권은 본래의 채권을 갈음하는 권리로서 그 권리의 성질과 범위는 본래의 채권과 동일하다는 점, 가압류 집행공탁은 가압류채무자를 피공탁자로 기재하고 제3채무자가 공탁관으로 바뀌게 되는 변제공탁의 실질을 가지고 있으므로 종전의 제3채무자에 대한 채권상 부담은 새로운 제3채무자(공탁관)에 대한 채권(공탁금출급청구권)에 그대로 유지된다는 점, 제3채무자가 가압류 집행공탁을 하게 되면 민사집행법 제297조에 따라 그 가압류의 효력이 피공탁자의 공탁금출급청구권에 대하여 존속한다는 점 등에 비추어 볼 때 제3채무자가 가압류와 체납처분압류의 경합을 원인으로 공탁하는 경우 제3채무자는 가압류채권자뿐만 아니라 체납처분권자에 대하여도 면책되고 가압류의 효력이 공탁금출급청구권에 존속하는 것과 마찬가지로 체납처분압류의 효력도 공탁금출급청구권에 대하여 존속한다고 보아야 한다. 따라서 체납처분권자는 배당절차가 개시[공탁금출급청구권에 대한 압류가 이루어져 (가)압류금액 및 체납처분압류금액의 총액이 공탁금을 초과하거나 가압류를 본압류로 이전하는 압류명령이 국가(공탁관)에 송달된 경우]되기 전에는 공탁관에게 체납처분압류의 효력이 미치는 부분에 대한 공탁금의 출급을 청구할 수 있다(공탁선례 제202311호).

정답   02 ④

 제4절 해방공탁

01 채무자의 가압류해방공탁에 관한 다음 설명 중 가장 옳지 않은 것은? ▶ 2021 법무사

① 가압류해방금액은 금전에 의한 공탁만 허용되고 유가증권에 의한 공탁은 허용되지 않는다.

② 가압류해방금이 공탁된 경우 가압류의 효력은 공탁금 자체가 아니라 공탁자인 채무자의 공탁금회수청구권에 대하여 미친다.

③ 가압류해방금이 공탁된 경우 채무자(공탁자)의 다른 채권자가 공탁금회수청구권에 대하여 압류명령을 받은 경우 가압류채권자의 가압류와 다른 채권자의 압류는 그 집행대상이 같아 서로 경합하게 된다.

④ 가압류채권자가 본안 승소확정판결을 집행권원으로 하여 해방공탁금 회수청구권에 대하여 가압류로부터 본압류로 이전하는 압류 및 전부명령을 받아 해방공탁금에 관하여 회수청구를 할 수 있다.

⑤ 가압류채권자는 가압류해방공탁금에 관하여 우선변제권을 행사할 수 있다.

> **해설** ⑤ 해방공탁금은 가압류의 집행정지나 취소로 인한 채권자의 손해를 담보하는 것이 아니고 가압류의 목적재산에 갈음하는 것이므로 소송비용의 담보에 관한 규정이 준용되지 않고, 채권자는 여기에 대하여 우선변제권이 없다. 즉 가압류해방금이 공탁된 경우에 그 가압류의 효력은 공탁금 자체가 아니라 공탁자인 가압류채무자의 공탁금회수청구권에 대하여 미치는 것이므로, 채무자의 다른 채권자가 해방공탁금 회수청구권에 대하여 압류명령을 받은 경우에는 가압류채권자의 가압류와 다른 채권자의 압류는 그 집행대상이 같아 서로 경합하게 된다.

02 가압류해방공탁에 관한 다음 설명 중 가장 옳지 않은 것은? ▶ 2022 법무사

① 해방공탁으로 인한 가압류집행취소가 이루어져도 가압류명령 그 자체의 효력은 소멸되지 않고 공탁자인 가압류채무자의 공탁금회수청구권에 대하여 미치게 된다.

② 가압류채권자의 채권자가 '가압류채권자의 가압류채무자에 대한 본안판결 확정 후 제3채무자인 국가에 대하여 회수청구할 공탁금채권'을 피압류채권으로 채권가압류를 받았다 하더라도, 공탁자(가압류채무자)가 해방공탁의 원인이 된 그 가압류의 효력이 소멸되었음을 증명하는 서면을 첨부하여 공탁금 회수청구를 하는 경우 공탁관은 그 회수청구를 인가하여야 한다.

③ 공탁자인 가압류채무자의 다른 채권자가 해방공탁금 회수청구권에 대하여 압류 및 추심명령을 받은 경우에는 가압류채권자의 가압류와 위 다른 채권자의 압류가 경합하게 되므로, 공탁관은 지체 없이 집행법원에 그 사유를 신고하여야 한다.

④ 가압류채권자(甲)가 가집행선고부 판결을 받아 해방공탁금의 회수청구권을 압류 및 전부받은 경우에도, 전부채권자(甲)가 해방공탁금을 회수하기 전에 가압류채무자(乙)가 항소심에서 전부 승소판결을 받아 사정변경에 의한 가압류결정취소결정을 받았다면 '乙'은 전부된 회수청구권을 다시 양도(부당이득의 원상회복)받을 필요 없이 곧바로 해방공탁금을 회수할 수 있다.

⑤ 해방공탁금에 대하여 가압류채권자의 채권자들이 '가압류채권자의 채무자에 대한 본안재판 판결확정 후 제3채무자인 국가에 대하여 출급청구할 공탁금채권'에 대하여 압류 및 전부명령을 순차적으로 받은 경우, 각 압류 및 전부명령은 그 대상채권이 존재하지 않아 무효이므로, 공탁관은 압류경합을 이유로 사유신고하거나 형식상 전부명령이 확정된 채권자에게 공탁금을 지급할 수는 없다.

> **해설** ④ 가집행선고부 판결에 의하여 집행이 완결된 사건에 있어서는 그 본안판결이 항소심에서 취소 또는 변경되더라도 이를 이유로 이미 완결된 강제집행을 취소할 수는 없으므로, 가압류채권자인 '갑'이 가집행선고부 판결을 받아 해방공탁금의 회수청구권을 압류 및 전부받은 후라면 비록 전부채권자인 '갑'이 해방공탁금을 회수하기 전에 가압류채무자인 '을'이 항소심에서 전부 승소판결(갑의 청구기각판결)을 받아 사정변경에 의한 가압류결정취소판결을 받았다 하더라도 '을'은 이미 집행 완료된 해방공탁금을 곧바로 회수할 수는 없으며, '을'은 '갑'으로부터 이미 전부된 회수청구권을 다시 양도(부당이득의 원상회복)받거나 '갑'을 상대로 손해배상 또는 부당이득금반환청구를 하여 별도의 집행권원을 얻어 집행하여야 한다(공탁선례 제2–300호).

03 채무자 甲은 채권자 乙의 채권가압류결정(해방금액 1천만원)을 송달받고, 민사집행법 제282조 가압류해방공탁을 하려고 한다. 다음 설명 중 옳은 것을 모두 고른 것은? ▸ 2023 법무사

> ㄱ. 실질적 통용가치가 있는 유가증권은 가압류해방공탁의 공탁물이 될 수 있다.
> ㄴ. 甲의 친구 丙이 甲을 대신하여 가압류해방공탁을 할 수는 없다.
> ㄷ. 위 공탁이 성립한 후 고양시의 체납처분에 의한 압류통지(집행채권액 1천만원)이 공탁소에 도달하면 공탁관은 지체 없이 가압류 발령 법원에 사유신고를 하여야 한다.
> ㄹ. 위 공탁이 성립한 후 丙의 채권압류 및 추심명령(집행채권액 1천만원)이 공탁소에 도달한 경우 공탁관은 지체 없이 압류를 발령한 집행법원에 사유신고를 하여야 한다.

① ㄱ, ㄴ   ② ㄴ, ㄹ   ③ ㄱ, ㄷ
④ ㄱ, ㄹ   ⑤ ㄴ, ㄷ

> **해설** ㄱ. 가압류해방금액은 채무자가 입을 수 있는 손해를 담보하는 취지의 이른바 소송상의 담보와는 달리 가압류의 목적물에 갈음하는 것으로써 금전에 의한 공탁만이 허용되고, 유가증권에 의한 공탁은 그 유가증권이 실질적 통용가치가 있는 것이라고 하더라도 허용되지 않는다.

정답   **01** ⑤   **02** ④   **03** ②

ㄷ. 동일한 채권에 대하여 체납처분에 의한 압류와 가압류가 경합하는 경우 제3채무자는 체납처분에 의한 압류권자의 추심권 행사에 응하여야 하고 이를 이유로 한 변제공탁은 허용되지 않는다. 또한 채권가압류를 원인으로 한 민사집행법 제248조 제1항 및 제291조에 의하여 집행공탁한 후 체납처분에 의한 압류통지가 이루어져서 체납처분에 의한 압류채권자가 추심청구를 하면 공탁관은 이를 거절할 수 없다. 체납처분에 의한 피압류채권에 대하여 근로기준법에 의한 우선변제권을 가지는 임금 등의 채권에 기한 가압류집행이 이루어진 경우라도 제3채무자는 그 가압류를 이유로 체납처분에 의한 압류채권자의 추심청구를 거절할 수는 없다.

04 해방공탁금의 지급에 관한 다음 설명 중 가장 옳지 않은 것은? ▸ 2024 법무사

① 가압류집행의 목적물에 갈음하여 가압류해방금이 공탁된 경우에 그 가압류의 효력은 공탁금 자체가 아니라 공탁자인 채무자의 공탁금 회수청구권에 대하여 미치는 것이다.

② 채무자의 다른 채권자가 가압류해방공탁금 회수청구권에 대하여 압류명령을 받은 경우라도, 가압류채권자의 가압류는 해당 해방공탁의 원인이 된 것이므로, 해당 해방공탁금에 대하여 우선변제권을 갖는다.

③ 가압류채권자가 해방공탁금을 지급받기 위하여는 본안승소확정판결 등을 집행권원으로 하여 공탁금 회수청구권에 대한 별도의 현금화명령을 받아야 한다.

④ 본안소송에서 승소확정판결을 받은 가압류채권자가 채무자의 해방공탁금 회수청구권에 대한 채권압류 및 전부명령을 받아 지급청구권을 행사하는 경우에 그 채권압류가 가압류를 본압류로 전이하는 채권압류가 아닌 한 가압류의 피보전권리와 압류의 집행채권의 동일성을 소명해야 한다.

⑤ 가압류해방공탁금을 채무자인 공탁자가 회수하고자 할 경우의 첨부서면은 일반적인 첨부서면 이외에 공탁원인의 소멸을 증명하는 서면으로써 가압류결정취소판결정본 및 그 확정증명서나 가압류신청취하 또는 해제증명서 등을 첨부하여야 한다.

해설 ② 가압류채권자가 가압류목적물에 대하여 우선변제를 받을 권리가 없는 것과 마찬가지로 가압류해방공탁금에 대하여 가압류채권자는 우선변제권이 없다. 따라서 가압류해방공탁금 회수청구권에는 우선권 없는 보통의 가압류만이 된 상태이므로 가압류채무자에 대하여 채권을 가진 다른 채권자는 가압류해방공탁금에 대하여 가압류나 압류를 할 수도 있다. 이와 같이 공탁자인 가압류채무자의 다른 채권자가 가압류해방공탁금 회수청구권에 대하여 압류명령을 받은 경우에는 가압류채권자의 가압류와 다른 채권자의 압류는 그 집행대상이 같아 서로 경합하게 된다.

05 **가압류해방공탁에 관한 다음 설명 중 가장 옳지 않은 것은?** ▸ 2025 법무사

① 가압류결정에서 가압류채무자 甲, 乙 및 丙을 공동채무자로 하여 청구금액 1억 원을 공탁하고 가압류의 집행취소를 신청할 수 있도록 정하여졌다면 乙 및 丙은 자신들의 채무액만큼 공탁하여 자신들이 공유하는 부동산에 대한 가압류의 집행취소를 구할 수는 없다.

② 가압류해방공탁금에 대하여는 가압류채권자의 공탁금 출급청구권은 없고 가압류채무자의 공탁금 회수청구권만 있다.

③ 가압류채무자는 가압류채권자나 가압류채무자의 보통재판적 소재지의 지방법원 또는 집행법원(가압류발령법원)에 공탁할 수 있다.

④ 가압류해방공탁금의 회수청구권에 대하여 가압류로부터 본압류로 이전하는 압류 및 전부명령과 함께 지연손해금채권으로 추가로 위 가압류해방공탁금의 회수청구권에 대하여 압류 및 전부명령을 한 경우라도, 그 명령에 공탁금의 이자채권에 대하여 언급이 없으면 공탁일부터 압류 및 전부명령이 제3채무자인 국가에 송달되기 전일까지의 공탁금에 대한 이자를 전부채권자에게 지급할 수 없다.

⑤ 집행한 가압류를 취소시키기 위해 해방공탁을 하였으나 공탁금액이 가압류명령에 정한 해방금액 전부가 아니라 그 일부에 불과하더라도 그 공탁은 '착오로 공탁을 한 경우'에 해당하지 않는다.

해설 ⑤ 집행한 가압류를 취소시키기 위한 해방공탁을 하였으나 공탁금액이 가압류명령에 정한 해방금액 전부가 아니라 그 일부에 불과하였다면 그 공탁은 가압류의 집행을 취소시킬 수 있는 해방공탁으로써의 효력이 없어 '착오로 공탁을 한 경우'에 해당하므로, 채무자는 착오공탁임을 증명하는 서면을 첨부하여 공탁금을 회수할 수 있다.

정답 04 ② 05 ⑤

제5절 그밖의 집행공탁

01 회생위원의 공탁(채무자 회생 및 파산에 관한 법률 제617조의2, 채무자 회생 및 파산에 관한 규칙 제84조 제2항)에 관한 다음 설명 중 가장 옳지 않은 것은?　▶ 2021 법무사

① 금융기관 계좌번호를 회생위원에게 일정 기간 내에 신고하지 아니한 개인회생채권자(미신고 채권자)에 대하여 지급할 변제액은 변제계획에서 정하는 바에 따라 공탁할 수 있다.

② 회생위원이 임치된 금원을 채무자를 위하여 공탁할 수 있는 경우가 있다.

③ 회생위원은 공탁을 하는 경우 계좌입금에 의한 공탁금 납입을 신청하여야 한다.

④ 회생위원이 미신고 채권자에게 공탁하는 경우에는 공탁예정통지서를 발송하지 않아도 된다.

⑤ 공탁금을 출급받으려는 채권자 또는 채무자가 있을 경우 회생위원은 그 자에게 자격에 관한 증명서를 주어야 한다.

> **해설** ④ 개인회생채권자는 개인회생채권자집회의 기일 종료 시까지 변제계획에 따른 변제액을 송급받기 위한 금융기관 계좌번호를 회생위원에게 신고하여야 한다. 회생위원은 위 신고를 하지 아니한 개인회생채권자에 대하여 공탁하기 전에 공탁예정통지서를 발송하여 통지서를 송달받은 날부터 1주일 안에 계좌번호를 신고하지 아니하면 변제액을 공탁한다는 점을 알려주는 등의 절차를 거쳐 연 1회 변제액을 공탁한다. 공탁금을 출급받으려는 채권자의 청구가 있는 경우 규칙 제43조에 따라 회생위원은 지급위탁서를 공탁관에게 송부하고 지급받을 자에게는 그 자격에 관한 증명서를 교부하여 공탁금이 회생채권자에게 지급되게 될 것이다.

정답 **01** ④

혼합공탁

01 혼합공탁에 관한 다음 설명 중 가장 옳지 않은 것은? ▸ 2022 법무사

① 채권자 불확지 변제공탁 사유와 집행공탁 사유가 함께 발생한 경우, 이른바 혼합공탁을 할 수 있고, 이러한 공탁은 변제공탁에 관련된 채권양수인에 대하여는 변제공탁으로서의 효력이 있고, 집행공탁에 관련된 압류채권자 등에 대하여는 집행공탁으로서의 효력이 있다.

② 채권가압류 이후 채권양도가 있어 제3채무자가 양도인 또는 양수인을 피공탁자로 하는 채권자 불확지 변제공탁과 채권가압류가 있음을 이유로 한 집행공탁을 합한 혼합공탁을 하는 경우 위 채무가 지참채무라면 피공탁자들 중 1인의 주소지 공탁소가 관할공탁소가 된다.

③ 혼합공탁에 있어서 피공탁자는 공탁물의 출급을 청구함에 있어서 다른 피공탁자에 대한 관계에서만 공탁물출급청구권이 있음을 증명하는 서면을 갖추는 것으로는 부족하고, 집행채권자에 대한 관계에서도 공탁물출급청구권이 있음을 증명하는 서면을 구비·제출하여야 한다.

④ 혼합공탁의 요건을 갖추지 못하여 유효한 공탁으로 볼 수 없는 경우에는 공탁자는 착오로 인한 공탁금회수 청구를 할 수 있다.

⑤ 채무자가 채권양도 및 압류경합을 공탁사유로 공탁을 하면서 피공탁자 내지 채권자 불확지의 취지를 기재하지 않고 공탁근거조문으로 집행공탁에 관한 근거조항만 기재한 경우, 위 공탁은 새로운 채권자에 대한 변제공탁으로서의 효력이 없다고 볼 수 없다.

> **해설** ⑤ 채권양도 등과 압류경합 등을 이유로 공탁할 경우에 제3채무자가 변제공탁을 한 것인지, 집행공탁을 한 것인지, 아니면 혼합공탁을 한 것인지는 피공탁자의 지정 여부, 공탁의 근거조문, 공탁사유, 공탁사유신고 등을 종합적·합리적으로 고려하여 판단하는 수밖에 없다. 제3채무자가 채권양도 및 압류경합을 공탁사유로 공탁을 하면서 피공탁자 내지 채권자불확지의 취지를 기재하지 않고 공탁근거조문으로 민사집행법 제248조 제1항만을 기재한 경우 그 공탁은 변제공탁으로서의 효과가 없다.

정답 ▸ 01 ⑤

02 혼합공탁에 관한 다음 설명 중 가장 옳지 않은 것은?　▸ 2021 법무사

① 혼합공탁은 변제공탁에 관련된 새로운 채권자에 대해서는 변제공탁으로서 효력이 있고 집행공탁에 관련된 압류채권자 등에 대해서는 집행공탁으로서 효력이 있으며, 이 경우에도 적법한 공탁으로 채무자의 채무는 소멸한다.

② 제3채무자가 변제공탁을 한 것인지, 집행공탁을 한 것인지 아니면 혼합공탁을 한 것인지는 피공탁자의 지정 여부, 공탁의 근거조문, 공탁사유, 공탁사유신고 등을 종합적·합리적으로 고려하여 판단하는 수밖에 없다.

③ 혼합공탁의 경우에 어떠한 사유로 배당이 실시되었고 배당표상의 지급 또는 변제받을 채권자와 금액에 관하여 다툼이 있는 경우, 공탁금에서 지급 또는 변제받을 권리가 있음에도 불구하고 지급 또는 변제받지 못하였음을 주장하는 자는 배당표에 배당받는 것으로 기재된 다른 채권자들을 상대로 배당이의의 소를 제기할 수 있다.

④ 혼합공탁에서 피공탁자가 공탁물의 출급을 청구하려면 다른 피공탁자에 대한 관계에서 공탁물출급청구권이 있음을 증명하는 서면을 갖추는 것으로 충분하다.

⑤ 혼합공탁에서 변제공탁에 해당하는 부분에 대하여는 제3채무자의 공탁사유신고에 의한 배당가입 차단효가 발생할 여지가 없다.

> **해설** ④ 혼합공탁에 있어서 그 집행공탁의 측면에서 보면 공탁자는 피공탁자들에 대하여는 물론이고 가압류채권자를 포함하여 그 집행채권자에 대하여서도 채무로부터의 해방을 인정받고자 공탁하는 것이다. 이러한 취지에 비추어, 피공탁자가 공탁물의 출급을 청구함에 있어서 다른 피공탁자에 대한 관계에서만 공탁물출급청구권이 있음을 증명하는 서면을 갖추는 것으로는 부족하고, 위와 같은 집행채권자에 대한 관계에서도 공탁물출급청구권이 있음을 증명하는 서면을 구비·제출하여야 할 것이다.

03 甲은 乙에게 대여금채무(1천만원, 양도금지특약 있음)를 부담하고 있는데 위 채무금 전액에 대하여 확정일자 있는 채권양도통지서(양수인 丙)와 丁의 채권압류 및 추심명령을 순차적으로 송달받고 혼합공탁을 하려고 한다. 다음 설명 중 옳은 것을 모두 고른 것은?　▸ 2023 법무사

> ㄱ. 甲은 민법 제487조 후단 및 민사집행법 제248조 제1항을 공탁근거법령으로 피공탁자를 '乙 또는 丙'으로 기재하여야 한다.
> ㄴ. 甲이 혼합공탁을 한 후 乙에게 공탁금출급청구권이 귀속하는 것을 증명하는 문서가 공탁소에 제출된 때에 공탁관이 집행법원에 사유신고를 하여야 한다.
> ㄷ. 丁은 乙과 丙을 피고로 하여 공탁금출급청구권이 자신에게 있다는 것을 확인하는 공탁금출급청구권확인의 확정판결을 첨부하여 직접 공탁금을 출급할 수 있다.
> ㄹ. 丙은 乙과 丁을 피고로 하여 공탁금출급청구권이 자신에게 있다는 것을 확인하는 공탁금출급청구권확인의 확정판결을 첨부하여 직접 공탁금을 출급할 수 있다.

① ㄱ, ㄴ　　　　② ㄱ, ㄷ　　　　③ ㄱ, ㄹ
④ ㄴ, ㄹ　　　　⑤ ㄴ, ㄷ

ㄴ. 甲이 혼합공탁을 한 후 乙에게 공탁금출급청구권이 귀속하는 것을 증명하는 문서가 공탁소에
제출된 때에 배당절차가 진행된다.
ㄷ. 丙은 乙과 丁을 피고로 하여 공탁금출급청구권이 자신에게 있다는 것을 확인하는 공탁금출급청
구권확인의 확정판결을 첨부하여 직접 공탁금을 출급할 수 있다.

04 甲은 乙에 대하여 물품대금채무(양도금지특약 있음)를 부담하고 있는데, 乙의 채권 전부에 대
하여 확정일자 있는 채권양도통지서(양수인 丙)와 乙의 채권 전부에 대하여 丁의 채권가압류
결정이 순차적으로 도달하자 민법 제487조 후단과 민사집행법 제291조 및 제248조 제1항을
결합한 혼합공탁(전액)을 하려고 한다. 다음 설명 중 가장 옳지 않은 것은?　▶ 2024 법무사

① 공탁서의 피공탁자란에는 '양도인(乙) 또는 양수인(丙)'을 기재하고, 가압류채권자(丁)는
피공탁자로 기재하지는 않지만, 공탁원인사실란에는 가압류 등의 사실을 구체적으로 기
재하여야 한다.

② 제3채무자(甲)는 공탁신청시 가압류결정문 사본과 공탁통지서를 첨부하여야 하며, 공탁
통지서 및 공탁사실통지서 발송에 필요한 우편료도 함께 납부하여야 한다.

③ 양수인(丙)은 양도인(乙)의 승낙서나 그에 대한 공탁금 출급청구권 승소확정판결 이외에
가압류채권자(丁)의 승낙서 또는 그에 대한 공탁금 출급청구권확인 승소확정판결을 첨부
하여 공탁금 출급청구를 할 수 있다.

④ 양수인(丙)이 제3채무자(甲)를 상대로 양수금청구소송에서 얻은 집행권원으로 제3채무
자(甲)의 다른 책임재산에 대한 강제집행에 의하여 채권만족을 얻은 경우라고 하더라도,
제3채무자(甲)는 공탁원인 소멸을 이유로 하는 공탁금 회수청구를 할 수는 없다.

⑤ 제3채무자(甲)의 혼합공탁 이후 가압류채무자(乙)의 공탁금 출급청구권에 대하여 다른
압류가 이루어져 압류의 경합이 생기거나 가압류를 본압류로 이전하는 압류명령이 있더
라도, 공탁관은 혼합해소문서가 제출된 후 압류명령을 발령한 법원에 사유신고(혼합해소
문서 사본 첨부)를 하여야 한다.

해설　④ 제3채무자가 채권양도통지를 받은 후 채권가압류결정 정본을 송달받았고, 그 후 채권양도의 효
력에 다툼이 있어 제3채무자는 민법 제487조 후단 및 민사집행법 제291조·제248조 제1항에
의하여 혼합공탁을 하였는데, 그 후 양수인이 제3채무자를 상대로 양수금청구소송에서 얻은 집행
권원으로 제3채무자의 다른 책임재산에 대한 강제집행에 의하여 채권만족을 얻은 경우 제3채무
자는 공탁원인소멸을 원인으로 하는 공탁금 회수청구를 하면 된다. 이러한 경우 공탁원인소멸을
증명하는 서면으로는 양도인의 채권포기서 내지 제3채무자의 채무가 부존재한다는 확인서(인감
증명서 또는 본인서명사실확인서나 전자본인서명확인서 첨부)와 가압류채권자의 승낙서(인감

증명서 또는 본인서명사실확인서나 전자본인서명확인서 첨부) 및 제3채무자가 양수인에게 양수금 전액을 지급하였음을 증명하는 서면을 첨부하면 된다. 또한 양도인의 확인서 또는 가압류채권자의 승낙서를 갈음하여 양도인을 상대로 양도인의 제3채무자에 대한 채권은 채권양도로 양수인에게 귀속되어 부존재한다는 판결을 얻고, 가압류채권자를 상대로 가압류 대상채권인 양도인의 제3채무자에 대한 채권이 가압류결정정본 송달 당시에 이미 양수인에게 이전 귀속되어 부존재한다는 확인판결을 받아 그 판결서정본을 첨부할 수도 있다.

05 다음 설명 중 가장 옳지 않은 것은?　　　　　▶ 2024 법무사

① 공탁은 공탁자가 자기의 책임과 판단하에 하는 것으로서 공탁자는 나름대로 누구에게 변제하여야 할 것인지를 판단하여 그에 따라 변제공탁이나 집행공탁 또는 혼합공탁을 선택하여 할 수 있다.

② 제3채무자가 변제공탁을 한 것인지, 집행공탁을 한 것인지 아니면 혼합공탁을 한 것인지는 피공탁자의 지정 여부, 공탁의 근거조문, 공탁사유, 공탁사유신고 등을 종합적·합리적으로 고려하여 판단하는 수밖에 없다.

③ 민사집행법 제248조 제1항은 "제3채무자는 압류에 관련된 금전채권의 전액을 공탁할 수 있다"고 규정하여 채권자의 공탁청구, 추심청구, 경합 여부 등을 따질 필요 없이 당해 압류에 관련된 채권 전액을 공탁할 수 있도록 규정하고 있는바, 이에 따라 금전채권의 일부만이 압류되었음에도 그 채권 전액을 공탁한 경우에는 그 공탁금 중 압류의 효력이 미치는 금전채권액은 그 성질상 당연히 집행공탁으로 보아야 하나, 압류금액을 초과하는 부분은 압류의 효력이 미치지 않으므로 집행공탁이 아니라 변제공탁으로 보아야 한다.

④ 처분금지가처분이 금전채권을 목적으로 하는 경우, 제3채무자로서는 채권자불확지에 의한 변제공탁뿐만 아니라 처분금지가처분을 이유로 한 집행공탁도 할 수 있다.

⑤ 민사집행법 제247조 제1항에 의한 배당가입차단효는 배당을 전제로 한 집행공탁에 대하여만 발생하므로, 집행공탁과 변제공탁이 혼합된 소위 혼합공탁의 경우 변제공탁에 해당하는 부분에 대하여는 제3채무자의 공탁사유신고에 의한 배당가입차단효가 발생할 여지가 없다.

> **해설** ④ 처분금지가처분이 금전채권을 목적으로 하는 경우, 제3채무자로서는 채권자불확지에 의한 변제공탁만 가능하고 처분금지가처분을 이유로 한 집행공탁은 할 수 없다. 채권가압류의 경우에는 집행공탁이 가능하다.

06 혼합공탁의 신청 또는 출급절차 등에 관한 다음 설명 중 가장 옳지 않은 것은? ▶ 2024 법무사

① 채권양도 통지와 채권가압류 결정정본이 동시에 송달된 경우에 제3채무자는 공탁서의 피공탁자란에 '양도인 또는 양수인'을 기재하고, 공탁근거 법령조항란에는 '민법 제487조 후단 및 민사집행법 제291조, 제248조 제1항'을 기재하여 혼합공탁을 할 수 있다.

② 근저당권부 채권에 대하여 압류 등이 경합된 부동산의 제3취득자는 근저당권을 소멸시키기 위하여 변제공탁과 집행공탁이 결합된 혼합공탁을 하여야 하고, 공탁서에 피공탁자를 채무자(근저당권자)로 기재하여야 한다.

③ 수용대상토지에 처분금지가처분등기가 되어 있어 피공탁자를 '가처분권자 또는 토지소유자'로 한 상대적 불확지 변제공탁과 채권가압류로 인한 집행공탁을 합한 혼합공탁을 한 경우, 가처분권자가 토지소유자를 상대로 제기한 본안소송에서 패소판결을 받아 확정된 때에는 토지소유자는 그 확정판결과 채권가압류가 실효되었음을 증명하는 서면을 첨부하여 공탁금 출급청구를 할 수 있다.

④ 동일채권에 대하여 가압류명령이 송달된 이후 채권양도의 통지가 도달되어 제3채무자가 혼합공탁을 한 경우, 가압류채권자는 가압류에서 본압류로 이전하는 채권압류 및 추심명령을 받아 집행법원의 지급위탁절차를 거치지 않고 공탁소에 출급청구할 수 있다.

⑤ 수급사업자의 발주자에 대한 하도급대금 직접청구권과 원사업자의 채권자가 원사업자의 공사대금채권에 대하여 한 압류나 가압류가 경합하는 경우, 제3채무자인 발주자는 수급사업자의 직접청구권 발생여부나 수급사업자의 직접청구권과 압류나 가압류 사이에 그 우열을 알 수 없는 경우 채권자 불확지 변제공탁과 집행공탁을 결합한 혼합공탁을 할 수 있다.

> **해설** ④ 동일채권에 대하여 가압류명령이 송달된 이후 채권양도의 통지가 도달되어 제3채무자가 혼합공탁을 한 경우, 혼합공탁 이후에 가압류가 본압류로 이전되면 중간의 채권양도 자체는 유효하더라도 가압류채권자와의 관계에서는 대항할 수 없으므로 공탁 이후에 가압류채권자의 가압류에서 본압류로 이전하는 채권압류 및 추심명령이나 전부명령이 송달되면 공탁관이 집행법원에 사유신고 후 집행법원의 지급위탁절차에 의하여 공탁금이 지급될 것이다.

07 혼합공탁에 관한 다음 설명 중 가장 옳지 않은 것은?

▶ 2025 법무사

① 확정일자 있는 증서에 의한 채권양도가 이루어진 후 양도된 채권에 대하여 사해행위취소에 따른 원상회복청구권을 피보전권리로 하는 채권처분금지가처분결정이 제3채무자에게 송달된 다음 양도인을 채무자로 하는 채권압류 및 추심명령이 제3채무자에게 송달된 경우, 채권압류 및 추심명령 당시 피압류채권이 이미 대항요건을 갖추어 양도되어 위 채권압류 및 추심명령이 효력이 없는 것으로 되었다 하더라도 제3채무자는 혼합공탁을 할 수 있다.

② 채권자 불확지 등 변제공탁사유와 압류명령이 있음을 이유로 혼합공탁을 한 경우 제3채무자는 지체 없이 압류명령을 발령한 법원에 사유신고를 하여야 한다.

③ 집행채권자는 집행법원의 지급위탁절차에 의하여 공탁금의 출급을 청구할 수 있다.

④ 장래 발생할 채권까지 포함된 물품대금채권에 대하여 양도 및 확정일자부 통지가 이루어진 이후 다시 물품대금채권에 대하여 양도인을 채무자로 하는 4건의 가압류가 이루어져 채권양도의 효력 및 채권양도와 가압류 간의 우열에 대해 의문이 있을 수 있는 경우, 채무자는 민법 제487조, 민사집행법 제291조 및 제248조 제1항을 근거로 양도인 또는 양수인을 피공탁자로 하는 혼합공탁을 할 수 있다.

⑤ 공탁자는 공탁금 중 압류나 가압류의 효력이 미치지 않는 부분에 대하여는 민법 제489조 제1항에 따라 회수할 수 있다.

> **해설** ① 양도된 채권에 대하여 양도금지특약이 있는 등 채권양도의 효력에 대하여 다툼이 있어서 그 채권양도의 효력 유무에 따라 변제공탁(채권양도가 유효한 경우) 또는 집행공탁(채권양도가 무효인 경우)이 될 수 있는 경우에만 채무자(제3채무자)는 변제공탁과 집행공탁을 합한 혼합공탁을 할 수 있는 것이며, 확정일자 있는 채권양도의 통지가 이루어진 이후에 양도인을 (가)압류채무자로 하는 채권 (가)압류명령의 송달이 이루어진 경우에는 원칙적으로 채권양도가 우선하게 되므로 그 채권 (가)압류는 효력을 발생할 수 없고, 따라서 채무자(제3채무자)는 양수인에게 채무를 이행하면 되고 혼합공탁을 할 수는 없다. 그리고, '사해행위취소에 따른 원상회복청구권을 피보전권리로 하는 가처분'이 있다는 이유만으로는 피공탁자를 가처분권자 또는 수익자로 한 상대적 불확지공탁을 할 수는 없으므로, 피공탁자를 가처분권자 또는 수익자로 하는 혼합공탁 역시 불가능하다. 채권양도의 효력에 다툼이 있지만 그 원인이 '채권자취소에 따른 원상회복청구권을 피보전권리로 하는'이거나 '채권자취소소송이 제기 중'이라는 이유로 채권자불확지 변제공탁과 집행공탁을 결합한 혼합공탁을 할 수 없다.

정답 ▶ 07 ①

사유신고

01 다음 중 공탁금지급청구권(피압류채권)에 대하여 복수의 압류(가압류)가 있고 집행채권의 총액이 피압류 채권 총액을 초과하더라도 사유신고의 대상이 아닌 경우를 모두 고른 것은?

▶ 2023 법무사

> ㄱ. 복수의 가압류만 있는 경우
> ㄴ. 가압류와 체납처분에 의한 압류가 있는 경우
> ㄷ. 체납처분에 의한 압류가 선행하고, 강제집행에 의한 압류가 후행한 경우
> ㄹ. 공탁금지급청구권이 제3자에게 양도되어 대항요건을 갖춘 후에 압류, 가압류 등이 경합된 경우
> ㅁ. 선행의 압류(또는 가압류) 후에 목적채권인 공탁금지급청구권이 제3자에게 양도되어 대항요건을 갖춘 후 압류, 가압류 등이 경합한 경우
> ㅂ. 금전공탁이 아닌 유가증권 또는 물품공탁의 지급청구권에 대하여 압류가 경합된 경우

① ㄱ, ㄴ, ㄹ, ㅁ, ㅂ　　　② ㄱ, ㄴ, ㅁ, ㅂ　　　③ ㄱ, ㄴ, ㄹ, ㅁ
④ ㄴ, ㄷ, ㄹ, ㅁ, ㅂ　　　⑤ ㄴ, ㄷ, ㅁ, ㅂ

> **해설**　ㄷ. 다음과 같은 경우는 비록 복수의 압류가 있고 집행채권의 총액이 피압류채권(공탁금지급청구권) 총액을 초과하더라도 사유신고의 대상이 아니다. ① 복수의 가압류만 있는 경우, ② 가압류와 체납처분에 의한 압류가 있는 경우(그 선후를 불문한다), ③ 공탁금지급청구권이 제3자에게 양도되어 대항요건을 갖춘 후에 압류·가압류 등이 경합한 경우, ④ 선행의 압류(또는 가압류) 후에 목적채권인 공탁금지급청구권이 제3자에게 양도되어 대항요건을 갖춘 후 압류·가압류 등이 경합한 경우, ⑤ 금전공탁이 아닌 유가증권 또는 물품공탁의 지급청구권에 대하여 압류가 경합된 경우.

02 공탁관의 사유신고에 관한 다음 설명 중 가장 옳지 않은 것은?　　▶ 2021 법무사

① 공탁금의 지급청구권에 대한 압류 경합이 있는 경우 공탁관은 집행법원에 그 사유를 신고하여야 할 직무상 의무가 있다.
② 공탁금지급청구권에 대하여 민사집행법에 따른 압류와 체납처분에 의한 압류가 있고(선후 불문) 그 압류금액의 총액이 피압류채권(공탁금지급청구권) 총액을 초과하는 경우에는 공탁관은 집행법원에 사유신고를 하여야 한다.
③ 공탁금지급청구권에 관하여 사유신고를 할 사정이 발생한 때에는 공탁관은 그 익일부터 3일 이내에 집행법원에 사유신고를 하여야 한다.

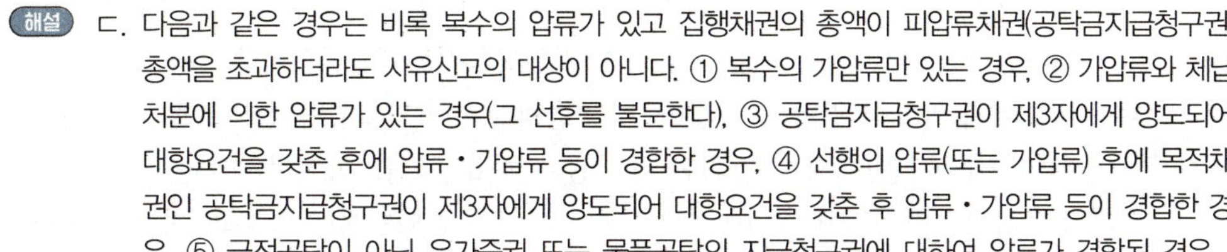

④ 가압류명령과 압류명령이 경합하는 경우에는 공탁관은 압류명령을 발령한 법원에 사유신고를 하여야 한다.

⑤ 금전공탁이 아닌 유가증권 또는 물품공탁의 지급청구권에 대하여 압류가 경합된 경우에도 공탁관은 집행법원에 사유신고를 하여야 한다.

해설 ⑤ 금전이 아닌 유가증권 또는 물품공탁의 지급청구권에 대하여 압류가 경합된 경우에는 비록 복수의 압류가 있고 집행채권의 총액이 피압류채권(공탁금지급청구권) 총액을 초과하더라도 사유신고의 대상이 아니다.

03 공탁관의 사유신고에 관한 다음 설명 중 가장 옳지 않은 것은? ▸ 2022 법무사

① 상대적 불확지 변제공탁에 있어서 피공탁자 중 일방의 공탁금출급청구권에 대하여 압류의 경합이 있는 경우에는 해당 피공탁자에게 공탁금출급청구권이 있음을 증명하는 서면이 제출되기 전이라도 공탁관은 먼저 송달된 압류명령을 발령한 법원에 사유신고를 하여야 하고, 사유신고를 받은 집행법원은 공탁금출급청구권의 귀속에 관한 증명서면이 제출될 때까지 배당절차를 정지한다.

② 공탁된 토지수용보상금의 출급청구권에 대하여 물상대위에 의한 수 개의 채권압류·추심명령이 공탁관에게 송달된 경우, 공탁관은 그 추심채권자들 사이의 우열에 대한 판단이 곤란하다고 보아 사유신고를 할 수 있다.

③ 금전채권에 대한 가압류를 원인으로 제3채무자가 민사집행법 제291조 및 제248조 제1항에 의하여 공탁한 후에, 피공탁자(가압류채무자)의 공탁금출급청구권에 대한 압류가 이루어져 압류의 경합이 성립하거나, 공탁사유인 가압류를 본압류로 이전하는 압류명령이 국가(공탁관)에게 송달되면 공탁관은 사유신고를 하여야 한다.

④ 공탁금출급청구권에 대하여 압류 또는 가압류가 되었으나 압류의 경합이 성립하지 않는 경우, 공탁관은 민사집행법 제248조 제1항에 의한 공탁 및 공탁사유신고를 하지 않는다.

⑤ 제1채권자의 공탁금회수청구권의 일부에 대한 선행 가압류가 있고, 제2, 제3채권자의 동일한 공탁금회수청구권의 전부에 대한 후행 각 압류 및 전부명령이 있을 경우, 집행채권 총액이 피압류채권 총액을 초과하여 압류가 경합된 상태이므로 공탁관은 집행법원에 사유신고하여 집행법원의 배당절차에 의하여 공탁금을 지급하여야 한다.

해설 ① 상대적 불확지공탁에 있어서 피공탁자 중 일방의 공탁금출급청구권에 대하여 압류의 경합이 있는 경우에는 해당 피공탁자에게 공탁금출급청구권이 있음을 증명하는 서면이 제출된 때에 사유신고를 하여야 한다. 그리고 혼합공탁이 아니라 상대적 불확지공탁 후 압류가 경합하는 경우이므로, 해당 피공탁자에게 공탁금출급청구권이 있음을 증명하는 서면이 제출되어 사유신고를 하는 이상 사유신고를 받은 집행법원이 공탁금출급청구권의 귀속에 관한 증명서면이 제출될 때까지 배당절차를 정지하는 것은 아니다.

04 **사유신고에 관한 다음 설명 중 가장 옳지 않은 것은?** ▸ 2024 법무사

① 재판상 담보공탁의 경우 공탁자의 채권자 등이 공탁자의 공탁금 회수청구권에 대하여 일반 강제집행절차에 따라 한 압류가 경합된 경우 공탁원인의 소멸을 증명하는 서면이 제출되면 먼저 송달된 압류명령의 집행법원에 사유신고를 하여야 한다.

② 공탁된 토지수용보상금에 대해 물상대위에 의한 여러 개의 채권압류 및 추심명령이 공탁관에게 송달된 경우, 공탁관은 그 압류 및 추심채권자들 사이의 우열에 대한 판단이 곤란하므로 사유신고할 수 있다.

③ 복수의 가압류가 있고 집행채권의 총액이 피압류채권(공탁금 지급청구권) 총액을 초과하더라도 사유신고의 대상이 아니다.

④ 공탁금 지급청구권에 대한 압류의 경합으로 공탁관이 집행법원에 사유신고를 한 이후에 다른 채권자로부터 압류나 가압류 등이 있는 경우 추가로 사유신고를 하여야 한다.

⑤ 공탁금 지급청구권에 대한 압류경합 등으로 사유신고 할 사정이 발생한 경우에는 공탁관은 집행법원에 반드시 사유신고를 하여야 하고, 추심채권자 등의 공탁금 지급청구를 수리하여서는 안 된다.

> **해설** ④ 공탁금 지급청구권에 대한 압류의 경합으로 공탁관이 집행법원에 사유신고를 한 이후에 다른 채권자로부터 압류나 가압류 등이 있더라도 추가로 사유신고를 할 필요는 없다.

05 **공탁관 및 제3채무자의 사유신고에 관한 다음 설명 중 가장 옳지 않은 것은?** ▸ 2025 법무사

① 가압류명령과 압류명령이 경합하는 경우에는 공탁관은 압류명령을 발령한 법원에 사유신고를 하여야 한다.

② 공탁금지급청구권에 대하여 민사집행법에 따른 압류와 체납처분에 의한 압류가 있고(그 선후는 불문함) 그 압류금액의 총액이 피압류채권을 초과하는 경우에는 공탁관은 집행법원에 사유신고를 하여야 한다.

③ 금전공탁이 아닌 유가증권 또는 물품공탁의 지급청구권에 대하여 압류가 경합된 경우에는 사유신고의 대상이 아니다.

④ 집행채권에 대한 압류 등이 있은 후에 집행채권자가 채무자의 채권에 대하여 압류명령을 받음에 따라 채권압류명령의 제3채무자가 민사집행법에 따른 공탁을 한 후 집행법원에 사유신고를 하였다면 이는 적법한 사유신고이고, 이로 인하여 채권배당절차가 실시될 수 있다.

⑤ 공탁금지급청구권이 제3자에게 양도되어 대항요건을 갖춘 후에 압류·가압류 등이 경합한 경우에는 사유신고의 대상이 아니다.

해설 ④ 채권압류(압류채권자 甲)의 집행권원에 표시된 집행채권이 압류채권자 甲의 채권자 乙에 의해 이미 압류나 가압류, 처분금지가 처분된 때에는 위 甲의 채권압류명령의 효력은 보전적 처분으로써 유효한 것이고 현금화나 만족적 단계로 나아가는 데에는 집행장애사유가 존재하므로 이를 원인으로 한 공탁에는 가압류를 원인으로 하는 공탁과 마찬가지의 효력만이 인정된다고 보아야 하므로 위와 같은 공탁에 따른 사유신고는 부적법하고, 이로 인하여 채권 배당절차가 실시될 수 없으며, 만약 그 채권배당절차가 개시되었더라도 배당금이 지급되기 전이라면 집행법원은 공탁사유신고를 불수리하는 결정을 하여야 한다.

소멸시효

01 공탁금지급청구권의 소멸시효와 국고귀속에 관한 다음 설명 중 가장 옳지 않은 것은?

▸2022 법무사

① 상대적 불확지 변제공탁의 공탁금출급청구권의 소멸시효는 '공탁금출급청구권을 가진 자가 확정된 때'로부터 기산한다.
② 경매절차에서 배당받을 채권자의 불출석으로 인하여 민사집행법 제160조 제2항에 따라 공탁한 경우 '공탁일'로부터 소멸시효를 기산한다.
③ 공탁원인이 소멸된 경우 공탁금회수청구권의 소멸시효는 '공탁원인이 소멸한 때'로부터 기산한다.
④ 착오공탁의 경우 공탁금회수청구권의 소멸시효는 '공탁일'로부터 기산한다.
⑤ 공탁금출급청구권에 대한 소멸시효가 완성된 경우라도 공탁관은 국고수입 납부 전이라면 공탁금 출급청구가 있는 경우 이를 인가하여야 한다.

해설 ⑤ 소멸시효가 완성된 공탁금에 대하여 출급청구가 있는 경우에 공탁관은 국고수입 납부 전이라도 출급청구를 인가해서는 안 된다.

02 공탁금지급청구권의 소멸시효 중단에 관한 다음 설명 중 가장 옳지 않은 것은? ▸2023 법무사

① 공탁관이 공탁자 또는 피공탁자 등 정당한 권리자에 대하여 공탁사건의 완결 여부의 문의서를 발송한 경우에는 시효가 중단된다.
② 공탁관이 공탁자 또는 피공탁자에 대하여 해당 사건의 공탁금을 지급할 수 있다는 취지를 구두로 답한 경우에는 시효가 중단된다.
③ 변제공탁에 대해 피공탁자로부터 제출된 수락서를 공탁관이 받은 경우에는 그것만으로 출급청구권의 시효가 중단된다.
④ 공탁금지급청구권에 대한 압류, 가압류, 가처분은 피압류채권, 즉 공탁금지급청구권의 시효중단사유가 되지 않는다.
⑤ 공탁금회수청구권에 대한 시효중단은 출급청구권의 시효진행에 영향을 미치지 않고, 그 반대의 경우도 동일하다.

해설 ③ 변제공탁에 대해 피공탁자로부터 제출된 수락서를 공탁관이 받았다 해도 그것만으로 출급청구권의 시효가 중단되지 않는다.

정답 01 ⑤ 02 ③

03 **공탁금 지급청구권의 소멸시효 등에 관한 다음 설명 중 가장 옳지 않은 것은?** ▸ 2025 법무사

① 공탁에 반대급부의 조건이 있는 경우에는 반대급부가 이행된 때로부터, 공탁이 정지조건 또는 시기부 공탁인 경우에는 조건이 성취된 때 또는 기한이 도래된 때로부터 소멸시효를 기산한다.

② 담보제공자(공탁자)의 공탁금 회수청구권의 소멸시효 기산일은 담보제공자가 본안소송(화해, 인낙, 포기 등 판결에 준하는 경우를 포함)에서 승소한 때에는 재판확정일 또는 종국일로부터, 패소한 때에는 담보취소결정 확정일로부터 각 기산한다.

③ 배당 기타 관공서의 결정에 의하여 공탁물의 지급을 하는 경우에는 증명서 교부일로부터 소멸시효를 기산한다.

④ 시효기간 중에 공탁사실증명서를 교부한 경우 공탁당사자 등 지급청구권자에게 교부한 것에 한하여 채무의 승인으로써 그 때 소멸시효는 중단된다.

⑤ 일괄 공탁한 공탁금의 일부에 대해 출급 또는 회수청구를 인가한 경우 나머지 잔액에 대하여는 소멸시효가 중단되지 않는다.

해설 ⑤ 일괄 공탁한 공탁금의 일부에 대해 출급 또는 회수청구를 인가하였다면 나머지 잔액에 대하여도 시효가 중단된다.

정답 ▸ 03 ⑤

공탁금지급청구권의 변동

01 공탁금 지급청구권의 양도에 관한 다음 설명 중 가장 옳지 않은 것은?　▸ 2024 법무사

① 양수인이 공탁금의 지급을 청구할 때에는 지급청구권의 요건사실 및 양수사실을 증명하는 서면을 첨부하여야 한다.

② 양도통지가 검찰청을 통하여 이루어지지 않고 직접 공탁관에게 도달된 경우라도 유효하다.

③ 양도증서를 공증받아 제출하는 경우라도 양도인의 인감증명서 제출 없이는 양수인은 공탁금 지급청구를 할 수 없다.

④ 공탁금 지급청구권의 양도통지서에 날인된 양도인의 인영에 대하여 인감증명서가 첨부되지 아니한 경우라 하더라도 양도인은 공탁금의 지급청구를 할 수 없다.

⑤ 변제공탁의 경우 공탁관에게 도달된 공탁금 출급청구권의 양도통지서에 공탁수락의 의사표시가 명시적으로 기재되어 있지 않더라도 적극적인 불수락의 의사표시가 기재되어 있지 않는 한 그 양도통지서의 도달과 동시에 공탁수락의 의사표시가 있는 것으로 보아 공탁자의 민법 제489조 제1항에 의한 회수청구권은 소멸된다.

(해설)　③ 양도증서를 공증받아 제출하는 경우 양도인의 인감증명서 제출 없이도 양수인은 공탁금 지급청구를 할 수 있다.

보관·몰취공탁 등

01 몰수보전, 추징보전 관련 공탁에 관한 다음 설명 중 가장 옳지 않은 것은? (다툼이 있는 경우 판례·예규 및 선례에 따르고 전원합의체 판결의 경우 다수의견에 의함. 이하 같음)

▶ 2022 법무사

① 금전채권의 제3채무자는 해당 채권이 몰수보전이 된 후 그 몰수보전의 대상이 된 채권에 대하여 강제집행에 의한 (가)압류명령을 송달받은 경우 또는 강제집행에 의하여 (가)압류된 금전채권에 대하여 몰수보전이 있는 경우에는 몰수보전명령에 관련된 금전채권의 전액을 채무이행지의 지방법원 또는 지원의 공탁소에 공탁함으로써 면책받을 수 있다.

② 위 ①의 제3채무자가 공탁을 한 때에는 그 사유를 몰수보전명령을 발한 법원 및 (가)압류명령을 발한 법원에 신고하여야 하는데, 이때 공탁사유신고서에 첨부되는 공탁서는 몰수보전이 된 후 (가)압류명령을 송달받은 사유로 공탁한 경우와 (가)압류된 금전채권에 대하여 몰수보전이 있는 사유로 공탁한 경우 모두 몰수보전명령을 발한 법원에 제출하여야 한다.

③ 추징보전명령에 따라 추징보전이 집행된 금전채권의 채무자(제3채무자)가 그 채권액에 상당한 금액을 공탁한 경우 채권자(피고인)의 공탁금출급청구권에 대하여 추징보전이 집행된 것으로 본다.

④ 피고인이 추징보전명령의 집행정지를 위하여 추징보전해방금을 공탁한 후에 추징재판이 확정된 때에는 공탁된 금액의 범위 안에서 추징재판의 집행이 있은 것으로 보므로, 국가는 형사사건 판결정본과 확정증명서 등 추징재판이 확정되었음을 증명하는 서면을 첨부하여 지급청구할 수 있다.

⑤ 추징보전해방금이 공탁된 후 추징을 포함한 형사사건의 재판이 확정된 때에는, 피고인은 공탁금 중 추징금액을 넘는 초과액에 대하여 별도의 추징보전명령의 취소를 받지 않더라도 일반적인 첨부서면 외에 공탁원인소멸 증명서면으로서 그 형사사건의 판결정본과 확정증명서를 첨부하여 직접 회수할 수 있다.

> **해설** ② 공탁서는, 몰수보전이 된 후 (가)압류명령을 송달받은 경우에는 몰수보전명령을 발한 법원에, (가)압류된 금전채권에 대하여 몰수보전이 있는 경우에는 (가)압류명령을 발한 법원에 제출하여야 한다.

> **정답** 01 ②

혼합지문

01 공탁소(공탁기관)에 관한 다음 설명 중 가장 옳지 않은 것은?

▶ 2022 법무사

① 지방법원장이나 지원장이 지정한 대리공탁관은 원공탁관의 대리인이 아니라 대직기간 동안 자기 명의로 공탁사무를 처리하는 독립한 공탁관이며, 그가 처리한 공탁사무에 대하여 원공탁관이 책임을 지는 것이 아니라 스스로 책임을 진다.

② 공탁관의 심사권과 관련하여, 심사의 방법은 법정서면인 공탁서 또는 지급청구서 등과 그 첨부서면만에 의한 형식적인 방법으로 제한하되, 심사의 범위에 대해서는 절차법적 요건은 물론 실체법적 요건도 함께 신청서 및 첨부서면의 범위 내에서 심사하여야 한다.

③ 공탁물 보관자는 오랫동안 보관된 공탁물품이 그 본래의 기능을 다하지 못하게 되는 등의 특별한 사정이 있으면 공탁물(금전, 유가증권 제외)을 수령할 자에게 30일 이상의 기간을 정하여 수령을 최고한 후 이에 응하지 아니하는 경우 법원의 허가를 얻어 공탁물품을 유치권 등에 의한 경매절차에 따라 매각할 수 있고, 그 매각대금 전액을 물품공탁 법원에 공탁하여야 하며, 매각허가 신청비용, 매각비용 및 공탁물 보관비용에 대해서는 공탁 이후 별도로 출급청구하여야 한다.

④ 무기명식 사채권 소지인이 사채권자집회에서 의결권을 행사하기 위하여 그 채권(債券)을 공탁하는 경우에는, 시·군법원 공탁소를 제외한 모든 공탁소에서 공탁이 가능하며, 공탁관에게 공탁을 하지 아니하는 경우에는 대법원장에게 공탁기관의 지정을 구하여 그 지정된 은행 또는 신탁회사에 공탁할 수도 있다.

⑤ 변제공탁은 채무의 내용에 따른 것이어야 하므로 토지관할 없는 공탁소에 한 변제공탁은 설사 수리되었더라도 원칙적으로 무효이고 공탁자는 착오에 의한 공탁으로 회수할 수 있지만, 피공탁자가 공탁을 수락하거나 공탁물의 출급을 받은 때에는 그 흠결이 치유되어 그 공탁은 처음부터 유효한 공탁이 된다.

> **해설** ③ 공탁물보관자는 공탁물품의 매각대금 중에서 매각허가 신청비용, 매각비용 및 공탁물 보관비용을 공제한 잔액을 물품공탁 법원에 공탁하여야 한다.

박문각 법무사

2026 법무사

1차 | 5개년 전과목 기출문제집 2권

제1판 인쇄 2026. 4. 15. | **제1판 발행** 2026. 4. 20.
편저자 오상훈·하영태·이혁준·김지후·김경중·김기찬·이천교
발행인 박 용 | **발행처** (주)박문각출판 | **등록** 2015년 4월 29일 제2019-0000137호
주소 06654 서울시 서초구 효령로 283 서경 B/D 4층 | **팩스** (02)584-2927
전화 교재 문의 (02)6466-7202

저자와의
협의하에
인지생략

정가 60,000원
ISBN 979-11-7519-910-1(2권)
ISBN 979-11-7519-908-8(세트)